Dictionnaire
encyclopédique
d'HISTOIRE

DU MÊME AUTEUR :

Malgré le blasphème (Julliard, 1951).

Charles Maurras (Éditions universitaires, 1953).

Lamennais (Éditions Amiot, 1955).

Le Monde à la mort de Socrate (Hachette, 1961).

Le Monde à la naissance du Christ (Hachette, 1962).

Les Religions et les Philosophies d'Asie (La Table ronde, 1963).

Histoire vivante des moines (Éditions du Centurion, 1965).

Dictionnaire d'histoire universelle, 2 vol. (Éditions universitaires, 1968).

Vingt-Cinq Ans d'histoire universelle, 1945-1970 (Éditions universitaires, 1971).

Dictionnaire des personnages historiques de tous les temps (Bordas, 1972).

Michel Mourre

Dictionnaire encyclopédique d'HISTOIRE

Nouvelle édition

C

BORDAS

Ont collaboré à la nouvelle édition :

rédaction :

Jacques Boudet
Jacques Amalric
chef du service des relations étrangères du journal Le Monde
Philippe Doray

édition :

responsable d'édition : Sophie Bancquart
édition : Christiane Ochsner
correction, révision : Raymond Leroi
Renaud Bezombes
fabrication : Francine Deligny
jaquette : Daniel Leprince

iconographie :

Marguerite de Mlodzianowski, Marie-Hélène Reichlen

Ont collaboré à la première édition :

édition : Michel Mastrojanni, Marguerite Montange
recherche iconographique : Dominique Arnulf-Duhot;
Christine de Coninck, Marguerite de Mlodzianowski, Monique Trémeau
Suzanne Walter (Immédiate 2)
plans : Paul Cresp (Graffito)
choix de l'iconographie et rédaction des légendes : Jacques Boudet

Nous rendons un hommage particulier
à Jean Rivallan, lecteur du *Dictionnaire encyclopédique d'histoire*,
dont la compétence et la vigilance furent précieuses à Michel Mourre
lors de la mise au point définitive de son manuscrit.

Dépôt légal : septembre 1997
Dépôt légal de la première édition : mai 1978

Achevé d'imprimer sur les presses de l'Imprimerie Jean-Lamour à Maxéville en septembre 1997

NOTE D'UTILISATION

On a signalé par une pastille noire ● et un carré blanc ☐ le début et la fin des articles nouveaux et les actualisations des textes de Michel Mourre.

On a distingué les dates biographiques des personnages et la durée des gouvernements ou des règnes de la façon suivante :
un petit trait - sépare la date de naissance et la date de décès
ex. : Napoléon Ier (1769-1821);
une barre oblique / marque la durée des années de pouvoir
ex. : Albert Ier de Belgique (1909/1934).

Pour la transcription des noms de lieux et de certaines personnalités étrangères, on s'en est tenu à l'usage français le plus traditionnel, mais le nom étranger a été indiqué à la suite du nom français : par exemple, ALGER (*El Djézaïr*). Voir l'article PINYIN pour l'orthographe moderne chinoise.
De même, certaines localités historiques ont pu changer de nom au cours des siècles. Des renvois permettent de s'y retrouver : par exemple, DANTZIG, ville qui a un long passé sous ce nom, renvoie à GDANSK.

Les articles sont placés dans l'ordre alphabétique mais sans tenir compte de la marque du pluriel : TURCS vient avant TURCOMANS; GRANDS D'ESPAGNE et GRANDS JOURS viennent avant GRANDE-BRETAGNE.

L'abréviation (v.) signifie *voir*; imprimée après un nom, elle renvoie à l'article portant ce nom. Ex. : quand on lit dans l'article TECHNIQUE : « les V1 et les V2 allemands ouvrent l'ère des fusées (v.) et la conquête de l'espace (v.) », on doit comprendre que *le Mourre* offre des articles FUSÉES et ESPACE.
Mais l'auteur a dû renoncer à signaler par ce sigle tous les renvois possibles; il aurait couru le risque de rendre son texte inintelligible. Il appartient donc à l'utilisateur d'ajouter à sa lecture un esprit de recherche et surtout de découverte qui dépassera le cadre plus ou moins limité de l'article qu'il consulte. Il trouvera alors maints articles de complément qu'il ne soupçonnait pas de prime abord.

Le tome VIII est enrichi d'une chronologie d'actualisation : L'histoire immédiate 1989-1995.

714

CABET
Étienne. Homme politique
français (1788-1856).
Ph. © Bibl. Nat., Paris - Photeb

CABARETS

Page ci-contre :
affiche de Steinlen
(1859-1923) pour
Rodolphe Salis
et le spectacle de son
cabaret montmartrois.
C'est à l'enseigne
du « Chat Noir » que cet
entrepreneur de revues
imaginatif installa,
de 1885 à 1896,
un théâtre d'ombres chinoises
qu'animèrent particulièrement
Caran d'Ache
et Maurice Donnay,
avec des chansons
de Jules Jouy et Mac Nab.
On y fit campagne
pour la séparation
de Montmartre et de l'État.
Ph. H. Josse © Photeb
© by S.P.A.D.E.M., Paris 1977

CAABA. Voir KAABA.

CABALE (ministère de la). Conseil privé formé par le roi Charles II, et qui, de 1669 à 1674, gouverna l'Angleterre d'une manière particulièrement impopulaire. On le nomma ainsi parce que les initiales réunies de ses cinq principaux membres (Clifford, Ashley-Cooper, Buckingham, Arlington, Lauderdale) formaient le mot anglais *Cabal*, c'est-à-dire *Cabale*.

CABALLERO Francisco Largo. Voir LARGO CABALLERO, Francisco.

CABALWANIEN. Nom donné à une culture du paléolithique inférieur attestée dans l'île de Luçon (Philippines), et caractérisée par un outillage de *choppers* assez évolués.

CABARETS. Le cabaret fut d'abord un établissement où l'on vendait du vin au détail et où l'on donnait à boire et à manger. Les cabarets, qui remontent au moins au XIVᵉ s., précédèrent les restaurants (v.) et les cafés (v.). Ils avaient souvent une fâcheuse réputation, mais étaient aussi le rendez-vous des gens de lettres, des chansonniers, et même les hommes de la bonne société ne dédaignaient pas de les fréquenter. C'est au XVIIᵉ s. qu'ils connurent leur plus grande vogue. Les principaux cabarets parisiens étaient alors celui de *la Pomme de pin*, dans la Cité, rue de la Licorne; celui du *Soleil d'or*, rue Vieille-du-Temple, au coin de la rue de l'Oseille; celui des *Bons Enfants*, tenu par Bergerat, rue des Bons-Enfants; celui de *l'Épée royale*, au coin de la rue du Temple et de la rue Saint-Merry; celui de *Landelle*, rue des Fossés-Saint-Germain-des-Prés, où se tenaient, au XVIIIᵉ s., les réunions du Caveau (v.). Cependant, sous le règne de Louis XV, les cabarets furent peu à peu supplantés par les cafés.
Au XIXᵉ s., le nom de cabaret ne s'appliquait plus guère qu'aux débits de boissons des quartiers populaires et des faubourgs, mais il y avait aussi à Paris quelques cabarets chantants — le *Château Rouge* et le *Père Lunette*, dans le quartier Maubert, le *Caveau des Halles*, aux Halles — où quelques bourgeois désireux de s'encanailler se mêlaient aux filles, aux souteneurs, aux mauvais garçons. Le créateur du cabaret artistique fut Rodolphe Salis, qui, en 1881, ouvrit son premier établissement boulevard Rochechouard, à l'enseigne du *Chat Noir* (v.), transféré rue Victor-Massé (alors rue de Laval), à Montmartre, en 1885. Salis sut s'adjoindre un grand animateur, Aristide Bruant, et attira dans son cabaret une brillante compagnie de poètes-chansonniers, de gens de lettres et d'artistes : Laurent Tailhade, Charles Cros, Maurice Donnay, Paul Delmet, Léon Xanrof, Jean Richepin, Maurice Rollinat, Adolphe Willette, Steinlein, Caran d'Ache, etc. Le cabaret possédait un théâtre d'ombres chinoises qui fit courir longtemps le Tout-Paris; il éditait un périodique, appelé également *Le Chat Noir*. En 1885, Bruant avait pris la suite de Salis boulevard Rochechouart, au *Mirliton*. De nombreux autres cabarets s'ouvrirent à la fin du XIXᵉ s. dans les parages de Montmartre : *l'Ane rouge*, avenue Trudaine; *les Quat'z'Arts*, boulevard de Clichy; *le Carillon*, de Fursy, rue de La Tour-d'Auvergne; *le Perchoir*, faubourg Montmartre, etc. Au XXᵉ s., l'esprit du cabaret continua à briller au *Caveau de la République* (1895), à *la Lune Rousse* (1903), aux *Deux-Anes* (1922), aux *Dix-Heures* (1925), avec des artistes comme J. Marsac, R. Dorin, J. Rieux, R. Souplex, R. Rocca, P.-J. Vaillard, J. Grello, J. Rigaux.●Dans les années 1970/80, le café-théâtre (troupe du *Café de la Gare*, de Romain Bouteille) et les médias audiovisuels donnaient une nouvelle audience aux représentants de l'esprit du cabaret (R. Devos, G. Bedos, Coluche).

CABARRUS François, comte de (* Bayonne, Pyrénées-Atlantiques, 1752, † Séville, 27.IV.1810). Homme politique espagnol. D'abord commerçant et industriel, il redressa les finances de l'Espagne par l'émission d'une monnaie de billets. Choisi par Godoy comme ministre des Finances, il fut maintenu à ce poste par Ferdinand VII et par Joseph Bonaparte.
Sa fille, **Thérésa Cabarrus**. Voir TALLIEN.

CABET Étienne (* Dijon, 1.I.1788, † Saint Louis, Missouri, 8.XI.1856). Homme politique français. Fils d'un tonnelier, avocat, militant de l'opposition d'extrême gauche dès le règne de Charles X, député de la Côte-d'Or en 1831, il s'affirma républicain et attaqua violemment le régime de Louis-Philippe dans son journal *Le Populaire*. Condamné à deux ans de prison en 1834, il se réfugia en Angleterre, d'où il ne revint qu'en 1839, acquis désormais au communisme utopique, dont il exposa l'idéal dans son *Voyage en Icarie* (1842).
Les principes de l'égalité et de la fraternité devant, à ses yeux, aboutir tout naturellement à la communauté des biens, le communisme lui apparaissait comme « la réalisation la plus complète et la plus parfaite de la démocratie ». Très imprégné de christianisme romantique, Cabet proclamait aussi que « les communistes actuels sont les disciples, les imitateurs et les continuateurs de Jésus-Christ ». Cabet n'eut qu'une faible influence en France et, en 1848, ne put se faire élire à l'Assemblée constituante. Ayant groupé autour de lui la petite société des Icariens, il partit alors pour l'Amérique et tenta de fonder une cité communiste au Texas, puis à Nauvoo, dans l'Illinois. Mais la communauté, rapidement déchirée par des querelles et des procès, finit par se dissoudre et Cabet mourut désespéré, dans la misère.

CABILLAUDS. Au milieu du XIVᵉ s., parti politique hollandais groupant surtout des nobles, partisans de la veuve de Louis de Bavière, Marguerite, contre son fils, Guillaume, qui avait pris le titre de comte de Hollande (1349). Les cabillauds, ainsi appelés par allusion aux gros poissons de ce nom qui se nourrissent de fretin, s'opposaient au parti des *hameçons*, formé par les bourgeois des villes. Cette lutte dura plus d'un siècle et se termina avec l'écrasement des cabillauds par Maximilien d'Autriche, en 1492.

CABINDA. Petit territoire de la côte occidentale de l'Afrique, au N. de l'embouchure du Congo, enclavé entre la république populaire du Congo et le Zaïre. Alors que l'Angola voisin était colonisé par le Portugal depuis le XVIe s., c'est seulement à la fin du siècle dernier que les Portugais établirent leur protectorat sur le Cabinda, par le traité de Simulanbuco (févr. 1885) signé avec les chefs locaux. Intégré administrativement à l'Angola portugais, le Cabinda devint, dans les années 60, un producteur de pétrole; en 1974, à la fin de l'Empire colonial portugais, il produisait annuellement 10 millions de tonnes, exploitées par la société américaine Gulf Oil. Avec l'appui du Zaïre, le Cabinda refusa de suivre le destin de l'Angola et, le 1er août 1975, proclama sa propre indépendance.

● Mais elle ne dura pas. L'armée angolaise parvint à rétablir l'autorité du gouvernement central de Luanda. Le Front de libération de l'enclave de Cabinda (F.L.E.C.) ne trouva d'appui ni auprès du F.N.L.A. (gouvernemental) ni auprès de l'U.N.I.T.A., qui ne pouvaient considérer favorablement la perte de ressources pétrolières dont l'Angola tirait l'essentiel de ses devises. Voir ANGOLA.

CABINET DE LECTURE. Établissement privé où, au XIXe s., le public pouvait lire les journaux, les revues, les livres nouveaux, moyennant une rétribution qui variait entre 10 et 20 centimes, ou par abonnement mensuel de 3 à 10 francs; on prêtait aussi des livres à domicile. Les cabinets de lecture perdirent leur vogue avec l'abaissement progressif du prix des périodiques et le développement des bibliothèques publiques.

CABINET DE CIRE. Collection de figures de cire représentant des personnages célèbres appartenant au passé ou contemporains. Les cabinets de cire furent mis à la mode à Paris vers 1770 par l'Allemand Curtius, qui ouvrit deux salons, l'un au Palais-Royal, consacré aux grands hommes, l'autre boulevard du Temple, où étaient exposées les figures des criminels célèbres. Marie Tussaud, Alsacienne établie en Angleterre en 1802, installa vers 1835 à Londres, Baker Street, un cabinet de cire, qui inspira la création à Paris du musée Grévin, en 1882.

CABINET NOIR. Sous l'Ancien Régime, en France, nom donné au service chargé d'examiner pour des raisons de sécurité les correspondances privées. La censure politique des lettres se développa à l'époque de Richelieu et de Louis XIV, mais c'est sous le règne de Louis XV qu'un service particulier fut créé à cet effet, sous le nom de *Cabinet du secret des postes* ou *Cabinet noir*. Ce service était pourvu d'un outillage spécial pour la reconstitution des cachets; il se composait de

quatre employés, sous la direction de l'intendant des postes Jannel, et disposait d'une dotation de 50 000 francs prise sur les fonds du ministère des Affaires étrangères. Par arrêt du 10 août 1775, Louis XVI déclara que la correspondance privée était inviolable et défendit d'utiliser en justice des lettres interceptées. Mais cette mesure ne mit pas fin à la censure des correspondances privées, que la Révolution et Napoléon utilisèrent largement, et qui n'a plus cessé d'être rétablie en temps de guerre, de troubles, etc.

CABOCHIENS. Sous le règne de Charles VI, faction populaire du parti bourguignon, ainsi nommée d'après son chef, **Simon Caboche**, ancien écorcheur de bêtes (on les appela aussi les écorcheurs). Répandant la terreur dans Paris, les cabochiens prirent la Bastille en 1413, mirent à mort le prévôt de Paris, forcèrent le dauphin à arborer comme eux le chaperon blanc, insigne du mouvement populaire. L'*Ordonnance cabochienne* de mai 1413, qui contenait de sages réformes administratives et judiciaires, porte ce nom parce qu'à ce moment Caboche régnait en dictateur sur Paris, mais elle était l'œuvre, en réalité, des conseillers bourguignons du roi. Las des violences, les Parisiens appelèrent les Armagnacs à leur secours et les cabochiens furent exterminés (1414).

CABOT John, Giovanni Caboto, dit (* Gênes, vers 1450, † en Angleterre, vers 1499). Navigateur italien. Génois naturalisé vénitien en 1476, qui vint s'établir en Angleterre avec sa famille vers 1484, il chercha, comme Christophe Colomb, à ouvrir du côté de l'ouest une voie maritime vers l'Inde et la Chine. Commissionné par Henri VII d'Angleterre, il aborda, le 24 juin 1497, sur le continent américain, sans qu'on puisse savoir si la terre qu'il avait ainsi découverte était celle du Labrador, de Terre-Neuve ou de l'île du Cap-Breton. Il fit une nouvelle expédition en 1498, atteignit certainement le Labrador, mais fut arrêté ensuite par les glaces.

Son fils, **Sébastien Cabot** (* Venise?, vers 1476, † Londres, 1557), participa probablement à l'expédition de 1497. Il entra en 1518 au service de l'Espagne et devint membre du Conseil des Indes et *piloto mayor* de Charles Quint. En 1525/28, à la tête d'une expédition espagnole, il s'efforça de découvrir un passage méridional vers les Indes mais se contenta d'explorer le rio de la Plata. Revenu en Angleterre, il dirigea une expédition en vue d'atteindre la Chine par le passage du Nord-Est, à travers l'océan Arctique. Le but recherché ne fut pas atteint, mais l'expédition contribua au développement du commerce anglais avec le port russe d'Arkhangelsk.

CABOUL. Voir KABOUL.

CABRAL Pedro Álvares (* Belmonte, vers 1467/68, † Santarém?, vers 1520/25). Navi-

CABOT
Sébastien. Explorateur d'origine italienne (v. 1476-1557).

gateur portugais. Mis à la tête d'une expédition vers les Indes qui quitta Lisbonne en mars 1500, il fut entraîné si loin vers le S.-O. qu'il atteignit, le 22 avr. 1500, la côte du Brésil (qui avait été découverte avant lui par Vicente Yañez Pinzón); il séjourna une dizaine de jours sur cette terre, dont il prit possession au nom du Portugal, puis il parvint aux Indes, à Calicut, et rentra à Lisbonne en juill. 1502.

CABRERA (île). Île d'Espagne, dans le groupe des Baléares. Après la capitulation de Bailén (1809), de nombreux prisonniers français y furent détenus dans des conditions inhumaines.

CABRERA y GRIÑO don Ramon, comte de Morella (* Tortosa, 31.VIII.1810, † Wentworth, près de Londres, 24.V.1877). Général carliste espagnol. D'abord destiné à la prêtrise, il devint en 1833 chef de guérilleros carlistes et se rendit célèbre par son audace et sa cruauté. A la tête de forces devenues considérables, il battit plusieurs fois l'armée royale et, à un moment, menaça même Madrid. En 1848/49, il participa à une nouvelle insurrection en Catalogne. Obligé de s'exiler, il se maria à une riche Anglaise, se tint à l'écart des guerres carlistes de 1869/76 et, en 1875, se rallia à Alphonse XII, ce qui lui valut l'exécration des carlistes.

CABRIÈRES-D'AIGUES. Village de France, dans le Vaucluse. Ses habitants, suspects d'avoir adhéré à l'hérésie vaudoise, furent massacrés sur l'ordre du baron d'Oppède (18 avr. 1545).

CABRINI sainte **Françoise Xavier.** Voir Françoise Xavier Cabrini sainte.

CACAO. Connu des peuples de l'Amérique précolombienne, notamment des Aztèques, le cacao fut apporté en Espagne par Christophe Colomb, en 1502, mais son usage ne se répandit dans le reste de l'Europe qu'au XVIIᵉ s. C'est seulement au cours du XIXᵉ s. qu'on commença à fabriquer des tablettes de chocolat (v.).
● Le cacaoyer n'a été introduit qu'au début du XIXᵉ siècle en Afrique. Les premiers plants venus de Belém (Brésil) furent acclimatés en 1822 à São Tomé, puis multipliés en 1850 par le gouverneur de la Côte-de-l'Or, ou *Gold Coast* (l'actuel Ghana). Parallèlement, en 1840, un charpentier de marine introduisit des cacaoyers à Fernando Po. L'Afrique produit 50 % du cacao mondial. La Côte-d'Ivoire, où le cacaoyer a été introduit tardivement par le Liberia en 1892 et le Ghana en 1905, mais rendu obligatoire par l'administration française en 1908, est le premier producteur mondial (26 %). Derrière elle : le Brésil 23 %, le Ghana 12 %, la Malaisie, le Nigeria et le Cameroun.

CÁCERES. Ville d'Espagne (Estrémadure), chef-lieu de la province du même nom. Fondée par les Ibères; à l'époque romaine, Caecilius Metellus y établit en 54 av. J.-C. la colonie de *Castra Caecilii*. Ce sont les Arabes qui laissèrent à la ville son nom actuel, dérivé de *alcazar*. De nombreux combats se livrèrent pour la possession de Cáceres durant les guerres de la Reconquête (XIIᵉ-XIIIᵉ s.). Alphonse IX enleva la ville aux Maures en 1229 et l'annexa au royaume de León.

CACHEMIRE. Région contestée entre la République indienne et le Pakistan. Jusqu'au XIVᵉ s. royaume indépendant, le Cachemire tomba en 1381 sous la domination de princes indiens, puis devint un pays islamique après sa conquête par Akbar (1586) et par les Afghans (1739). En 1819, le chef des sikhs, Ranjit Singh, s'empara du pays et le laissa à un de ses fonctionnaires, Gulab Singh, un hindou, qui fonda une dynastie de maharajas et accepta la suzeraineté britannique (1846). Dès la fin de la domination anglaise (1947), le Cachemire, peuplé d'une majorité de musulmans mais gouverné par un maharaja hindou, devint une cause de discorde entre l'Inde et le Pakistan. Le maharaja, ami personnel de Nehru, fit appel à l'Inde, et la guerre entre Indiens et Pakistanais se poursuivit pendant toute l'année 1948. En janv. 1949, l'O.N.U. imposa un premier cessez-le-feu : l'Inde occupa les deux tiers du Cachemire, les plus prospères, et le Pakistan établit son protectorat sur les régions montagneuses de l'O. Le sort définitif du pays devait être réglé par un plébiscite, que l'Inde refusa obstinément d'organiser. En 1957, l'Inde annexa *de facto* la partie du Cachemire qu'elle occupait. Cet acte provoqua une nouvelle tension entre les deux puissances rivales. En août 1965, la guerre reprit entre l'Inde et le Pakistan; elle s'arrêta après l'entrevue indo-pakistanaise de Tachkent, sous l'égide de Kossyguine (janv. 1966), mais le problème du Cachemire resta irrésolu. Le Cachemire septentrional, intégré au Pakistan, constitue, aux yeux du gouvernement d'Islamabad, l'« Azad Cachemire » (Cachemire libre). Le Cachemire sous administration indienne forme, dans l'Union indienne, l'État de Jammu-et-Cachemire, dont la population, composite, est formée de bouddhistes tibétains au N.-E., d'hindous dans le Jammu, de musulmans dans la vallée de l'Indus.
● Tout en déployant un effort financier exceptionnel, Delhi s'efforce de lutter contre l'influence du Front pour un plébiscite au Cachemire, conduit par le cheik Mohammed Abdullah jusqu'à sa mort, en 1983. Il fut remplacé par son fils Farouk Abdullah, puis par son gendre Mohammed Shah en 1984 et le parti maintint son contrôle sur le gouvernement de l'État. Depuis 1962, la Chine occupe à l'Est une partie du Ladakh.

CACHET (lettre de). Avant la Révolution, lettre signée du roi de France et scellée de son sceau privé, adressée à une autorité pour lui signifier une décision royale (par exemple, pour commander une cérémonie publique). Mais les lettres de cachet pouvaient être aussi des ordres d'exil et d'incarcération, et

CACHEMIRE

Brique estampée de style irano-parthe, IVᵉ s. (Musée Guimet, Paris.)
Partout où ils sont passés, les Parthes ont laissé le souvenir
d'une rude aristocratie guerrière, excellant à tirer à l'arc
depuis un cheval lancé au galop. A ce jeu,
ils avaient battu les Romains eux-mêmes. A l'époque
où cette représentation a été imaginée, leur étoile avait beaucoup pâli;
depuis 226, les Sassanides les avaient remplacés à la tête de la Perse.
Mais sans doute le Cachemire, dont les hautes vallées permettent
la traversée du massif de l'Himalaya,
gardait-il encore le souvenir des chevauchées de ces archers invincibles.
Ph. Jeanbor © Photeb

c'est dans ce dernier sens qu'elles sont restées célèbres, en raison de l'abus qui en fut fait sous les règnes de Louis XIV et de Louis XV. La lettre se présentait comme un imprimé que l'on complétait en précisant à la main la date de la décision, le nom du criminel d'État et le nom du château où il fallait l'envoyer (en général, la Bastille ou Vincennes). Le prisonnier était détenu jusqu'à nouvel ordre. La lettre de cachet était justifiée par la raison d'État, lorsqu'il apparaissait nécessaire de mettre hors d'état de nuire quelque haut personnage turbulent, sans pour autant engager contre lui un procès régulier qui aurait pu avoir un retentissement fâcheux dans l'opinion. Habituellement, la lettre de cachet ne constituait qu'une mesure sans gravité et la durée de la détention ne dépassait pas quinze jours. A côté de ces lettres de cachet royales existaient aussi des lettres de cachet privées, accordées aux chefs de famille qui en sollicitaient contre leurs enfants, leurs femmes, leurs descendants : en ce cas, ils devaient payer l'entretien des prisonniers. La lettre de cachet, dont l'importance a été fort exagérée par les historiens et les pamphlétaires révolutionnaires, était en somme l'équivalent des procédures d'internement administratif qui demeurent en usage dans certains États modernes.

CACHIN Marcel (* Paimpol, Côtes-du-Nord, 20.IX.1869, † Choisy-le-Roi, 12.II.1958). Homme politique français. Professeur, d'abord militant du Parti ouvrier français de Jules Guesde, il participa au congrès socialiste d'Amsterdam en 1904 et fut l'un des fondateurs de la S.F.I.O. en 1905. Député de Paris en 1914, il se rallia, avec la majorité des socialistes français, à l'« Union sacrée » et à la politique de guerre. Il prit des contacts avec la dissidence socialiste de Mussolini, qui militait pour l'intervention de l'Italie aux côtés des Alliés. Après la chute du tsarisme, il fit, mandaté par la commission des Affaires étrangères de la Chambre, un premier voyage en Russie en avr./mai 1917, et il exhorta le gouvernement révolutionnaire à poursuivre la lutte dans le camp allié. Il persévéra dans son opposition au bolchevisme jusqu'en 1918. Devenu directeur du journal *l'Humanité* (1918-58), il fut chargé en févr. 1920, par le congrès socialiste de Strasbourg, d'accomplir avec L.O. Frossard, secrétaire général de la S.F.I.O., une nouvelle mission en Russie afin de trouver un terrain d'entente avec la IIIᵉ Internationale (communiste). Au cours de ce voyage (mai/juill. 1920), il se rallia au bolchevisme et accepta les Vingt et Une Conditions (v.) posées par le Komintern pour l'adhésion des partis socialistes à la IIIᵉ Internationale. Au congrès de Tours, il fut l'un des artisans de la scission qui aboutit à la naissance du parti communiste français. Il devait rester jusqu'à sa mort l'un des dirigeants de ce parti. En 1935, il fut le premier sénateur communiste, puis fut député de la Seine de 1946 à sa mort.

CADALOÜS ou **CADALO** († 1072). Prélat italien. Évêque de Parme, élu pape le

28 oct. 1061 par la faction impériale réunie en synode à Bâle, il fut, sous le nom d'Honorius II, opposé comme antipape à Alexandre II, avec lequel il engagea une lutte sanglante (1061/64). Il dut évacuer le château Saint-Ange et fut abandonné par son protecteur, l'empereur d'Allemagne Henri IV.

CADAMOSTO ou **CA' DA MOSTO Alvise** (* Venise, 1432?, † 1488). Navigateur italien. Au service du roi du Portugal, il entreprit deux voyages d'exploration (1455 et 1456) le long des côtes d'Afrique et découvrit peut-être les îles du Cap-Vert. Il a laissé une relation de ses voyages : *La prima navigazione per l'Oceano a le terre de Nigri della Bassa Etiopia* (1507).

CADASTRE. Le cadastre est l'ensemble des opérations destinées à déterminer la quantité et la qualité des propriétés foncières d'un pays, essentiellement en vue de la répartition de l'impôt foncier. Les opérations cadastrales remontent à la plus haute antiquité; on en trouve trace en Égypte comme en Mésopotamie. Vers le début de notre ère, Auguste fit exécuter un cadastre général de l'Empire romain; cette opération fut menée avec beaucoup de minutie et le sol entier fut détaillé par champs, chaque propriétaire connaissant ainsi la contenance de son fonds.

Au Moyen Age, les féodaux de la noblesse et du clergé firent établir des *terriers* (v.) ou descriptions de leurs terres; le recensement des propriétés d'une abbaye s'appelait un *polyptyque* (v.) (l'un des plus célèbres est le *Polyptyque* d'Irminon, répertoire des manses, serfs et revenus de l'abbaye Saint-Germain-des-Prés vers 790/825). Certaines provinces (Guyenne, Bourgogne, Alsace, Flandre, Artois, Bretagne, Dauphiné, etc.) dressèrent des *parcellaires*. Mais c'est en Angleterre que fut réalisée la plus importante entreprise de ce genre au Moyen Age, avec le *Domesday Book* (v.), qui, mis en œuvre sur l'ordre de Guillaume le Conquérant, donne la situation de toutes les terres anglaises à la fin du XIe s.

En France, plusieurs projets de cadastre général furent envisagés sous l'Ancien Régime, notamment sous les règnes de Charles VII, de Louis XIV, de Louis XV, mais aucun n'eut de suite. L'Assemblée constituante, ayant remplacé les anciens impôts par une contribution foncière qui devait être perçue sur les terres et les maisons, à raison de leur revenu net, décréta en déc. 1790 qu'il serait dressé un cadastre général avec évaluation du revenu de chaque propriété. Ce projet ne fut pas plus suivi d'exécution que ne l'avaient été les précédents. Aussi, en 1801, le gouvernement du Consulat décida-t-il de prendre pour base les déclarations des propriétaires, sans faire arpenter les terres. Comme la plupart des déclarations se révélèrent fausses, Napoléon Ier, par la loi du 15 sept. 1807, fit commencer les opérations du cadastre général, qui ne furent terminées que vers 1840. Malgré

diverses dispositions législatives en vue d'une réfection cadastrale (notamment la loi du 17 mars 1898), cet ancien cadastre est encore en service dans de nombreuses communes; d'autres communes ont un cadastre révisé d'après les dispositions de la loi du 16 avr. 1930; enfin un troisième groupe de communes ont un cadastre entièrement renouvelé.

CADDÉE (ligue). Voir Grisons.

CADE Jack ou **John** († dans le Kent, 12. VII.1450). Révolutionnaire anglais. Il se fit passer pour «John Mortimer, capitaine du Kent», parent de la famille royale, et souleva le Kent contre Henri VI. Il réussit à s'emparer de Londres (3 juill. 1450), mais fut vaincu neuf jours plus tard et tué.

CADETS. Sous l'Ancien Régime, les cadets — c'est-à-dire les plus jeunes des enfants d'une famille — ne recevaient qu'une petite part d'héritage et, dans la noblesse, étaient souvent obligés de se destiner à l'Église ou aux armes. En 1682, Louvois organisa des compagnies de cadets gentilshommes de manière à en faire des pépinières d'officiers, mais leur indiscipline obligea à les supprimer dix ans plus tard. On tenta de les réorganiser en 1726 et, de 1777 à la Révolution, il y eut six compagnies de cadets. En Allemagne, avant la Première Guerre mondiale, on comptait en Prusse huit écoles de cadets plus l'école supérieure de Grosslichterfelde, près de Berlin, et deux autres écoles en Saxe et en Bavière. Dans l'armée austro-hongroise, le terme de *cadet* était appliqué à un grade d'aspirants officiers choisis parmi les sous-officiers. Dans la Russie impériale, les élèves officiers de marine portaient le titre de cadets, comme aujourd'hui encore, en Angleterre, les élèves des écoles militaires de Sandhurst et de Woolwich, des écoles navales de Dartmouth et d'Osborne; aux États-Unis, les élèves de l'école de West Point, de l'académie aérienne du Colorado; en Espagne, les élèves de l'école d'infanterie de Tolède.

CADETS ou **K.D.** Nom donné dans la Russie tsariste, sous le règne de Nicolas II, aux membres du parti constitutionnel-démocrate, qui voulaient une monarchie parlementaire. Les cadets, dont le principal chef était Milioukov, furent les grands vainqueurs des élections à la Ire douma, où ils eurent 179 députés (avr. 1906). Ils proposèrent une réforme agraire qui prévoyait l'aliénation de certaines propriétés foncières mais par rachat seulement. Cette réserve fit perdre aux cadets le soutien d'une grande partie des paysans et ils n'eurent plus que 98 députés à la IIe douma (févr. 1907). Durant les années suivantes, les cadets prirent la tête de l'offensive des partis libéraux et bourgeois contre les marxistes. Les cadets jouèrent un rôle important après la révolution de févr. 1917, mais ils furent éliminés par les bolcheviks en oct. suivant.

CACHIN
Marcel. Homme politique français (1869-1958).
Ph. © X.D.R. - Photeb

CADET
«Le cadet aux gardes». Gravure de S. Le Clerc, 1664.
Ph. © Bibl. Nat., Paris - Photeb

CADORNA
Luigi. Maréchal italien
(1850-1928).
Ph. Jeanbor © Photeb

CADOUDAL
Page ci-contre :
l'arrestation de ce colosse,
après une course folle
en cabriolet à travers Paris,
fut mouvementée; sa mort
en place de Grève,
le 25 juin 1804,
avec onze de ses coaccusés,
fut celle d'un chouan.
Il dit au bourreau :
« Monsieur, on a dû
vous apprendre que
j'ai demandé
à mourir le premier;
c'est à moi d'ailleurs
à montrer l'exemple;
quand vous aurez fait
votre office, n'oubliez pas
de montrer ma tête
afin de leur ôter l'idée
que j'ai pu leur survivre. »
Depuis 1793/1794
on n'avait jamais vu
en un seul jour
répandre tant de sang
sur un échafaud; encore,
la peine de huit condamnés
à mort avait-elle été
commuée.
Ph. © Bibl. Nat., Paris - Photeb

720

CADETS DE L'ALCAZAR. Voir Tolède.

CADI. Magistrat musulman qui, nommé par le calife, jugeait sans appel, dans une circonscription déterminée, les causes les plus diverses intéressant la loi coranique. Cette fonction aurait été créée par le calife Omar (634/644). Sous les Abbassides fut nommé à Bagdad un « cadi suprême » *(qadi al-qudah)*, qui avait autorité sur tous les cadis provinciaux de l'Empire musulman.

CADIX, *Cádiz.* Ville d'Espagne (Andalousie), port sur l'océan Atlantique. Fondée vers le XIIe s. av. J.-C., sous le nom de *Gadir,* par des marchands phéniciens de Tyr, elle fut occupée par les Carthaginois vers 500 av. J.-C. et servit de base à la pénétration punique dans la péninsule Ibérique. Vers la fin de la deuxième guerre punique, la ville se livra volontairement aux Romains, qui lui donnèrent le nom de *Gades.* Elle connut une grande prospérité à l'époque impériale, et de nombreux chevaliers romains, qui traitaient d'importantes affaires dans le S. de l'Espagne, y avaient leurs établissements. Auguste en fit un municipe sous le nom d'*Augusta Urbs Julia Gaditana.* Détruite au Ve s. par les Wisigoths, elle tomba en 711 aux mains des Arabes et devint *Kadis.* Reconquise par les chrétiens en 1262, elle fut repeuplée par des familles venues de la côte cantabrique, mais ne retrouva sa prospérité qu'après la découverte de l'Amérique (1492). Elle eut alors pratiquement le monopole du commerce avec les Indes occidentales. Les trésors qui s'accumulaient dans ses entrepôts excitèrent plus d'une fois la convoitise des pirates barbaresques. A deux reprises, en 1587 et 1596, les Anglais lancèrent des raids audacieux contre la ville, qui fut incendiée. Cependant, au XVIIIe s., Cadix était encore un des ports les plus prospères de l'Europe, et le siège de la Casa de Contratación (v.) y avait été transféré en 1717. C'est de Cadix, en 1805, qu'appareilla la flotte franco-espagnole de Villeneuve qui devait être détruite lors de la bataille de Trafalgar.
Durant l'occupation napoléonienne, Cadix resta la capitale de l'Espagne encore libre; elle fut alors le siège de la Junte centrale, puis des Cortes, qui y promulguèrent la Constitution libérale du 18 mars 1812. Pendant deux ans et demi (1810/12), la ville fut vainement assiégée par les Français. C'est de là, en 1820, que partit la révolution libérale de Riego, et, en 1823, lors de l'intervention française, les libéraux réussirent à entraîner Ferdinand VII à Cadix; le souverain ne fut délivré qu'après la prise de la ville par les Français (v. Trocadéro). En 1868, Cadix fut le foyer du mouvement révolutionnaire de Topete et de Prim, qui devait renverser la reine Isabelle. Durant la dernière guerre civile espagnole, Cadix passa aux nationalistes dès juill. 1936 et son port joua un rôle important pour l'arrivée des renforts venant du Maroc espagnol.
● La ville comptait 156 000 habitants en 1981; sa province en comptait 980 000.

CADMÉE, *Kadméia.* Dans l'Antiquité, citadelle de Thèbes (Béotie), ainsi nommée d'après Cadmos, le fondateur légendaire de la ville.

CADORNA Raffaele (* Milan, 9.II.1815, † Turin, 6.II.1879). Général italien. Il combattit en Crimée et fut gouverneur militaire en Sicile (1860), où il réprima une insurrection en faveur des Bourbons (Palerme, 1866). Il enleva Rome aux troupes pontificales (20 sept. 1870).

Son fils, **Luigi Cadorna** (* Pallanza, 4.IX.1850, † Bordighera, 21.XII.1928), maréchal italien. Après une brillante carrière militaire, il fut nommé, en 1914, chef d'état-major général de l'armée italienne. Chargé, à ce titre, après l'entrée en guerre de l'Italie (1915), de la direction suprême des opérations, il fut tenu pour responsable du désastre subi par les Italiens à Caporetto (oct./nov. 1917) et dut céder son commandement au général Diaz. En 1919, il fut privé de son rang et de toutes ses fonctions; aigri par cette décision injuste, il se rapprocha de Mussolini, qu'il considérait comme un continuateur du Risorgimento. Le Duce le réhabilita dès 1923 et le nomma maréchal. Cadorna avait défendu ses conceptions stratégiques dans son ouvrage *La guerra alla fronte italiana* (1921).

Raffaele Cadorna (* Pallanza, 1889, † Rome, 20.XII.1973), fils du précédent, général italien. Entré dans la Résistance en 1943, il fut le chef du Comité de libération nationale pour la Haute-Italie (1944-45). Parachuté d'un avion britannique en août 1944, il dirigea l'action des partisans, assisté de deux hommes politiques, Parri (parti d'action) et Longo (communiste). Chef d'état-major de l'armée (1945-1946), il devint ensuite sénateur démocrate-chrétien (1948/63).

CADOUDAL Georges (* Brech, près d'Auray, Morbihan, 1.I.1771, † Paris, 25.VI.1804). Conspirateur français. Fils d'un meunier, il participa dès 1793 à la lutte de la Vendée contre la République. Contraint de dissoudre ses troupes en 1796, il tenta un nouveau soulèvement en 1799, mais dut se réfugier à Londres (1800), où le comte d'Artois le nomma lieutenant général. Revenu clandestinement en France en 1803, il entra en relation avec Pichegru et forma contre le Premier consul un complot qui fut découvert (févr. 1804). Cadoudal fut condamné à mort et exécuté. Sa famille devait être anoblie par Louis XVIII.

CADRAN SOLAIRE. L'homme dut apprendre très tôt à mesurer approximativement le temps en observant l'ombre projetée par les rayons du soleil; ce pouvait être l'ombre d'une montagne, d'un arbre et plus souvent sans doute sa propre ombre que l'homme prenait ainsi pour point de repère. Selon les divers moments de la journée, il put

721

CAEN
Armoiries de la ville, 1664.
Ph. Jeanbor - Photeb

constater que son ombre s'allongeait ou se raccourcissait — ce fut l'origine de l'invention du gnomon (v.) — et, en même temps, qu'elle changeait de place. C'est ce second caractère qui inspira la construction du cadran solaire, inventé sans doute en Orient et introduit en Grèce par Anaximène vers la fin du VIᵉ s. av. J.-C. A Athènes, la Tour des Vents possède encore, sur chacune de ses huit faces, un cadran solaire antique (vers 100 av. J.-C.). A Rome, le premier cadran solaire aurait été construit sur l'ordre de Lucius Papirius Cursor en 290 av. J.-C.; en 263, Valerius Messala fit placer près du Forum un cadran qu'il avait ramené de Sicile. Bien que cet instrument, réglé pour Catane, fût par conséquent inexact, il servit aux Romains pendant un siècle, et c'est seulement en 164 av. J.-C. que C. Marcius Philippus pourvut enfin Rome de son premier cadran solaire exact. Les Anciens, qui utilisaient aussi des clepsydres (v.) et des horloges à eau, confectionnèrent des cadrans solaires très perfectionnés, tel celui du Babylonien Bérose (vers 300 av. J.-C.), qui resta en usage dans les pays musulmans jusqu'au Xᵉ s. de notre ère. Il existait même des cadrans solaires de poche. La fabrication des cadrans solaires atteignit sa perfection à l'époque de la Renaissance, et c'est seulement au XVIIᵉ s. que l'horloge mécanique commença à remplacer partout le cadran.

CADURQUES, Cadurci. Peuple de la Gaule (Aquitaine Iᵉ), qui occupait le Quercy actuel et avait pour capitale *Divona* ou *Cadurcum* (Cahors).

CÆCILIUS METELLUS. Voir Metellus.

CÆCINA Aulus Alienus († 79 apr. J.-C.). Général romain. Légat en Germanie en 69, il travailla à faire nommer Vitellius empereur et, en compagnie de Fabius Valens, battit les troupes d'Othon à Bedriacum (69). Par la suite, il abandonna Vitellius pour Vespasien; irrité de ne pas recevoir une récompense de celui-ci, il se mit à conspirer mais fut tué par Titus au sortir d'un festin.

CÆCINA PAETUS. Voir Paetus et Arria.

CÆLIUS (mont). Voir Cœlius (mont).

CÆLIUS RUFUS Marcus († Thurii, dans le Bruttium, 49 av. J.-C.). Orateur romain. Ami et élève de Cicéron, il fut l'amant de Clodia, sœur de Clodius, l'ennemi de Cicéron, qui l'accusa de tentative d'empoisonnement; Cicéron composa pour sa défense le *Pro Cælio* (56 av. J.-C.). Dédaigné par César, auquel il s'était attaché en 49, il chercha à provoquer des troubles et fut tué.

● **C.A.E.M.** Conseil d'aide économique mutuelle des pays du bloc soviétique, plus traditionnellement désigné sous le sigle anglais de COMECON (v.).

CAEN. Ville de France, en Normandie, au confluent de l'Orne et de l'Odon, chef-lieu du Calvados. La ville doit son premier essor (XIᵉ s.) aux ducs de Normandie et particulièrement à Guillaume le Conquérant et à son épouse, Mathilde, qui fondèrent ces deux magnifiques ensembles romans d'architecture monastique que sont l'Abbaye-aux-Hommes et l'Abbaye-aux-Dames. Enlevée aux Plantagenêts par Philippe Auguste en 1204, Caen revint sous la domination anglaise pendant la guerre de Cent Ans (1346, 1417/50), et c'est le roi d'Angleterre Henri VI qui fonda son université, en 1432. Durant les guerres de Religion, la ville sympathisa avec la Réforme. Pendant la Révolution, elle fut un centre d'agitation « fédéraliste », et c'est de Caen que Charlotte Corday partit pour assassiner Marat, à Paris. En 1944, lors du débarquement allié en Normandie, la Wehrmacht opposa devant Caen une résistance acharnée qui dura plus d'un mois. A demi détruite par un raid de l'aviation alliée (nuit des 6/7 juin 1944), la ville ne tomba aux mains des Britanniques que le 19 juillet. La reconstruction fut pratiquement achevée en 1959 et la ville a connu depuis lors un grand essor économique. Le port est devenu accessible aux cargos de gros tonnage (exportation de minerai de fer et d'acier; importation de charbon et de pétrole); la ville s'est industrialisée (hauts fourneaux et aciéries, appareillage électrique, télévision, usines Renault-Saviem et Citroën).

● L'agglomération caennaise, avec 183 000 habitants en 1982, était trois fois plus peuplée qu'avant la Seconde Guerre mondiale. Le nombre des étudiants de l'université était passé de 800 en 1938 à plus de 14 000 en 1983.

CAERE. Ville ancienne d'Étrurie, au nord-ouest de Rome, près de la mer, dont le site est aujourd'hui occupé par la ville de *Cerveteri*. Fondée vers le VIIIᵉ s. avant notre ère, elle fut une des douze villes de la Confédération étrusque et connut son apogée aux VIIᵉ/VIᵉ s., grâce à son actif commerce maritime avec la Grèce et l'Orient, par l'intermédiaire du port de Pyrgi. Annexée par les Romains en 351, elle reçut un droit de cité incomplet *(jus Caeritum).* Après une période de déclin, elle se releva à l'époque impériale, puis tomba dans une décadence irrémédiable. Le site de Caere doit sa célébrité archéologique à ses nécropoles (VIIIᵉ/Iᵉʳ s. av. J.-C.). Les deux tombes les plus remarquables sont : la tombe Regolini-Galassi (du nom de ceux qui la découvrirent en 1836), qui a livré un riche mobilier orientalisant en or et en bronze du VIIᵉ s. (Musée étrusque du Vatican), et la tombe des Reliefs (IIIᵉ s.), dont le décor en stuc imite le mobilier du défunt et constitue ainsi un précieux document sur la vie privée romaine.

CAERLEON. Ville ruinée du pays de Galles (Montmouth). Ancienne forteresse romaine *(Isca),* fondée vers 75 de notre ère par la IIᵉ légion *Augusta,* elle resta la principale base militaire des Romains dans l'O. de

CAERE
Détail du sarcophage des Époux.
510-500 av. J.-C.
(Musée de la villa Giulia, Rome.)
Ph. © L. von Matt - Photeb

la (Grande-) Bretagne jusqu'à la fin du IIIe s. Ses vestiges ont été systématiquement explorés depuis 1926. La légende fit de l'amphithéâtre romain la *Table ronde* du roi Arthur.

CAETANO Marcello (* Lisbonne, 17. VIII.1906, † 1980). Homme politique portugais. Conseiller de Salazar dès le début de la carrière ministérielle de celui-ci, il prit part à l'élaboration de la Constitution de 1933. Ministre des Colonies (1944), président de la Chambre corporative (1949), ministre attaché au Premier ministre (1955), il s'opposa à certains aspects de la politique autoritaire de Salazar, ce qui lui valut d'être éloigné du gouvernement. Recteur de l'université de Lisbonne (1959), il démissionna en 1962, à la suite de l'intervention de la police dans les locaux universitaires, mais continua à enseigner le droit. En septembre 1968, il devint Premier ministre, succédant à Salazar empêché par la maladie de continuer à exercer ses fonctions; il garda la direction des affaires après la mort de Salazar (juill. 1970). Il amorça une certaine libéralisation du régime portugais, mais convaincu que la démocratie libérale était impossible dans son pays, il maintint les bases fondamentales du salazarisme. La censure de la presse fut allégée (août 1971) et les provinces d'outre-mer reçurent une plus grande autonomie administrative et financière (mai 1972). Cependant, les efforts de Caetano furent contrecarrés par l'amiral Thomas, président de la République, dont la réélection, en 1972, fut suivie par le départ de ministres libéraux. La poursuite des guerres coloniales, qui engloutissaient la moitié environ du budget national, devait finalement amener la chute de Caetano et du régime salazariste : aux prises avec une hausse des prix qui atteignait 20% dès 1973, Caetano dut aussi faire face au mécontentement des officiers, mal payés et peu considérés. En févr. 1974, lorsque le général Spinola, chef d'état-major adjoint, prit nettement position contre la politique coloniale, le conflit éclata entre Caetano et les chefs militaires.
Après le putsch du 25 avr. 1974, Caetano fut arrêté, déporté à Madère, puis libéré et autorisé à se réfugier au Brésil (mai 1974).

CAFÉ. Le café doit peut-être son nom à la région du Kaffa, au S.-O. de l'Éthiopie, où il aurait été d'abord cultivé. Répandu dans le monde musulman à partir du IXe s. environ, il fit son apparition en Europe aux XVIe/XVIIe s. En France, il fut introduit à Marseille vers 1644 et l'ambassadeur turc à Paris le mit à la mode dans la capitale en 1669. Toute l'Europe se mit bientôt à raffoler du café. La principale région productrice fut d'abord le Yémen, mais la culture du café s'implanta ensuite à Ceylan et dans les Indes orientales néerlandaises (avant la fin du XVIIe s.), puis, dès les premières années du XVIIIe s., dans toute l'Amérique centrale et méridionale (au Brésil en 1727). ● En 1986, la production mondiale de café vert a été de 5,3 millions de tonnes. Les deux principaux producteurs sont le Brésil (19,1 %) et la Colombie (13,6 %), suivis ensuite par l'Indonésie (7,3 %).

CAFÉS. Dès la fin du Moyen Age, des « maisons de café » s'ouvrirent dans toutes les grandes villes de l'Orient musulman. En 1551, deux Syriens fondèrent à Constantinople un *qahwah khan,* où les habitués buvaient du café en jouant aux échecs, en fumant le narghilé et en discutant. Cet établissement allait servir de modèle aux cafés européens, qui firent leur apparition dans la seconde moitié du XVIIe s. A Paris, où l'ambassadeur turc venait de mettre à la mode le nouveau breuvage, un certain Pascal, qui se disait arménien, fut le premier, vers 1672, à vendre des tasses de café, à deux sous la tasse, à la foire Saint-Germain. Mais il fit d'assez mauvaises affaires, de même qu'un autre Arménien, Maliban. C'est l'Italien François Procope, de son vrai nom Francesco Procopio dei Coltelli, qui, après avoir servi du café à la foire Saint-Germain, ouvrit en 1686, rue des Fossés-Saint-Bernard (aujourd'hui rue de l'Ancienne-Comédie), le premier café public parisien qui ait connu la célébrité; l'élégance de l'établissement, qui était pourvu de glaces et de lustres de cristal, la qualité du service, l'arôme du café y attirèrent la foule, qui vint plus nombreuse encore lorsque la Comédie-Française s'installa dans le voisinage, en 1689. La vogue du café Procope (aujourd'hui devenu un restaurant) ne devait pas se démentir pendant près de deux siècles : après les Encyclopédistes, après Danton et Marat, après Bonaparte, qui y laissa son chapeau en gage, les grandes figures du romantisme, Musset, George Sand, Gautier, Balzac, Hugo, y fréquentèrent, et le jeune Gambetta y mena l'opposition au second Empire.
Sous le règne de Louis XV, Paris comptait déjà plus de 600 cafés, qui étaient soumis à une stricte réglementation (fermeture à 9 heures en hiver, à 10 heures en été, ainsi que les dimanches et jours de fêtes, pendant les offices; interdiction d'y admettre des soldats, des filles, des mendiants et de s'y livrer à des discussions politiques). Beaucoup de ces cafés — tels le Procope, le *café Gradot,* le *café Laurent* où, selon Montesquieu, « on apprête le café de telle manière qu'il donne de l'esprit à ceux qui en prennent » — jouèrent, malgré les édits, un rôle important dans la « bataille philosophique » : en y buvant non seulement du café, mais de la limonade ou des liqueurs, on y jugeait les auteurs, les pièces de théâtre, on y formait les cabales pour ou contre les ouvrages, on y recueillait les rumeurs colportées par les « nouvellistes », on s'y communiquait en cachette les libelles interdits. Aucun établissement ne connut autant de vogue que le *café de la Régence,* fondé en 1718 place du Palais-Royal; c'était le rendez-vous des joueurs d'échecs, où Diderot situa la scène de son *Neveu de Rameau*. Contraint de déménager en 1854, à la suite du percement de la rue de Rivoli, il retrouva vite son public habituel

CAFÉ
Détail d'une peinture anglaise de 1668. (British Museum, Londres.)
Ph. © du musée

Page ci-contre :
la terrasse du café
de la Rotonde en 1814.
Dessin aquarellé d'Opiz
(1775-1841). Il était situé,
comme bien d'autres, dans
les jardins du Palais-Royal,
déjà interdits à la police
sous la monarchie, et
autour duquel abondaient
boutiques, cafés, tripots,
cabinets littéraires,
libraires savants.
« En ce jardin tout
se rencontre »,
confessait le poète Delille.
Aux orateurs révolutionnaires,
qui décidèrent de marcher
sur la Bastille pour
éviter la « Saint-Barthélemy
des patriotes », succédèrent
les merveilleuses du Directoire,
vêtues de gaze diaphane,
et leurs muscadins.
De 1815 à 1817, elles étaient
encore là, et les Alliés
laissèrent dans les tripots
et maisons de rendez-vous
plus d'argent que
les indemnités coûtées
à la France par Waterloo.
Ph. H. Josse © Photeb

mais devint aussi, à la fin du XIXe s., l'établissement favori des acteurs et des spectateurs de la Comédie-Française. Vers la fin de l'Ancien Régime, les galeries du Palais-Royal virent s'ouvrir de nombreux cafés dont l'histoire fut souvent mêlée aux luttes politiques déclenchées par la Révolution : le *café du Caveau* (1784), fréquenté par André Chénier, David, Talma, Cambacérès; le *café de Foy* (1784), qui fut un repaire des Enragés; le *café de Chartres* (1785) — aujourd'hui restaurant du Grand Véfour —, qui devint, après la Terreur, un rendez-vous de la contre-révolution; le *café Corazza* (1787), qui, après avoir été un foyer du jacobinisme, compta parmi ses clients Barras, Talma et Bonaparte; le *café Février*, où, le 20 janv. 1793, après la condamnation de Louis XVI, l'ancien garde du corps Pâris tua le conventionnel Le Peletier de Saint-Fargeau; le *café Valois*, qui eut, sous l'Empire, la clientèle des anciens émigrés; le *café Lemblin*, qui fut, sous la Restauration, un bastion des demi-soldes ainsi que du bonapartisme; le *café des Mille Colonnes*, ouvert en 1807, qui se distinguait par son luxe de glaces et de cristal, et dont les habitués appartenaient au camp des ultras, etc.

Sous Napoléon Ier, les cafés du Boulevard (actuels boulevards des Capucines et des Italiens), qui étaient aussi des restaurants, commencèrent à supplanter ceux du Palais-Royal. Ils connurent pour la plupart une vogue qui se prolongea jusqu'à la veille de la Première Guerre mondiale et qui s'était étendue, sous le second Empire, aux établissements du boulevard Montmartre, où se retrouvait, dans le quartier des journaux, le monde de la politique, de la presse et de la littérature. Les plus célèbres furent le *café Anglais* (1802), le *café Riche* (1804), *Tortoni* (1804), le *café de Paris* (1822), le *café de la Paix* et le *café de Madrid* (second Empire). La vogue des cafés de la rive gauche ne commença pas avant Napoléon III. Le *Voltaire*, qui existait place de l'Odéon depuis la Restauration, compta parmi ses clients de nombreuses célébrités littéraires et politiques : Musset, Delacroix, Gambetta, Jules Vallès, les félibres de Paris, André Gide, Paul Valéry. Le *café Vachette*, boulevard Saint-Michel, vit défiler Verlaine, Huysmans, Mallarmé, mais son plus fidèle habitué fut Jean Moréas, qui y passait à peu près toutes ses journées. À Saint-Germain-des-Prés, le *café de Flore*, ouvert à la fin du second Empire, vit en 1899 la naissance de l'Action française, avant d'avoir pour clients assidus Apollinaire, Léon-Paul Fargue et de devenir, pendant l'Occupation et au lendemain de la Libération, le rendez-vous des écrivains existentialistes, Sartre, Camus, Simone de Beauvoir. Les *Deux-Magots*, ancien magasin de mercerie transformé en café en 1873, n'accueillit pas moins d'écrivains célèbres : Rémy de Gourmont et l'équipe du premier *Mercure de France*, Jean Giraudoux, André Breton, Arthur Adamov, etc. Il faut également citer la brasserie *Lipp*, dont les origines remontent aux lendemains de 1870, et, à Montparnasse, les cafés et brasseries où s'attablèrent tous ceux qui devaient devenir les maîtres de l'art moderne : le *Dôme* (1897), la *Rotonde* (1910), la *Coupole* (1927).

CAFÉ FILHO João (* Natal, Rio Grande do Norte, 3.II.1899, † Rio de Janeiro, 20.II. 1970). Homme politique brésilien. Compagnon de Vargas, il participa au coup d'État de nov. 1930 et, en 1950, revint au pouvoir avec Vargas, comme vice-président de la République. Successeur de Vargas à la présidence (août 1954/nov. 1955), il eut à lutter contre une inflation galopante. ● Après sa démission pour raison de santé, les élections donnèrent la présidence à Kubitschek (v.) en 1956.

CAFFA. Ancien comptoir génois établi, aux XIIIe/XVe s., près de l'ancienne Théodosie (Féodossia), en Crimée. Les khans de la Horde d'Or octroyèrent ce comptoir aux Génois vers 1275 et le consul génois de Caffa eut bientôt la haute main sur les divers établissements de ses compatriotes dans la mer Noire. L'installation des Turcs Ottomans dans les Détroits et les îles de la mer Égée interrompant les communications avec la métropole, Caffa dut être abandonné vers 1475.

CAFFÉ (II), c'est-à-dire *Le Café*. Périodique littéraire et scientifique italien publié à Brescia, de juin 1764 à mai 1766, par Beccaria et Pietro Verri. Il fut l'un des principaux organes de la philosophie des lumières en Italie.

CAFRERIE. Nom donné par les Arabes à toute la partie méridionale de l'Afrique, peuplée de non-musulmans ou «infidèles» (en arabe *kafir*). Par la suite, le mot *Cafrerie* désigna seulement les pays de populations bantoues s'étendant le long de l'océan Indien, du cap Negro à la pointe de Luabo (du 23e au 35e degré de latitude S.). La Cafrerie fut explorée pour la première fois par Levaillant, en 1781/84, et plus tard par Livingstone, en 1852/56 et 1861/64.

CAGES DE FER. Dès l'Antiquité, on trouve des exemples d'incarcération d'hommes dans des cages de fer de dimensions plus ou moins grandes. Ce châtiment fut infligé, dit-on, par Alexandre le Grand à Callisthène, qui avait pris part à la conspiration de 327 av. J.-C. L'usage des cages de fer fut introduit en France par Louis XI et se maintint sous Charles VIII et Louis XII. Il se maintenait en Allemagne au XVIIIe siècle.

CAGLIARI. Ville et port d'Italie, en Sardaigne, chef-lieu de province. Dans l'Antiquité *Caralis*, puis *Carales*, de fondation phénicienne, elle fut occupée par les Romains en 238 av. J.-C. Elle obtint sous César le plein droit de cité. Après un long déclin dû aux occupations des Goths, des Byzantins, des Arabes, elle fut ressuscitée au XIIIe s. par les Pisans, qui établirent le noyau de la ville médiévale sur le site de l'acropole carthagi-

noise. En 1326, après un long siège, elle fut enlevée aux Pisans par l'Aragon.

CAGLIOSTRO, Giuseppe Balsamo, dit **Alexandre, comte de** (* Palermo, 8.VI. 1743, † Fort San Leone, près de Rome, 28. VIII.1795). Aventurier italien. D'origines obscures, il prit le titre de comte, dut fuir l'Italie à la suite d'accusations d'escroquerie et, accompagné de sa ravissante femme, Lorenza Feliciani, parcourut presque tous les pays d'Europe en exploitant les appétits mystiques de ses contemporains. Il se fit une grande réputation par ses talents d'alchimiste et ses cures merveilleuses; il vendait des élixirs, des pilules, faisait des tours de magie et de sorcellerie, se posait en réformateur maçonnique, prédisait l'avenir, prétendait faire apparaître les morts. Impliqué en 1785 dans l'affaire du Collier, enfermé à la Bastille, il fut ensuite expulsé (1786). Revenu en Italie, il fut dénoncé par sa femme à l'Inquisition, qui le jugea comme hérétique, magicien, franc-maçon et le condamna à la peine de mort; mais celle-ci fut commuée en détention perpétuelle au château San Leone. Cette figure mystérieuse a inspiré Goethe (dans *Le Grand Cophte*) et Alexandre Dumas (dans *Joseph Balsamo*).

CAGOTS. Nom donné, dans l'ancienne France, à des populations réprouvées, dont l'origine est encore mystérieuse. On accusait à tort les cagots d'être infectés de la lèpre; ils étaient, en fait, descendants d'hérétiques. On les appelait *cagots* en Gascogne, *colliberts* dans le Maine, le Poitou, l'Aunis et la Saintonge, *caqueux, caquins* en Bretagne, *marrons* en Auvergne, etc. Tenus à l'écart des autres hommes, relégués loin des villes, dans des « cagoteries », ils étaient obligés de porter une casaque rouge marquée d'une patte d'oie ou de canard; ils n'étaient admis à l'office divin que par une porte spéciale et dans un coin réservé, et ne pouvaient prendre de l'eau bénite qu'au bout d'un bâton. Il leur était interdit d'exercer toute autre profession que celles de bûcheron ou de charpentier. Certaines communautés de cagots subsistèrent jusqu'au XVIIIᵉ s. et n'obtinrent leur émancipation que lors de la révolution de 1789.

CAGOULE. Surnom donné par les journalistes à l'organisation secrète intitulée **Comité secret d'action révolutionnaire (C.S.A.R.),** dont les activités subversives se développèrent en France entre 1935 et 1940. Composée surtout d'anciens membres des ligues d'extrême droite et notamment de dissidents de l'Action française, la Cagoule semble avoir eu pour dessein de renverser par la force le régime républicain. Son principal chef fut un ancien polytechnicien et ingénieur naval, Eugène Deloncle. A la Cagoule furent imputés, entre autres attentats, l'assassinat des frères Rosselli, antifascistes italiens (1935), et l'attentat contre l'immeuble de la Confédération du patronat français (1937). Au cours de perquisitions, la police saisit un grand nombre d'armes. Durant la Seconde Guerre mondiale, une partie des *cagoulards* se rallièrent à la collaboration (notamment dans le Mouvement social révolutionnaire d'Eugène Deloncle, lequel fut finalement assassiné par des policiers allemands); mais d'autres, tel le commandant Loustaunau-Lacau, rejoignirent la Résistance.

CAHIERS DE DOLÉANCES. Sous l'Ancien Régime, cahiers dans lesquels les assemblées chargées d'élire les députés aux états généraux faisaient l'exposé de leurs doléances et de leurs vœux. L'usage de ces cahiers remontait au XIVᵉ s. Dans les villages et les villes, étaient rédigés des cahiers de paroisses; au chef-lieu de chaque bailliage, chacun des trois ordres établissait un cahier de bailliage; puis chaque ordre réduisait les cahiers des bailliages à douze cahiers, correspondant aux grands gouvernements, et ces douze cahiers étaient à leur tour réduits en un seul cahier de l'ordre. Les députés de chaque ordre présentaient leur cahier au roi en assemblée générale des états.

Les cahiers de doléances de 1789 présentent évidemment un intérêt particulier; ils constituent un « sondage » d'une valeur unique sur l'état de l'opinion publique en France à la veille de la Révolution, bien que beaucoup d'entre eux aient été rédigés à partir de brochures politiques comme celles de Sieyès, ou même d'après des modèles diffusés par des officines de propagande au service du duc d'Orléans. D'autre part, les cahiers des bailliages, qui devaient théoriquement présenter une synthèse des revendications des paroisses, négligeaient souvent les humbles griefs populaires, qui n'intéressaient pas les bourgeois. D'après le résumé des cahiers fait devant l'Assemblée constituante par le comte de Clermont-Tonnerre, le 27 juill. 1789, tous les cahiers étaient d'accord sur les principes suivants : « Le gouvernement français est un gouvernement monarchique. La personne du roi est inviolable et sacrée. La couronne est héréditaire de mâle en mâle. Le roi est dépositaire du pouvoir exécutif. Les agents de l'autorité sont responsables. La sanction royale est nécessaire pour la promulgation des lois. La nation fait la loi avec la sanction royale. Le consentement national est nécessaire à l'emprunt et à l'impôt. L'impôt ne peut être accordé que d'une tenue d'états généraux à l'autre. La propriété sera sacrée. La liberté individuelle sera sacrée. » Ainsi les cahiers de doléances manifestaient à la fois un ardent loyalisme monarchique et le désir d'une réforme de l'État limitant l'arbitraire gouvernemental. Le principal désaccord entre les ordres portait sur le problème de l'égalité de tous les Français devant la loi et surtout devant l'impôt; le clergé et la noblesse étaient sans doute prêts à renoncer à beaucoup de privilèges, mais entendaient maintenir les droits féodaux. Rien, en tout cas, dans les cahiers de doléances ne pouvait annoncer le déroulement futur de la Révolution ni même l'œuvre

CAGLIOSTRO
Giuseppe Balsamo, dit comte de C. Aventurier italien (1743-1795).

Ph. Jeanbor © Archives Photeb

législative de l'Assemblée constituante, laquelle dépassa de beaucoup le mandat qui lui avait été confié par les électeurs.

CAHIERS DE LA QUINZAINE. Revue bimensuelle fondée par Charles Péguy. Destinée, à l'origine, à publier des documents éclairant en toute objectivité la vie politique de l'époque (problèmes du socialisme, de l'affaire Dreyfus, de la politique anticléricale de Combes, de la colonisation, etc.), elle devint l'expression de l'évolution politique et spirituelle de son créateur, qui y publia toutes ses œuvres, tout en y accueillant largement des écrivains tels que R. Rolland, J. et J. Tharaud, A. Suarès, J. Benda. Le premier numéro des *Cahiers de la Quinzaine* parut le 5 janv. 1900.

CAHORS. Ville de France, chef-lieu du département du Lot, sur le Lot. A l'époque romaine *Divona,* capitale des Cadurques. Le pape Jean XXII, natif de la ville, y fonda en 1322 une université qui fut réunie en 1751 à l'université de Toulouse. Attribuée aux Anglais en 1360 par le traité de Brétigny, Cahors se révolta et revint à la France en 1428. — Franchissant le Lot, le pont Valentré est un ouvrage fortifié surmonté de trois tours (XIVᵉ s.). La cathédrale Saint-Étienne est un curieux édifice à coupoles (XIIᵉ-XVIᵉ s.).

ÇAILENDRA. Dynastie javanaise bouddhiste. Vers le milieu du VIIIᵉ s., elle détrôna et repoussa vers l'E. de l'île la dynastie çivaïte du roi Sanjaya. Héritière des traditions politiques du Fou-nan, elle n'est connue que sous le titre sanskrit de *çailendra,* « roi de la montagne », que portaient déjà au IIᵉ s. les souverains du Fou-nan. Les Çailendra firent rayonner le bouddhisme à Java, où ils construisirent plusieurs monuments religieux, notamment le Boroboudour (vers 772), immense *stupa* de pierre orné de bas-reliefs dont les thèmes sont inspirés par les traditions mythologiques du bouddhisme du Grand Véhicule. Dès le milieu du IXᵉ s., les Çailendra avaient perdu la suprématie à Java mais ils régnèrent ensuite à Palembang, dans l'île de Sumatra.

CAILLAUX Joseph Marie Auguste (* Le Mans, 30.III.1863, † Mamers, Sarthe, 21. XI.1944). Homme politique français. Fils d'Eugène Caillaux, qui avait été ministre de l'« Ordre moral », inspecteur des finances, orienté dès ses débuts dans la politique vers le radicalisme, député de la Sarthe en 1898, il fut ministre des Finances dans les cabinets Waldeck-Rousseau (1899), Clemenceau (1906) et Monis (1911). Brillant et bruyant, avec un certain goût de la bravade, il s'imposa rapidement par sa grande compétence financière. En 1907, il fit voter par la Chambre son projet d'impôt progressif sur le revenu (repoussé lors de sa présentation au Sénat), qui remplaçait les quatre vieilles contributions (foncière, mobilière, patente, impôt sur les portes et fenêtres) par un impôt unique, de 3 à 4 % selon les cas, frappant les salaires, traitements, retraites, bénéfices des professions libérales, revenus des exploitations agricoles, industrielles et commerciales, valeurs immobilières et mobilières (y compris la rente française, jusqu'alors exempte d'impôt).

Président du Conseil le 27 juin 1911, Caillaux se trouva aux prises avec la crise marocaine déclenchée par le coup d'Agadir. Européen convaincu que la guerre entraînerait la ruine du continent, il négocia activement et personnellement avec Berlin, à l'insu de son ministre des Affaires étrangères, J. de Selves, et des services du Quai d'Orsay, acquis à la politique de Delcassé; il obtint ainsi l'accord du 4 nov. 1911, qui donnait à la France les mains libres au Maroc contre la cession à l'Allemagne d'une partie importante du Congo français. Caillaux voyait dans cet accord le prélude d'une réconciliation franco-allemande, mais cette politique d'apaisement lui valut de violentes attaques de la droite nationaliste et il dut démissionner (11 janv. 1912). Chef du parti radical, il redevint ministre des Finances dans le cabinet Doumergue (déc. 1913). Méprisant les oppositions, il était résolu à faire aboutir son projet d'impôt sur le revenu, mais il dut de nouveau se démettre, en mars 1914, quand Mᵐᵉ Caillaux eut assassiné Gaston Calmette, directeur du *Figaro,* qui menait une violente campagne contre son mari. (Mᵐᵉ Caillaux fut jugée et acquittée par la cour d'assises.)

Dès le début de la Première Guerre mondiale, Caillaux multiplia les contacts officieux avec diverses personnalités de pays neutres ou alliés, afin de rechercher les moyens d'une paix de compromis avec l'Allemagne. Accusé de trahison par la presse nationaliste, il fut arrêté en janv. 1918, sous le ministère Clemenceau, et traduit devant le Sénat, constitué en Haute Cour, qui le condamna (févr. 1920) à trois ans de prison. Amnistié, réélu député de Mamers, il fut de nouveau ministre des Finances dans le second ministère Painlevé (avr. 1925), mais échoua dans sa négociation du règlement des dettes françaises aux États-Unis et quitta le pouvoir en oct. 1925. A partir de ce moment, il se limita à son activité de parlementaire, notamment à la commission des Finances. Il fut, en qualité de président de cette commission, l'artisan de la chute du gouvernement Blum en juin 1937.

CAILLET ou **CALE** ou **CHARLES Guillaume** (* Mello, dans le Beauvaisis, † 1358). Sans doute ancien soldat, il se fit le chef de la révolte paysanne de la Jacquerie, vainquit l'armée des nobles près de Senlis (27 mai 1358) mais fut fait prisonnier par traîtrise, alors qu'il se rendait en parlementaire au camp de Charles le Mauvais. Sur l'ordre du souverain, il fut exécuté à Clermont-en-Beauvaisis, la tête couronnée d'un trépied de fer rougi au feu.

CAILLIÉ René Auguste (* Mauzé, Vienne, 19.XI.1799, † La Baderre, 17.IV. 1838). Explorateur français. Parti pour la

CAHORS
Sceau et contre-sceau avec le pont Valentré, 1309.
Ph. © Archives nationales. Paris - Photeb

CAILLIÉ
René. Explorateur français (1799-1938). Habillé en Arabe et méditant sur le Coran.
Gravure de son livre « Voyage à Tombouctou », édité en 1830.
Ph. Jeanbor © Archives Photeb

LE CAIRE

Les clefs de la ville sont offertes à Bonaparte vainqueur,
le 28 juill. Détail d'une gravure italienne.

Alexandre avait fait le voyage d'Égypte pour se faire couronner
et déifier par les prêtres d'Amon; Bonaparte croyait alors :
« Ce n'est qu'en Orient, où vivent six cents millions d'hommes,
que se font les grandes révolutions civiles et religieuses. »
Dès la prise d'Alexandrie, le 1er juillet,
il avait proclamé : « Peuples d'Égypte,
on dira que je viens pour détruire votre religion :
ne le croyez pas! Répondez que je viens
vous restituer vos droits, punir les usurpateurs, et que je respecte,
plus que les mamelouks, Dieu, son Prophète et l'Alcoran. »

Ph. © Bibl. Nat., Paris - Photeb

première fois vers le Sénégal en 1816 en qualité de domestique, il fit un nouveau voyage en 1818 et, en 1824, débarqua pour la troisième fois en Afrique occidentale, bien décidé à atteindre la cité interdite de Tombouctou. Sans argent, sans appuis, il apprit l'arabe, suivit la formation des néophytes de l'islam et, en avr. 1827, quitta Freetown avec une caravane de marchands mandingues. Il franchit le haut Niger à Kouroussa (19 avr. 1827) et, après avoir été immobilisé pendant cinq mois par une maladie, il arriva à Tombouctou (20 avr. 1828). Il ne fut cependant pas le premier Européen à atteindre cette ville, où avait été assassiné, en 1826, l'Anglais Gordon Laing. Avec une caravane, il traversa ensuite le Sahara et parvint au Maroc (août 1828). A son retour en France, il reçut un prix de la Société de géographie et publia son *Journal d'un voyage à Tombouctou* (1830).

ÇA IRA. Chant révolutionnaire français, ainsi nommé à cause de son refrain : « Ah! ça ira, ça ira, ça ira! / Les aristocrates à la lanterne! » On l'appelait sous la Révolution *Le Carillon national.* Les paroles sont d'un chanteur des rues nommé Ladré; la musique, du joueur de tambour Bécourt. Le *Ça ira* fut interdit par le Directoire en 1797.

CAIRE (Le), *El Kahira.* Capitale de l'Égypte, sur la rive gauche du Nil, à environ 20 km du début du delta. Elle est située non loin du site de l'antique capitale de Memphis. A l'endroit occupé aujourd'hui par le Vieux-Caire, s'élevait, au VIIe s., la forteresse byzantine de Babylone. Amr, le conquérant arabe de l'Égypte, s'en empara en 641 et fonda à proximité la ville de *Fustat.* C'est en 969, après la conquête fatimide, que fut fondée, au N. de Fustat, une nouvelle ville, qui reçut le nom de *El-Kahira* (la Victorieuse). Un de ses plus anciens monuments est l'université-mosquée d'El-Azhar (971). Saladin élargit son enceinte, puis, sous les dynasties mameloukes, furent construits de nombreux monuments, entre autres la mosquée de Hassan (1356). Le Caire fut pris en 1517 par les Ottomans. Bonaparte l'occupa le 23 juill. 1798, après la victoire des Pyramides, mais les Français durent évacuer la ville en juill. 1801. En 1811, Le Caire fut le théâtre du massacre des mamelouks ordonné par Méhémet Ali. De 1882 à 1946, la ville fut occupée par les troupes britanniques. Le musée du Caire, dont les premières collections furent rassemblées par Mariette, a été fondé en 1902; il offre le plus riche ensemble d'art égyptien qui soit au monde.

● Depuis le début du xxe siècle, Le Caire n'a cessé d'étendre son agglomération jusqu'à devenir, avec 8,5 millions d'habitants en 1982 (13 millions en 2000), la plus grande ville de l'Afrique, le quartier ancien du centre tendant à se dépeupler au profit de la périphérie. Près de la moitié des travailleurs égyptiens de l'industrie y sont employés. Aussi est-elle non seulement capitale politique, administrative, religieuse, universitaire, mais aussi capitale économique.

Conférences du Caire. Durant la Seconde Guerre mondiale, plusieurs conférences interalliées se tinrent au Caire : la plus importante (22/26 nov. 1943) réunit Roosevelt, Churchill et Tchang Kaï-chek, qui mirent au point le plan d'opérations en vue de la victoire finale sur le Japon.

Conférence afro-asiatique du Caire (décembre 1957). A la suite de la conférence de Bandoung (1955), elle réunit les représentants de cinquante-deux nations du tiers monde. Elle vota diverses résolutions en faveur de l'admission de la Chine à l'O.N.U., de la réunification de la Corée, d'élections libres au Viêt-nam, du rattachement de la Nouvelle-Guinée à l'Indonésie.

CAIROLI Benedetto (* Pavie, 28.I.1825, † Naples, 8.VIII.1889). Homme politique italien. Ancien compagnon de Garibaldi, chef de la gauche à la Chambre (à partir de 1860), président du Conseil (1878, 1879/82), il dut démissionner à la suite de l'occupation de la Tunisie par la France et devint avec Crispi le chef des radicaux.

CAISSE D'ESCOMPTE. Voir BANQUES.

CAISSE DES DÉPÔTS ET CONSIGNATIONS. Établissement public français créé par Bonaparte en 1799, sous le nom de *Caisse d'amortissement*; elle a pris son nom actuel en 1816. Créée initialement pour soutenir la rente, elle assura aussi, dès ses débuts, le service des consignations en numéraire. A partir de 1837, lui furent attribuées les ressources des Caisses d'épargne. Son rôle social n'a cessé de s'étendre depuis le XIXᵉ s. : assurance populaire, à partir de Napoléon III; financement des entreprises, du logement et des collectivités locales à partir des années 30.
Ces dernières activités ont connu une progression considérable sous la direction de François Bloch-Laîné (1953/67).

CAISSES D'ÉPARGNE. L'idée de créer des établissements sans but lucratif destinés à favoriser l'épargne dans les classes les moins aisées est contemporaine du premier essor de la civilisation capitaliste. Elle semble avoir été lancée par un Français, Hugues de Lestre, dès 1610. Elle fut reprise ensuite en Angleterre par Daniel Defoe, mais c'est en Allemagne, à Hambourg, que fut fondée, en 1778, la première caisse d'épargne. En Grande-Bretagne, le révérend Henry Duncan, pasteur d'une pauvre paroisse du Dumfrieshire (Écosse), créa une caisse d'épargne à Ruthwell, en 1810. Cette initiative eut un succès immédiat; les caisses d'épargne se multiplièrent en Écosse et en Angleterre; la première loi gouvernementale au sujet de leur organisation date de 1817. En 1861, Gladstone fonda la Caisse d'épargne nationale, gérée par les services

des postes. En Amérique, la première caisse d'épargne fut ouverte à Boston en 1816. Deux ans plus tard, en 1818, Benjamin Delessert fondait la Caisse d'épargne de Paris, organisme privé qui se proposait de collecter les petites économies pour les affecter à des tâches d'intérêt national, tout en s'engageant à restituer à vue aux épargnants les dépôts initiaux majorés d'un intérêt modique. Comme à l'étranger, la formule connut un grand succès : des caisses s'ouvrirent en 1819 à Bordeaux et à Metz, en 1820 à Rouen, en 1821 à Marseille, à Nantes, à Troyes, à Brest, en 1822 au Havre et à Lyon, etc. La loi du 5 juin 1835 régularisa pour la première fois l'administration des caisses d'épargne : on en comptait alors 235.
● En France, en 1987, la Caisse d'épargne et de prévoyance (6 500 guichets) avait en dépôt 700 milliards de francs sur 38,7 millions de livrets. La Caisse nationale d'épargne, opérant par le biais des 18 000 guichets des P.T.T., avait en dépôt 316,7 milliards de francs. Depuis 1985, les Caisses d'épargne et de prévoyance sont regroupées en 21 sociétés régionales. La moitié du capital est détenu par la Caisse des dépôts et consignations.

CAÏUS saint, pape de 283 à 296, originaire de Dalmatie.

CAJETAN Jacques, en religion **Thomas de Vio** (* Gaëte, 20.11.1469, † Rome, 9.VIII. 1534). Cardinal italien. Entré dans l'ordre des dominicains en 1484, professeur de théologie à la Sapienza de Rome à partir de 1500, général de son ordre en 1508, cardinal en 1517. Nommé légat pontifical par Léon X, il assista en 1518 à la diète d'Augsbourg, où il essaya vainement de ramener Luther à la foi catholique. Il fut envoyé en Hongrie (1523/24) pour organiser la poursuite de la guerre contre les Turcs. En 1519, il était devenu évêque de sa ville natale. D'une grande austérité de mœurs, Cajetan fut aussi le meilleur théologien de son temps et ses commentaires sur st. Thomas d'Aquin sont précieux.

ÇAKA. Nom indien d'un peuple scythe, installé entre le haut Indus et l'Oxus, et qui, après avoir fait partie de l'Empire perse (VIᵉ s. av. J.-C.), envahit l'Inde au Iᵉʳ s. de notre ère. Expulsés au IIᵉ s. par d'autres Scythes venus du Gobi, ils refluèrent vers la Parthie et la Bactriane, où ils détruisirent les derniers vestiges de la domination grecque. Les Çaka de Parthie passèrent sous l'hégémonie de la dynastie des Kouchans : l'avènement du principal souverain de cette dynastie, Kanishka (vers 120 de notre ère), a marqué le début de l'« ère çaka ». Des chefs çaka indépendants continuèrent à régner du bas Indus au Kathiawar jusqu'au Vᵉ s.

ÇAKTA. Sectaires çivaïtes de l'Inde, qui vénèrent l'aspect féminin et actif de Çiva, la *çakti*, considérée comme la mère et souveraine de l'univers. Les plus connus sont les

CALAIS

CALAS

adorateurs de Kali. Ils mêlent à leur culte des pratiques sexuelles tantriques.

ÇAKYA. Tribu de guerriers agriculteurs établis au VIe s. av. J.-C. sur les dernières pentes de l'Himalaya, près de la rivière sacrée Bhaghirati, affluent du Gange. Elle donna son nom au Bouddha Çakyamuni, qui naquit dans la capitale des Çakya, à Kapilavastu.

ÇAKYAMUNI. Voir BOUDDHA (le).

CALABRE. Région de l'Italie méridionale, au sud de la Basilicate, entre la mer Tyrrhénienne et la mer Ionienne. Elle fut, dans l'Antiquité, le Bruttium (v.) mais vit aussi s'installer de nombreuses colonies grecques (Thourioi, Sybaris, Crotone, Locres, Rhégion, Hipponion, etc.). Occupée en 272 par les Romains, elle apporta son aide à Hannibal pendant la deuxième guerre punique, ce qui lui valut de subir de dures représailles. Après la dissolution de l'Empire, elle fut disputée, aux IXe/Xe s., par les Arabes. La conquête de la Calabre par les Normands, commencée en 1038, fut achevée par Robert Guiscard; la région devint une province du royaume de Naples, dont les héritiers au trône portaient le titre de duc de Calabre. Au cours des guerres napoléoniennes, les Calabrais, animés par le cardinal Ruffo, opposèrent une résistance farouche aux Français, qui ne purent les soumettre qu'en 1810. La Calabre fut, au XIXe s., un bastion du républicanisme italien; elle était aussi le domaine de redoutables brigands. Conquise en 1860 par les Mille de Garibaldi, elle fut rattachée au royaume d'Italie. ● Sur une superficie de 15 080 km², la région de Calabre comptait 2 087 000 habitants en 1981.

CALACH. Ville d'Assyrie, sur la rive gauche du Tigre, au S. de Ninive. Fondée par Nemrod, selon la Genèse, elle fut ravagée par les Chaldéens mais restaurée par Assourbanipal II, qui y établit sa résidence, comme devaient le faire ses successeurs jusqu'à Salmanasar V (726/22 av. J.-C.). C'est à Calach que fut déportée une partie de la population de Samarie.

CALAHORRA. Ville d'Espagne septentrionale, au S.-E. de Logroño. Dans l'Antiquité *Calagurris Nassica*, ville des Vascons, elle fut, avec Numance, la place la plus fidèle à Sertorius et résista à Pompée de 76 à 72 av. J.-C. Ville natale de Quintilien. Le roi de Navarre la reprit aux Maures en 1054.

CALAIS. Ville et port de France (Pas-de-Calais). Petit village de pêcheurs, Calais dut son premier développement (vers 997) à Baudoin IV, comte de Flandre. Agrandie et fortifiée en 1224 par Philippe de France, comte de Boulogne, la ville fut prise en 1347, après un siège de douze mois, par le roi d'Angleterre Édouard III : pour sauver leur cité, six bourgeois de Calais, conduits par Eustache de Saint-Pierre, se livrèrent en otages au roi anglais, qui, à la requête de sa femme,

la reine Philippa, les épargna. Restée pendant plus de deux siècles au pouvoir des Anglais, Calais fut reprise en 1558 par François de Guise. Les Espagnols l'occupèrent de 1595 à 1598 mais elle fut rendue à la France par le traité de Vervins. A son retour d'exil, en 1814, Louis XVIII y débarqua. En 1914, Calais fut un des principaux objectifs de la « course à la mer » des Allemands, mais ceux-ci ne purent atteindre la ville. Durant la Seconde Guerre mondiale, Calais eut à subir les bombardements presque quotidiens des batteries installées sur la côte anglaise. De juin à sept. 1944, y fut installée une base de lancement des V 1 contre Londres. La ville fut conquise le 30 sept. 1944 par le 2e corps canadien.
● La ville comptait 9 600 habitants en 1801, 22 500 en 1851, 59 800 en 1901, 78 800 en 1975. Elle n'en avait plus que 76 500 en 1982, mais cette diminution était compensée par l'accroissement de l'agglomération. Le port, en raison du voisinage de l'Angleterre, était le troisième du monde pour le trafic des passagers, dont le nombre atteignait 7,5 millions en 1981.

CALAPATA. Ville d'Espagne (province de Teruel). On y découvrit en 1903 les premières peintures rupestres de l'art préhistorique du Levant (v.) espagnol.

CALAS Jean (* Lacabarède, près de Castres, 19.III.1698, † Toulouse, 10.III.1762). Négociant de Toulouse, il était de religion protestante. Le 13 oct. 1761, ayant trouvé son fils aîné pendu dans sa maison, il maquilla le suicide en crime, de peur que le cadavre du jeune homme ne soit soumis au traitement infâme alors réservé aux suicidés. Mais la rumeur populaire l'accusa bientôt d'avoir assassiné son fils pour l'empêcher de se convertir au catholicisme. Dans un climat de haine religieuse entretenu par certains membres du clergé, Calas fut jugé par le parlement de Toulouse, condamné au supplice de la roue et exécuté. Ses biens furent confisqués, sa famille dispersée. Mais sa veuve et son jeune fils réussirent à intéresser à leur cause Voltaire, qui porta le débat devant l'opinion dans son *Essai sur la tolérance* (1763). L'enquête fut reprise et, en 1765, le parlement de Paris déclara Calas et sa famille complètement innocents. Louis XV fit don aux Calas d'une somme de 30 000 livres, mais le retentissement de cette affaire contribua à jeter le discrédit sur la justice de l'Ancien Régime. La thèse de l'innocence de Calas est généralement acceptée; elle a cependant été combattue, à notre époque, par l'avocat Henri-Robert.

CALATRAVA. Ancienne ville forte d'Espagne, près de Ciudad Real. En 1158, la ville, récemment enlevée aux Maures et de nouveau attaquée par ceux-ci, fut défendue, sous les ordres de Raymond, abbé de Fitero, et de Diego Velasquez, par un groupe de chevaliers qui furent les premiers membres de

CALENDRIER
Congrès réuni par le pape Grégoire XIII pour la réforme du calendrier.
Détail d'une peinture anonyme, 1582. (Archives de l'État, Sienne.)
Lorsque le concile de Trente s'était réuni en 1545,
l'équinoxe de printemps, fixé en 325 au 21 mars,
était décalé au 11 mars par suite du retard
de l'année civile sur l'année solaire.
Le Vatican trouvait cela fâcheux, parce que le jour de Pâques,
dépendant de la pleine lune qui suit cet équinoxe de printemps,
avait tendance à être fêté de plus en plus tôt dans l'hiver.
Il décida d'y remédier : l'équinoxe ramené au 21 mars,
le 5 octobre devint le 15, dix jours ayant été supprimés du calendrier.
Les Anglais, qui ne sont point papistes,
attendront 1752, et les Russes 1918, pour en faire autant.
Ph. G. Tomsich © Photeb

l'**ordre de Calatrava**, que le roi Alexandre III de Castille constitua, en 1164, comme ordre religieux militaire, sous la direction des cisterciens. L'ordre de Calatrava prit une grande part aux luttes de la Reconquête, mais perdit son utilité avec la victoire définitive sur les Arabes. En 1523, la dignité de grand maître et les biens de l'ordre furent réunis à la couronne d'Espagne; les chevaliers reçurent le droit de se marier. A partir de 1808, le titre de chevalier de Calatrava ne fut plus qu'honorifique.

CALCEUS. Voir CHAUSSURES.

CALCUTTA. Principale ville et port commercial de la République indienne, dans le Bengale occidental. Fondée par Job Charnock, pour la Compagnie des Indes, le 24 août 1690, elle fut prise le 19 juin 1756 par le prince marathe Suraja Dowlah, qui fit tuer la majorité des Anglais de la garnison en les enfermant toute une nuit dans un réduit, où ils périrent étouffés (v. BLACK HOLE). Reprise par Clive le 2 janv. 1757, Calcutta fut la capitale de l'Inde de 1833 à 1912. Centre d'une agglomération de plus de 9 millions d'habitants, grande ville commerçante et industrielle (jute, construction mécanique), elle attire vers elle un afflux de paysans du Bengale, qui y vivent dans des conditions misérables. Calcutta possède deux universités, l'une fondée en 1857 par les Anglais sur le modèle de l'université de Londres, l'autre, l'université de Jadavpur, fondée en 1955.
● La ville comptait 3,3 millions d'habitants en 1981, son agglomération 9,1 millions.

CALDARIUM. Voir THERMES.

CALDIERO. Village d'Italie (Lombardie, à l'E. de Vérone). Le 12 nov. 1796, Bonaparte y livra une bataille indécise aux Autrichiens d'Alvinczy. Masséna y battit l'archiduc Charles d'Autriche le 30 oct. 1805.

CALE (supplice de la). Peine prévue dans l'ancien code maritime : le patient, les mains liées au-dessus de la tête, était attaché à l'extrémité d'une corde passant dans une poulie fixée au bout de la grand-vergue; on le hissait jusqu'à la hauteur de la vergue, d'où on le laissait retomber de tout son poids dans la mer trois fois de suite. La cale fut supprimée, avec les autres châtiments corporels, en 1848.

CALE Guillaume. Voir CAILLET.

CALEB. Héros hébreu. Il explora le pays de Canaan, sur l'ordre de Josué; avec celui-ci, il fut le seul de tous ceux qui étaient sortis d'Égypte à pouvoir pénétrer dans la Terre promise. Caleb reçut la montagne et la ville d'Hébron.

CALÉDONIE. Nom donné par les Romains à toute la partie de la Grande-Bretagne située au N. du mur d'Antonin (notamment à l'Écosse actuelle). Elle était habitée par les Pictes.

CALÉDONIE (Nouvelle-). Voir NOUVELLE-CALÉDONIE.

CALENDERS. Voir DERVICHES.

CALENDES. Premier jour de chaque mois romain; le mois romain était divisé en *calendes*, en *nones* et en *ides*. Les calendes tombaient toujours le premier du mois; les nones au 7 et les ides au 15 pour les mois de mars, mai, juillet et octobre; les nones au 5 et les ides au 13 pour les autres mois. Les calendes étaient habituellement le jour de paiement des loyers, des intérêts, etc.

Aux calendes grecques, *ad Calendas graecas.* A Rome, manière ironique de dire : «jamais», les Grecs ignorant la désignation par les calendes. L'empereur Auguste se servait souvent de cette phrase, qui passa en proverbe.

CALENDRIER. Système de mesure du temps, généralement conçu d'après le cycle des récurrences naturelles (saisons, phases de la Lune).

Chine. Le premier calendrier chinois était lunaire. Mais en 2357 av. J.-C., le légendaire empereur Yao, soucieux de fixer aussi exactement que possible les saisons pour les besoins de l'agriculture, aurait demandé à ses astronomes d'ajuster les 354 jours de l'année lunaire aux 365 jours de l'année solaire : il fut donc ajouté une période intercalaire, qui revenait tous les dix-neuf ans et qui devait être consacrée à des occupations exceptionnelles.

Égypte. Définitivement fixé sous la Ire dynastie thinite (début du IIIe millénaire), le calendrier égyptien remonterait à 4236 av. J.-C., la plus ancienne date connue. L'année était divisée en 365 jours, soit 12 mois de 30 jours chacun, avec cinq jours supplémentaires (épagomènes) à la fin du dernier mois. Les Égyptiens avaient cependant remarqué que cette année de 365 jours se trouvait en retard d'un quart de jour sur l'année solaire, et ils avaient calculé qu'au cours d'une période de 4 × 365 = 1 460 jours, leur Nouvel An devait faire le tour de toutes les saisons avant de revenir à sa position originale dans l'année solaire; cette période était appelée *période sothiaque,* l'année égyptienne se trouvant rattachée au lever héliaque de l'astre Sothis (Sirius).

Babylone. Les Sumériens et les Babyloniens avaient un calendrier lunaire. Comme les 12 mois lunaires de 354 jours ne correspondaient pas à l'année solaire, les autorités décidaient d'ajouter, de temps à autre, un mois intercalaire. C'est, semble-t-il, vers le IXe s. av. J.-C. que les Babyloniens découvrirent le cycle dit plus tard *cycle de Méton,* fondé sur la correspondance presque exacte

de 19 années solaires et de 235 mois lunaires. Dès lors, comme 19 années lunaires contiennent 228 mois lunaires, il suffisait d'ajouter sur une période de 19 ans 7 mois lunaires intercalaires pour que fût assurée la correspondance entre le calendrier lunaire et l'année solaire.

Hébreux. Le calendrier hébreu, comme le calendrier israélite actuel, était lunisolaire, c'est-à-dire qu'il avait des années solaires et des mois lunaires, ce qui obligeait à adjoindre de temps en temps un mois intercalaire, afin que l'année commence toujours dans la même saison. Ce calendrier hébreu resta très primitif jusqu'à l'époque de l'Exil à Babylone (VIe s. av. J.-C.). Les Juifs adoptèrent alors certains éléments du calendrier babylonien, mais ce n'est pas avant le IVe s. de notre ère que l'actuel calendrier israélite fut définitivement constitué, dans les communautés de Palestine. Il repose sur le «cycle de Méton»: les 3e, 6e, 8e, 11e, 14e, 17e et 19e années de chaque période de 19 ans, dites années embolismiques, comprennent un 13e mois supplémentaire. La durée des années communes varie entre 353 et 355 jours, la durée des années embolismiques entre 383 et 385 jours. L'année israélite est jalonnée de grandes fêtes religieuses telles que le *Yom Kippour* (10 du mois de tisseri), la fête des Tabernacles (15-21 du mois de tisseri), la fête de la Dédicace (25 du mois de kislev), la fête de la Pâque (15 du mois de nisan), etc. L'ère israélite commence à la «création du monde», que les Juifs font remonter au 7 oct. 3761 av. J.-C.

Grèce. Pendant longtemps, les Grecs n'eurent pas un calendrier uniforme. Selon les cités, l'année commençait à des moments différents : à Athènes vers le solstice d'été, à Délos au solstice d'hiver, etc. Chaque cité avait de même ses repères particuliers pour compter les années : à Athènes, on désignait l'année d'après l'archonte en fonctions; à Sparte, d'après le nom du premier éphore; à Argos, d'après le nom de la prêtresse d'Héra. C'est seulement à la période alexandrine qu'on prit pour base des calculs l'olympiade, période de quatre années s'écoulant entre deux célébrations des jeux Olympiques. La première olympiade commence en 776 av. J.-C. Mais dans l'Orient hellénistique, on comptait généralement par rapport à l'ère des Séleucides, commençant à l'avènement de Séleucos Nicator, lieutenant d'Alexandre, au trône de Syrie et de Babylone (312 av. J.-C.).

Rome. Le premier calendrier romain était lunaire. L'année, de 355 jours, était divisée en 12 mois et commençait avec le mois de mars : ainsi le mois de juillet se trouvait être le 5e mois et s'appelait *Quintilis* (là également se trouve l'origine des noms de nos mois de *sept*embre, *octo*bre, *nov*embre et *déc*embre, qui étaient alors les 7e, 8e, 9e et 10e mois). Tous les deux ans, le grand pontife ajoutait un mois intercalaire, dont il fixait la

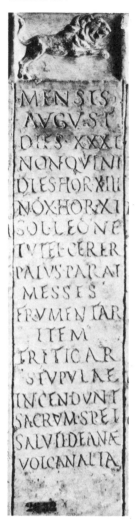

CALENDRIER
Août, le mois du lion. Détail
d'un calendrier de marbre du
Musée national de Naples.
Ph. © du musée - Arch. Photeb

durée exacte (environ une vingtaine de jours), de manière à rattraper le retard sur l'année solaire. En 45 av. J.-C., César donna une plus grande précision au calendrier : partant du principe que le Soleil emploie exactement 365 jours un quart à faire sa révolution annuelle, il établit le *calendrier julien* introduisant les années bissextiles; tous les quatre ans, le six des calendes de mars (24 févr.) était compté deux fois. Les Romains dataient les années par les noms des consuls. Jusqu'au Iᵉʳ s. av. J.-C., le système chronologique le plus répandu (et encore adopté par Tite-Live, Denys d'Halicarnasse, Diodore de Sicile) comptait 470 ans de la fondation de Rome à la guerre contre Pyrrhos : la date de la fondation de Rome était donc placée à 750 av. J.-C. Mais Varron (* 116, † 27 av. J.-C.) exposa dans son *Liber Annalis* un nouveau système dont l'usage devint bientôt général et dans lequel la fondation de Rome se trouvait fixée en 754 av. J.-C. Enfin les *Fasti capitolini,* fondés sur la chronologie varronienne, mais qui comptent une année de moins entre la fondation de la république et la prise de Rome par les Gaulois, fixaient la fondation de Rome à 753 av. J.-C.

La réforme du pape Grégoire XIII

Calendrier grégorien. C'est au VIᵉ s. que le moine Denys le Petit proposa de compter les années à partir de l'incarnation de Jésus-Christ, qu'il fixa à la 750ᵉ année de la fondation de Rome (elle eut lieu vraisemblablement quatre ans plus tôt). Mais l'ère chrétienne ne fut largement adoptée qu'au VIIIᵉ s. L'année commençait le 25 mars, jour de l'Annonciation. Cependant, en supposant l'année solaire de 365 jours un quart, le calendrier julien l'avait faite trop longue de onze minutes, et il se trouva ainsi bientôt décalé par rapport à l'équinoxe. A la suite de l'accumulation successive de l'excédent, l'erreur du calendrier julien était, en 1582, de près de dix jours.
Par la bulle *Inter gravissimas* du 24 févr. 1582, le pape Grégoire XIII ordonna qu'après le 4 octobre 1582 on retrancherait 10 jours du mois et que le jour qui suivrait serait, non le 5, mais le 15 octobre. Pour prévenir le retour d'une pareille erreur, il fut décidé que les années séculaires 1700, 1800, 1900, qui, dans le calendrier julien étaient bissextiles, deviendraient communes, tandis que les années 1600, 2000, 2400 resteraient bissextiles. Ce calendrier grégorien, adopté en France et en Italie dès 1582, le fut en Allemagne en 1700, en Angleterre, au Danemark, en Suède et en Suisse en 1752. Les Russes, les Grecs et les chrétiens d'Orient restèrent fidèles au calendrier julien, de telle sorte que le calendrier en usage dans l'Église orthodoxe est aujourd'hui de treize jours en retard sur le calendrier de l'Église catholique. En 1918, la Russie a adopté le calendrier grégorien.

Calendrier républicain. Adopté par la Convention le 24 nov. 1793, ce calendrier fixait le début de l'année au 22 septembre (équinoxe d'automne). L'année était partagée en 12 mois de 30 jours chacun, plus 5 jours complémentaires (6 dans les années *sextiles,* tous les quatre ans) qui devaient être consacrés à la célébration de fêtes républicaines en l'honneur de la vertu, du génie, du travail, de l'opinion, des récompenses. La division en semaines supprimée, chaque mois était partagé en trois *décades,* dont les jours s'appelaient : *primidi, duodi, tridi, quartidi, quintidi, sextidi, septidi, octidi, nonidi* et *décadi.* Ce dernier jour était consacré au repos. Les noms des mois étaient inspirés par la saison : en automne, *vendémiaire* (vendanges), du 22/24 sept. au 21/23 oct. selon les années, *brumaire* (brumes), du 22/24 oct. au 20/22 nov., *frimaire* (frimas), du 21/23 nov. au 20/22 déc.; en hiver, *nivôse* (neiges), du 21/23 déc. au 19/21 janv., *pluviôse* (pluie), du 20/22 janv. au 18/20 févr., *ventôse* (vents), du 19/21 févr. au 20/21 mars; au printemps, *germinal* (germination), du 21/22 mars au 19/20 avr., *floréal* (floraison), du 20/21 avr. au 19/20 mai, *prairial* (prairies), du 20/21 mai au 18/19 juin; en été, *messidor* (moissons), du 19/20 juin au 18/19 juill., *thermidor* (chaleur), du 19/20 juill. au 17/18 août, *fructidor* (fruits), du 18/19 août au 21/23 sept. Ce calendrier, établi sur un rapport présenté par Fabre d'Églantine, faisait partie des mesures tendant à la déchristianisation totale de la France entreprise par la Révolution (suppression des dimanches, des fêtes de saints). Le début de l'ère républicaine fut fixé au 22 septembre 1792, date de la proclamation de la République; cette ère resta en usage légal jusqu'au 10 nivôse an XIV (31 déc. 1805), date à laquelle le calendrier grégorien fut remis en vigueur par Napoléon.

Calendrier musulman. Une année lunaire de 354 jours répartis en 12 mois de 30 et 29 jours, avec 11 années intercalaires de 355 jours en chaque espace de 30 ans. L'ère musulmane commence à l'année de l'hégire (v.), 622 de notre ère.

CALHOUN John Caldwell (* Abbeville, en Caroline du Sud, 18.III.1782, † Washington, 31.III.1850). Homme politique américain. Ministre de la Guerre (1817/25), vice-président des États-Unis (1825/33). Sudiste fervent, défenseur de l'esclavage, il faillit déclencher une guerre civile en 1828 en proposant un système de *nullification* permettant à tout État d'annuler tout acte du gouvernement fédéral qui ne lui convenait pas.

CALIBRES DE FRANCE (les six). Voir ARTILLERIE.

CALICUT, *Kozhikode.* Ville de l'Inde (Kerala), sur la côte de Malabar. Premier port de l'Inde visité par les Européens (Covilhã, 1486; Vasco de Gama, 1498), Calicut opposa une farouche résistance aux Portugais et repoussa Albuquerque, qui l'incendia en 1510. Les Anglais y établirent cependant un comptoir en 1616 et l'occupèrent définitivement en 1790.

CALIFES. Le titre de calife (c'est-à-dire *vicaire, lieutenant* et aussi *successeur*) est appliqué dans le Coran à Adam et à David comme pourvus d'une sorte de vice-royauté divine sur l'univers. Par la suite, il fut donné aux chefs temporels et spirituels de l'islam, reconnus comme successeurs légitimes de Mahomet. A la mort de celui-ci, un de ses beaux-pères, Abou Bakr, fut élu comme chef de la communauté musulmane (632). Avec lui commença le premier califat. Mort en 634, il eut pour successeurs : Omar (634/44), Othman (644/56) et Ali (656/61), qu'on appelle « les califes orthodoxes » *(khulafa' el-Rachidoun)*. Mais après la mort d'Ali et l'abdication de son fils Hassan, l'islam se divisa : Moawiya Ier s'empara du califat au profit de la famille des **Omeyyades,** qui régna à Damas (661/750), mais cette succession ne fut pas reconnue par les fidèles d'Ali, les chiites. En 750, ceux-ci renversèrent les Omeyyades et assurèrent le califat de la famille des **Abbassides** (750/1258), qui régna à Bagdad. Mais un Omeyyade, Abd er-Rahman Ier, réfugié en Espagne, y fonda un califat rival, dit califat de Cordoue (756/1031), tandis qu'un autre califat rival était fondé en Égypte par les **Fatimides** (907/1171). Quand Bagdad fut prise par les Mongols (1258), les Abbassides se réfugièrent en Égypte, où ils maintinrent le califat d'une façon purement nominale, jusqu'au moment où les **Ottomans** s'emparèrent de l'Égypte et où le sultan Sélim Ier s'adjugea le titre de calife pour lui et ses successeurs (1517). Après la révolution turque, l'Assemblée nationale, à l'instigation de Moustafa Kémal, abolit le califat (mars 1924). Cependant, deux semaines plus tard, le roi Hussein d'Arabie se proclama calife et fut reconnu en Jordanie, en Irak, au Hedjaz et partiellement en Syrie; mais au mois d'octobre suivant, il fut détrôné par le roi Ibn Séoud. Depuis lors, personne n'a plus revendiqué le titre de calife.

Liste des califes, jusqu'à la fin du califat abbasside de Bagdad, en 1258 : 1. Les quatre **premiers califes :** Abou Bakr (632/634), Omar (634/644), Othman (644/656), Ali (656/661) — 2. Les **Omeyyades :** Moawiya Ier (661/680), Yazid Ier (680/683), Moawiya II (683), Marwan Ier (684/685), Abd el-Malik (685/705), Walid Ier (705/715), Soliman (715/717), Omar II (717/720), Yazid II (720/724), Hicham (724/743), Walid II (743/744), Yazid III (744), Marwan II (744/750). — 3. Les **Abbassides :** El-Saffah (750/754), El-Mansour (754-775), El-Mahdi (775/785), El-Hadi (785/786), El-Rachid (786/809), El-Amin (809/813), El-Mamoun (813/833), El-Moutasim (833/842), El-Wathik (842/847), El-Moutawakkil (847/861), El-Muntasir (861/862), El-Moustain (862/866), El-Moutazz (866/869), El-Mouhtadi (869/870), El-Moutamid (870/892), El-Moutadid (892/902), El-Mouktafi (902/908), El-Mouktadir (908/932), El-Kahir (932/934), El-Radi (934/940), El-Mouttaki (940/944), El-Moustakfi (944/946), El-Mouti (946/974), El-Taï (974/991), El-Kadir (991/1031), El-Kaïm (1031/75), El-Mouktadi (1075/94), El-Moustazhir (1094/1118), El-Moustarchid (1118/35), El-Rachid (1135/36), El-Mouktafi (1136/60), El-Moustanjid (1160/70), El-Moustadi (1170/80), El-Nasir (1180/1225), El-Zahir (1225/26), El-Moustansir (1226/42), El-Moustasim (1242/58).
Voir ces noms et ABBASSIDES, FATIMIDES, ISLAM, OMEYYADES, OTTOMANS, TURQUIE.

CALIFORNIE. État du S.-O. des États-Unis, situé sur la côte du Pacifique; capitale *Sacramento.* Découverte en 1542 par l'Espagnol Juan R. Cabrillo, un peu mieux connue grâce aux voyages de Francis Drake (1579) et de Sebastian Vizcaino (1602), la Californie ne commença à être colonisée par l'Espagne qu'en 1769, grâce à l'action des missionnaires jésuites et franciscains. Annexée en 1822 par le Mexique, qui venait de se rendre indépendant de l'Espagne, elle fut cédée aux États-Unis par le traité de Guadalupe Hidalgo (1848) et devint le 31e état de l'Union en 1850. Son premier développement fut lié à la découverte de l'or et à l'ouverture du premier chemin de fer transcontinental (1869), qui attirèrent une multitude d'émigrants venus du monde entier. Au XXe s., la Californie est devenue « l'État doré », où le niveau de vie est plus élevé que partout ailleurs dans le monde, et qui continue d'attirer un grand nombre d'habitants de l'Est.
Ses activités économiques sont très diverses : pétrole (deuxième État producteur des États-Unis, après le Texas), constructions aéronautiques, électronique, missiles, cinéma (v. HOLLYWOOD). Premier des États américains par son produit national brut, qui dépassait en 1975 les 180 milliards de dollars pour 20 millions d'habitants, la Californie ne fut guère affectée par la récession des années 74/75.
● La Californie est l'État américain qui bénéficie de la plus forte croissance. Pour la population, elle ne venait qu'au 24e rang des États-Unis en 1900, au 5e en 1940, au premier depuis 1980, avec 27 millions d'habitants (soit 11 % de la population totale des États-Unis). Sa superficie, il est vrai, est supérieure à celle du Japon ou à celle de l'Italie. Elle était au 12e rang des nations en matière de commerce international grâce au développement de ses transports maritimes et aériens. Son université compte 150 000 étudiants répartis en 9 campus publics ou privés, dont plusieurs milliers de professeurs et administrateurs ont la responsabilité. Les plus célèbres sont Berkeley et Stanford. Cette dernière est à l'origine de la Silicon Valley (v.), territoire d'une trentaine de km de long sur la baie de San Francisco, qui doit sa dénomination au fait que ses firmes de haute technologie travaillent en majorité sur les composants électroniques dont le silicon (silicium) est un élément essentiel. La recherche, l'informatique, l'électronique, les

CALIFES
Le calife de Bagdad convertit les Turcomans à l'islam. Détail d'une miniature du « Livre des merveilles » de Marco Polo, XVe s.
Ph. © Bibl. Nat., Paris - Photeb

énergies de remplacement, les activités aérospatiales, les biotechnologies sont leurs principaux objectifs.

Mais la plus grande richesse y côtoyait la plus grande misère avec un taux record d'immigration, clandestine en majorité, de Latinos (terme employé pour désigner les immigrés d'origine latino-américaine). En 1987, c'est en Californie que l'on pouvait mesurer le mieux l'importance du déficit commercial américain : 23,5 milliards de dollars d'exportations, contre 92 milliards d'importations dont près de 75 % en provenance d'Asie du Sud-Est, alors que 20 ans auparavant la balance commerciale était équilibrée.

CALIGA. Voir CHAUSSURES.

CALIGULA Caius Caesar Germanicus (* Antium, 31.VIII.12 apr. J.-C., † Rome, 24.I.41), troisième empereur romain (37/41). Fils de Germanicus et d'Agrippine, il passa son enfance dans un camp militaire de Germanie, et les soldats lui donnèrent son surnom de Caligula, c'est-à-dire « bottillon » (de *caliga*, botte de soldat). Adopté par son grand-oncle Tibère, il succéda à ce dernier en l'an 37, à l'âge de vingt-cinq ans. Après d'heureux débuts, son attitude changea brusquement, sans doute sous l'empire d'une maladie. Il voulut être adoré comme un dieu, se fit décerner des triomphes pour des victoires imaginaires, donna le titre de consul à un cheval qu'il aimait, entretint des relations incestueuses avec ses sœurs, fit exécuter d'excellents citoyens, Silanus, Macron, Gemellus, etc., afin de s'emparer de leurs richesses, n'épargnant même pas ses proches parents. Cependant, tout le détail de ses extravagances ne nous est connu que par des historiens hostiles à l'Empire, et Caligula s'était aliéné le parti sénatorial par son absolutisme. D'après Suétone, il souhaitait que le peuple romain n'eût qu'une tête, afin de la trancher d'un seul coup. Après avoir échappé à plusieurs complots, Caligula fut assassiné par des officiers de la garde prétorienne. En 39/40, il avait mené une campagne sans résultat en Germanie et en (Grande-) Bretagne.

CALINESCO Armand (* Pitesti, 22.V.1893, † Cotroceni, près de Bucarest, 21.IX.1939). Homme politique roumain. Avocat, organisateur du parti national paysan fondé en 1926, il devint ministre de l'Intérieur à la fin de 1937. Premier ministre en mars 1939, il tenta de s'opposer à l'organisation fasciste de la Garde de fer et fut assassiné.

CALIXTE Ier saint († 222), pape (217/22). Il avait d'abord été administrateur de la catacombe qui porte son nom, sur la voie Appienne. Ayant adouci la discipline pénitentielle, il s'exposa aux critiques violentes de Tertullien et de st. Hippolyte.

CALIXTE II, Guy de Bourgogne († Rome, 13.XII.1124), pape (1119/24). Fils de Guillaume le Grand, comte de Bourgo-

CALIGULA
Caius Caesar Germanicus.
Empereur romain (37/41).
Monnaie en bronze.
Ph. © Bibl. Nat., Paris - Photeb

CALIXTE Ier
Pape (217/222). Détail de
verrerie byzantine.
(Cabinet des Médailles.)
Ph. © Bibl. Nat., Paris - Photeb

gne, il avait été archevêque de Vienne, en Dauphiné. Élu à Cluny le 2 févr. 1119, il entra dans Rome en 1120, assiégea dans Sutri l'antipape Grégoire VIII (Burdin), le prit et l'enferma dans un monastère. Courageux défenseur du droit souverain de l'Église, il mit fin à la grande lutte des Investitures par le concordat de Worms (pacte *calixtin*) du 23 sept. 1122, confirmé par le Ier concile général du Latran.

CALIXTE III, Jean de Strouma, antipape (1168/78). Opposé à Alexandre III par Frédéric Ier Barberousse, il fut abandonné par l'empereur après le traité d'Anagni (1176), mais résista encore deux ans avant de se soumettre.

CALIXTE III, Alfonso de Borgia (* Xativa, près de Valence, 31.XII.1378, † Rome, 6.VIII.1458), pape (1455/58). Archevêque de Valence, élu le 8 avr. 1455 comme successeur de Nicolas V. Vertueux et énergique, alarmé par la prise de Constantinople (1453), il tenta vainement de dresser l'Europe en une vaste croisade; ses efforts contribuèrent néanmoins à arrêter les Turcs devant Belgrade (1456). Il fit réviser le procès de Jeanne d'Arc et réhabilita la mémoire de celle-ci (1456). On lui reproche son népotisme : il fit deux de ses neveux cardinaux et assura à un troisième le duché de Spolète.

CALIXTINS. Secte de hussites de Bohême (début XVe s.), ainsi nommés parce que, dans la célébration de l'Eucharistie, ils réclamaient l'usage du *calice* pour les laïcs. Appelés également *utraquistes*, parce qu'ils communiaient sous les deux espèces *(sububraque).* Le concile de Bâle (1433) satisfit leur demande à cet égard et les *Compacta* de Prague (1436) assurèrent leur liberté religieuse. Ils constituaient, en face des taborites, le parti des hussites modérés. Par la suite, ils se fondirent avec les frères moraves ou avec les luthériens.

CALLAGHAN James Leonard (* Portsmouth, 27.III.1912). Homme politique anglais. D'abord employé des contributions puis militant syndicaliste, élu député travailliste aux Communes dès 1945, il entra en 1947 dans le cabinet Attlee, puis de 1964, à 1970, fit partie des gouvernements Wilson, comme chancelier de l'Échiquier et comme ministre de l'Intérieur. Président du parti travailliste en 1973/74, il fut nommé ministre des Affaires étrangères dans le nouveau cabinet Wilson en mars 1974. Favorable à l'entrée de la Grande-Bretagne dans le Marché commun, il mena avec succès les nouvelles négociations sur les conditions de l'adhésion britannique à la Communauté européenne. La victoire des partisans du oui au référendum de juin 1975 fut en grande partie l'œuvre de James Callaghan. En mars 1976, après la démission de Harold Wilson, il devint Premier ministre et chef du parti travailliste. ● Malgré ses succès dans la lutte contre l'inflation et le chômage, la réduction du déficit de la balance des paiements, son cabinet, devenu minoritaire aux Communes, dépendit du soutien des libéraux et des nationalistes écossais. Son impuissance face au pouvoir syndical et à des grèves sans précédent fut jugée sévèrement par l'opinion et permit aux conservateurs d'introduire une motion de censure qui, le 28 mars 1979, fut votée à une voix de majorité. Il abandonna le pouvoir au leader des conservateurs, Margaret Thatcher (v.), tout en continuant à militer au sein du parti travailliste où il s'opposa vivement à la majorité, critiquant notamment la prise de position du *labour* en faveur du désarmement unilatéral.

CALLAO. Ville du Pérou et port sur l'océan Pacifique, à l'O. de Lima. Détruite à plusieurs reprises (1630, 1746) par des tremblements de terre et des typhons, Callao fut la dernière place occupée au Pérou par les Espagnols, qui ne l'évacuèrent que le 22 janv. 1826, après un siège de trois ans.
● Avec 350 000 habitants en 1981, Callao était la deuxième ville du Pérou.

CALLE (La), *El Kala*. Port d'Algérie, à l'E. de Bone. Occupé par les Français de 1594 à 1799, de 1815 à 1827 et de 1836 à 1962.

CALLES Plutarco Elias (* Guaymas, Sonora, 25.IX.1877, † Mexico, 19.X.1945). Général et homme politique mexicain. Président de 1924 à 1928, il s'efforça de consolider les résultats de la révolution de 1910, pratiqua des réformes agraires, réorganisa l'armée et l'instruction publique et mena en 1925/26, et de nouveau à partir de 1932, une lutte violente contre l'Église. Son influence politique resta prédominante jusqu'en 1934. Devenu conservateur, il s'opposa par la suite aux réformes de Lazaro Cardenas et s'exila en Californie jusqu'en 1941.

CALLIAS (Vᵉ s. av. J.-C.). Homme politique athénien. On lui attribue la négociation de la **paix de Callias** (449 av. J.-C.), qui, après la victoire des Athéniens à Salamine de Chypre, la même année, mettait un terme aux guerres médiques : le roi de Perse s'engageait à ne pas envoyer d'armée à plus de trois jours de marche de la mer Égée.

CALLICRATIDAS († 406 av. J.-C.). Général spartiate dans la guerre du Péloponnèse, il remplaça Lysandre au commandement de la flotte lacédémonienne, bloqua Conon dans Mytilène (406) mais fut vaincu la même année par les Athéniens dans la bataille navale des îles Arginuses et périt au cours du combat.

CALLIÈRES François de (* Thorigny, Manche, 1645, † Paris, 5.III.1717). Diplomate français. Il prépara par des négociations secrètes en Hollande la paix de Ryswick (1697) et devint l'année suivante secrétaire particulier de Louis XIV. Auteur d'un célèbre traité intitulé *De la manière de*

CALIXTE III
Alfonso de Borgia.
Pape (1455/1458).
Ph. Jeanbor © Photeb

CALLAGHAN
James Leonard. Homme politique anglais (né en 1912).
Ph. © J. Tiziou - Sygma

négocier avec les souverains (1716); membre de l'Académie française en 1689.

Son frère, **Louis Hector de Callières** (* Thorigny, Manche, 1646, † Québec, 26. V.1703), administrateur colonial français, fut gouverneur de Montréal (1684), qu'il fortifia, puis de la Nouvelle-France (1699). Il pacifia les Iroquois et signa avec eux le traité de Montréal (1701).

CALLINIQUE, Kallinikon. Autre nom de la ville de Nikêphorion, en Mésopotamie. Victoire des Perses sur Bélisaire (531).

CALLISTRATE (IVᵉ s. av. J.-C., † Athènes, vers 355). Homme politique et orateur athénien. Accusé de trahison à cause de ses sympathies pour Sparte, il se défendit dans un discours magnifique mais fut néanmoins condamné à mort (361). Après avoir pris la fuite en Macédoine, il rentra imprudemment à Athènes et fut exécuté. Son éloquence faisait l'admiration du jeune Démosthène.

CALMAR. Voir KALMAR.

CALMETTE Gaston (* Montpellier, 30. VII.1858, † Paris, 16.III.1914). Journaliste français; directeur du *Figaro* (1903/14). Il fut tué d'un coup de revolver par Mᵐᵉ Caillaux, femme du ministre des Finances : il avait menacé celui-ci, au cours d'une campagne de presse, de la divulgation d'une correspondance intime.

Son frère, **Albert Léon Charles Calmette** (* Nice, 12.VI.1863, † Paris, 29.X.1933), médecin français, fut directeur de l'Institut Pasteur (1895), professeur à Lille (1896) et de nouveau à l'Institut Pasteur à partir de 1917; on lui doit la découverte du vaccin contre la tuberculose (B.C.G.).

CALOMARDE Francisco Tadeo, duc de (* Villel, Aragon, 1775, † Toulouse, 1842). Homme politique espagnol. Ministre de la Justice de Ferdinand VII, il mena une politique absolutiste, rappela les jésuites, ferma les universités et poursuivit impitoyablement les libéraux. Lors d'une maladie du roi, en 1832, il essaya d'introduire une loi de succession favorable aux carlistes mais tomba en disgrâce et dut se réfugier en France.

CALONNE Charles Alexandre de (* Douai, 20.I.1734, † Paris, 30.X.1802). Financier et homme politique français. Ancien intendant à Metz et à Lille, où il s'était révélé un excellent administrateur, il devint contrôleur général du Trésor en nov. 1783. Dans la situation désespérée de la Trésorerie, son plan consistait, par des prodigalités à des personnes influentes, à donner l'impression de la richesse, à rendre la confiance, à restaurer le crédit, gagnant ainsi le délai nécessaire à l'accomplissement de sérieuses réformes. « Il fallait un calculateur, ce fut un danseur qui l'obtint », devait dire de lui Beaumarchais. Il serait pourtant injuste

737

de faire de Calonne le fossoyeur de l'Ancien Régime. Le déficit persistant, il proposa un plan de réformes hardies : remplacement des vingtièmes par un impôt foncier, la « subvention territoriale », frappant tous les propriétaires; suppression des douanes intérieures et liberté du commerce des grains; création d'assemblées consultatives, provinciales et municipales (1786). Pressentant l'opposition irréductible des parlementaires, il demanda la convocation de l'Assemblée des notables (févr. 1787), mais celle-ci, composée surtout de privilégiés, refusa les réformes. Abandonné et congédié par Louis XVI, Calonne dut s'exiler; il ne revint en France que sous le Consulat.

CALONNE (tranchée de). Route forestière du département de la Meuse, construite sur le sommet des Hauts de Meuse par le ministre Calonne, qui possédait un château dans les environs. Entre 1915 et 1917 s'y livrèrent de furieux combats, notamment en avril/mai 1915.

CALOTTE (régiment de la). Association de joyeux officiers fondée vers la fin du règne de Louis XIV. Ses membres s'amusaient à censurer les travers et les ridicules des gens de la bonne société, et même des plus hauts placés. Le régiment de la Calotte s'attira naturellement de vives animosités et finit par être dissous sous le ministère Fleury. En 1725, parurent à Bâle d'amusants *Mémoires pour servir à l'histoire de la Calotte*.
Sous l'Ancien Régime, on appela également régiment de la Calotte une sorte de police militaire extra-légale qui existait dans les régiments français. Supprimée par une loi à la fin de 1792, la Calotte reparut bientôt dans les régiments de volontaires, sous la Révolution; elle existait encore sous Louis XVIII dans certaines unités.

CALPURNIA. Famille romaine dont les deux principales branches étaient celles des Bibulus (v.) et des Pisons (v.).

CALPURNIA. Fille de Calpurnius Pison, épousa César en 59 av. J.-C.; inquiétée par un rêve, elle avertit vainement César du danger qui le menaçait au sénat lors des ides de Mars. Elle envoya tous ses biens à Antoine pour l'aider à punir les assassins de son mari.

CALPURNIA REPETUNDARUM (lex). Loi romaine que fit voter en 149 av. J.-C. le tribun Lucius Calpurnius Piso Frugi. Elle instituait un tribunal spécial *(quaestio repetundarum)* permettant aux alliés de poursuivre à Rome les gouverneurs concussionnaires. Cette loi fut une étape importante vers la création des tribunaux permanents *(quaestiones perpetuae)* (voir ce terme).

CALPURNIUS PISO. Voir PISON.

CALTABELLOTTA. Ville de Sicile (province d'Agrigente). **Paix de Caltabellotta (1302),** signée entre Charles II d'Anjou et Frédéric II d'Aragon. Ce dernier conservait à titre viager, avec le titre de roi de Trinacrie, le royaume de Sicile, qui, à sa mort, devait revenir aux Angevins. En fait, Frédéric II assura la succession de Sicile à son fils, Pierre II.

CALVAIRE. Voir GOLGOTHA.

CALVIN Jean, Caulvin ou **Cauvin** (* Noyon, Somme, 10.VII.1509, † Genève, 27.V.1564). Réformateur français. Son père, Gérard Cauvin, gérait les affaires de l'évêque à Noyon. Il fit ses études au collège Montaigu, à Paris, puis étudia la jurisprudence et la théologie à Orléans et à Bourges, où il connut des maîtres acquis à la nouvelle théologie et à l'humanisme, entre autres Mathurin Cordier, Alciat, Nicolas Wolmar. Revenu à Paris en 1531, gradué en lettres et en droit, il suivit les cours de Budé, de Danès, de Vatable et publia, en 1532, son premier ouvrage, un commentaire philologique et philosophique sur le *De clementia* de Sénèque. Une conversion profonde l'amena bientôt à entrer dans les luttes religieuses. Au début de nov. 1533, profitant de la rentrée de l'université de Paris, il fit prononcer par son ami, le recteur Cop, un discours favorable aux thèses luthériennes. Le scandale qui s'ensuivit l'obligea à s'éloigner de la capitale; il se réfugia d'abord à Angoulême, puis à Nérac, auprès de Marguerite de Navarre, qui protégeait les protestants, et enfin à Bâle : c'est dans cette dernière ville qu'il publia en latin (1536) son *Institutio religionis christianae,* qu'il devait traduire lui-même en français. Après un court voyage en Italie (printemps 1536) auprès de la fille de Louis XII, Renée de France, duchesse de Ferrare, Calvin, sur les instances de Farel, accepta en juill. 1536 de se fixer à Genève, où la Réforme venait d'être adoptée. D'abord professeur de théologie puis pasteur, il imposa une sévère discipline morale aux Genevois, rendit obligatoire la fréquentation du culte, interdit les danses, appela les magistrats à sévir contre les pécheurs. Il se heurta à l'opposition des « libertins », partisans de la tolérance, qui l'emportèrent aux élections de 1538. Pour avoir refusé de se soumettre aux nouveaux magistrats sur des questions religieuses, Calvin et Farel furent bannis de Genève (avr. 1538). Calvin se retira à Strasbourg, où il se lia avec Bucer et Capiton; il organisa dans cette ville une Église française. Rappelé par Genève, il y fut reçu sous des acclamations en sept. 1541. Bien que ne participant point directement aux affaires et n'ayant été naturalisé genevois, par l'admission à la bourgeoisie, qu'en 1559, devant avant tout son influence à son ascendant de théologien et de pasteur, il allait rester jusqu'à sa mort toutpuissant à Genève, dont il entreprit de faire une ville exemplaire, un modèle de la nouvelle manière de croire et de vivre. Pour cela, il fit de l'État le soutien fidèle de l'Église et lui confia une mission d'éducateur. Sous le nom de Consistoire, un corps de pasteurs et d'« anciens » laïcs, choisis dans les Conseils de la ville, fut chargé de veiller au redressement des mœurs et d'organiser une surveillance étroite des citoyens, dans leur vie privée comme dans leur vie publique. Les infractions morales furent désormais considérées comme des crimes sociaux et punies comme tels. Calvin n'hésita pas, en 1553, à faire exécuter Michel Servet qui, poursuivi par les catholiques, s'était imprudemment réfugié à Genève. Calvin fit de Genève le centre de la Réforme, d'où des missionnaires partirent répandre le calvinisme en France, dans les Pays-Bas, dans les pays germaniques, en Hongrie, en Pologne, en Écosse, en Angleterre. En 1559, il fonda un collège dont le rectorat fut confié à Théodore de Bèze. A la mort du réformateur, le calvinisme était déjà plus répandu que le luthéranisme.

La doctrine de Calvin prend appui sur l'œuvre de Luther, qui l'a précédée, mais Calvin insiste particulièrement sur la corruption absolue de l'homme et, alors que Luther enseignait la justification par la foi, il soutint la thèse de la prédestination absolue et du décret divin irréformable qui rend la grâce inadmissible. Enfin, au message essentiellement individualiste et mystique de Luther, Calvin substitua la conception d'un christianisme profondément inscrit dans la vie séculière : son idéal en ce domaine, qu'il chercha à réaliser à Genève, fut un État théocratique, éducateur, destiné à « nourrir et entretenir le service extérieur de Dieu » et à former les hommes « à toute équité requise ». Dans sa traduction de son *Institution de la religion chrestienne* (1541), Calvin se révéla comme un des plus grands écrivains français de son temps; il donna en français de nombreux autres ouvrages, parmi lesquels un *Traité de la Cène* (1540), des *Commentaires sur l'Écriture,* etc. Il laissa également des *Lettres* latines et françaises.

L'esprit du calvinisme

La figure de Calvin a été longtemps l'une des plus méconnues de l'histoire chrétienne. Aussi bien les catholiques que les protestants libéraux se plaisaient, hier encore, à assombrir les traits du « second patriarche de la Réforme », maintenant mieux connu grâce aux travaux contemporains d'E. Doumergue, F. Wendel, J.-D. Benoît, A. Bieler, A. Stauffer en France, de W. Niesel en Allemagne, de T.-F. Torrance en Angleterre. Calvin est proche de notre temps à bien des égards. Il fut d'abord le premier des théologiens laïcs, un légiste, un humaniste amoureux de la Bible, que le spectacle des persécutions déclenchées par François Ier, la crainte de mouvements désordonnés tels que ceux des anabaptistes allemands, enfin le désir de suppléer à un clergé qui lui paraissait défaillant jetèrent dans la lutte réformatrice, mais qui n'accepta qu'à son corps défendant, sur les injonctions de Farel et de Bucer, la charge du ministère pastoral. Sa pensée théologique se développe autour d'une idée plus simple, plus fondamentale encore que celle de Luther : « non tant la dialectique *péché-grâce,* souligne le P. Congar, que la dialectique, plus universelle et plus radicale, *Créateur-créature,* une affirmation universelle de la souveraineté de Dieu, créateur et régent de toutes choses : *Soli Deo gloria* ». C'est cette idée grandiose que Calvin a exprimée dans sa célèbre thèse sur la prédestination, à laquelle peu de calvinistes souscrivent encore aujourd'hui intégralement.

Mais c'est surtout l'« humanisme social » de Calvin qui semble propre à toucher notre temps. Dans un ouvrage retentissant paru au début de ce siècle, *L'Éthique protestante et l'esprit du calvinisme* (1904-05), le sociologue allemand Max Weber a souligné le rôle du calvinisme, et surtout de sa version puritaine, dans la formation de l'esprit capitaliste. Selon la thèse de Weber, le calvinisme répandit dans le monde, et surtout dans les pays anglo-saxons, un nouvel ascétisme laïque et séculier, fondé non sur le renoncement au monde, mais sur l'action énergique, sur le labeur infatigable, sur la frugalité et la sobriété, sur un esprit d'économie qui se révélèrent de puissants incitateurs à la capitalisation. Ce qui fut désormais considéré comme mauvais, ce fut non pas l'activité inspirée par le désir du profit, non plus l'accumulation des richesses, mais leur usage à des fins de jouissance et d'ostentation. « Or et argent, disait Calvin, sont de bonnes créatures qu'on peut appliquer à bon usage... Pourquoi donc le bénéfice ne serait-il pas plus considérable dans les affaires industrielles et commerciales que le revenu de la terre ? D'où viennent les profits des marchands, sinon de leur activité, de leur travail ? »

De telles conceptions marquaient une rupture très nette avec l'esprit du Moyen Age. Mais les travaux récents amènent à nuancer quelque peu la thèse de Max Weber, sans mettre en cause sa vérité indéniable. Pour le calvinisme historique, la réussite matérielle, industrielle ou commerciale a souvent été effectivement comprise comme une sorte de signe de la justification. Peut-on dire cependant que Calvin n'a mis « aucune entrave fondamentale à l'expansion économique », qu'il a été, en somme, le père spirituel du libéralisme économique et du capitalisme? En fait, la réforme calvinienne se montra très ouverte aux problèmes sociaux.

Si Calvin autorise le prêt à intérêt, il condamne l'usure aussi nettement que l'ont fait les théologiens du Moyen Age, et il ne conçoit le prêt que dans des limites précises et sous le contrôle d'une réglementation. Il souhaite une redistribution permanente des biens, il dit aux riches qu'ils doivent être « les ministres des pauvres », et, sous la forme du *diaconat,* il institue à Genève un des premiers systèmes de sécurité sociale, comportant une assistance maladie, vieillesse et invalidité. On voit de même Calvin se préoccuper de la formation professionnelle des jeunes, du « recyclage » des adultes, du contrat de salaire.

Ce double trait essentiel de la pensée de Calvin : proclamation de la transcendance

CALVIN
Réformateur français
(1509-1564). Portrait v. 1550.
(Museum Boymans - Van
Beuningen, Rotterdam.)

Ph. Fréquin © du musée - Photeb

absolue de Dieu, d'une part, ouverture sur le siècle, d'autre part, on le retrouve au xxᵉ s. dans le renouveau théologique protestant, qui, avec Karl Barth, a pris son essor en milieu calviniste. C'est de là que partirent à la fois la réaction contre les compromissions du protestantisme libéral et, au temps de Hitler, la révolte des exigences chrétiennes contre l'État totalitaire. Au sein du monde issu de la Réforme, en face d'autres Églises gênées par leurs traditions d'«établissement», le calvinisme a joué encore en notre temps un rôle de ferment.
Voir l'histoire du calvinisme à l'article PROTESTANTISME.

CALVO SOTELO José (* La Corogne, 1893, † Madrid, 13.VII.1936). Homme politique espagnol. Ministre des Finances durant la dictature de Primo de Rivera (1926/30), il devint, sous le régime républicain, un des chefs du parti monarchiste. Menacé aux Cortes par les communistes, en particulier par la Pasionaria, il fut assassiné quelques jours avant le déclenchement de la guerre civile.

CAM ou **CÃO Diogo** (xvᵉ s.). Navigateur portugais. En 1482, chargé par le roi Alphonse V d'un voyage d'exploration sur les côtes africaines, il découvrit l'embouchure du Congo et éleva sur la rive, en mémorial, une pierre gravée, qui fut retrouvée et détruite par les Hollandais en 1642; il poussa ensuite jusqu'au 22ᵉ degré de latitude S. Il accomplit un second voyage au Congo (1485).

CAMALDULES. Ordre religieux contemplatif, fondé dans le val de Camaldoli (Toscane) par st. Romuald, en 1018. La règle, inspirée de la règle bénédictine, se caractérisait par son extrême rigidité; l'habit était blanc, d'où le nom de *bénédictins blancs* donné parfois aux camaldules. Par la suite, l'ordre se divisa en camaldules anachorètes et en camaldules cénobites. Un ordre de religieuses camaldules fut également fondé, en 1086.

CÂMARA Hélder (* Fortaleza, Ceará, 1909). Évêque brésilien. Ordonné prêtre en 1931, il se préoccupa très tôt des questions sociales et fut d'abord attiré vers le fascisme. Il fut un des créateurs du Conseil épiscopal latino-américain (C.E.L.A.M.). Évêque auxiliaire en 1952, puis archevêque auxiliaire de Rio de Janeiro (1955), il fut nommé archevêque de Recife en 1964. Sans intervenir dans les débats, il joua un rôle important en marge de Vatican II, s'efforçant d'attirer l'attention des Pères conciliaires sur les problèmes des pays sous-développés. Orateur passionné, il dénonce la «coalition des nantis», celle des grandes puissances de l'Ouest et de l'Est qui maintiennent le tiers monde sous l'emprise d'une colonisation économique. Tout en comprenant les motifs, il refuse cependant la violence des pauvres et pense qu'il est encore possible de mener une action libératrice efficace en s'inspirant des principes de Gandhi

et de Martin Luther King. Prix Nobel de la paix en 1974.
● Hélder Câmara joua un rôle essentiel dans la rédaction et la publication, en févr. 1977, par la conférence épiscopale brésilienne, d'un document retentissant intitulé : *Exigences chrétiennes de l'ordre public*, sévère critique d'un régime fondé sur la «sécurité nationale» mais où la «majorité des citoyens vit dans un état d'insécurité permanent» et d'un système économique où la «liberté d'entreprendre est aussi la liberté laissée à une minorité de privilégiés d'exploiter le plus grand nombre». Hélder Câmara a pris sa retraite en févr. 1984.

CAMARILLA. Nom que l'on donnait péjorativement en Espagne à l'entourage du roi Ferdinand IV.

CAMBACÉRÈS Jean-Jacques Régis de, duc de Parme (* Montpellier, 18.X.1753, † Paris, 8.III.1824). Juriste et homme politique français. D'une ancienne famille de robe, il succéda à son père comme conseiller à la Cour des aides (1771). Secrétaire rédacteur des cahiers de la noblesse pour les États généraux, député de l'Hérault à la Convention en sept. 1792. Lors du procès de Louis XVI, il insista pour que des garanties fussent assurées à l'accusé et à ses avocats; son vote ambigu, lors du verdict, fut compté comme équivalant à un refus de condamnation. Dès cette époque, sa pensée dominante était l'élaboration d'un Code civil, dont il présenta la première esquisse en août et octobre 1793. Après le 9-Thermidor, Cambacérès devint président de l'Assemblée, puis du Comité de salut public et se signala surtout par sa modération, aussi bien à l'égard des robespierristes que des anciens Girondins ou des prêtres. Membre du Conseil des Cinq-Cents, ministre de la Justice (1799), il fut choisi par Bonaparte comme deuxième consul en décembre 1799. Chargé d'organiser les pouvoirs judiciaires, il eut la part principale dans la rédaction du Code civil. Sous l'Empire, il fut fait archichancelier, prince et duc de Parme. Ministre de la Justice pendant les Cent-Jours, il fut exilé à la Restauration. Il revint en France lorsque Louis XVIII lui eut restitué ses droits civils et politiques, en mai 1818, mais ne joua plus aucun rôle politique. Il était membre de l'Académie française (radié en 1816). Ses *Lettres inédites à Napoléon* ont été publiées par Jean Tulard en 1973.

CAMBODGE, *Kampuchea.* État de l'Asie du Sud-Est, en Indochine, capitale *Phnom Penh.* Après avoir appartenu au royaume hindouisé du Fou-Nan (Iᵉʳ-vIᵉ s. apr. J.-C.), le Cambodge devint, à la fin du vIᵉ s., le centre de la civilisation khmère (v. KHMERS), qui devait fleurir jusqu'au xIVᵉ s. À partir de 1350, la lutte s'intensifia entre Khmers et Siamois; en 1431, les Siamois finiront par s'emparer de l'antique capitale d'Angkor. L'histoire du Cambodge connut désormais un long déclin jusqu'au xIXᵉ s., le pays se trouvant menacé

CAMBODGE
Détail du monument
commémoratif du traité
franco-siamois de 1907.
Ph. © E.C.P.A. - Armées - Photeb

Le prince Norodom Sihanouk,
intervenant à Pékin, en mai 1970,
pour annoncer la constitution
d'un « gouvernement royal
d'union nationale khmer ».
Ph. © Roger Pic

d'absorption à l'O. par les Siamois, à l'E. par l'Annam. Le roi du Cambodge fut finalement obligé de faire appel à la France (1854), qui établit son protectorat par un traité signé à Oudong (juill. 1863). De 1887 à la Seconde Guerre mondiale, le Cambodge fit partie de l'Indochine française; en 1907, la France obtint du Siam la restitution au Cambodge de Battambang, d'Angkor et des provinces occidentales, qui furent reperdues à la suite de la guerre franco-thaïlandaise de 1940/41 (traité de Tokyo, 9 mai 1941) et finalement restituées en 1947. Le Cambodge fut reconnu comme État associé de l'Union française en 1949 et complètement indépendant le 9 nov. 1953; tout en conservant de bonnes relations avec la France, il rompit ses liens avec l'Union française en sept. 1955. Monarchie constitutionnelle depuis 1947, le Cambodge avait pour roi, depuis 1941, Norodom Sihanouk; celui-ci, afin de retrouver sa liberté d'action politique, abdiqua au profit de son père en 1955 et fonda le parti Sangkum (Communauté socialiste populaire), qui obtint la quasi-unanimité des suffrages. En 1960, à la mort de son père, Norodom Sihanouk resta chef de l'État, mais sans prendre le titre de roi. Il mena une politique neutraliste, encore renforcée après l'aggravation de la guerre au Viêt-nam et de l'« escalade » américaine. Très impressionné par la Chine, Sihanouk entretenait par ailleurs de mauvaises relations avec la Thaïlande, alliée des États-Unis; aussi, à la fin de 1963, renonça-t-il au bénéfice de l'aide américaine. Il dénonçait d'autre part l'activité des services secrets américains au Cambodge et ne cachait pas ses sympathies pour le Viêt-cong. En fait, son principal souci, en donnant des gages à ses voisins communistes, était de préserver l'indépendance de son pays, laquelle paraissait relativement précaire.

Cette politique neutraliste fut rendue de plus en plus difficile par l'aggravation du conflit vietnamien. Dès 1966, Sihanouk avait dû accepter que le Cambodge devînt une des principales voies de ravitaillement des forces communistes engagées au Viêt-nam du Sud. De déc. 1966 à avr. 1969, 21 000 t d'armes et de matériel de guerre furent ainsi amenées dans les ports cambodgiens par des cargos chinois, soviétiques, polonais, etc. A partir de 1967/68, Sihanouk fut aux prises avec une véritable insurrection des communistes khmers ou *Khmers rouges*, qui, organisés dès 1954 dans le Parti du peuple khmer (Prachéachon), avaient toujours refusé d'adhérer au Sangkum, fondé par le prince. Le 14 août 1969, Sihanouk fut obligé de rappeler à la tête du gouvernement le général Lon Nol, connu pour son anticommunisme et pour ses sympathies envers les Américains; moins d'un an plus tard, le 18 mars 1970, Lon Nol prit l'initiative d'un coup d'État, qui renversa Sihanouk alors que celui-ci entreprenait une visite de consultation à Moscou et à Pékin. Condamné à mort par contumace, l'ancien chef de l'État s'établit en Chine et n'eut plus d'autre recours que

de faire cause commune avec les communistes; le 5 mai 1970, il annonça la formation d'un Gouvernement royal d'union nationale (G.R.U.N.C.), où les Khmers rouges occupaient les postes clés et dont l'organisation politique était le « Front uni national cambodgien » (F.U.N.C.). Au Cambodge, les partisans, avec l'aide des communistes vietnamiens, déclenchaient contre le régime Lon Nol une offensive qui ne put être arrêtée que par l'intervention massive des troupes et de l'aviation américaines (avr./juin 1970). Les Américains poursuivirent leurs raids aériens au Cambodge jusqu'au 15 août 1973, sans parvenir à éliminer les forces communistes, dont l'activité ne cessa de se manifester dans les faubourgs mêmes de Phnom Penh. Lon Nol proclama la république (9 oct. 1970) et se fit élire président (juin 1972); son régime, combattu par la Chine, fut reconnu diplomatiquement par les autres grandes puissances, y compris l'Union soviétique. Malgré l'impopularité de Sihanouk, le régime républicain ne parvint pas à mobiliser de son côté les énergies populaires, et, au cours des années 1971/74, les Khmers rouges ne cessèrent d'étendre et de renforcer leur contrôle sur les régions rurales. Dès le début de 1975, ils lancèrent leur grande offensive, en attaques coordonnées contre Phnom Penh. Les États-Unis renonçant à une nouvelle intervention au Cambodge, Lon Nol partit pour l'exil (1er avr. 1975) et les Khmers rouges s'emparèrent de Phnom Penh le 17 avr. 1975.

Ils décidèrent l'évacuation de la population urbaine, femmes, vieillards, malades y compris, et, du moins dans un premier temps, marquèrent leur volonté de couper totalement le pays du reste du monde et surtout de la civilisation occidentale.

En janv. 1976 fut annoncée officiellement la naissance de l'« État démocratique du Cambodge », présidé par Norodom Sihanouk. Mais celui-ci, élu à l'unanimité chef de l'État après les élections du 20 mars 1976, donna brusquement sa démission le 5 avr. suivant, et Kieu Samphan, chef des Khmers rouges durant la guerre contre le régime de Lon Nol, devint chef de l'État et Pol Pot fut son premier ministre.

● On ignorera toujours ce qu'a coûté exactement en vies humaines au Cambodge l'année 1975-1976, par suite des marches ou des travaux forcés, des privations ou des massacres organisés : 2 millions de morts selon les estimations soviétiques, 350 000 exécutions, 2 millions de décès selon les estimations britanniques, 3 millions de morts selon les Khmers provietnamiens. En déc. 1977, une guerre ouverte éclata entre Hanoï et Phnom Penh, respectivement soutenus par Moscou et Pékin. La bataille des frontières amena finalement les Vietnamiens, pendant l'automne 1978, à prendre position en territoire cambodgien. Les excès sanguinaires de Pol Pot leur avaient rallié de nombreux Cambodgiens — y compris des Khmers rouges — qui avaient constitué au Viêt-nam une éphémère « armée khmère de libé-

CAMBODGE
Khmer rouge à l'exercice.
Ph. © Jan Myrdal-Sygma

CAMBON
Joseph. Homme politique
français (1756-1820).
Ph. © Bibl. Nat., Paris - Photeb

ration »; puis le 3 déc. 1978, se mit en place le F.U.N.S.K., organe représentatif de l'ensemble des Khmers provietnamiens. Hanoï lança sa grande offensive le 25 déc. 1978; Phnom Penh tombait le 7 janv. 1979, et, en quelques jours, les Vietnamiens se rendaient maîtres des centres vitaux du pays. Celui-ci, transformé en République populaire du Kampuchea, fut doté d'un Conseil révolutionnaire, placé sous l'autorité du Cambodgien Heng Samrin, tandis qu'une armée de 30 000 Khmers rouges fidèles à Pol Pot prenait le maquis et que diverses forces d'opposition, nationaliste, neutraliste, sihanoukiste, se constituaient aussi en groupes armés. Appauvri en hommes et en ressources, complètement désarticulé économiquement (ainsi 700 000 ha seulement de rizières sur près de 2,5 millions purent être cultivés en 1979), le Cambodge ne devait ses espoirs de survie qu'à l'aide alimentaire internationale (Croix-Rouge et U.N.I.C.E.F.), difficilement acheminée jusqu'aux populations nécessiteuses. Ni l'action diplomatique du prince Sihanouk, ni la riposte militaire de la Chine contre le Viêt-nam, ni le soutien de l'Association des nations de l'Asie du Sud-Est au gouvernement khmer rouge qui avait pris le maquis, ni même la condamnation de l'invasion par une grande majorité de pays à l'O.N.U., n'ont été en mesure de renverser une situation que l'armée d'occupation justifiait par les menaces que la Chine faisait peser. Le Viêt-nam mena au contraire, à la frontière avec la Thaïlande, des opérations de représailles contre les camps de réfugiés pourvoyeurs des mouvements de résistance. Le 4 sept. 1981, l'opposition au régime provietnamien de Heng Samrin forma un gouvernement de coalition, présidé par Sihanouk, et comprenant Son Sann, le président du Front national de libération du peuple khmer (F.N.L.P.K.), et Kieu Samphan, pour les Khmers rouges.
La stratégie des « zones libérées » élaborée par la résistance antivietnamienne, s'appuyant sur la frontière thaïlandaise, contraignit le Viêt-nam à augmenter ses effectifs (plus de 150 000 hommes). La Chine, en lançant une série d'attaques en 1983 et 1984, maintenait la pression et augmentait son aide militaire. Le gouvernement vietnamien, malgré son isolement diplomatique et un blocus économique rigide (suspension de l'assistance du F.M.I. en janv. 1985), se décida à lancer une offensive massive. En févr. 1985, les dernières bases de la résistance khmère tombaient, 160 000 Cambodgiens se réfugiaient en Thaïlande. En 1988, N. Sihanouk prenait ses distances avec les Khmers rouges et négociait avec ses adversaires provietnamiens les principes d'une difficile réconciliation nationale, qui semblait dépendre fortement de l'évolution des rapports sino-soviétiques.

CAMBON Joseph (* Montpellier, 10.VI. 1756, † Bruxelles, 15.II.1820). Homme politique français. D'origine protestante, d'abord commerçant, il devint député de l'Hérault à la Législative et s'affirma tout de suite un fougueux républicain; il continua à siéger à la Convention et vota la mort de Louis XVI. Il présida plusieurs fois la Convention et fit partie du Comité de salut public dès avr. 1793. Président du Comité des finances (1793/95), il fut un véritable ministre des Finances et institua le grand-livre de la dette publique (24 août 1793). Accusé le 8-Thermidor par Robespierre, il contribua à la chute de celui-ci, mais se brouilla bientôt avec Tallien et ses amis, qui l'impliquèrent dans la conspiration du 1er-Prairial. Rentré à Montpellier, il se retira de la vie politique jusqu'en 1815; pendant les Cent-Jours, il fut membre de la Chambre des représentants. Banni par la Restauration comme régicide, il fut exilé en 1816 et finit ses jours à Bruxelles.

CAMBON Paul (* Paris, 20.I.1843, † Paris, 29.V.1924). Diplomate français. Chef de cabinet de Jules Ferry (1870), préfet (1872), il commence sa carrière de diplomate en 1882. Résident à Tunis (1886), il joua un rôle essentiel dans l'édification du protectorat. Ambassadeur à Madrid (1886) et à Constantinople (1890), il fut, en 1898, nommé à Londres, où il resta en poste jusqu'en 1920; il y fut un des principaux artisans de l'Entente cordiale et contribua à rapprocher l'Angleterre et la Russie, préparant la conclusion de la Triple-Entente en 1907. Au mois de juill. 1914, son influence fut décisive sur la décision finale du cabinet britannique d'entrer dans la guerre.

Son frère, **Jules Cambon** (* Paris, 5.IV. 1845, † Vevey, Suisse, 16.IX.1935), fut gouverneur général de l'Algérie (1891/97), ambassadeur à Washington (1897), à Madrid (1902), puis à Berlin (1907/14). Secrétaire général des Affaires étrangères (1915/20). Auteur d'un livre sur Le Diplomate (1925).

CAMBRAI. Ville de France (Nord), sur l'Escaut. A l'époque gauloise *Camaracum* ou *Cameracum,* ville des Nerviens, Cambrai devint, après les invasions, la capitale d'un petit royaume de Francs Saliens (445/509), qui fut détruit par Clovis. Siège d'un comté, que l'empereur Henri Ier donna au xe s. à l'évêque de la ville (prince d'Empire, puis duc, à partir de 1510), Cambrai fut donnée à la France par le traité de Nimègue en 1678. Elle eut pour évêque Fénelon. Occupée par les Allemands dès le 20 août 1914, elle devint un des bastions de la ligne Hindenburg. En nov. 1917, les Britanniques lancèrent dans ce secteur du front une puissante attaque où furent engagés pour la première fois 400 chars de combat; mais la ville ne fut abandonnée par les Allemands que le 9 oct. 1918.

Ligue de Cambrai (10 déc. 1508). Inspirée par le pape Jules II, elle réunissait contre Venise le pape, l'empereur Maximilien Ier, le roi de France Louis XII, le roi d'Aragon Ferdinand le Catholique, les ducs de Ferrare et de Mantoue. La guerre qui s'ensuivit fut menée essentiellement par Louis XII, qui, par la victoire d'Agnadel (14 mai 1509), enleva aux Vénitiens toutes leurs possessions de terre ferme. Mais Venise fut sauvée par les jalousies qui divisaient les coalisés : Jules II, ayant recouvré la Romagne, ne tenait pas à voir l'Italie du Nord tomber aux mains des Français; l'empereur Maximilien s'opposait à Louis XII. La ligue de Cambrai se dissocia ainsi dès le début de 1510. Venise reprit en main les villes qui lui avaient été enlevées. Cependant la Sérénissime République ne se releva jamais complètement de la défaite qu'elle avait subie. A partir de cette époque, elle cessa de compter au nombre des grandes puissances européennes.

Paix de Cambrai ou **paix des Dames (5 août 1529),** signée entre Louise de Savoie, au nom de son fils, François Ier, et Marguerite d'Autriche, au nom de son neveu, Charles Quint. Elle mit fin à la seconde guerre entre la France et la maison d'Autriche. Charles Quint renonçait à la Bourgogne (que lui avait attribuée le traité de Madrid en 1526), mais François Ier abandonnait ses prétentions en Italie, renonçait à tous ses droits de suzeraineté sur la Flandre et l'Artois, payait deux millions d'écus d'or pour la rançon de ses fils laissés en otages à Charles Quint depuis 1526, et il épousait Éléonore de Habsbourg, sœur de Charles Quint. Cette paix était précaire et une nouvelle guerre commença en 1536.

CAMBRAI (collège de). Collège parisien, fondé vers 1344 par Guillaume d'Auxonne, évêque de Cambrai. Le Collège de France (alors Collège royal) s'installa dans ses locaux en 1612.

CAMBRIDGE. Ville d'Angleterre, chef-lieu du comté de Cambridge, au N.-E. de Londres. Mentionnée pour la première fois en 875, elle s'éleva sur un site déjà occupé par les Romains. Elle reçut une charte communale en 1201 mais ne prit un développement important qu'après la fondation de sa célèbre université.

Université de Cambridge. Elle fut fondée au début du XIIIe s. lorsque, à la suite de troubles survenus en 1209 à Oxford, un certain nombre de maîtres quittèrent cette ville et vinrent s'établir à Cambridge. Dès 1226, il existait un chancelier de Cambridge et, trois ans plus tard, la nouvelle université accueillit des professeurs qui avaient été contraints de quitter Paris. Comme Oxford, Cambridge s'organisa en *colleges,* dus à des fondations privées. Le premier collège, Peterhouse, fut fondé en 1284. L'université compte aujourd'hui dix-huit collèges masculins — les principaux sont Peterhouse, Clare College (1326), Pembroke (1347), Corpus Christi (1352), King's College (1441), Queen's College (1448), Christ's College (1505), St John's College (1511), Trinity College (1546) — et deux collèges féminins, dont le plus ancien, Girton, remonte à 1869.

C'est seulement à partir du XVe s. que Cambridge commença à s'imposer comme un grand foyer intellectuel. Érasme, qui y fut nommé professeur en 1511, y répandit la pensée humaniste, mais, sous Thomas Cromwell, chancelier en 1535, l'université s'orienta nettement vers le protestantisme. L'université fut entièrement réorganisée par la reine Élisabeth Ire en 1570. Au XVIIe s. se produisit une réaction antipuritaine avec le groupe des « platonistes de Cambridge » (Whichcote, Culverwell, John Smith, Cudworth, More). Newton, qui y enseigna les mathématiques de 1669 à 1701 et représenta l'université aux Communes, établit la réputation scientifique de Cambridge, confirmée, en 1871, par la création du laboratoire Cavendish et par la création d'une chaire de physique expérimentale dont le premier titulaire fut J.C. Maxwell. Au XXe s., l'enseignement de l'université a été illustré par des physiciens tels que Rutherford, des économistes comme Keynes, des historiens comme Trevelyan. A partir de 1902, les professeurs de Cambridge entreprirent la publication, en trois séries (ancienne, médiévale, moderne), de la *Cambridge History,* qui constitua une histoire universelle de la plus grande valeur. L'université possède un département d'imprimerie et d'édition, la *Cambridge University Press,* créée en 1521 par l'Allemand John Siberch.

CAMBRIDGE. Ville des États-Unis (Massachusetts), au N.-O. de Boston. Son université, fondée en 1636 par Harvard, ministre puritain, est la plus ancienne des États-Unis. Voir HARVARD.

CAMBRIE. A l'époque romaine, nom de l'actuel pays de Galles.

CAMBRONNE Pierre Jacques Étienne, baron de (* Saint-Sébastien, Loire-Atlant., 26.XII.1770, † Nantes, 29.I.1842). Général français. Enrôlé en 1792, il fit brillamment les campagnes de la Révolution et de l'Empire et fut nommé général de brigade en 1813 après le combat de Hanau. Major de la garde impériale (1814), il accompagna Napoléon à l'île d'Elbe et revint avec l'Empereur en 1815. Commandant d'une division de la vieille garde à la bataille de Waterloo, il opposa aux Anglais une résistance désespérée et refusa de se rendre par un mot sans équivoque qui le rendit célèbre (mais la fameuse phrase qu'on lui prête : *La Garde meurt mais ne se rend pas,* n'est pas authentique). Laissé pour mort sur le champ de bataille, il fut pris par les Anglais. Traduit en 1816 devant un conseil de guerre français, acquitté à l'unanimité, il reprit du service sous les Bourbons et fut commandant de la place de Lille (1820/24) avant de prendre sa retraite à Nantes.

CAMBYSE Ier (1re moitié du VIe s. av. J.-C.). Roi d'Anshan, en Iran, il épousa Mandane, la fille du roi de Médie Astyage, et fut le père de Cyrus le Grand.

CAMBRONNE
Pierre, baron de C. Général français (1770-1842).
Ph. Jeanbor © Archives - Photeb

743

CAMEROUN
Cavaliers des tribus du nord du pays fêtant l'indépendance à Garoua, 1960.
L'histoire de cette ville est caractéristique de celle de l'État camerounais.
Elle ne prit d'importance que lors de l'arrivée
des premiers bateaux à vapeur sur la Bénoué, vers 1890.
Le troc des étoffes, du sel et du sucre contre la gomme arabique
y fixa les Haoussas, dont le dynamisme fut considérable.
Mais la ville ne prit son véritable essor
qu'à partir de 1950, grâce à l'arachide et au coton.
Ph. © Kay Lawson - Rapho

CAMBYSE II († 522 av. J.-C.), roi de Perse (530/522). Fils de Cyrus le Grand, auquel il succéda en 530, il acheva l'œuvre de son père par la conquête de l'Égypte, battit et fit prisonnier Psammétique III à Péluse (525), pilla Memphis et termina en six mois la soumission du pays. Très ambitieux, il projetait d'envoyer une flotte contre Carthage et lança vers l'Éthiopie une expédition qui tourna en désastre. La personnalité de Cambyse II reste mal connue : il était déséquilibré et épileptique, mais les historiens anciens lui ont attribué une cruauté sauvage qui est peut-être exagérée. Cambyse aurait secrètement donné l'ordre d'assassiner son jeune frère Bardiya (Smerdis); durant la campagne d'Égypte, un usurpateur, le mage Gaumâta, profita de l'absence de Cambyse pour se faire passer pour Bardiya et se fit proclamer roi. Au moment où il s'apprêtait à rentrer en Iran pour rétablir la situation, Cambyse mourut accidentellement (ou peut-être se suicida). Il eut pour successeur Darius Ier.

CAMDEN. Petite ville des États-Unis, en Caroline du Sud. Au cours de la guerre d'Indépendance américaine, se livrèrent dans ses environs les batailles de Camden (16 août 1780) et de Hobkirks Hill (25 avr. 1781). Pendant la guerre de Sécession, la ville fut prise et en partie brûlée par Sherman (24 févr. 1865).

CAMÉLINAT Zéphirin (* Mailly-la-Ville, Yonne, 14.IX.1840, † Paris, 5.III.1932). Homme politique français. Ouvrier et militant socialiste, il fut l'un des fondateurs de l'Internationale (1864). Sa participation à la Commune de Paris, en 1871, l'obligea à s'exiler en Angleterre. Amnistié, il devint député, se rallia à la IIIe Internationale lors du congrès de Tours (1920) et contribua à faire de *l'Humanité* l'organe du parti communiste.

CAMELOTS DU ROI. Organisation de combat royaliste fondée en nov. 1908, sous la direction de Maxime Real del Sarte et de Lucien Lacour. A l'origine, le rôle des camelots du roi était la vente à la criée du journal *l'Action française* (ce qui exigeait l'obtention d'une licence de *camelot* délivrée par la préfecture de police). Composés en majorité d'étudiants admirateurs et disciples de Charles Maurras, les camelots du roi s'efforcèrent de créer un climat d'agitation capable d'intimider les adversaires des nationalistes et le régime républicain lui-même. Ils jouèrent un rôle important lors des émeutes de février 1934. Leur organisation paramilitaire, leur discipline, leur recours systématique à la violence firent entrer dans la politique un nouveau style d'action que les divers mouvements fascistes devaient développer par la suite.

CAMERON Richard (* Falkland, Fife, Écosse, 1648, † Airds Moss, près d'Auchinleck, 22.VII.1680). Homme politique écossais. Maître d'école, ardent presbytérien, il

CAMEROUN : les chefferies bamiléké

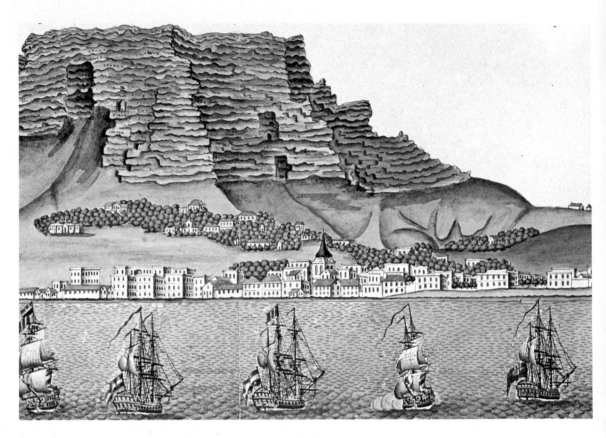

LE CAP : table entre l'Asie et l'Europe

CARICATURE : contre Louis XVI; contre les émigrés

CAMEROUN

Grande case d'une chefferie bamiléké.
Les populations dites « bamilékés »
représentent le sixième de la population
totale camerounaise.
Elles se groupent en « chefferies »,
qui comptent de 5 000 à 8 000 personnes.
La discipline collective y est
rigoureusement organisée,
sous la direction d'un chef héréditaire,
descendant de l'ancêtre tribal
et doté d'un prestige divin.
Les chefferies étaient souvent en lutte
les unes contre les autres
avant l'arrivée des colons allemands,
d'autant plus que — comme
c'est le cas aujourd'hui encore —
les dialectes différaient au point
que les individus
ne pouvaient se comprendre
d'une chefferie à l'autre.
Des sociétés ou associations
plus ou moins secrètes constituent
les rouages politiques
et religieux essentiels de ces chefferies.
Tout chef bamiléké tient à construire
des cases dont les dimensions
proclament sa propre grandeur.
Elles sont enrichies de poteaux
et de linteaux de portes sculptés,
leurs murs sont tapissés
de bambous soigneusement calibrés,
la tranche de chaume
de la base du toit est peinte
d'arabesques rouges et noires
ou masquée par une garniture
de bambous. Quant aux nombreuses
autres cases, elles forment un labyrinthe
de courettes et de palissades :
cases des sociétés, cases des femmes
du chef, cases funéraires,
case du trésor de la chefferie,
cases abritant les tambours d'appel
des diverses sociétés. Le rôle social
de ces tambours est considérable :
ils servent pour appeler à la guerre,
bien entendu,
mais sont utilisés dans bien d'autres
circonstances :
« Lorsqu'une femme ne veut plus
rester avec son mari,
elle va frapper
le tambour du chef.
Elle devient alors, de droit
et irrévocablement, la femme du chef. »
Ph. © André Abbe (T)

LE CAP

En haut :
la ville du Cap en 1786.
Aquarelle de Laffite de Brassier.
(Bibl. Nat., Paris.)
Ph. J.-L. Charmet © Photeb (T)

En bas
la ville du Cap aujourd'hui.
Le nom de « montagne de la Table »
fut bien choisi pour désigner
cette avancée rocheuse et plate
au pied de laquelle s'abrite
le port du Cap, mais il faut savoir
que le cap de Bonne-Espérance lui-même,
pointe extrême de l'Afrique, est à 50 km.
En 1652, la Compagnie hollandaise
des Indes orientales décida d'établir ici
un « lieu de rafraîchissement » pour
ses navires allant aux Indes ou en venant.
Ses agents y introduisirent,
non sans de considérables difficultés,
diverses cultures.
Ils entamèrent, plus facilement,
commerce avec les éleveurs hottentots
du voisinage, échangeant des morceaux
de fer et du cuivre contre des bœufs
et des moutons destinés à approvisionner
les équipages de passage.
Certains de ces agents quittèrent
la Compagnie et s'établirent à leur compte,
préférant l'élevage à l'agriculture.
En 1688-1689, quelque deux cents
réfugiés huguenots français,
chassés par la révocation
de l'édit de Nantes, se joignirent à eux.
Pénétrant du Cap vers l'intérieur,
·les colons se transformèrent en éleveurs
nomades, calquant leur mode de vie
sur celui des autochtones,
qu'ils refoulaient progressivement,
ou asservissaient, ou assimilaient
par métissage. L'aventure des « treckboers »
commençait. A la fin du XVIIIe s.,
la population du Cap comptait
5 000 habitants, tandis qu'à l'intérieur
une quinzaine de milliers
d'Européens l'emportaient
déjà numériquement sur les Hottentots.
Ph. © Folco Quilici (T)

CARICATURE

En haut :
**fuite du roi dans la nuit du 20
au 21 juin 1791.** Légende originale :
« Louis XVI, déguisé en cuisinier,
s'avance, précédé de la reine,
qui elle-même s'appuye sur le comte Fersen,
indigne fils d'un si glorieux père,
vers le fiacre où Madame Royale
et le dauphin sont prêts d'entrer.
La reine foule aux pieds la Bonne Foi,
et reçoit des conseils
de l'aigle impérial. Le fanatisme,
sous la figure du pape,
agite ses flambeaux pour éclairer
le départ. Des seigneurs de la suite
sortent de l'égout des Tuileries,
des groupes de filles de joie
applaudissent aux farces de Louis
et de Marie-Antoinette. »
Bibl. Nat., Paris - Ph. J.L. Charmet © Photeb

En bas :
les émigrés ridiculisés.
« La grande armée du ci-devant
prince de Condé, dans son boudoir
au château de Worms, passant en revue
l'armée formidable qui lui a été envoyée
de Strasbourg par la diligence. »
La propagande révolutionnaire a dépensé
des trésors d'imagination
contre les émigrés. Ceux-ci, établis
en Allemagne, s'efforçaient
d'obtenir l'intervention armée contre
la République; ils avaient organisé
à Worms un corps d'armée
qui, sous les ordres du prince de Condé,
huitième du nom (1736-1818), combattit
avec les Alliés jusqu'à Campoformio (1797).
Bibl. Nat., Paris - Ph. J.L. Charmet © Photeb

◀ I

◀ II

◀ III

CARICATURE

Les révolutionnaires mis à mal.
Cette estampe satirique évoque
de façon très précise le truquage
par lequel le fameux Nicolet,
entrepreneur de spectacles, faisait
danser des dindons... en leur allumant
un réchaud sous les pattes.
Princes et têtes couronnées ennemis
de la Révolution entretiennent le brasier,
dissimulé sous la salle
de l'Assemblée, où les députés
« enragés et jacobins » se brûlent
les pieds. Le caricaturiste n'hésite pas
à représenter pêle-mêle
des personnages qui n'ont rien
de Jacobins et sont de qualité,
humaine et politique, très diverse :
ainsi des modérés ou des Girondins,
comme Brissot et Vergniaud, des savants,
comme Lacépède (futur
grand chancelier de la Légion d'honneur),
Condorcet, qui se suicidera pour échapper
à la guillotine robespierriste,
aux côtés du sinistre Couthon,
du sanguinaire Chabot, etc.
Bibl. Nat., Paris - Ph. J.L. Charmet © Photeb

CARICATURE

En haut :
fraternité d'armes franco-italienne.
C'est la composition satirique
bon enfant, comme on en fit beaucoup
au XIXᵉ s. Elle célèbre la fraternité
d'armes franco-sarde (italienne),
victorieuse de l'Autriche,
sous l'effigie du roi de Sardaigne, bientôt
roi d'Italie. « Ordre du jour :
Au nom du 3ᵉ Zouaves!
Vu sa belle conduite à Palestro
(30 mai 1859) et son goût pour taper
les Kaiserliks, le sieur Victor-Emmanuel
est nommé caporal.
Présentez armes! Tambours, roulez! »
Ph. G. Tomsich © Photeb

En bas :
le gros bâton de Theodore, 1904.
Composition de Judge, riche
d'intentions satiriques. Un navire en forme
de gros bâton (The big stick),
avec la figure de Th. Roosevelt en proue,
s'avance à travers le (futur) canal
de Panamá. Des canons le hérissent
de tous côtés, mais sa fumée inscrit :
« Paix à toutes les nations. »
Sur le quai, l'oncle Sam
tenant un parapluie à tête d'éléphant
(totem républicain) salue.
Th. Roosevelt avait ainsi défini
sa politique : « Il y a un adage dans le pays
qui dit : ''Parle doucement
et porte un gros bâton, tu iras loin''.
Il avait fomenté,
contre la Colombie, la sécession
de l'État de Panamá et obtenu en 1903
la concession nécessaire au canal
interocéanique. En 1906, le président
recevra le prix Nobel de la paix.
Ph. © Archives Photeb

CARICATURE

En haut :
Guillaume, empereur saharien.
Carte postale satirique.
(Musée de l'Histoire vivante, Montreuil.)
A Tanger, le 31 mars 1905,
l'empereur d'Allemagne avait proclamé
son hostilité au projet
français de pénétration au Maroc.
D'où cette légende : « Dans l'empire
du Sahara. Revue de la Garde impériale
en l'honneur de l'Empereur Guillaume II.
Ce dernier a revêtu l'uniforme
des lanciers autrichiens-sahariens,
dont il est le colonel. »
Le goût de Guillaume II pour les uniformes
les plus divers donnait lieu
à de pompeuses cartes postales
de l'autre côté du Rhin,
à de grosses plaisanteries de ce côté-ci.
Ph. J.L. Charmet © Photeb

En bas, à gauche :
Hitler boutefeu, 1924. Composition
de E. Schilling pour le « Simplicissimus »
du 17 mars 1924. « Le procès de Hitler
ou comment von Kahr a sauvé
la patrie. » Les 8-9 nov. précédents, Hitler,
à Munich, avait tenté de renverser
le gouvernement bavarois de von Kahr,
mais sa démonstration de rue
avait échoué après une brève fusillade
devant la Feldherrnhalle. Il sera condamné
le 1ᵉʳ avril 1924 à cinq ans
de forteresse et n'en fera que dix mois.
Kunstbibl. Preussischer Kulturbesitz, Berlin
Ph. © Staatsbibliothek, Berlin

En bas, à droite :
**A. N. Chamberlain
et la pieuvre sioniste.** Composition nazie
contre le ministre britannique.
(Librairie du Congrès, Washington.)
C'est le déjà traditionnel cliché
de propagande, où l'on voit les responsables
de la politique anglaise
se révéler incapables de
se débarrasser des Juifs et du sionisme.
Ph. © Snark International

 IV

 V

▶ VI

1 Condorcet.	7 le Cointre	*Les puissances étrangères faisant danser*	13 F. de 9 Chateau	20 Chabs.
2 Dumas	8 Stael.	*aux députés Enragés et aux Jacoquins*?	14 Isnard.	21 Calon.
3 Couthon	9 Terogne	*le même ballet que le sieur Nicolet faisoit*	15 la Croix.	22 Suleau
4 Bazire	10 Meslin	*danser jadis à ses Dindons.*	16 Verniaux.	23 Talma
5 Fauchet	11 le Cointre		17 Brissot	24 Gorsas
6 la Cepede	12 l'Huisier		18 heros de Sechelle	25 l'abbé de
			19 Boscary.	Cournant.

CARICATURE : contre la révolution

IV

CARICATURE : contre l'Autriche, 1859

Contre Théodore Roosevelt, 1904

CARICATURE : contre Guillaume II, 1905

Contre Hitler, 1924

Contre Chamberlain, 1934

VI

CAMÉLINAT
Zéphirin. Homme politique
français (1840-1932).

Ph. © Harlingue - Viollet - Photeb

se dressa contre la restauration du système
épiscopal et souleva ses compatriotes contre
Charles II (1680). Ses partisans, appelés
caméroniens, proclamèrent la république,
assassinèrent l'archevêque de Saint Andrew
et battirent d'abord les troupes royales.
Mais, surpris à Airds Moss par des dragons
du duc de Monmouth, ils furent taillés en
pièces et Cameron périt dans le combat. On
coupa sa tête et ses mains, qui furent exposées à Netherbow Port, près d'Édimbourg.
La majorité des presbytériens s'était désoli-
darisée de l'extrêmisme des partisans de
Cameron.

CAMERON Verney Lovett (* Radipole,
Dorsetshire, 1.VII.1844, † Leighton-Buz-
zard, 26.III.1894). Explorateur anglais.
Entré dans la marine en 1857, il dirigea de
1873 à 1875 une expédition partie au secours
de Livingstone et, le premier, traversa l'Afrique centrale d'E. en O. (de Bagamojo à Ben-
guella). Il a publié le récit de son voyage,
Across Africa (1876).

CAMERONE (combat de). Le 30 avr.
1863, durant la guerre du Mexique, 64 hommes de la 3e compagnie du régiment français
de Légion étrangère, commandés par le capitaine Danjou et chargés de protéger un
convoi destiné au siège de Puebla, furent
attaqués dans le hameau de *Camaron* (et non
Camerone) par plus de 2 000 Mexicains.
Après neuf heures de résistance, trois légionnaires seulement restaient valides. L'anniversaire du 30 avril est marqué par la fête traditionnelle de la Légion.

CAMEROUN. État de l'Afrique équatoriale, s'étendant du golfe de Guinée jusqu'au
lac Tchad; capitale *Yaoundé.* Habité par des
populations très diverses (Arabes et Peuls
dans la région du lac Tchad, Soudanais et
Bantous au sud), le Cameroun fut atteint à
la fin du XVe s. par le navigateur portugais
Fernando Póo. A partir du XVIIe s., les
populations côtières, notamment celles qui
peuplaient les royaumes d'Akwa et de Bell
(Doualas), se livrèrent au commerce de
l'ivoire et des esclaves avec des marchands
européens, sans toutefois tolérer la pénétration des Blancs à l'intérieur du pays. Des
missionnaires baptistes britanniques s'établirent au Cameroun en 1845, et l'Angleterre
considérait théoriquement cette région
comme une partie de sa zone d'influence.
Mais en 1868, un marchand de Hambourg,
Woerman, en installant un comptoir près de
Douala, ouvrit le pays à l'expansion allemande. L'Allemagne commença d'étendre
son protectorat sur le Cameroun avec le
traité signé en juill. 1884 entre Gustav
Nachtigal et le roi de Bell. L'occupation de
l'arrière-pays (qui atteignit le lac Tchad en
1902 seulement) et sa mise en valeur rencontrèrent de grandes difficultés. A la suite
de l'accord franco-allemand de 1911, la
colonie allemande s'agrandit de certains territoires de l'Afrique-Équatoriale française,
jusqu'à l'Oubangui et au Congo.

CAMERON
Verney Lovett. Explorateur
britannique (1844-1894).

Ph. © Bibl. Nat., Paris - Photeb

Conquis par les forces franco-britanniques
de 1914 à 1916, le Cameroun fut divisé, en
1922, en deux mandats de la S.D.N., l'un
français, l'autre britannique. Le Cameroun
français occupait la plus grande partie de
l'actuelle République du Cameroun, le
Cameroun britannique constituait deux
étroites bandes de terre le long de la frontière orientale du Nigeria. Dès août 1940, le
Cameroun français se rallia à la France
libre, et, en 1942, le pays fut doté d'un
Conseil consultatif économique et financier.
En 1946, malgré son statut de pays sous
tutelle de l'O.N.U., le Cameroun français
devint un «territoire associé» de l'Union
française. A partir de 1948, le nationalisme
camerounais s'exprima dans l'Union des
populations camerounaises (U.P.C.), fondée par Um Nyobé, lequel devait être tué à
la tête de l'action clandestine en 1958. A la
suite des émeutes de Douala (mai 1955), le
mouvement avait été interdit par les autorités françaises. En déc. 1956, l'Assemblée
territoriale fut élue pour la première fois au
suffrage universel et avec un collège unique.
M'Bida forma le premier gouvernement
autonome (mai 1957), mais il fut remplacé
en févr. 1958 par Ahmadou Ahidjo, chef de
l'Union camerounaise, qui devait rester jusqu'en 1982 à la tête du pays.
Indépendant depuis le 1er janv. 1960, l'ancien mandat français s'est accru, en févr.
1961, de la partie méridionale de l'ancien
Cameroun britannique (dont la partie septentrionale choisit, au contraire, le rattachement au Nigeria). La République du Cameroun devint alors un État fédéral comprenant deux territoires, l'État oriental,
francophone, et l'État occidental, anglophone; mais les progrès de l'unification territoriale permirent, en mai 1972, de faire
approuver par référendum la transformation de la République fédérale en une République unitaire, le bilinguisme franco-
anglais restant toutefois préservé. Muni de
pouvoirs importants par la Constitution de
1961, le président Ahidjo parvint peu à peu
à écraser la rébellion de l'U.P.C., dont les
racines se trouvaient surtout à l'O., en pays
bamiléké; le dernier chef de l'U.P.C.,
Ernest Ouandié, fut capturé par les forces
gouvernementales en août 1970 et fusillé
publiquement le 15 janv. 1971. Ahidjo mena
également la lutte contre le tribalisme; son
parti, qui avait obtenu la totalité des sièges
dès les élections de 1964, absorba les autres
mouvements politiques et devint parti unique, sous le nom d'Union nationale camerounaise (U.N.C.) en sept. 1966; en août
1972, les syndicats furent à leur tour unifiés.
A l'extérieur, le Cameroun d'Ahidjo, qui
avait accueilli en 1961 la conférence constitutive de l'Union africaine et malgache de
coopération économique (U.A.M.C.E.,
future O.C.A.M.), s'est peu à peu détaché
des pays africains «modérés» pour
reconnaître le régime de Pékin (mars 1971),
obtenir un prêt important de la Chine (mars
1973) et rompre avec l'O.C.A.M. (juill.
1973).
● Ahidjo, à 58 ans, annonça le 4 nov. 1982
qu'il quittait le pouvoir et choisissait pour

CAMISARDS
Légende originale : « Médaille que les Phanatiques ont fait frapper dans les Cévennes, dont l'original a esté envoyé en Cour, et que leurs commendans et officiers portent pour se faire reconnoistre parmi eux, MDCC III. » Explication des lettres : « Juvenes Offerte Religioni Sacrificium Magnum » (Jeunes, offrez à la religion le sacrifice suprême).
Ph. © Bibl. Nat., Paris - Photeb

CAMP DAVID
Anouar el Sadate, Ménahem Begin et Jimmy Carter lors des rencontres de Camp David, en sept. 1978.
Ph. © Owen Franken - Sygma

successeur son Premier ministre, Paul Biya, formé par ses soins durant 15 années; il se réservait cependant la direction du parti unique, l'U.N.C. Qu'Ahidjo, musulman du Nord, gardât cette fonction essentielle aux côtés de Biya, chrétien (ancien séminariste) et sudiste, parut un élément de stabilité et d'unité pour un peuple qui compte 230 ethnies. Mais assez vite le désaccord s'installa entre les deux chefs politiques. Après que Biya eut dénoncé en août 1983 un complot contre sa vie, Ahidjo, qui vivait surtout en France, dut démissionner de la présidence de l'U.N.C. et laisser là aussi la place à Biya, qui le fit juger par contumace et condamner à mort. Celui-ci, possédant désormais tous les pouvoirs, annonça qu'il comptait engager son pays sur la voie du « renouveau » : remplacement des élites, moralisation de la vie publique, libéralisation modérée du régime. La tentative avortée de coup d'État provoquée par la garde républicaine, en avr. 1984, montra cependant la fragilité du pouvoir. A la fin de 1984, le Cameroun jouissait d'une situation économique relativement enviable pour l'Afrique; il possédait des cultures vivrières qui assuraient son autosuffisance alimentaire et fondait ses recettes en devises sur le pétrole, le café et le cacao. Les élections générales de 1988, qui assurèrent la réélection du président Biya, permirent un important renouvellement de la classe politique du pays.

CAMILLE (VIIᵉ s. av. J.-C.?). Jeune fille romaine, sœur des Horaces; fiancée à l'un des Curiaces, elle ne put contenir sa douleur après le triomphe de son frère et la mort de son fiancé et fut tuée par le héros, irrité de ses imprécations (667 av. J.-C., selon la date traditionnelle).

CAMILLE, Marcus Furius Camillus (Vᵉ-IVᵉ s. av. J.-C.). Général romain. Six fois tribun consulaire et cinq fois dictateur, il s'empara de Véies, dont le siège durait depuis dix ans (395 av. J.-C.?). De retour à Rome, en butte à l'ingratitude de ses concitoyens, qui l'accusaient d'avoir détourné une partie du butin de Véies, il préféra s'exiler, pour n'être pas jugé. Peu après, les Gaulois s'étant emparés de Rome (390 av. J.-C.), le sénat le rappela et le nomma de nouveau dictateur : attaquant l'ennemi par surprise, Camille le chassa de Rome et de l'Italie (v. BRENNUS). On considère aujourd'hui que les autres campagnes attribuées à Camille sont une invention de l'historiographie romaine postérieure, qui s'efforçait de grouper les faits du passé autour de quelques grandes personnalités héroïques.

CAMILLE DE LELLIS saint (* Bucchianico, Abruzzes, 25.V.1550, † Rome, 14. VII.1614). Fils d'un homme de guerre, il fut lui aussi soldat, participa à la guerre contre les Turcs (1569/74), mais fut chassé de l'armée à cause de sa vie dissolue. Atteint d'une blessure incurable, il se consacra au soin des malades, fut ordonné prêtre en 1584

et fonda l'ordre des Camilliens ou Ministres des infirmes (1591). Canonisé en 1746, patron du personnel des hôpitaux et des malades.

CAMISARDS. Nom donné aux protestants des Cévennes et du Bas-Languedoc, insurgés de 1702 à 1705; ce nom paraît dérivé du mot *camisade,* attaque nocturne au cours de laquelle les soldats portaient sur leur armure une chemise blanche pour se reconnaître. Préparée par les persécutions qui suivirent la révocation de l'édit de Nantes (1685) et par les prophéties d'« inspirés » qui annonçaient l'Apocalypse et le châtiment prochain de Louis XIV, l'insurrection des camisards fut un mouvement essentiellement populaire et paysan, qui ne rassembla jamais plus de 3 à 4 000 combattants mais bénéficia du soutien d'une large partie des populations de ces régions. Les chefs furent eux-mêmes des hommes du peuple : un fils de boulanger comme Jean Cavalier; un berger comme Pierre Laporte, dit *Rolland;* des cardeurs comme Abraham Mazel et Jacques Couderc; d'anciens soldats comme Maurel, dit *Catinat,* Jouany et Ravenel. L'insurrection commença par l'assassinat, le 24 juin 1702, au pont de Montvert, de l'abbé du Chayla, lequel gardait quelques huguenots prisonniers. La répression fut d'abord confiée au maréchal de Montrevel; il employa les méthodes les plus rigoureuses (incendies de villages, dont la population était parfois massacrée), mais sans succès. Les camisards finirent par immobiliser une armée de 10 000 hommes, alors que la France était engagée dans la guerre de la Succession d'Espagne. Le maréchal de Villars, nommé en mars 1704, ne put en venir à bout que par la négociation. Cavalier fit sa soumission à Nîmes (mai 1704); d'autres chefs, comme Rolland et Ravenel, furent tués ou exécutés. Un renouveau d'agitation, inspiré en 1709/10 par le prophète Mazel, fut rapidement étouffé.

CAMORRA. Association criminelle apparue vers 1830 à Naples et en Sicile; elle acquit par l'intimidation et la violence une puissance redoutable, qui s'exerçait jusque sur les immigrants italiens aux États-Unis. Voir MAFIA.

● **CAMP DAVID.** Résidence du président des États-Unis, au Maryland.
Accords de Camp David. Conventions diplomatiques signées à Washington par le président des États-Unis, J. Carter, le chef de l'État égyptien, Anouar el-Sadate, et le Premier ministre d'Israël, M. Begin, à la suite des pourparlers tenus du 5 au 17 sept. 1978 à Camp David. Le premier accord prévoyait la restitution progressive du Sinaï à l'Égypte et la liberté de passage des navires israéliens par le canal de Suez; le second prévoyait la négociation d'un statut d'autonomie pour les Palestiniens de Gaza et de Cisjordanie; ce statut devait être renégocié au bout d'une période expérimentale de cinq ans. Mais ce

CAMPAN
Jeanne Genest, Mme C.
Première femme de chambre de
Marie-Antoinette (1752-1822).
Portrait par J. Boze (Musée nat.
du château de Versailles.)
Ph. H. Josse © Photeb

second accord ne fut jamais appliqué et les négociations israélo-égyptiennes furent suspendues après la restitution du Sinaï à l'Égypte en 1982. Voir ÉGYPTE, ISRAËL.

CAMP DU DRAP D'OR. Voir DRAP D'OR.

CAMP ROMAIN. Les Romains avaient développé au plus haut point la *castramétation* ou art de tracer les camps militaires. Une armée romaine ne passait pas une seule nuit, même durant les plus longues marches, sans établir un camp *(castra),* qui était à la fois un bivouac fortifié et une véritable cité, avec ses rues, son autel, son tribunal, son forum, « Rome en miniature qui se déplace avec la troupe », a pu dire J. Chevalier. L'armée était précédée par des officiers, les *métatores,* chargés de choisir et de marquer l'emplacement du camp. Celui-ci pouvait n'être construit que pour une, deux ou trois nuits; on l'organisait évidemment avec plus de soin lorsque l'armée devait y passer toute une saison, un hiver *(castra hiberna)* ou un été *(castra aestiva);* dans les régions frontières, le camp était parfois permanent *(castra stativa),* et, autour de lui, se formaient des villes. Ainsi, sur la frontière du Danube, *Castra Regina* fut à l'origine de Ratisbonne, *Castra Batava* de Passau, etc. En Angleterre, les villes dont le nom se termine par *chester* ont généralement grandi à partir d'un camp romain.
Le camp avait la forme d'un carré ou d'un grand parallélogramme quadrangulaire. On l'entourait d'un fossé ordinairement large de 12 pieds et profond de 9 pieds (3,55 m sur 2,70 m); on le fortifiait d'un retranchement *(vallum),* fait avec de la terre enlevée au fossé *(ager)* et défendu par des pieux pointus *(valli).* Le camp avait quatre portes, une sur chaque face : celle qui regardait l'ennemi s'appelait la porte prétorienne *(porta praetoria);* celle qui lui était opposée, la porte décumane. L'établissement du camp s'accompagnait de rites semblables à ceux de la fondation d'une ville. L'armée campait toujours dans son ordre de marche. On trouvait donc, en tête du camp, du côté de la porte prétorienne, d'abord une ligne d'alliés et, derrière, une grande place quadrangulaire où se trouvait la tente du général *(praetorium),* flanquée, à droite, du forum, avec le tribunal et les boutiques, à gauche, de la tente du questeur, avec la caisse de l'armée. Derrière, étaient dressées les tentes des tribuns (état-major) et celles des commandants des alliés. Cette première partie du camp était séparée de la seconde par une grande avenue transversale large d'une trentaine de mètres, la *via principalis,* où se trouvaient les autels des dieux et les enseignes. Au-delà de cette avenue commençait la seconde partie du camp, celle où campaient les légions. Elles formaient huit colonnes au centre, avec la cavalerie au milieu, flanquées des deux côtés par la cavalerie et l'infanterie alliées. Cette masse légionnaire était subdivisée en quatre sections égales, séparées les unes des autres par deux chemins, l'un perpendiculaire, sur l'axe général du camp, l'autre transversal, larges d'une quinzaine de mètres. On couvrait les tentes de peaux ou de cuir retenus avec des cordes. Chaque tente abritait ordinairement dix soldats, avec leur sous-officier. Un camp de deux légions occupait 45 hectares (environ 550 m x 800 m).

CAMPS DE CONCENTRATION. Voir CONCENTRATION (camps de).

CAMPAN, Jeanne Louise Henriette Genest, Mme (* Paris, 6.X.1752, † Mantes, 16.III.1822). Éducatrice française. Lectrice des filles de Louis XV, puis première femme de chambre de Marie-Antoinette, dont elle devint l'amie, elle ne put, malgré son désir, accompagner la reine dans la prison du Temple. Après le 9-Thermidor, elle fonda un pensionnat de jeunes filles, où elle eut, parmi ses élèves, Hortense de Beauharnais. Grâce à Joséphine, Mme Campan se vit confier par Napoléon, en 1805, la direction de la maison impériale d'Écouen, où devaient être élevées les filles des membres de la Légion d'honneur. Retirée à Mantes sous la Restauration, Mme Campan fit paraître ses *Mémoires sur Marie-Antoinette* (1822). On a d'elle une *Correspondance avec la reine Hortense* (1835).

CAMPANELLA Tommaso (* Stilo, Calabre, 5.IX.1568, † Paris, 21.V.1639). Philosophe italien. Dominicain, emprisonné pendant vingt-sept ans pour la hardiesse de ses idées (1599/1626), il fut un précurseur de la philosophie expérimentale. Écrivain politique, il composa en 1600 son traité sur *La monarchia ispanica,* où il critiquait l'impérialisme espagnol et désignait la France comme le pays le plus propre à exercer l'hégémonie en Europe. Il est surtout connu par sa *Cité du Soleil (Citta del Sole,* composée en 1602, publiée en 1623), sorte d'utopie qui décrit l'État communiste de l'avenir, dans lequel seraient abolies la famille comme la propriété privée, où les relations sexuelles seraient réglées par les décisions des magistrats, l'éducation des enfants assumée entièrement par l'État et l'espionnage des citoyens assuré par le moyen d'une sorte de confession auriculaire.

CAMPANIE, *Campania.* Région de l'Italie s'étendant le long de la mer Tyrrhénienne, du Garigliano, au nord, au golfe de Policastro, au sud. Habitée à l'origine par les Osques, elle subit de profondes influences étrusques mais vit aussi s'installer de nombreuses colonies grecques (Cumes, Néapolis, Posidonia ou Paestum, etc.). Sa principale ville devint Capoue, fondée au VIe s. av. J.-C. Conquise par les Samnites vers la fin du Ve s., la Campanie passa à Rome après l'alliance de Capoue et des Romains (338). Dès la fin du IVe s., elle était complètement romanisée et ses habitants reçurent une citoyenneté romaine limitée *(civitas sine suffragio).* Certaines villes, telle Néapolis, restaient théoriquement indépendantes dans l'alliance romaine. En outre, les traces de l'hellénisation restèrent toujours très vivaces en Campanie, à tel point que, même à l'époque impériale, la langue communément parlée à Naples était le grec. Les « vases campaniens » produits à partir du IIIᵉ s. avant notre ère sont directement inspirés par la céramique attique, mais ils se distinguent par la richesse de leur décor. L'alliance de Capoue avec Hannibal, pendant la deuxième guerre punique, attira sur cette ville, reprise en 211 par les Romains, de sévères représailles, mais les villes grecques de Campanie étaient, dans leur ensemble, restées fidèles à Rome. Après la guerre sociale (90/89 av. J.-C.), la Campanie connut sa plus belle époque de prospérité. Sa fertilité était célèbre. Elle se couvrit de magnifiques villas et constituait un lieu de vacances recherché par les Romains. Sous Auguste, elle fut comprise avec le Latium dans la Iʳᵉ région de l'Italie, puis elle devint, sous Dioclétien, une province séparée. Elle connut ensuite les invasions des Goths et des Byzantins. A l'époque lombarde, furent constitués les duchés de Bénévent, de Naples, de Gaète et d'Amalfi. Conquise au XIᵉ s. par les Normands, elle partagea dès lors les destinées du royaume de Sicile, passa au royaume de Naples et fut enfin réunie au royaume d'Italie en 1861.

CAMPANIFORME (peuple). Nom donné à un « peuple » préhistorique qui apparut en Europe à la fin du néolithique, vers 2000 av. J.-C., et dont la culture est caractérisée par un type de céramique, le petit gobelet en forme de cloche, de couleur rouge, brun ou jaune, décoré avant cuisson par des bandes horizontales séparées. Le peuple campaniforme semble avoir son origine dans le sud de l'Espagne; il s'étendit dans la péninsule Ibérique comme vers le Maroc, mais sa diffusion en Europe fut la plus impressionnante puisqu'il finit par se répandre en France, en Italie du Nord, en Sicile, dans la vallée du Rhin, en Allemagne centrale, en Bohême-Moravie et également dans les îles Britanniques, où sa culture persista plus longtemps que sur le continent. Les pérégrinations du peuple campaniforme sont encore très mal expliquées. On remarque que ce peuple, composé souvent de brachycéphales contrastant avec les dolichocéphales locaux, s'intégrait aisément aux autres groupes humains et adoptait leur mode de sépulture. Il connaissait le métal, s'installa avec une préférence marquée dans les régions possédant des gisements de minerais et a joué certainement un grand rôle dans la diffusion du métal; sa céramique est souvent accompagnée de poignards de cuivre à soie sans rivet, dits « poignards occidentaux », et de « brassards d'archet » destinés à protéger le poignet du tireur à l'arc.

CAMPBELL. Célèbre clan écossais d'origine celte, dans le comté d'Argyll, qui commença à jouer un rôle important au XIIIᵉ s. Les Campbell combattirent vaillamment contre les Norvégiens pour le roi d'Écosse Alexandre III, défendirent l'indépendance écossaise avec William Wallace et Robert Bruce, prirent parti sous Charles Iᵉʳ pour les Indépendants, signèrent en 1637 le *Covenant* et furent parmi les plus ardents partisans du presbytérianisme. Voir ARGYLL (comtes d').

CAMPBELL sir Malcolm (* Chislehurst, Kent, 11.III.1885, † Reigate, Surrey, 1.I. 1949). Coureur automobile britannique, il porta le record du monde de vitesse automobile, sur un kilomètre, à 485 km/h (à Bonneville Flats, Utah, en 1935). Campbell se spécialisa ensuite dans la course en canot automobile.

CAMPBELL-BANNERMAN sir Henry (* Glasgow, 7.IX.1836, † Londres, 22.IV. 1908). Homme politique britannique. Député libéral depuis 1868, il fut ministre de la Guerre sous Gladstone en 1886 et 1892/95. Leader des libéraux aux Communes à partir de 1898, il orienta ses amis dans un sens progressiste et s'opposa vivement à la guerre contre les Boers. Nommé Premier ministre libéral en déc. 1905, il fit voter le Trade Disputes Act (21 déc. 1906), qui soustrayait l'action syndicale à toute poursuite judiciaire; à l'extérieur, il s'employa à préparer l'indépendance sud-africaine. Malade, il démissionna le 5 avr. 1908 et mourut deux semaines plus tard.

CAMPEGGIO Lorenzo (* Bologne, 7.XI. 1474, † Rome, 25.VII.1539). Cardinal italien. D'abord juriste, il reçut les ordres après la mort de sa femme; évêque de Feltre en 1512, cardinal en 1517, archevêque de Bologne en 1523. Légat pontifical auprès d'Henri VIII d'Angleterre, il s'efforça vainement d'entraîner celui-ci dans une croisade contre les Turcs (1518); il échoua également lors de sa nouvelle mission en Angleterre, en 1528, à l'occasion du divorce d'Henri VIII et de Catherine d'Aragon.

CAMPIGNIEN. Nom donné, d'après le site de Campigny, près de Blangy-sur-Bresle (Seine-Maritime), à un outillage qu'on retrouve dans diverses cultures néolithiques et chalcolithiques. Le campignien est caractérisé par de gros outils de silex (pics et surtout tranchets) servant à l'agriculture et au travail du bois.

CAMPINCHI César (* Calcatoggio, Corse, 1882, † Marseille, 22.II.1941). Homme politique français. Avocat et bon orateur, député de la Corse (1936), membre du groupe parlementaire radical, il déploya à la veille de la guerre une grande activité comme ministre de la Marine. En juin 1940, il soutint Reynaud dans son opposition à l'armistice et tenta de gagner l'Afrique sur le *Massilia*.

CAMPINE. Région du nord de la Belgique, à l'E. d'Anvers. Son bassin houiller, exploité depuis le début du XXᵉ s., desservi par le canal

---

CAMPOFORMIO

La signature du traité, le 17 octobre 1797. Légende originale : « A la lecture du 1ᵉʳ article où il était dit : « ''l'Empereur d'Autriche reconnaît la République française'', Bonaparte se leva avec vivacité et s'écria : ''Rayez ces mots, la République est comme un soleil aveugle qui ne la voit pas.'' » Aux députés du Directoire qui lui reprochaient de ne pas les avoir consultés, le général (vingt-huit ans) répondit : « Je vous prédis — et je parle au nom de 80 000 soldats —, le temps où les lâches avocats et de misérables bavards faisaient guillotiner les soldats est passé. »

Ph. © Bibl. Nat., Paris - Photeb

748

749

Albert, produit presque la moitié du charbon belge.

CAMPION Edmund, le bienheureux (* Londres, 25.I.1540, † Londres, 1.XII. 1581). Jésuite anglais. Fils d'un commerçant, orateur brillant, il fit ses études à Oxford et devint diacre dans l'Église anglicane. Suspect en raison de ses sympathies pour les doctrines catholiques, il s'exila et entra dans la Compagnie de Jésus (1573), où il devint professeur de rhétorique. Désigné comme missionnaire par Grégoire XIII, il débarqua en Angleterre en juin 1580, échappa pendant un an aux poursuites et publia clandestinement une retentissante réfutation de l'anglicanisme, les *Rationes decem.* Arrêté à Lyford en juill. 1581, jugé comme conspirateur, il fut pendu et écartelé. Béatifié par Léon XIII en 1886.

CAMPOFORMIO. Ville de Vénétie, au S.-O. d'Udine. **Traité de Campoformio.** A Passeriano, dans les environs de Campoformio, Bonaparte et Cobenzl signèrent le 17 oct. 1797 un important traité de paix entre la France et l'Autriche. Celle-ci abandonnait les Pays-Bas ainsi que les pays d'Empire jusqu'au Rhin, et reconnaissait la république Cisalpine; la France lui accordait en échange la rive gauche de l'Adige, avec Venise, l'Istrie et la Dalmatie. Les instruments de ce traité, qui mettait fin à la guerre d'Italie, furent remis solennellement au Directoire par Bonaparte le 10 déc. 1797.

CAMPOMANES Pedro Rodriguez, comte de (* Santa Eulalia de Sorribas, Asturies, 1.VII.1723, † Madrid, 3.II.1803). Homme politique espagnol. Président du Haut Conseil de Castille en 1788, ministre d'État, il s'efforça de redresser la situation économique de l'Espagne par l'augmentation des tarifs douaniers, la mise en culture de la Sierra Morena, la fondation d'une banque nationale, l'abolition des privilèges. Incompris, victime d'intrigues menées par Florida Blanca, favorite du roi Charles IV, il fut disgracié en 1791.

CAMULOGÈNE (Iᵉʳ s. av. J.-C.). Chef gaulois des Parisii, mentionné au livre VII des *Commentaires* de César. A leur tête, il défendit Lutèce contre les troupes de Labienus, lieutenant de César, et trouva la mort en 51 av. J.-C., au cours d'un combat livré sur l'emplacement de l'actuel quartier de Vaugirard, à Paris.

CAMUS. Ancienne famille de Bourgogne, formée de deux branches principales, celle de Marcilly (près d'Auxonne) et celle de Pontcarré (en Brie). Parmi ses membres les plus connus figurent :

Perrenot Camus de Marcilly (* 1470, † 1550), maire et capitaine d'Auxonne. Il défendit courageusement sa ville contre les Impériaux, commandés par Lannoy, et les força à lever le siège (1526).

Geoffroy Camus de Pontcarré (* 1539, † 1626), conseiller d'Henri III, qu'il s'efforça en vain de dissuader de son projet d'assassiner le duc de Guise et qu'il tenta, dès 1585, de rapprocher du roi de Navarre. Ayant pacifié la Provence, troublée par la lutte entre La Valette et d'Épernon, il fut nommé par Henri IV premier président du parlement de Provence.

Jean-Pierre Camus (* 1584, † 1652), évêque de Belley en 1609, sacré par son ami st. François de Sales; il fut député du clergé aux états généraux de 1614 et tenta de mettre un frein aux abus du clergé et des couvents; il protégea les jésuites, mais attaqua avec une véhémence excessive les désordres des moines mendiants. Mal soutenu par Richelieu, il renonça à son diocèse en 1629 et se retira dans son abbaye d'Aunay, près de Caen. Il fut un des représentants de l'« humanisme dévot ».

CANA. Ville de Galilée, au N.-E. de Nazareth. Jésus, invité à une noce dans cette ville, y fit son premier miracle en changeant l'eau en vin (*Jean*, II, 1 et suiv.).

CANAAN (terre de). Dénomination ancienne de la Palestine, qui, selon la Bible, viendrait de Canaan, fils de Cham, maudit par Noé en même temps que son père, et qui serait venu habiter ce pays. Le nom de Canaan se retrouve dans les sources égyptiennes et cunéiformes. Voir PALESTINE.

CANADA

CANADA
Armoiries composées en 1967, pour le centenaire de la naissance de la Confédération.
Ph. © Ambassade du Canada

CANADA. État de l'Amérique du Nord, membre du Commonwealth britannique, capitale *Ottawa.*
Comme le reste de l'Amérique du Nord, le territoire actuel du Canada commença à recevoir, il y a quelque 30 000 ans, des populations venues d'Asie par le détroit de Béring (v. AMÉRIQUE). Le premier Européen qui atteignit le Canada, plus précisément Terre-Neuve, fut sans doute un marin scandinave, Leiv Eriksson, vers l'an 1000 de notre ère. Cependant, le premier fait certain de l'histoire canadienne reste le débarquement effectué en 1497 au Labrador, à Terre-Neuve ou

CANADA
« Sauvage des Masconlansak ».
Dessin d'un « Codex
Canadiensis », XVIIᵉ s.
Ph. © Bibl. Nat., Paris - Photeb

dans l'île du Cap-Breton, par John Cabot, navigateur italien au service de l'Angleterre.

La Nouvelle-France (1534-1763)

Dès le début du XVIᵉ s., les bancs de Terre-Neuve furent visités par des marins anglais, français, espagnols et portugais. En 1524, le Florentin Giovanni da Verrazzano, mandaté par François Iᵉʳ, donna à cette terre encore inconnue le nom de « Nouvelle-France ». Dix ans plus tard, en 1534, Jacques Cartier entrait dans le golfe du Saint-Laurent, qu'il explora au cours de ses voyages ultérieurs (1535/36, 1541); il remonta jusqu'aux sites actuels de Québec et de Montréal, mais une première tentative de colonisation, menée par Roberval, n'eut pas de succès.

Ce fut seulement avec la fondation de Port-Royal (aujourd'hui Annapolis Royal, Nouvelle-Écosse) par de Monts, en 1604, et celle de Québec (1608) par Champlain que s'ouvrit l'âge de la présence française au Canada. L'évangélisation des Indiens commença sans tarder (arrivée des jésuites, 1611, des récollets, 1615); des relations amicales furent nouées avec les Hurons (v.). L'exploration de l'intérieur eut pour pionniers Jean Nicolet, qui atteignit en 1634 Sault Sainte-Marie, sur le lac Supérieur, et Paul de Maisonneuve, fondateur de Ville-Marie (Montréal) en 1642. Cependant, la Nouvelle-France attirait très peu d'immigrants : à la mort de Champlain, en 1635, Québec n'avait encore que 85 résidents adultes. Aussi, dès 1627, Richelieu avait-il fondé la Compagnie de la Nouvelle-France ou des Cent-Associés (v.), qui reçut la propriété du pays et le monopole du commerce des fourrures (pour une période de quinze ans, à partir de 1629), à charge pour elle d'amener au Canada de 200 à 300 colons par an. Mais la Compagnie ne donna pas les résultats espérés; dès le départ, elle fut gravement affectée par l'occupation temporaire de Québec par les Anglais (1629/32). La destruction par les Iroquois de la confédération huronne, alliée de la France (1648/50), lui porta un nouveau coup. En 1660, il y avait seulement 2 300 colons français au Canada.

Devant la détresse de la Nouvelle-France, Colbert la fit réintégrer dans le domaine royal (1663). Le Canada, c'est-à-dire essentiellement les rives du Saint-Laurent jusqu'en amont de Montréal, fut désormais administré comme une province française, avec un gouverneur, un intendant, un évêque, un conseil souverain. Le premier intendant fut Jean-Baptiste Talon (1665/68, 1670/72); le premier évêque, Mgr François de Montmorency-Laval. Sous l'impulsion du gouverneur Frontenac (1672/82, 1689/98), les Français s'aventurèrent vers le cœur du continent. En 1673, Marquette et Jolliet arrivèrent au Mississippi, qu'ils descendirent jusqu'au point où il conflue avec l'Arkansas.

Cavelier de La Salle parvint jusqu'à l'embouchure du fleuve. Mais les perspectives restaient commerciales, mercantiles ou évangélisatrices, non pas véritablement coloniales. A la différence des habitants des colonies britanniques voisines, les Français se désintéressaient presque complètement de l'agriculture et se consacraient avant tout au fructueux commerce de la fourrure. Placée sous l'autorité directe de la métropole, la Nouvelle-France, contrairement aux colonies britanniques, ne devait jouir d'aucune autonomie politique. Les colons français (10 000 en 1680, 16 000 vers 1700) vivaient d'ailleurs sous la menace des Anglais, qui, à la fin du XVIIᵉ s., étaient déjà quinze fois plus nombreux qu'eux en Amérique du Nord. L'Angleterre, fondant ses droits sur l'antériorité des découvertes de John Cabot, avait occupé Québec de 1629 à 1632, puis l'Acadie (v.) de 1654 à 1667. Au nord, la Compagnie britannique de la baie d'Hudson, fondée en 1670, rivalisait avec les trappeurs de la Nouvelle-France. Cette première phase de la lutte franco-anglaise se termina par le traité d'Utrecht (1713) : la France dut céder à l'Angleterre les territoires de la baie d'Hudson, Terre-Neuve et l'Acadie.

Durant la longue période de paix qui suivit (1713/43) — v. le détail de cette période et des guerres franco-britanniques du XVIIIᵉ s. à l'article AMÉRIQUE —, la Nouvelle-France compensa ses pertes et s'étendit jusqu'au centre du continent américain, grâce aux efforts de La Vérendrye (vers 1730/38). La puissante forteresse de Louisbourg, construite dans l'île du Cap-Breton, protégea l'entrée du Saint-Laurent. Malheureusement, l'opinion métropolitaine se désintéressait toujours du Canada. L'immigration avait pratiquement cessé depuis le début du XVIIIᵉ s. En 1754, la population de la Nouvelle-France ne dépassait pas 55 000 âmes, alors que les colonies anglaises d'Amérique comptaient déjà plus d'un million et demi d'habitants.

Le destin du Canada français allait être scellé par deux guerres correspondant, en Europe, à la guerre de la Succession d'Autriche et à la guerre de Sept Ans. La première de ces guerres (1741/48) vit la prise de Louisbourg (1745) par les Anglais, mais se termina, au traité d'Aix-la-Chapelle, par le rétablissement du *statu quo*. Le second conflit, qui s'ouvrit en juin 1755, plus d'un an avant la guerre de Sept Ans en Europe, eut pour cause immédiate la compétition des Français et des Anglais dans la région de l'Ohio, région d'importance vitale, car elle constituait la route la plus directe entre le Canada et la Louisiane. En mai 1754, l'incident Jumonville (v.) avait révélé la tension extrême qui existait entre les Français et les colons virginiens. En juin 1755, sans déclaration de guerre, l'escadre anglaise de l'amiral Boscawen captura plusieurs bateaux français à l'entrée du Saint-Laurent : la guerre commença. Souffrant d'une infériorité numérique considérable, les Français, commandés par Montcalm, durent faire appel à de nombreux auxiliaires indiens, qui commi-

CANADA

rent toutes sortes d'atrocités. De 1756 à 1758, Montcalm, manœuvrier remarquable, fut presque constamment victorieux, notamment à Fort-Carillon (juill. 1758). Mais l'arrivée massive de renforts anglais retourna la situation. Dès 1758, les Anglais s'emparèrent de Louisbourg, de Fort-Frontenac, de Fort-Duquesne. L'année suivante, Wolfe, par sa victoire des plaines d'Abraham, forçait Québec à la reddition (sept. 1759). Enfin, le 8 sept. 1760, le marquis de Vaudreuil, dernier gouverneur général français, capitulait dans Montréal : c'était la fin de la Nouvelle-France. Par l'article IV du traité de Paris (10 févr. 1763), la France cédait à l'Angleterre l'Acadie, le Canada, Terre-Neuve, le Cap-Breton et toute la contrée s'étendant sur la rive gauche du Mississippi.

Le Canada anglais (1763/1867)

Les conquérants britanniques adoptèrent à l'égard des Français de Québec une politique intelligente et libérale : par l'acte de Québec (1774), les lois civiles françaises furent remises en vigueur, tandis que le droit criminel anglais était adopté; les catholiques furent dispensés du serment anticatholique en usage en territoire britannique et reçurent le droit d'accéder à tous les emplois civils (le gouvernement restant assumé par un gouverneur assisté d'un conseil législatif). Ces mesures assurèrent le loyalisme du Canada durant la guerre d'Indépendance américaine. Après la reconnaissance des États-Unis au traité de Versailles (1783), environ 40 000 loyalistes se réfugièrent au Canada, et surtout en Nouvelle-Écosse, alors qu'à cette époque la population anglaise du Canada proprement dit ne dépassait pas 10 000 personnes.

L'Acte constitutionnel de 1791 institua un gouvernement représentatif et partagea le pays en deux provinces, séparées par la rivière Ottawa : le Haut-Canada (Ontario), presque entièrement anglais; le Bas-Canada (Québec), presque entièrement français. L'exploration du pays se poursuivait : Alfred Mackenzie atteignit l'océan Arctique en 1789 et le Pacifique en 1793. C'est seulement à partir de 1820 que se manifestèrent dans l'opinion canadienne les premiers signes d'un éveil politique : dans presque toutes les provinces commença la lutte pour un gouvernement non seulement représentatif mais responsable. En 1837/38, des rébellions éclatèrent, dans le Haut-Canada, sous la direction de W.L. Mackenzie, dans le Bas-Canada, sous la direction de Papineau, contre le *Pacte de famille*, qui rassemblait les hauts fonctionnaires et les plus riches négociants. L'Acte d'union de 1840, unifiant sous un seul gouvernement le Haut- et le Bas-Canada, fut une étape vers l'établissement d'un gouvernement responsable, qui fut enfin accordé par le gouverneur général Elgin en 1848. Cet objectif une fois atteint, c'est le fédéralisme qui devint, à partir de 1850, l'idée force de la vie politique cana-

dienne. L'Acte de l'Amérique du Nord britannique (24 mai 1867), entré en vigueur le 1er juill. 1867, créa la Confédération canadienne. Celle-ci groupait, à l'origine, quatre provinces (Québec, Ontario, Nouveau-Brunswick, Nouvelle-Écosse), auxquelles s'ajoutèrent, par la suite, le Manitoba (1870), la Colombie britannique (1871), l'île du Prince-Édouard (1873), le Saskatchewan et l'Alberta (1905) et enfin Terre-Neuve (1949). Malgré le désir des Canadiens, le gouvernement de Londres refusa au nouvel État le titre de « Royaume du Canada », qui fut remplacé par celui de « Dominion ». Le pouvoir fut réparti entre le gouvernement fédéral et les provinces (celles-ci étant notamment autorisées à légiférer en matière d'impôts, d'agriculture, d'immigration, d'enseignement); la province de Québec se vit garantir toutes les conditions du maintien de sa particularité française et catholique, au point de constituer un véritable État dans l'État, « l'État national des Canadiens français » (Henri Kélada).

Le Dominion canadien

L'Acte du 24 mai 1867 ne modifiait en rien le statut colonial du Canada. C'est graduellement que celui-ci se libéra de la tutelle anglaise pour affirmer sa souveraineté. Les conservateurs, partisans de maintenir des liens étroits avec la Grande-Bretagne, gardèrent presque sans interruption le pouvoir de 1867 à 1896, avec John A. Macdonald (1867/73, 1878/91), John J.-J.-C. Abbott (1891/92), John S. D. Thompson (1892/94), Mackenzie Bowell (1894/96) et Charles Tupper (1896). Mettant l'accent sur le développement du pays tout entier, ils encouragèrent la construction du premier chemin de fer transcontinental, le Canadian Pacific Railway, qui, ouvert en 1887, provoqua un puissant mouvement d'immigration vers l'Ouest. La culture du blé prit un essor prodigieux. De 1867 à la fin du siècle, le volume global du commerce tripla. La prospérité s'accrut encore sous le ministère libéral du Canadien francophone Wilfrid Laurier (1896/1911). Défenseur de l'autonomie canadienne en face de l'Angleterre (à partir de 1907, le Canada put négocier souverainement ses accords commerciaux), Laurier manifesta cependant sa fidélité impériale en accordant aux Anglais un tarif douanier préférentiel (1897), puis en engageant quelques contingents canadiens dans la guerre des Boers, en dépit des efforts de l'opposition nationaliste, conduite par Henri Bourassa. Dès le début de la Première Guerre mondiale, sous le ministère libéral de Robert L. Borden (1911/20), le Canada se rangea sans hésitation aux côtés du Royaume-Uni. Les troupes canadiennes combattirent à partir de 1916 sous un commandement canadien, mais l'adoption de la conscription (1917) se heurta à la résistance des Canadiens francophones et provoqua une scission du parti libéral. L'après-guerre fut pour le Canada

CANADA
Militante de la campagne en faveur de P.E. Trudeau, à Ottawa, le 2 juill. 1974.
Ph. © Flynn - Sygma

une époque très difficile sur le plan économique : baisse des prix des produits de première consommation, baisse des salaires, chômage, agitation sociale (grève de Winnipeg, 1919), enfin krach financier de 1929. Ces épreuves amenèrent les Canadiens à une attitude d'indépendance très ferme, voire d'isolationnisme, à l'égard de la Grande-Bretagne. Sous le gouvernement du libéral Mackenzie King (1921/26, 1926/30), le Canada proclama qu'il ne serait pas lié par des accords impériaux auxquels il n'aurait pas formellement souscrit; parce qu'il n'avait pas été consulté auparavant, il refusa de signer les traités de Lausanne et de Locarno; il obtint, en 1927, d'avoir une représentation diplomatique séparée; enfin, en 1931, le Statut de Westminster, abolissant les derniers liens coloniaux, lui conféra sa pleine et entière souveraineté. La crise économique mondiale provoqua la défaite électorale des libéraux en 1930, mais, après le ministère conservateur de Richard B. Bennett (1930/35), les libéraux revinrent au pouvoir avec Mackenzie King (1935/48) et Louis S. Saint Laurent (1948/57).

C'est comme un pays pleinement indépendant que le Canada entra dans la Seconde Guerre mondiale, une semaine après l'Angleterre. Sa contribution à l'effort allié, en hommes et en matériel, fut considérable; elle entraîna des transformations profondes qui firent du Canada un grand pays industriel. Dès 1943, la production canadienne d'aluminium (503 000 tonnes) était presque égale à la production mondiale d'avant-guerre.

Le gouvernement de P. E. Trudeau

La découverte de nouvelles ressources minérales (gisements pétrolifères, uranium, gaz naturel), le progrès des industries de raffinage et de transformation, l'afflux d'investissements venus des États-Unis contribuèrent à l'essor de l'après-guerre, lequel s'accompagna d'un certain immobilisme politique. Le gouvernement conservateur Diefenbaker (1957/63) fut remplacé par un nouveau cabinet libéral, dirigé par Lester B. Pearson (1963/68).

Au cours de ces années 60, la vie politique se ranima, essentiellement autour de la controverse entre les diverses tendances plus ou moins autonomistes des Canadiens francophones, d'une part, les partisans du maintien des structures fédérales, d'autre part. La visite du général de Gaulle (juillet 1967) ayant paru constituer un encouragement aux séparatistes du Québec (v.), une crise s'ouvrit entre le gouvernement fédéral canadien et Paris. Quelques mois plus tard, Lester Pearson prit sa retraite. Son successeur à la tête du gouvernement et du parti libéral fut un Canadien français dynamique, résolument hostile au séparatisme, Pierre Elliott Trudeau (avril 1968). Sous cette nouvelle direction, les libéraux remportèrent une

grande victoire aux élections du mois de juin suivant, mais ils devaient subir un recul spectaculaire en oct. 1972, perdant 47 sièges sur 155. Trudeau ne put se maintenir au pouvoir qu'avec l'appui du Nouveau parti démocratique (N.D.P.). En mai 1974, la défection de ce dernier entraîna la dissolution du Parlement, mais les élections du 8 juill. 1974 furent un triomphe pour les libéraux, qui obtinrent la majorité absolue, ce qui permit à Trudeau de former son troisième gouvernement.

● Celui-ci se trouva bientôt aux prises avec deux problèmes : la volonté d'indépendance du Québec et la crise économique. Il lui fut assez facile de dénoncer l'illégalité du projet de loi présenté par Robert Bourassa (v.) et qui aurait établi la souveraineté du Québec en matière d'utilisation des langues, particulièrement du français. Mais en oct. 1976, René Lévesque, indépendantiste, gagna les élections provinciales. La situation générale de l'économie se dégradait au même moment. Devant le refus conjugué des syndicats et des milieux d'affaires d'accepter une politique de modération, et en dépit des promesses faites au cours de la campagne électorale, Trudeau imposa le 13 oct. 1975, pour une période indéterminée, le gel des prix et des salaires. En signe de protestation, les syndicats déclenchèrent, le 14 oct. 1976, la première grève générale de l'histoire canadienne.

Préoccupé aussi par les divergences qui opposent provinces de l'Ouest riches en pétrole et celles de l'Est, Trudeau résolut de renforcer l'unité canadienne. Il projeta, pour modifier la Constitution, de « rapatrier » l'Acte de l'Amérique du Nord britannique (voir ci-avant) déposé à Westminster depuis 1867. Il ne fut pas suivi et un conservateur de l'Ouest, Joe Clark, l'emporta aux élections du 22 mai 1979. Mais celui-ci se montra piètre homme de gouvernement et fut vite mis en minorité; Trudeau revint au pouvoir après les élections du 18 février 1980. Il bénéficia d'un événement inattendu : les Québécois rejetèrent au référendum de mai 1980 le projet de « souveraineté association » de René Lévesque. Bien qu'ayant encore gagné les élections provinciales d'avril 1981, Lévesque était incapable de s'opposer au rapatriement de la Constitution qui eut lieu le 17 avril 1982, après de longs débats parlementaires, et malgré le refus du Québec.

Dans le même temps, la situation économique s'était fortement dégradée. Le Canada était le deuxième exportateur mondial de céréales, le sixième producteur d'hydro-électricité, la septième puissance minière. Ses ressources en pétrole, en gaz, en uranium et en charbon sont énormes. Le produit national brut des Canadiens était un des tout premiers de la planète et la balance commerciale était traditionnellement excédentaire.

Trudeau (v.) resta impuissant devant la crise. Il démissionna en mars 1984. A sa place, les libéraux élirent un avocat d'affaires anglophone, John Turner. Mais celui-ci ne put améliorer en quelques semaines une situation à laquelle P.E. Trudeau n'avait pu

Chômeurs manifestant à Ottawa, en mars 1978, lors de la réunion des Premiers ministres des provinces canadiennes.
Ph. © J.-P. Laffont - Sygma

trouver de solution en 8 ans. Aux élections du 4 sept. 1984, le chef conservateur Brian Mulroney (v.) obtint une majorité de 211 députés sur 282, puis fut désigné comme Premier ministre. Il fut réélu en nov. 1988, avec les voix de certains libéraux et contre une bonne partie de celles des conservateurs. Sujet essentiel de ces élections, le traité de libre-échange signé avec R. Reagan en janv. 1988 et applicable dès 1989, rejeté par les nationalistes, indépendamment des clivages politiques habituels. Ce traité allait permettre l'afflux de capitaux au Canada en échange d'un approvisionnement garanti en énergie et matières premières pour les États-Unis. Le Premier ministre québécois, R. Bourassa, soutenait cet accord propice à la rentabilisation des installations hydro-électriques de la Baie James.
Voir le développement particulier du Canada français depuis le XIXᵉ siècle à l'article QUÉBEC (province de).

● **CANADIAN PACIFIC RAILWAY (C.P.R.),** ou chemin de fer Pacifique canadien. Cette compagnie a été fondée en 1881 pour unir l'Atlantique au Pacifique à travers les montagnes Rocheuses. Son premier convoi effectua ce trajet en 1886. Elle fut un agent important de mise en valeur de l'Ouest, car elle avait le privilège de concéder les terres bordant la voie ferrée. Elle exploite un réseau de plus de 25 000 km au Canada et de 7 000 km aux États-Unis. Elle possède des filiales spécialisées dans les transports aériens, routiers et maritimes avec une flotte de navires et d'avions importante, ainsi qu'un réseau de télécommunications. Elle possède des intérêts diversifiés dans l'industrie pétrolière et métallurgique, l'exploitation des forêts, l'hôtellerie, la promotion immobilière de bureaux et de centres commerciaux, l'assurance, les mines, l'agriculture. Voir CHEMINS DE FER.

ÇANAKKALE, autrefois **Tchanak Kalessi.** Ville de Turquie, sur la rive asiatique des Dardanelles. Le 18 mars 1915, à la bataille de Çanakkale, la flotte franco-britannique, commandée par l'amiral anglais de Robeck, essaya de forcer les Détroits mais dut se retirer après avoir subi de lourdes pertes. Voir TCHANAK.

CANALEJAS Y MÉNDEZ José (* El Ferrol, 31.VII.1854, † Madrid, 12.XI.1912). Homme politique espagnol. Chef de l'aile gauche du parti libéral, plusieurs fois ministre à partir de 1888, notamment à l'Agriculture et aux Finances, postes dans lesquels il s'efforça de réduire les *latifundia* et de limiter la propriété ecclésiastique. Président du Conseil à partir de février 1910, il prit des mesures contre les congrégations religieuses mais dut faire face à une vague de grèves et à une agitation militaire; il tomba assassiné par un anarchiste.

CANAQUES. Autochtones de Nouvelle-Calédonie. Voir NOUVELLE-CALÉDONIE.

CANARD ENCHAÎNÉ (Le). Hebdomadaire satirique parisien fondé à Paris le 5 juillet 1916 par Maurice Maréchal (une première série, interrompue, avait paru durant l'automne 1915). *Le Canard enchaîné,* créé à l'origine pour lutter contre le « bourrage de crânes » de la propagande officielle, resta un journal de gauche, mais indépendant de tous les partis et soucieux de sa liberté au point de n'accepter aucune publicité. Il cessa de paraître en juin 1940 et ne reprit sa publication qu'en sept. 1944. ● Son tirage était de 350 000 exemplaires en 1985.

CANARIES (îles). Groupes d'îles de l'océan Atlantique, appartenant à l'Espagne. Bien connues des Carthaginois, ces îles furent ensuite perdues de vue par les Romains et le nom seul d'*îles Fortunées* resta dans le souvenir des navigateurs. Cependant, le roi Juba II de Numidie (Iᵉʳ s. av. J.-C.) en avait donné une description qui a été conservée par Pline l'Ancien. Les Canaries, fréquentées par les Arabes, furent retrouvées en 1334 par des marins français qu'une tempête avait poussés vers elles. En 1402, les îles Fuerteventura, Gomera et Hierro furent soumises par Jean de Béthencourt, gentilhomme normand, qui se reconnut vassal d'Henri III de Castille. Son neveu et successeur, Maciot de Béthencourt, vendit ensuite ses droits sur les îles à un Espagnol; ils furent rachetés par le roi d'Espagne, qui, en 1477, envoya des forces puissantes pour venir à bout des indigènes des îles, les Guanches, peuple de belle race et de grande intelligence, sans doute d'origine berbère, qui furent exterminés.
Après la fondation de l'Amérique espagnole, les Canaries devinrent un relais entre l'Europe et le Nouveau Monde; elles subirent de nombreuses attaques anglaises. C'est des Canaries que partit le général Franco pour déclencher le soulèvement nationaliste de juillet 1936.

CANARIS Wilhelm (* Aplerbeck, près de Dortmund, 1.I.1887, † Flossenbürg, 9.IV.1945). Amiral allemand. D'une famille de grands industriels westphaliens, cadet dans la marine en 1905, il fit partie de l'équipage du croiseur *Dresden* coulé par les Anglais dans l'Atlantique Sud en mars 1915; après une odyssée mouvementée, il parvint à regagner l'Allemagne et prit le commandement d'un sous-marin. Resté dans la marine sous la république de Weimar, il commença à se spécialiser dans le renseignement. Au début

CANARIS
Wilhelm. Amiral allemand
(1887-1945).
Ph. © X.D.R. - Arch. Tallandier

CANAUX

Inauguration du canal de la Moselle, 26 mai 1964. Le général de Gaulle,
le président Lübke (R.F.A.) et la grande-duchesse de Luxembourg
inaugurent la voie fluviale Metz-Coblence, qui relie au Rhin
les bassins miniers et les centres sidérurgiques de Lorraine et du Luxembourg.
C'est un élément du grand projet de liaison Rhône-Rhin
(liaison par voie fluviale à grand gabarit)
qui permettrait à des transports lourds de passer de Rotterdam à Marseille
et réciproquement sans faire le tour complet de l'Europe occidentale.
Deux branches possibles, l'une par Strasbourg, l'autre par Metz,
mais de grosses difficultés de réalisation,
à cause du relief au nord de la région lyonnaise.
Ph. © A.F.P. - Photeb

de 1935, il fut nommé chef de la section de
l'Abwehr (service de renseignements) au
commandement supérieur allemand. Vice-
amiral (1938), il semble, dès cette époque,
avoir conçu des doutes sur la politique de
Hitler et avoir donné son appui aux premiers
complots d'officiers. Durant la Seconde
Guerre mondiale, Canaris aurait noué des
intelligences avec les Alliés; il était en tout
cas un obstacle sur la route de Himmler, qui
voulait s'assurer le contrôle absolu de tous
les services de sécurité et d'espionnage du
Reich. Changé de poste en mai 1944 et
nommé chef d'état-major de la section de la
guerre économique, Canaris fut impliqué
dans le complot du 20 juillet 1944, bien que
la Gestapo elle-même fût dans le doute sur la
véritable nature de ses activités. Condamné
à mort, il fut pendu au camp de concentration de Flossenbürg.

CANAUX. Les premiers canaux furent
construits en Égypte et en Mésopotamie, à
des fins d'irrigation. Dès l'Ancien Empire
égyptien, il semble que les travaux aient
permis de faire communiquer le Nil avec le
golfe de Suez, qui s'enfonçait alors jusqu'aux
lacs Amers. Selon Hérodote, le pharaon
Néchao (610/594 av. J.-C.) aurait entrepris
le canal reliant la branche *tanitique* ou orientale du Nil avec la mer Rouge. Cette œuvre
fut reprise vers 518 par Darius Ier. Ce canal
— ancêtre du canal de Suez —, qui s'était
ensablé, fut encore remis en état sous les
Ptolémées. Chez les Grecs, on parla
beaucoup d'un projet de percement de
l'isthme de Corinthe, qui ne fut jamais
réalisé; mais on cite des canaux à travers la
Chersonèse Taurique, entre Leucade et la
côte d'Acarnanie, etc. Les Romains ont
laissé peu de canaux, car ils préféraient les
aqueducs (v.). Cependant, Auguste fit cana-
liser le Pô près de Ravenne; Æmilius
Scaurus établit un canal navigable entre
Plaisance et Parme; sous Claude, fut
construit un canal joignant le lac Fucin au
Liris, etc. Dès l'Antiquité, les Chinois développèrent la navigation intérieure par de
nombreux canaux; leur plus belle réalisation, avant l'époque moderne, fut le Grand
Canal, construit en 605/610 sous l'empereur
Yang-ti : long de 1 500 km, il reliait le fleuve
Jaune au Yang-tseu et constitua le premier
lien entre la Chine du Nord et la Chine du
Sud.

Dans l'Europe médiévale, la Hollande fut un
des premiers pays à posséder des canaux.
Cependant, les canaux ne commencèrent à
prendre une grande importance commerciale qu'après l'invention de l'écluse (xve s.).
A partir de Sully, la **France** entreprit la réalisation d'un vaste programme de voies navigables. Successivement furent construits le
canal de Briare, reliant la Loire à la Seine
(1604/42); le canal du Languedoc ou du
Midi, reliant la Méditerranée à la vallée de
la Garonne (1666/81); le canal de Picardie
(1728), reliant la Somme à l'Oise; le canal du
Rhône au Rhin (1774/1833); le canal du
Centre (1784/90), reliant la Saône à la Loire;

le canal de Bourgogne (1775/1832), reliant la Seine à la Saône; le canal du Nivernais (1785/1842), reliant l'Yonne à la Loire; le canal de l'Ourcq (1822), reliant la Seine à l'Ourcq, etc. En 1789, la France avait déjà plus de 1 000 km de canaux livrés à la navigation. Depuis le début du XIX° s., furent encore construits le canal de la Marne au Rhin (1838/53); le canal de la Marne à la Saône (1862/1907); le canal des Ardennes (1883). Les grandes entreprises françaises du XX° s. furent la canalisation de la Seine (v.) et du Rhône (v.), et le canal du Nord, achevé au cours des années 60. La canalisation de la Moselle fut réalisée de 1958 à 1964, entre Coblence et Thionville, par la collaboration de la France, de l'Allemagne fédérale et du Luxembourg.
● En 1969 fut ouvert le canal Dunkerque-Denain, prolongé vers Valenciennes en 1971, vers Lille en 1979. Le canal des Dunes à Dunkerque fut ouvert en 1987. Le dernier aménagement du canal du Rhône fut achevé en 1981.
Les 229 km qui joindront le Rhin à la Saône, par Mulhouse, Montbéliard et Besançon exigent un effort technique et financier considérable. L'achèvement de ces travaux créera un axe fluvial mer du Nord-Méditerranée long de 1 580 km, de Rotterdam à Fos, pour bateaux et convois fluviaux de grand gabarit, automoteurs de 1 500 tonnes, convois poussés de 3 000 à 5 000 tonnes. La liaison Seine-Nord et Seine-Est à grand gabarit fait partie du projet de schéma directeur des voies navigables. La liaison Rhône-port de Fos à grand gabarit a été ouverte en 1983. La France possède le plus grand réseau fluvial de l'Europe de l'Ouest — 7 000 km —, mais il est inaccessible pour 2/3 aux embarcations de plus de 350 tonnes (ancien gabarit Freycinet, v.). □

En **Angleterre,** les premiers canaux furent le canal de la Sankey (1755) et le Bridgewater Canal (1761), de Worsley à Manchester. Le canal maritime de Manchester (1885) permit aux navires océaniques de remonter la Mersey jusqu'à Manchester.

En **Allemagne,** le canal de Dortmund à l'Ems, construit de 1892 à 1899, fut complété par le Küstenkanal, qui relie l'Ems au grand port de Brême et à la Weser. Le Mittelland Kanal, qui relie le Rhin et la région de la Ruhr à l'Elbe et à l'Oder, fut construit de 1905 à 1938. Réalisant un rêve de Napoléon, le Ludwigskanal, achevé en 1846, relia le Rhin au Danube par le Main; mais il n'était accessible qu'à des bateaux de très faible tonnage. Aussi, dès 1921, fut entreprise la canalisation du Main, permettant l'utilisation de ce cours d'eau par des bateaux de gros tonnage : la liaison Rhin-Danube moderne atteignait Bamberg en 1962 et le nouveau port de Nuremberg en 1972; il ne restait plus qu'à achever le tronçon Nuremberg-Ratisbonne pour que soit établie la grande rela-

tion fluviale de l'Europe centrale, de la mer du Nord à la mer Noire.
● Sur les 4 000 km de voies d'eau allemandes, plus de 3 000 sont empruntés par des péniches ou des convois poussés de plus de 1 500 tonnes. □

En **Belgique,** le développement des canaux commença sous la domination française, à l'époque napoléonienne (canal Mons-Condé). Entre 1815 et 1830, furent construits le canal Gand-Terneuzen, qui fit de Gand un port maritime; le canal d'Antoing-Pommeroeul, qui relia à l'Escaut la région industrielle de Mons; le canal Bruxelles-Charleroi, qui assura la liaison du bassin du Hainaut avec Anvers. A l'époque contemporaine, fut construit le canal Albert (1930/39), reliant Anvers à Liège.

En **U.R.S.S.** C'est dès le début du XVIII° s. que fut entrepris le vaste système de canaux centré sur la Volga (v.). Le régime soviétique a consacré un effort particulier à la construction de grands canaux : mer Blanche-mer Baltique (1933); canal de Moscou (1937), reliant Moscou à la Volga; canal Don-Volga (1952), permettant la jonction entre la Baltique et la mer Noire.
● L'U.R.S.S. possède le plus long réseau de voies navigables : 146 000 km. □

En **Amérique,** la canalisation du Saint-Laurent, réalisée conjointement par le Canada et les États-Unis de 1954 à 1959, a permis l'accès aux Grands Lacs de navires océaniques chargeant jusqu'à 8 000 tonnes.

Enfin ont été construits des canaux interocéaniques : le canal de Suez (v.), ouvert en 1869; le canal de Kiel (v.), 1895; le canal de Panama (v.), 1914.

CANBERRA. Capitale du Commonwealth d'Australie, au sud de Sydney. Construite de 1913 à 1927, dans un site choisi en 1908, elle remplaça Melbourne comme capitale fédérale en 1927.
● En 1982, Canberra et son agglomération comptaient 250 000 habitants.

CANCRIN Georges, comte de (* Hanau, 8.XII.1774, † Pavlovsk, près de Saint-Pétersbourg, 21.IX.1845). Homme politique russe. D'origine allemande, il devint intendant général de l'armée russe (1814/15) et exigea de la France une contribution de guerre de 30 millions de francs. Ministre des Finances (1823/44), il mena une politique mercantiliste, fonda des écoles de commerce, de navigation, des eaux et forêts, favorisa l'industrie d'État. Il mérita le surnom de « Colbert de la Russie ».

CANDACE (I° s. av. J.-C.). Reine d'Éthiopie. Vers 25/22 av. J.-C., ses troupes attaquèrent les Romains en haute Égypte et pillèrent toutes les villes sur leur passage, jusqu'à Éléphantine. La contre-attaque romaine les força à se retirer et Auguste rattacha à

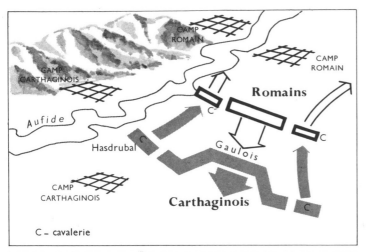

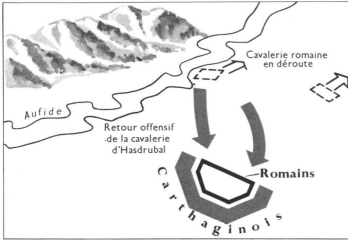

CANNES

Les deux phases de la bataille.

1. Reculer au centre pour obliger le gros des Romains
à s'avancer le plus loin possible, mais détruire leurs ailes.

2. Contre-attaquer vigoureusement au centre et encercler les Romains
en rabattant de part et d'autre les ailes carthaginoises très puissantes.

Le Grec Polybe, qui fut témoin d'une partie des guerres puniques, raconte :
« L'ordre de bataille d'Hannibal était de faire commencer l'engagement
par les Espagnols et les Gaulois, et de les faire soutenir par les Africains...
Dans la ligne de bataille, ces troupes
étaient rangées alternativement par sections, les Gaulois nus,
les Espagnols couverts de tuniques de lin couleur de pourpre.
Ce spectacle attaqua profondément le moral des Romains... »,
qui étaient pourtant deux fois plus nombreux.

l'Égypte la Basse-Nubie, qui fut organisée comme une marche militaire.

CANDACE (Ier s. apr. J.-C.). Reine d'Éthiopie, mentionnée dans les *Actes des apôtres* (VIII, 27-39). Un de ses ministres fut converti et baptisé par le diacre Philippe.

CANDAULE, roi de Lydie (vers 714/684 av. J.-C.). Hérodote raconte qu'il était si fier de la beauté de sa femme qu'il voulut la faire voir à son favori Gygès pendant qu'elle était au bain; la reine, l'ayant su, s'indigna d'un tel affront, força Gygès à tuer Candaule, puis l'épousa et le fit roi. Avec Candaule finit la dynastie des Héraclides.

CANDÉ. Ville de France (Maine-et-Loire). Château des XVIe et XVIIIe s., où se tint, les 12 et 13 juin 1940, un dramatique Conseil des ministres du gouvernement Reynaud, au cours duquel s'affrontèrent les partisans de l'armistice et les partisans de la poursuite de la lutte aux côtés de l'Angleterre. Voir RETHONDES (armistice de).

CANDIANO. Famille vénitienne qui, au IXe-Xe s., donna cinq doges à la république de Venise. Les plus connus sont : **Pierre III Candiano,** élu doge en 942, qui, après un combat acharné, délivra douze jeunes Vénitiennes que des pirates venaient d'enlever le jour de leur mariage, et son fils **Pierre IV Candiano,** doge de 959 à 976, marié à une nièce d'Othon Ier, qui s'attira beaucoup d'ennemis par son ambitieuse politique et périt assassiné avec son fils.

CANDIDE. Hebdomadaire politique et littéraire fondé à Paris en 1924 par l'éditeur Arthème Fayard. Assez marqué à droite, il compta parmi ses collaborateurs J. Bainville, L. Daudet, P. Gaxotte, R. Benjamin, se tint dans une opposition résolue au Front populaire, approuva les accords de Munich et en 1940 se rallia à la politique du maréchal Pétain. Publié en zone sud après 1940, il disparut en 1944.

CANDIE, *Héraklion.* Ville principale et port de l'île de Crète. Fondée par les Arabes au IXe s., dans les environs de l'antique Cnossos (v.), elle devint en 1240 un important comptoir commercial des Vénitiens, qui lui donnèrent de puissantes fortifications. Prise par les Turcs en 1669, après une héroïque défense de trois ans commandée par Francesco Morosini (v.). Du 20 au 28 mai 1941, la ville fut conquise par les parachutistes allemands du général Student, qui ne purent toutefois empêcher le rembarquement de la garnison britannique.

CANDRAGUPTA. Voir CHANDRAGOUPTA.

CANDY. Ville de Ceylan, voir KANDY.

CANÉE (La), *Khania.* Ville de Crète, sur la côte nord de l'île. Dans l'Antiquité *Cydonia,* colonie de Samos, elle fut longtemps occupée par les Vénitiens, puis prise par les Turcs en 1645. Les parachutistes allemands s'en emparèrent le 27 mai 1941, et la ville, à proximité de laquelle se trouvait la base aéronavale de la baie de la Sude, fut soumise à de fréquentes attaques de l'aviation alliée.

CANÉPHORES, *porteuses de corbeilles.* Dans l'Antiquité, à Athènes, jeunes filles de distinction attachées au service d'Athéna, qui portaient sur leur tête, à la procession des panathénées, des corbeilles entourées de guirlandes de fleurs et remplies d'objets consacrés au culte.

CANINO. Ville d'Italie (Viterbe), au sud-est du lac de Bolsena. Le titre de prince de Canino et Musignano fut créé en 1814 par Pie VII pour Lucien Bonaparte et passa ensuite à Alessandro Torlonia et à Giulio Borghese.

CANISIUS saint **Pierre.** Voir Pierre Canisius saint.

CANKOV. Voir Tsankov.

CANNE A SUCRE. Voir sucre.

CANNES, *Cannae.* Ancienne ville d'Italie, en Apulie, sur la rive droite et près de l'embouchure de l'Aufidus, non loin de la ville actuelle de Barletta. Le 2 août 216 av. J.-C., au cours de la deuxième guerre punique, Hannibal y remporta une grande victoire sur les Romains, commandés par les consuls Lucius Æmilius Paulus et Caius Terentius Varro. Le déroulement des opérations de cette bataille fameuse demeure en partie obscur : on ne sait, en effet, si la rencontre des deux armées eut lieu sur la rive gauche ou sur la rive droite de l'Aufidus (la seconde hypothèse est plus souvent reçue). Les Romains bénéficiaient d'une supériorité numérique considérable : 86 000 hommes, selon Polybe, contre environ 50 000 Carthaginois. Hannibal disposa ses troupes en croissant, avec son infanterie celte et espagnole au centre et en avant, flanquée des deux côtés par la cavalerie africaine en retrait, disposée en échelons. Les légions romaines étaient massées, avec l'infanterie au centre, dans une formation étroite et très profonde, afin de rompre le centre ennemi. Elles contraignirent l'infanterie d'Hannibal à reculer, mais sans obtenir la rupture. Tandis que les Romains avançaient, les ailes carthaginoises, formées par la cavalerie africaine, se rabattirent sur les légions et les enveloppèrent. Cannes est resté ainsi le type classique de la bataille d'encerclement. Pris comme dans une tenaille, les Romains furent taillés en pièces : sur plus de 80 000 hommes, 10 000 furent faits prisonniers, 14 000 seulement réussirent à s'échapper (avec le consul Terentius Varro), tous les autres furent tués (parmi eux, le consul Æmilius Paulus). Hannibal, manquant d'effectifs et de matériel, ne put cependant exploiter cette victoire pour aller mettre le siège devant Rome.

CANNING
George. Homme politique anglais (1770-1827). (National Portrait Gallery, Londres.)
Ph. © du musée - Photeb

CANNES. Ville de France, sur la Côte d'Azur. Dans l'Antiquité, son site, qui se trouvait sur le territoire des Oxybiens, devint un repaire de pirates celto-ligures, dont les Romains s'emparèrent en 155 av. J.-C. pour le donner aux Massaliotes, leurs alliés. Devenu *Castrum Marsellinum* ou *Massalianum,* Cannes passa, au IVe s. de notre ère, aux abbés de Lérins et resta sous la domination des moines jusqu'à la veille de la Révolution. A son retour de l'île d'Elbe, Napoléon Ier, débarqué à Golfe-Juan, bivouaqua près du village. C'est lord Brougham, en 1834, qui lança Cannes comme station hivernale de luxe, bientôt fréquentée par l'aristocratie française et étrangère, anglaise et russe surtout. C'est seulement après la Seconde Guerre mondiale que Cannes, comme les autres villes de la Côte d'Azur, devint également une station estivale. Son festival international du film, qui a lieu chaque année au mois de mai, fut créé en 1946.

Conférence de Cannes (6/13 janv. 1922). Conférence des Alliés de la Première Guerre mondiale, qui se tint à Cannes pour examiner la question des réparations. L'Allemagne, déjà en pleine inflation, s'étant déclarée dans l'impossibilité de faire face au paiement des prestations pour dommages de guerre, Lloyd George proposa à la France un examen général des problèmes relatifs aux réparations, à la sécurité et à la reconstruction européenne; il demandait que la Russie soviétique fût invitée à y participer. Au cours de la conférence de Cannes, le président du Conseil français, Briand, reçut du président de la République, Millerand, plusieurs avertissements lui enjoignant de s'en tenir à la lettre du traité de Versailles, de n'accepter aucun moratoire sur les réparations et de refuser la participation des Soviets à une conférence économique. Ainsi publiquement désavoué dans ses efforts de conciliation, Briand remit la démission de son gouvernement (12 janv. 1922); il fut remplacé par Poincaré.

CANNING George (* Londres, 11.IV. 1770, † Chiswick, 8.VIII.1827). Homme politique anglais. Tory convaincu, éditeur de la revue *The Anti-Jacobin* (1797-98), il était entré en 1793 aux Communes et avait soutenu de toute son éloquence la politique de Pitt; celui-ci le fit nommer sous-secrétaire d'État (1796/1801). Chef de l'opposition à Addington, il fit partie du dernier cabinet Pitt (1804/06); comme ministre des Affaires étrangères sous Portland (1807/09), il soutint la résistance espagnole à Napoléon et porta la responsabilité du bombardement de Copenhague. Il se retira des affaires en 1809, à la suite d'un duel avec son collègue Castlereagh. Après le suicide de ce dernier (1822), il lui succéda comme ministre des Affaires étrangères (1822/27). Lors du congrès de Vérone, auquel il ne participa pas, il s'opposa résolument à la Sainte-Alliance en condamnant l'intervention en Espagne; il marqua encore l'indépendance de l'Angle-

**CÁNOVAS
DEL CASTILLO**
Antonio. Homme politique
espagnol (1828-1897).
Ph. Jeanbor © Photeb

terre en reconnaissant les nouvelles républiques d'Amérique latine insurgées contre les Espagnols. Premier ministre à partir de 1827, il prit ses distances à l'égard des tories, fit entrer des whigs dans son cabinet, appuya le courant en faveur de l'émancipation des catholiques d'Irlande et prépara l'indépendance de la Grèce.

Son fils, **Charles John, 1er comte Canning** (* Londres, 14.XII.1812, † Londres, 17.VI. 1862), gouverneur général (1856/58) puis vice-roi des Indes (1858/62), dut faire face en 1857 à la révolte des Cipayes et réussit, par sa politique de clémence, à limiter l'importance du soulèvement et à rétablir rapidement la paix.

CANO Juan Sebastián del (* Guetaria, près de Saint-Sébastien, vers 1460, † août 1526). Navigateur espagnol, il fit partie de l'escadre de Magellan, dont il prit le commandement à la mort de ce dernier (1521). Il reconnut les îles d'Amboine, de Solor et de Timor (1522), doubla, avec beaucoup de peine, le cap de Bonne-Espérance et revint en Espagne en 1522, avec la gloire d'avoir fait le premier tour du monde. Il mourut au cours d'une expédition dans les Moluques.

CANON. Voir ARTILLERIE.

CANONISATION. Voir SAINTS (culte des).

CANOPE, *Kanobos.* Ville de l'ancienne Égypte au N.-E. d'Alexandrie, près de l'actuelle Aboukir, à l'embouchure d'une branche du Nil dite *canopique.* À l'époque alexandrine, elle eut un rayonnement important et devint le centre d'un culte syncrétiste rendu à Osiris Sérapis, que l'on représentait par des vases surmontés d'une figure humaine. On a confondu à tort ces *vases de Canope* avec les vases fermés par une tête dans lesquels, dès le début du IIe millénaire au moins, on plaçait dans la chambre funéraire les viscères (foie, poumons, estomac, intestins), qu'on ne pouvait laisser à l'intérieur de la momie *(vases canopes).* En 1866, l'égyptologue allemand K. Lepsius découvrit à Canope une pierre portant en trois écritures (hiéroglyphique, démotique et grecque) le texte d'un édit publié le 7 mars 238 av. J.-C. par une assemblée de prêtres égyptiens en l'honneur de Ptolémée III Évergète et de son épouse Bérénice.

CANOSSA. Ancien château d'Italie du Nord, sur une montagne, au S.-O. de Reggio d'Émilie. Il appartenait, au XIe s., à la comtesse Mathilde de Toscane; c'est dans la cour de ce château que l'empereur Henri IV, tête nue et pieds nus, attendit pendant trois jours (25/28 janv. 1077) avant que le pape Grégoire VII consentît à l'accepter en sa présence et à le relever de l'excommunication. Voir GRÉGOIRE VII, HENRI IV, INVESTITURES.

Nous n'irons pas à Canossa *(Nach Canossa gehen wir nicht).* Paroles prononcées par Bismarck devant le Reichstag, le

14 mai 1872, au début du Kulturkampf (v.), pour affirmer sa résolution de ne pas céder aux catholiques.

CÁNOVAS DEL CASTILLO Antonio (* Malaga, 8.II.1828, † Santa Agueda, Guipuzcoa, 8.VIII.1897). Homme politique espagnol. Écrivain et journaliste, auteur d'études historiques sur le XVIIe s. espagnol (*Estudios del reinado de Felipe IV,* 1888-89), il entra aux Cortes dès 1854, fit partie de divers cabinets libéraux entre 1864 et 1868 et travailla à l'abolition de l'esclavage dans les colonies espagnoles. Il fut le grand artisan de l'avènement au trône d'Alphonse XII (déc. 1874) et devint Premier ministre (1876/81). Gouvernant d'abord par décrets, il abolit presque toutes les réformes de la république, mais conserva le suffrage universel; il fit adopter la Constitution de 1876, qui rendait impossibles de véritables élections libres et assurait l'alternance au pouvoir des conservateurs (dirigés par Cánovas) et des libéraux (dirigés par Sagasta). Avec toute son habileté, Cánovas n'en discrédita pas moins la monarchie en l'associant à un système politique malhonnête. Président du Conseil pour la cinquième fois en 1895, il refusa d'abord toute concession à Cuba, puis, devant la menace d'une intervention des États-Unis, il proposa une loi accordant à l'île une large autonomie. Il fut assassiné peu de temps après par l'anarchiste italien Angiolillo.

CANROBERT François Certain (* Saint-Céré, Lot, 27.VI.1809, † Paris, 28.I.1895). Maréchal de France. Sorti de Saint-Cyr, il participa brillamment à la conquête de l'Algérie (1835/39 et 1841/49), puis seconda Napoléon III au coup d'État du 2-Décembre. Général de division en 1853, il succéda à Saint-Arnaud comme commandant de l'armée française en Crimée (sept. 1854). Mais sa mésentente avec lord Raglan le fit remplacer par Pélissier dès mai 1855. Pendant la guerre de 1870, il s'illustra par la défense de Saint-Privat (18 août) mais fait prisonnier à Metz, avec Bazaine; sous la IIIe République, il fut sénateur et l'un des chefs du parti bonapartiste.

CANTABRES, *Cantabri.* Ancien peuple celtibère établi sur la côte septentrionale de la péninsule Ibérique, dans l'actuelle province d'Oviedo. Soumis par Auguste en 27/25, les Cantabres ne tardèrent pas à se révolter et Vipsanius Agrippa les extermina presque entièrement en 19 av. J.-C.

CANTACUZÈNE, *Kantakouzènos.* Famille byzantine qui s'allia par mariages aux Comnènes et aux Paléologues et qui a donné un empereur d'Orient, Jean VI (1341/55).

Le fils aîné de celui-ci, **Matthieu Cantacuzène** († 1383), lutta pour s'emparer du trône, mais fut fait prisonnier par les Serbes (1357) et dut abdiquer.

CANOSSA
Henri IV d'Allemagne en
pénitent agenouillé. Détail de
la miniature du manuscrit de
la bibliothèque Vaticane
représentant l'entrevue avec
la comtesse Mathilde, en
présence d'Hugues,
abbé de Cluny.
Ph. © Bibl. Vatic. - Photeb

Son frère, **Manuel Cantacuzène** († 1380), fut despote de Mistra, en Morée.

Après la chute de Constantinople, les Cantacuzènes acceptèrent de rester au service des Turcs et devinrent une des premières familles phanariotes. Tandis qu'une branche de la famille s'installait en Russie, une autre fournit plusieurs hospodars à la Valachie et à la Moldavie.

Serban Cantacuzène (* vers 1640, † 1688), hospodar de Valachie (1679/88), essaya de secouer la domination turque et aida secrètement les Autrichiens lors du siège de Vienne (1683). Il favorisa la vie culturelle et fit imprimer une Bible (1688).

CANTEMIR Constantin (* vers 1630, † 1693). Noble de Moldavie, il servit dans l'armée turque contre la Pologne sous Mahomet IV et se distingua à la bataille de Khotin (1674). Chargé de la défense des frontières turques entre le Dniestr et le Pruth, victime d'une fausse dénonciation de Démétrios Cantacuzène, gouverneur de la Moldavie, il réussit à se justifier et obtint la principauté de son accusateur, qui en fut chassé (1685); il gouverna la Moldavie jusqu'à sa mort.

Son fils, **Dimitri Konstantinovitch Cantemir** (* 1673, † 1723), fut élevé à Constantinople et reçut une culture à la fois orientale et occidentale. Nommé en 1710 prince de Moldavie, il rompit avec les Turcs et accepta les offres que lui faisait le tsar Pierre le Grand, en guerre contre l'Empire ottoman; il obtint que la Moldavie serait érigée en principauté héréditaire pour la famille Cantemir, sous la protection de la Russie. Mais, après la défaite des Russes et la paix du Pruth (1711), Cantemir dut fuir les Turcs et se réfugier auprès du tsar, qui lui donna le titre de prince de l'Empire russe, avec des terres considérables en Ukraine. Membre de l'Académie des sciences de Saint-Pétersbourg et de l'Académie de Berlin, Dimitri Cantemir fut un des plus grands érudits de son temps : il connaissait onze langues, anciennes et modernes, et écrivit d'importants ouvrages historiques, notamment une *Histoire de l'agrandissement et de la décadence de l'Empire ottoman* (en latin, traduite en français en 1743).

Son fils, **Antioch Cantemir** (* Constantinople, 21.IX.1708, † Paris, 11.IV.1744), servit dans l'armée puis dans la diplomatie russes et fut ambassadeur à Londres et à Paris. Écrivain en langue russe, traducteur d'Anacréon et d'Horace, auteur de *Satires*, il s'efforça d'introduire l'esthétique classique dans la poésie russe.

CANTERBURY. Ville d'Angleterre, chef-lieu du comté de Kent. A l'époque romaine *Durovernum,* elle fut nommée par les Anglo-Saxons *Cantwarabyrig* (la cité des hommes du Kent) et était au VIᵉ siècle la résidence des rois de Kent. Après le baptême du roi

Éthelbert par des missionnaires bénédictins venus de Rome, Canterbury devint le siège du plus ancien archevêché d'Angleterre (597); son titulaire fut primat d'Angleterre. Le siège archiépiscopal de Canterbury a été illustré par de nombreux hommes remarquables : Dunstan, Lanfranc, st. Anselme, st. Thomas Becket (assassiné dans la cathédrale en 1170), Stephen Langdon, Thomas Bradwardine, Thomas Cranmer, Reginald Pole. La cathédrale, dont la construction fut entamée à la fin du XIᵉ s. sous Lanfranc, date, pour l'essentiel, du XIIᵉ s. Avec la Réforme, Canterbury perdit de son importance, mais l'archevêque anglican porte toujours le titre de primat d'Angleterre et prend rang immédiatement après la famille royale. Il est le chef de la Communion anglicane.

CANTON, *Kouang-tchéou, Guangzhou* en pinyin. Ville de la Chine méridionale, capitale de la province du Kouang-tong, grand port sur l'estuaire du Si-kiang. Annexée à l'Empire chinois à la fin du IIIᵉ s. av. J.-C., elle fut visitée au Moyen Age par des marins et des commerçants indiens, malais, arabes. Le Portugais Perez de Andrade y arriva en 1517 et Canton devint un des principaux centres du commerce européen en Chine. La Compagnie anglaise des Indes y eut un établissement fixe dès 1699, les Français en 1725, les Hollandais en 1762. A la suite de la guerre de l'Opium (v.), Canton, par le traité de Nankin (29 août 1842), devint un des cinq ports chinois ouverts librement au commerce étranger. Au début du XXᵉ s., Canton fut un des foyers du mouvement révolutionnaire qui renversa la dynastie impériale (1911). En 1916, les républicains y formèrent un gouvernement opposé à la dictature de Yuan Che-ka'i et Canton resta le siège du gouvernement du Kouo-min-tang jusqu'en 1926. Prise par les Japonais en automne 1938, Canton resta occupée jusqu'en 1945. Les communistes chinois y entrèrent le 15 oct. 1949.

● En 1979, Canton comptait 5,3 millions d'habitants.

CANTON. En France, circonscription administrative créée par l'Assemblée constituante en déc. 1789. N'étant le siège d'aucune administration à caractère général, le canton est une unité plutôt territoriale qu'administrative. En 1789, des députés, parmi lesquels Condorcet et Sieyès, avaient vainement proposé de placer dans le canton une administration locale. Cette idée fut reprise, sans plus de succès, en 1848, par Odilon Barrot.

En **Suisse,** le nom de *canton* est donné aux 22 États formant la Confédération suisse. Les cantons jouirent longtemps d'une autonomie et d'une souveraineté entières, qui leur furent confirmées par l'Acte de médiation de 1803 et le Pacte fédéral de 1815. Mais la Constitution fédérale de 1848 abandonna le système de la confédération d'États pour celui de l'État fédératif. En vertu de la Constitution de 1874, toujours en vigueur,

CANROBERT
François Certain. Chef militaire français (1809-1895).
(Musée de l'Armée, salle Detaille, Paris.)
Ph. H. Josse © Photeb

CANUTS

CAO BANG

les cantons « sont souverains en tant que leur souveraineté n'est pas limitée par la Constitution fédérale ». Leur autonomie s'exerce en particulier dans les domaines de la gestion des finances cantonales, de l'instruction publique, de la police, de l'assistance publique, des grands travaux publics, des affaires ecclésiastiques. Au plan fédéral, les cantons sont représentés, à raison de deux députés par canton, par le Conseil des États *(Ständerat)*. Chaque canton possède sa Constitution, son Parlement cantonal *(le Grand Conseil* ou *Grosser Rat)*, mais certains cantons, tels Unterwalden, Appenzell, Glarus, ont conservé leurs institutions de démocratie directe médiévales *(Assemblées du peuple* ou *Landesgemeinden)*.

CANTONALISME. Mouvement politique qui se développa en Espagne durant la Iʳᵉ République (1873/74). Sous l'influence de l'anarchisme, des communes se proclamèrent libres, rompirent ouvertement avec le pouvoir central et mobilisèrent des milices. L'exemple, donné par Malaga, fut suivi rapidement par Cadix, Grenade, Séville, Valence et Carthagène. Incapable de réprimer ce mouvement, Pi y Margall préféra se retirer; le cantonalisme fut écrasé en 1874 par le général Manuel Pavia.

CANTORBÉRY. Forme française de CANTERBURY.

CANULEIUS Caius (vᵉ s. av. J.-C.). Tribun du peuple romain, son nom reste attaché à la *lex Canuleia* de 445, autorisant les mariages entre patriciens et plébéiens; mais il ne put obtenir qu'un des deux consuls serait plébéien.

CANUT ou **KNUT Iᵉʳ**, roi de Danemark. Fils aîné de Gorm le Vieux; il aurait régné à partir de 940, mais son existence historique n'est pas sûre.

CANUT II le Grand, Canut Iᵉʳ en Angleterre (* vers 995, † Shaftesbury, 12.XI. 1035), roi de Danemark (1018/35), d'Angleterre (1017/35) et de Norvège (1030/35). Son père, Sven Iᵉʳ, étant mort alors qu'il menait la conquête de l'Angleterre, Canut fut choisi par la flotte comme roi d'Angleterre, tandis que son frère aîné, Harald, devenait roi de Danemark (1014). Devant la résistance opposée par Éthelred II, il dut fuir et rentrer dans sa patrie, après avoir fait couper le nez, les oreilles et les mains de tous les otages anglais en sa possession. Ayant débarqué de nouveau en Angleterre en 1015, il avait presque conquis tout le pays, lorsqu'il se trouva en face du courageux Edmond II Ironside, fils d'Éthelred, avec lequel il dut signer un traité qui assurait à Edmond le sud de l'Angleterre; mais, après la mort assez mystérieuse d'Edmond (nov. 1016), Canut resta seul maître du pays et fut reconnu roi dans toute l'Angleterre (1017). Ses méthodes de gouvernement, jusqu'alors violentes et cruelles, changèrent complètement; il s'appliqua à

régner en respectant les coutumes nationales et en employant des Anglo-Saxons dans l'administration. Marié avec Emma, la veuve de son ennemi Éthelred, il se montra un protecteur de l'Église, fit un pèlerinage à Rome (1026/27) et donna son appui à l'empereur Conrad II dans sa lutte contre les Slaves. La mort de son frère Harald (1018) lui avait donné la couronne de Danemark, à laquelle il joignit en 1030 la couronne de Norvège, conquise sur Olav II le Saint.

CANUT III le Hardi ou **Hardeknut** ou **Harthaknut** (* vers 1019, † 8.VI.1042), roi de Danemark (1035/42) et d'Angleterre (1040/42). Fils du précédent; à la mort de son père (1035), il ne reçut que le Danemark, que Canut II gouvernait depuis 1018, l'Angleterre étant donnée à son demi-frère, Harold Iᵉʳ, à l'exception du Wessex. Mécontent de ce partage, Harold ne tarda pas à s'emparer du tout et Canut venait, les armes à la main, revendiquer sa part lorsque Harold mourut (1040). Canut fut alors élu roi d'Angleterre; il se montra cruel, accabla le peuple de lourds impôts et se rendit tellement impopulaire qu'à sa mort (d'une attaque d'apoplexie) l'Angleterre était perdue pour la dynastie danoise.

CANUT IV le Saint († Odensee, 1086), roi de Danemark (1080/86). Fils de Sven II Esdridsson, devenu roi en 1080, comme successeur de son frère Harald Hen, il se montra un grand défenseur de l'Église, repoussa les Prussiens et conquit la Courlande; en 1085, projetant une grande invasion de l'Angleterre, il leva des impôts extraordinaires qui provoquèrent une révolte du Jutland (1085). Vaincu par les rebelles, il se réfugia dans l'église Saint-Alban d'Odensee et y fut assassiné devant l'autel. Le pape Pascal II autorisa son culte, comme premier et principal martyr du Danemark (1101).

CANUT V Magnusson († 1157), roi de Danemark (1147/57). Fils de Magnus Nilsson, roi de Västergotland, il succéda à son cousin Éric III Lam mais dut défendre sa couronne contre Sven III, roi de Scanie et Sjaelland, qui le fit assassiner au cours d'un festin donné à l'occasion de la paix qui venait d'être conclue entre eux. Sven III fut peu après mis à mort par Valdemar Iᵉʳ, qui rétablit l'unité danoise.

CANUT VI (* 1163, † 12.XI.1202), roi de Danemark (1182/1202). Fils et successeur de Valdemar Iᵉʳ le Grand, il refusa le serment d'allégeance à l'empereur Frédéric Iᵉʳ Barberousse, soumit les Scaniens révoltés, entra en lutte contre le duc Bogislav de Poméranie, conquit le Mecklembourg, la Livonie, le Holstein, prit Lübeck (1201) et Hambourg (1202). Son règne fut pour le Danemark une époque de puissance et de prospérité; à la suite de ses conquêtes, il prit le titre de *roi des Wendes*, que les rois de Danemark ont conservé depuis.

LE CAP

CAP-BRETON (île du)

CANUT LAVARD saint († 1131). Second fils du roi Éric le Bon de Danemark, il fut duc du Jutland méridional, puis roi des Wendes. Assassiné par un oncle, Magnus Nillson, qui le jalousait. Protecteur des missionnaires chrétiens, il fut canonisé en 1171 et honoré comme martyr. Il fut le père de Valdemar Iᵉʳ le Grand.

CANUTS (révolte des). Insurrection des ouvriers de l'industrie de la soie à Lyon, en 1831. Elle eut pour principale cause la baisse constante des salaires dans cette industrie, provoquée par la concurrence étrangère croissante : un canut, qui gagnait de 4 à 6 francs par jour sous l'Empire, recevait entre 18 et 25 sous en 1831 pour 15 heures de travail. Sur la médiation du préfet, une commission de patrons et d'ouvriers fixa un salaire minimal, mais certains patrons refusèrent d'appliquer cette décision. Les canuts se rassemblèrent alors à la Croix-Rousse, le 21 nov. 1831, et se rendirent maîtres de la ville (22 nov.). Le gouvernement Casimir Perier les traita en rebelles et désavoua l'initiative du préfet. L'ordre fut rétabli le 5 déc. par le maréchal Soult, et Lyon occupé par 20 000 hommes, sans réaction de la part des canuts, qui n'obtinrent aucune satisfaction pour leurs revendications.

CAO BANG. Village du Viêt-nam, au Tonkin, à 30 km de la frontière chinoise. Poste militaire important, Cao Bang fut menacé par le Viêt-minh dès le début de la guerre d'Indochine. En raison de l'importance des infiltrations chinoises, le rapport du général Revers suggéra, en 1949, l'évacuation du dispositif frontalier du haut Tonkin pour concentrer l'effort français dans le Delta. Le 4 oct. 1950, le poste fut donc abandonné par les troupes françaises, mais la colonne en retraite sur la route coloniale n° 4 fut encerclée et anéantie par les partisans du Viêt-minh (8 oct.). Ce désastre causa une profonde impression dans l'opinion publique française. Après une mission du général Juin en Indochine (oct. 1950), le général de Lattre de Tassigny fut nommé commandant supérieur des troupes en Indochine (6 déc.).

CAODAÏSME. Secte indochinoise, dont la doctrine et les rites offraient un curieux mélange des religions extrême-orientales, d'animisme, de christianisme et d'influences spirites et maçonniques venues d'Occident. Fondée vers 1919 par Ngo Van Chien, la secte fut reconnue par l'administration française en 1926 et Le Van Trung devint le premier « pape » du caodaïsme. La secte ne survécut pas aux guerres qui bouleversèrent le Viêt-nam après 1945.

CAOUTCHOUC. Christophe Colomb, au cours de son second voyage en Amérique (1493/96), fut le premier Européen à connaître le caoutchouc en voyant des Indiens d'Haïti jouer avec des balles élastiques. Mais ce fut seulement au XVIIIᵉ s. que deux Français, La Condamine et Fresneau, après des missions en Amérique, donnèrent les premières descriptions scientifiques de l'arbre à caoutchouc, qui fut nommé *hevea,* et des procédés primitifs de manufacture employés par les indigènes d'Amérique. L'industrie du caoutchouc ne put prendre son ampleur qu'après la découverte du véritable solvant pratique du caoutchouc, le benzol, par Charles Macintosh (1820), et la découverte de la vulcanisation, permettant d'insensibiliser le caoutchouc aux variations de température, par Charles Goodyear (1839). En 1887, John B. Dunlop inventa le pneumatique, et le développement de la bicyclette puis de l'automobile provoqua une demande croissante de caoutchouc.

Jusqu'à la fin du XIXᵉ s., on ne disposait cependant que du caoutchouc naturel produit par les plantes à caoutchouc de l'Amérique centrale et méridionale. La culture d'espèces, dont les premiers essais eurent lieu aux Indes vers 1870, se heurta d'abord à la mauvaise volonté du Brésil, qui possédait le quasi-monopole du caoutchouc sauvage et avait interdit rigoureusement l'exportation des semences et des plants. Cependant, en 1876, le botaniste anglais sir Henry Wickham réussit à rapporter en Angleterre 70 000 graines d'*hevea Brasiliensis* du bas Amazone; des essais, poursuivis à Ceylan (*Sri Lanka*), aboutirent à la création des premières plantations d'Extrême-Orient. Dès 1910, le caoutchouc de plantation était répandu sur le marché mondial, mais le caoutchouc sauvage comptait encore pour 83 000 tonnes sur une production mondiale de 94 000 tonnes. En 1915, le caoutchouc de plantation atteignait 116 000 tonnes sur un total de 179 000 tonnes. À l'heure actuelle, le caoutchouc sauvage des Amériques n'apporte qu'une contribution dérisoire à la production mondiale; le Brésil, qui était au début du siècle le premier pays producteur, n'apporte plus qu'une contribution de moins de 2% à l'ensemble de la production. L'afflux du caoutchouc de plantation, venant essentiellement de la Malaisie, de l'Indonésie, de Ceylan et de l'Indochine, provoqua après 1920 un effondrement des prix, qui ne fut jugulé que par un accord international entre les producteurs (1934).

La production de caoutchouc synthétique fut entreprise sur une grande échelle, dès 1914, par l'Allemagne, qui se trouvait aux prises avec le blocus allié. Elle fit de grands progrès après la mise au point, dans les années 1930/37, des Buna S et N, dérivés du butadiène. En 1939, l'Allemagne et l'U.R.S.S. étaient à peu près les deux seuls pays producteurs de caoutchouc synthétique : la production soviétique atteignait 53 000 tonnes en 1938, la production allemande dépassa 115 000 tonnes en 1943. Au début de la Seconde Guerre mondiale, l'utilisation du caoutchouc synthétique était encore presque inconnue aux États-Unis. Mais ceux-ci furent privés à leur tour de leurs précieuses matières premières par les conquêtes japonaises en Asie orientale (1942). Dès lors, la production de

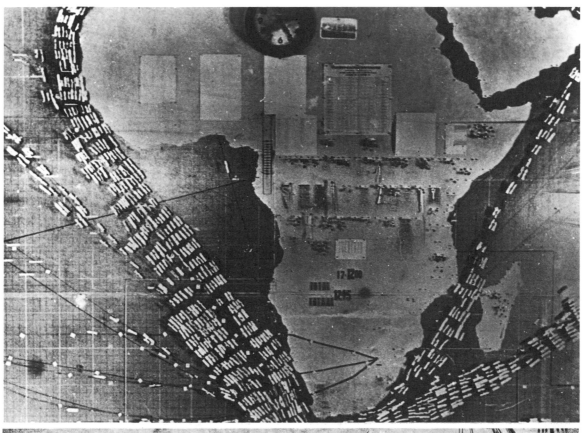

CAPÉTIENS

Page ci-contre :
personnages d'une
clef de voûte de l'église
de Chars, Val-d'Oise.
Ils représenteraient
les quatre premiers rois
capétiens, dont l'histoire
occupe tout le XIᵉ siècle :
Hugues Capet (987/996),
Robert II le Pieux (996/1031),
Henri Iᵉʳ (1031/1060),
Philippe Iᵉʳ (1060/1108),
arrière-petit-fils
du fondateur de la dynastie.

Ph. © J. Roubier - Arch. Photeb

Monogramme d'Hugues Capet.
Détail d'un diplôme
du souverain, 989.
(Archives nat., Paris.)
Roi élu, Hugues craignait
que la légitimité
de sa descendance
pût être contestée.
Il eut soin, de son vivant,
de faire élever et sacrer
son fils. Ses successeurs
en firent autant, jusqu'à
Philippe Auguste (1180/1223).
Ce type de signature royale,
utilisé dans les actes
jusqu'au XIVᵉ s.,
était composé soit
de toutes les lettres
du nom (monogramme parfait),
soit, comme ici,
de quelques lettres seulement
(monogramme imparfait).

Ph. © Bulloz - Photeb

caoutchouc synthétique prit un puissant essor en Amérique : le caoutchouc synthétique, qui ne représentait, en 1939, que 0,3 % de la consommation totale des États-Unis, en représente aujourd'hui plus de 70 %.

● La production mondiale de caoutchouc naturel s'élevait en 1986 à 4 346 000 tonnes (dont Malaisie 1 450, Indonésie 1 030, Thaïlande 790). Celle de caoutchouc synthétique s'élevait en 1983 à environ 8 millions de tonnes (dont États-Unis 2 millions, Japon 1 million, France 0,5 million).

CAP (Le), *Kaapstad, Cape Town*. Capitale de la République sud-africaine, port sur la baie de la Table, à 50 km du cap de Bonne-Espérance. Explorée par Dias en 1488 et Vasco de Gama en 1497, la baie de la Table resta cependant longtemps sans établissement, à cause de la férocité des indigènes qui hantaient ses rives et tuèrent Almeida en 1510. La ville du Cap a pour origine un fort construit par le Hollandais Van Ribeeck en 1652 ; elle fut prise en 1806 par les Anglais, qui la gardèrent définitivement en 1815.

● Ancienne capitale de la colonie du Cap, capitale de l'Afrique du Sud à partir de 1910, on y comptait 625 000 habitants en 1981, 1,5 million dans son agglomération.

CAP (colonie du). Contrée de l'Afrique méridionale, qui comprenait toute la pointe que termine le cap de Bonne-Espérance. La colonie du Cap, fondée en 1652 par le Hollandais Van Ribeeck, vit sa population s'accroître, au XVIIᵉ et au XVIIIᵉ s., par l'arrivée de protestants français et d'Allemands, qui formèrent avec les Hollandais la souche des Boers. L'annexion de la colonie par les Anglais, en 1806, et l'apport d'éléments britanniques nouveaux à partir de 1820 créèrent une tension croissante qui, en dépit de l'autonomie partielle accordée par l'Angleterre en 1872, finit par provoquer la guerre des Boers. La colonie devint en 1910 une province de la nouvelle Union sud-africaine. Voir SUD-AFRICAINE (République).

CAP AU CAIRE (chemin de fer du). Ligne ferroviaire projetée à la fin du XIXᵉ s. par les Anglais, et notamment par Cecil Rhodes. Elle devait, en traversant l'Afrique du S. au N., constituer la colonne vertébrale des possessions britanniques de l'Afrique, mais seuls les tronçons Le Caire-Assouan, Ouadi-Halfa-Khartoum, Salisbury-Le Cap furent achevés, et le développement des liaisons aériennes fit perdre beaucoup d'intérêt à ce projet.

CAP-BRETON (île du). Île du Canada, située dans le golfe du Saint-Laurent. Découverte par Cabot en 1497, colonisée par les Français en 1714, elle fit partie de l'Acadie. Les Anglais la prirent en 1745, la rendirent en 1748 et s'en emparèrent définitivement en 1758. Elle fait aujourd'hui partie de la Nouvelle-Écosse.

CAPELLE Eduard von (* Celle, 10.X. 1855, † Wiesbaden, 23.II.1931). Amiral allemand. Il collabora avec Tirpitz à l'élaboration de lois qui augmentèrent considérablement la puissance de la marine allemande. Successeur de Tirpitz comme secrétaire d'État à la Marine (mars 1916/oct. 1918).

CAPELLO Bianca. Voir CAPPELLO.

CAPELUCHE († Paris, 1418). Bourreau de Paris sous le règne de Charles VI, il se mit à la tête de la populace qui massacra les Armagnacs après la sédition des Cabochiens. S'assurant des prisonniers de Vincennes, qu'il promettait de conduire au Châtelet, il ordonna leur massacre. D'abord contraint de le ménager, Jean sans Peur, las de ses excès, le fit arrêter et décapiter.

CAPÈNE (porte), *Porta Capena*. Porte de la Rome antique (enceinte de Servus Tullius), entre l'Aventin et le Caelius, point de départ de la via Appia et de la via Latina.

CAPET. Surnom d'Hugues, premier roi de la troisième race des rois de France, laquelle a pris de lui le nom de race capétienne. Selon l'étymologie la plus probable, ce surnom dériverait de *chappet* (*chappotus*, qui porte une *chappe* d'abbé) parce que Hugues Capet et ses descendants portaient le titre d'abbés, en tant que propriétaires de plusieurs abbayes, notamment de Saint-Martin-lès-Tours.

CAPET (Monsieur). Nom de famille que les révolutionnaires attribuèrent par dérision à Louis XVI et sous lequel celui-ci fut condamné à mort : Louis Capet.

CAPÉTIENS. Troisième race des rois de France, qui tire son nom d'Hugues Capet (v. CAPET), lequel fut élu roi en 987. Les Capétiens directs régnèrent sur la France de 987 à 1328 avec : Hugues Capet (987/996), Robert II le Pieux (996/1031), Henri Iᵉʳ (1031/60), Philippe Iᵉʳ (1060/1108), Louis VI (1108/37), Louis VII (1137/80), Philippe II Auguste (1180/1223), Louis VIII (1223/26), Louis IX ou Saint Louis (1226/70), Philippe III le Hardi (1270/85), Philippe IV le Bel (1285/1314), Louis X le Hutin (1314/16), Jean Iᵉʳ (1316), Philippe V le Long (1316/22), Charles IV le Bel (1322/28) − v. ces noms. En 1328, les Capétiens directs étant éteints en ligne mâle, le trône passa à la branche des Valois (v.), qui régna de 1328 à 1589. Elle fut suivie par la branche des Bourbons (v.), qui régna de 1589 à 1792, puis de 1814 à 1830, et s'éteignit en ligne mâle à la mort du comte de Chambord (1883). La branche d'Orléans (v.) régna, avec Louis-Philippe Iᵉʳ, de 1830 à 1848. Devenue l'héritière légitime au trône de France par la mort du comte de Chambord, elle a pour chef Henri, comte de Paris. Des princes capétiens régnèrent également sur le duché de Bourgogne (v.) de 956 à 1002, de 1032 à 1361 et de 1363 à 1477 ; sur l'Empire latin de Constantinople, de 1216 à 1261, avec la maison de Courtenay (v.). Aux Capétiens se rattachent également

les maisons de Vermandois (v.), de Dreux et de Bretagne (v. DREUX), d'Artois (v.). d'Évreux (v.), d'Anjou (v.), d'Alençon (v.). D'origine peut-être saxonne, les Capétiens font leur apparition vers le milieu du IXe s., avec Robert le Fort (v.), qui se distingua en assurant contre les Normands la protection des populations du centre de la France. Ses deux fils furent élus rois de France : Eudes (888/898) et Robert Ier (922/923), ainsi que le gendre de Robert Ier, Raoul de Bourgogne (923/936). Du fait de Robert le Fort, les Capétiens sont parfois appelés *Robertiens*. Cependant, après 936, les Carolingiens (v.) recommencèrent à se succéder sans difficulté sur le trône de France. L'élection d'Hugues Capet, en 987, laissait subsister un fils du dernier Carolingien, Charles de Basse-Lorraine, lequel eut lui-même des fils. Pendant quelques années, Hugues Capet put donc faire figure d'usurpateur (et l'on trouve l'écho de ce sentiment dans les chartes aquitaines). Cependant, dès 991, date à laquelle Charles de Basse-Lorraine fut fait prisonnier, toute querelle dynastique s'apaisa et plus aucun effort ne fut tenté en faveur d'une restauration des Carolingiens. La réussite des Capétiens, bien étonnante si l'on songe au minuscule domaine d'Hugues Capet, entouré de puissants féodaux, s'explique par plusieurs raisons. Les Capétiens créèrent une dynastie héréditaire. L'élection mit longtemps à disparaître mais elle prit assez vite la forme d'un consentement des grands. Par un heureux hasard, les Capétiens, de 987 à 1316, eurent toujours un fils pour leur succéder à leur mort. Jusqu'à Philippe Auguste, ils désignèrent et firent couronner l'héritier de leur vivant. La disparition de cette coutume au début du XIIIe s. montre que le principe de l'hérédité monarchique était désormais incontesté. La plupart des Capétiens directs eurent aussi la chance de régner longtemps (Robert II, trente-cinq ans; Henri Ier, vingt-neuf ans; Philippe Ier, quarante-huit ans; Philippe Auguste, quarante-trois ans; Louis IX, quarante-quatre ans; Philippe le Bel, vingt-neuf ans). A cette longévité personnelle s'ajoutaient un sens profond de la tradition, un sentiment de solidarité étroite avec leurs prédécesseurs, comme si « la dynastie n'était pas seulement une suite de princes issus les uns des autres, mais une suite de volontés ne formant qu'une volonté » (G. Dupont-Ferrier).
Héréditaire, la succession capétienne fut en outre sévèrement monarchique : il n'y eut plus désormais qu'un seul roi, alors qu'on avait connu sous les Mérovingiens des tétrarchies (les fils et les petits-fils de Clovis), sous les Carolingiens des triarchies (Pépin le Bref et ses deux fils) et des dyarchies (Carloman et Charlemagne, Louis III et Carloman II, Eudes et Charles le Simple). Un autre caractère de la succession capétienne, la masculinité, triompha en 1316, à la mort de Jean Ier le Posthume, ainsi qu'en 1328, à l'extinction des Capétiens directs, suivie par l'avènement de Philippe VI de Valois, issu de la branche cadette.

Imbus de l'esprit de tradition, les Capétiens se distinguèrent pour la plupart par un réalisme un peu étroit mais fécond. Alors que les Plantagenêts tentèrent de construire un État franco-anglais sans avoir sûrement établi leur autorité en Angleterre même, alors que les Hohenstaufen, aux prises avec une puissante féodalité allemande, dispensèrent le meilleur de leurs forces en Italie, les Capétiens, tels des paysans arrondissant peu à peu leur champ, se bornèrent volontairement à l'idée simple de faire la France, d'être maîtres chez eux, en se gardant de toute conquête excentrique, en participant même très peu aux croisades. Leur grand souci fut d'affermir et d'élargir leur puissance foncière initiale, le domaine royal (v.), par tous les moyens : mariages, accords divers, héritages, achats, conquêtes. A l'avènement d'Hugues Capet, ce domaine royal, fait d'éléments disparates, éparpillés entre Senlis et Compiègne au nord et la région d'Orléans au sud, avait une superficie totale qui ne dépassait pas celle de l'un de nos départements. Il était trois et cinq fois plus petit que, respectivement, les duchés vassaux de Normandie et de Guyenne. En 1328, seules la Flandre, la Bretagne, l'Aquitaine et la Bourgogne se trouvaient encore, à l'intérieur du royaume, en dehors du domaine royal.
Tirant une force particulière du sacre (v.), s'appuyant sur l'Église, les Capétiens exercèrent à fond leurs prérogatives de suzerain pour étendre leur autorité au détriment des féodaux. Contre ces derniers, ils scellèrent, dès le XIe s., l'alliance étroite du roi et du peuple, qui se manifesta avec éclat lors de la victoire de Bouvines (v.), en 1214.
Sans invoquer un idéal inaccessible, comme les souverains du Saint Empire, les Capétiens surent s'imposer avec une efficacité patiente, quotidienne, comme les champions intransigeants de l'ordre et de la justice. Ils assirent également leur popularité sur la fierté nationale, sur leur refus radical d'admettre, au temporel, aucune autorité supérieure à la leur, que ce fût celle de l'empereur — car ils se proclamaient successeurs directs de Charlemagne et « empereurs dans leur royaume » — ou celle du pape — car leur sacre leur conférait le pouvoir directement de Dieu seul. Ainsi l'absolutisme (v.) demeura-t-il toujours dans le droit fil de la pensée capétienne.

CAP-HAÏTIEN, autrefois *Cap-Français*. Port situé au nord de l'île d'Haïti. Fondée par les Français en 1670, non loin du lieu où Christophe Colomb avait abordé quelque deux siècles plus tôt, cette ville fut pendant un siècle la capitale de Saint-Domingue. Dévastée lors des combats de 1802, reconstruite par Henri Christophe, qui en fit la capitale de son royaume (1811).

CAPHARNAÜM. Ville du N.-E. de la Palestine, sur le lac de Tibériade; elle fut associée au ministère de Jésus, qui y séjourna presque continuellement durant les trois ans de sa prédication, avant de se rendre à Jéru-

CAPITAINE
Capitaine de l'armée du roi de France, fin XVIIᵉ s.
Ph. Jeanbor © Photeb

salem; patrie des apôtres Pierre et André. Des fouilles, menées entre 1905 et 1926, ont permis d'exhumer les ruines de la synagogue de Capharnaüm, bel édifice datant essentiellement du IIᵉ s. apr. J.-C.

CAPISTRAN saint **Jean de.** Voir JEAN DE CAPISTRAN saint.

CAPITAINE. Aux xvᵉ/xvIᵉ s., le titre de capitaine était donné à des officiers des grades les plus élevés. Louis XI institua pour les francs archers (v.) quatre capitaines en chef, lesquels avaient sous leurs ordres 32 capitaines subalternes, qui commandaient chacun à cinq cents hommes. La réunion des compagnies en régiments et l'apparition du grade de colonel (v.) réduisirent peu à peu les prérogatives et les attributions des capitaines. Chefs des compagnies d'infanterie, les capitaines restèrent, jusqu'au xvIIIᵉ s., propriétaires de leurs unités, qu'ils achetaient sans avoir passé nécessairement par les grades inférieurs. C'est l'ordonnance de Choiseul (1ᵉʳ déc. 1762) qui déposséda le capitaine de sa qualité de propriétaire pour faire de lui un officier soldé.
Capitaine des gardes, commandant d'une compagnie des gardes de la maison du roi.
Capitaine aux gardes, commandant d'une compagnie des gardes-françaises.
Capitaine du peuple, Capitano del pòpolo. En Italie, au xIIIᵉ s., nom du chef que se donnait le « peuple », c'est-à-dire les non-nobles, généralement organisés dans une association des corporations *(arti)* pour résister au gouvernement de l'oligarchie. On trouve ainsi des capitaines du peuple à Milan en 1240, à Florence en 1250, et dans de nombreuses autres villes.

CAPITALISME

CAPITALISME. Devenu peu à peu prédominant dans le monde occidental depuis le xvIᵉ s., le capitalisme est un système économique caractérisé par l'organisation de la production sur une grande échelle dans des entreprises qui, recherchant le bénéfice le plus élevé possible à leurs risques et périls et disposant des moyens de production, louent les services de travailleurs libres mais dépourvus des moyens de gagner leur vie d'une façon indépendante. On trouve évidemment des manifestations du capitalisme depuis la plus haute Antiquité, dans le grand commerce des Babyloniens et des Phéniciens, dans les entreprises des chevaliers romains mettant à la fois en valeur et au pillage les provinces asiatiques, dans l'expansion à travers toute l'Europe septentrionale des marchands de la Hanse (v.), dans le trafic méditerranéen des Génois et des Vénitiens, dans les florissantes industries lainières des villes flamandes du xIIIᵉ et du xIVᵉ s., dans les activités financières des banquiers italiens ou allemands de la fin du Moyen Age, etc. Cependant, en ces divers moments de l'histoire économique, le capitalisme ne réunissait pas *toutes* les conditions qui ont permis son prodigieux développement à l'époque moderne : production excédant nettement les besoins des propriétaires et permettant la constitution d'un capital épargné; existence de marchés importants et facilement accessibles; développements technologiques favorables à la concentration de la main-d'œuvre et des instruments de travail; enfin présence d'un esprit capitaliste, d'une volonté d'utiliser la richesse acquise en de nouveaux investissements industriels.

Au XVIᵉ s., de nouveaux horizons, un nouvel esprit

Le réveil du commerce en Occident au xIIᵉ s., la croissance et l'émancipation des villes, la ruine d'une partie de la noblesse, la disparition des guerres privées et le développement des échanges avec l'Orient à la suite des croisades furent les principales causes de la désagrégation des cadres de l'ancienne économie féodale. A partir de la fin du xvᵉ s., les grandes découvertes maritimes provoquèrent une extraordinaire expansion commerciale, qui eut des conséquences financières, sociales et enfin spirituelles. Pour la première fois dans l'histoire, le commerce devint mondial et non plus limité à un « monde » historique déterminé (Méditerranée, Asie antérieure, mer du Nord et Baltique), comme dans les époques précédentes. Cette révolution, plus importante que la révolution industrielle du xvIIIᵉ/xIXᵉ s. (laquelle sera plutôt une évolution, une amélioration des moyens de production), affecta successivement les plus grands pays d'Europe, l'Espagne et le Portugal d'abord, puis la Hollande, puis l'Angleterre et la France. L'afflux des métaux précieux d'Amérique amena un accroissement rapide du stock monétaire européen (qui devait plus que décupler en cent ans), facteur déterminant pour la reprise de l'activité économique. Il en résulta une inflation et une hausse vertigineuse des prix : le prix du blé, par exemple au cours du xvIᵉ s., s'éleva de 155% en Angleterre, de 300% environ en Saxe, et, en Espagne, pays où l'afflux de l'or du Nouveau Monde se faisait le plus sentir, de près de 500%. La dépréciation constante de la monnaie fit baisser la rente foncière (appauvrissement de la noblesse féodale), mais aussi les salaires réels des travailleurs et provoqua la formation d'une main-d'œuvre abondante et bon marché qui devait constituer le prolétariat du premier capitalisme. Les grands bénéficiaires de cette inflation furent les marchands et les financiers, agents par excellence de la période du *capitalisme commercial,* qui va durer jusqu'au milieu du XVIIIᵉ s. En même temps que les structures économiques, la mentalité se transformait profondément : les marchandises amenées d'outre-mer faisaient naître une nouvelle demande de produits jusqu'alors inconnus ou considérés comme des articles de luxe, qui allaient devenir des produits nécessaires, de consommation courante. La prospérité incita les Européens à changer leur train de vie, à rechercher toujours plus de luxe et de confort. La soif de l'argent gagna peu à peu toutes les classes supérieures de la société, car l'argent commençait à donner la respectabilité sociale, les honneurs, le pouvoir. Les données traditionnelles de la morale chrétienne vacillaient. Pour la première fois, et pour longtemps, la pensée économique s'émancipa de considérations éthiques, ou ne les invoqua plus que pour justifier ses prétentions. Les canonistes du Moyen Age avaient affirmé la relativité de la propriété privée, ordonnée au bien commun; ils avaient élaboré les notions de juste prix et de juste salaire; ils avaient formellement condamné le prêt à intérêt (qui était réservé aux Juifs). Ces interdictions devenaient incompatibles avec les nouvelles réalités économiques. Dans les pays catholiques, où elles furent théoriquement maintenues, elles freinèrent le progrès matériel. Dans les pays protestants en revanche, apparut une attitude toute nouvelle du chrétien à l'égard de l'argent. Max Weber et R.H. Tawney ont souligné dans des études célèbres l'importance de cette contribution du calvinisme (v.) et du puritanisme (v.) à la genèse de l'esprit capitaliste : « Le calvinisme naissant, écrit Tawney, ne suspecte plus les milieux économiques d'être étrangers à la vie de l'esprit; il ne se défie plus du capitaliste comme d'un homme qui n'a pu s'enrichir que grâce à l'infortune de son voisin; il ne considère pas la pauvreté comme méritoire en elle-même, et sa doctrine religieuse est peut-être la première à avoir reconnu et loué les vertus économiques. Son ennemi n'est pas l'accumulation des richesses, mais leur mauvais usage pour des fins personnelles et ostentatoires. Son idéal est une société où les hommes cherchent la richesse avec la sobre gravité qui sied à ceux qui savent s'imposer une discipline par un travail patient, et qui se vouent à un service acceptable au regard de Dieu. »

CAPITALISME
Navire de commerce aux armes de Jacques Cœur, v. 1450.
(Hôtel Jacques-Cœur à Bourges.)
Ph. © Giraudon - Photeb

L'âge du mercantilisme

Dès le XVIᵉ s., plusieurs conditions essentielles de l'essor du capitalisme moderne se trouvaient déjà réunies : accroissement des moyens de paiement; demande sans cesse croissante; formation d'une main-d'œuvre bon marché; naissance d'un esprit capitaliste. Mais un autre facteur, politique celui-là, était encore nécessaire. L'ampleur des transactions et l'élargissement des marchés supposaient l'abolition des multiples barrières dont était hérissée la société encore féodale de la fin du Moyen Age; les entreprises maritimes lointaines, dans une époque où la piraterie était considérée comme une activité presque honorable, représentaient des risques considérables et exigeaient de puissantes protections. Seul l'État national pouvait garantir à la nouvelle classe capitaliste la liberté et la sécurité. Dans les pays où l'émiettement féodal subsista, comme en Allemagne ou en Italie, le développement du capitalisme devait être retardé de plus de deux siècles. Au contraire, en Angleterre, en France, dans les Provinces-Unies, là où le pouvoir apporta sans réserves son aide à la nouvelle classe, l'économie capitaliste s'implanta rapidement. C'est l'État qui assura la facilité des communications en construisant des routes, des canaux, des ports, en protégeant par sa flotte de guerre les convois commerciaux; c'est lui qui simplifia les opérations financières en exerçant seul son droit régalien de frapper la monnaie; c'est lui encore qui protégea le commerce en édictant des réglementations défavorables à la concurrence étrangère (tarifs de Colbert de 1664 et 1667, Acte de navigation britannique de 1651, etc.); lui enfin qui prit l'initiative de créer de grandes compagnies commerciales telles que les Compagnies des Indes occidentales et orientales.

La doctrine économique de l'État, aux XVIIᵉ/XVIIIᵉ s., est restée connue sous le nom de mercantilisme (v.). Elle comportait trois principes essentiels : la seule véritable richesse est le numéraire, l'or et les métaux précieux; pour accroître le stock monétaire, il est nécessaire d'avoir une balance favorable; pour obtenir une telle balance, il faut exporter des produits de valeur, manufacturés, mais en même temps s'assurer des matières premières à bas prix et des débouchés en fondant des comptoirs et des colonies sur lesquels l'industrie nationale posséderait un monopole (« pacte colonial »). Éminemment défavorable à l'agriculture, qu'il subordonnait sans réserve au commerce, le mercantilisme a été le premier moteur de l'industrialisme. Il correspondait aux intérêts du capitalisme naissant, auquel il assurait des matières premières à bon marché, des marchés extérieurs et une prohibition des marchandises extérieures. Colbert, en fondant des manufactures, devait être le créateur en France de la grande industrie. Pourvue d'un privilège royal, la manufacture (v.) du XVIIᵉ s. jouissait du monopole d'une fabrication; à la différence des usines modernes, elle faisait le plus souvent travailler de petits ateliers dispersés, mais elle était exemptée du contrôle corporatif et inaugurait ainsi le déracinement des travailleurs hors des cadres qui les avaient jusqu'alors protégés.

Le manufacturier de l'Ancien Régime, premier type du « patron » moderne, est le personnage caractéristique de l'époque de transition qui vit le passage du capitalisme commercial des XVIe/XVIIe s. au capitalisme industriel du XIXe s. C'est, la plupart du temps, un gros commerçant enrichi qui a commencé sa carrière comme intermédiaire entre des petits producteurs et des petits commerçants. Mais très vite il est sorti de son rôle purement commercial pour entrer dans le cycle industriel, engageant des ouvriers pour apprêter les produits livrés par l'artisan. Ses horizons sont plus larges que ceux de ce dernier; il connaît mieux la demande, c'est lui, de plus en plus, qui va orienter la production : disposant de capitaux, il fait des avances au petit producteur, mais, en même temps, il prend des gages et, peu à peu, l'artisan se trouve dépossédé de son métier, il devient un salarié, et le commerçant un industriel. Le passage de l'une à l'autre forme de capitalisme s'est fait ainsi peu à peu, à partir de la fin du XVIIe s., tandis que la masse des capitaux ne cessait de grossir grâce à l'attrait désormais universel exercé par les grandes aventures commerciales, par la richesse mobilière, susceptible d'un essor rapide. En France comme en Angleterre, les premières années du XVIIIe s. virent une fièvre de spéculation que des scandales financiers comme celui de Law à Paris, de la Compagnie des mers du Sud à Londres, ne découragèrent qu'un instant. Vers 1750, les capitaux accumulés étaient tels qu'ils allaient être capables de donner toute leur ampleur aux découvertes technologiques qui, dans une société plus pauvre, seraient restées inutilisables.

L'essor du capitalisme européen

Dans la lutte qui commençait, l'Angleterre, qui avait été la dernière à rallier le mouvement d'expansion coloniale du XVIe s., se trouvait maintenant de loin au premier rang. Son industrie textile, d'implantation rurale, n'avait pas eu à souffrir des troubles sociaux qui, à la fin du Moyen Age, avaient ruiné les villes flamandes. Tandis que la noblesse française se montrait soucieuse de ne pas déroger (v.), l'aristocratie britannique s'était lancée très tôt dans les activités mercantiles ou industrielles. La colonisation britannique avait été une réussite remarquable : à la différence des Français, peu enclins à s'expatrier, les Anglais avaient créé de véritables colonies de peuplement; à la différence des Espagnols, ils avaient accordé à leurs colonies des chartes extrêmement libérales, qui favorisèrent l'activité économique. Depuis la fin du XVIIe s. (défaite française de La Hougue, 1692; effacement de la marine hollandaise), l'Angleterre s'était assuré la suprématie sur les océans. Enfin, par un essor démographique qui affectait d'ailleurs toute l'Europe, la population britannique allait passer de 6,8 millions en 1700 à 10,6 millions à la fin du siècle, d'où un exode rural (v. ENCLOSURES) et une abondance de main-d'œuvre disponible. Les premières grandes innovations techno-logiques concernèrent l'industrie textile, qui était l'industrie de pointe en Angleterre : en 1765, la « Jenny » de James Hargreaves, machine à filer le coton; en 1768, le « waterframe » de Richard Arkwright, machine à filer utilisant la force de l'eau (v. INDUSTRIELLE, révolution). Pourtant, les inventions ne furent pas la cause primordiale de la révolution industrielle d'où allait sortir le capitalisme moderne. Cette cause fut d'abord commerciale : les inventions n'auraient servi à rien s'il n'y avait pas eu des marchés pour absorber une production accrue. Le développement commercial du port de Liverpool précéda et provoqua l'essor industriel de Manchester et du Lancashire. La nécessité d'étendre les marchés allait entraîner, au cours du XVIIIe s., la révision progressive des doctrines mercantilistes de l'âge précédent : le mercantilisme, avec ses barrières protectionnistes et ses règlements dirigistes imposés par les États, avait été le berceau protecteur du capitalisme dans l'enfance; arrivé à l'âge adulte, le capitalisme réclama une liberté complète qui ne devait être limitée que par la liberté des autres capitalistes, c'est-à-dire par la concurrence.

Ce changement de mentalité, qui trouva son expression la plus radicale dans l'ouvrage d'Adam Smith, *Recherches sur la nature et les causes de la richesse des nations* (1776), était apparu dès le début du siècle. En France, à la fin du règne de Louis XIV, tous les producteurs aspiraient à secouer le carcan dirigiste imposé par le colbertisme. En 1712, le contrôleur général Nicolas Desmaretz pouvait écrire : « Je ne crois pas qu'il y ait à craindre des suites préjudiciables au commerce de la France en donnant à toutes les nations une égalité réciproque. Mon opinion est que, plus on donnera de facilités aux étrangers de nous communiquer leurs marchandises... plus on facilitera le débit des nôtres. » Plus tard, l'école française des physiocrates (v.), tournée, il est vrai, surtout vers l'agriculture, préconisera un régime de liberté, que Turgot s'efforcera d'imposer par ses réformes de 1774/76. Mais Turgot sera renversé par la coalition des privilégiés. La France du XVIIIe s. était, par rapport à l'Angleterre, désavantagée sur le plan politique : tandis que, dans le régime parlementaire britannique, la classe des capitalistes exerça rapidement une influence sur le pouvoir, en France, la monarchie absolue se devait de préserver par des mesures artificielles les intérêts déjà condamnés des premiers ordres traditionnels de la nation. La France prit alors un retard qui ne devait pas être rattrapé. Sans doute, en 1789, se tourna-t-elle vers la liberté politique et économique : elle abolit d'un coup les innombrables barrières douanières intérieures, les péages, les droits féodaux, les réglementations corporatives; en 1791, elle entreprit même l'abaissement des tarifs douaniers extérieurs; mais cette œuvre de réforme fut interrompue par la guerre, qui commença en 1792 et ne s'acheva qu'en 1815. Napoléon Ier poussa le

CAPITALISME

protectionnisme jusqu'à ses extrêmes limites en instaurant le Blocus continental (v.).

L'élément dynamique du XIXe s.

Au retour de la paix, en 1815, l'Angleterre s'était assuré les principaux marchés, l'heure de la liberté était passée pour la France. Le capitalisme français allait se montrer farouchement protectionniste, utilisant l'État, dont il se rendit maître sous la monarchie de Juillet, pour dresser des barrières à l'abri desquelles il continuerait à pratiquer ses méthodes routinières. En Angleterre, la pensée rationaliste et optimiste des philosophes français du XVIIIe s. trouva ses conclusions économiques dans l'œuvre d'Adam Smith. Celui-ci, sans se leurrer sur les erreurs des capitalistes, croyait qu'ils pourraient faire moins de mal dans un monde où régnerait la liberté absolue; il était convaincu qu'en vertu d'une loi naturelle l'intérêt individuel et le bien commun devaient finalement coïncider et que tout le rôle de l'État se bornait à « laisser faire, laisser passer », c'est-à-dire à ne gêner en rien la libre concurrence et le libre-échange en matière de commerce international. Cette foi naïve dans la vertu des forces matérielles devait être partagée par presque tous les grands capitalistes de l'époque classique. Elle remplaça toute morale et l'on sait comment elle engendra, dès le XVIIIe s., en Angleterre, une atroce misère dans le prolétariat naissant (v. OUVRIERS). Mais elle fut un extraordinaire facteur d'impulsion, elle jeta les capitalistes dans des entreprises toujours plus audacieuses, elle permit l'accumulation de richesses considérables, elle mena la bourgeoisie à la conquête du pouvoir politique, détenu jusqu'alors par l'aristocratie foncière. Les critiques d'un Ricardo (v.), d'un Malthus (v.) ne réussirent pas à altérer l'euphorie qui régnait dans la classe capitaliste au début du XIXe s.

Le mouvement en faveur du libre-échange, soutenu par les industriels, ne rencontra de résistance en Angleterre que chez les agriculteurs (v. CORN-LAWS). A cette époque, les Anglais se nourrissaient encore presque entièrement sur leur propre production. En revanche, comme l'Angleterre était devenue la seule nation industrialisée d'Europe, les manufacturiers n'avaient plus aucun intérêt à protéger le marché national, qui n'avait à redouter aucune concurrence : les exportations de cotonnades étaient passées de 5 000 livres sterling en 1710 à 5 500 000 livres en 1800; la production de houille était de 2 millions de tonnes en 1700, de 8 millions en 1800 et de 50 millions de tonnes en 1850. Les facilités du crédit, encore à peu près inconnues sur le continent, donnaient au commerce britannique des espérances illimitées. Il ne restait plus qu'à écarter les obstacles douaniers qui s'opposaient à l'expansion des échanges extérieurs. Les vieilles lois sur la navigation du XVIIe s., modifiées en 1825, furent abolies en 1849 et 1854; les tarifs douaniers furent peu à peu révisés et, grâce à Peel et à

Gladstone, l'Angleterre devint un pays libre-échangiste en 1860. Sur le continent, l'occupation napoléonienne, en bousculant les anciennes structures féodales, avait préparé le terrain du capitalisme, surtout en Allemagne, où les barrières douanières furent supprimées dans les États prussiens dès 1818, puis dans toute l'Allemagne, par la création du Zollverein (v.).

Le capitalisme fut, par excellence, l'élément dynamique du XIXe s. Par des efforts en apparence anarchiques, il instaura entre les meilleurs, les plus entreprenants, une émulation mesurée non plus aux étroits cadres provinciaux ou nationaux, mais à la dimension même de la terre. Il créa pour la première fois dans l'histoire une civilisation vraiment universelle. Multipliant les richesses, il multiplia aussi la population (celle de l'Europe passa de 180 millions d'individus en 1800 à plus de 400 millions en 1900), les inventions techniques, les relations humaines, les échanges intellectuels. Cette entreprise, qui changeait l'aspect de la terre, ne fut pas seulement le fait d'une minorité d'individus : le rôle croissant du crédit, la diffusion des valeurs mobilières permirent à des millions de petits épargnants de faire participer leurs capitaux à une série d'œuvres gigantesques.

En France, cet élargissement du capitalisme fut surtout l'œuvre du second Empire : tandis que la majorité de notre bourgeoisie concentrait encore son intérêt sur des exploitations limitées et médiocres, Napoléon III, conseillé par des banquiers et des ingénieurs saint-simoniens (les frères Pereire, Michel Chevalier, Talabot), élargit les perspectives, fonda de grands établissements de crédit pour fournir des capitaux à l'industrie (Crédit mobilier, 1852; Crédit industriel et commercial, 1859; Crédit lyonnais, 1863; Société générale, 1864, etc.), développa les transports ferroviaires (le réseau passa de 3 000 km en 1851 à 17 000 en 1870), créa nos principales compagnies maritimes (Messageries maritimes, 1851; Compagnie générale transatlantique, 1862), enfin, malgré une opinion publique toujours attachée au protectionnisme, imposa la libération des échanges par le traité de commerce franco-anglais du 23 janv. 1860, que suivirent des traités analogues avec la plupart des autres pays d'Europe. Mais cette œuvre du pouvoir impérial fut réalisée en grande partie contre les capitalistes français (les Rothschild, par exemple, s'insurgeaient devant les facilités de crédit préconisées par les Pereire, et ils menèrent contre ceux-ci une lutte impitoyable).

Le capitalisme face à de nouveaux problèmes (1870/1914)

La bourgeoisie des grandes affaires, qui, au lendemain de la défaite de 1870, revint au pouvoir avec Thiers, puis avec Freycinet et la République opportuniste, se livra sans tarder à une violente réaction protectionniste (tarifs de 1881 et de 1892). Aussi bien, à partir de 1873, le système capitaliste européen

entra dans une longue période de dépression, qui se traduisit un peu partout, sauf en Angleterre, par des réactions protectionnistes (en Allemagne en 1879). La conjoncture s'améliora à partir de 1895, et, jusqu'à la Première Guerre mondiale, le capitalisme connut une nouvelle phase d'expansion (avec deux crises, assez brutales mais courtes, en 1900 et en 1907). Cette période peut être regardée comme l'apogée du capitalisme. Les premières années du xxᵉ s. virent une amélioration considérable des moyens de production et des transports (la capacité quotidienne d'un haut fourneau passa de 35 tonnes en 1870 à 350 tonnes en 1913; la longueur des voies ferrées dans le monde augmenta de 80% de 1890 à 1913) et l'apparition de nouvelles industries (électrométallurgie, électrochimie, soie artificielle, automobiles, pneumatiques, etc.). Dans le monde entier régnait absolument l'étalon or; aucun contrôle ne s'exerçait sur le marché des changes et la circulation internationale des capitaux était libre. Le crédit international jouait un rôle de premier plan; les places de Londres et de Paris étaient alors vraiment les banquiers du monde. Les progrès de la production industrielle et la stabilité d'une monnaie mondiale favorisaient le développement des échanges internationaux, dont le montant avait plus que triplé entre 1870 et 1913. Dans cette période, le capitalisme affirma avec une force particulière cette puissance constante de renouvellement que lui avait reconnue Marx dès 1848 : « La bourgeoisie, écrivait-il dans le *Manifeste du parti communiste*, ne peut exister sans révolutionner sans cesse les instruments de la production, donc les conditions de la production, donc l'ensemble des rapports sociaux. » Schumpeter, plus près de nous, a souligné le « caractère évolutionniste du processus capitaliste », qui ne tient pas seulement aux transformations du cadre social et naturel de la vie économique, ni à l'accroissement quasi automatique de la population et du capital, ni aux caprices des systèmes monétaires, mais qui trouve son impulsion première dans « les nouveaux objets de consommation, les nouvelles méthodes de production et de transport, les nouveaux marchés, les nouveaux types d'organisation industrielle – tous éléments créés par l'initiative capitaliste ». Deux transformations capitales devaient marquer notamment le capitalisme de la fin du xixᵉ s. Alors que le capitalisme libéral des années 1750/1850 reposait essentiellement sur l'entrepreneur individuel, qui combinait tous les facteurs de production, capital, travail, matières premières, on vit se développer, à partir de 1880 environ, le rôle de plus en plus prépondérant d'un capitalisme financier dont Hilferding devait décrire les rouages dans un ouvrage célèbre, *Das Finanzcapital* (1910). Il y démontrait que la substitution des banquiers aux entrepreneurs du premier âge capitaliste permettait la constitution de monopoles et l'accord, par-dessus les frontières, entre les intérêts les plus puissants, d'où une atté-

nuation des contradictions capitalistes au prix d'un abandon progressif du libéralisme pour une sorte de planification capitaliste internationale. Le second phénomène important, apparu en Angleterre dès 1860, en France, en Allemagne, aux États-Unis à partir de 1870, fut le développement des grandes sociétés par actions, lesquelles pouvaient mobiliser les capitaux détenus non plus par un entrepreneur isolé, ou par un groupe d'entrepreneurs, mais par des milliers d'épargnants.

Cependant, les centres du capitalisme s'étaient déplacés depuis le milieu du xixᵉ s. Les États-Unis, où le mouvement d'industrialisation ne commença vraiment qu'après la guerre de Sécession, étaient devenus, en moins d'un demi-siècle, la première puissance industrielle du monde, tandis que l'Angleterre gardait encore la première place parmi les nations commerçantes. L'Allemagne, après 1870, avait fait des progrès extraordinaires tant dans le domaine de l'industrie que dans celui de l'expansion commerciale, et elle talonnait de plus en plus dangereusement l'Angleterre. En Russie, l'industrie lourde et les transports connurent, grâce aux emprunts à l'étranger, une croissance très rapide à partir de 1890. Plus impressionnant encore était l'essor du Japon, où se constituait une industrie moderne. Le capitalisme avait déjà cessé d'être exclusivement européen. A partir de 1870, il était entré dans sa phase « impérialiste », les producteurs anglais, français, allemands, dans leur volonté de s'assurer constamment de nouveaux débouchés, ayant poussé leurs gouvernements à procéder au partage de l'Afrique et de l'Asie, mais entraînant ainsi les pays hier encore féodaux (comme le Japon) à prendre à leur tour une forme capitaliste et à chercher eux aussi des débouchés. Dès 1900, cette lutte pour la conquête de nouveaux marchés avait pris la forme d'une course à la guerre entre les grandes puissances capitalistes européennes, Angleterre, France, Russie, Allemagne.

Une ombre terrible commençait à assombrir le triomphe du système qui, depuis plus d'un siècle, avait bouleversé de fond en comble la civilisation. Certains signes révélaient d'ailleurs une crise de confiance : en Angleterre, la nation libre-échangiste par excellence, Joseph Chamberlain avait pu lancer, en 1903, une campagne protectionniste qui gagna le parti conservateur; elle fut brisée par la victoire du parti libéral aux élections de 1906, mais l'alerte n'en avait pas moins été significative. Dans le monde entier, le système subissait de profondes modifications, au détriment de l'orthodoxie libérale qui avait prévalu au siècle précédent. En bien des domaines, les prédictions de Marx semblaient se réaliser. A la multiplicité des petites entreprises se substituait une concentration inspirée par la volonté de dominer le marché, de créer des monopoles. Cette tendance fut particulièrement forte aux États-Unis, où la constitution de la Standard Oil par Rockefeller, en 1882, ouvrit l'ère des

CAPITALISME
Le banquier. Dessin satirique de Daumier pour « Le Charivari » du 16 oct. 1835. Légende originale : « Appelé capacité financière parce qu'il n'est autre chose qu'un récipient, un coffre exclusivement propre aux finances. »
Ph. Jeanbor © Photeb

CAPITALISME
« Le vrai capital, le v'là ». Détail
d'une caricature sur
« l'association travail, talent,
capital », févr. 1848.
Ph. © Bibl. Nat., Paris - Photeb

trusts (v.). En Europe, la concentration prit plus souvent la forme de cartels (v.), mais trusts et cartels avaient pour objectif commun de fausser la loi de la concurrence et de pousser les prix, au détriment du consommateur. Une telle évolution favorisa l'intervention de l'État, qui élabora des «lois antitrusts» (aux États-Unis dès 1890). Cette intervention était réclamée à la fois par les consommateurs et par les petits producteurs, mais elle constituait une nouvelle entorse au libéralisme. La gravité du problème social allait lui donner une nouvelle occasion de s'étendre.

Dès la fin du XVIIIe s. (en France, loi Le Chapelier de 1791), la bourgeoisie capitaliste, au nom de la liberté individuelle, avait interdit les corporations et toute coalition ouvrière, notamment pour la préparation concertée d'une grève. En contrepartie, les coalitions patronales étaient également interdites, mais cette dernière clause n'avait qu'une valeur théorique car la grande bourgeoisie, peu nombreuse, unie par des liens familiaux, par toutes sortes de fréquentations sociales, avait naturellement une cohésion dont les masses ouvrières furent longtemps dépourvues. Une des principales causes de l'échec des grandes insurrections ouvrières parisiennes ou lyonnaises du XIXe s. (révolte des canuts, nov. 1831; insurrection parisienne de juin 1848; Commune de 1871) fut le manque d'organisation du monde ouvrier à l'échelle nationale. Mais le mouvement vers les coalitions était si fort que, peu à peu, le pouvoir dut céder. En France, les délits de coalition et de grève furent supprimés en 1864 et la loi de 1884 sur la liberté des associations donna son essor au mouvement syndical, qui rassemblait déjà plus d'un million d'adhérents en 1913 (v. SYNDICALISME). Une évolution analogue se produisit à la même époque dans tous les grands pays capitalistes. Désormais, la bourgeoisie, toujours maîtresse du pouvoir, devait compter avec un monde ouvrier organisé et bientôt lié, sur le plan politique, à de puissants partis socialistes et travaillistes. Sous la pression de cette opposition qui se manifestait à la fois à l'usine et au Parlement, les États se décidèrent à élaborer une législation sociale (lois sur la durée des journées de travail, sur le travail des femmes et des enfants, sur le repos hebdomadaire, sur les accidents du travail et risques de toute sorte, sur les retraites ouvrières, etc.), où le patronat ne vit souvent qu'une entrave à sa liberté. Mais toutes ces transformations n'altéraient pas l'essence même du système capitaliste et, à la veille de 1914, la confiance des milieux dirigeants dans la doctrine libérale restait à peu près intacte.

Le capitalisme après 1914-18

La guerre de 1914-18 devait être une secousse terrible, tant sur le plan proprement économique que sur le plan moral. Le capitalisme européen cessa de jouer dans le monde un rôle prépondérant et l'hégémonie passa à l'Amérique. La balance commerciale européenne sortit des hostilités grevée d'un déficit de plus de 400 milliards. Sur les marchés de l'Extrême-Orient et de l'Amérique du Sud, les États-Unis et le Japon se substituèrent à l'Europe. Au cours des années qui suivirent la guerre, apparurent les premiers mouvements d'indépendance (en Inde, en Indochine), qui montrèrent aux capitalistes anglais et français que leurs positions seraient bientôt menacées jusque dans leurs propres colonies. Enfin la guerre avait provoqué la révolution russe de 1917 : dans un des plus grands pays du monde, où l'industrialisation avait rapidement progressé depuis le début du siècle, s'était installé un régime qui abolissait non seulement l'institution fondamentale du capitalisme : la propriété privée des moyens de production, mais encore les structures de classes, les formes traditionnelles du gouvernement parlementaire, la religion établie, tout ce que la bourgeoisie, depuis cent ans, s'était habituée à identifier avec l'ordre et la liberté.

Le désarroi économique dans lequel la Russie des Soviets eut à se débattre au lendemain de la guerre civile rassura quelque peu le capitalisme occidental. Mais, après la grande crise (v.) de 1929, lorsque le marasme qui s'étendait sur le monde capitaliste coïncida avec l'extraordinaire expansion provoquée en U.R.S.S. par les grands plans quinquennaux (v. PLANIFICATION), la confiance dans le système libéral se trouva gravement ébranlée. Cependant, jusqu'à 1929, le redressement économique de l'Occident, sur des bases capitalistes, avait été impressionnant. De 1925 à 1929, l'indice de la production industrielle passa de 100 à 130 en France, à 114 aux États-Unis et en Allemagne, à 113 en Angleterre. La tendance à la concentration se manifesta en Allemagne par la multiplication des cartels (plus de 2 000 en 1930), en France par des regroupements nombreux dans les nouvelles industries électrique et chimique (Saint-Gobain, Compagnie générale d'électricité, Société lyonnaise des eaux, Kuhlmann, Pechiney, etc.). Pour mettre fin à la crise monétaire, l'Angleterre avait pris la décision, sans doute présomptueuse, d'un retour à l'étalon or (1925), et Poincaré stabilisa le franc (1928). L'essor s'accélérant prit l'allure d'un *boom* et, au début de 1929, nombreux étaient les augures qui affirmaient que le temps des crises était passé.

Le *jeudi noir* de Wall Street (24 oct. 1929) et la crise qui, partie des États-Unis, s'étendit peu à peu au monde entier (sauf l'U.R.S.S.) n'en eurent que de plus fortes répercussions psychologiques. L'augmentation considérable de la production dans les années 1922/29 (80% aux États-Unis, plus de 50% en France) s'était produite dans une conjoncture caractérisée par une tendance persistante à la baisse des prix et par le rétrécissement des marchés extérieurs (disparition du marché russe à la suite de la révolution de 1917; métamorphose du Japon de client en concurrent de l'Occident; sous-développement de la Chine, de l'Amérique latine, des territoires coloniaux; et, dans les pays industriels, chômage technologique dû à un progrès technique trop rapide) : de là une crise de sous-consommation qui prit toutes les apparences d'une crise de surproduction (v. CRISES ÉCONOMIQUES).

La crise des années 30

Dans tous les pays du monde capitaliste, la crise entraîna une chute des valeurs boursières, d'innombrables faillites, un effondrement des prix, une baisse dramatique de la production industrielle (près de 50% aux États-Unis en 1932, par rapport à 1929), la mise en chômage de plus de 30 millions de travailleurs dans les nations industrielles, la contraction du commerce international. La crise n'épargna pas les pays sous-développés, qui ne pouvaient plus vendre leurs matières premières et leurs produits alimentaires. Le monde capitaliste ne parvint pas à opposer un front commun à la crise, mais les diverses nations réagirent par des mesures analogues – aide aux agriculteurs et aux industriels, contrôle autoritaire de la production, élévation des droits de douane, abandon de l'étalon or – qui toutes remettaient en cause les principes du libéralisme et se traduisaient par l'intervention de l'État – autrefois réduit à une fonction d'« État-gendarme » – dans les activités économiques. L'abandon du libre-échange en Angleterre (1932), suivi par le New Deal (v.) interventionniste de Roosevelt aux États-Unis (à partir de 1933), apparut à nombre de contemporains comme une sorte d'arrêt de mort du système capitaliste.

Tout en refusant le socialisme, l'économiste anglais Keynes, dans sa fameuse *Théorie générale de l'emploi, de l'intérêt et de la monnaie* (1936), préconisa l'action de l'État sur la consommation par la politique fiscale et par la détermination du taux de l'intérêt; il réclama également « une large socialisation de l'investissement ». « L'élargissement des fonctions de l'État, nécessaire à l'ajustement réciproque de la propension à consommer et de l'incitation à investir, écrivait Keynes, semblerait à un publiciste du XIXᵉ s. ou à un financier américain d'aujourd'hui une horrible infraction aux principes individualistes. Cet élargissement nous apparaît au contraire et comme le seul moyen d'éviter une complète destruction des institutions économiques actuelles et comme la condition d'un heureux exercice de l'initiative individuelle. »

Les années 30 virent l'Italie de Mussolini, l'Allemagne de Hitler, le Japon des militaires adopter des politiques d'autarcie génératrices de guerre, et, même dans les démocraties, l'activité économique mondiale évolua sous le signe d'une économie dirigée plus ou moins autoritairement (en France, efforts pour rendre les ententes industrielles obligatoires, vers 1935; création de l'Office du blé, 1936; extension du secteur public; organisation du financement par l'État, etc.). En fait,

le monde capitaliste ne sortit de la crise qu'en s'orientant vers une économie de guerre (au Japon dès 1932, en Allemagne et en Italie à partir de 1934/35, en France et en Angleterre vers 1938).

Le système qui, en moins de trente ans, avait ainsi provoqué deux conflits mondiaux apparaissait définitivement condamné, en Europe au moins, en 1945. A la suite des conquêtes de l'armée rouge, toute l'Europe orientale était entrée dans la zone du socialisme soviétique. En France, en Italie, les partisans des doctrines socialiste et collectiviste approchèrent de la majorité absolue aux élections de 1945/46. Tous les cadres sortis de la Résistance répudiaient énergiquement le libéralisme économique. En France, le programme du C.N.R., élaboré avant même la Libération, réclamait la destruction des féodalités financières et la nationalisation des secteurs clés de l'économie (entreprises principales de production et établissements de crédit). Fait plus grave, le capitalisme semblait douter de lui-même, et l'un de ses partisans, Schumpeter, dans son ouvrage *Capitalisme, socialisme et démocratie* (1942), qui eut une profonde influence dans les années de l'après-guerre, se proposait de démontrer qu'il était condamné par ses succès mêmes, lesquels avaient créé les conditions d'avènement du socialisme, son « héritier présomptif ». Le progrès technique et économique a suscité en effet des unités industrielles géantes, parfaitement bureaucratisées, qui sont toujours davantage l'affaire de directeurs salariés ayant acquis la mentalité de l'employé, et de spécialistes travaillant sur commande; l'esprit d'aventure de l'entrepreneur est en train de disparaître; la société anonyme, agent de la concentration économique, « dévitalise la notion de propriété », réduite à un titre abstrait que personne, bientôt, ne songera plus à défendre; non seulement le capitalisme n'a pas gagné l'adhésion des masses, mais il n'est plus capable de leur imposer la discipline sociale nécessaire, et, dans son processus de révolution permanente, il a brisé peu à peu les couches sociales qui lui servaient d'« arcs-boutants » : anciennes classes aristocratiques, artisanat, paysannerie; il s'est aliéné les intellectuels, qui se sont alliés avec la classe ouvrière; en faisant de l'argent la mesure de toutes les valeurs, il a détruit les valeurs morales et désintégré la famille bourgeoise. Ainsi « les murs s'effritent », « l'hostilité grandit », et le système, privé de ses entrepreneurs, de ses couches protectrices, de son cadre institutionnel, apparaît de plus en plus fragile. Dans des perspectives assez différentes, Burnham et Galbraith constatent eux aussi le crépuscule de la fonction d'entrepreneur, auquel se substituent, pour Burnham, des managers individuels et, pour Galbraith, l'équipe de la « technostructure ».

Naissance de la société de consommation

Cependant, le capitalisme a réussi non seulement à survivre mais à connaître, entre 1950 et 1970, un nouvel essor sans précédent, marqué sans doute par quelques récessions passagères mais aucune crise grave. Ainsi la

CAPITALISME
Coupons de l'action de 100 F
de la Société anonyme
des télégraphes
É. Belin, 1911.
Ph. © Roger - Viollet - Photeb

CAPITALISME
Coupons de part bénéficiaire
de la Société anonyme
André Citroën, 1927.
Ph. © Roger - Viollet - Photeb

production industrielle des États-Unis, qui avait doublé en trente ans, entre 1920 et 1950, doubla de nouveau en quinze ans, de 1951 à 1966. L'Europe occidentale, renflouée à partir de 1947 par le plan Marshall (v.), connut successivement les « miracles » allemand, italien, français. Le taux d'expansion du Japon, à partir de 1960, dépassa de loin celui de tout autre pays industriel. Dans l'ensemble du monde occidental s'est épanouie une *société de consommation* caractérisée par un accroissement non seulement quantitatif mais également qualitatif de la consommation et par l'importance proportionnelle croissante des dépenses de confort, d'hygiène, de santé, de loisirs, par rapport aux dépenses alimentaires. Le capitalisme contemporain, qui est plus que jamais celui d'une production de masse, « est donc inévitablement poussé à une production pour les masses... Le luxe du prince, au XVIIᵉ s., est, pour partie, devenu l'aisance des classes moyennes d'aujourd'hui ». Loin d'engendrer une paupérisation absolue du prolétariat et une aggravation des conflits de classes jusqu'à la « crise du capitalisme », les sociétés industrielles occidentales de l'après-guerre ont jusqu'à présent réussi, comme le déplore Marcuse, à endiguer les forces révolutionnaires par la promesse progressivement tenue d'un plus haut niveau de vie, à créer l'univers de « l'homme unidimensionnel » dont l'originalité, selon Marcuse, « réside dans l'utilisation de la technologie plutôt que de la terreur pour obtenir la cohésion des forces sociales dans un mouvement double : un fonctionnalisme écrasant et une amélioration croissante du standard de vie ». L'avenir seul pourra dire si la grave récession occidentale du début de la décennie 1970 (v. CRISES ÉCONOMIQUES) peut modifier durablement l'évolution du système capitaliste. Mais le capitalisme du début des années 1970 diffère profondément de celui de 1850 et même de 1910. Dans la plupart des pays occidentaux, s'est constitué, à côté des entreprises privées, un large secteur public (v. NATIONALISATIONS); la liberté économique a subi de sévères restrictions; les prix, s'ils restent déterminés par la loi du marché, ne sont plus parfaitement concurrentiels. Maître de la plupart des services publics (chemins de fer, transports en commun, électricité, gaz, transports aériens et maritimes, radiodiffusion et télévision), de nombreuses entreprises industrielles (houillères, constructions aéronautiques ou automobiles, parfois sidérurgie), d'un large secteur des assurances et du crédit, l'État a accentué son action sur la fixation des prix et des salaires, sur les investissements par sa politique monétaire, sur la demande par sa politique fiscale, qui lui sert aussi à mener une politique sociale de transfert des revenus. Son rôle est appelé à grandir encore à la suite de la crise de l'énergie qui a atteint le monde occidental en 1973.
Un des faits dominants du capitalisme contemporain est la concentration et le gigantisme des entreprises, phénomène particulièrement net aux États-Unis. Sans doute, contrairement aux prévisions marxistes, cette concentration n'a nullement entraîné une diminution du nombre des petites entreprises. Au début des années 70, quelque 98% des entreprises américaines étaient des « small business » employant moins de 500 salariés. En France, on comptait quelque 120 000 petites et moyennes entreprises (moins de 500 salariés chacune) pour 1 500 grandes firmes. Au Japon, plus de la moitié des travailleurs étaient employés dans des établissements occupant moins de 100 salariés. Mais si l'on considère le volume de la production, la concentration apparaît comme un fait majeur : dès 1960, les 200 premières entreprises américaines produisaient 40% de la valeur ajoutée; à la même date, les 100 plus grosses firmes de l'Allemagne fédérale représentaient 40% du chiffre d'affaires total et employaient un salarié sur trois. En Italie, où la concentration est un phénomène ancien, les années 60 virent Montecatini et Montedison mettre en commun 60% de la production chimique nationale. En France, où l'attachement à la petite entreprise était resté particulièrement vivace, la Vᵉ République a poursuivi une politique systématique d'encouragement aux fusions, lesquelles se multiplièrent à partir de 1962. Il en résulte, dans tous les pays capitalistes, une évolution vers le monopole ou du moins vers la domination du marché par quelques grandes firmes : aux États-Unis, les marchés de l'automobile, de l'aluminium, du cuivre, du caoutchouc, du fer, du matériel roulant, des moteurs d'avion, des ordinateurs, des cigarettes sont dominés chacun par quatre entreprises.

Essor des sociétés multinationales

Cette concentration prend de plus en plus une dimension internationale. Parvenues au contrôle du marché intérieur, les firmes ne pouvaient renforcer leurs positions que par un développement au-dehors. L'essor des multinationales américaines a été d'ailleurs encouragé par la législation antitrust des États-Unis, qui interdisait aussi bien l'achat des concurrents (expansion horizontale) que l'achat des sociétés ayant des activités complémentaires (expansion verticale). L'expansion mondiale des affaires américaines, particulièrement en Europe, s'accéléra à partir de 1960; à la fin de cette décennie, la General Motors produisait hors des États-Unis 1,8 million de véhicules (sur une production totale de 5,3 millions), et Ford près de 1,5 million de véhicules (sur 4,9 millions). Mais à ce mouvement répondait déjà celui des compagnies multinationales européennes et japonaises vers les États-Unis, où le montant des investissements européens atteignait près de 80 milliards de dollars en 1972. L'expansion des multinationales s'étendait même dans les pays communistes, à la suite des accords conclus entre les trusts

CAPITOLE

La place, vue en tournant le dos au Forum, du haut du palais du Sénateur,
construit au-dessus de l'antique Tabularium,
et qui loge toujours l'administration de la ville de Rome.
A gauche, le palais des Conservateurs
avec son musée de sculptures (la Louve étrusque),
sa pinacothèque, ses salles de réception.
A droite, le musée Capitolin, riche
d'une grande collection d'antiques.
Au centre, le pavage géométrique
réalisé d'après les dessins de Michel-Ange,
dominé par la statue de Marc Aurèle.
Deux dompteurs de chevaux, œuvres de style grec plus grandes que nature,
ornent l'accès de la place
et encadrent la perspective panoramique de la capitale.
Ph. © L. von Matt

778

capitalistes et les trusts d'État de l'U.R.S.S. et des démocraties populaires. « Dans la nouvelle économie globale, constate le syndicaliste américain Charles Levinson, les groupes opérant à travers le monde entier dominent. Les mille premières compagnies réalisent 63% des ventes américaines à l'étranger et sont multinationales...
« L'industrie moderne a vécu sa révolution multinationale et a créé un nouveau système économique global, dominé par une poignée de compagnies liées entre elles et associées avec des consortiums de banques, également liées entre elles et multinationalisées, qui, aujourd'hui, prennent en charge les marchés du crédit et des changes du monde entier ».

● Ce système, malgré sa cohérence apparente, n'a pu ni empêcher ni enrayer la longue crise économique (v.) commencée en 1973. Les plus grandes entreprises mondiales étaient, en 1987, par le chiffre d'affaires et en ordre décroissant (le chiffre entre parenthèses indique le classement des entreprises par leurs bénéfices) : I.B.M. (1), Royal Dutch Shell (2), Exxon (3), Ford Motor (4), General Motors (5), General Electric (6), British Petroleum (7), A.T.T. (8), Philip Morris (9), Fiat (10), Toyota Motor (11), Dupont de Nemours (12), Chinese Petroleum (13), Petroleos de Venezuela (14), Amoco (15), Digital Equipment (16), Chrysler (17), Mobil (18), I.C.I. (19), Unilever (20), qui ne figurent pas parmi les 30 premiers groupes mondiaux, se classent cependant parmi les 20 premières entreprises bénéficiaires. Si quelques multinationales éprouvent, çà et là, des difficultés conjoncturelles, le vrai risque couru par le capitalisme mondial est plutôt celui de l'endettement qui, dans les années 80, a pris une acuité extrême sous la poussée des taux d'intérêt américains. Pour conjurer le péril des faillites bancaires en chaîne (qui engendra la grande crise de 1929), les banques d'État disposent de moyens importants dont l'intervention révèle tout ce qui peut séparer le capitalisme actuel du libéralisme traditionnel, comme cela fut démontré lors du krach boursier de 1987. Voir BANQUES, BOURSE, CRISES ÉCONOMIQUES, EMPRUNT, F.M.I., LIBÉRALISME.

CAPITAN PACHA. Amiral ou ministre de la Marine dans l'Empire ottoman.

CAPITATION. Impôt introduit dans l'**Empire romain** à l'époque de Dioclétien. La capitation fut d'abord un impôt foncier; elle était appelée également *jugatio*, car l'unité de surface cadastrale était le *jugum* (ou *caput*). Chaque jugum était fixé selon la valeur des cultures et le nombre des colons le cultivant; parfois aussi, le jugum était considéré comme la quantité nécessaire pour l'entretien d'une famille. Au IVe s., s'ajouta à cette *capitatio terrena* la *capitatio plebeia* ou *humana*, taxe sur le travail rural, établie par groupes de trois hommes ou quatre femmes formant chacun un *caput*.

En **France,** la capitation fut établie en 1695 comme impôt extraordinaire de guerre; supprimée en 1698, elle fut rétablie en 1701 et devint permanente. Elle pesait sur tous les sujets, répartis en 22 classes, dont la première commençait par le dauphin, taxées chacune pour une somme fixe (s'échelonnant de 10 000 livres à 20 sols). Le clergé réussit à s'en racheter. Peu à peu, la capitation fut mieux proportionnée à la fortune de chacun et devint, pour les taillables, une simple annexe de la taille.

CAPITOLE. Temple et citadelle de Rome, élevés sur le mont Capitolin et dédiés à Jupiter, ainsi nommés, selon la tradition, à cause d'une tête *(caput)* d'homme qu'on y trouva en creusant les fondations. C'était le centre historique et religieux de la cité. On y voyait : au sud, le Capitole proprement dit, *capitolium,* temple de Jupiter Capitolin; au nord, la citadelle *(arx)* et le temple de Junon Moneta; dans la partie est, le *tabularium,* où étaient enfermées les archives de l'État. Le premier atelier de frappe des monnaies romaines fut installé dans les dépendances du temple de Junon Moneta (d'où notre mot de *monnaie);* c'est là également que l'on gardait les oies sacrées de Junon, lesquelles, selon Tite-Live *(Hist.,* V, 47), auraient sauvé par leurs cris le Capitole d'une attaque surprise des Gaulois (vers 390 av. J.-C.). Enfin, du côté du Tibre, se trouvait la roche Tarpéienne, d'où l'on précipitait, aux premiers temps de Rome, certains condamnés à mort.

CAPITOLE DE WASHINGTON. Édifice construit à Washington, à partir de 1793, sur un site choisi par George Washington lui-même; l'architecte fut William Thornton. C'est là que se réunissent le Sénat et la Chambre des représentants.

CAPITOLINS (jeux). Jeux institués à Rome pour commémorer la victoire sur les Gaulois; ils comportaient des courses, des exercices gymniques et des concours littéraires. Ces jeux furent renouvelés et transformés par Domitien, qui les fit célébrer tous les cinq ans.

CAPITOUL. Nom porté, avant 1789, par les premiers magistrats municipaux de la ville de Toulouse, et tirant son origine soit du lieu où ils tenaient leurs réunions et qu'on appelait *Capitole,* soit du *capitulum,* conseil civil des comtes de Toulouse, dont ils étaient membres. Leur pouvoir décrut avec l'établissement du parlement de Toulouse (XIVe s.), et Louis XIV, par un arrêt du 10 nov. 1687, s'arrogea le droit de procéder désormais à leur nomination. Les capitouls devenaient nobles de droit et la noblesse restait acquise à leur famille.

CAPITULAIRES. Actes législatifs des souverains carolingiens, ainsi nommés à cause de leur division en petits chapitres *(capitularia);* ils constituent la principale source pour l'étude des institutions impériales aux

VIIIe/IXe s. On distingue : *a)* les *capitularia per se scribenda,* émanant du souverain seul et réglant des questions secondaires; *b)* les *capitularia pro lege tenenda,* approuvés par le Conseil de l'Empire *(placitum)* et ayant force de loi générale; *c)* les *capitularia legibus addenda,* qui complètent ou modifient les lois nationales des peuples germaniques, élaborés comme les précédents et approuvés par une assemblée des hommes soumis à cette loi nationale; *d)* les *capitularia missorum,* instructions particulières données par l'empereur aux *missi dominici.* La plupart des capitulaires datent du VIIIe s.; le dernier, de 884. Il existe des recueils de capitulaires, notamment celui d'Anségise (827).

CAPITULANTS (cantons). En Suisse, cantons qui fournissaient des soldats aux princes étrangers, en vertu d'une convention ou « capitulation ».

CAPITULATION D'EMPIRE. Acte par lequel les empereurs allemands, à leur avènement, s'engageaient à respecter les droits et privilèges du corps germanique. Cet usage fut introduit en 1519, lors de l'élection de Charles Quint; la dernière capitulation fut jurée par l'empereur François II en 1792.

CAPITULATIONS. Conventions réglant autrefois le statut des étrangers dans l'Empire ottoman. Les premières capitulations auraient été concédées aux Français par Soliman le Magnifique en 1536; renouvelées sous ses successeurs, elles restèrent en vigueur jusqu'au début du XXe s. Elles accordaient notamment aux Français la permission de voyager et de faire du commerce, l'exonération d'impôts (droits de douane exceptés), la liberté de religion et l'inviolabilité du domicile; d'autre part, les Français, même en matière pénale, ne pouvaient être jugés que par leurs consuls. Plus tard, des traités analogues furent conclus entre la Turquie et l'Angleterre (1580), la Hollande (1609) et même l'Autriche (1615). La France obtint en outre, en 1673, d'être reconnue comme la protectrice de tous les chrétiens de l'Empire ottoman. A partir du XIXe s., les milieux nationalistes turcs dénoncèrent le régime des capitulations comme une atteinte à la souveraineté de leur pays. La révolution des Jeunes-Turcs en proclama l'abolition dès 1908 et le sultan dénonça unilatéralement ce régime le 9 sept. 1914. Remises en vigueur par le traité de Sèvres (1920), les capitulations ne furent pas reconnues par Moustafa Kémal; le traité de Lausanne (1923) les abolit définitivement. Au XIXe s., le régime des capitulations avait été étendu à divers autres pays asiatiques et africains, l'Égypte, la Perse, le Siam, le Japon et la Chine. Il a partout disparu aujourd'hui.

CAPODIMONTE (château de). Ancien palais des Bourbons des Deux-Siciles, sur une colline dominant Naples. Charles III de Bourbon décida en 1738 sa construction, qui dura près d'un siècle; il y créa également, en

CAPITAN PACHA
Aquarelle d'un recueil sur le costume militaire turc, 1818.
Ph. Jeanbor © Photeb

1740, une fabrique de porcelaine, qui fut célèbre au XVIII⁰ s. Capodimonte abrite aujourd'hui une pinacothèque.

CAPO D'ISTRIA Giovanni Antonio, comte (* Corfou, 11.II.1776, † Nauplie, 9.X.1831). Homme politique grec. Ministre de l'Intérieur et des Affaires étrangères des îles Ioniennes (1802/07), commandant en chef contre Ali pacha, il entra en 1809 au service de la Russie, participa au congrès de Vienne, où il défendit la cause des Grecs, fut ministre des Affaires étrangères de Russie de 1816 à 1822, mais se retira lorsque la Russie se prononça contre l'indépendance grecque. C'est à celle-ci qu'il consacra désormais tous ses efforts et il fut élu président de la nation grecque en avril 1827; cependant, son tempérament aristocratique et sa russophilie le rendirent bientôt impopulaire. Il fut assassiné pour des raisons privées, à l'instigation de la famille Mavromikhalis.

CAPONE, Alfonso Capone, dit **Al Capone,** surnommé **Scarface** (* Naples, 17.I.1899, † Miami, Floride, 25.I.1947). Bandit américain. Italien émigré en Amérique, il s'installa à Chicago en 1920 et s'associa avec le chef de gang John Torrio dans diverses entreprises criminelles (racket, organisation de la prostitution, trafic de boissons alcooliques à l'époque de la prohibition).
Devenu seul chef de la bande après la fuite de Torrio, Al Capone fut responsable d'une impressionnante série de meurtres mais on ne put jamais établir judiciairement sa culpabilité, en raison de la terreur que le gang inspirait aux témoins. Finalement il fut condamné en 1931 à onze ans de prison pour infraction à la loi sur les impôts. Relâché en 1939 dans un très mauvais état de santé, il se retira dans sa luxueuse propriété de Miami Beach.

CAPORETTO. Village de Slovénie, en Yougoslavie depuis 1945 *(Kobarid),* sur l'Isonzo. Compris jusqu'en 1918 dans les limites de l'Autriche-Hongrie, il fut, au cours de la Première Guerre mondiale, occupé par les troupes italiennes dès 1915. En 1917, la percée des Austro-Allemands commandés par le général Otto von Below (24/27 oct. 1917) s'acheva à Caporetto par la mise en déroute des Italiens, qui refluèrent en désordre jusqu'à la Piave (10 nov. 1917) après avoir perdu plus de 300 000 hommes (dont 275 000 prisonniers). Ce désastre entraîna le limogeage du général Cadorna, qui fut remplacé par Diaz. Onze divisions franco-britanniques furent envoyées en Italie dès la fin nov. 1917.

CAPOUE, *Capua.* Ville ancienne de Campanie, au nord de Naples, qui s'élevait sur le site de l'actuelle *Santa Maria Capua Vetere,* à environ 5 km au sud-est de l'actuelle Capoue, laquelle occupe le site de l'antique *Casilinum.* Fondée vers 600 av. J.-C. par les Étrusques, prise par les Samnites vers la fin du Vᵉ s., elle contracta peut-être une alliance avec Rome en 343, mais participa au soulèvement des Latins (340) et fut soumise en 338. Reliée à Rome par la voie Appienne (312), elle conserva d'abord, sous le protectorat romain, une assez grande autonomie. Après la bataille de Cannes, elle ouvrit ses portes à Hannibal, qui y prit ses quartiers d'hiver (216/215) : l'armée carthaginoise s'amollit dans les « délices » de cette ville. Reprise en 211 par les Romains, elle fut sévèrement punie, vit son territoire confisqué, puis reçut un grand nombre de colons au cours du Iᵉʳ s. av. J.-C. C'est à Capoue que prit naissance la révolte d'esclaves menée par Spartacus.
On a mis au jour à Capoue des restes de deux temples du VIᵉ s. et plusieurs tombes aux parois décorées du IVᵉ s. L'amphithéâtre était un des plus grands du monde romain. Saccagée par les Vandales de Genséric en 456, définitivement ruinée par une incursion arabe en 840, la ville fut reconstruite plus loin, sur les ruines de Casilinum. Devenue une forteresse importante du royaume de Naples, elle fut annexée à l'Italie en 1860. Les Alliés s'en emparèrent, après de violents combats, les 13/14 oct. 1943.

CAPPADOCE. Dans l'Antiquité, région centrale de l'Asie Mineure, entourée par le Pont, l'Arménie, la Cilicie et la Phrygie. Habitée au moins dès le IVᵉ millénaire, elle vit s'installer des colonies de marchands assyriens (v. KÜLTEPE), subit les invasions des Kassites et des Hyksos, puis devint le centre de l'Empire hittite (v. HITTITES, BOGAZKÖY). Devenue au VIᵉ s. une partie de l'Empire perse, elle entra dans le monde hellénistique après sa conquête par Perdiccas (322), mais recouvra une indépendance de fait après la bataille d'Ipsos (301). Elle resta gouvernée par la dynastie iranienne des Ariarathes pendant près de trois siècles. Occupée par Mithridate en 96, elle fit appel à Rome, qui imposa son protectorat. Après la mort du roi Archélaos, dernier des Ariarathes, la Cappadoce devint une province romaine (17 de notre ère). Elle joua un rôle important dans la diffusion du christianisme en Asie Mineure et donna au IVᵉ s. à l'Église les « Pères cappadociens » (v.).

CAPPADOCIENS (Pères). Nom donné à trois docteurs de l'Église au IVᵉ s. : st. Basile, son frère st. Grégoire de Nysse et son ami st. Grégoire de Nazianze, tous trois originaires de Cappadoce et dont les doctrines présentent de nombreux thèmes communs.

CAPPEL, village de Suisse. Voir KAPPEL.

CAPPELLO ou **CAPELLO Bianca** (* Venise, 1548, † près de Florence, 19/20. X.1587). Dame vénitienne. Elle inspira une vive passion à François Marie Iᵉʳ de Médicis, grand-duc de Toscane, qui l'attacha à sa cour et, devenu veuf, finit par l'épouser (1578); à cette occasion, les Vénitiens décernèrent à la jeune femme le titre de « fille de Saint-Marc ». Bianca aurait trompé son amant en

CAPPADOCE
Tétradrachme du roi Ariarathès V.
(Cabinet des Médailles.)
Ph. © Bibl. Nat., Paris - Photeb

CAPRONI
Gianni. Constructeur d'avions
italien (1886-1957).
Ph. © Keystone

feignant une grossesse et en présentant au prince, comme un fils né de lui, un enfant supposé, ce qui lui valut la haine du cardinal Ferdinand, frère et héritier du duc. Comme Bianca mourut presque en même temps que son mari, au cours d'une visite chez Ferdinand, on accusa celui-ci de les avoir empoisonnés.

CAPPONI. Famille illustre de Florence, dont la réputation balança quelque temps celle des Médicis. Son représentant le plus connu est **Gino Capponi,** décemvir de la guerre (1405), qui contribua beaucoup à la prise de Pise (1406), dont il fut nommé gouverneur. — Son petit-fils, **Pietro Capponi** (* 1446, † 1496), gonfalonier de Florence, repoussa courageusement les prétentions de Charles VIII qui, reçu dans Florence comme allié, voulait s'y faire reconnaître comme souverain (1494).

CAPPONI Gino (* Florence, 13.IX.1792, † Florence, 3.II. 1876). Homme politique italien. Collaborateur de l'*Antologia,* auteur d'ouvrages pédagogiques et d'une histoire de la république de Florence (publiée en 1875), il fut l'un des principaux animateurs du mouvement catholique libéral à l'époque du Risorgimento. Sénateur en 1860.

CAPRARA Giambattista (* Bologne, 29. V.1733, † Paris, 21.VII.1810). Cardinal italien. Nonce à Paris en 1801 lors de la conclusion du Concordat, il protesta vainement contre l'addition des *articles organiques,* qui aggravaient les concessions faites par Pie VII à Napoléon Iᵉʳ; il sacra celui-ci roi d'Italie à Milan, en 1805.

CAPRERA. Île italienne, au N.-E. de la Sardaigne. Garibaldi en acheta une partie en 1854, y établit sa résidence habituelle et y mourut en 1882.

CAPRI. Île de la Méditerranée, dans la baie de Naples. Dans l'Antiquité *Capreae,* elle fut d'abord une colonie grecque, puis devint la résidence d'été d'Auguste. Tibère y passa les dernières années de sa vie, dégoûté du pouvoir, et y fit construire plusieurs villas (on a retrouvé la villa Iovis, au N.-E. de l'île). Au Moyen Age, Capri appartint aux moines du Mont-Cassin, puis à Amalfi. Depuis la fin du XIXᵉ s., Capri est devenue un centre touristique.

CAPRIVI Leo, comte von (* Charlottenburg, 24.II.1831, † Skyren, près de Crossen-sur-l'Oder, 6.II.1899). Général et homme politique allemand. D'une famille d'origine austro-italienne, il fit longtemps partie de l'état-major prussien. En 1883, il devint chef de l'Amirauté, mais il ne croyait pas à l'avenir de l'Allemagne comme puissance navale. Commandant du 10ᵉ corps d'armée à Hanovre (1888), il fut appelé en mars 1890 à succéder à Bismarck au poste de chancelier, sur la proposition de Bismarck lui-même. C'est à regret que Caprivi dut accepter l'héritage écrasant du « chancelier de fer » et qu'il se fit le représentant du « nouveau cours » que Guillaume II entendait donner à la politique étrangère allemande. Sous prétexte de fidélité à l'alliance avec l'Autriche-Hongrie, le traité de réassurance avec la Russie fut abandonné (1890), ce qui poussa le tsar à se rapprocher de la France. D'autre part, Caprivi céda Zanzibar à l'Angleterre en échange de l'île, jusqu'alors anglaise, de Helgoland, en mer du Nord. Il sut favoriser l'expansion commerciale allemande par une série de traités de commerce (notamment avec la Russie, 1894), mais l'abaissement des tarifs douaniers provoqua un grave mécontentement des agriculteurs et la fondation, en 1893, d'une puissante ligue agraire qui mena l'opposition contre le chancelier. Celui-ci subissait en outre les âpres critiques de Bismarck. Il préféra se retirer, le 28 oct. 1894; il avait fait voter, l'année précédente, une loi militaire qui augmenta les effectifs de l'armée allemande.

CAPRONI Gianni, comte Giovanni Caproni di Taliedo, dit (* Arco, 3.VII. 1886, † Rome, 27.X.1957). Constructeur d'avions italien. Il travailla à la fois pour l'aviation civile et pour l'aviation militaire et produisit entre 1908 et 1936 plus de cent types d'appareils, parmi lesquels un avion à 8 moteurs pour 100 passagers et des bombardiers triplans capables d'emporter 1 500 kg de bombes. Durant la Seconde Guerre mondiale, ses usines sortirent le premier avion à réaction italien, le Caproni-Campini.

CAPSIEN. Culture du paléolithique supérieur en Afrique du Nord, dont le foyer principal se trouvait dans la région de Gafsa (dans l'Antiquité *Capsa*), et qui s'étendit dans l'Est algérien (région de Constantine). Le principal gisement se trouve à El-Mekta, près de Gafsa, et fut découvert par J. de Morgan. Les sites capsiens sont caractérisés par de vastes accumulations de cendres, pierres brûlées, vestiges industriels, coquilles d'escargots *(rammadiyats).* Le capsien le plus ancien, ou « typique », offre de grands couteaux à dos abattu, des burins d'angle sur troncature retouchée, des grattoirs, mais aussi un petit outillage de microburins, lamelles à coches multiples, triangles scalènes, trapèzes (vers 9000 av. J.-C.). Le capsien supérieur du Constantinois est plus riche en microlithes tandis que le gros outillage du paléolithique supérieur se raréfie. Cette culture aboutit, au IVᵉ ou au IIIᵉ millénaire, à un néolithique de tradition capsienne. On connaît aussi un capsien du Kenya, en Afrique orientale (Gamble's Cave), qui semble bien parent de celui de l'Afrique du Nord, mais peut-être plus récent puisque la céramique y est présente.

CAPTAL. En Gascogne, synonyme ancien de baron.

CAPTIVITÉ DE BABYLONE. Nom donné à l'exil forcé des Israélites à Babylone à la suite de la prise de Jérusalem et des deux grandes déportations ordonnées par Nabuchodonosor II, roi de Babylone, en 597 et 586 (II, Rois, XXIV, 14-16, et XXV, 11). Selon Ézéchiel (II), Cyrus, roi de Perse, après avoir conquis Babylone, autorisa les exilés à rentrer dans leur pays (539 av. J.-C.), mais ce retour s'étala sur plus d'un siècle. L'expression *captivité de Babylone* fut employée métaphoriquement par Pétrarque et d'autres Italiens pour stigmatiser le séjour des papes à Avignon.

CAPUCINS. Branche de l'ordre franciscain fondée au XVIᵉ s. par Matteo da Bascio, frère mineur observantin, dans le propos de restaurer la règle franciscaine dans toute sa rigueur et sa simplicité primitives. Cette réforme, commencée en 1525 et approuvée par Clément VII, se heurta d'abord à la vive opposition des franciscains de l'Observance; le passage au protestantisme du troisième général des capucins, Ochino, faillit entraîner la suppression du nouvel ordre, qui demeura jusqu'en 1619 sous la juridiction des frères mineurs observantins. Cependant l'austérité, la pauvreté et l'ardeur apostolique des capucins, comme leur silhouette originale, avec leur long capuce, leur barbe et leurs sandales, leur valurent rapidement l'estime et la confiance du peuple : de 1587 à 1625, l'ordre passa de 6 000 à 17 000 membres. Les capucins firent leur première apparition en France en 1573. Ils jouèrent un rôle très important dans la réforme catholique. L'ordre, dont l'appellation officielle est *Ordo Fratrum Minorum S. Francisci Capuccinorum,* compte aujourd'hui 14 000 religieux, répartis en 60 provinces.

CAPULETS et MONTAIGUS. Noms usuels donnés aux **Cappelletti** et aux **Montecchi,** deux nobles familles d'Italie du Nord, peut-être de Vérone, dont la rivalité aboutit à l'aventure tragique de Roméo et Juliette, qui, après avoir été racontée par Bandello (1554) et par Arthur Brooke (1562), fournit le sujet d'une pièce célèbre de Shakespeare. Dante mentionne ces deux familles au ch. VI de son *Purgatoire* et nous savons par lui qu'elles appartenaient toutes deux au parti gibelin. La suite de l'histoire est sans doute du domaine de la légende.

CAP-VERT (îles du). Archipel de l'océan Atlantique, à l'O. de Dakar. Découvertes en 1456 par le navigateur vénitien Cadamosto, au service du Portugal, ces îles restèrent colonie portugaise jusqu'au XXᵉ s. Dès le début de la colonisation, elles jouèrent un rôle important dans la traite des Noirs. A la suite de la révolution portugaise de 1974, l'archipel devint indépendant le 4 juill. 1975, sous l'impulsion du parti de l'indépendance de la Guinée-Bissau et du Cap-Vert (P.A.I.G.C.), parti unique commun.
● Le Cap-Vert envisageait une union avec la Guinée-Bissau (v.), mais le coup d'État du 14 nov. 1980, qui élimina du pouvoir en Guinée-Bissau les métis d'origine capverdienne, refroidit les relations entre les deux États. Le P.A.I.G.C. fut remplacé par le parti africain pour l'indépendance du Cap-Vert (P.A.I.C.V.) qui obtint 93 % des suffrages exprimés aux élections de déc. 1980. Son secrétaire général, Aristides Pereira, fut élu chef de l'État en févr. 1981. Bien que victime d'une très longue sécheresse, le Cap-Vert s'est assuré une balance des paiements équilibrée grâce à une bonne gestion et à l'apport financier des quelque 600 000 Capverdiens émigrés aux États-Unis, au Portugal et aux Pays-Bas.

CARABINIERS. Au XVIIᵉ s., la *carabine* était une sorte de fusil court, léger, à âme rayée, qu'on chargeait en enfonçant la balle dans l'âme à coups de maillet. Henri IV attacha deux hommes armés de carabine à chaque compagnie de cavalerie. Louis XIV réunit ces carabiniers et en forma une compagnie par régiment (1688), puis, en 1693, réunit tous les carabiniers pour former un corps à cinq régiments. La difficulté et l'embarras du chargement au maillet amenèrent Napoléon à supprimer la carabine (1809). Mais le nom de carabiniers resta à deux régiments de la cavalerie de réserve, qui ne furent supprimés qu'en 1871.
En Italie, les *carabinieri,* corps militaire de police équivalent des gendarmes français, furent créés en 1814 par Victor-Emmanuel Iᵉʳ. Les carabiniers de la garde royale, créés en 1868, sont chargés aujourd'hui de la garde du président de la République italienne.

CARABOBO. Village du Venezuela, au sud-ouest de Valencia. Victoire de Bolivar sur les Espagnols (24 juin 1821).

CARACALLA Marcus Aurelius Antoninus Bassianus (* Lyon, 4.IV.186, † près d'Édesse, 8.IV.217), empereur romain (211/217). Fils de Septime Sévère et de Julia Domna, proclamé empereur en 211 conjointement avec son frère Geta, il se débarrassa de lui l'année suivante et fit exécuter ses partisans, parmi lesquels le juriste Papinien. Plein de dons, mais cruel, sans scrupules et d'une immense ambition, il rêvait d'égaler Alexandre, battit les Alamans sur le Main (213) et entreprit en 216 une guerre contre les Parthes; c'est au cours de cette campagne qu'il fut assassiné par Macrin, préfet des gardes. Grand bâtisseur, il a laissé à Rome de beaux monuments, notamment les thermes qui portent son nom. Son règne fut marqué par l'**édit de Caracalla** (212) qui, dans le but d'unifier l'Empire et aussi d'augmenter les ressources fiscales, accorda en bloc la citoyenneté romaine à toutes les provinces, confondant juridiquement Romains, Latins et provinciaux; toutefois plusieurs catégories restaient exclues, notamment les Barbares installés près des frontières et la plus grande partie des populations rurales. La romanisation systématique de l'Empire ne devait s'accomplir que sous Dioclétien.

CARACALLA
Empereur romain (211/217).
Buste gravé sur camée. (Cabinet des Médailles.)
Ph. © Bibl. Nat., Paris - Photeb

CARACAS. Capitale du Venezuela, sur les bords du rio Guaire, près de l'océan Atlantique. Fondée en 1567 par Diego de Losada, siège d'une capitainerie générale sous la domination espagnole, elle fut, en 1810, le centre du mouvement d'indépendance en Amérique du Sud.

● Caracas, profitant des revenus pétroliers, a connu une croissance très rapide depuis 1920. Avec 700 000 habitants en 1950, 3,5 millions dans l'agglomération en 1981, la capitale absorbe 40 % du revenu national et groupe la moitié des industries légères du Venezuela.

Conférence de Caracas (1er/28 mars 1954). Cette dixième conférence de l'Organisation des États américains adopta, sur les instances des États-Unis et malgré l'opposition du Guatemala, une «déclaration de solidarité» en vertu de laquelle les États américains s'engageaient à se consulter et à prendre des mesures en commun au cas où le communisme réussirait à s'installer au pouvoir dans l'un d'entre eux.

CARACCIOLO. Famille noble napolitaine, d'origine grecque, qui a fourni à partir du IXe s. un grand nombre de personnalités de la politique ou des lettres :

Giovanni Caracciolo († 1431). Sénéchal et favori de la reine Jeanne II, il se débarrassa du mari de celle-ci, Jacques de La Marche (1416), et exerça une véritable dictature à Naples jusqu'à ce que la reine, lassée, le fît assassiner. ~ Le cardinal **Marino Caracciolo** (* 1459, † 1538) essaya de freiner le mouvement luthérien en Allemagne et devint ensuite gouverneur impérial à Milan. ~ **Giovanni Caracciolo** (* 1480, † 1550), prince de Melfi, se mit au service des Français en occupation à Naples, reçut de François Ier les terres de Nogent-le-Rotrou, Romorantin et Brie-Comte-Robert, défendit avec succès Luxembourg (1543) et fut fait maréchal de France. ~ **Antonio Caracciolo** († 1569), fils du précédent, évêque de Troyes (1551), adhéra à la Réforme, abjura, puis revint au protestantisme et se maria. ~ **Domenico Caracciolo** (* 1715, † 1789), ambassadeur du roi de Naples en Angleterre et en France, se lia avec les Encyclopédistes et devint vice-roi de Sicile, où il fit régner les principes du despotisme éclairé. ~ **Francesco Caracciolo, duc de Brienza** (* Naples, 18.I.1752, † Naples, 29.VI.1799), amiral et commandant de la flotte de Ferdinand IV, se rallia en 1799 à la République parthénopéenne installée par les Français. Il s'opposa au débarquement des forces royales et des Anglais. Arrêté sur l'ordre de Nelson, au mépris des termes de sa capitulation, il fut pendu au grand mât de sa frégate.

CARACTACUS, Caradoc († Rome, vers 54). Roi breton, il résista pendant neuf ans (42/50) aux troupes romaines, dans le pays de Galles. Battu par le propréteur Ostorius Scapula en 50, livré aux Romains par un allié infidèle, il fut amené à Rome et suivit le triomphe de l'empereur Claude, qui le prit en grande estime.

CARAFFA ou **CARAFA.** Illustre famille napolitaine, qui compta notamment parmi ses membres :

Jean-Pierre Caraffa, pape sous le nom de Paul IV (v.).

Oliviero Caraffa (* 1430, † 20.I.1511), cardinal italien, archevêque de Naples (1458/84), commanda la flotte armée contre les Turcs par le pape Sixte IV.

Carlo Caraffa (* 1516, † 3.III.1561) et **Antonio Caraffa** (* 1538, † 1591), étaient les neveux du pape Paul IV, qui les combla d'honneurs et de richesses, dépouillant pour eux les familles Colonna et Guidi; il soutint même à cause d'eux une guerre contre Naples et l'Espagne. Mais en 1559, peu avant sa mort, les plaintes que soulevaient de tous côtés la rapacité et les injustices de ses neveux le forcèrent à les exiler de Rome, ainsi que leur frère Giovanni, et à les priver de leurs dignités. Pie IV, successeur de Paul IV, ennemi personnel des Caraffa, poussa plus loin le châtiment : en 1560, le cardinal Carlo Caraffa fut condamné à mort, puis étranglé dans sa prison; son frère Giovanni, soupçonné d'avoir fait assassiner sa femme, eut la tête tranchée. Le Sénat romain abolit par un décret la mémoire des Caraffa, mais, en 1566, Pie V fit réviser leurs procès et les réintégra dans leurs titres et honneurs. Antonio Caraffa, fait cardinal en 1568, bibliothécaire de la Vaticane et savant helléniste, participa à l'édition officielle de la Vulgate et des Septante.

Vincenzo Caraffa (* 9.V.1585, † Rome, 8.VI.1649). Jésuite italien. Entré dans la Compagnie en 1604, il fut élu en 1646 septième général des jésuites; auteur de traités mystiques.

Antonio Caraffa († Vienne, 6.III.1693). Feld-maréchal autrichien, il combattit les Turcs en Hongrie et prit Belgrade (1688).

Ettore Caraffa (* 1767, † 1799). Général napolitain. Ardent libéral, il adhéra à la République parthénopéenne, mais fut pris et exécuté.

CARAÏBES. Peuple indigène qui peuplait au XVe s. toutes les Petites Antilles et une partie de la Guyane. En 1660, la France et l'Angleterre déportèrent le reste de la population caraïbe (environ 6 000 âmes) des Antilles à la Dominique et à Saint-Vincent. Les Caraïbes de cette dernière île, qui se croisèrent avec des Noirs, furent de nouveau déportés en 1796, sur la côte septentrionale du Honduras, où ils vivent encore.

CARAÏBES (région des). Voir ANTILLES.

CARAFFA
Antonio (1538-1591). Un des deux « cardinaux neveux » de Paul IV.
Ph. Jeanbor © Photeb

CARAÏTES ou **CARAÏMES.** Membres d'une secte religieuse juive qui rejette la tradition talmudique et n'admet que l'Écriture. Cette secte fut fondée au VIIIᵉ s. par Anan ben Dawid, qui se fit élire contre-exilarque par un conclave secret tenu à Babylone en 767. La théologie de la secte, qui prolongeait certaines tendances saducéennes mais laissait chacun libre d'interpréter à sa guise l'Écriture, fut précisée par Benjamin de Néhavend (IXᵉ s.) et par Daniel ben Moshé (Xᵉ s.). Établis d'abord en Palestine et en Syrie, les Caraïtes souffrirent beaucoup de la conquête de Jérusalem par les croisés (1099) et commencèrent alors à se répandre en Égypte, dans l'empire d'Orient et dans tout le monde de l'islam, puis dans les pays slaves. Peu nombreux, les Caraïtes résistèrent à toutes les persécutions; ils ont fondé en Israël le village coopératif de Matsliah, près de Ramleh.

CARAMAN. Famille d'origine florentine établie en Provence au XIIIᵉ s. et dont sont issues les branches de Riquetti (Mirabeau) et de **Pierre Paul Riquet** (* 1604, † 1680), promoteur du canal du Midi, qui reçut le titre de comte de Caraman en 1670. Cette branche hérita à la fin du XVIIIᵉ s. de la principauté de Chimay. ~ **François-Joseph de Caraman, prince de Chimay** (* 1771, † 1842), épousa en 1805 Thérésa Cabarrus, divorcée de Tallien. ~ Son frère aîné, **Louis Charles Victor, duc de Caraman** (* 1762, † 1839), fut ambassadeur à Berlin et à Vienne sous la Restauration.

CARAMANLIS Constantin (* Proti, près de Serrai, Macédoine, 1907). Homme politique grec. Fils d'un instituteur, il devint avocat et fut élu au Parlement grec dès 1935. Resté en dehors de la vie politique durant la période de la dictature de Metaxás et de l'occupation allemande, il fut presque toujours ministre à partir de 1946. Rallié au Rassemblement grec du général Papagos en 1950, il reçut en 1952 le portefeuille des Travaux publics, et, dans cette charge, il accomplit une œuvre remarquable qui lui valut une grande popularité. A la mort de Papagos (oct. 1955), il devint chef du gouvernement et resta au pouvoir sans interruption jusqu'en 1963, après avoir remporté trois élections consécutives. Il poursuivit la politique conservatrice, européenne et proatlantique de Papagos, accorda le droit de vote aux femmes et réussit à trouver les bases d'un accord avec la Turquie sur le problème de Chypre (1959). Attaqué par l'union centriste de G. Papandréou, il démissionna en juin 1963 et perdit les élections qui suivirent. Exilé en France durant la dictature des colonels, il rentra à Athènes à l'appel du président Gizikis, le 23 juill. 1974. Premier ministre, il rétablit le régime démocratique, autorisa tous les partis politiques (y compris le parti communiste, interdit depuis 1947) et rassembla toutes les forces modérées dans le parti de la Nouvelle Démocratie, qui remporta une grande victoire aux élections de nov. 1974.

● En déc., il fit repousser par référendum le retour à la monarchie. L'affaire de Chypre l'amena, en 1975, à rompre avec l'O.T.A.N. en signe de protestation contre l'aide militaire apportée à la Turquie par les États-Unis. Le recul, en nov. 1977, de la Nouvelle Démocratie, devant le P.A.S.O.K. (socialiste) d'Andréas Papandréou, l'amena à réviser la Constitution dans un sens semi-présidentiel. Devenu chef de l'État en 1980, il mena à bien l'adhésion de la Grèce à la C.E.E. à partir du 1ᵉʳ janv. 1981. Mais en oct., les socialistes l'emportèrent aux élections législatives, et il dut faire appel à A. Papandréou pour former le gouvernement. Ce dernier s'opposa à sa réélection et, le 10 mars 1985, il démissionna au profit du candidat de la gauche, Christos Sartzetakis, élu président le 29 mars 1985. Voir GRÈCE.

CARAN D'ACHE, Emmanuel Poiré, dit (* Moscou, 1859, † Paris, 26.II.1909). Caricaturiste français. Petit-fils d'un officier des armées napoléoniennes resté en Russie après la campagne de 1812, il arriva en France à l'âge de vingt ans. Il prit son pseudonyme du mot russe *karandache* (crayon). Collaborateur de *La Caricature,* du *Figaro,* du *Journal,* Caran d'Ache fut, comme Forain, un ardent nationaliste et il exerça sa verve contre les «chéquards» de Panama et contre les «dreyfusards».

CARAUSIUS Marcus Aurelius Valerius († 293). Général romain. Né chez les Ménapiens, dans la Gaule Belgique, il atteignit un haut grade dans l'armée romaine; disgracié par Maximien, il débarqua dans l'île de Bretagne et s'y fit proclamer empereur par les légions (287). Il semble que, trois ans plus tard, sa souveraineté sur cette province ait été reconnue par Dioclétien et Maximien; mais il fut assassiné par son préfet du prétoire, Allectus.

CARAVELLE. Navire léger et rapide, utilisé aux XVᵉ, XVIᵉ et XVIIᵉ s., principalement par les Portugais et les Espagnols pour les grands voyages dans l'Atlantique. La caravelle appartenait à la famille des vaisseaux ronds, mais elle avait une forme plus fine que le galion (v.) et que la carraque (v.). Longue de vingt à vingt-cinq mètres, elle présentait une poupe carrée, un château à l'avant, un autre plus élevé à l'arrière, et quatre mâts plus un beaupré. Le mât de misaine avait deux voiles carrées, les trois autres des voiles latines. Deux des trois navires de l'expédition de Christophe Colomb, en 1492, la *Niña* et la *Pinta,* étaient des caravelles.

CARBONARI (c'est-à-dire *charbonniers*). Membres d'une société secrète qui se forma en Italie, d'abord au royaume de Naples, contre la domination napoléonienne (1807/10), puis dans les États pontificaux, et particulièrement en Romagne, après 1815, pour lutter contre la politique de la Sainte-Alliance. En 1820, les carbonari provo-

CARCASSONNE
Armoiries de la ville haute et de la ville basse, 1664.

quèrent dans le royaume de Naples une insurrection qui fut vite réprimée. Ils furent également à l'origine des soulèvements de 1821 au Piémont, de 1831 en Émilie-Romagne. Répandue en France à partir de 1818, la société compta bientôt un grand nombre d'affiliés et travailla à la chute du gouvernement de la Restauration : on lui attribue les mouvements séditieux qui eurent lieu de 1819 à 1822. Ses principaux chefs étaient Bazard et Dugied. Les carbonari, qui avaient adopté l'organisation et les symboles des corporations italiennes de charbonniers, se divisaient en petits groupes de 20 membres, nommés *ventes,* qui envoyaient des délégués à une assemblée centrale, nommée *vente suprême,* dont La Fayette fut président. En France, la chute des Bourbons fit perdre sa raison d'être à la « Charbonnerie »; en Italie — où elle avait rassemblé vers 1820 plusieurs centaines de milliers d'hommes —, ses éléments les plus actifs furent absorbés après 1831 par la Jeune-Italie (v.) de Mazzini.

CARBONE 14 (C 14). La méthode de datation par l'isotope radioactif du carbone, mise au point à l'université de Chicago vers 1946 par le Dr W. F. Libby, est une application de la physique nucléaire moderne à l'archéologie. On a constaté que tout être vivant possède en lui une petite quantité constante de carbone radioactif (C 14). A leur mort, les organismes cessent d'incorporer le carbone 14, lequel se désintègre alors à un rythme qui est connu. Au terme d'une période d'environ 5 570 ans (avec un écart possible de trente ans en plus ou en moins), un organisme mort a perdu la moitié du carbone radioactif qu'il possédait initialement; après une autre période de 5 570 ans, il n'en possède plus que le quart, et ainsi de suite. Par conséquent, la mesure de la radioactivité subsistant dans des restes organiques (morceaux d'os, coquillages, fossiles végétaux, etc.) peut permettre d'en établir l'âge avec une assez grande précision. Cette méthode de datation absolue permet de remonter jusqu'à 70 000 ans; cependant elle n'est vraiment sûre que pour la moitié de cette durée.
La méthode du potassium-argon 40 s'inspire du même principe. L'isotope du potassium 40 a une désintégration beaucoup plus lente que le carbone 14; il faut 1,3 milliard d'années pour qu'il perde la moitié de sa quantité originelle. Cette méthode, utilisée surtout pour les éléments riches en potassium, telles les cendres volcaniques, a permis de déterminer l'âge de l'*Homo habilis* d'Oldoway (Tanzanie) à près de 2 millions d'années.

CARCAN. Peine consistant à attacher un condamné à un poteau sur la place publique, au moyen d'un collier de fer, avec un écriteau indiquant son crime. Cette peine, connue des Romains *(collistrigium, collare ferreum),* fut en usage dans la plupart des nations européennes. Établie en France en 1719, elle était prononcée, selon le Code pénal de 1810, comme conséquence des condamnations aux

travaux forcés et à la réclusion. Elle fut supprimée par la loi du 28 avr. 1832.

CARCASSONNE. Ville de France, chef-lieu du département de l'Aude, sur cette rivière. Depuis l'époque franque, siège d'un comté qui échut, à la suite d'héritages, à la maison de Commynges (935), puis à celle de Trencavel (1083). Elle souffrit beaucoup au cours de la guerre des albigeois et fut prise en 1209 par Simon de Montfort. La vieille ville, ou *cité,* avec ses murs des XIe/XIVe s., a été restaurée par les soins de Viollet-le-Duc (1850/79). Son site, dominant l'Aude, sur la rive droite, fut occupé dès le Ve s. avant notre ère par les Ibères, puis par des Gallo-Romains. Les premières fortifications remontent à Euric, roi des Wisigoths, vers 485. La Cité, dans son état actuel, constitue l'une des plus grandes forteresses médiévales subsistantes. Elle comprend essentiellement une double enceinte (périmètre extérieur : 1,5 km), protégée par des tours et percée de deux portes seulement, la porte Narbonnaise à l'est, la porte Aude à l'ouest, l'une et l'autre puissamment fortifiées. Le château comtal, construit vers 1125, fait corps avec l'enceinte.
● La ville comptait 15 700 habitants en 1880, 25 500 en 1881, 37 000 en 1954, 41 000 en 1982.

CARCHÉMISH. Voir KARKÉMISH.

CÁRDENAS Lázaro (* Jiquilpan de Juarez, Michoacán, 21.V.1895, † Mexico, 19.X.1970). Homme politique mexicain. Il participa en 1913 à la lutte contre le gouvernement de Huerta, puis commença dans les troupes d'Obregon une carrière militaire qui le mena au grade de général (1928). Gouverneur de l'État de Michoacán (1928/32), il améliora le sort des classes laborieuses, devint président du comité exécutif du parti national révolutionnaire (1930), ministre de l'Intérieur (1931), de la Guerre et de la Marine (1933) et fut président de la République de 1934 à 1940. Le programme de réformes qu'il appliqua comportait la distribution de la terre aux paysans et la nationalisation des entreprises étrangères, notamment les industries pétrolières (1938). Sous sa présidence, de nouveaux conflits opposèrent l'État mexicain et l'Église catholique. Cárdenas fut ensuite ministre de la Défense nationale (1942/45), puis commandant en chef de l'armée mexicaine. Prix Staline de la paix (1955), bien qu'il ait accueilli Trotski en 1937.

CARDIALE (culture). Culture néolithique, dont les premières traces remontent au Ve millénaire; elle est caractérisée par une céramique imprimée à l'aide de coquilles du mollusque appelé *cardium.* Cette culture se répandit dans toute la Méditerranée occidentale, sans doute par voie maritime. Elle est présente en Grèce, à Corfou et Leucade; en Sicile, en Ligurie, en Provence, en Afrique du Nord.

CARDIFF. Ville et port de Grande-Bretagne, dans le pays de Galles (Glamorganshire), sur l'estuaire du Taff. Simple village encore au début du XIXᵉ s., Cardiff prit une importance considérable à partir des années 1840, grâce à l'exploitation des mines de charbon et de fer voisines; son port place Cardiff au premier rang des exportateurs de charbon du monde.

CARDIGAN James Thomas Brudenell, 7ᵉ **comte de** (* Hambleden, Buckinghamshire, 16.X.1797, † Deene Park, Northamptonshire, 28.III.1868). Général anglais. Commandant d'une brigade de cavalerie au cours de la guerre de Crimée, il conduisit à Balaklava (20 oct. 1854) la fameuse charge des « six cents », que devait immortaliser Tennyson dans *La Charge de la brigade légère.*

CARDIJN Léon Joseph (* Schaerbeek, 18.XI.1882, † Louvain, 24.VII.1967). Cardinal belge. Fils d'un charbonnier et d'une servante, il fut impressionné dès sa jeunesse par la misère et l'abandon religieux de la classe ouvrière. Ordonné prêtre en 1906, vicaire à Notre-Dame de Laeken, grosse paroisse populaire de la banlieue bruxelloise, il forma en 1912 un premier groupe de jeunes travailleurs chrétiens qui devait être l'embryon de la Jeunesse ouvrière chrétienne (J.O.C.), fondée officiellement en 1924, et à laquelle l'abbé Cardijn, apôtre et organisateur infatigable, donna une dimension internationale. Protonotaire apostolique, il fut désigné par Jean XXIII comme expert au IIᵉ concile du Vatican; nommé archevêque titulaire de Tusuros, il fut fait cardinal par Paul VI (1965).

CARDINAL (Palais-). Voir PALAIS-ROYAL.

CARDINAUX. Selon le code de droit canon (can. 230), les cardinaux « constituent le sénat du pontife romain; ils sont ses conseillers principaux et ses coopérateurs dans le gouvernement de l'Église ». Ils forment le Sacré Collège. Réunis en *conclave,* ils procèdent à l'élection du pape. Dans l'Empire romain, depuis Théodose, le titre de *cardinalis* (de *cardo,* pivot) avait été donné à des officiers de la Couronne, à des généraux d'armée, au préfet du prétoire en Asie et en Afrique, parce qu'ils remplissaient les principales charges de l'Empire. Dès le vᵉ s., à Rome, ce titre était porté par de nombreux clercs attachés *(incardinati)* au service de quelque église ou à divers emplois religieux. Au VIIIᵉ s., il ne désignait guère que les clercs des églises cathédrales, où le collège cardinalice remplaçait l'ancien *presbyterium.* Vers la même époque commence d'apparaître à Rome la distinction entre cardinaux-évêques, cardinaux-prêtres et cardinaux-diacres, selon leur place dans la hiérarchie ecclésiastique. Les cardinaux ne commencèrent à jouer un rôle important qu'au milieu du XIᵉ s., lorsque le pape Nicolas II leur eut assuré la prépondérance dans les élections pontificales. Le nombre des cardinaux, qui a beaucoup varié à travers l'histoire, avait été fixé en 1586 par Sixte Quint à soixante-dix; mais il pouvait toujours être modifié par décret pontifical, et Jean XXIII, dans le dessein d'universaliser le Sacré Collège, le porta en 1960 à quatre-vingt-cinq; il a encore augmenté depuis. Les cardinaux sont divisés en trois ordres : *cardinaux-évêques* (qui exercent spécialement leurs pouvoirs épiscopaux dans les sept diocèses voisins de la ville de Rome, dits évêchés suburbicaires); *cardinaux-prêtres* (revêtus du caractère épiscopal); *cardinaux-diacres* (revêtus de la prêtrise et assistant le pape dans ses conseils et dans les travaux des congrégations domaines). Depuis le Concile Vatican II, un courant se développe dans l'Église pour retirer aux cardinaux le privilège de l'élection du pape et pour confier celle-ci à un collège plus large et plus représentatif de l'épiscopat universel. Le motu proprio *Ingravescentem aetatem* (21 nov. 1970) a enlevé aux cardinaux ayant atteint l'âge de quatre-vingts ans le droit de participer à l'élection du pape.

Cardinaux noirs. Nom donné aux treize cardinaux qui, ne reconnaissant pas la sentence de nullité du premier mariage de Napoléon Iᵉʳ rendue par l'officialité diocésaine de Paris alors que le pape seul était compétent, refusèrent d'assister à la cérémonie du nouveau mariage de l'Empereur avec Marie-Louise (2 avr. 1810). Napoléon les priva de leur pension, les exila en province et leur interdit de porter la soutane rouge et le chapeau (d'où leur nom de cardinaux noirs).

Cardinaux verts. Nom donné à vingt-trois personnalités catholiques, parmi lesquelles plusieurs membres de l'Académie française (Brunetière, Goyau, etc.), qui, dans une lettre aux évêques de France publiée par *Le Figaro* le 26 mars 1906, suppliaient les évêques de France d'accepter, dans un esprit de pacification, le régime des associations cultuelles (v.) prévu par l'article 4 de la loi de séparation des Églises et de l'État (9 déc. 1905). Mais les associations cultuelles furent condamnées par Pie X dans l'encyclique *Gravissimo* (10 août 1906).

CARDONE ou **CARDONA Ramón de** († vers 1525). Nommé vice-roi de Naples par Ferdinand le Catholique, il commanda les armées du pape et des Vénitiens contre l'empereur Maximilien et contre les Français commandés par Gaston de Foix; vaincu par Gaston de Foix à Ravenne (1512), il fit ensuite avec succès la guerre contre Florence et contre Venise, devenue l'adversaire de Ferdinand, en faisant preuve d'une sauvagerie qui fit haïr les Espagnols en Italie. Après la paix de 1515, il rentra dans sa vice-royauté de Naples.

CARDWELL, Edward Cardwell, vicomte (* Liverpool, 24.VII.1813, † Torquay, 15.II.1886). Homme politique anglais. De tendance libérale, il fut secrétaire d'État à la

Guerre (1866/74) et réalisa une importante réforme de l'armée.

CARÉLIE. République autonome de l'U.R.S.S. (R.S.F.S. de Russie), comprise entre le golfe de Finlande et la mer Blanche. Alors que la Carélie orientale se trouvait dès le XIIIe s. dans la dépendance de Novgorod, la Carélie occidentale fut conquise en 1293 par les Suédois. La Russie, maîtresse des rives du lac Ladoga et de l'isthme de Carélie dès la paix de Nystad (1721), n'annexa le reste de la Carélie qu'en 1809. Après 1918, la Carélie occidentale fut incluse dans la Finlande indépendante, tandis que la Carélie russe constituait, dès 1923, une république autonome de l'U.R.S.S., dans la république de Russie; elle fut agrandie en 1940, après la guerre soviéto-finlandaise, de la région au N. du lac Ladoga.

CARÉLIE (isthme de). Bande de terre large de 40 à 110 km, reliant la Finlande à l'U.R.S.S., entre le golfe de Finlande et le lac Ladoga. Annexé par les Suédois en 1617, l'isthme passa à la Russie à la paix de Nystad (1721) mais fut inclus, après 1918, dans la Finlande, qui y construisit de puissantes fortifications, v. MANNERHEIM (ligne). Des combats acharnés s'y déroulèrent lors de la guerre russo-finlandaise, pendant l'hiver 1939/40. Conquis avec beaucoup de difficultés par les Soviétiques en févr. 1940, l'isthme, cédé à l'U.R.S.S., fut réoccupé par les Finlandais de 1941 à 1944, puis revint à l'Union soviétique.

CARÊME. Temps d'abstinence et de jeûne observé par les catholiques, d'une durée de quarante jours, en souvenir des quarante jours que Jésus passa dans le désert.

Carême civique, institué en 1793 par la Commune de Paris, sur un rapport de Chaumette; il imposa durant 6 semaines (15 juin/1er août) certaines privations à la population parisienne, pour faciliter le ravitaillement des armées. Ce carême civique fut renouvelé en 1794.

CARÊME Marie-Antoine (* Paris, 8.VI. 1784, † Paris, 12.I.1833). Cuisinier et gastronome français. Il fut au service de nombreuses personnalités européennes, entre autres Napoléon Ier, Talleyrand et le tsar Alexandre Ier. Il dessinait lui-même ses pâtisseries, d'après des modèles qu'il empruntait à Vignole ou à Palladio. Auteur des *Déjeuners de l'empereur Napoléon,* du *Cuisinier parisien ou l'Art de la cuisine au XIXe s.,* etc.

CAREY Henry Charles (* Philadelphie, 15.XII,1793, † 13.X.1879). Économiste américain. D'origine irlandaise, il fut d'abord éditeur et se retira en 1835 pour se consacrer à ses études d'économie politique. Ses *Principles of Political Economy* (1837-40) marquent une réaction contre le libéralisme, considéré comme un instrument de l'hégémonie britannique, et préconisent un protec-

tionnisme permanent, appliqué à l'agriculture comme à l'industrie. Carey peut être considéré comme le premier des grands économistes américains.

CAREY LAND ACT. Loi du sénateur Joseph M. Carey, approuvée par le Congrès des États-Unis en 1894; elle prévoyait que des terres fédérales incultes seraient concédées aux États de l'Ouest, sous la condition d'être irriguées.

CARIBERT ou **CHARIBERT,** roi de Paris (561/67). Fils aîné de Clotaire Ier, il reçut en partage la région de Paris avec des territoires en Aquitaine. Intelligent, de goûts pacifiques, il pratiqua la bigamie et fut pour ce motif excommunié. Il ne laissa que des filles et ses États furent partagés entre ses frères.

CARICATURE. On peut trouver les origines de la caricature dans les nombreuses scènes parodiques que nous ont laissées l'art grec et l'art romain, dans les graffiti relevés à Pompéi et dans les ruines de Rome, dans les grotesques qui ornaient les portails des cathédrales du Moyen Age et dont l'audace était dénoncée au XIIe s. par st. Bernard. A la fin de l'époque médiévale, le thème de la Danse macabre (v.) fut souvent utilisé par les artistes dans un propos satirique. Beaucoup d'artistes de la Renaissance, en particulier Léonard de Vinci et Annibal Carrache, se plurent à exécuter des portraits grimaçants ou ridicules, et Hans Holbein le Jeune donna libre cours à ses talents de caricaturiste en illustrant l'*Éloge de la folie* d'Érasme. Personnelle et sociale, la caricature devint religieuse à l'époque de la Réforme et, en France, des guerres de Religion et de la Ligue. Le premier des grands caricaturistes français fut Jacques Callot, dans ses *Misères de la guerre* et dans ses *Gueux contrefaits.* La Fronde fournit une ample matière à la caricature, mais, durant le règne de Louis XIV, celle-ci s'exerça surtout aux dépens du monarque; des ateliers hollandais étaient spécialisés dans les charges contre le Roi-Soleil, et leurs œuvres, publiées en série, se répandaient à travers toute l'Europe. En Angleterre, la caricature prit son essor au XVIIIe s. à l'occasion de grands scandales financiers comme celui de la Compagnie des mers du Sud, des luttes contre les jacobites, du combat parlementaire contre la dynastie hanovrienne. William Hogarth fut le premier d'une longue lignée de brillants caricaturistes britanniques. En France, les lois sévères sur la presse et la librairie retardèrent un peu l'épanouissement de ce genre de polémique. Cependant, les caricatures politiques se multiplièrent à la veille de la Révolution. Certaines sont restées célèbres : celle où Calonne, «cuisinier de la Cour», figuré en singe, demande aux notables, représentés comme des volailles, à quelle sauce ils voudraient être mangés; celle encore qui dénonçait les abus de la fiscalité en montrant un

CARICATURE
Détails d'une composition sur l'unité italienne, 1860. (Musée du Risorgimento, Turin.)
1. Napoléon III.
2. Garibaldi.
Ph. © Coll. Viollet - Photeb

paysan courbé sur sa pioche et portant sur son dos un ecclésiastique et un noble.

Durant la Révolution, les caricatures furent souvent d'une violence extrême, et parfois grossières. Les Anglais, durant les guerres de l'Empire, inondèrent l'Europe de caricatures dont Napoléon faisait les frais. Les progrès de la liberté de la presse, sous la Restauration, suscitèrent un renouveau de la caricature française, qui fut alors illustrée par de grands artistes tels que Debucourt, Boilly, Isabey, Carle Vernet, Raffet. C'est sous la monarchie de Juillet que la caricature devint une arme politique des plus redoutables. Louis-Philippe que Philippon, dans son journal *La Caricature* (v.), représentait sous la forme d'une poire, devait en être la principale victime. Daumier porta cet art à un degré d'intensité tragique qui fut rarement atteint après lui, comme dans ce dessin qui montrait Louis-Philippe en médecin, accompagné d'un juge d'instruction, au chevet d'un insurgé d'avril 1834 agonisant : « Celui-là, on peut le remettre en liberté ». Le « bourgeois » fut la cible d'Henri Monnier, qui créa le personnage de Monsieur Prudhomme.

La caricature connut encore de plus beaux jours sous la IIIᵉ République, surtout à l'époque de l'affaire Dreyfus, qui vit rivaliser de talent les Steinlen, Forain, Caran d'Ache, Willette, Hermann-Paul, dans des journaux spécialisés comme *Le Rire, L'Assiette au beurre, La Vie parisienne*. En Angleterre, le *Punch* (v.), fondé en 1841, s'était d'abord distingué par la virulence de ses attaques contre la reine Victoria et il avait rapidement conquis une célébrité internationale. En Allemagne, les principales feuilles de caricatures furent le *Kladderadatsch*, fondé à Berlin en 1848, les *Fliegende Blätter*, qui publièrent des dessins féroces sur la misère ouvrière dans le monde capitaliste, le *Punsch* de Munich, le *Simplicissimus* (1896).

Au XXᵉ s., les caricaturistes trouvent place dans la presse quotidienne. Dans les années 30, la caricature politique française est représentée, à gauche par Gassier, Prouvost, Jean Effel, Henri Monier, Pol Ferjac, à droite par Sennep et Ralph Soupault. L'après-guerre favorisa les talents de Chaval, de Faizant, de Cabrol, de Pinatel, de Tim, de Konk, de Gus, de Sempé, de Piem, de Wolinski, etc.

CARICATURE (La). Hebdomadaire satirique français publié à Paris par Charles Philippon de nov. 1830 à sept. 1835. Comptant parmi ses collaborateurs Daumier, Henri Monnier, Gavarni, ce périodique mena une lutte féroce contre Louis-Philippe.

CARIE. Dans l'Antiquité, pays situé au sud-ouest de l'Asie Mineure, entre la Lydie, la Phrygie et la Lycie; villes principales : *Halicarnasse, Milet, Cnide*. La Carie reçut très tôt des colonies phéniciennes, puis des colonies grecques, mais ses habitants, qui parlaient une langue qui n'a pu encore être déchiffrée (bien qu'on la connaisse par quelques inscriptions rédigées dans un alphabet emprunté partiellement au grec), restent encore très mystérieux. Conquise par Cyrus, la Carie fut englobée dans l'Empire perse et dans celui d'Alexandre, mais conserva longtemps ses princes indigènes, dont les plus connus furent Mausole et la reine Artémise. Eumène II de Pergame partagea la Carie avec Rhodes en 191 av. J.-C., avant de la placer entièrement sous sa domination (168). Les Romains l'annexèrent en 133 av. J.-C.

CARIGNAN. Ville de France (Ardennes), au sud-est de Sedan. A l'époque gallo-romaine *Epoissium, Epusum, Ivosium*, elle se nomma ensuite *Yvois*, échut définitivement à la France en 1659 et reçut le nom de Carignan en 1662, lorsque Louis XIV l'érigea en duché-pairie pour le chef d'une branche cadette de la maison de Savoie-Carignan, le prince Eugène Maurice, comte de Soissons, père du célèbre Prince Eugène.

CARIGNAN. Ville d'Italie, prov. de Turin sur la rive gauche du Pô. A la Savoie depuis 1418, elle donna son nom à une branche de la maison de Savoie fondée par Tommaso (* 1596, † 1656), fils puîné de Charles-Emmanuel Iᵉʳ. Cette branche accéda au trône de Piémont en 1831 avec Charles-Albert.

CARIGNAN (régiment de). Régiment français qui, après s'être illustré à la bataille de Saint-Gotthard contre les Turcs (1664), fut envoyé en 1665 au Canada, où il combattit efficacement les Iroquois. Il fut rappelé en France en 1668.

CARILLON (fort). Fort construit par les Français en Nouvelle-France, au sud du lac Champlain, en 1756. Montcalm y remporta une brillante victoire sur les troupes anglaises, pourtant très supérieures en nombre (8 juill. 1758).

CARILLON NATIONAL. Voir ÇA IRA.

CARIN, Marcus Aurelius Carinus († près de la Morava, 285), empereur romain (283/85). Il succéda en 283 à son père Carus, après avoir commandé pendant un an, comme césar, l'armée du Rhin. Régnant conjointement avec Numérien, son jeune frère, il eut en partage l'Italie, l'Illyrie, les Gaules, l'Espagne et l'Afrique. Corrompu et cruel, mais courageux, il lutta victorieusement contre l'usurpateur Aurelius Julianus, qui avait pris la pourpre en Pannonie, et contre Dioclétien, qui avait été proclamé empereur à la mort de Numérien. Mais il fut tué par ses propres soldats alors qu'il livrait une nouvelle fois bataille à Dioclétien.

CARINTHIE, Kärnten. Province de l'Autriche méridionale, dans les Alpes carniques et noriques. Habitée d'abord par les Celtes Carentani, conquise par les Romains en 16 av. J.-C., elle fit partie de la province de Norique, fut envahie par les Slovènes au VIᵉ s., mais subit profondément l'influence

CARIE
Monnaie en argent de Milet.
Avec un lion et une étoile.
(Cabinet des Médailles.)

CARINTHIE
Armoiries du duché, 1581.
Ph. Jeanbor © Photeb

du germanisme sous la domination des ducs de Bavière, puis des Carolingiens. Duché indépendant en 976, la Carinthie passa aux comtes de Tyrol (1286), puis aux Habsbourg (1335). De 1809 à 1813, elle fut englobée dans l'Empire français (provinces d'Illyrie). En 1920, la Carinthie méridionale fut rattachée à la Yougoslavie.

CARINTHIE, Arnoul de. Voir ARNOUL DE CARINTHIE.

CARLISLE. Ville d'Angleterre, chef-lieu du comté de Cumberland. Dans l'Antiquité *Luguvalium,* elle fut ensuite la capitale des rois de Cimbrie. Détruite par les Danois en 875, elle fut de nouveau fondée en 1092, par le roi Guillaume II. Sa position de forteresse frontalière lui donna un grand rôle dans les guerres contre l'Écosse. Évêché fondé en 1132. Carlisle fut prise en 1645 par les parlementaires. Le titre de **comte de Carlisle** fut donné en 1661 par Charles II à une des branches de la famille Howard. Après l'ouverture du chemin de fer (1835), Carlisle devint un centre industriel important (textile, biscuiteries, brasseries, fabriques de boîtes métalliques).

CARLISME. Mouvement politique espagnol qui a son origine dans la crise dynastique ouverte chez les Bourbons d'Espagne par la décision de Ferdinand VII, en 1830, d'abroger la loi salique afin d'assurer le trône à sa fille, Isabelle II. Le frère de Ferdinand VII, don Carlos (v.), qui aurait dû lui succéder en vertu de la loi salique, refusa de reconnaître cette décision, et, à la mort de Ferdinand (1833), il contesta les droits de sa nièce et se fit proclamer roi par ses partisans, sous le nom de Charles V.
L'agitation carliste a rempli toute l'histoire espagnole au XIXe s. et a laissé des prolongements jusqu'à nos jours. Insurgés au nom de la légitimité dynastique, les carlistes exploitèrent en leur faveur le fanatisme catholique et l'aspiration des populations basques, navarraises et catalanes à une autonomie qui se trouvait menacée par la politique centralisatrice des libéraux de Madrid. Les prétendants carlistes furent successivement : don Carlos, prince des Asturies, frère de Ferdinand VII, jusqu'en 1844; son fils, don Carlos (1844/61); don Juan, frère du précédent (1861/68); don Carlos, fils du précédent (1868/1909); don Jaime, fils du précédent (1909/31); don Alfonso Carlos, oncle du précédent (1931/36); Xavier de Bourbon-Parme (depuis 1936).
Le carlisme provoqua deux guerres civiles au siècle dernier. La *première guerre carliste* (1834/39) sévit surtout dans le Pays basque, en Navarre, en Aragon et en Catalogne. Commandés par le colonel Zumalacarregui, les carlistes pratiquèrent surtout la tactique de la guérilla. Épuisés, ils finirent par signer la convention de Vergara (31 août 1839), qui leur accorda une large amnistie. La *seconde guerre carliste* (1873/76) commença à la faveur des troubles qui aboutirent à la pro-

clamation de la Ire République espagnole. Elle se termina également par la défaite des carlistes, beaucoup moins soutenus par le clergé qu'ils ne l'avaient été dans le premier conflit.
Cependant le mouvement carliste ne disparut pas. Connu désormais sous le nom de «Communauté traditionaliste», il donna naissance en 1918 au parti traditionaliste de Vazquez de Mella. Les carlistes combattaient la monarchie constitutionnelle des Bourbons et rêvaient à une monarchie théocratique, ressuscitant les structures féodales de l'Espagne médiévale. Le bastion du mouvement restait la Navarre. Après la chute d'Alphonse XIII (1931), les carlistes furent au premier rang de la lutte contre la politique laïque et anticléricale de la République. Dès 1932, ils commencèrent à acheter des armes et à s'entraîner pour la guerre civile dans les montagnes de Navarre. Le chef carliste de cette région, le comte de Rodezno, fit alliance avec les généraux Mola et Sanjurjo, sans parvenir à obtenir d'eux une allégeance aux idéaux carlistes. En 1936, les carlistes prirent part dès le début au soulèvement nationaliste; sous le nom de *Requetes,* ils comptèrent parmi les troupes d'élite de Franco, mais, en avr. 1937, celui-ci obligea la communauté traditionaliste à se fondre avec la Phalange (v.) dans le Mouvement national. La désignation par Franco du petit-fils d'Alphonse XIII, Juan Carlos de Bourbon, comme futur roi d'Espagne fit renaître une opposition carliste, qui s'affirma favorable à une monarchie libérale et à de larges autonomies régionales. Le prétendant carliste, Xavier de Bourbon-Parme, et son fils furent expulsés du territoire espagnol en déc. 1968.

CARLOMAN († Vienne, Drôme, 17.VIII. 754). Fils aîné de Charles Martel, frère de Pépin le Bref, il reçut en 741 l'Austrasie, la Souabe et la Thuringe, qu'il gouverna en souverain mais sans prendre le titre de roi. Allié à Pépin, il combattit les Aquitains, les Alamans, les Bavarois et les Saxons tout en soutenant énergiquement la réforme religieuse entreprise par st. Boniface (synode de 742 et synode de Lestinnes, 743). En 747, laissant Pépin seul maître, il renonça au monde et se fit moine, d'abord à Soracte, puis au Mont-Cassin. En 754, envoyé comme négociateur par le roi des Lombards Aistolf, il se vit consigné par Pépin dans un monastère de Vienne, où il mourut peu après.

CARLOMAN (* 751, † Samoussy, Aisne, 4.XII.771). Fils de Pépin le Bref et frère cadet de Charlemagne, il devint roi des Francs avec ce dernier à la mort de leur père (768) et reçut la partie orientale du royaume de Pépin. A sa mort, Charlemagne recueillit tout l'héritage tandis que la veuve de Carloman, Gerberge, se réfugiait avec ses enfants auprès de son père, le roi des Lombards Didier. Après la défaite de celui-ci, Charlemagne fit enfermer les enfants de Carloman dans un monastère.

CARLOMAN (* 828, † Öttingen, mars? 880), roi d'Italie (877/79). Fils aîné de Louis le Germanique, il reçut en 865 la Bavière, qu'il dut défendre contre les ducs Ratislav et Svatopulk de Moravie; après la mort de son père, il obtint en 877 le royaume d'Italie; mais le pape refusa de lui donner le titre impérial et Carloman dut céder l'Italie à son frère Charles dès 879. Père d'Arnoul de Carinthie.

CARLOMAN († 12.XII.884), roi de France (879/84). Deuxième fils du roi de France, Louis II le Bègue, frère de Louis III, il devint en 879 roi d'Aquitaine et d'une partie de la Bourgogne, puis, en 882, à la mort de son frère, seul roi de France. Il lutta avec succès contre Hugues le Bâtard, qui revendiquait la Lorraine, contre Boson de Provence et contre les Normands. Il mourut d'un accident de chasse.

CARLOS don, prince des Asturies (* Valladolid, 8.VII.1545, † Madrid, 24.VII.1568). Fils de Philippe II, de complexion faible et rachitique, de caractère violent, peu doué pour l'étude, il fut jugé par son père inapte à régner. Il devait épouser Élisabeth de France, fille d'Henri II, mais Philippe II, alors veuf de Marie d'Angleterre, le supplanta dans ce mariage (1560); en 1565, le roi s'opposa à son union avec l'archiduchesse Anne, fille de l'empereur Maximilien. Comprenant que son père voulait le dépouiller de sa succession, il établit des contacts avec les Pays-Bas révoltés contre l'Espagne (1567), et, à la suite de la trahison d'un confesseur, il fut soupçonné d'avoir voulu attenter à la vie même du souverain. Arrêté en janv. 1568, il mourut en prison. Rien ne prouve que Philippe II ait fait tuer son fils ni qu'il ait existé une liaison entre don Carlos et sa belle-mère Élisabeth. La destinée mystérieuse de ce personnage médiocre a inspiré de nombreuses œuvres littéraires, dont la plus célèbre est la tragédie *Don Carlos* de Schiller.

CARLOS Maria José Isidoro de Bourbon, don (* Madrid, 29.III.1788, † Trieste, 10.III.1855). Prince espagnol. Frère de Ferdinand VII, il partagea la captivité des souverains espagnols à Valençay jusqu'en 1814. Après son retour en Espagne, son frère n'ayant pas eu d'enfants de ses trois premiers mariages, don Carlos devint l'espoir du parti traditionaliste. Mais Ferdinand VII contracta un quatrième mariage, duquel naquit la future Isabelle II, et, pour assurer le trône à celle-ci, il abolit la loi salique, en usage chez les Bourbons (juin 1833). Don Carlos protesta vigoureusement contre cette innovation, refusa de prêter serment de fidélité à Isabelle, et, à la mort de Ferdinand VII (1833), il réclama le trône sous le nom de Charles V. Déclaré rebelle par la reine régente, il trouva de nombreux partisans chez les traditionalistes et les autonomistes basques, catalans et aragonais, qui déclenchèrent la guerre civile dès 1834 (v. CARLISME). La même année, un décret voté à

l'unanimité par les Cortes exclut à jamais du trône et bannit du sol espagnol don Carlos et sa descendance. A l'issue du conflit, qui se termina sur la défaite des carlistes (1839), le prince se réfugia en France. En 1844, don Carlos renonça à ses prétentions en faveur de son fils aîné, le prince des Asturies; il se retira en Autriche, où il acheva sa vie, après avoir pris le titre de comte de Molina.

Son fils, **don Carlos Luis Maria Fernando de Bourbon** (* Madrid, 31.I.1818, † Trieste, 13/14.I.1861), prétendant carliste depuis 1844, prit en 1845 le titre de comte de Montemolin. En avr. 1860, avec l'aide du général Ortega, capitaine général des Baléares, il tenta de s'emparer par la force du trône d'Espagne, fut proclamé roi par les rebelles sous le nom de Charles VI, mais fut arrêté près de Tortosa, ainsi que son jeune frère Fernando; il ne put être libéré qu'après une renonciation solennelle à tous ses droits au trône (23 avr. 1860), qu'il devait peu après déclarer nulle. Les deux infants se retirèrent à Trieste; ils moururent tous deux de la rougeole, à douze jours d'intervalle.

Son neveu, **don Carlos Maria Juan Isidoro de Bourbon** (* Laibach, 30.III.1848, † Varese, 18.VII.1909), fit valoir ses droits de prétendant au trône d'Espagne sous le nom de Charles VII. En 1873, sa venue dans les provinces basques déclencha une nouvelle guerre civile (v. CARLISME); après quelques succès, il dut repasser la frontière française en 1876.

CARLOSTAD, Andreas Bodestein. Voir KARLSTADT.

CARLOTA. Voir CHARLOTTE, impératrice du Mexique.

CARLOVINGIENS. Voir CAROLINGIENS.

CARLOWITZ. Voir KARLOWITZ.

CARLSBAD. Voir KARLSBAD.

CARLSRUHE. Voir KARLSRUHE.

CARMAGNOLA, Francesco Bussone, dit **il** (* Carmagnola, Turin, vers 1380, † Venise, 5.V.1432). Condottiere italien. Au service de Filippo Maria Visconti, duc de Milan, il s'empara de Milan, Alexandrie, Brescia, Gênes, et délivra tout le Milanais (1414/22). Écarté par le Visconti, qui craignait sa puissance, il entra en 1425 au service de Venise, enleva aux Milanais Brescia (1426) et Bergame (1428), remporta sur son ancien patron la victoire de Maclodio (17 oct. 1427), mais, par la suite, ayant subi quelques revers, il fut accusé par les Vénitiens d'intelligences avec les Visconti et exécuté. Manzoni a fait de lui le héros d'une tragédie, *Le Comte de Carmagnola* (1820).

CARMAGNOLE (la). Chant et danse populaire de la Révolution française, dont le

CARLOS
1. Maria José Isidoro de Bourbon, don C. Prince espagnol (1788-1855).
2. Don C. Luis Maria Fernando de Bourbon. Prince espagnol (1818-1861).

Ph. Jeanbor © Photeb

nom rappelle soit la prise de la ville italienne de Carmagnola par les Français (1792), soit une sorte d'habit à la mode à cette époque et appelé *carmagnole*. La *Carmagnole*, qui rivalisa en popularité avec *Ça ira*, fut interdite par Bonaparte en 1799.

CARMAUX. Ville de France (Tarn). Le bassin houiller de Carmaux, exploité depuis le XVIII⁰ s. par la famille de Solages, fut, dans les années 1890, un des plus ardents foyers de l'action syndicale et socialiste en France. En août 1892, la Compagnie des mines congédia un employé qui venait d'être élu maire socialiste de Carmaux : cette atteinte aux droits politiques des travailleurs provoqua une grève, appuyée dans toute la France par un vaste mouvement de solidarité. La Compagnie minière dut capituler; c'est à la suite de cette crise que Jaurès fut élu député de Carmaux (janv. 1893).

CARMEL (mont). Montagne d'Israël, formant dans la mer un promontoire qui protège la baie d'Acre. Les fouilles menées dans les grottes du mont Carmel, de 1929 à 1934, par des archéologues anglais sous la direction de D. Garrod et de D. Bate ont permis de retrouver, à Skuhl et à Taboun, au niveau du moustérien, des squelettes de paléanthropiens présentant des caractéristiques qui les rapprochent de l'homme de Neanderthal et de l'*Homo sapiens*. Les dépôts de la région du mont Carmel s'échelonnent entre le paléolithique inférieur et le mésolithique.
Selon la Bible (I Rois, XVIII), le mont Carmel aurait été le séjour d'Élie, qui y aurait triomphé publiquement des prêtres de Baal. Le mont Carmel fut plus tard un des premiers foyers de la vie monastique chrétienne. C'est également là que fut fondé, en 1156, l'ordre des carmes (v.).

CARMÉLITES. Voir CARMES.

CARMÉLITES DE COMPIÈGNE (les Bienheureuses). Seize religieuses exécutées à Paris, durant la Terreur, le 17 juill. 1794. Les circonstances pathétiques de leur martyre ont inspiré la romancière allemande Gertrud von Le Fort dans *La Dernière à l'échafaud* et Georges Bernanos dans ses *Dialogues des carmélites*.

CARMEN SYLVA. Voir ÉLISABETH, reine de Roumanie.

CARMES (ordre des). L'ordre de Notre-Dame-du-Mont-Carmel fut fondé vers 1156 en Palestine, sur le mont Carmel, par un croisé calabrais, st. Berthold († vers 1195), mais semble se rattacher à un groupe d'ermites établis antérieurement à cet endroit et vivant selon la règle de st. Basile. Selon une tradition, la vie érémitique sur le mont Carmel remonterait même sans discontinuité à Élie et à ses compagnons. Les carmes, vivant dans une solitude et une pauvreté totales, se livrant à la prière, au travail manuel et à des mortifications très sévères,

reçurent leur première règle en 1209, de st. Albert, patriarche de Jérusalem. Dès le début du XIII⁰ s., l'ordre commença à se répandre en Occident et fut rangé par Grégoire IX parmi les ordres mendiants. Sous le généralat de st. Simon Stock (1247/65), le Saint-Siège adoucit la règle des carmes, afin de permettre à ceux-ci de mener la vie commune dans les villes, et leur donna des constitutions imitées de celles des dominicains (1250). L'ordre eut bientôt des professeurs à l'université de Paris, qui furent parmi les premiers défenseurs du dogme de l'Immaculée Conception.
Un nouvel adoucissement de la règle, décidé en 1431 par le pape Eugène IV, provoqua une scission entre les *observantins* et les *conventuels* ou *mitigés*. L'ordre des **Carmélites** fut fondé en 1452 par le bienheureux Jean Soreth († 1471), général des carmes, et se répandit rapidement aux Pays-Bas, en France, en Italie et en Espagne. Au XVI⁰ s., le grave relâchement qui se manifestait dans les branches masculine et féminine de l'ordre suscita la réforme de ste. Thérèse d'Avila (qui fonda le premier couvent de carmélites réformées en 1562) et de st. Jean de la Croix (qui fonda, en 1568, les *carmes déchaussés*). Après de nombreuses luttes, les carmes déchaussés furent affranchis de toute dépendance à l'égard de l'ancien ordre en 1593. Les carmélites furent introduites en France par Mᵐᵉ Acarie et Bérulle en 1604.

CARMES (couvent des). Le plus célèbre des couvents parisiens des Carmes est celui des Carmes déchaussés, fondé rue de Vaugirard en 1611. Désaffecté en 1790, le couvent fut transformé sous la Révolution en prison : 115 prêtres, qui y étaient détenus, y furent assassinés lors des massacres de sept. 1792. En 1845, fut installée dans le couvent une école destinée à favoriser les études supérieures dans le clergé : cette école fut le noyau de l'Institut catholique de Paris (1875).

CARMONA Antonio Oscar de Fragoso (* Lisbonne, 24.XI.1869, † Lumiar, 18.IV. 1951). Général et homme politique portugais. Gouverneur d'Evora, il participa en mai 1926 au putsch militaire dirigé par le général Gomez de Costa, s'assura le pouvoir après le départ de Costa et fut confirmé dans ses fonctions de président de la République par les élections de mars 1928. Le mois suivant, il appela Oliveiro Salazar au gouvernement, d'abord comme ministre des Finances puis comme président du Conseil. Réélu à la tête de l'État en 1935 et en 1942, il ne cessa d'apporter son soutien fidèle à la politique de Salazar.

CARNAC. Ville de France, en Bretagne (Morbihan), près d'Auray. Elle possède le plus important et le plus intéressant ensemble mégalithique (v.) de la Bretagne méridionale : tombes, tumuli et menhirs. Ces derniers forment trois groupes d'alignement : celui de Ménec, qui comprend onze files sur une longueur de plus de

CARMONA
Antonio Oscar de Fragoso.
Général et homme politique
portugais (1869-1951).
Ph. © X. - D.R. Photeb

1 100 m; celui de Kermario, avec dix files sur une longueur d'environ 1 200 m; celui de Kerlescan, avec 13 files sur une longueur de plus de 800 m. Ces trois groupes totalisent 2 934 menhirs, mais il est évident que ce nombre dut être beaucoup plus important autrefois. Le plus important des tumuli est celui du mont Saint-Michel, au sud-est de l'alignement de Ménec. Fouillé en 1862 par René Galles, il a 11 m de haut et mesure 217 m de long sur 59 m de large. Il a livré un outillage de haches plates en pierre polie imitant la forme d'objets de métal, des éléments de colliers en callaïs et en os, etc. (auj. au musée de Vannes). L'ensemble de Carnac, dont la datation est difficile, appartient à la fin du néolithique et au début de l'âge du bronze (vers 2000/1400 av. J.-C.).

CARNARVON Henry Howard Molyneux Herbert, 4ᵉ **comte de** (* Londres, 24.VI. 1831, † Londres, 28.VI.1890). Homme politique anglais. Conservateur, il fut secrétaire aux Colonies dans les ministères Derby (1866/67) et Disraeli (1874/78), fit passer la loi qui créa le Dominion canadien (1867) et tenta vainement de créer en Afrique du Sud un État fédéral sous direction anglaise. Viceroi d'Irlande (1885/86).

CARNATIC. Région historique de l'Inde méridionale, qui s'étend le long de la côte de Coromandel, depuis l'embouchure de la Krishna jusqu'au cap Comorin; le nom de *Carnatic* fut longtemps appliqué à tout le S. du Deccan, y compris la côte du Malabar. Cette région, qui était en relations commerciales avec l'Asie du Sud-Est et l'Insulinde dès la plus haute antiquité, fut partagée entre les royaumes des Chola, des Pandya et des Pallava (v. les articles consacrés à ces dynasties), puis fit partie de l'empire du Vijayanagar (XIVᵉ/XVIᵉ s.). Après 1565, elle fut divisée entre les principautés hindoues de Madura, de Tanjora, de Kancheepuram et le sultanat musulman de Golconde (conquis par Aurengzeb, 1687). A partir de 1750, les Anglais y affirmèrent leur hégémonie, et, en 1801, l'annexèrent.

CARNAVALET (hôtel et musée). Situé à Paris dans le quartier du Marais, l'hôtel Carnavalet fut construit en 1545 pour Jacques de Ligneris, président au parlement. Les sculptures dont il est orné sont dues à Jean Goujon ou à son atelier. Il doit son nom, par corruption, à Mᵐᵉ de Kernevenoy, qui l'habita à la fin du XVIᵉ s. Mᵐᵉ de Sévigné en fut locataire de 1677 à 1696. Après la Révolution, il fut affecté quelque temps à l'École des ponts et chaussées, puis acquis en 1866 par la Ville de Paris, qui y a installé en 1880 un musée dont les collections illustrent l'histoire parisienne, notamment à l'époque de la Révolution.

CARNEGIE Andrew (* Dunfermline, Écosse, 25.XI.1835, † Lenox, Massachusetts, 11.VIII.1919). Industriel américain. Avec son père, un pauvre tisserand, il émigra en 1847 à Pittsburgh et devint télégraphiste dans une compagnie de chemin de fer. Ses capacités étant appréciées, il finit par accéder à la direction du chemin de fer de Pennsylvanie (où il introduisit les premiers wagons-lits). Après la guerre de Sécession au cours de laquelle il avait organisé les transports militaires pour les nordistes, il abandonna les chemins de fer et se consacra au développement des industries du fer et de l'acier, créant peu à peu un formidable empire industriel. Sa plus grande entreprise fut, en 1900, la création de la Carnegie Steel Company of New Jersey, au capital de 320 millions de dollars, qui dominait l'ensemble du marché du fer et de l'acier américain. Elle fut vendue l'année suivante à J.P. Morgan et intégrée dans l'United States Steel Corporation. Carnegie prit alors sa retraite et consacra la dernière partie de sa vie à des œuvres de bienfaisance et à des fondations artistiques et scientifiques (bibliothèques, instituts Carnegie, etc.). Carnegie est demeuré le type même du « self made man » américain et le symbole de l'ère conquérante du capitalisme.

CARNEGIE HALL. Célèbre salle de concert à New York, à l'angle de la 7ᵉ Avenue et de la 57ᵉ Rue. Aux fêtes d'ouverture (5/9 mai 1891), Tchaïkovski vint y diriger lui-même plusieurs de ses œuvres.

CARNÉIA. Dans l'ancienne Grèce, fête d'Apollon Carnéios, protecteur des troupeaux. Fête agraire, elle était célébrée par les Doriens dans tout le Péloponnèse, pendant le mois Carnéios (août). Sa partie la plus caractéristique était une course dans laquelle un jeune homme était poursuivi par cinq « staphylodromes », jeunes gens portant des grappes de raisin; si le fugitif était rattrapé, c'était de bon augure pour les récoltes.

CARNIÈRES. Ville de Belgique (Hainaut), à l'ouest de Charleroi. En 1170, victoire d'Henri l'Aveugle, comte de Namur, sur Godefroi, duc de Brabant, et Baudouin IV, comte de Hainaut.

CARNIOLE, *Krain.* Région des Alpes, comprise entre la Carinthie, la Croatie et l'Adriatique, appartenant aujourd'hui à la Yougoslavie (ville principale *Ljubljana*). Incluse, à l'époque romaine, dans la province de Pannonie, la Carniole fut occupée par les Slovènes vers la fin du VIᵉ s. Au VIIIᵉ s., elle passa avec la Carinthie sous l'autorité des ducs de Bavière et devint ensuite une marche d'Empire, où le christianisme pénétra en même temps que la culture germanique. En 1335, les Habsbourg s'en assurèrent la maîtrise entière et elle fut érigée en duché. La Carniole, rattachée à l'Empire français de 1809 à 1813, revint à l'Autriche en 1815, fut partagée après 1918 entre la Yougoslavie et l'Italie, en 1941 entre l'Allemagne et l'Italie, avant d'être complètement annexée à la Yougoslavie en 1945 et comprise dans la République autonome de Slovénie.

CARNEGIE
Andrew. Industriel américain (1835-1919).

CARNOT
Lazare. Homme politique
français (1753-1823). (Musée
nat. du château de Versailles.)
Ph. H. Josse © Photeb

CARNOT
François Marie Sadi. Homme
politique français (1837-1894).
Ph. J.L. Charmet © Arch. Photeb

CARNOT Lazare Nicolas Marguerite (* Nolay, Côte-d'Or, 13.V.1753, † Magdebourg, 2.VIII.1823). Homme politique français. Sorti de l'école de Mézières, capitaine du génie en 1783, spécialiste des fortifications, il se rallia à la Révolution. Député du Pas-de-Calais à la Législative, chargé d'une mission à l'armée du Rhin dès août 1792, il siégea ensuite à la Convention et vota la mort de Louis XVI sans appel ni sursis. Il entra au Comité de salut public en août 1793, mais s'occupa exclusivement des opérations militaires, assisté, pour tout ce qui concernait le matériel de guerre, par Prieur de la Côte-d'Or. Indifférent aux luttes de partis mais obligé de résister aux pressions des hébertistes, grand travailleur, homme d'ordre, de méthode et de décision, il s'entoura d'un état-major composé d'officiers de l'armée de l'Ancien Régime. Partisan du service militaire obligatoire, il obtint, non sans difficultés, la décision de la levée en masse (23 août 1793). Il assura la cohésion de la nouvelle armée nationale en réalisant, durant l'hiver 1793/94, l'amalgame, qui associait deux bataillons de « bleus » avec un bataillon d'anciens soldats pour former une demi-brigade. Il rétablit énergiquement la discipline. Dirigeant effectivement les opérations, et parfois sur place, comme à Wattignies (sept. 1793), il sut inspirer aux chefs un esprit d'offensive. « Soyez attaquants, écrivait-il, sans cesse attaquants. » Il mérita d'être appelé, au cours d'une séance de la Convention, le 28 mai 1795, « l'Organisateur de la victoire ». Inquiet de la politique de Robespierre, exaspéré par les critiques de Saint-Just, il contribua au 9-Thermidor. Devenu membre du Directoire (nov. 1795), il se trouva bientôt en opposition avec Barras, se rapprocha des modérés, et, lors du coup d'État du 18-Fructidor, il n'échappa à l'arrestation que par la fuite. Réfugié en Allemagne, il fut rappelé par Bonaparte et devint ministre de la Guerre pendant quelques mois, en 1800. Membre du Tribunat, il s'opposa à l'institution du Consulat à vie puis de l'Empire. Il choisit alors la retraite, s'occupa d'études mathématiques et militaires, publia une *Géométrie de position* (1803) et un important traité *De la défense des places fortes* (1810). En 1814, voyant la France menacée de nouveau par l'invasion, il offrit ses services à Napoléon, qui lui confia la défense d'Anvers. Ministre de l'Intérieur pendant les Cent-Jours, il fut banni en 1816, comme régicide, et se retira à Varsovie, puis à Magdebourg, d'où ses restes furent ramenés en France (1889) pour être déposés au Panthéon. Sa *Correspondance 1793-95* a été publiée par E. Charavay (1892-1907).

Son fils, **Nicolas Léonard Sadi Carnot** (* Paris, 1.VI.1796, † Paris, 24.VIII.1832), fit de brillantes études à l'École polytechnique et devint capitaine du génie. Fondateur de la thermodynamique, il est l'auteur de *Réflexions sur la puissance motrice du feu* (1824), où il formula le « principe de Carnot », relatif à la transformation de chaleur en travail mécanique.

Lazare Hippolyte Carnot (* Saint-Omer, 6.VIII.1801, † Paris, 16.III.1888), frère du précédent, avocat et publiciste, adhéra d'abord au saint-simonisme, fut élu député en 1839 et devint l'un des chefs du parti républicain. Après la révolution de 1848, il fut quelque temps ministre de l'Instruction publique. Membre du Corps législatif en 1863, de l'Assemblée nationale en 1871, sénateur à vie en 1875.

François Marie Sadi Carnot (* Limoges, 11.VIII.1837, † Lyon, 25.VI.1894), fils du précédent, fit ses études à l'École polytechnique et devint ingénieur des Ponts et Chaussées. Élu à l'Assemblée nationale en 1871, à la Chambre des députés en 1876, ministre des Finances en 1885, intègre mais effacé, il fit sur son nom l'union de la gauche quand on dut élire le successeur de Jules Grévy, compromis dans le scandale des décorations. « Il n'est pas très fort, dit de lui Clemenceau, mais il porte un nom républicain. » Le 3 déc. 1887, il fut choisi comme président de la République par 616 suffrages sur 827. Son septennat fut marqué par l'agitation boulangiste, le scandale de Panama, le ralliement d'une partie de l'opinion catholique au régime républicain, les débuts du mouvement syndical et l'agitation anarchiste. Sadi Carnot fut assassiné à Lyon par le jeune anarchiste italien Caserio.

CARNUNTUM. Ancien camp romain de Pannonie, sur le Danube, qui se trouvait à l'emplacement de l'actuelle *Petronell,* à l'est de Vienne. Elle fut la base des opérations de Tibère et de Marc Aurèle contre les Marcomans. La légion XV Apollinaris s'y installa sous le règne de Tibère et y séjourna jusqu'en 114; elle fut alors remplacée par la légion XIV Gemina. C'est à Carnuntum que Septime Sévère, légat de Pannonie Supérieure, fut proclamé empereur par l'armée d'Illyrie (13 avr. 193). Carnuntum fut emporté par les Barbares vers 400.

Entrevue de Carnuntum (307). A la suite de l'insurrection de Maxence et de l'alliance de celui-ci avec Constantin, cette conférence réunit Dioclétien, Galère et Maximien, qui essayèrent vainement de rétablir la tétrarchie en proposant comme augustes Galère et Licinius, comme césars Maximin et Constantin, ces deux derniers devant recevoir le titre de « fils des augustes ». Mais Constantin refusa d'abdiquer le titre d'auguste qu'il s'était arrogé et Maximin se proclama à son tour auguste.

CARNUTES. Peuple de la Gaule celtique qui occupait le plateau alors boisé situé entre la Seine et la Loire. Il avait pour villes principales *Cenabum* (Orléans) et *Autricum* (Chartres). Le pays des Carnutes était comme « l'ombilic sacré de la Gaule » (A. Grenier). Dans ses forêts se réunissait

CARNUTES
Monnaie d'or. (Cabinet des
Médailles.)

l'assemblée des druides. C'est peut-être pour cette raison que les Carnutes donnèrent le signal du grand soulèvement gaulois de 52 av. J.-C. en massacrant tous les Romains établis à Cenabum. A l'époque impériale, les Carnutes reçurent un statut de municipe.

CARNUTUM. Voir CARNUNTUM.

CAROL Ier, II. Voir CHARLES Ier, II de Roumanie.

CAROLINE. Région de l'Amérique du Nord, bordant l'océan Atlantique, située entre la Virginie au nord et la Georgie au sud. Elle forme deux des États unis d'Amérique, la **Caroline du Nord** *(North Carolina),* cap. *Raleigh,* et la **Caroline du Sud** *(South Carolina),* cap. *Columbia.* La Caroline, longtemps connue sous le nom d'Albemarle, découverte en 1512 par l'Espagnol Ponce de León, fut concédée en 1584 par la reine Élisabeth Ire à sir Walter Raleigh, qui tenta sans succès d'y fonder des établissements. En 1564, le Français Jean de Ribault, envoyé par Charles IX, était arrivé en Caroline du Sud, à laquelle il avait donné le nom de *Caroline* en l'honneur de son roi; dès l'année suivante, la colonie qu'il avait fondée fut surprise et détruite par les Espagnols. En 1663, Charles II d'Angleterre concéda le territoire situé entre le 31e et le 36e parallèle à lord Clarendon et à sept compagnons, qui y fondèrent des établissements privés dont le gouvernement anglais obtint la propriété en 1728. En 1670, le grand philosophe anglais Locke avait rédigé pour la Caroline une Constitution, mais elle ne put être appliquée. Ralliées au mouvement d'indépendance, les deux Carolines conquirent leur liberté à la bataille d'Eutaw Springs (6 sept. 1781). Durant la guerre de Sécession, elles se rallièrent toutes deux à la Confédération sudiste : la Caroline du Sud fut le premier État à faire sécession de l'Union (20 déc. 1860). Sherman dévasta le pays en 1865.
● La Caroline du Nord, en 1987, comptait 6 330 000 habitants, dont trois quarts de Blancs pour un quart de Noirs. La Caroline du Sud comptait 3 380 000 habitants, dont deux tiers de Blancs pour un tiers de Noirs.

CAROLINE (Constitution), *Constitutio Criminalis Carolina.* Loi du Saint Empire promulguée par Charles Quint à la diète de Ratisbonne en 1532; elle réglait la procédure criminelle en Allemagne, mettait un terme à l'arbitraire, prescrivant notamment la publicité des débats et la publication des jugements. Elle resta pendant longtemps la base du droit criminel allemand. Édition par Kohler et Scheel (1900-15).

CAROLINE BONAPARTE. Voir BONAPARTE.

CAROLINE MARIE, reine de Naples. Voir MARIE-CAROLINE.

CAROLINE MATHILDE (* 1751, † Celle, 1775). Reine de Danemark. Sœur de Georges III d'Angleterre, mariée en 1766 à Christian VII de Danemark, qui ne tarda pas à la délaisser, elle devint la maîtresse du ministre Struensee et prit part à ses projets ambitieux. Compromise à la chute du ministre (1772), elle fut répudiée et renvoyée dans son pays natal.

CAROLINE DE BRUNSWICK (* Brunswick, 17.V.1768, † Londres, 7.VIII.1821). Reine de Grande-Bretagne et d'Irlande. Seconde fille de Charles-Guillaume, duc de Brunswick-Wolfenbüttel, et de la princesse Augusta, sœur de Georges III d'Angleterre. Mariée en 1795 au futur Georges IV, alors prince de Galles, elle eut de cette union, l'année suivante, la princesse Charlotte, mais les deux époux, qui s'entendaient mal, décidèrent d'un commun accord de se séparer. La conduite de Caroline après cette séparation donna lieu à des soupçons justifiés et à des débats scandaleux. Après s'être vu intenter par son mari une première accusation d'adultère (1806), la princesse voyagea à travers l'Europe en compagnie de l'Italien Bergami. Lorsque Georges IV accéda au trône (1820), il lui offrit une rente annuelle de 50 000 livres à la condition qu'elle renoncerait à son titre de reine et vivrait à l'étranger, mais elle refusa. Poursuivie une nouvelle fois pour adultère, elle fut remarquablement défendue par Brougham, qui gagna à sa cause l'opinion publique, et, en dépit de ses torts évidents, le divorce ne put être prononcé. Caroline était décidée à jouir de toutes les prérogatives de son rang royal, mais, le jour du couronnement (19 juill. 1821), son mari lui fit interdire la porte de l'abbaye de Westminster. Elle mourut peu après ce dernier affront.

CAROLINES (îles). Archipel de l'océan Pacifique, le plus grand de la Micronésie, au nord de l'équateur. Il comprend environ 500 petites îles. Occupées au moins dès le IIe s. avant notre ère, ces îles subirent des influences polynésiennes. Elles furent en relations commerciales avec la Chine dès le VIIe s. Découvertes en 1527 par les Portugais et nommées alors Sequeira, annexées en 1686 par les Espagnols et rebaptisées en l'honneur du roi Charles II, ces îles restèrent jusqu'au XIXe s. sous la souveraineté nominale de l'Espagne, qui n'y porta aucun intérêt. En 1885, l'équipage du navire *Iltis* hissa le drapeau allemand sur l'île de Jap; cet acte provoqua un différend germano-espagnol qui fut résolu, en 1899, par la vente à l'Allemagne, pour la somme de 17 millions de marks, des Carolines, des Mariannes et des îles Palau. Placées sous mandat japonais après 1918, les Carolines — et notamment l'atoll de Truk — furent transformées en base navale, d'où la marine nippone lança ses attaques contre les Salomon et Guadalcanal durant la Seconde Guerre mondiale. En août 1944, les Américains s'emparèrent de Palau. Les Carolines forment aujourd'hui un territoire

sous tutelle de l'O.N.U., et dont l'administration est exercée par les États-Unis.
● Depuis le 31 oct. 1980, les Carolines à l'est de l'archipel de Yap forment les États fédérés semi-indépendants de Micronésie (leur défense seule incombe aux États-Unis). L'archipel de **Palau,** qui en est détaché, forme lui aussi un État semi-indépendant.

CAROLINGIENS

CAROLINGIENS
Denier de Charles le Chauve (843/877) avec son monogramme. (Cabinet des Médailles.)
Ph. © Bibl. Nat., Paris - Photeb

CAROLINGIENS. Famille qui régna sur l'Europe occidentale (à l'exception de la péninsule Ibérique, des îles Britanniques et de l'Italie méridionale), du milieu du VIIIe au début du Xe s.

Histoire de la dynastie

La dynastie carolingienne a trouvé son ascendance chez deux chefs de l'aristocratie austrasienne : st. Arnoul, évêque de Metz, et Pépin de Landen, maire du palais d'Austrasie. Anségisel († 679), fils de st. Arnoul, épousa Begga, fille de Pépin de Landen; de ce mariage sortit la famille des Carolingiens, ainsi appelés du fait de leurs deux plus illustres représentants, Charles Martel et Charlemagne. Géographiquement, le berceau de cette famille fut la région entre Meuse et Rhin, qui, à la suite de l'invasion musulmane dans le bassin occidental de la Méditerranée, allait devenir le centre principal de l'activité politique et économique de l'Occident. Dès le milieu du VIIe s., le fils de Pépin de Landen, Grimoald, se crut assez puissant pour essayer de renverser les Mérovingiens à la mort de Sigebert III (656); mais il échoua, fut tué avec son fils, sans que la puissance foncière de sa famille ait été diminuée pour autant.
L'ascension des Carolingiens commença avec Pépin de Herstal, fils d'Anségisel et de Begga, neveu de Grimoald. Instruit par l'échec de ce dernier, Pépin de Herstal se posa au contraire en restaurateur du royaume mérovingien. Maire du palais d'Austrasie, il battit les Neustriens à Tertry (687) et devint ainsi le maître de tous les territoires francs. Son fils, Charles Martel (714/41), parvint, non sans combats, à se faire reconnaître comme maire du palais aussi bien en Neustrie qu'en Austrasie. Sa victoire sur les Arabes, à Poitiers (732), lui conféra une autorité désormais incontestée. Dès son règne, les Carolingiens nouèrent une alliance durable avec le Saint-Siège, qui avait besoin d'eux pour résister à la pression lombarde. Fils et successeur de Charles Martel, Pépin le Bref (741/768) renversa le dernier Mérovingien, Childéric III, en 751 et légitima ce coup d'État en se faisant proclamer roi par les nobles, puis sacrer par le pape Étienne II (754). Son successeur, Charlemagne (768/814) se fit sacrer empereur à Rome en 800 et porta la dynastie carolingienne à son apogée.

Soldat terrassant un ennemi. Ivoire du IXe-Xe s. (Musée du Bargello, Florence.)
Ph. © Titus

Cependant, l'empire qu'il avait fondé se démembra rapidement. Dès 817, son fils et successeur, Louis le Pieux (814/840), partagea son pouvoir avec ses trois fils, Lothaire, Louis et Pépin. La naissance d'un quatrième fils, Charles, remit ce partage en question et provoqua la révolte des aînés contre leur père, puis, après la mort de Louis le Pieux (840), une guerre civile entre tous les héritiers. Lothaire Ier, empereur (840/855), fut battu par ses frères, Louis le Germanique et Charles le Chauve, à Fontenay-en-Puisaye (841). Après des luttes terribles, les trois frères finirent par s'entendre pour partager l'empire, au traité de Verdun (843) : Louis le Germanique eut toute la partie de l'empire s'étendant à l'est du Rhin; Charles le Chauve prit les pays situés à l'ouest de l'Escaut, de la Meuse, du Rhin et de la Saône *(Francia occidentalis);* Lothaire se vit attribuer, avec la dignité impériale, une longue bande de territoire allant de la mer du Nord à l'Italie entre les possessions de ses frères. A la mort de Lothaire (855), ses États furent partagés entre ses trois fils : Louis II, qui eut le titre impérial et l'Italie; Charles, qui devint roi de Provence; Lothaire II, qui régna sur les pays entre la Meuse et le Rhin (Lotharingie). Dès la disparition de Lothaire II (869), cette Lotharingie fut partagée par le traité de Mersen (870) entre Charles le Chauve et Louis le Germanique : à partir de ce moment, France et Allemagne, *Francia occidentalis* et *Francia orientalis* se touchèrent comme des États séparés. Désormais, les Carolingiens furent représentés essentiellement par deux branches : celle d'Allemagne, issue de Louis le Germanique; celle de France, issue de Charles le Chauve.
En Allemagne, l'héritage de Louis le Germanique fut d'abord partagé entre ses trois fils, Carloman, roi de Bavière, Louis, roi de Saxe, et Charles le Gros. Celui-ci reçut le titre impérial (881), réunifia l'héritage de son père et réunit même une dernière fois l'ancien empire de Charlemagne puisqu'il fut également choisi comme roi de France en 884. Ce n'était pourtant qu'un souverain faible, et il fut déposé en 887 par les grands de Germanie, à la diète de Tibur. L'unité carolingienne disparut cette fois pour toujours. Un neveu de Charles le Gros, Arnoul de Carinthie, lui succéda comme roi de Germanie (887/899)

CAROLINGIENS

et comme empereur (896/899), mais, à la mort de son fils, Louis l'Enfant (899/911), le trône germanique vacant ne fut pas offert au Carolingien survivant, Charles III le Simple, roi de France. Dès 919, Henri Ier l'Oiseleur fonda en Allemagne une dynastie nouvelle, la dynastie saxonne.

En France, Charles le Chauve (843/877) eut pour successeur son fils Louis II le Bègue (877/879), dont l'héritage fut partagé entre ses deux fils, Louis III (879/882) et Carloman (879/884). A la mort de ce dernier, Charles le Gros, empereur et roi de Germanie, fut choisi comme roi de France (884/887), mais sa passivité en face des invasions normandes atteste symboliquement la décadence des Carolingiens. Dans le siècle qui suivit, les Carolingiens, impuissants devant le morcellement féodal, se virent de plus contestés par une nouvelle famille, celle des Robertiens (qu'on appela plus tard les Capétiens), lesquels réussirent à obtenir la couronne de 888 à 898 et de 922 à 936. Les derniers Carolingiens de France furent : Charles III le Simple (893/923), Louis IV d'Outre-Mer (936/954), Lothaire (954/986), Louis V (986/987). A la mort de ce dernier, l'élection d'Hugues, comte de Paris et duc de France, inaugura l'âge des Capétiens (v.).

La monarchie carolingienne

Les Carolingiens reprirent l'œuvre de la conquête franque et fondèrent un empire européen (v. FRANC, peuple et Empire), qui, dans sa plus grande extension, au temps de Charlemagne, s'étendit de l'Èbre, au-delà des Pyrénées, à l'Elbe, en Allemagne du Nord, de la marche de Bretagne au Danube, et de la Frise à Rome. A la différence du royaume mérovingien, où les Francs firent longtemps figure d'occupants militaires, cet empire englobait une majorité germanique. Il n'était pas fait d'un peuple dominateur et de peuples soumis; pour la première fois depuis la fin de l'Empire romain, l'Europe occidentale constitua un ensemble régi par des institutions uniformes qui permirent non seulement la coexistence mais une première synthèse entre l'héritage de la romanité et l'apport germanique.

L'avènement des Carolingiens fut marqué par une innovation capitale : le recours au sacre, venu de la Bible, déjà connu des Wisigoths et des Anglo-Saxons mais ignoré des Mérovingiens. Pépin le Bref, qui avait reçu dès 752 l'onction des mains de st. Boniface, se fit sacrer de nouveau, par le pape Étienne II, deux ans plus tard. Dès ce moment, les Carolingiens, alliés du Saint-Siège contre les Lombards, remplaçaient l'empereur byzantin défaillant dans le rôle de protecteur de l'Église, et le passage à l'empire, réalisé par le sacre de Charlemagne à Rome, à la Noël de l'an 800, ne fit que consacrer une situation de fait. L'empereur carolingien se considère à la fois comme le successeur légitime des empereurs romains et comme le délégué personnel de Dieu sur la terre. La royauté

devient donc une fonction religieuse : compte tenu de la mentalité de l'époque, on peut dire que Charlemagne et Louis le Pieux s'efforcèrent sincèrement, consciencieusement, de gouverner selon les principes chrétiens, de protéger l'Église, de faire pénétrer la morale de l'Évangile dans la vie économique. Mandataire de Dieu, l'empereur carolingien n'est pas cependant, et ne veut pas être un ministre de l'Église. L'Église n'est pas au-dessus de l'empire, comme dans la conception théocratique augustinienne, mais dans l'empire. L'empereur n'est pas le bras séculier de l'Église, il est lui-même le gardien actif de la foi. En fait, l'équilibre entre le pape et l'empereur, qui est une des bases de l'édifice carolingien, resta toujours précaire. Sous Pépin le Bref et surtout sous Charlemagne, c'est le pape qui obéit au monarque, lequel s'immisce systématiquement dans les affaires intérieures de l'Église. Avec Louis le Pieux, la situation se renverse; le pape s'émancipe de la tutelle temporelle et c'est lui qui va intervenir de plus en plus dans la vie de l'empire, jusqu'à désigner l'empereur, comme le fit Jean VIII pour Charles le Chauve (875), puis pour Charles le Gros (881). Les querelles successorales, qui se multiplièrent après Louis le Pieux, livraient ainsi l'empire à l'arbitrage du Saint-Siège. Trop marqués encore par les traditions germaniques, les Carolingiens ne surent pas tirer toutes les conséquences du caractère sacré que leur conférait l'onction chrétienne. Moins rare que sous les Mérovingiens, l'unité monarchique fut pourtant loin d'atteindre la rigueur qui devait être la sienne sous les Capétiens. Morcellements et partages continuèrent à la mort des souverains (et parfois même de leur vivant : ainsi Charlemagne et Carloman se partagèrent le trône entre 768 et 771, Louis le Pieux dut s'associer ses fils, en 817 et 838, Louis III et Carloman régnèrent ensemble de 877 à 882). Plus graves encore furent les partages de 843 (Verdun) et de 870 (Mersen), qui portèrent des coups irréparables à l'unité de l'empire et consommèrent la séparation entre la France et l'Allemagne. L'hérédité également restait fragile : en fait, tous les Carolingiens furent élus, comme Pépin le Bref l'avait été après le coup d'État de 751. L'élection s'accordait bien avec l'idée religieuse attachée à la royauté carolingienne. « La royauté est non un droit mais une fonction, théoriquement confiée par le peuple et l'Église à celui qui paraît le plus digne. » (J. Ellul.) La transmission du pouvoir s'effectuait par un compromis entre l'hérédité et l'élection. Les premiers Carolingiens étaient assez puissants pour forcer la main des grands en faisant ratifier de leur vivant le choix qu'ils avaient fait de leur héritier. Mais quand la dynastie s'affaiblit, l'élection redevint libre, et l'hérédité, qui avait assuré la force originelle des Carolingiens – depuis Pépin de Herstal –, fut écartée en 888, 922, 923 et enfin 987, avec l'élection d'Hugues Capet, au profit des descendants de Robert le Fort, les futurs Capétiens.

797

CAROLINGIENS

Détachement de cavalerie. Miniature du « Psautier d'or » de Saint-Gall. IXᵉ s.

Les soldats mérovingiens se battaient surtout à pied.

Depuis lors, l'élevage des chevaux de bonne race s'est répandu;

l'art de l'équitation s'est perfectionné

par la chasse aux grands animaux sauvages

dans les forêts ou les landes, encore immenses.

Mais à cause de son coût, le cheval de bataille,

de même que l'écuyer, n'est exigé par le souverain

que des propriétaires de 120 à 180 ha.

Les petits propriétaires sont fantassins,

bagages et ravitaillement suivant dans de lourds chariots.

Ainsi Charlemagne pourra-t-il mener cinquante-cinq expéditions, de l'Oder

à l'Elbe. Mais les petites armées de ses successeurs,

mobilisées trop lentement, au coup par coup,

auront grand mal à faire face aux Hongrois, aux Sarrasins et aux Normands.

Ph. © Stiftsbibliothek St Gallen - Photeb

L'État carolingien et la genèse de la féodalité

Parce qu'il affirme détenir de Dieu un pouvoir de soi universel, l'empereur carolingien est théoriquement absolu; il peut tout sur la terre, il n'est limité que par sa religion. A cette conception correspondit, chez Charlemagne, et même chez Louis le Pieux, une réelle volonté centralisatrice. Les assemblées politiques — v. PLAID, CHAMP DE MAI —, devenues de véritables institutions du pouvoir central, n'avaient encore, au début du IXᵉ s., qu'un caractère consultatif et l'empereur n'était pas tenu de suivre leur avis. Les comtes (v.), agents essentiels de l'administration locale, étaient choisis librement par l'empereur, en général dans les vieilles familles de l'aristocratie franque, et révocables à son gré. Leurs pouvoirs étaient sans doute très étendus (aussi bien l'administration générale que des attributions militaires, financières, judiciaires), mais les comtes étaient surveillés par les *missi dominici* (v.), qui furent, pour Charlemagne, un moyen essentiel de gouvernement.

Cette tentative de centralisation politique n'eut cependant quelque efficacité que sous le règne de Charlemagne. Des causes diverses expliquent son échec : l'étendue de l'Empire, la dispersion d'une économie qui devenait de plus en plus domaniale, mais surtout la fragilité de la notion de l'État dans l'immense majorité des esprits. Le système carolingien reste fondé sur les liens personnels d'homme à homme, venus de la tradition germanique. Empire guerrier, successivement aux prises avec les Arabes, les Lombards, les Frisons, les Avares, plus tard en proie à de terribles guerres civiles successorales et à la menace des Normands, des Hongrois, l'Empire carolingien n'a pu résoudre son problème militaire permanent — alors que la prédominance nouvelle de la cavalerie augmentait considérablement le coût des campagnes — qu'en faisant appel à la fidélité des grands, rétribués par le roi avec des terres concédées en bénéfices (v.). Pour faire face à ce besoin de terres à distribuer, on avait eu recours à la spoliation des biens d'Église (sous Charles Martel), à la conquête (sous Charlemagne), mais, quand la période des conquêtes fut révolue, quand l'Église, se reprenant en face d'un pouvoir affaibli, cessa de se laisser dépouiller, les Carolingiens, pour retenir leurs fidèles, amenuisèrent peu à peu le domaine royal et glissèrent sur la pente d'une ruine inéluctable, entraînant la pulvérisation de la puissance publique. Les comtes, que l'on rémunérait également par un bénéfice, réussirent, dès la première moitié du IXᵉ s., à s'assurer la jouissance viagère de ce domaine, que le roi, en réalité, ne pouvait plus jamais leur reprendre. A partir de 843, les comtes furent pratiquement irrévocables. Ils devenaient en outre héréditaires et le fameux capitulaire de Kiersy-sur-Oise (v.), en 877, ne fit que renforcer cette hérédité de fait.

A tous les échelons de la société, les liens personnels se substituaient à l'autorité de l'État. Dès l'époque de Charlemagne, la base du pouvoir politique était le serment personnel que chaque homme était tenu de prêter au souverain. Cependant, depuis le milieu du VIIIe s., les Carolingiens avaient pris l'habitude de s'attacher plus particulièrement, par le rite de la *commendatio* (v.), des vassaux (v.) qui succédaient aux antrustions (v.) mérovingiens. A l'imitation du roi, les grands — comtes et grands propriétaires — eurent bientôt leurs propres vassaux; ceux-ci n'étaient, à l'origine, astreints qu'à des besognes administratives ou domestiques mais ils durent bientôt, sur l'ordre de Charlemagne lui-même, suivre leur seigneur à l'armée royale. Ce courant de vassalité, les Carolingiens, loin de l'endiguer, le favorisèrent, parce qu'il les déchargeait d'une partie de leurs responsabilités administratives et financières. Aussi bien le vassal privé restait-il sujet du roi, et le seigneur servait d'intermédiaire entre le roi et lui. Si le pouvoir central avait su se maintenir fort, les Carolingiens seraient ainsi devenus les « seigneurs des seigneurs ». C'est dans cet esprit que Charlemagne, en 813, défendit à quiconque d'abandonner son seigneur et, plus tard, que Charles le Chauve, par le capitulaire de Mersen (847), invitait les hommes libres à entrer dans le lien vassalique, ce qui finit par devenir une obligation (865).

« En rendant ainsi la vassalité obligatoire pour ses sujets libres, le roi croit les encadrer solidement dans un vaste réseau de liens personnels dont il occupe le sommet et il ne voit pas le danger de cette médiatisation du pouvoir : les *vassi* s'habituant à obéir en toutes choses à leur *senior* et à le considérer comme leur véritable chef, si le roi perd son autorité sur ses propres *vassi*, il la verra disparaître du même coup sur l'ensemble de ses sujets. » (P.-C. Timbal.) C'est ce qui se passa en effet dans l'insécurité générale créée, vers le milieu du IXe s., par les guerres fratricides entre les princes carolingiens, aggravées, aux IXe/Xe s., par les invasions normandes, sarrasines et hongroises. La monarchie carolingienne devint peu à peu un fantôme, l'Empire franc se décomposa et des États seigneuriaux en nombre infini s'installèrent sur ses décombres.

L'économie carolingienne

La faiblesse la plus grave peut-être résidait dans la contradiction entre la tendance unitaire, expansive, inhérente à l'idée d'empire et les forces économiques centrifuges qui étaient en train d'établir en Europe occidentale une économie terrienne constituée par des domaines vivant presque entièrement isolés et fermés sur eux-mêmes, en autarcie. Charlemagne voulut cependant une réforme profonde de l'économie — on a pu parler de son « dirigisme ». Il commença par une réforme monétaire, qui établit un monométallisme argent et réserva le monopole de la frappe aux ateliers royaux. Cette monnaie

CAROLINGIENS
Souverain couronné. Détail d'une miniature du « Sacramentaire » dit de Metz. Seconde moitié du IXe s. Elle célèbre peut-être l'introduction en Gaule de la liturgie romaine par Pépin le Bref, sous les traits de Charles le Chauve ou de Lothaire.
Ph. © Bibl. Nat., Paris
Archives Photeb

d'argent conserva un bon titre jusque vers 875, mais les Carolingiens étaient alors trop affaiblis pour pouvoir maintenir les prérogatives de l'État dans le domaine monétaire; dès la fin du IXe s., des concessions accordées aux évêques, puis aux comtes, amenèrent la transition du monnayage royal au monnayage féodal. Plusieurs facteurs grevèrent la politique économique des Carolingiens : les nécessités militaires (« l'économie carolingienne a été une économie de guerre », souligne R. Latouche); l'emprise énorme des principes chrétiens, qui détournaient les hommes de l'activité économique, du profit, du commerce, de l'argent (interdiction totale du prêt à intérêt à partir du IXe s.); les transformations, soulignées et parfois exagérées depuis Henri Pirenne, que la conquête arabe apporta dans la vie économique européenne. Coupé économiquement de l'Orient par les musulmans, l'Occident dut alors renoncer à vivre de la Méditerranée. L'Empire carolingien fut donc purement terrien, replié sur lui-même, condamné à vivre en économie fermée. Les VIIIe/IXe s. furent marqués par une disparition presque complète du grand commerce en Occident et, par conséquent, de la classe marchande, qui n'a aucune place dans les structures sociales carolingiennes. On achète et on vend peu, le numéraire est rare, la richesse est constituée essentiellement par la très grande propriété foncière, qui triomphe au IXe s. C'est dans ce cadre domanial que se concentrent non seulement la vie agricole des villages libres (les petits propriétaires disparaissent entièrement) — v. AGRICULTURE, PAYSANS, VILLA —, mais aussi les industries artisanales. Chaque *villa* produit à peu près tout ce qu'elle consomme et consomme tout ce qu'elle produit. L'époque carolingienne est ainsi marquée par une profonde régression économique, qu'attestent bien le retour de plus en plus général, pour les échanges subsistants, à une économie de troc et la multiplication des prestations et des corvées comme forme des redevances à l'État.

La « renaissance carolingienne »

Malgré toutes ses faiblesses, cet empire a laissé un grand souvenir parce qu'il a été le creuset où se fondirent définitivement peuples conquérants et peuples conquis, Germains, Gaulois et Romains, pour n'être plus que des chrétiens et des Européens. C'est lui qui a attaché solidement la future Allemagne à l'Occident, lui encore qui a empêché l'Italie d'être absorbée dans l'orbite byzantine. Malgré les futures divisions nationales, ce souvenir carolingien continua d'appeler les peuples d'Europe à un destin commun, dans la continuité de l'ancien Empire romain d'Occident. Le dessein de Charlemagne était de faire régner la paix à l'intérieur de l'empire non seulement par l'unification politique, mais aussi par l'unité de foi et par une civilisation commune.

Dans le siècle qui s'étendit entre 775 et 875 environ, se produisit une renaissance intellectuelle qui ne laissa certes aucune œuvre originale et profonde, mais assura pour toujours la transmission de l'ancienne culture latine païenne et chrétienne. Dans l'immédiat, les Carolingiens ne songèrent sans doute, en développant les écoles, qu'à la formation d'un clergé plus instruit. Cependant, l'école palatine (v.), où fut appelé vers 782 l'Anglais Alcuin (v.), accueillait déjà, à côté d'enfants, Charlemagne lui-même, et sa famille, et ses grands. En 788, Charlemagne ordonna que des écoles soient ouvertes dans tous les diocèses, mais les monastères firent un effort encore plus grand que les évêques dans ce domaine. Un peu plus tard, sous le règne de Louis le Pieux, se multiplièrent des écoles primaires de campagne, ouvertes par les curés des paroisses rurales. A côté d'Alcuin, les principaux maîtres de ce temps furent le philosophe irlandais Jean Scot Erigène, les Italiens Paul Diacre (auteur d'une *Histoire des Lombards*) et

Paulin d'Aquilée (grammairien), les historiens francs Nithard et Ermold le Noir.

La renaissance carolingienne s'étendit également aux arts : l'architecte de Charlemagne, Éginhard (qui fut aussi le biographe de l'empereur), construisit à Aix-la-Chapelle le palais impérial, qui était comme une véritable ville, et la chapelle Palatine, qui subsiste encore, de même que des fragments de l'église de Steinbach et de la basilique de Seligenstadt. En France, le principal monument conservé de l'époque carolingienne est l'église de Germigny-des-Prés (début du IXᵉ s.). L'art de la miniature fleurit avec un éclat tout particulier dans le *Sacramentaire de Gelone*, le *Sacramentaire d'Autun*, le *Psautier d'Utrecht*, la *Bible de Charles le Chauve*, le *Sacramentaire de Drogon*, etc. Enfin l'abbaye de Saint-Gall apporta des formes nouvelles de développement au chant grégorien avec les séquences ainsi qu'avec les tropes.

CAROLUS. Monnaie française frappée sous Charles VIII et valant 10 deniers tournois ou un blanc. Elle se distinguait du blanc par son K gothique couronné, initiale du mot Karolus. On connaît également des carolus de Lorraine (XIVᵉ/XVᵉ s.), de Flandre et de Besançon (règne de Charles Quint) et des carolus d'or frappés en Angleterre sous Charles Iᵉʳ.

CARONADE. Pièce de canon courte et légère, tirant à mitraille contre le personnel (20 à 35 kg de balles d'un seul coup). Fabriquée à partir de 1774 à l'arsenal de Carron (Écosse), elle fut adoptée par la marine anglaise en 1778, puis par toutes les autres marines, et resta en usage jusque vers le milieu du XIXᵉ s.

CAROUGE. Ville de Suisse (Genève). Fondée au XIIIᵉ s., Carouge n'était encore qu'un village lorsqu'en 1786 le roi Victor-Amédée II de Savoie l'érigea en chef-lieu de province et essaya d'en faire une rivale de Genève. Le traité de Turin (1816) donna cette ville au canton de Genève.

CARP Petrache (* Iassy, 29.VI.1837, † Tripanesti, 22.VI.1919). Homme politique roumain. Ardent conservateur, il fonda le parti des *junimistes*, fut ministre des Affaires étrangères en 1870 et 1888/89, président du Conseil en 1900/01 et 1911/12. Germanophile convaincu depuis l'époque de ses études en Allemagne, il s'opposa aux visées de la Russie, approuva l'adhésion de la Roumanie à la Triple-Entente, et, au Conseil de la Couronne du 3 août 1914, fut le seul à appuyer le roi Charles Iᵉʳ et à demander l'entrée en guerre de la Roumanie aux côtés des puissances centrales.

CARPENTRAS. Ville de France, chef-lieu d'arrondissement du Vaucluse. Nommée *Carpentoracte* à l'époque gallo-romaine, capitale des Memini, elle était comprise dans la Narbonnaise IIᵉ. Carpentras appartint à la papauté de 1229 à 1791 et servit de résidence au « recteur » qui gouvernait au nom du pape le comtat Venaissin.

CARPET-BAGGERS, de *carpet-bag,* sac de voyage. Surnom méprisant, qu'on peut traduire par : « ceux dont toute la fortune tient dans un sac de voyage », donné par les populations du sud des États-Unis à des aventuriers nordistes venus s'établir dans le Sud après la guerre de Sécession et qui, avec l'approbation des autorités (notamment sous les deux présidences de Grant), se livrèrent à des trafics et à des exactions de toutes sortes, dressant les Noirs contre les Blancs et s'arrogeant la distribution des fonctions publiques.

CARPI. Village d'Italie, province de Modène. Victoire du Prince Eugène sur Catinat le 9 juill. 1701.

CARPINI Giovanni Piano. Voir JEAN DU PLAN CARPIN.

CARRANZA Bartolomé de (* Miranda de Erga, Navarre, 1503, † Rome, 2.V.1576). Archevêque et théologien espagnol. De l'ordre des dominicains, il accompagna en 1554 le futur Philippe II en Angleterre, où il fut confesseur de la reine Marie Tudor. Nommé archevêque de Tolède en 1557, il fut, l'année suivante, accusé d'hérésie par l'Inquisition. Son procès dura dix-sept ans (1559/76) : on lui reprochait d'avoir, dans des *Comentarios sobre el catechismo* (1558), encouragé la lecture de la Bible par les laïcs et montré des tendances « illuministes ». Il mourut deux semaines après avoir enfin obtenu à Rome son acquittement.

CARRANZA Venustiano (* Cuastro Ciénegas, Coahuila, 29.XII.1859, † Tlaxcalaltongo, Puebla, 20/21.V.1920). Homme politique mexicain. Propriétaire terrien, adversaire de Porfirio Diaz, il se joignit à la révolution de Madero (1910/11) et devint gouverneur de l'État de Coahuila. Après l'assassinat de Madero, il se déclara contre Huerta, fonda l'armée « constitutionnaliste », fut rejoint par des hommes tels que Calles, Obregón, Pancho Villa, et força Huerta à la fuite (juill. 1914). Malgré l'opposition de Pancho Villa et de Zapata, il se fit accepter comme président provisoire par la majorité des Mexicains (1915); mais, à la Convention constituante de Queretaro, il dut s'incliner devant les tendances socialisantes, représentées par Obregón. Élu constitutionnellement président de la République (1er mai 1917), il se heurta de nouveau aux progressistes et fut renversé et assassiné par des mercenaires de Herrera.

CARRAQUE ou **CARAQUE.** Grand et gros navire, en usage du XIVe au XVIe s., généralement à trois ou quatre mâts, avec des gaillards d'avant et d'arrière très élevés. A la fin du XVIe s., les carraques portugaises, construites pour le commerce avec les Indes orientales et le Brésil, jaugeaient jusqu'à 2 000 tonneaux.

CARRARE, *Carrara.* Ville d'Italie, en Toscane. Mentionnée dès 963, elle devint au XIIIe s. une commune libre, passa successivement à Castruccio Castracani (1322), à Lucques (1328), aux Visconti (1343/1402), enfin aux Malaspina (1473) et, dès lors, partagea le sort de Massa (v.). Aux environs de Carrare existent de célèbres carrières de marbre, exploitées depuis l'Antiquité.

CARRARESI. Famille italienne, mentionnée dès le début du XIe s., qui, au XIIe s., possédait le château de Carrara San Giorgio, près de Padoue, d'où elle a tiré son nom. Les Carraresi, qui s'appuyaient sur le parti guelfe, obtinrent le pouvoir à Padoue en 1318, et, en 1337, ils libérèrent Padoue de la tutelle des Scaligeri. La famille atteignit son apogée avec **François Ier l'Ancien,** seigneur de Padoue de 1355 à 1388. Il annexa Feltre (1361) et Trévise (1383), mena une lutte acharnée contre les Vénitiens, mais fut vaincu par son autre puissant voisin, Gian Galeazzo Visconti, duc de Milan, et dut abdiquer (1388). Son fils, **François II le Jeune,** réussit à se rétablir dans Padoue en 1390, après s'être réconcilié avec les Vénitiens. Il s'empara de Vérone (1402) et tenta de prendre Vicence, mais se heurta alors aux

Vénitiens, qui s'emparèrent de Padoue (1405). Conduit à Venise, il fut étranglé dans sa prison avec deux de ses fils (1406). Son troisième fils, **Marsiglio,** tenta vainement de reprendre Padoue en 1435 et fut à son tour exécuté par les Vénitiens. Les Carraresi s'éteignirent avec lui.

CARRÉ. Le carré était une formation en bataille de l'infanterie à quatre fronts, principalement destinée à résister sur tous les points à des charges de cavalerie. On mentionne des carrés dès l'Antiquité. Xénophon parle de carrés égyptiens de 100 hommes en tous sens. Le carré fut pratiqué également dans la retraite des Dix-Mille, dans les marches des armées d'Alexandre et de Rome mais son usage paraît cependant avoir été exceptionnel à cette époque. C'est à partir du XVe s. que le carré devint la formation type de l'infanterie en Europe. Il a son origine dans la phalange des Suisses, mais fut définitivement mis au point par les Espagnols. Ceux-ci, les premiers, eurent l'idée de mêler dans le carré des armes blanches et des armes à feu. Aux carrés *pleins,* très vulnérables à l'artillerie, succédèrent des carrés *vides.* Durant la campagne d'Algérie, Bugeaud, ayant à lutter avec une petite armée contre une nombreuse cavalerie, imagina un grand carré composé de petits carrés par bataillon dont toutes les faces extérieures étaient en contrebatterie. La puissance croissante de l'artillerie a entraîné au XXe s. la disparition du carré.

CARREL Armand (* Rouen, 8.V.1800, † Saint-Mandé, près de Paris, 24.VII.1836). Journaliste français. Fondateur du *National,* avec Thiers et Mignet (1830), il fut l'un des chefs de l'opposition républicaine sous la monarchie de Juillet. Il fut blessé mortellement au cours d'un duel avec Émile de Girardin.

CARRERA Rafael (* Guatemala City, 24.X.1814, † Guatemala City, 14.IV.1865). Homme politique guatémaltèque. Métis d'Indien et de Noir, sans instruction, il réussit à s'emparer du pouvoir à la tête d'une armée d'Indiens et d'insurgés montagnards (1838). Élu président de la République en 1844 (avant même l'indépendance officielle du Guatemala), président à vie en 1854, il gouverna dictatorialement le pays. Sa politique étrangère fut commandée par une opposition à la Confédération d'Amérique centrale, qu'il contribua à détruire.

CARRERO BLANCO Luis (* Santoña, 4.III.1903, † Madrid, 20.XII.1973). Amiral et homme politique espagnol. Ancien commandant de sous-marin, il fut surpris à Madrid par la guerre civile de 1936 et réussit, en franchissant clandestinement les lignes républicaines, à se rallier aux forces nationalistes. Collaborateur intime de Franco à partir de 1941, ce monarchiste contribua, durant la Seconde Guerre mondiale, à mettre en échec les éléments phalangistes favorables à l'Axe. Ministre à partir de 1957,

CARRIER
Jean-Baptiste. Homme politique
français (1756-1794). Dessiné
lors de son procès devant
le tribunal révolutionnaire.
Ph. Jeanbor © Photeb

CARSON
Christophe, dit Kit C. Officier
américain (1809-1868).
Ph. © U.S.I.S. - Photeb

vice-président du Conseil de 1967 à 1973,
chef du gouvernement à partir de juin 1973,
il mourut victime d'un attentat monté par
des autonomistes basques. Sa mort enleva au
général Franco l'espoir de voir se perpétuer
après lui le régime franquiste.

CARRHAE ou **CARRHES.** Ancienne ville
de la Mésopotamie septentrionale (auj.
Harran, en Turquie). L'armée romaine de
Crassus y fut écrasée par les Parthes en mai
53 av. J.-C. La bataille de Carrhae fut perdue
par l'imprudence de Crassus, qui, sans
aucune expérience militaire, rêvait de
conquérir une gloire égale à celle des deux
autres triumvirs, Pompée et César. S'étant
aventurées dans le désert au-delà de
l'Euphrate, les troupes romaines se trouvèrent soudain face aux redoutables archers
parthes de Suréna. Plus de 30 000 hommes
furent tués ou faits prisonniers. Crassus fut
mis à mort par les Parthes alors qu'il venait
négocier sa reddition. Cette défaite irréparable arrêta à jamais la progression de Rome
en Orient (annexée par Trajan en 115/117 de
notre ère, la Mésopotamie devait être abandonnée par Hadrien).

CARRIER Jean-Baptiste (* Yolet, Cantal,
16.III.1756, † Paris, 16.XII.1794). Révolutionnaire français. Conseiller au bailliage
d'Aurillac, membre de la Convention
(1792), il fut envoyé en mission dans l'Ouest,
pour réprimer la guerre civile (1793). Après
la défaite des vendéens à Savenay, il organisa
les noyades de Nantes (oct. 1793/févr.
1794) : il fit construire des bateaux à
soupape qui noyaient cent personnes à la fois
et inventa les « mariages républicains », qui
consistaient à ligoter ensemble un homme et
une femme, qu'on précipitait dans la Loire;
on évalue ses victimes à plusieurs milliers.
Arrêté après la chute de Robespierre, bien
qu'il ait fait partie de la conspiration thermidorienne, il fut condamné à mort par le Tribunal révolutionnaire et exécuté.

CARRIÈRE DES HONNEURS. Voir
CURSUS HONORUM.

CARRION-DE-LOS-CONDES. Ville d'Espagne, prov. de Palencia. En 1037, victoire
de Ferdinand, dit le Grand, sur Bermude
III, qui périt dans cette bataille; ce fut la fin
de la dynastie de León. En 1111, victoire
d'Alphonse Ier d'Aragon sur les Maures.

CARROSSE. Voiture hippomobile à quatre
roues, à coffre suspendu et couvert. Le carrosse semble originaire d'Italie. Au Moyen
Age, un *carroccio* était une sorte de char
sacré qui, dans les batailles, portait la croix
et l'étendard. C'est Isabeau de Bavière qui
aurait utilisé en France le premier coche à
coffre suspendu, lors de son entrée solennelle
à Paris, en 1405. Les carrosses, voitures très
coûteuses, ne se répandirent qu'assez lentement. On n'en comptait encore que trois sous
François Ier, Henri IV n'en possédait qu'un

seul, pour lui et sa femme, et, vers 1660, il
n'y avait pas plus de trois cents carrosses à
Paris. Ils étaient généralement réservés aux
dames, aux impotents, aux vieillards. Ils se
multiplièrent au XVIIIe s. On en comptait
14 000 en 1722. Véritables appartements
roulants, les carrosses étaient ornés de peintures, souvent couverts d'or et d'argent; leur
train était extrêmement lent. En Angleterre,
les souverains utilisent encore, lors de leur
couronnement, le carrosse de Georges III,
construit vers 1760/62. C'est à Belém, près
de Lisbonne, que se trouve le plus beau
musée des carrosses du monde.

CARROUSEL. Jeu militaire qui se composait d'une suite d'évolutions à cheval exécutées par des quadrilles de seigneurs richement
vêtus et entremêlées d'allégories tirées de la
mythologie ou de l'histoire. Les carrousels
furent introduits d'Italie en France, sous le
règne d'Henri IV; l'un des premiers eut lieu
en 1605, à l'hôtel de Bourgogne. Louis XIV
en fit donner de très brillants, notamment
celui des 5/6 juin 1662, à Paris, devant le
Louvre, sur la place appelée depuis place du
Carrousel, et celui de 1664, à Versailles, tous
deux en l'honneur de Mlle de La Vallière.
Voir ARC DE TRIOMPHE.

CARRUCA. Voiture de luxe romaine, à
quatre roues, souvent assez spacieuse afin
que les matrones puissent s'y étendre et
dormir, comme dans une litière, parfois
décorée d'ivoire, de bronze, d'argent ciselé.
Sous le Bas-Empire, la carruca était obligatoire pour tous les grands officiers militaires
ou civils.

CARSON Christopher, dit **Kit** (* au Kentucky, 24.XII.1809, † Fort Lynn, Colorado,
23.V.1868). Officier américain. Émigré au
Missouri, il fut, durant de longues années,
trappeur et chasseur, acquit une connaissance approfondie des mœurs et des langues
indiennes et servit de guide dans les expéditions de Fremont (1842/46). Au cours de la
guerre de Sécession, il fut nommé brigadier
général. Kit Carson est resté une des figures
les plus populaires de l'épopée du Far West.

**CARSON Edward Henry, baron Carson
of Duncairn** (* Dublin, 9.II.1854, † Kleve
Court, Kent, 22.X.1935). Homme politique
britannique. Protestant d'Irlande, unioniste
ardent, il lutta contre tous les projets de partition de l'Irlande et organisa en Irlande du
Nord un corps de volontaires contre le
Home Rule. Après la Première Guerre mondiale, au cours de laquelle il fut premier lord
de l'Amirauté (1917/18), il protesta contre la
création de l'État libre d'Irlande, mais finit
par accepter l'accord de 1921.

CARTA DEL LAVORO. Loi d'organisation sociale de l'Italie mussolinienne, adoptée par le Grand Conseil fasciste le 21 avr.
1927. Elle posait en principe l'étroite collaboration des employeurs et des employés
dans les corporations (v.).

CARTEL. Combinaison financière groupant plusieurs entreprises, qui gardent leur individualité et leur autonomie, à la différence de ce qui se passe dans les *trusts* (v.), mais s'entendent sur des points précis : volume de la production, conditions et prix de vente, répartition des marchés, etc. Parfois, le cartel constitue un organisme commun à tous les adhérents. Les cartels, véritables monopoles capables de dicter leurs prix et d'opposer un front uni aux revendications ouvrières, se développèrent surtout en Allemagne après la guerre de 1870. C'est au Reichstag, en 1879, que le député libéral E. Richter prononça pour la première fois le mot de *cartel*. Le premier cartel, celui du fer-blanc, avait été constitué à Cologne en 1869. Vers 1900, on comptait déjà près de 250 cartels en Allemagne. Les plus importants furent : le *Rheinisch-Westfälisches Kohlensyndikat,* fondé en 1893, qui contrôlait plus de 50% de la production allemande de houille; le *Roheisensyndikat* (1896), qui contrôlait la production de la fonte; le *Stahlwerksverband* (1904), cartel de l'acier. Durant la Première Guerre mondiale, le gouvernement allemand encouragea la cartellisation, qui rendait plus aisée la direction de la production de guerre. La période de l'inflation (1921/23) fit éclater de nombreux cartels, mais ils se reformèrent rapidement après que le plan Dawes eut relancé l'économie allemande. En 1930, il y avait plus de 2 000 cartels en Allemagne : les plus importants étaient les *Vereinigte Stahlwerke* (1926), au capital de 800 millions de marks, qui réunissaient les mines et les usines de trois importantes affaires de la Ruhr (Thyssen, Phoenix, Rhein-Elbe-Union), occupaient 200 000 ouvriers et produisaient 22% du charbon et 40% de l'acier allemands. Un autre cartel typique était celui des colorants, l'*I.G. Farben Industrie* (1925), qui groupait la Badische Anilin, les usines Bayer de Leverkusen et les usines de colorants de Höchst : l'I.G. Farben contrôlait les trois quarts de l'industrie des colorants et des engrais et la moitié de la production pharmaceutique. Sous le régime hitlérien, le mouvement de concentration augmenta encore. Après la défaite de l'Allemagne, en 1945, les Alliés proclamèrent leur volonté de détruire les cartels allemands, mais ceux-ci se reconstituèrent à partir de 1950 et l'Allemagne de l'Ouest reste la terre d'élection des cartels. En France, le cartel a pris la forme du comptoir de vente (le plus célèbre d'entre eux fut le *Comptoir métallurgique de Longwy,* fondé en 1877, qui est à l'origine du Comptoir français des produits sidérurgiques).

CARTEL DES GAUCHES. Coalition des partis de gauche (radicaux et radicaux-socialistes, républicains socialistes, socialistes S.F.I.O.) formée en France, lors des élections législatives du 11 mai 1924, contre les modérés et les conservateurs, qui détenaient la majorité dans la chambre précédente, dite « Chambre bleu horizon ». Le Cartel des gauches, qui avait réussi un peu partout à présenter des listes uniques alors que ses adversaires allaient dispersés devant les électeurs, enleva 328 sièges contre 226 pour le centre et la droite. Parmi les candidats battus, figuraient notamment A. Tardieu, P. Reynaud, G. Mandel, L. Daudet, le général de Castelnau. Aussitôt après sa victoire, le Cartel, par une motion préjudicielle votée à la Chambre, contraignit le président de la République, Millerand, qui s'était personnellement engagé durant la campagne électorale, à donner sa démission (11 juin 1924); il fut remplacé par Gaston Doumergue. Le chef de la majorité, Édouard Herriot, forma un ministère radical-socialiste homogène bénéficiant du soutien des socialistes. Mais la crise financière et l'accroissement inquiétant de la circulation des billets entraînèrent la chute de ce ministère (2 avr. 1925). Les ministères Painlevé et Briand ne parvinrent pas mieux à enrayer la crise. Un second cabinet Herriot fut renversé le 21 juill. 1926 et céda la place à un cabinet d'union nationale présidé par Poincaré.

CAR TEL EST NOTRE (BON) PLAISIR. Formule finale employée par les rois de France dans leurs édits. Elle apparaît pour la première fois en 1326 mais ne devint courante que sous François Ier.

CARTER James Earl, dit **Jimmy** (* Plains, Georgie, 1.X.1924). Homme politique américain. Fils de fermiers aisés, il suivit les cours de l'école navale d'Annapolis (1943/46); jusqu'en 1953, il servit dans la marine, principalement comme officier sous-marinier, et obtint un diplôme de physique nucléaire. En 1953, à la mort de son père, il reprit l'exploitation de la ferme familiale et transforma celle-ci en une entreprise prospère de production d'arachides. Élu sénateur démocrate de Georgie en 1962, puis gouverneur de l'État en 1970, il accéda soudain au rang d'homme politique national en remportant une série de victoires aux élections primaires et se fit nommer candidat du parti démocrate aux élections présidentielles de 1976. Exploitant le discrédit jeté sur les républicains par l'affaire du Watergate (v.), il se présenta à l'opinion comme un fervent baptiste, candidat de la moralité et de la religion, résolu à purifier la vie politique et à rendre aux États-Unis leur prestige de champion de la démocratie. Le 2 nov. 1976, il fut élu avec 51% des suffrages contre 48% au président sortant Gerald Ford.

● Il hérita d'une situation marquée, à l'intérieur, par les répercussions de la crise économique la plus grave de l'après-guerre et, à l'extérieur, par une perte de prestige des États-Unis. En butte au Congrès, le président eut le plus grand mal à faire accepter son plan énergétique (« l'équivalent moral d'une guerre », oct. 1978) et essuya de spectaculaires revers de son administration : démission en bloc (et sans précédent) de son administration, rappel de son ambassadeur à l'O.N.U., démission de son secrétaire d'État, Cyrus Vance, liée à la grande affaire de l'époque, la prise d'otages à l'ambassade américaine de Téhéran

CARTER
James Earl, dit Jimmy C.
Homme politique américain
(né en 1924).

Ph. © Owen Franken - Sygma

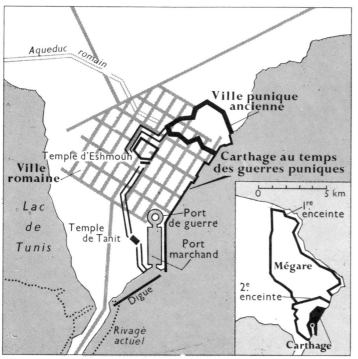

(v. IRAN). La médiation réussie dont il prit l'initiative en faveur de la conclusion d'un traité de paix israélo-égyptien (accords de Camp David (v.) de mars 1979) et une certaine fermeté après l'invasion soviétique en Afghanistan (déc. 1979) lui valurent un regain de popularité mais insuffisant contre son adversaire républicain des élections de 1980, Ronald Reagan (v.). Battu dans 44 États, Jimmy Carter entraîna le parti démocrate dans une débâcle qui se vérifia également au Congrès. Après le fiasco d'une opération de commando montée pour délivrer les diplomates détenus en Iran (avr. 1980), il avait tout mis en œuvre pour obtenir par une solution négociée la libération des otages, mais celle-ci n'intervint qu'après sa défaite électorale et à l'instant précis de l'expiration de son mandat présidentiel, le 20 janv. 1981.

CARTERET, John, 2e baron Carteret, 1er comte Granville. Voir GRANVILLE.

CARTERET Antoine (* Genève 23.IV. 1813, † Genève, 28.I.1899). Homme politique suisse. Membre du gouvernement du canton de Genève (1870), calviniste et radical convaincu, il engagea le Kulturkampf contre les catholiques de Suisse et fit arrêter et exiler Mgr Mermillod, évêque de Genève (11 févr. 1873).

CARTES À JOUER. Il semble que les cartes à jouer aient été connues en Chine dès l'époque T'ang (VIIe/Xe s.). Elles auraient été apportées en Europe soit par les croisés revenant d'Orient, soit par les Arabes d'Espagne, soit par des gitans. C'est seulement dans la seconde moitié du XIVe s. qu'on trouve des témoignages certains de leur existence en Allemagne (1377), en Italie, en Espagne, en France (1392), mais il est probable qu'on s'en servait depuis assez longtemps déjà. Dès leur apparition, les cartes servirent aussi bien à dire la bonne aventure qu'à jouer. On admet que le tarot précéda les jeux de cartes aujourd'hui courants. Les cartes, enluminées à la main, coûtèrent d'abord très cher. En 1430, Filippo Maria Visconti, duc de Milan, paya 1 500 pièces d'or à un peintre français pour un seul jeu. Dans le courant du XVe s., on commença à utiliser le procédé de la gravure sur bois; les cartes devinrent populaires en tombant à bas prix. Les États y virent une source de nouveaux revenus; la fabrication et la vente des cartes à jouer firent l'objet d'une rigoureuse taxation, imposée en France par une ordonnance de mai 1583, en Angleterre en 1615, en Espagne et dans la plupart des autres pays. C'est seulement à partir de 1946 que la fabrication des cartes à jouer devint libre en France.
Les figures, d'abord très variables, se stabilisèrent au XVIIe s. dans les séries actuelles. Sous la Révolution, on déroyalisa les cartes : les quatre rois furent remplacés par quatre figures d'hommes coiffés du bonnet phrygien et représentant le génie de la guerre, le génie de la paix, le génie du commerce et le

génie des arts; les quatre dames cédèrent la place à la liberté des cultes, à la liberté des professions, à la liberté du mariage et à la liberté de la presse; quant aux quatre valets, ils furent remplacés par quatre figures masculines représentant l'égalité de rang, l'éga-

lité de couleur, l'égalité de droits et l'égalité de devoirs.

CARTES GÉOGRAPHIQUES. Voir CARTOGRAPHIE.

CARTHAGE

CARTHAGE. Ville de l'Afrique ancienne, sur le golfe de Tunis.

Avant les guerres puniques

Carthage a été fondée par des navigateurs phéniciens. Dès les xe/ixe s., ceux-ci avaient franchi le détroit de Gibraltar (Colonnes d'Hercule) et noué des relations avec la Bétique et le royaume de Tartessos, en Espagne méridionale. Le nom phénicien de Carthage, *Qart Hadasht*, signifie la « Nouvelle Ville », et il est établi qu'un comptoir phénicien existait à Carthage avant la fondation de cette nouvelle cité (il était situé près des ports de Salammbo). Selon la tradition légendaire, admise par les Carthaginois du iie s. avant notre ère, Carthage, la « Nouvelle Ville », aurait été fondée en 814 av. J.-C. par Élissa, reine de Tyr, qui se serait enfuie de Tyr après que son frère, Pygmalion, eut fait assassiner son époux, Acherbas. Ce qui est certain, c'est que la fondation de Carthage s'inscrivit dans un mouvement d'expansion phénicienne en Méditerranée occidentale, notamment sur les côtes du nord-ouest de la Sicile (fondation de Motya, de Panormos, de Sélinonte). Tout en jouissant de l'indépendance politique, Carthage conserva des rapports filiaux avec Tyr, attestés par l'ambassade annuelle qui allait porter un tribut à la mère patrie, à l'occasion de la fête de Melkhart.
Carthage se développa lentement et ne commença à jouer un rôle dans la politique internationale qu'à partir du vi^e s. Elle bénéficia de la ruine de Tyr, soumise aux invasions assyriennes et perses, et regroupa autour d'elle les colonies tyriennes de la Méditerranée occidentale. Dès 654, les Carthaginois auraient fondé une colonie à Ibiza, dans les Baléares. En Afrique, ils durent lutter contre les Berbères et les Numides, aux dépens desquels ils conquirent en Tunisie un territoire de terre ferme, qu'ils surent remarquablement mettre en valeur; le traité d'agronomie de Magon, qui nous est en partie parvenu, eut un grand renom dans l'Antiquité. C'est cependant sur le commerce que Carthage fonda principalement sa puissance. Héritière des Phéniciens, qui furent parmi les premiers marins de l'Antiquité, Carthage lança

d'audacieuses expéditions maritimes jusque dans l'Atlantique, ce que n'avaient jamais osé tenter les Grecs. Au cours du ve s., ses navires atteignirent ainsi le Sénégal et le golfe de Guinée – périple d'Hannon (v.) –, la Bretagne, la Cornouailles et peut-être l'Irlande – périple d'Himilcon (v.). Les Carthaginois, intermédiaires et producteurs, eurent toujours une balance commerciale très favorable. Leurs exportations, qui dépassaient de beaucoup leurs besoins, étaient acheminées dans toute la Méditerranée, en Sicile, en Italie, en Égypte, en Phénicie : elles consistaient en matières premières de l'Occident (fer, plomb et argent de Sardaigne; argent d'Andalousie; étain de Cornouailles), en produits africains (ivoire, or du Soudan, animaux sauvages), en esclaves noirs, en denrées produites par les territoires puniques de Tunisie (vin, céréales, huile d'olive, salaisons), en objets manufacturés (meubles, céramique commune, tissus, tentures, parfums, bimbeloterie).
Cette activité marchande correspondait politiquement à un gouvernement oligarchique qui, dès le vi^e s. au moins, avait renversé la royauté primitive. Le gouvernement appartenait à un sénat de marchands de trois cents membres au moins et à un conseil permanent de trente membres pris parmi les sénateurs. Le sénat élisait deux suffètes, qui gouvernaient ensemble pour un an. En théorie, tous les hommes libres de Carthage pouvaient être élus au sénat. En fait, quelques très riches et anciennes familles – comme à Venise plus tard – détenaient les principales charges de l'État. La plus célèbre fut celle des Magonides, qui, durant trois générations (vers 535/450), monopolisa en fait le pouvoir. D'autres familles, hostiles au sénat, réussirent à s'imposer en s'appuyant sur la plèbe des artisans et des marins : ce fut le cas des Barcides, d'où devaient sortir Hamilcar, Hasdrubal et Hannibal.
Pour protéger leurs routes commerciales, les Carthaginois, qui étaient fort peu guerriers, durent se donner une armée. Ils le firent en recrutant des mercenaires et en levant des troupes chez les populations sujettes, libyennes et numides, ce qui exposa la cité à de dangereuses révoltes. Le commandement mili-

taire était donné à des généraux élus par une assemblée des citoyens.

Dans le domaine de la culture, Carthage ne produisit rien d'original. Sa religion, qui dégoûtait les Romains en raison de la pratique des sacrifices (*molk*, nom qu'on comprenait autrefois comme celui d'un dieu Moloch qui n'a jamais existé) d'enfants nouveau-nés, garda fidèlement les croyances et les rites phéniciens. Cependant, Ba'al-Hamon, identifié à l'El phénicien, devait être supplanté à Carthage, sous des influences grecques et méditerranéennes, par la déesse mère Tanit, qui a pour prototype la grande déesse phénicienne Asherat (Astarté); parmi les autres dieux, le plus important était Melqart, le « maître de la ville ». L'hellénisation des croyances carthaginoises s'accentua à partir du ve s.; ainsi Tanit fut de plus en plus identifiée à Cérès, Melqart à Apollon. Presque rien ne subsiste de la littérature carthaginoise; lors du sac de la ville par les Romains, en 146, les manuscrits des bibliothèques furent détruits ou dispersés; certains furent recueillis par les rois numides (peu avant le début de notre ère, Hiempsal et Juba II de Mauritanie les lisaient encore), mais aucun ne nous est parvenu. L'architecture et l'art carthaginois sont également très mal connus, en raison de la destruction systématique de la ville; il semble que les Carthaginois ne s'intéressaient guère qu'à une production en série, de qualité assez médiocre; ils recueillirent, sans les fondre dans une conception personnelle, toutes sortes d'influences, phéniciennes, égyptiennes, grecques, perses, italiennes. A partir du vie s., Carthaginois et Grecs commencèrent à s'affronter en Méditerranée occidentale. Carthage avait hérité des possessions phéniciennes en Sicile et avait fondé des établissements en Sardaigne, aux Baléares, à Malte, à Pantelleria. Alliés aux Étrusques, les Carthaginois battirent les Phocéens à Alalia, en Corse (535). Sous l'impulsion des Magonides, l'expansion coloniale se poursuivit, bien que l'avance punique en Sicile ait été stoppée par la victoire de Gélon de Syracuse à Himère (480). Elle reprit à la fin du ve s. (prise d'Agrigente, 406, de Messine, 397), mais les Carthaginois se heurtèrent cette fois à Denys l'Ancien, tyran de Syracuse. Le fleuve Halykos (auj. le Platani), dont l'embouchure se trouve à l'est d'Agrigente, délimita quelque temps les possessions carthaginoises et grecques dans l'île, mais la guerre recommença bientôt, avec des alternances de succès et de revers. Vers 310, Agathocle, tyran de Syracuse, n'hésita pas à porter le conflit en Afrique et vint même assiéger Carthage.

Les guerres puniques et la fin de Carthage (264/146 av. J.-C.)

Vers 270, les Romains achevèrent de conquérir toute l'Italie du Sud. Le contrôle du détroit de Messine fut l'enjeu original de la longue lutte entre Rome et Carthage, lutte qui devait se terminer par la ruine de Carthage et l'établissement de la suprématie romaine dans toute la Méditerranée occidentale. On compte trois *guerres puniques* (v.) : la première (264/241) enleva la Sicile et les îles Lipari à Carthage, qui dut en outre payer une indemnité de 3 200 talents.

Ce conflit provoqua une crise financière et la révolte des mercenaires et des Berbères, qui n'avaient pas obtenu les avantages promis : après une lutte sans merci (240/237), où se distinguèrent Hamilcar Barca et Hannon, la révolte fut écrasée mais Rome en profita pour obliger Carthage à lui céder la Corse et la Sardaigne (238). Cependant, l'expansion coloniale prit un nouvel essor sous la conduite d'Hamilcar, qui entraîna les mercenaires désœuvrés à la conquête de l'Espagne (à partir de 237). Carthagène (Carthago Nova) fut fondée vers 227. Ainsi les pertes de la première guerre punique semblaient compensées par la création d'un nouvel empire, riche en minerais, en denrées alimentaires et aussi en hommes. Les Carthaginois promirent aux Romains de ne pas dépasser l'Èbre (ou le Jucar, qui coule beaucoup plus bas, au sud de Valence) (226). Rome considéra en tout cas comme un *casus belli* l'attaque d'Hannibal contre Sagonte (221/220). Ce fut le début de la deuxième guerre punique (218/201) : celle-ci fut marquée par l'audacieuse expédition d'Hannibal en Italie, par les victoires carthaginoises du Tessin, de la Trébie, de Trasimène, enfin de Cannes (216). Cependant, Hannibal et les Barcides, représentant le parti de la guerre, se heurtaient, à Carthage, à l'opposition de la vieille aristocratie marchande, qui aspirait à une paix de compromis. A partir de 209, les Romains reprirent l'offensive : Scipion conquit l'Espagne, puis débarqua en Afrique, où il s'assura l'alliance du roi numide Masinissa dont les cavaliers numides contribuèrent beaucoup à la victoire finale des Romains, à Zama (automne 202). Carthage dut accepter une paix très dure : perte de l'Espagne, des éléphants de guerre, de la flotte, à l'exception de dix navires, engagement de ne plus entreprendre une guerre sans l'autorisation de Rome, versement d'une indemnité de 10 000 talents.

Hannibal, élu suffète en 195, essaya de réorganiser l'État carthaginois en le démocratisant; il se heurta à l'oligarchie, qui le dénonça aux Romains, et dut s'exiler. Néanmoins, le redressement commercial et agricole fut si rapide que Caton, envoyé comme ambassadeur à Carthage, en revint plein d'angoisse et ne cessa plus dès lors d'appeler ses compatriotes à en finir avec l'ennemi punique. Le prétexte dont se saisirent les Romains fut un conflit entre Carthage et Masinissa (150). La troisième guerre punique (149/146), menée sur le sol même de l'Afrique par Scipion Émilien, se termina par la prise de Carthage (printemps 146), après une semaine de durs combats de rue. La ville fut pillée et livrée aux flammes, son territoire divisé entre la Numidie et la nouvelle province romaine d'Afrique (v.).

Carthage romaine et chrétienne

Les Romains décidèrent de vouer le sol de Carthage à l'exécration et il fut interdit d'y bâtir. Cependant, en 122 av. J.-C., Caius Gracchus tenta d'y fonder une colonie *(Colonia Junonia)*, qui périclita et fut abandonnée au bout d'une trentaine d'années. Le relèvement de la ville, sous le nom de *Colonia Julia Carthago,* fut entrepris par César en 44 et poursuivi par Auguste. La nouvelle Carthage grandit rapidement et devint la ville la plus importante de l'Afrique romaine; plusieurs empereurs (Hadrien, Antonin le Pieux, Commode) veillèrent à son embellissement. Sa situation géographique, la valeur de son port, son importance comme clef du commerce avec l'intérieur de l'Afrique lui valurent une grande prospérité. Les anciennes divinités punico-africaines subsistèrent, mais sous des formes romanisées. Puis, dès le IIᵉ s., Carthage devint un foyer du christianisme. Illustrée par un des plus grands apologistes, Tertullien (qui devait tomber dans l'hérésie), son Église eut pour chef, au IIIᵉ s., st. Cyprien. Augustin fréquenta les écoles de Carthage (v. ci-après les conciles). Prise en 439 par les Vandales de Genséric, Carthage fut reconquise en 533 par Bélisaire. Sous le nom de *Colonia Justiniana Carthago,* elle allait rester byzantine pendant plus de deux siècles; mais ce n'était plus qu'une cité mourante que Hassan ibn Noman conquit en 698 et livra à une destruction cette fois irrémédiable.

Les fouilles archéologiques

C'est en 1859 que les fouilles furent entreprises par R. Beulé, qui se consacra avant tout à la reconnaissance du site et à l'étude des ports. Les principales campagnes suivantes furent celles de Sainte-Marie (1874, mise au jour de plus de 2 000 stèles d'époque punique), du P. Delattre (à partir de 1878, exploration des nécropoles poursuivie par P. Gauckler en 1899, par Merlin et Drapier en 1906/09 et par le P. Ferron en 1948), d'Icard et Gielly (1922, découverte du « tophet » de Salammbo, lequel fut ensuite exploré par la mission américaine de F.W.

Kelsey, par le P. Lapeyre et par P. Cintas). Mais la destruction de 146 av. J.-C. et le développement de la Carthage romaine sur le site ancien ont fait disparaître la plupart des vestiges d'époque punique. Le système de défense construit au Vᵉ s. av. J.-C. enveloppait la quasi-totalité de la presqu'île sur laquelle fut construite Carthage. D'après les récits des historiens anciens, les fortifications avaient 32 km de tour et le mur d'enceinte proprement dit, une hauteur de 17 m sur une largeur de 10 m. La citadelle, qui portait le nom de *Byrsa,* était sans doute construite sur la colline Saint-Louis. Carthage possédait deux ports : le port marchand, rectangulaire, et le port militaire, circulaire. Ils se trouvaient probablement près du tophet de Salammbo.
La ville romaine, qui dut compter, à son apogée, jusqu'à 300 000 habitants, avait la forme d'un carré dont le centre se trouvait au sommet de la colline de Byrsa. Elle n'était pas fortifiée. L'amphithéâtre, le théâtre, l'odéon, le cirque, les thermes d'Antonin — qui comptent parmi les plus vastes du monde romain —, les citernes de Bordj Djedid, qui pouvaient contenir 30 000 m³ d'eau, ont fait l'objet de fouilles approfondies, de même que les demeures privées, qui ont livré de remarquables mosaïques.

Conciles de Carthage

Plusieurs conciles importants se sont tenus à Carthage, métropole de l'Afrique chrétienne, au IIIᵉ et au Vᵉ s. Le concile de 251 et les trois conciles réunis en 255/256 par st. Cyprien s'occupèrent principalement de la question des *lapsi* (chrétiens qui avaient failli lors de la persécution de Dèce et qui demandaient à rentrer dans l'Église) et de la validité du baptême conféré par les hérétiques : st. Cyprien, qui soutenait qu'un hérétique entrant dans l'Église devait être rebaptisé, s'opposait sur ce point à l'usage de l'Église romaine défini en 255 par le pape st. Étienne Iᵉʳ. Il en résulta un conflit qui dura jusqu'en 257. En 416 et 418, deux conciles importants se tinrent à Carthage pour condamner le pélagianisme.

CARTHAGE
1. Monnaie d'argent des Barcides (la grande famille des Barca) ayant gouverné en Espagne (Carthagène). (Cabinet des Médailles.)
Ph. © Bibl. Nat., Paris - Photeb

2. Tétradrachme, avec palmier-dattier, frappé en Sicile.
Ph. © L. von Matt - Archives Photeb

CARTHAGÈNE. Ville d'Espagne (Murcie) et port sur la Méditerranée. Dans l'Antiquité *Carthago Nova,* elle avait été fondée par Hasdrubal vers 227 av. J.-C. et devint le centre de la puissance carthaginoise en Espagne. Prise en 209, après un long siège, par Scipion, elle fut ensuite le siège du proconsul d'*Hispania citerior,* le premier port de la côte espagnole méditerranéenne, et fut élevée au rang de colonie sous Auguste (peut-être même sous César), sous le nom de *Colonia Victrix Julia Nova Carthago.* Presque entièrement détruite par les Goths, puis siège

de la principauté arabe indépendante de Kartajana, elle fut définitivement reconquise par Jacques Iᵉʳ d'Aragon en 1269. Base navale des républicains durant la guerre civile de 1936/39.

CARTHAGÈNE, *Cartagena.* Ville et port de Colombie, sur la mer des Caraïbes. Fondée en 1533 par Pedro de Heredia, appelée *Cartagena de Indias,* elle devint le principal port d'exportation de l'or et des métaux précieux de cette région et fut aussi un actif marché d'esclaves. Brûlée par Drake en

CARTIER
Jacques. Explorateur français
(1491-1557). Dessin du «Codex
Canadiensis».
Ph. © Bibl. Nat., Paris - Photeb

1585, elle fut prise en 1697 par les Français, que commandaient Pointis et Ducasse. En nov. 1811, elle se proclama indépendante de l'Espagne, fut reprise en 1815, après de terribles combats, par Pablo Morillo, et ne redevint définitivement libre qu'en 1821. L'envasement du Dique, bras canalisé (depuis 1650) du Magdalena, fit décliner considérablement son activité commerciale au XIXᵉ s. Mais l'exploitation des champs pétrolifères de la vallée du Magdalena et les travaux importants menés dans les années 30 ont fait de l'actuelle Carthagène le principal port pétrolier de Colombie. ● La ville comptait 470 000 habitants en 1982.

CARTIER Jacques (* Saint-Malo, 1491, † Saint-Malo, 1.IX.1557). Navigateur français. Chargé par François Iᵉʳ de découvrir un passage du Nord-Ouest vers les Indes, il partit de Saint-Malo le 20 avr. 1534 avec deux navires, atteignit Terre-Neuve (10 mai), puis, suivant la côte du Nouveau-Brunswick, il entra dans la baie des Chaleurs, qu'il prit d'abord pour un détroit. Le 24 juill. 1534, il aborda à la terre canadienne à Gaspé et entra en relations avec les Indiens (il emmena deux d'entre eux avec lui), puis revint à Saint-Malo (5 sept.). Reparti avec trois navires le 19 mai 1535, il arriva le 9 août à l'entrée du Saint-Laurent, auquel il donna son nom, et, le 2 oct., il atteignit le village indien de Hochelaga, près duquel fut bâtie plus tard Montréal. Il apprit des Indiens le nom de *Canada,* qui voulait en fait dire « village ». Cartier passa l'hiver 1535/36 près de l'actuelle Québec, puis, ramenant en France douze Indiens, il revint à Saint-Malo en juill. 1536. Il avait pris possession au nom de François Iᵉʳ des terres qu'il avait découvertes; le roi nomma lieutenant général au Canada le sieur de Roberval, qui prit le commandement d'une troisième expédition à laquelle se joignit Cartier (printemps 1541). Arrivé avant Roberval, Cartier se lassa de l'attendre, car il était pressé de ramener en France des pierres qu'il croyait précieuses et qui se révélèrent sans valeur; sur le chemin du retour, il croisa Roberval à Terre-Neuve, mais, enfreignant les ordres de ce dernier, continua sa route. Le gouvernement français jugea la découverte du Canada bien décevante et Roberval fut rappelé en 1543. Cartier a laissé des relations de ses deux premiers voyages; elles furent publiées en 1565 et 1572.

CARTIER sir Georges Étienne (* Saint-Antoine-sur-Richelieu, Bas-Canada, 6.IX.1814, † Londres, 20.V.1873). Homme politique canadien. Avocat, il dut s'exiler quelque temps aux États-Unis après les troubles de 1837. Élu député en 1848, il devint le chef des Canadiens francophones à l'Assemblée législative et fut, avec John Macdonald, le Premier ministre d'un cabinet libéral-conservateur (1857/62). Il fut l'inspirateur d'une audacieuse politique ferroviaire (achèvement du Grand Trunk Railway,

décision de construire le Canadian Pacific) et contribua à la fondation de la Confédération canadienne.

CARTIER Raymond (* Niort, 14.VI.1904, † Paris, 9.II.1975). Journaliste français. Rédacteur parlementaire à *L'Écho de Paris* (1929/37), rédacteur en chef de *L'Époque* (1937/40), il entra en 1949 à *Paris-Match,* dont il devint le codirecteur général. Son nom est resté attaché au *cartiérisme*, doctrine préconisant, pour des raisons d'économie, le désengagement de l'Occident à l'égard des pays sous-développés.

CARTIMANDUA (Iᵉʳ s.). Reine des Brigantes, dans la Bretagne ancienne. Elle se rangea aux côtés des Romains et leur livra Caractacus, auquel elle avait pourtant promis asile (51). Plus tard, ses sujets s'étant révoltés, les Romains s'emparèrent de son royaume, sous prétexte de la protéger (71).

CARTOGRAPHIE. Les origines de la cartographie se perdent dans la nuit des temps. On a constaté que certains peuples primitifs étaient capables d'établir des cartes rudimentaires; ainsi les cartes esquimaudes furent assez précises pour servir aux explorateurs Parry et Ross. Du IIIᵉ millénaire subsistent deux cartes babyloniennes, sur des tablettes d'argile. L'Égypte nous a laissé deux papyrus de l'époque de Ramsès II, donnant la topographie des mines d'or de Nubie, ainsi qu'un troisième, du règne de Séthi Iᵉʳ (XIVᵉ s. av. J.-C.), qui reproduit une petite partie de la Basse-Égypte. Les Phéniciens, peuple de navigateurs, durent sans doute accomplir de grands progrès dans le domaine de la cartographie, mais ils semblent avoir jalousement tenu secrètes leurs découvertes.

Dans l'Antiquité

En Grèce, vers 600 avant notre ère, Milet était devenu le principal centre des études géographiques. C'est dans cette ville qu'on trouve les premiers cartographes grecs : Anaximandre, disciple de Thalès, qui dressa une carte de l'ensemble du monde connu, et Hécatée de Milet, dont la carte servait d'illustration à son traité général de géographie. Au Vᵉ s., Hérodote mentionne une table de bronze sur laquelle était gravé « tout le tour de la terre avec la mer et les rivières »; il reproche aux cartographes de son temps de donner une dimension égale à l'Europe et à l'Asie; il se refuse à imaginer le monde comme un disque parfait entouré du grand fleuve Océan. Aristophane, dans *Les Nuées,* nous montre un disciple de Socrate présentant sur la scène une carte du monde, avec l'emplacement d'Athènes, de l'Attique, de l'Eubée, de Sparte. L'expédition d'Alexandre dut beaucoup contribuer à une connaissance plus précise de l'Asie. Alexandrie devint le grand centre de la recherche géographique dans le monde grec. Dicéarque, disciple d'Aristote, Ératosthène et Hipparque furent les grands cartographes de l'âge hellénistique. Ératosthène aurait ébauché le système des longitudes et des latitudes. Il évalua avec une remarquable précision la circonférence du globe à 250 ou 252 000 stades (soit, pour le degré du méridien, environ 110 250 m). Après lui, Hipparque (IIe s. av. J.-C.) reprit la division en longitudes et en latitudes, qu'il disposa à distances égales, alors qu'Ératosthène les avait placées irrégulièrement. Poséidonios (Ier s. av. J.-C.) résuma les connaissances de ses prédécesseurs. Marin de Tyr (Ier s. de notre ère) représenta par une série de rectangles la terre habitée, en prenant pour base le parallèle et le méridien de Rhodes. Ptolémée, le plus grand géographe de l'Antiquité (IIe s. de notre ère), donna, dans sa *Géographie* en huit livres, une nomenclature des noms de lieux avec leur longitude et leur latitude; il emprunta une grande partie de la documentation de Marin de Tyr, mais en la soumettant à une critique sévère. Après avoir utilisé la projection cylindrique rectangulaire de Marin, il donna sa préférence à la projection conique. Le manuscrit grec de Ptolémée, conservé à la Bibliothèque nationale (XVe s.), contient des cartes qui ne sont pas de Ptolémée mais qui furent dessinées au Ve s. par Agathodaemon et remaniées ensuite; les cartes de Ptolémée sont perdues.

Chez les Romains, les cartes étaient d'usage courant, comme l'attestent des textes de Properce, de Pline, de Sénèque, de Suétone, de Vitruve. Au temps de Varron, une carte de l'Italie était peinte sur un mur du temple de Tellus, à Rome. A l'époque d'Auguste, une carte universelle fut placée dans le Porticus Vipsania à Rome, et Agrippa en fit le commentaire dans sa *Descriptio Orbis*. Malheureusement, aucune carte romaine n'a été conservée. La fameuse *Table de Peutinger* (du nom de l'humaniste d'Augsbourg qui en fut le possesseur au début du XVIe s.) est une copie exécutée au XIIIe s. d'un original du IIIe ou du IVe s. Cette carte, qui forme un rouleau de 4 m de long (aujourd'hui à Vienne), se présente comme un itinéraire routier simplifié : pour rendre la consultation plus facile, le tracé est étiré en ligne droite, sans tenir compte de l'échelle; les villes sont indiquées par de petites maisons, par un monument célèbre, etc.

Au Moyen Age

Jusqu'au début du XVe s., l'œuvre de Ptolémée fut ignorée en Occident. La cartographie médiévale se fonde sur les quelques données qui ont subsisté de la science antique, sur les renseignements fournis par les voyageurs et aussi sur l'Écriture sainte. Alors que les géographes de l'Antiquité avaient choisi comme centre Delphes, Rhodes ou Rome, c'est Jérusalem, la Ville sainte, qui devient désormais le centre du monde. Dans sa *Topographie chrétienne* (VIe s.), le moine alexandrin Cosmas Indikopleustès rejette la théorie de la sphéricité de la Terre, lui donnant la forme d'un rectangle, qui était celle du Tabernacle construit par Moïse; la Terre est placée au centre du monde et entourée de l'Océan. Cependant, le type prédominant jusqu'à la fin du XIIIe s. est la carte mondiale ronde, où les trois continents connus, c'est-à-dire l'Europe, l'Asie et l'Afrique, sont répartis selon les branches d'un T inscrit dans un O, la croix du T se situant au milieu de la Méditerranée et Jérusalem se trouvant approximativement au centre du O.

Vers 1300 apparaissent les premiers « portulans », dont le principal mérite est de fournir une description minutieuse des côtes, avec une nomenclature abondante. Ces cartes n'étaient pas graduées et ne répondaient à aucun système déterminé de projection; leur documentation était en partie fabuleuse, mais, pour les terres connues, « le tracé est en général exact, avec cette réserve que les dimensions des îles et des baies y sont exagérées. Ce qui frappe tout d'abord dans leur aspect, ce sont les roses des vents, groupées autour d'une rose centrale et formant un polygone qui a le plus souvent huit côtés. Elles ne donnent pas la direction azimutale car on ignorait à cette époque la déclinaison magnétique et les variations du compas. Il en résulte que toute la partie orientale se trouve reportée plus au nord ». (Georges Le Gentil, *Découverte du monde*, P.U.F., 1954, p. 40). Les portulans représentent la Méditerranée, la mer Noire et des parties de l'Atlantique. Curieusement, les Arabes, qui furent les grands découvreurs géographiques de l'âge médiéval, restèrent très en retard sur les Européens dans le domaine de la cartographie (il faut cependant mentionner la carte d'Idrisi, XIIe s.). C'est du XVe s. que datent les deux meilleures cartes médiévales, celle du Vénitien Fra Mauro (1459) et celle de l'Allemand Martin Behaim, qui exécuta en 1492, pour sa ville natale, Nuremberg, le plus ancien globe terrestre que nous ayons conservé. Behaim, qui avait travaillé comme astronome dans l'équipe scientifique formée au Portugal par Henri le Navigateur, donne des indications assez exactes sur la côte occidentale de l'Afrique, mais, même après le voyage de Barthélemy Dias, il étend beaucoup trop l'Afrique australe vers l'Est.

Depuis la Renaissance

A partir du XVIe s., les découvertes maritimes donnent à la cartographie un grand essor. D'autre part, la *Géographie* de Ptolémée, apportée par des Grecs en Italie dès le début du XVe s. et d'abord répandue en manuscrits, fait l'objet, à partir de 1475/77, ainsi que les cartes qui l'accompagnent, de plusieurs éditions imprimées. L'influence de Ptolémée, note Georges Le Gentil, « est à la fois utile et nuisible : utile parce qu'on lui emprunte des systèmes de projection qui en engendrent d'autres et qu'on adapte aux différentes régions qu'il s'agit de représenter; nuisible, parce qu'on s'en rapporte à ses longitudes,

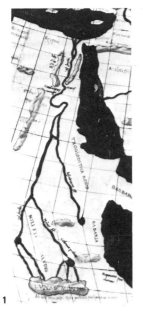

CARTOGRAPHIE
Détail de cartes de la version latine de la « Géographie de Ptolémée », XVe s.
1. Le cours du Nil, de son delta à la Nubie.
2. Le cours du Rhône.
On distingue la chaîne des Cévennes (en haut), les villes de Massilia, Graeca, Tarasco, Glanum, Avenion, Valencia.
Ph. © Bibl. Nat., Paris - Photeb

qui sont erronées ». Ainsi, jusqu'à la fin du xvie s., les cartographes augmentent d'environ 20° (près de la moitié) la longueur de la Méditerranée; pour l'Asie, l'erreur est de plus de 70°. Les premières grandes écoles cartographiques de la Renaissance s'épanouirent naturellement dans les pays qui étaient à l'avant-garde de la découverte maritime. Les grands cartographes portugais du xvie s. furent Pedro Reinel et son fils Jorge, puis Lope Homem et ses fils, qui donnèrent leur chef-d'œuvre avec le planisphère de 1554, puis Fernão Vaz Dourado, qui avait passé plus d'une dizaine d'années en Inde. En Espagne, la Casa de Contratación (v.), chargée de la direction suprême de l'œuvre coloniale, se dota dès 1508 d'un service cartographique, lequel fut illustré notamment par Nuño Garcia de Toreno, qui prépara les cartes pour le voyage de Magellan, et par Alonso de Santa Cruz.

Si les Ibériques recueillaient l'expérience des navigateurs, c'est en Allemagne et en Flandre qu'on s'efforçait de résoudre les problèmes scientifiques qui conditionnaient les progrès de la cartographie. Aux projections coniques recommandées par Ptolémée l'école germanique ajouta des projections stéréographique, ellipsoïdale, trapéziforme, cordiforme, etc. En 1569, dans sa carte du monde, Mercator adopta le système des latitudes croissantes (augmentation de la distance des parallèles à mesure qu'on s'éloigne de l'équateur), qui, après avoir rencontré bien des oppositions, passa en usage dans toutes les marines. Martin Waldseemüller, dans sa carte de 1507, avait été le premier à nommer l'Amérique. L'école flamande — à laquelle on peut rattacher Mercator, qui avait travaillé à Louvain puis à Duisburg — s'illustra en publiant le premier atlas moderne, le *Theatrum Orbis terrarum* d'Abraham Ortelius (Anvers, 1570). Dans l'école néerlandaise, brillèrent Waghenaer, qui publia en 1584 le premier volume de son *Miroir du marin*, et Jodocus Hondius, qui acheva en 1602 l'atlas de Mercator. L'école française, fondée dans la première moitié du xvie s. par Oronce Fine, compta ensuite de brillants représentants tels que Jean Fernel, qui mesura avec une remarquable exactitude, compte tenu des moyens rudimentaires dont il disposait, l'arc du méridien entre Paris et Amiens; Maurice Bouguereau, qui publia le premier atlas des provinces françaises (1594); et les géographes dieppois, Nicolas Desliens, Pierre Descelliers et Guillaume Le Testu, tout à fait dignes de rivaliser avec leurs homologues allemands et hollandais.

Au xviie s., l'industrie cartographique a son principal centre à Amsterdam, mais c'est en France que les progrès les plus importants sont accomplis, sous le patronage de l'Académie des sciences et après la fondation de l'Observatoire de Paris (1671). La mesure des arcs du globe terrestre fut effectuée avec précision par l'abbé Jean Picard (1669/70), puis par Dominique et Jacques Cassini (1700/18). Les observations astronomiques furent mises à profit par Guillaume Delisle, qui publia en 1700 ses cartes d'Europe, d'Afrique, d'Asie et d'Amérique, et ne cessa d'améliorer son œuvre, comme en témoigne la dernière édition de son atlas (1724). Les explorateurs de la Nouvelle-France et les missionnaires jésuites de Chine permirent d'établir des cartes de plus en plus précises de l'Amérique du Nord et de l'Asie. Au début du xviiie s., les services de l'armée commencèrent à dresser la carte de toutes les frontières de la France, et, en 1744, César Cassini de Thury entreprit sa carte de France au 1/86 400 (1 ligne pour 100 toises), dont les dernières feuilles ne parurent qu'en 1815. Ce fut la première carte nationale fondée sur la triangulation et elle resta en service jusqu'au milieu du xixe s. Mais le chef-d'œuvre de la cartographie du xviiie s. est incontestablement la carte des Chasses du roi (1770), qui couvrait toute la région parisienne en 12 feuilles au 1/28 000. C'est elle qui inspira la carte d'état-major au 1/80 000, qui parut en 274 feuilles de 1833 à 1888. Au cours du siècle dernier apparurent et se développèrent des branches multiples de la cartographie : géologique, océanographique, démographique, économique, etc. L'observation puis la photographie aériennes et, de nos jours, la photographie spatiale, réalisée à partir de satellites, ont ouvert un champ nouveau à la cartographie.

● L'utilisation de l'infrarouge noir et blanc en hydrologie et en agriculture permet de détecter l'humidité avec des teintes allant du gris très pâle pour les zones très sèches au gris clair pour les conifères, au gris foncé pour les arbres à feuillage dense, au noir pour l'eau. Il enregistre aussi les différences de température. L'infrarouge couleur augmente encore ces contrastes. Un système combinant radionavigation et informatique garantit que chaque photo aérienne couvre la même portion du sol, quel que soit l'intervalle de temps de la prise de vue. La géodésie bénéficie de la radioélectricité et des appareils à rayon laser. L'informatique permet de numériser les courbes de niveau. Une table traçante commandée par la mémoire d'un ordinateur peut dessiner ces courbes directement sur la planche (« couche à graver ») utilisée pour l'impression. Toutes ces techniques nouvelles permettent d'accélérer considérablement la réalisation des cartes, de fiabiliser leur contenu et d'étendre leur champ d'application.

CARTON DE WIART comte Henri (* Bruxelles, 31.I.1869, † Bruxelles, 9.V. 1951). Homme politique belge. Avocat, député catholique dès 1896, il fut un des membres les plus actifs de la Jeune Droite, qui, en se ralliant aux idées sociales des encycliques de Léon XIII, voulait insuffler un sang nouveau au parti catholique belge. Ministre de la Justice dans le cabinet Broqueville (1911/18), il fit voter une loi sur la protection de l'enfance, première du genre en Europe. Président d'un gouvernement d'union nationale (nov. 1920/déc. 1921), il étendit le droit de grève et la liberté d'association, institua la journée de 8 heures et la semaine de 48 heures et donna le droit de vote aux femmes dans les assemblées communales. Il représenta la Belgique à la S.D.N. (1934/40). Fondateur de la revue *Durendal* (1894), Carton de Wiart eut aussi une activité littéraire (*La Cité ardente,* 1905; *Les Vertus bourgeoises,* 1910) et fut élu en 1920 à l'Académie royale de langue et de littérature françaises.

CARTOUCHE. Voir FUSIL.

CARTOUCHE Louis-Dominique (* Paris, 1693, † Paris, 27.XI.1721). Bandit célèbre. Fils d'un tonnelier, il commença des études au collège Louis-le-Grand (avec le jeune Voltaire pour condisciple), en fut chassé, servit quelque temps dans l'armée, puis se mit à la tête d'une bande qui commettait des vols et des assassinats dans la capitale et les environs. Après avoir échappé pendant près de dix ans aux recherches de la police, il fut enfin arrêté et roué vif en place de Grève.

CARTOUCHES (Maison des dernières). Voir DERNIÈRES CARTOUCHES (Maison des).

CARTULAIRE. Registre manuscrit dans lequel les grands propriétaires fonciers — principalement les abbayes et évêchés, mais aussi les seigneuries, les villes, les corporations, les confréries, etc. — avaient, au Moyen Age, accoutumé de faire recopier les chartes qui reconnaissaient leurs titres ou privilèges. Ces actes y étaient classés non selon l'ordre chronologique ni selon un système général, mais d'après l'objet des chartes et souvent dans l'ordre topographique. Les cartulaires sont précieux pour l'histoire médiévale, car ils permettent de connaître beaucoup d'actes dont les originaux ont disparu (mais des actes sans authenticité s'y trouvent souvent mêlés aux actes authentiques); ils constituent une mine de renseignements pour la connaissance du droit, de la vie publique et privée. Les plus anciens remontent au IXe s., mais la plupart datent des XIIe/XIIIe s. Beaucoup ont été publiés depuis le siècle dernier. Parmi les cartulaires ecclésiastiques, citons ceux de Notre-Dame de Paris (édit. Guérard, 1850), de Saint-Germain-des-Prés (édit. Poupardin, 1909), de Saint-Martin-des-Champs (édit. Depoin, 1912), de Notre-Dame de Chartres (édit. Lépinois et Merlet, 1862), de Cluny (édit. Bruel, 1876/94), etc.

CARTWRIGHT John (* Marnham, Nottinghamshire, 17.IX.1740, † Londres, 23.IX.1824). Homme politique anglais. D'abord officier de marine, il refusa de combattre contre les colons insurgés d'Amérique, en faveur desquels il écrivit son pamphlet *American Independence : the Glory and Interest of Great Britain* (1774).

CARTWRIGHT Edmund (* Marnham, Nottinghamshire, 24.IV.1743, † Hastings, 30.X.1823). Ingénieur anglais, frère du pré-

cédent, clergyman de campagne, il révolutionna l'industrie textile en mettant au point, vers 1785/87, le premier métier mécanique à tisser. Il fonda une petite fabrique à Doncaster (Yorkshire) et ne cessa d'améliorer son invention. En 1789, il substitua une machine à vapeur aux chevaux comme force motrice.

CARUS Marcus Aurelius († Ctésiphon, août 283), empereur romain (282/83). Né en Illyrie (ou à Narbonne, selon Eutrope), d'un père africain et d'une mère romaine, préfet du prétoire sous Probus, il fut, après le meurtre de ce dernier (282), proclamé empereur par les légions. Après avoir battu les Sarmates dans les Balkans, il marcha victorieusement contre les Parthes, s'empara de la Mésopotamie et des villes de Séleucie et de Ctésiphon. Il s'apprêtait à poursuivre la campagne au-delà du Tigre lorsqu'il mourut, peut-être assassiné par le préfet Aper. Il eut pour successeurs ses fils Numérien et Carin.

CARVAJAL. Famille espagnole, illustrée par **Juan de Carvajal** (* Trujillo, Cáceres, 1399 ou 1400, † Rome, 6.XII.1469). Cardinal (1446), il fut un juriste et un diplomate remarquable; il accomplit plusieurs missions en Allemagne, combattit les hussites, puis, comme légat pontifical en Allemagne et en Hongrie (1455/61), il contribua à la victoire sur les Turcs, près de Belgrade (1456).

Son neveu, **Bernardino de Carvajal** (* 1456, † 1523), fut fait cardinal par Alexandre VI en 1493. Ambassadeur d'Espagne à Rome, il prit parti pour Louis XII et l'empereur Maximilien contre le pape Jules II, fut excommunié et dépouillé de la pourpre; s'étant soumis sous Léon X, il fut rétabli dans ses dignités (1513).

Francisco de Carvajal († 1548), capitaine espagnol, contribua à la victoire du gouverneur du Pérou, Vaca de Castro, sur Almagro; rallié ensuite à Pizarre, il fut pris avec lui et pendu comme traître, à Cuzco.

Thomas José Gonzalez de Carvajal (* Séville, 21.XII.1753, † Madrid, 9.XI.1834), secrétaire d'État aux Finances (1813), fut arrêté pour ses opinions libérales après la restauration de Ferdinand VII, mais devint membre du Conseil en 1834. Poète classique, il a traduit les Psaumes en vers (1819).

CARYATIDES. Dans l'architecture grecque antique, figures de femmes que l'on plaçait en guise de colonnes, de piliers et de pilastres. Ce nom, qui veut dire *habitantes de Caryes,* vient, selon la tradition, de ce que cette ville de Laconie s'étant jointe aux Perses après la bataille des Thermopyles, ses habitants furent exterminés par les autres Grecs, tandis que leurs femmes étaient réduites en esclavage et condamnées à porter de lourds fardeaux.

CAS ROYAUX. Nom donné aux crimes et délits que les tribunaux royaux enlevaient

CARTWRIGHT
John. Homme politique anglais (1740-1824).
Ph. Jeanbor © Photeb

CASABIANCA

Le sous-marin dans le port d'Alger. Il vient d'échapper
à l'occupation du port militaire de Toulon par les Allemands.
Tirs de mitrailleuses, mines magnétiques, bombes aériennes,
grenades sous-marines, rien ne lui a manqué lorsque
le 27 nov. 1942, à 5 h, il a prévenu de justesse l'ordre général de sabordage.
Lancé en 1935 aux Chantiers de Saint-Nazaire,
il déplaçait 1 500 tonnes en surface, et 2 000 en plongée.
Vitesse : 20,5 nœuds en surface, 10,5 en plongée.
Équipage : 6 officiers et 79 hommes.
Le 30 nov., à 9 h 45, il s'amarrait à la jetée nord d'Alger,
prêt à de nouveaux exploits. Quatre autres sous-marins
voulurent s'échapper de Toulon comme lui :
le « Glorieux » et le « Marsouin » parvinrent à Alger;
le « Vénus » coula en rade; l'« Iris », faute de carburant, rallia Carthagène.
Ph. © E.C.P. Armées - Photeb

aux justices seigneuriales, même si l'affaire s'était déroulée sur le territoire du seigneur, parce que les droits du roi y étaient engagés. Limités à la fin du XIIe s. (ordonnance de Philippe Auguste, 1190), aux quatre crimes de meurtre, rapt, homicide et trahison, les cas royaux se multiplièrent au fur et à mesure que s'affirmaient les prérogatives royales. On n'en établit jamais une liste limitative. Les cas royaux comprenaient tout ce qui concernait le roi, sa famille, ses biens, mais également les délits commis contre ses agents, la falsification de ses monnaies, la violation de ses ordonnances, etc.

CASABIANCA Louis (* Bastia, 1762, † Aboukir, 1.VIII.1798). Marin français. Après avoir appartenu à la marine royale, il fut député de la Corse à la Convention (1792), puis membre du Conseil des Cinq-Cents. Commandant le vaisseau l'*Orient* dans l'expédition d'Égypte, il fut mortellement blessé au combat naval d'Aboukir et y périt avec son jeune fils qui, voyant le navire en feu, ne voulut point se séparer de lui.

Son frère, **Raphaël de Casabianca** (* Vescovato, Corse, 27.XI.1738, † 1825), général français, participa à la conquête de la Corse sous Louis XV. Nommé gouverneur par la Convention à la place de Paoli, il défendit glorieusement Calvi contre les Anglais. Sénateur et comte sous l'Empire.

CASABIANCA. Sous-marin français de 1 500 tonnes, qui s'illustra durant la Seconde Guerre mondiale, sous les ordres du commandant L'Herminier, après avoir réussi à quitter Toulon lors de l'occupation du port par les Allemands (nov. 1942). Il participa notamment aux opérations de débarquement en Corse (12/13 sept. 1943).

CASABLANCA, *Dar el-Béïda.* Ville et port du Maroc, sur l'Atlantique, l'un des meilleurs ports artificiels du monde. Casablanca s'éleva près de la petite ville d'Anfa, déjà connue des Romains; en 1463, elle fut occupée et détruite par les Portugais, qui bâtirent à côté un établissement nommé par eux *Casa Branca.* Abandonnée par la suite, reconstruite en 1770 par le sultan Moulay Mohammed, qui la nomma Dar el-Béïda, la ville commença, dès la fin du XIXe s., à devenir un port et un centre commercial de quelque importance. En juill. 1907, le meurtre de neuf ouvriers européens dans le port donna à la France le prétexte de l'occuper. Dès lors, le développement de Casablanca se poursuivit à un rythme spectaculaire : de grandes installations portuaires ayant été aménagées de 1913 à 1934, le trafic passa de 352 000 tonnes en 1920 à 2 800 000 tonnes en 1939 et à près de 8 millions de tonnes en 1960. La ville, qui n'avait encore en 1907 que 10 000 habitants, devint une grande cité moderne qui comptait en 1982 plus de deux millions d'habitants; elle est restée, après l'indépendance du Maroc, la capitale économique et commerciale du pays. Durant la Seconde Guerre mondiale, le débarquement des unités américaines à Casablanca, le 8 nov. 1942, rencontra durant trois jours une vive résistance des troupes françaises fidèles aux ordres de Pétain et de Noguès. Au cours de la **conférence de Casablanca (14/24 janv. 1943)**, Churchill et Roosevelt prirent d'importantes décisions concernant l'invasion prochaine du territoire italien, l'intensification des bombardements sur l'Allemagne et l'exigence d'une capitulation sans condition de l'Allemagne, de l'Italie et du Japon; pendant cette conférence, les deux grands chefs alliés essayèrent, mais sans succès, de réconcilier Giraud et de Gaulle.

CASA DE CONTRATACIÓN. Organisme créé en 1503 à Séville par les Rois Catholiques pour coordonner, sous le contrôle du Conseil des Indes (v.), toutes les relations économiques et financières avec l'Amérique espagnole. Elle pratiqua une politique coloniale rigidement mercantiliste. Après la création d'un ministère des Indes (1714), son rôle diminua au XVIIIᵉ s. Transférée en 1717 à Cadix, la Casa de Contratación fut supprimée en 1790. Voir COLONIES.

CASALE MONFERRATO. Ville d'Italie, dans le Piémont (Alexandrie), sur le Pô. Commune libre au XIIIᵉ s., elle passa en 1404 aux Paléologues et devint la capitale du Montferrat (v.). Elle fut annexée à Mantoue en 1559 et à la Savoie en 1703. Comme place forte commandant la vallée du Pô, Casale joua un rôle important dans l'histoire militaire et fut prise et reprise plusieurs fois par les Impériaux et par les Français. Ceux-ci vainquirent les Espagnols en 1640 et l'occupèrent de 1681 à 1703.

● **CASAMANCE.** Province méridionale du Sénégal, enserrée au nord par la Gambie (v.), au sud par la Guinée-Bissau (v.). Capitale : *Ziguinchor*. Son climat tropical l'a dotée d'une végétation luxuriante et d'une prospérité agricole qui la distinguent des autres régions du pays, désertiques et victimes d'une très grave et très longue sécheresse. Elle est peuplée par les Mandingues et par les Diolas. Ces derniers, en basse Casamance, ont commencé à manifester des sentiments d'autonomie face à l'implantation progressive, à partir de 1970, de dizaines de milliers de Ouolofs. Cette ethnie sénégalaise majoritaire, chassée par la sécheresse, cherche refuge dans les forêts de Casamance et les brûle pour les transformer en champs d'arachides. Les Ouolofs apportent avec eux l'islam, qui supplante peu à peu l'animisme traditionnel et le catholicisme hérité des anciens colons portugais. Non contente d'être le meilleur fief de l'opposition, en particulier du parti démocratique socialiste, la Casamance a favorisé, dès 1947, un Mouvement des forces démocratiques de Casamance, de tendance indépendantiste, qui a suscité des émeutes en déc. 1983 et en 1984. La prospection pétrolière au large des côtes de la Casamance, si elle se révélait fruc-

CASABIANCA
Louis. Officier de marine
d'origine corse (1762-1798).
Ph. © Bibl. Nat., Paris - Photeb

tueuse, pourrait accentuer l'importance économique de la région. Voir SÉNÉGAL.

CASANOVA de Seingalt Giovanni Jacopo (* Venise, avr. 1725, † Dux, Bohême, ou Vienne, 4.VI.1798). Aventurier vénitien. Chassé du séminaire à la suite d'une aventure amoureuse, il mena une vie ardente et désordonnée, passant d'une aventure galante à une autre, se faisant expulser de tous les pays à la suite de ses incartades. Emprisonné pour raison d'État aux « plombs » de Venise, en 1755, il réussit à s'évader le 31 oct. 1756, passa un certain temps à Paris et brilla dans la bonne société, voyagea en Allemagne, en Italie, en Suisse, en Angleterre, fut reçu en audience par Frédéric le Grand et par Catherine II, devint à Varsovie le favori du roi Stanislas Poniatowski, éblouissant partout son entourage par la diversité de ses dons et par ses innombrables conquêtes féminines. Musicien, alchimiste, écrivain, personnage politique, il acheva sa vie au château de Dux, comme bibliothécaire du comte Waldstein. Il a écrit en français une *Histoire de ma fuite des prisons de Venise qu'on appelle les Plombs* (Prague, 1788) et des *Mémoires*, fort licencieux (première édition 1826-38; texte intégral, 1960-63), qui constituent un intéressant document sur la société européenne du XVIIIᵉ s.

Ses deux frères, **Francesco** (* 1727, † 1802) et **Giovanni Battista Casanova** (* 1722, † 1795), furent des peintres réputés; le second, directeur de l'Académie des beaux-arts de Dresde, contribua à la formation de Winckelmann.

CASATI Gabrio, comte (* Milan, 2.VIII. 1798, † Milan, 13.XI.1873). Homme politique italien. D'une vieille famille aristocratique, il fut, à partir de 1837, chargé par les Autrichiens de l'administration de Milan. Durant les Cinq Journées de Milan (v.), en 1848, il donna une sorte de caution légale à l'insurrection et devint président du gouvernement provisoire; favorable à l'annexion de la Lombardie au Piémont, il fut placé par Charles-Albert à la tête du ministère (juill./août 1848). Resté au Piémont après l'échec de la révolution, il devint sénateur, ministre de l'Instruction publique (1859/60) et président du Sénat (1865/72).

CASE DE L'ONCLE TOM (la). Voir ABOLITIONNISME.

CASEMENT sir Roger David (* Dun Laoghaire, Dublin, 1.IX.1864, † Londres, 3.VIII.1916). Homme politique irlandais. Entré en 1892 dans le service consulaire britannique, il se signala par les courageuses enquêtes qu'il mena au Congo (1901/03) et au Pérou (1910/11) sur les agissements des trafiquants blancs, exploiteurs du travail africain et indien. Son indignation généreuse devant toutes les formes d'oppression l'amena bientôt à se passionner pour le mouvement d'indépendance irlandais. Démis-

CASEMENT
Sir Roger David. Homme
politique irlandais (1864-1916).
Peint par W. Rothenstein.
(National Portrait Gallery,
Londres.)
Ph. © du musée - Photeb

CASERIO
Santo Hieronimus. Anarchiste
italien (1873-1894).
Ph. Jeanbor © Photeb

sionnant en 1912 du service diplomatique britannique, il contribua à mettre sur pied l'organisation des Volontaires nationaux irlandais et s'opposa à la mobilisation des Irlandais au service de l'Angleterre durant la Première Guerre mondiale. Croyant trouver un appui en Allemagne, il réussit, en passant par les États-Unis, à gagner Berlin dès nov. 1914, et essaya, mais sans succès, de former une brigade irlandaise qui eût combattu aux côtés des Allemands. Voyant que ceux-ci n'étaient pas disposés à fournir un effort suffisant pour soutenir l'Irlande, il regagna l'île en avr. 1916, à bord d'un sous-marin allemand, résolu à dissuader ses compatriotes de déclencher l'insurrection de Pâques. Arrêté par les Anglais, il fut jugé à Londres et condamné à mort. Peut-être eût-il été gracié si la police n'avait découvert ses journaux intimes, qui attestaient ses goûts homosexuels. Ses ennemis s'en servirent pour obtenir sa pendaison. Ses restes devaient être inhumés solennellement à Dublin en 1965.

CASERIO Santo Hieronimus (* Motta-Visconti, Lombardie, 8.IX.1873, † Lyon, 6.VIII.1894). Anarchiste italien. Garçon boulanger, rallié à l'anarchisme dès l'âge de dix-sept ans, il assassina d'un coup de poignard le président de la République, Sadi Carnot, lors des fêtes données pour l'exposition de Lyon (24 juin 1894). Il défendit farouchement ses convictions devant le tribunal et marcha avec courage à la guillotine.

CASERTE. Ville d'Italie du Sud, en Campanie. Son magnifique palais (1752/74, œuvre de Vanvitelli) était la résidence des Bourbons de Naples. Le 29 avr. 1945 fut signée à Caserte la capitulation des troupes allemandes d'Italie.

CASH AND CARRY. Nom donné à la loi de neutralité américaine d'avr. 1937, en vertu de laquelle des armes de guerre ne seraient vendues qu'aux nations qui les paieraient comptant *(cash)* et qui les transporteraient *(carry)* par leurs propres navires. Cette loi fut levée en avril 1943 au profit du Royaume-Uni.

CASHEL. Ville d'Irlande (Munster). Ancienne capitale du royaume de Munster et siège épiscopal remontant au VIe s. (archevêché en 1152). Le 6 nov. 1171, un synode national irlandais y reconnut l'autorité d'Henri II d'Angleterre.

CASILINUM. Ancienne ville de Campanie, sur le Volturno, dans les environs de Capoue, elle occupait une position stratégique importante sur la via Appia. En 216 av. J.-C., Hannibal, enfermé par Fabius dans un défilé près de Casilinum, se tira de ce mauvais pas en chassant devant lui des bœufs dont la tête était chargée de sarments enflammés, qui jetèrent la panique chez les Romains. En 554 apr. J.-C., victoire de Narsès sur les Germains. Voir CAPOUE.

CASIMIR saint (* 3.X.1458, † Vilna, 4.III.1484). Fils de Casimir IV, roi de Pologne. Atteint de phtisie, il se prépara à la mort par un ascétisme fervent. Il est le patron de la Pologne et de la Lituanie.

CASIMIR Ier le Rénovateur (* vers 1016, † 28.XI.1058), duc de Pologne (1034/58). Devenu duc à la mort de son père, Mieszko II, il fut, ainsi que sa mère, la princesse lorraine Richeza, chassé par ses sujets révoltés (1037). On a dit à tort qu'il se fit moine à Cluny. Revenu en Pologne vers 1038, il rétablit son autorité avec l'aide de l'empereur Henri III.

CASIMIR II le Juste (* 1138, † 4.V.1194), prince de Pologne (1177/94). Arrière-petit-fils du précédent et frère de Boleslas IV, élu en 1177 à la place de son frère Mieszko III, que les grands avaient déposé. Allié de l'Église, il mena des campagnes victorieuses contre la Volhynie (1181) et les Iaczwiges païens.

CASIMIR III le Grand (* Kowal, Cujavie, 1310, † 5.XI.1370), roi de Pologne (1333/70). Fils et successeur de Ladislas Ier Lokietek, couronné en 1333, il régla pacifiquement ses différends avec la Bohême par les traités de 1335 et 1346, conquit la Galicie (avec Lwow, 1349) et la Volhynie avec Vladimir (1366). Mais son rôle pacifique fut plus important encore : par le statut de Wislica (1347), il posa les fondements du droit polonais; il créa l'université de Cracovie (1364) et développa cette ville en y appelant des colons allemands. On peut le considérer comme le vrai fondateur de l'État polonais.

CASIMIR IV (* 29.XI.1427, † 7.VI.1492), roi de Pologne (1447/92). Second fils de Ladislas II Jagellon, d'abord grand-prince de Lituanie, appelé au trône après la mort (1444) de son frère, Ladislas III, il mena une longue guerre (1454/66) contre l'ordre Teutonique, auquel il enleva une grande partie de ses possessions prussiennes (paix de Thorn, 19 oct. 1466); la Pologne acquit ainsi Marienburg, Elbing, Kulm (Chelmno), et les Teutoniques devinrent vassaux de la couronne polonaise. C'est sous son règne, en 1454, que se tint la diète de Nieszawa, qui accorda les plus grands privilèges à la noblesse polonaise : celle-ci, dès les brefs règnes des deux fils de Casimir IV, devint pratiquement maîtresse de la Pologne, où la monarchie se transforma en oligarchie.

CASIMIR V, roi de Pologne (1648/68). Voir JEAN II CASIMIR.

CASIMIR-PERIER Jean (* Paris, 8.XI.1847, † Paris, 11.III.1907). Homme politique français. D'une famille de riches bourgeois, fils d'un ministre de Thiers et petit-fils du président du Conseil de Louis Philippe (v. PERIER), président de la Chambre en 1893, président du Conseil et ministre des Affaires étrangères (2 déc. 1893/22 mai 1894), il fit voter, pour réprimer les menées anarchistes, une série de lois relatives à la liberté individuelle et aux délits de presse, que l'opposition socialiste qualifia de *lois scélérates*. Élu président de la République le 27 juin 1894 par 451 voix sur 853 votants, il démissionna le 14 janv. 1895 — après le véritable réquisitoire prononcé contre lui par Jaurès au procès Gérault-Ricard (5 nov. 1894) — et se retira de la vie politique. Son bref passage à la tête de l'État fut marqué surtout par l'arrestation et la condamnation de Dreyfus.

CASOAR. Plumet blanc et rouge porté par les saint-cyriens depuis 1855.

CASPE. Ville d'Espagne, à l'est de Saragosse, sur l'Èbre. C'est là que fut signé en 1412 le **compromis de Caspe,** en vertu duquel la couronne d'Aragon, après l'extinction de la dynastie catalane, passa à Ferdinand Ier, fils aîné de Jean Ier, roi de Castille.

CASQUE. Voir ARMURE.

CASQUES D'ACIER. Voir STAHLHELM.

CASQUES BLEUS. Nom donné à la force militaire de l'O.N.U. créée en 1956 et envoyée dans un but de stabilisation dans des zones où la paix est menacée. En raison du désaccord entre les grandes puissances après la Seconde Guerre mondiale, la force permanente de l'O.N.U. prévue par la Charte des Nations unies ne put jamais être constituée et l'Organisation internationale ne dispose ainsi que de forces temporaires, composées de contingents fournis par certains de ses membres. Voir ORGANISATION DES NATIONS UNIES.

CASSAGNAC Adolphe Granier de (* Avéron-Bergelle, Gers, 12.VIII.1806, † Couloumé, Gers, 31.I.1880). Homme politique français. Bonapartiste ardent, directeur du journal *Le Pays,* il apporta son soutien inconditionnel au second Empire. Après 1870, il fit reparaître son journal, siégea à la Chambre (1876) et demeura un des chefs du parti bonapartiste. Il a laissé des *Souvenirs* (1879-82).

Son fils, **Paul Granier de Cassagnac** (* Paris, 2.XII.1843, † Saint-Viâtre, Loir-et-Cher, 4.XI.1904), lui aussi bonapartiste, prit, après 1871, la direction du *Pays,* puis fonda, en 1886, le journal *L'Autorité.* Député du Gers (1876/93 et 1898/1902), il ne cessa de lutter par la plume et par la parole pour la restauration de l'Empire et joua un rôle important dans l'agitation boulangiste.

CASSANDRE (* vers 358, † 297 av. J.-C.), roi de Macédoine (305/297). Fils aîné d'Antipater, il s'assura le pouvoir en Macédoine dès la mort de son père (318), mit à mort Olympias, mère d'Alexandre, puis sa femme Roxane et son fils Alexandre IV Aigos. Il épousa Thessalonica, demi-sœur du conquérant, et s'allia à Séleucos, à Ptolémée Ier et à Lysimaque dans leur longue lutte contre

CASIMIR-PERIER
Jean. Président de la République française (1894/1895). Photo Nadar.
Ph. © Arch. Phot. Paris - Photeb

Antigone, qui se termina par la défaite et la mort de celui-ci, à Ipsos (301); il obtint en partage, outre la Macédoine (dont il s'était fait proclamer roi en 305), la plus grande partie de la Grèce.

CASSANO D'ADDA. Ville d'Italie, au nord-est de Milan, sur l'Adda. Ezzelino da Romano, chef des gibelins, y fut vaincu et mortellement blessé en 1259; le duc de Vendôme y livra au Prince Eugène, le 16 août 1705, une bataille indécise; Moreau y fut battu par les Austro-Russes, que commandait Souvarov, le 27 avr. 1799.

CASSARD Jacques (* Nantes, 1672, † Ham, 1740). Marin français. Il fit avec succès la course contre les Anglais dans la Manche, protégea plusieurs convois de ravitaillement lors de la disette de 1709, et s'éleva par sa seule valeur au grade de capitaine de vaisseau. Duguay-Trouin le regardait comme le premier marin de France; méconnu cependant, il fut emprisonné au fort de Ham pour s'être plaint vivement d'une injustice.

CASSATION (Cour de). Voir COUR DE CASSATION.

CASSEL. Ville de France, département du Nord, au N.-O. d'Hazebrouck. Ancienne capitale des Morins à l'époque gallo-romaine. En 1071, Robert Ier le Frison, comte de Flandre, y battit Philippe Ier. Le 24 août 1328, victoire de Philippe VI de Valois sur les Flamands révoltés contre Louis de Nevers. Le 11 avr. 1677, victoire de Philippe d'Orléans, frère de Louis XIV, sur Guillaume d'Orange, qui dut céder Cassel à la France.

CASSEL, ville d'Allemagne. Voir KASSEL.

CASSIN (mont), *Monte Cassino.* Montagne d'Italie, au nord-ouest de Naples, dans la province de Frosinone. St. Benoît y fonda en 529 une célèbre abbaye qui est restée le haut lieu de l'ordre bénédictin. Dévastée par les Lombards en 577, elle fut restaurée à partir de 717 par Petronax et Willibald. Le monastère fut encore détruit à quatre reprises : en 884 par les Sarrasins, en 1030 par les Normands, en 1349 par un tremblement de terre, en janv./mai 1944, par l'aviation et l'artillerie alliées; il fut chaque fois reconstruit.
Le Mont-Cassin est l'archiabbaye de la congrégation cassinaise des bénédictins. Cette congrégation a pour origine la réforme de Sainte-Justine de Padoue (1408), à laquelle le Mont-Cassin s'agrégea en 1504.

CASSIN René (* Bayonne, 5.X.1887, † Paris, 20.II.1976). Juriste français. Professeur de droit international, membre de la délégation française à la S.D.N. (1924), il fut un des premiers adhérents de la France libre (1940) et joua un rôle important dans le Comité de Londres, puis dans le Comité français de libération nationale. Membre de la Commission des droits de l'homme des Nations unies (1946), puis président de cette Commission, il fut à l'origine de la Déclaration universelle des droits de l'homme, votée par l'Assemblée générale de l'O.N.U. en déc. 1948. Il prit aussi une part importante à la fondation de l'U.N.E.S.C.O. Membre du Conseil constitutionnel de la Ve République, il fut nommé, en 1965, président de la Cour européenne des droits de l'homme. René Cassin reçut en 1968 le prix Nobel de la paix.

CASSINO. Ville d'Italie (Frosinone), dominée à l'O. par le mont Cassin. Dans l'Antiquité *Casinum,* d'abord centre des Volsques, puis colonie à l'époque impériale. Grégoire IX et l'empereur Frédéric II y signèrent la paix (23 juill. 1230). Durant la Seconde Guerre mondiale, les Allemands en firent un des bastions de la ligne Gustav et s'y défendirent avec acharnement de déc. 1943 au 17 mai 1944, date à laquelle Cassino fut enlevé par les troupes britanniques et polonaises.

CASSITÉRIDES (îles). Groupe d'îles ainsi nommées par les Grecs parce qu'elles fournissaient beaucoup d'étain *(kassitéros).* Mentionnées pour la première fois au ve s. par Hérodote, elles furent exploitées successivement par les Phéniciens, les Carthaginois et les Romains. Sur la carte de Ptolémée, elles figurent au nord-ouest de l'Espagne, mais elles furent identifiées par la suite aux îles Sorlingues (au sud-ouest de la Grande-Bretagne) ou encore à la Cornouailles; selon une autre thèse moderne, ce seraient de petites îles de la baie de Vigo, sur la côte espagnole.

CASSIUS VISCELLINUS Spurius (485 av. J.-C.). Trois fois consul, en 502, 493 et 486, il établit un traité d'alliance avec les Latins. Accusé d'aspirer à la tyrannie, il fut exécuté. La tradition selon laquelle il serait l'auteur de la première loi agraire est sans valeur historique.

CASSIUS LONGINUS Caius († Philippes, Macédoine, 42 av. J.-C.). Général romain. Il sauva les débris de l'armée romaine après le désastre de Crassus à Carrhae. Pendant la guerre civile, il se rangea d'abord du côté de Pompée et commanda la flotte syrienne : fait prisonnier par César après le désastre de Pharsale, il bénéficia de l'habituelle générosité de son vainqueur, qui le fit nommer préteur en 44 et lui promit pour l'année suivante le gouvernement de la Syrie. Jaloux et envieux, il se rangea néanmoins dans la conspiration contre le dictateur et se trouva parmi les assassins de César, aux ides de mars 44. Obligé de fuir, il ne put se maintenir en Afrique, mais se rendit maître de la Syrie et vint se joindre à Brutus, en Macédoine, après avoir mis l'Asie Mineure au pillage. Commandant de l'aile gauche de l'armée à la bataille de Philippes, il fut mis en déroute par Antoine et, le soir même, ordonna à son affranchi Pindarus de le tuer.

CASSIN (mont)
L'abbaye et la colline
du monastère, « mangées »
par les bombardements
aériens
et les pilonnages
d'artillerie, au moment
de leur prise
par les troupes alliées.
Photo prise depuis un avion
d'observation par un pilote
de la R.A.F.
Une première phase
de la bataille se déroula
du 17 janv. au 12 févr. 1944.
Britanniques, Américains
et Français
(auxquels s'ajoutaient
des Néo-Zélandais,
50 000 Polonais, des Indiens,
des Marocains)
s'emparèrent
de plusieurs positions,
sans pouvoir
déloger l'ennemi
de la colline du monastère.
Le 11 mai à 23 h,
toùt le front du Rapido
et du Garigliano
s'embrasa. Sous les coups
des troupes françaises
du général Juin,
la route de Rome
était ouverte.
Le 18 mai, le 12e régiment
polonais planta son drapeau
sur les ruines de l'abbaye.
Les Alliés
avaient perdu
près de 115 000 hommes.
Ph. © Imperial War Museum.
Londres - Photeb

CASTELAR
Emilio C. y Ripoll. Homme
politique espagnol (1832-1899).

CASSIUS Caius Avidius († 175). Général romain. Placé par Marc Aurèle à la tête des légions de Syrie, il remporta de grands succès contre les Parthes (163) mais crut pouvoir aspirer au pouvoir suprême et se fit proclamer empereur par ses légions (175); il périt trois mois plus tard, lors d'une révolte de ses propres soldats (juill. 175).

CASSIVELLAUNUS (Iᵉʳ s. av. J.-C.). Chef breton de l'actuel Hertfordshire, il régnait sur les Trinobantes et tenta vainement de s'opposer à César, durant la seconde campagne de celui-ci en Angleterre (54 av. J.-C.). Mis en fuite, il obtint la paix en payant un tribut et en remettant des otages.

CASTE (en sanskrit *varna*). Division sociale et religieuse de la société indienne, d'origine divine, selon la tradition brahmanique. Inconnue des plus anciens hymnes védiques, elle n'est mentionnée que dans un livre tardif du *Rigvéda* (vers 1500 av. J.-C.). Le système des castes a certainement son origine dans des mesures de protection prises par les conquérants aryens, minoritaires, pour conserver leur pureté religieuse et raciale au milieu des populations conquises. Toutes différentes des classes sociales telles qu'elles existèrent à Athènes, à Rome et dans la civilisation européenne, les castes ne sont fondées ni sur la richesse économique ni sur les privilèges politiques. Elles expriment les degrés divers de participation des individus au sacré. On compte quatre grandes castes, qui sont, dans l'ordre : les brahmanes ou prêtres; les guerriers ou *kshatriya;* les *vaiçya,* agriculteurs et commerçants; enfin les *çudra,* réduits aux occupations serviles. Les trois premières castes formaient le groupe aryen; la dernière, qui représentait la majorité de la population, rassemblait les aborigènes, soumis et intégrés à la société aryenne, mais restant pratiquement exclus du culte brahmanique. Le système des castes, qui a subsisté en Inde, durant plus de trois millénaires, jusqu'à nos jours, a fini par se subdiviser en quelque deux à trois mille castes, jalouses de leurs prérogatives. Très tôt cependant apparut une réaction anticastes, dont on peut trouver les prémices dans la *Bhagavad-Gita.* Les sikhs abolirent toute distinction de caste, de même que les mouvements du néo-hindouisme au XIXᵉ s. tels que le Brahmosamaj et l'Aryasamaj. Sans refuser dans son essence le système des castes, Gandhi lutta contre la ségrégation sociale ou spirituelle qui l'accompagnait. Le régime de Nehru a supprimé la distinction des castes, mais cette décision légale n'a guère eu de conséquences dans la réalité indienne. Dans l'Inde du dernier quart du XXᵉ s., la caste reste le cadre fixé par la renaissance, et d'où l'on ne sort pas; mais il existe, à l'intérieur de chaque caste, une grande mobilité sociale et une hiérarchie souple fixée non par la naissance mais par la réussite et la richesse.

CASTEL DI DECIMA. Site archéologique au S. de Rome. Dans les années 1970, on

y a découvert une vaste nécropole latine des IXᵉ-VIIᵉ s. av. J.-C., comprenant plus de 200 tombeaux, avec un riche mobilier funéraire : armes et armures de fer et de bronze, parures de bronze et d'or.

CASTELAR y RIPOLL Emilio (* Cadix, 8.IX.1832, † San Pedro del Pinatar, Murcie, 25.V.1899). Homme politique espagnol. Professeur d'histoire et de philosophie à l'université de Madrid (1856), journaliste, il fut le chef de la droite du parti républicain et contribua beaucoup à l'abdication du roi Amédée (1873). Désigné par les Cortes en sept. 1873, il tenta vainement, pendant la Iʳᵉ République, d'instituer un gouvernement centralisé, mais fut renversé (janv. 1874) par un coup d'État militaire, qui porta au pouvoir Serrano. Écarté de la politique, il écrivit une *Historia del movimiento republicano en Europa* (1875). Rentré au Parlement en 1876, il y fit encore retentir sa voix éloquente, comme chef de l'opposition, avant sa retraite définitive en 1893.

CASTEL DEL MONTE. Château construit dans les Pouilles (Italie), à l'O. de Bari, par l'empereur Frédéric II de Hohenstaufen (vers 1240). C'est un des plus beaux exemples d'architecture militaire du Moyen Age; son enceinte octogonale comporte à chaque angle une tour également octogonale; cette construction sévère n'est animée que par quelques fenêtres et par un magnifique portail à l'antique.

CASTELFIDARDO. Ville d'Italie, au sudest d'Ancône. Le 18 sept. 1860, six mille volontaires pontificaux, sous le commandement du général de Lamoricière, y furent vaincus après une lutte héroïque, par les troupes piémontaises, fortes de dix-huit mille hommes, commandées par le général Cialdini. Cette victoire permit aux Piémontais d'occuper rapidement les États pontificaux et de pénétrer dans le royaume des Deux-Siciles.

CASTEL GANDOLFO. Ville d'Italie, sur le lac d'Albano, au sud-est de Rome. Maison de plaisance des papes, que fit construire Urbain VIII; après 1870 et la disparition des États pontificaux, elle continua à jouir de l'exterritorialité, confirmée par les accords du Latran (1929).

CASTELLANE. Ville de France (Basses-Alpes), au sud-est de Digne. Ancienne baronnie réunie à la Provence en 1257, elle donna son nom à l'une des principales familles nobles de Provence, illustrée notamment par le marquis d'Entrecasteaux et les comtes d'Adhémar et de Grignan.

CASTELLANE Boniface, dit **Boni de** (* Paris, 1867, † Paris, 1̃932) marié en 1895 à Anna Gould, fille du roi américain des chemins de fer, devint une des célébrités du Tout-Paris de la Belle Époque et siégea à la

CASTELLANE
Armoiries de la ville, 1664.

CASTELLANE
Boniface, dit Boni de C.
Célébrité mondaine (1867-1932).
Photo Nadar.
Ph. © Arch. Phot., Paris - Photeb

CASTIGLIONE
Virginia, comtesse Verasis di C.
Célébrité mondaine, d'origine
italienne (1835-1899).
Ph. Jeanbor © Archives - Photeb

Chambre (1898/1910). Il fut ruiné lorsque sa femme eut obtenu le divorce en 1906.

CASTELLUCCIO. Site du sud-est de la Sicile, qui a donné son nom à une civilisation du bronze (v.) ancien étudiée par B. Brea. Elle se distingue par une présence encore rare du métal (quelques poignards), par des tombes de forme ovale, creusées dans le roc et couvertes de dalles ornées de motifs en forme de spirale, et par de petites plaquettes ciselées en os, qu'on a retrouvées également dans le Péloponnèse, au niveau de l'helladique (v.) moyen et à Troie II-III.

CASTELNAU, le bienheureux **Pierre de** († Saint-Gilles, Gard, 15.I.1208). Moine cistercien, il avait été archidiacre de Maguelone, avant d'entrer à l'abbaye de Fontfroide. Légat d'Innocent III dans le midi de la France pour réprimer l'hérésie albigeoise, il rencontra une vive résistance et finit assassiné, près de l'abbaye de Saint-Gilles, sur les terres de Raymond VI, comte de Toulouse. Ce meurtre fit excommunier Raymond et servit de prétexte au déclenchement de la croisade contre les albigeois.

CASTELNAU Michel de, sieur de Mauvissière (* château de la Mauvissière, près de Tours, 1520, † Joinville, Gâtinais, 1592). Diplomate français. Employé à d'importantes fonctions sous Charles IX et Henri III, il fut cinq fois ambassadeur en Angleterre et usa de son crédit auprès d'Élisabeth pour retarder l'exécution de Marie Stuart. Il prit parti contre la Ligue et se rallia à Henri IV. Auteur de *Mémoires* (1621) qui vont de 1559 à 1570 et sont une des meilleures sources pour l'histoire de cette époque.

Son petit-fils, **Jacques de Castelnau-Mauvissière, marquis de Castelnau** (* 1620, † Calais, 15.VII.1658), se distingua aux sièges de Corbie, de La Chapelle, aux batailles de Fribourg et de Nördlingen et surtout à la bataille des Dunes (1658), où il commandait l'aile gauche. Élevé à la dignité de maréchal de France le 20 juin, il mourut de ses blessures moins d'un mois plus tard.

CASTELNAU Édouard de Curières de (* Saint-Affrique, Aveyron, 24.XII.1851, † Montastruc-la-Conseillère, Hte-Garonne, 19.III.1944). Général et homme politique français. D'une vieille famille languedocienne, premier sous-chef d'état-major de l'armée (1911), il commandait la IIe armée en Lorraine en 1914, repoussa les Bavarois au Grand-Couronné et livra la bataille de Morhange (6/12 sept. 1914), qui sauva Nancy. Il dirigea en automne 1915 la bataille de Champagne, puis devint l'adjoint du généralissime Joffre. En févr. 1916, ses recommandations concernant la défense de la rive droite de la Meuse eurent une influence décisive sur l'issue de la bataille de Verdun. Après la guerre, qui lui avait enlevé ses trois fils, il fut maintenu en activité sans limite d'âge. Surnommé « le Capucin botté »

à cause de son catholicisme militant, il se lança dans la politique pour l'abrogation des lois laïques et la restauration d'une cité chrétienne. Député de l'Aveyron (1919/24), il fonda en 1924 la Fédération nationale catholique chargée de mettre en échec le projet d'offensive anticléricale du Cartel des gauches.

CASTELNAUDARY. Ville de France, dans l'Aude, au nord-ouest de Carcassonne. Appelée *Sostomagus* à l'époque romaine, elle fut détruite par les Wisigoths et reconstruite sous le nom de *Castellum Novum Arianorum,* d'où dérive son nom actuel. Après avoir appartenu aux comtes de Toulouse, elle fut annexée à la France après la guerre des albigeois. Prise et brûlée par le Prince Noir en 1355. Le 1er sept. 1632, le maréchal de Schomberg y battit et y prit Montmorency, qui commandait les troupes rebelles de Gaston d'Orléans.

CASTELNOVIEN. Voir CHÂTEAUNEUF-LÈS-MARTIGUES.

CASTIGLIONE. Ville d'Italie, en Lombardie, au sud-est de Brescia. Les Français la prirent en 1702 et Bonaparte y remporta une grande victoire sur les Autrichiens, commandés par Wurmser, le 5 août 1796; c'est en souvenir de cette journée qu'Augereau, qui avait enfoncé le centre ennemi, reçut plus tard le titre de duc de Castiglione.

CASTIGLIONE Baldassare (* Casatico, Mantoue, 6.XII.1478, † Tolède, 7.XI.1529). Écrivain italien. Il fut successivement au service de Ludovic Sforza le More, de François de Gonzague et, à partir de 1507, du duc d'Urbin, qui l'envoya en ambassade auprès de Léon X (1513). Nommé protonotaire apostolique, il devint le nonce de Clément VII auprès de Charles Quint, qui le combla de faveurs (1525). Ami de Bembo, de l'Arétin, de Julien de Médicis, il est resté célèbre par son ouvrage *Il Cortegiano* (1528), dans lequel il définit, sous forme de dialogue entre les hommes les plus célèbres de son temps, l'idéal de l'homme de cour de la Renaissance.

CASTIGLIONE Virginia Oldoini, comtesse Verasis di (* Florence, 22.III.1835, † Paris, 28.XI.1899). Dame italienne. D'une vieille famille génoise, mariée en 1854 à un écuyer du roi de Piémont Victor-Emmanuel II, elle mit sa magnifique beauté et sa séduction au service des visées diplomatiques de Cavour, qui l'envoya à Paris; devenue la maîtresse de Napoléon III (1857), elle contribua à la réalisation de l'alliance franco-italienne. Dans les premières années de la IIIe République, elle essaya encore de jouer un rôle politique auprès du duc d'Aumale et des orléanistes (1873), puis s'enferma dans une retraite absolue.

CASTILLE, *Castilla.* Plateau central de l'Espagne, ancien royaume traditionelle-

CASTILLE
Contre-sceau du roi de C. et
de León, Ferdinand IV, 1306.
Ph. © Arch. Nat., Paris - Photeb

CASTLEREAGH
Robert Stewart. Homme
politique britannique
(1769-1822). Portrait par
T. Lawrence. (National
Portrait Gallery, Londres.)
Ph. © du musée - Photeb

ment divisé en *Vieille-Castille,* au nord, avec les villes de Burgos, de Valladolid et de Ségovie, et en *Nouvelle-Castille,* au sud, avec Madrid, Tolède, Cuenca. La Vieille-Castille, qui fit d'abord partie du royaume de León, devint pratiquement indépendante au X⁰ s. Toute cette région était alors hérissée de *castella,* construits par les seigneurs chrétiens pour se défendre contre les incursions des Maures. Profitant des dissensions qui opposaient ces seigneurs, Sanche III soumit la Vieille-Castille à la Navarre (1029) et l'érigea en royaume, sous le nom de Castille, pour son fils Ferdinand Iᵉʳ (1035). L'union définitive entre la Castille et le León fut réalisée en 1230, par Ferdinand III. Dès le XIᵉ s., les rois de Castille, Alphonse VI, Alphonse VII et Alphonse VIII (v. ces noms) menèrent énergiquement la Reconquête (v.) et commencèrent à enlever aux Maures les territoires qui allaient former la Nouvelle-Castille. Après la prise de Tolède (1085) et la grande victoire de Las Navas de Tolosa (1212), furent conquises successivement Cordoue (1236), Séville (1248) et Cadix (1262). Alphonse XI remporta la victoire de Tarifa (1340), qui fut le tournant décisif de la Reconquête. Mais la Castille du XIVᵉ s. fut déchirée par la guerre fratricide entre Pierre le Cruel et Henri de Trastamare. A la suite du mariage d'Isabelle Iʳᵉ de Castille avec Ferdinand II d'Aragon (Ferdinand V de Castille), fut réalisée une union personnelle entre les deux royaumes (1479). La conquête du royaume de Grenade, qui chassa définitivement les Maures d'Espagne (1492), soumit de fait toute l'Espagne à une autorité unique.
● Une région de Castille, la Manche, a reçu un statut d'autonomie le 16 août 1982. Elle comptait 1 649 000 habitants. Elle comprend 4 provinces de la Nouvelle-Castille : Ciudad Real, Cuenca, Guadalajara, Tolède, de l'ancien royaume de Murcie. La région de Castille-León, de 63 860 km², comprend 5 provinces de l'ancien León : León, Palencia, Salamanque, Valladolid, Zamora et 4 de l'ancienne Castille : Avila, Burgos, Ségovie, Soria. Elle comptait 2 544 000 habitants en 1982. Voir ESPAGNE.

CASTILLON. Ville de France (Gironde), au sud-est de Libourne. Le 17 juill. 1453, Charles VII y remporta une victoire sur les Anglais, commandés par John Talbot; celui-ci trouva la mort, ainsi que son fils, au cours de cette bataille. La victoire de Castillon, où les Français firent un usage important de l'artillerie, chassa définitivement les Anglais de la Guyenne et marqua la fin de la guerre de Cent Ans.

CASTLEBAR. Ville d'Irlande, dans le Connaught, au nord de Galway. Les Français y débarquèrent en 1798, mais furent obligés de se replier.

CASTLEREAGH, Robert Stewart, 2ᵉ marquis de Londonderry et **vicomte** (* Dublin, 18.VI.1769, † Londres, 12.VIII.1822). Homme politique britannique. Fils d'un

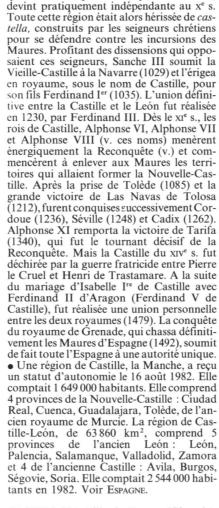

riche propriétaire foncier, élevé à St. John's College, Cambridge, il fut élu membre du Parlement d'Irlande dès 1790. Secrétaire du lord lieutenant d'Irlande (1798/1801), il se montra favorable à l'émancipation des catholiques, mais la révolte de 1798 et les menaces d'invasion française le convainquirent de la nécessité de l'union étroite avec l'Angleterre, et il fut un des artisans de l'Union Act de 1800. Secrétaire à la Guerre sous Pitt (juill. 1805/janv. 1806) et sous Portland (avr. 1807/sept. 1809), il réorganisa l'armée de l'intérieur, fit bombarder Copenhague, intervint en Espagne, où il envoya Wellington, mais fut rendu responsable du désastre par quoi se solda l'opération de Walcheren (1809). Violemment attaqué par son collègue des Affaires étrangères, George Canning, il se battit avec lui en duel au pistolet (21 sept. 1809). Devenu secrétaire aux Affaires étrangères (1812/22), Castlereagh anima la coalition européenne contre Napoléon et, au traité de Paris (1814), obtint la restauration des Bourbons et la constitution des Pays-Bas en un royaume indépendant. Son rôle fut capital au congrès de Vienne : il s'opposa aux ambitions de la Russie, qui lui apparaissait désormais comme la puissance la plus dangereuse du continent, et il signa contre elle un accord secret avec Talleyrand et Metternich (janv. 1815).
En Allemagne, Castlereagh s'employa à limiter les progrès de la Prusse. Partisan du système des congrès et d'une consultation diplomatique régulière des grandes puissances, il traita avec dédain la Sainte-Alliance proposée par le tsar Alexandre, la qualifiant de « document de mysticisme et de sottise sublimes ». Son opposition à la politique d'intervention de Metternich fut totale. Après la déclaration du congrès de Troppau (nov. 1820), il répondit à l'Autriche, à la Russie et à la Prusse en rappelant que leur alliance « avait été conclue pour libérer l'Europe de la domination française, non pour le gouvernement du monde et la surveillance intérieure d'autres États ». Dans les affaires intérieures britanniques, il se comporta en tory convaincu. On le rendit largement responsable de la politique répressive poursuivie après 1815 (« massacre » de Peterloo); il subit des attaques passionnées de la part de Byron, de Shelley, mais ce grand aristocrate dédaignait l'opinion publique. C'est cependant la crainte du scandale et aussi une mélancolie grandissante qui l'amenèrent à se suicider, au moment de partir pour le congrès de Vérone, lorsqu'il se crut sur le point d'être poursuivi pour homosexualité. Son frère publia ses *Memoirs and Correspondence* (1848-53).

CASTOR saint (* Nîmes, † 2.XI vers 420/25). D'abord marié, il se fit moine avec le consentement de sa femme, fonda l'abbaye de Manosque et devint évêque d'Apt. C'est à sa demande que Cassien écrivit ses *Institutions cénobitiques.*

CASTRACANI. Voir CASTRUCCIO CASTRA-CANI.

CASTRATS. Chanteurs que l'on mutilait dans leur enfance afin de préserver et de développer le seul registre aigu de leur voix. Les castrats furent employés à la chapelle pontificale au XVIᵉ s. (il était interdit aux femmes de chanter à l'église), puis à l'Opéra; Gluck et Mozart écrivirent des rôles pour eux. Parmi les castrats les plus fameux des XVIIᵉ et XVIIIᵉ s. figurent Caffarelli, Farinelli, Bernacchi, Pasi, Crescentini, etc.

CASTRES. Ville de France, dans le Tarn, au sud d'Albi. Ancienne station militaire romaine *(castrum),* capitale du comté de Castres (1356/1519), elle adhéra au calvinisme, servit quelque temps de résidence à Henri de Navarre, fut une des places accordées aux protestants. Louis XIII la prit et la démantela en 1629. Siège d'un évêché de 1317 à 1801. Ville natale de Jean Jaurès.
● La ville comptait 15 000 habitants en 1800, 27 300 en 1901, 47 500 en 1982.

CASTRIES Charles Eugène Gabriel de La Croix, marquis de (* 1727, † Wolfenbüttel, 1801). Maréchal de France. Lieutenant général et mestre de camp général de la cavalerie durant la guerre de Sept Ans, puis ministre de la Marine (1780), il fut député à l'Assemblée des notables (1787) et se montra hostile à toute réforme. Émigré en 1790, il commanda une colonne de nobles français lors de l'invasion prussienne en Champagne (1792).

Christian de Castries (* Paris, 11.VIII. 1902). Général français, de la même famille que le précédent. Il dirigea, au printemps 1954, la défense de Dîen Biên Phu, où 10 000 soldats du corps expéditionnaire français en Indochine résistèrent à des forces communistes du Viêt-minh de quatre à six fois supérieures en nombre.

CASTRO
Fidel. Homme politique cubain (né en 1926).
Ph. © Roger Pic

CASTRO Inès de († Coïmbre, 7.I.1355). Demoiselle espagnole, elle se rendit au Portugal dans la suite de la princesse Constance de Castille, mariée à l'infant dom Pedro (futur Pierre Iᵉʳ). Celui-ci fut séduit par Inès de Castro, et, après la mort de Constance (1345), il en fit sa maîtresse, puis sa femme (1354). Ce mariage secret ayant été découvert par son père Alphonse IV, Inès fut assassinée sur l'ordre du roi. En 1360, trois ans après la mort d'Alphonse, Pierre Iᵉʳ fit exécuter dans d'horribles tortures deux des trois meurtriers d'Inès. Selon une tradition reprise par Camoens, il alla jusqu'à faire exhumer le corps d'Inès et à le placer sur un trône, revêtu d'habits royaux, afin que celle qu'il avait aimée reçût les hommages de la cour comme une souveraine. Inès de Castro a inspiré Vélez de Guevara dans sa pièce *Reinar después de morir* et Montherlant dans *La Reine morte.*

CASTRO João de (* Lisbonne, 7.II.1500, † Goa, Inde, 6.VI.1548). Soldat et marin portugais. Après avoir participé à la lutte contre les Maures, il fit plusieurs expéditions militaires en Inde à partir de 1538, se battit de nouveau contre les musulmans et s'illustra notamment dans la défense héroïque de Diu. En récompense de ses exploits, il fut nommé vice-roi de l'Inde portugaise (1548), mais n'eut pas le temps de jouir de cette dignité et mourut dans les bras de st. François Xavier. Il rédigea des descriptions de la mer Rouge et de l'océan Indien très utiles pour les navigateurs.

CASTRO Cipriano (* Capacho, Tachira, vers 1858, † San Juan, Porto Rico, 4.XII. 1924). Homme politique vénézuélien. Fils d'un petit paysan, il s'attacha au futur président Palacio, qui le nomma général en 1892. Il enleva le pouvoir au général Andrade et devint président de la République (1899/ 1908). Son refus de payer des dommages pour les dévastations occasionnées par les troubles qui précédèrent sa venue au pouvoir aboutit au blocus des ports vénézuéliens par l'Angleterre, l'Allemagne et l'Italie (1902). En 1908, alors qu'il voyageait en Europe, il fut renversé par son vice-président, Juan Vicente Gómez.

CASTRO Fidel (* Mayari, Oriente, 13. VIII.1926). Homme politique cubain. Fils d'un planteur aisé, élevé dans des collèges catholiques, il fut étudiant à l'université de La Havane à partir de 1945 et passa son doctorat en droit en 1950. Entré dès 1947 en relation avec des révolutionnaires dominicains et cubains qui voulaient renverser le dictateur dominicain Rafael Trujillo, il engagea ensuite la lutte contre le régime Batista à Cuba : le 26 juill. 1953, il attaqua, avec un petit groupe de jeunes militants, la caserne de Moncada, à Santiago de Cuba; il fut alors condamné à 15 ans de prison et son frère Raul à 13 ans. Tous deux, libérés par l'amnistie de 1954, se réfugièrent ensuite au Mexique, où fut lancé le mouvement du 26-Juillet. Débarqué le 2 déc. 1956 sur la côte méridionale de l'Oriente, Castro perdit la plupart de ses compagnons, mais, avec douze survivants, réussit à prendre le maquis dans la sierra Maestra. Son mouvement s'étendit peu à peu dans tout le pays, surtout dans la jeunesse cubaine, écœurée des scandales de l'administration Batista. Après la fuite de Fulgencio Batista (1ᵉʳ janv. 1959), Castro devint Premier ministre (16 févr. 1959). Exerçant un pouvoir quasi dictatorial, il mena à bien une profonde transformation économique du pays (nationalisation des banques, de l'industrie, collectivisation agraire), mais dut faire face à l'opposition grandissante des États-Unis, qui accordèrent asile et protection à un grand nombre de ses ennemis politiques; toutes les tentatives faites par ceux-ci pour renverser le nouveau régime échouèrent cependant. Dès 1961, Castro rechercha le soutien du monde com-

CATACOMBES

Intérieur de la catacombe des Giordani, via Salaria, à Rome, IVe s.

C'est l'un des cimetières les plus profonds :

il comporte jusqu'à cinq étages. Au fond, une galerie avec ses niches, creusées dans les parois, à la dimension des corps des défunts.

A droite, entrée en forme d'arc (« arcosolium »)

d'une sépulture familiale privée.

Ses parois sont peintes de scènes de l'Ancien ou du Nouveau Testament.

En haut : Jésus et les Apôtres. Sur les montants, de haut en bas :

Jonas et la baleine; orante revêtue d'une dalmatique;

Daniel et ses compagnons échappant à la fournaise.

Ph. © L. von Matt - Photeb

muniste, et, l'année suivante, l'U.R.S.S. commença à installer des bases militaires à Cuba (retirées en partie à la demande des États-Unis au début de 1963). Les États-Unis se sont employés à isoler le régime castriste dans le continent américain; bien que devenu le symbole d'un mouvement d'indépendance qui rencontre beaucoup de sympathies dans les diverses nations hispano-américaines, Castro s'est trouvé aux prises avec des difficultés économiques grandissantes, dont il a reconnu la gravité dans un retentissant discours prononcé en 1971. Mais il a renforcé sa position internationale en développant ses liens économiques avec plusieurs États latino-américains, entre autres le Mexique, le Pérou, l'Argentine.

● Tandis que les États-Unis s'employaient à isoler le régime castriste dans le continent américain et n'y parvenaient qu'à moitié, particulièrement en Amérique centrale (v. Nicaragua, Salvador), Castro s'engagea plus étroitement dans une alliance avec l'Union soviétique. Il reçut de celle-ci une aide financière, en lui vendant 60% de son sucre plus cher que le cours mondial, une aide économique en lui achetant son pétrole bien moins cher que le cours de l'O.P.E.P., une aide militaire en lui achetant des quantités importantes d'armes. En contrepartie, Castro, qui est intervenu en Angola militairement avec l'aide matérielle de l'U.R.S.S., s'est fait à maintes reprises l'écho de la diplomatie soviétique et son relais pour l'Amérique latine. S'il a accepté en oct. 1982 la libération de l'écrivain cubain Armando Valladares, emprisonné depuis 22 ans, Amnesty International (v.) a pu s'inquiéter des prolongations arbitraires des peines infligées aux détenus politiques à Cuba et de l'emprisonnement sans délit de droit commun. En 1983, les graves difficultés économiques et financières de l'île ainsi que l'intervention militaire des États-Unis à la Grenade (v.) ont paru montrer les limites du gouvernement de Castro. Cependant, malgré la pénurie et le rationnement, Cuba jouit d'un niveau de vie moyen dans le monde sous-développé des Caraïbes; l'île ne connaît ni chômage, ni inflation, ni corruption. Voir Cuba.

CASTRUCCIO CASTRACANI DEGLI ANTELMINELLI (* Castruccio, près de Lucques, 29.III.1281, † Lucques, 3.IX.1328). Homme politique italien. Né dans une vieille famille de Lucques attachée au parti gibelin, il s'exila avec son père lorsque la faction guelfe l'emporta (1300). Après avoir servi successivement en France, en Angleterre et en Lombardie, il battit les Florentins à Montecatini (29 août 1315), devint le chef du parti gibelin en Toscane et, en 1316, fut élu seigneur de Lucques, charge qui lui fut confiée à vie en 1320. Il infligea aux Florentins la cuisante défaite d'Altopascio (23 sept. 1325) et fut fait, en 1327, duc héréditaire de Lucques par l'empereur Louis de Bavière, qu'il avait efficacement soutenu dans son expédition en Italie. Machiavel a écrit sa *Vie*.

CASTRUM. Voir CAMP ROMAIN.

CATACOMBES. Cimetières souterrains d'origine païenne mais dont usèrent largement les chrétiens, notamment à Rome et à Naples, à l'époque des persécutions. Celles de Rome, situées entre 6 et 18 m au-dessous du sol, couvrent une superficie de 240 ha. Les plus célèbres sont celles de Domitille, de Calliste, de Sainte-Agnès, de Priscille. Les catacombes étaient ornées de peintures (fresques), d'un grand intérêt pour l'histoire du christianisme primitif. Vers le VIIIe s., la plupart des corps furent retirés des catacombes et transportés dans des églises. Au Moyen Age, les catacombes tombèrent dans l'oubli et ne furent redécouvertes qu'en 1578. Un érudit de cette époque, Antonio Bosio, en donna la première description.

Les **catacombes de Paris** sont d'anciennes carrières; entre 1781 et 1787, on y forma d'immenses ossuaires en y transportant les ossements des cimetières désaffectés de la capitale.

CATALANE (Grande Compagnie). On nomma ainsi des soldats mercenaires, aragonais aussi bien que catalans, que Pierre III d'Aragon mena en Sicile contre Charles d'Anjou (1282), et qui, sous la conduite du chef catalan Roger de Flor, entrèrent ensuite au service de l'empereur de Constantinople contre les Turcs (1302). S'étant brouillés avec les Grecs, ils formèrent une république militaire dans la Thrace, qu'ils conquirent (1307). Ils dévastèrent la Thessalie (1308), où ils se firent la guerre entre eux, et s'emparèrent des États du duc d'Athènes, Gauthier de Brienne (1311), après lui avoir offert leurs services; ils s'adressèrent au roi de Sicile, Frédéric II, qui leur envoya un de ses fils comme duc d'Athènes. Mais les aventuriers composant la Grande Compagnie catalane, ne pouvant se grossir par de nouvelles recrues, finirent par disparaître vers la fin du XIVe s. Les plus célèbres de leurs chefs, après Roger de Flor, furent Arenos, Roccafort et Entença. On appela aussi ces routiers catalans les Almogavares.

CATALAUNIQUES (bataille des champs). Bataille où l'armée d'Attila fut vaincue (451) par Ætius et les forces combinées des Wisigoths, des Burgondes et des Francs. On ne sait où se trouvaient exactement ces champs Catalauniques mentionnés par Jordanès (selon les uns, près de Châlons-sur-Marne; selon d'autres à Maurica, près de Troyes).

ÇATAL HÜYÜK. Site de Turquie, sur le plateau d'Anatolie, dans la région de Konya. Les fouilles menées à cet endroit depuis 1957 par James Malaart y ont mis au jour les vestiges remarquablement conservés d'une petite ville d'agriculteurs néolithiques (vers 6500/5600 av. J.-C.). On y a trouvé des peintures murales (scènes de chasse rappelant le style magdalénien) et, à tous les niveaux, de la céramique, ce qui laisserait supposer que celle-ci serait d'abord apparue en Anatolie, avant de se répandre en Syrie et en Palestine.

CATALOGNE, esp. *Cataluña,* cat. *Catalunya.* Région du nord-est de l'Espagne, comprenant les quatre provinces actuelles de Gérone, Barcelone, Lerida et Tarragone. Les côtes catalanes furent visitées par les marins grecs, qui y fondèrent l'important comptoir d'*Emporion* (v. AMPURIAS). Conquise au IIIe s. par les Carthaginois (le nom de Barcelone garde le souvenir de la grande famille punique des Barca), elle passa aux mains des Romains vers 210 av. J.-C., fit partie de l'*Hispania Citerior,* puis de l'*Hispania Tarraconensis.* Au début du Ve s. de notre ère, elle fut occupée par les Wisigoths, qui lui laissèrent leur nom *(Gothalonia).* Les Arabes s'en emparèrent vers 720, mais Charlemagne entreprit la reconquête à la fin du VIIIe s., s'empara de Gérone (785), puis de Barcelone (801), et fit de la Catalogne une marche de l'Empire franc.

La décadence des Carolingiens permit aux comtes de Catalogne de se rendre indépendants (fin Xe s.). Ils résistèrent avec acharnement et succès à la poussée des Maures. Maître de toute la région du bas Èbre, Raymond Bérenger III (1096/1131) épousa, en 1112, Douce, héritière de Provence, qui, l'année suivante, fit remise de ses droits à son mari. Les comtes catalans régnèrent donc sur la Provence (v.) de 1113 à 1245. Raymond Bérenger IV (1131/62) réunit la Catalogne et l'Aragon par son mariage avec Pétronille d'Aragon (1137). Aux XIIIe/XIVe s., la Catalogne devint la première puissance de la Méditerranée occidentale; elle étendit sa domination sur les Baléares (1229/30), le royaume de Valence (1238), la Sicile (1282) et la Sardaigne (1321). Les Catalans, qui conservaient dans le royaume d'Aragon leur personnalité propre, intervenaient dans tout le Bassin méditerranéen, fondaient des comptoirs au Levant et, aux XIVe/XVe s., enlevaient à l'Empire byzantin le duché d'Athènes. Cependant la Provence, à la suite d'un mariage, était passée en 1246 à la maison d'Anjou. Un siècle et demi d'union entre les deux pays n'en laissa pas moins des traces profondes : à l'apogée de la civilisation d'oc, la Catalogne et la Provence unies avaient connu le même épanouissement littéraire et spirituel; le comte de Barcelone, Pierre II (1196/1213), avait combattu aux côtés des albigeois et des gens du Midi contre les barons pillards du Nord; et, au XIXe s. encore, la renaissance catalane de Balaguer devait tendre la main au Félibrige de Mistral (celui-ci a célébré cette union dans sa *Coupo Santo,* 1867).

En 1410, la mort de Martin Ier le Vieux mit fin à la dynastie catalane d'Aragon. La Catalogne supporta avec irritation la nouvelle dynastie castillane, se révolta longuement sous Jean II, mais fut soumise en 1472. Dans l'Espagne unifiée du XVIe s., qui se détournait de la Méditerranée pour se lancer dans les grandes aventures coloniales, la Catalogne ne fut plus qu'une province déchue, mais res-

CATHELINEAU
Jacques. Chef vendéen
(1759-1793). Gravure d'après
Girodet.
Ph. © Bibl. Nat., Paris - Photeb

tée farouchement attachée à ses traditions particulières. En 1640, elle se révolta contre Philippe IV et se donna à Louis XIII; à la fin du XVIIe s. et durant la guerre de la Succession d'Espagne, elle accueillit volontiers les troupes françaises, mais la politique centralisatrice des Bourbons de Madrid lui enleva ses derniers privilèges (1714).

Cependant le « catalanisme » survécut : la renaissance littéraire des années 1835/60, avec des poètes tels que Aribau, Rubio i Ors, et surtout Verdaguer, plus tard Maragall, des historiens tels que Bofarull, Mila Fontanals, Balaguer, rendit à la Catalogne le sens de son destin original. Le catalanisme, après s'être exprimé en des sympathies carlistes, devint un des problèmes majeurs de la politique espagnole à la fin du XIXe s. Le régionalisme spiritue se transforma en une volonté d'autonomisme politique (*Bases de Manresa,* 1892), et il se forma un parti catalan, la Lliga regionalista, qui remporta une grande victoire électorale en 1901. Mais ce mouvement fut compromis par le soutien qu'il apporta à la politique de Primo de Rivera, et c'est un nouveau mouvement catalan de gauche, l'Esquerra republicana, conduit par Maciá, qui, après une victoire aux élections municipales d'avr. 1931, proclama la « République catalane » (14 avr. 1931). En 1932, les Cortes durent accorder à la Catalogne un statut d'autonomie. Après la mort de Maciá (1933), les forces de gauche s'affermirent encore en Catalogne. Aussi, durant la guerre civile, le gouvernement catalan lutta énergiquement contre le franquisme et tenta de réaliser une révolution régionaliste. La Catalogne fut soumise par les armées républicaines, mais Barcelone fut prise par les nationalistes le 26 janv. 1939. Le gouvernement de Franco freina l'autonomisme catalan, mais la Catalogne et surtout Barcelone sont restés de vifs foyers d'opposition à la politique centralisatrice madrilène.

● L'avènement de la démocratie a favorisé ces aspirations. Un référendum a adopté en 1979 un statut d'autonomie régionale et les élections au Parlement régional ont été remportées en 1980 par le parti régionaliste, dont le chef, Jordi Pujol, est devenu président de la *Généralité.* Voir BARCELONE.

CATANE, *Catania.* Ville d'Italie, en Sicile, port sur la côte orientale de l'île. Fondée au VIIIe s. av. J.-C. par une colonie grecque originaire de Chalcis, elle devint une des villes les plus florissantes de la Grande-Grèce, fut prise par les Athéniens commandés par Nicias, tomba en 396 av. J.-C. au pouvoir de Carthage, qui se la vit enlever par les Romains durant la première guerre punique (263). Sous l'occupation arabe depuis le IXe s., elle fut prise par les Normands en 1071. Dévastée à plusieurs reprises par des éruptions de l'Etna (121, 1669) et par des tremblements de terre (notamment le 11 janv. 1693). Durant la Seconde Guerre mondiale, la ville subit de violents bombardements, en raison de la proximité de l'aérodrome militaire de Gerbini. Après le débarquement allié en Sicile, les Allemands opposèrent une vive résistance devant Catane, qui fut cependant prise par les Britanniques le 5 août 1943.

● La ville, en 1981, comptait 398 000 habitants.

CATAPULTE. Machine de guerre antique et médiévale, qui lançait des pierres au moyen d'un levier ou *style* mû par la détente de cordes tordues. Apparue chez les Grecs de Sicile vers le Ve s. av. J.-C., la catapulte fut utilisée couramment par les Romains. Les catapultes de campagne étaient traînées sur des chariots et lançaient des projectiles de pierre ou de plomb d'environ 10 kg; les catapultes de siège, installées à terre, pouvaient lancer à plus de 1 km de distance des pierres pesant 80 kg. La catapulte resta en usage jusqu'au XVe s.

CATEAU-CAMBRÉSIS ou **LE CATEAU.** Ville de France (Nord), au sud-est de Cambrai. Le 3 avril 1559, après la bataille de Saint-Quentin, Henri II, roi de France, et Philippe II, roi d'Espagne, y signèrent un traité qui mettait fin aux guerres d'Italie. Il laissait à la France les conquêtes d'Henri II — notamment les Trois-Évêchés : Metz, Toul et Verdun —, mais il lui enlevait la Savoie et les principales places du Piémont, le Charolais, le Bugey et la Bresse.

En conséquence de ce traité, le duc de Savoie épousait Marguerite, sœur d'Henri II, et Philippe II, veuf de Marie Tudor, épousait Élisabeth de Valois, fille d'Henri II et de Catherine de Médicis. L'hégémonie espagnole en Italie était confirmée. Un autre traité, signé la veille avec l'Angleterre, portait que la France conservait Calais contre le paiement sous huit ans d'une somme de 500 000 écus.

CATÉCHUMÉNAT. Dans l'Église primitive, le catéchuménat était une période de probation et d'enseignement précédant le baptême (v.), lequel était alors généralement administré à des croyants adultes. La période de catéchuménat était fixée à trois ans par d'anciens règlements ecclésiastiques, mais elle pouvait être abrégée si les dispositions et l'instruction du néophyte apparaissaient suffisantes. Certains convertis prolongeaient au contraire ce délai par crainte de n'être pas capables de faire face à toutes les obligations qu'imposait le baptême; ils ne recevaient alors celui-ci qu'à leur heure dernière. Le catéchuménat tomba en désuétude à mesure que se généralisa la pratique du baptême des enfants. Depuis 1950 environ, l'Église catholique s'est efforcée de le restaurer.

CATESBY Robert (* Lapworth, Warwickshire, 1573, † Holbeche House, Staffordshire, 8.XI.1605). Catholique, d'une bonne famille du Northamptonshire, il fut persécuté et plusieurs fois emprisonné pour avoir refusé de renier sa foi; en 1604, il se fit l'instigateur de la conspiration des Poudres (v.) et

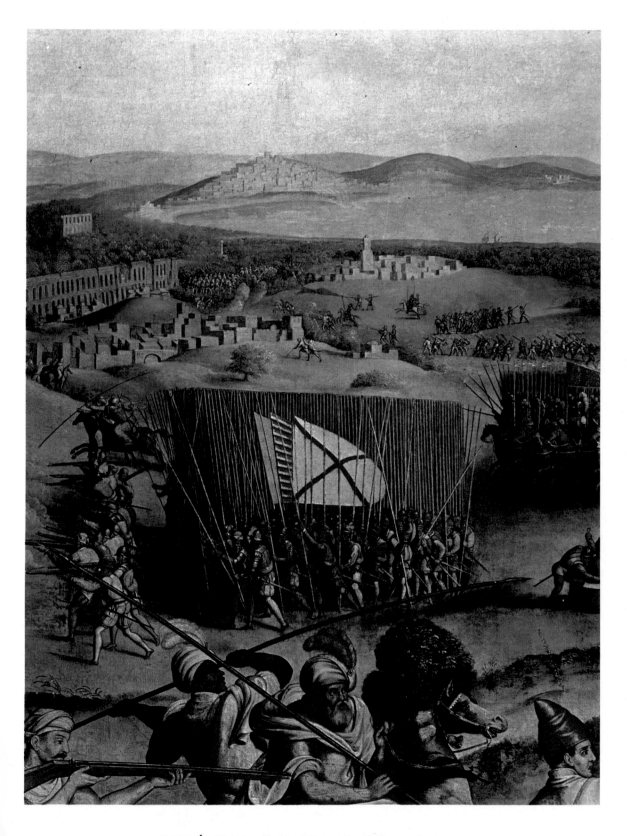

CARRÉ : Charles Quint à la mode d'Alexandre, 1535

CARRIER : les horreurs de la Révolution, 1793

CATEAU-CAMBRÉSIS : fin des guerres d'Italie, 1559

GUERRE DE CENT ANS : de l'hommage à l'agression, XIV-XVᵉ s.

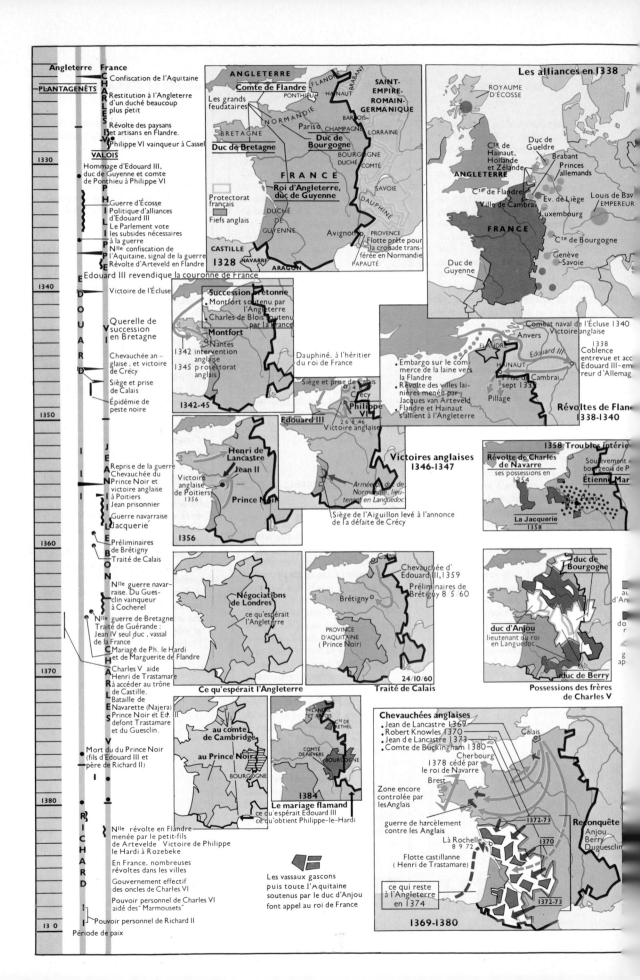

Angleterre France

CHARLES IV
- Confiscation de l'Aquitaine

PLANTAGENÊTS
- Restitution à l'Angleterre d'un duché beaucoup plus petit
- Révolte des paysans et artisans en Flandre.
- Philippe VI vainqueur à Cassel

VALOIS
- Hommage d'Edouard III, duc de Guyenne et comte de Ponthieu à Philippe VI

1330

PHILIPPE VI
- Guerre d'Écosse
- Politique d'alliances d'Edouard III
- Le Parlement vote les subsides nécessaires à la guerre
- Nlle confiscation de l'Aquitaine, signal de la guerre
- Révolte d'Artevelde en Flandre

EDOUARD III

Edouard III revendique la couronne de France

1340

- Victoire de l'Écluse
- Querelle de succession en Bretagne
- Chevauchée anglaise, et victoire de Crécy
- Siège et prise de Calais
- Épidémie de peste noire

1350

JEAN II
- Reprise de la guerre Chevauchée du Prince Noir et victoire anglaise à Poitiers
- Jean prisonnier
- Guerre navarraise
- Jacquerie

1360

- Préliminaires de Brétigny
- Traité de Calais

CHARLES V
- Nlle guerre navarraise. Du Guesclin vainqueur à Cocherel
- Nlle guerre de Bretagne Traité de Guérande : Jean IV seul duc, vassal de la France
- Mariage de Ph. le Hardi et de Marguerite de Flandre
- Charles V aide Henri de Trastamare à accéder au trône de Castille
- Bataille de Navarette (Najera) Prince Noir et Ed. III defont Trastamare et du Guesclin

1370

- Mort du du Prince Noir (fils d'Edouard III et père de Richard II)

1380

RICHARD II
- Nlle révolte en Flandre menée par le petit-fils de Artevelde Victoire de Philippe le Hardi à Rozebeke
- En France, nombreuses révoltes dans les villes
- Gouvernement effectif des oncles de Charles VI
- Pouvoir personnel de Charles VI aidé des "Marmousets"
- Pouvoir personnel de Richard II

13 0

Période de paix

1328
ANGLETERRE
Comte de Flandre
FLANDRE BRABANT
PONTHIEU HAINAUT
SAINT-EMPIRE-ROMAIN-GERMANIQUE
Les grands feudataires
NORMANDIE BAROIS
Paris CHAMPAGNE LORRAINE
BRETAGNE
Duc de Bretagne
Duc de Bourgogne
BOURGOGNE DUCHÉ COMTÉ
FRANCE
Roi d'Angleterre, duc de Guyenne
SAVOIE
DAUPHINÉ
Protectorat français
Fiefs anglais
DUCHÉ DE GUYENNE
Avignon PROVENCE
Flotte prête pour la croisade transférée en Normandie
CASTILLE NAVARRE ARAGON
PAPAUTÉ

Les alliances en 1338
ROYAUME D'ÉCOSSE
Cte de Hainaut, Hollande et Zélande
Duc de Gueldre
Brabant Princes allemands
ANGLETERRE
Cte de Flandre
Ville de Cambrai
Év. de Liège
Louis de Bav EMPEREUR
Luxembourg
FRANCE
Cte de Bourgogne
Genève Savoie
Duc de Guyenne

1342-45
Succession bretonne
- Montfort soutenu par l'Angleterre
- Charles de Blois soutenu par la France
Montfort
Nantes
1342 intervention anglaise
1345 protectorat anglais

Dauphiné, à l'héritier du roi de France
Siège et prise de Calais
Crécy
Edouard III 26 8 46
Victoire anglaise
Philippe VI
Victoires anglaises 1346-1347
Armée du duc de Normandie, lieutenant en Languedoc
Siège de l'Aiguillon levé à l'annonce de la défaite de Crécy

Révoltes de Flandre 1338-1340
Combat naval de l'Écluse 1340 Victoire anglaise
Anvers
FLANDRE
Edouard III
HAINAUT
1338 Coblence entrevue et acc... Edouard III-empereur d'Allemag...
Prise de Cambrai sept 1339
Pillage
- Embargo sur le commerce de la laine vers la Flandre
- Révolte des villes lainières menée par Jacques van Arteveld Flandre et Hainaut s'allient à l'Angleterre

1358 Troubles intérieurs
Révolte de Charles de Navarre ses possessions en 1354
Soulèvement bourgeois de P...
Étienne Mar...
Paris
La Jacquerie 1358

Henri de Lancastre
Jean II
Victoire anglaise de Poitiers 1356
Prince Noir
1356

Négociations de Londres
ce qu'espérait l'Angleterre
Ce qu'espérait l'Angleterre

Calais
Chevauchée d'Edouard III, 1359
Préliminaires de Brétigny 8 5 60
Brétigny
PROVINCE D'AQUITAINE (Prince Noir)
24/10/60
Traité de Calais

duc de Bourgogne
duc d'Anjou lieutenant du roi en Languedoc
duc de Berry
Possessions des frères de Charles V

au comte de Cambridge
au Prince Noir
BOURGOGNE

FLANDRE ET ARTOIS
Cté DE RETHEL
COMTÉ DE NEVERS
BOURGOGNE
1384
Le mariage flamand
ce qu'espérait Edouard III
ce qu'obtient Philippe-le-Hardi

Chevauchées anglaises
- Jean de Lancastre 1369
- Robert Knowles 1370
- Jean de Lancastre 1373
- Comte de Buckingham 1380
Calais
Cherbourg
1378 cédé par le roi de Navarre
Brest
Zone encore contrôlée par les Anglais
guerre de harcèlement contre les Anglais
La Rochelle 8 9 72
Flotte castillane (Henri de Trastamare)
ce qui reste à l'Angleterre en 1374
Reconquête Anjou Berry Duguesclin
1372-73
1370
1369-1380

Les vassaux gascons puis toute l'Aquitaine soutenus par le duc d'Anjou font appel au roi de France

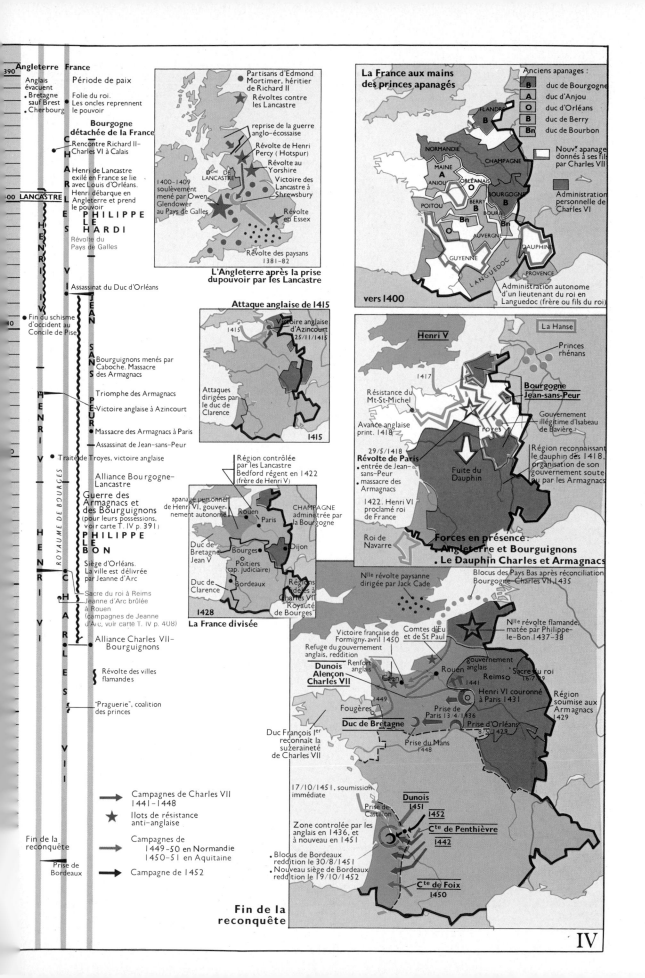

GUERRE DE CENT ANS : Jeanne d'Arc, 1429/1430

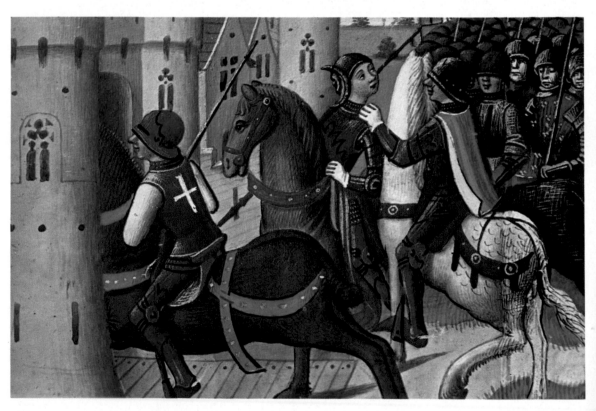

mourut, les armes à la main, en défendant Holbeche House.

CATHARES. Voir ALBIGEOIS.

CATHAY. Nom donné à la Chine durant le Moyen Age et popularisé par Marco Polo. Ce nom vient de celui du peuple mongol des *Khitan* (v.) ou *Kitat;* il commença à se répandre en Europe vers le milieu du XIIIe s.

CATHÉDRALES. Voir ÉGLISES.

CATHELINEAU Jacques (* Le Pin-en-Mauges, Maine-et-Loire, 5.I.1759, † Saint-Florent, 14.VII.1793). Chef vendéen. Il exerçait la profession de tisserand lorsque, en 1793, une révolte éclata à Saint-Florent parmi les jeunes Vendéens appelés à tirer au sort. Cathelineau, quoique exempt de service militaire en tant qu'homme marié, se mit à la tête des insurgés, battit les républicains (10 mars 1793), s'empara de Cholet, de Thonars, puis de Saumur, et devint (12 juin 1793) « commandant en chef de l'armée catholique et royale ». Il ne craignit pas de s'attaquer à Nantes, mais fut repoussé et reçut, au cours des combats, une blessure dont il devait mourir.

CATHERINE

CATHERINE
1. C. d'Aragon. Reine d'Angleterre (1485-1536).
2. C. Parr. Reine d'Angleterre (1512-1548).
National Portrait Gallery.
Ph. © du musée - Photeb

CATHERINE. Nom de plusieurs femmes célèbres.

ANGLETERRE

CATHERINE DE VALOIS (* Paris, 27. X.1401, † abbaye de Bermondsey, 3.I.1437). Reine d'Angleterre. Fille de Charles VI et d'Isabeau de Bavière, elle fut mariée en juin 1420 à Henri V d'Angleterre, en exécution d'une clause du traité de Troyes; ainsi le roi anglais était-il assuré de l'héritage de la couronne de France (mais il mourut avant Charles VI). Mère du futur Henri VI, elle devint veuve en 1422. Peu après, elle épousa secrètement Owen Tudor, gentilhomme gallois, que le duc de Gloucester devait faire assassiner quelques années plus tard. De ce second mariage, sortit la future dynastie des Tudors (v.).

CATHERINE D'ARAGON (* Alcala de Henares, 16.XII.1485, † Kimbolton Castle, comté d'Huntingdon, 7.I.1536). Reine d'Angleterre. Fille de Ferdinand d'Aragon et d'Isabelle de Castille, elle fut mariée, le 14 nov. 1501, à Arthur, prince de Galles, fils aîné d'Henri VII. Devenue veuve quatre mois plus tard sans que cette première union ait été consommée, on la remaria en juin 1509, avec une dispense du pape Jules II, au frère de son premier époux, qui régna sous le nom d'Henri VIII. Entre 1510 et 1518, elle eut de ce prince cinq enfants, dont un seul survécut (la future Marie Tudor). Après dix-huit ans d'union, Henri VIII (qui était l'amant d'Anne Boleyn depuis 1522) demanda la dissolution de son mariage (1527), en invoquant le passage du Lévitique (XX, 21) interdisant à un homme de prendre pour épouse la femme de son frère. Le pape ne voulut pas y consentir et Catherine résista plusieurs années, mais n'en finit pas moins par être répudiée (23 mai 1533), l'archevêque de Canterbury, Thomas Cranmer, ayant, contre la décision de Rome, annulé le mariage. Catherine se vit confinée dans le château de Kimbolton, où elle mena jusqu'à sa mort une vie religieuse très austère.

CATHERINE PARR (* château de Kendal, Westmorland, 1512, † Sudeley Castle, Gloucestershire, 7.IX.1548). Reine d'Angleterre. Déjà deux fois veuve, elle devint, le 12 juill. 1543, la sixième femme d'Henri VIII. Point belle, mais intelligente et très instruite, ardente luthérienne, elle mit à plusieurs reprises sa vie en danger, du fait de ses discussions religieuses avec le monarque, qui n'acceptait pas d'autre théologie que la sienne propre, mais elle réussit à se sauver par son adresse. Peu après la mort du roi, elle se remaria avec l'amiral Thomas Seymour, frère de Jane Seymour; elle mourut en couches l'année suivante.

CATHERINE HOWARD (* vers 1522, † Londres, 13.II.1542). Reine d'Angleterre. Nièce de Thomas Howard, 3e duc de Norfolk, elle connut chez sa tante une jeunesse très libre et eut plusieurs amants, parmi lesquels son cousin, Thomas Culpepper. Présentée à Henri VIII par Stephen Gardiner, évêque de Winchester, qui espérait, en suscitant ce nouvel amour du roi, nuire à son rival Thomas Cromwell, elle épousa secrètement Henri VIII en juill. 1540 et fut officiellement présentée comme reine le mois suivant. Après plus d'une année de bonne entente avec sa nouvelle épouse, Henri VIII fut informé par l'archevêque Cranmer de l'inconduite de Catherine, qui continuait d'avoir des rendez-vous galants avec Culpepper et avec son secrétaire, Dereham. Ces deux hommes furent exécutés et Catherine les suivit peu après sur l'échafaud dressé dans la Tour de Londres.

CATHERINE DE BRAGANCE (* Vila Viçosa, 25.XI.1638, † Lisbonne, 31.XII.1705). Reine d'Angleterre. Fille de Jean IV de Portugal, elle épousa en 1662 Charles II d'Angleterre, auquel elle apporta en dot Tanger et Bombay. Cette union, restée sans enfants, fut attristée par les nombreuses infidélités du roi. Restée catholique, Catherine, qui vécut en dehors de la cour, fut accusée en 1678 par Titus Oates d'avoir voulu empoisonner le souverain, mais Charles II la défendit. Après la mort de celui-ci, elle regagne le Portugal (1692), dont elle devint régente pendant la maladie de son frère Pierre II (1704/05).

FRANCE

CATHERINE DE MÉDICIS (* Florence, 13.IV.1519, † Blois, 5.I.1589). Reine de France. Fille de Laurent II de Médicis, duc d'Urbin, et de Madeleine de La Tour d'Auvergne, elle fut mariée à l'âge de quatorze ans (1533) au duc d'Orléans, qui devint roi de France en 1547 sous le nom d'Henri II. Pendant la vie de son mari, elle fut complètement éclipsée par la favorite, Diane de Poitiers, mais, après la mort de son époux (1559) et celle de son fils aîné, François II (1560), elle devint régente du royaume pour son second fils, Charles IX, qu'elle continua à dominer, même lorsqu'il fut devenu majeur. Gouvernant sans scrupules, par la dissimulation et la ruse, mais avec un souci réel de l'intérêt de l'État et de la monarchie, elle chercha d'abord à raffermir le trône en excitant les uns contre les autres les Guise catholiques et les princes protestants de la maison de Bourbon. Dès 1560, elle prit pour chancelier le sage Michel de L'Hospital. Dépourvue personnellement de tout fanatisme religieux, elle favorisa le colloque de Poissy pour rapprocher catholiques et protestants (1561), accorda aux huguenots l'édit de tolérance de janv. 1562 et la paix d'Amboise (1563). Quand la guerre civile reprit, en 1567, elle se trouva rejetée malgré elle dans le camp des catholiques, mais elle voulait avant tout maintenir le trône au-dessus des factions. En 1570, elle traita avec les protestants (paix de Saint-Germain), prépara le mariage d'Henri de Bourbon (futur Henri IV) et de Marguerite de Valois, mais s'alarma bientôt de l'influence que prenait Coligny sur Charles IX. Débordée par la violence des haines religieuses, elle laissa faire plutôt qu'elle n'inspira la Saint-Barthélemy (24 août 1572). Son influence diminua considérablement sous le règne d'Henri III. Catherine de Médicis encouragea en France le goût du luxe, des arts, des mœurs d'Italie; elle dirigea la construction du nouveau Louvre et fit bâtir le palais des Tuileries et le château de Monceaux. On a publié ses *Lettres* (1880-1905).

RUSSIE

CATHERINE Ire (* en Livonie, 1684, † Saint-Pétersbourg, 17.V.1727), impéra-

CATHERINE
C. de Médicis. Reine de France (1519-1589). (Musée Condé, Chantilly.)
Ph. H. Josse © Photeb

trice de Russie (1725/27). Paysanne d'origine polonaise du nom de Marfa Skavronskaïa, mariée à un simple soldat suédois, emmenée en captivité en Russie après la prise de Marienburg (1702), elle devint la maîtresse du prince Menchikov, puis du tsar Pierre le Grand, qui l'épousa en secret en 1707. En 1711, elle accompagna le tsar à la guerre contre les Turcs et, en achetant le grand vizir, réussit à tirer son mari de la situation catastrophique où il avait été réduit sur le Pruth. Couronnée impératrice en 1724, elle succéda l'année suivante à Pierre le Grand, dont elle continua l'œuvre avec sagesse, tout en laissant cependant beaucoup d'influence à son favori Menchikov.

CATHERINE II la Grande (* Stettin, 2.V.1729, † Saint-Pétersbourg, 17.XI.1796), impératrice de Russie (1762/96). Princesse allemande, elle était la fille de Christian Auguste d'Anhalt-Zerbst et reçut à sa naissance les prénoms de Sophie Augusta. La tsarine Élisabeth la choisit comme épouse de son neveu et héritier, le grand-duc Pierre, et elle fut emmenée en Russie en 1744. Elle entra aussitôt dans l'Église orthodoxe, reçut ses nouveaux prénoms de Iekaterina (Catherine) Alexeïevna et épousa Pierre à Saint-Pétersbourg le 21 août 1745. Alors que son mari, petit-fils de Pierre le Grand, mais prince de Holstein-Gottorp et grand admirateur de Frédéric II, restait tout allemand de cœur, Catherine s'appliqua à se montrer vraiment russe, apprit la langue, l'histoire, et adopta les mœurs et les croyances de ses futurs sujets. Son mariage fut un échec complet, mais la «tsesarevna» ne tarda pas à prendre des amants et sa conduite scandaleuse fit bientôt jaser toutes les cours européennes. Catherine poursuivait cependant de sérieuses ambitions politiques : son mari, monté en 1762 sur le trône sous le nom de Pierre III, exaspérait la noblesse par sa passion germanophile, et c'est autour de Catherine que se groupèrent les mécontents du parti russe. Pierre III songeait à la répudier en raison de ses intrigues et des désordres de sa vie privée, lorsque les frères Orlov, qui se partageaient les faveurs de l'impératrice, soulevèrent la garde : le 9 juill. 1762, Catherine se fit prêter serment par les troupes et annonça qu'elle prenait le pouvoir «pour la défense de la foi orthodoxe et pour la gloire de la Russie». Pierre III, sentant universellement détesté dans ce pays qu'il n'aimait pas, ne fit aucune résistance et abdiqua le lendemain. Il fut relégué dans une maison de campagne, où il mourut une semaine plus tard, sans doute assassiné par Alexeï Grigorievitch Orlov.

Politique intérieure de Catherine II

Le règne, qui dura trente-quatre ans, devait être une des plus grandes périodes de l'histoire russe. Catherine se posait volontiers en libérale; elle était en relation avec les philosophes français, Voltaire, d'Alembert,

Grimm (avec lequel elle entretint une correspondance) et surtout Diderot (qu'elle aida en lui achetant sa bibliothèque); à l'instar de Frédéric le Grand et de Joseph II, elle voulut régner en « despote éclairé ». Elle ouvrit des écoles, créa, en 1764, la première institution de jeunes filles de la Russie, protégea les sciences, encouragea les fondations d'imprimeries, appela dans son empire des artistes étrangers. Elle-même fut une femme de lettres, écrivit des comédies, un drame inspiré par le légendaire Oleg, entreprit une histoire de la Russie et laissa des *Mémoires*. Catherine II partageait la confiance des Encyclopédistes dans les vertus de la loi écrite. A la fin de 1766, elle convoqua une grande commission de codification qui devait être composée de représentants des diverses couches de la population libre (les serfs étant naturellement exclus). Cette commission se réunit le 10 août 1767 et siégea pendant dix-huit mois; son seul résultat fut de mettre en évidence les graves rivalités qui opposaient la noblesse aux marchands, les marchands à la paysannerie. Elle fut dissoute en déc. 1768, sans avoir élaboré de nouveau code.

Il s'en fallait de beaucoup, en effet, que le gouvernement réel de Catherine II correspondît aux *Instructions* humanitaires de la tsarine. Le règne de Catherine, qui vit le premier essor industriel de la Russie (plus de 2 000 fabriques à la fin du XVIIIe s. et environ 200 000 ouvriers), s'accompagna d'une exploitation accrue de la population laborieuse. Plus de la moitié des Russes étaient serfs et demeuraient sous une inflexible oppression féodale. La sécularisation des propriétés terriennes de l'Église (1764) fit simplement passer plus de 2 millions de paysans, qui appartenaient aux couvents, sous la coupe de l'État. La puissance des nobles ne cessait de s'accroître : dès 1765, un oukaze les autorisait à déporter leurs paysans dans les bagnes sibériens. Mais, peu après, éclata la plus grande des guerres paysannes de l'histoire russe, la révolte de Pougatchev (1773/75) : ce Cosaque du Don, se présentant comme Pierre III, souleva des masses de Cosaques, de serfs, d'ouvriers des usines de l'Oural, dans un immense mouvement antiféodal. Pougatchev fut finalement vaincu et décapité (janv. 1775), et Catherine II, sur les conseils de son nouveau favori, Potemkine, prit des mesures énergiques pour éviter le renouvellement d'une telle jacquerie. L'ordonnance administrative d'avr. 1775 et la *Lettre de grâce à la noblesse* de 1785 renforcèrent les administrations locales : les nobles virent leur rôle politique s'accroître encore; ils constituèrent, dans chaque province, des assemblées de la noblesse présidées par un maréchal de la noblesse. La suppression de la *sitch* des Cosaques Zaparogues fit disparaître les dernières franchises cosaques (1775); le servage fut institué en Ukraine (1783), et, les jours de fête, l'impératrice donnait des milliers de serfs à ses favoris. Les velléités libérales de Catherine n'avaient pas longtemps résisté à l'épreuve du règne.

CATHERINE II
Impératrice de Russie (1762/1796). Portrait gravé au moment de son accession au trône.
Ph. © A.P.N.

Politique extérieure de Catherine II

A l'extérieur, Catherine II adopta d'abord le « système du Nord », défendu par son ministre Panine, qui rapprochait la Russie et la Prusse, intéressées toutes deux au maintien de l'anarchie polonaise, mais suscitait l'hostilité de la France. En 1764, Catherine avait placé un de ses anciens amants, Stanislas Poniatowski, sur le trône de Pologne, et, contre la majorité catholique polonaise, elle soutenait activement les droits des « dissidents » (orthodoxes et luthériens). Lorsque les menées russes provoquèrent, en 1768, la fondation d'une ligue patriotique et catholique, la Confédération de Bar, l'armée russe entra en Pologne, et le premier partage de ce pays (1772) donna à l'Empire russe la Russie Blanche, avec Polotsk, Vitebsk et Mohilev. Le problème de la mer Noire était, dans l'immédiat, plus important, car la France avait incité son alliée la Turquie à déclarer la guerre à la Russie (1768). Catherine II prit l'offensive sur terre et sur mer, occupa les provinces roumaines (1769), et l'escadre d'Orlov, après avoir contourné toute l'Europe, fit son apparition en mer Égée et détruisit la flotte turque à Tchesmé (1770). Après le premier partage de la Pologne, Catherine II eut les mains libres contre la Turquie : au traité de Kütchük-Kaïnardji (1774), le sultan dut céder les rives de la mer Noire, de la presqu'île de Kertch au Dniestr, ouvrir les Détroits aux navires marchands russes et reconnaître la Russie comme protectrice officielle des chrétiens de l'Empire ottoman. Catherine commença à rêver de reconstituer l'empire d'Orient au profit de son petit-fils. Les terres du sud de la Russie, acquises en 1774, furent mises en valeur par les soins de Potemkine; la création de la flotte de la mer Noire commença; les ports de Kherson, Sébastopol, Nikolaïev furent aménagés; enfin, en 1783, la Crimée fut officiellement annexée. L'impérialisme russe dans cette région fut affirmé symboliquement par le grand voyage de Catherine II dans la « Nouvelle Russie » (1787). La seconde guerre russo-turque (1787/91) s'acheva par le traité de Iassy (9 janv. 1792), qui reconnut à la Russie la Crimée et la région entre le Boug et le Dniestr. Mais en Pologne, Stanislas Poniatowski, après avoir conclu avec la Prusse une alliance dirigée contre la Russie (1790), avait obtenu le vote d'une nouvelle Constitution qui diminuait les prérogatives de la noblesse et assurait l'hérédité de la couronne (1791). Les nobles, mécontents, se groupèrent dans la Confédération de Targowica et firent appel à Catherine II : les troupes russes envahirent le pays, et la Prusse, abandonnant son alliée, préféra traiter avec la tsarine. Le second partage de la Pologne (1793) attribua à la Russie la Podolie, la Volhynie, Vilna et Minsk. En 1794, Souvarov écrasa impitoyablement le soulèvement de Kosciuszko et s'empara de Varsovie (oct. 1794). L'année suivante, la Pologne cessa d'exister et la Russie s'adjugea la Courlande et le reste de la Lituanie pour porter sa frontière jusqu'au Boug. Catherine II, l'ancienne amie des Encyclopédistes, devait accueillir avec indignation la Révolution française. Dans les dernières années de son règne, sa politique se fit encore plus oppressive : l'écrivain A.N. Radichtchev, qui avait osé, dans son *Voyage de Saint-Pétersbourg à Moscou* (1790), dénoncer la misère des paysans et réclamer quelques réformes, fut condamné à mort et dut à une mesure de grâce de n'être que déporté. En s'éteignant, la grande Catherine laissait une Russie certes plus grande et plus forte, mais aussi plus despotique que jamais.

CATHOLIQUE (Action). Voir ACTION CATHOLIQUE.

CATHOLIQUE (Église). Voir ÉGLISE CATHOLIQUE.

CATHOLIQUE BELGE (parti). Voir SOCIAL-CHRÉTIEN (parti).

CATILINA Lucius Sergius (* vers 108, † Pistoria, auj. Pistoia, janv. 62 av. J.-C.). Homme politique romain. De famille patricienne mais pauvre, il se serait, dès sa jeunesse, déshonoré par ses vices et ses crimes. Dans le portrait que Cicéron et Salluste ont laissé de lui, il apparaît comme le type de toute une jeunesse démoralisée et dépravée par les guerres civiles, et décidée à recourir à tous les moyens pour satisfaire son ambition. Agent de Sylla dans les proscriptions, il réussit, en 67, à se faire nommer propréteur en Afrique, mais, en raison de malversations commises dans le gouvernement de sa province, il ne put être élu consul en 66. Aigri et pressé par ses dettes, il ne vit plus d'issue pour lui que dans la subversion et forma un complot rassemblant de jeunes nobles ruinés et des hommes de main du parti populaire. Mais la tentative d'assassinat des deux consuls désignés pour 65 échoua (première conjuration de Catilina), de même que la candidature de Catilina pour le consulat de 63. Alors qu'en Toscane les amis de Catilina commençaient déjà à se soulever, Cicéron, mis sur ses gardes, se fit donner des pouvoirs étendus (*senatus consultum ultimum,* 22 oct. 63) et interpella Catilina en plein sénat, le 7 nov. 63 (« Jusques à quand, Catilina, abuseras-tu de notre patience?... »). Forcé de se démasquer, Catilina sortit aussitôt de Rome et se rendit en Étrurie pour se mettre à la tête d'une armée de ses partisans, tandis que les membres du complot restés à Rome étaient arrêtés (3/5 déc.). C'est à l'occasion de ces troubles que Cicéron prononça ses fameuses *Catilinaires* devant le sénat. Catilina tomba courageusement, quelques semaines plus tard, dans un combat qui l'opposa à Petreius, lieutenant d'Antonius, collègue de Cicéron. Le personnage de Catilina reste relativement mystérieux, car nous ne le connaissons guère qu'à travers les discours de Cicéron et le récit de Salluste, deux auteurs appartenant au parti de l'oligarchie. On a parfois vu dans Catilina un démocrate sincère dont l'action et les intentions auraient été systématiquement déformées par ses adversaires.

CATINAT Nicolas (* Paris, 1.IX.1637, † Saint-Gratien, près de Montmorency, 25. II.1712). Maréchal de France. Il quitta dans sa jeunesse le barreau pour l'armée, se forma sous Turenne, s'illustra devant Lille (1667), Maastricht (1673), Philippsburg (1678), devint maréchal de camp en 1680, puis lieutenant général en 1688. Commandant en chef en Italie de 1690 à 1696, il s'empara de Nice, vainquit le duc de Savoie à Staffarde (18 août 1690), à La Marsaille (4 oct. 1693) et le contraignit à la paix. Fait maréchal de France (mars 1693), il commanda de nouveau en Italie, mais le mauvais état de l'armée, le manque d'argent et de subsistances paralysèrent ses efforts, et il fut battu par le Prince Eugène à Carpi (1701). Disgracié en 1702, il se retira philosophiquement à la campagne, loin de la cour. Chef habile, un peu présomptueux, Catinat fut un excellent stratège et montra dans la guerre une rare humanité. On a publié ses *Mémoires et correspondance* (1819).

CATINAT, Abdias Maurel, dit († Nîmes, 21.V.1705). Chef camisard. Ancien soldat, il avait servi sous les ordres de Catinat avant d'être exclu de l'armée. Ayant rallié les protestants des Cévennes, il organisa leur cavalerie, puis monta un complot pour assassiner le féroce intendant Baville. Découvert, il fut condamné et brûlé vif.

CATON l'Ancien ou **le Censeur, Marcus Porcius Cato** (* Tusculum, 234, † 149 av. J.-C.). Homme politique romain. D'une famille assez obscure, il combattit au cours de la deuxième guerre punique, remplit d'importantes missions en Sardaigne, en Espagne et en Grèce, fut élu consul et reçut les honneurs du triomphe (195). Censeur en 184, il remplit ses fonctions avec une sévérité qui resta proverbiale; capitaliste âpre au gain, cet « homme nouveau » se posa en défenseur des vertus traditionnelles de Rome, il combattit l'influence hellénique, représentée par les Scipions, fit exclure sept nobles du sénat, mit en échec les publicains et inspira des lois somptuaires dirigées principalement contre le luxe des femmes. Dans sa vieillesse, envoyé en mission diplomatique en Afrique (vers 153), il fut profondément impressionné par la renaissance rapide de

CATINAT
Nicolas. Maréchal de France (1637-1712).
Ph. © Bibl. Nat., Paris - Photeb

CATON
Marcus Porcius Cato, dit
C. l'Ancien. Homme politique
romain (234-149 av. J.-C.).
(Musée du Vatican.)
Ph. © Anderson - Giraudon
Archives Photeb

Carthage. Pour alerter les Romains sur le danger que représentait pour eux cette rivale, il ne prononça plus un seul discours au sénat, sur quelque sujet que ce fût, sans le terminer par la formule : « Et je crois en outre qu'il faut détruire Carthage, *Delenda Carthago.* » À cette époque où l'hellénisme prenait une place de plus en plus grande dans la vie romaine, Caton incarna inflexiblement une volonté de réforme intellectuelle et morale, de retour à la romanité pure et à la simplicité des premiers âges. D'une grande austérité, quoique fort riche, il était connu pour les mauvais traitements qu'il infligeait à ses esclaves.

La plupart de ses œuvres, écrites pour inspirer l'égoïsme national, l'amour de la terre, l'activité inlassable et les traditions religieuses, sont aujourd'hui perdues (notamment une histoire romaine en sept livres, connue sous le nom d'*Origines,* dont il reste seulement quelques fragments). La seule qui nous soit parvenue en entier est le *De agricultura,* écrit vers 160, où Caton, dans le souci d'une saine économie domestique, livre notamment une foule de recettes (culinaires, médicinales, etc.); cet ouvrage demeure un précieux tableau de la vie et de la mentalité rurales des Romains de cette époque.

CATON d'Utique, Marcus Porcius Cato (* 95, † Utique, Afrique du Nord, févr. 46 av. J.-C.). Homme politique romain. Arrière-petit-fils du précédent, il combattit contre Spartacus, fut tribun militaire en Macédoine, puis questeur. Il fut un des principaux chefs de l'oligarchie sénatoriale dans les temps troublés qui précédèrent la fin de la République romaine. D'un grand courage, relativement désintéressé mais aveuglé par les préjugés de sa caste, il s'opposa de toutes ses forces aux revendications populaires, se dressa contre Catilina, puis contre Pompée, mais dut finalement se résoudre à s'allier à ce dernier contre César. Pendant la guerre civile, il rassembla les débris de l'armée républicaine après la défaite de Pharsale et se rendit en Afrique. Laissant le commandement en chef à Q. Metellus Scipion, il prit la direction des services de l'intendance de l'armée pompéienne. Après l'écrasement de celle-ci à Thapsus (févr. 46), il refusa de survivre à la République et se suicida après avoir médité une dernière fois le *Phédon* de Platon. Par la suite, Caton d'Utique devint l'image idéale du pur républicain stoïcien et c'est dans cette perspective que Plutarque a écrit sa *Vie.* Son personnage a été également exalté par Cicéron *(Éloge de Caton)* et par Lucain *(La Pharsale).*

CATO STREET (conspiration de). Formée en Angleterre en 1820 par quelques agitateurs déséquilibrés, sous la conduite d'Arthur Thistlewood, elle s'était fixé pour but d'assassiner lord Castlereagh et d'autres ministres. La police, avertie par un membre de la bande, découvrit un arsenal à Cato Street et y arrêta les conspirateurs; cinq d'entre eux, dont leur chef, furent pendus.

CATROUX Georges (* Limoges, 29.I. 1877, † Paris, 21.XII.1969). Général français. Gouverneur de l'Indochine en 1940, il se rallia à de Gaulle. Haut-commissaire au Levant (1941), gouverneur général de l'Algérie (1943/44), il fut ensuite ambassadeur de France à Moscou (1945/48). Grand chancelier de la Légion d'honneur (1954). Après avoir négocié le retour à Rabat du sultan Mohammed V, il fut nommé ministre de l'Algérie par Guy Mollet (févr. 1956); mais celui-ci fut accueilli à Alger par une émeute de la population européenne, qui refusait le général Catroux en raison de son rôle dans la crise marocaine. En 1961, il fut nommé membre du Haut Tribunal militaire qui jugea les généraux auteurs du putsch d'Alger.

CATTANEO Carlo (* Milan, 15.VI.1801, † Castagnola, près de Lugano, 6.II.1869). Écrivain et homme politique italien. Fondateur de la revue *Il Politecnico* (1839-44, 1859-65), qui fut un des organes modérés du Risorgimento, il fut le chef du Conseil militaire révolutionnaire durant la bataille de cinq jours qui chassa les Autrichiens de Milan, en mars 1848. Profondément déçu par l'attitude du roi de Sardaigne Charles-Albert, il s'exila à Paris jusqu'en 1859. En 1867, il fut élu député au Parlement italien, mais refusa de prêter le serment de loyauté à la maison de Savoie. Il a laissé d'intéressants Mémoires.

CATTARO, Kotor. Port yougoslave de l'Adriatique, au sud de la Dalmatie, sur le golfe de Cattaro. Au Moyen Age, siège d'une république indépendante sous la souveraineté de Byzance, Cattaro tomba sous l'influence serbe au XIIIᵉ s., puis sous l'influence hongroise en 1368. De 1420 à 1797, la ville appartint à Venise, puis passa à l'Autriche, fut englobée dans l'Empire français de 1805 à 1814 et, à cette dernière date, retourna à l'Autriche. Elle fut attribuée à la Yougoslavie en 1919 et prit le nom de *Kotor.*

CATTES. Voir CHATTES.

CATULUS Caius Lutatius (IIIᵉ s. av. J.-C.). Général romain. Consul en 242, il remporta sur Carthage la victoire des îles Égates (10 mars 241), qui mit fin à la première guerre punique.

Quintus Lutatius Catulus (IIᵉ/Iᵉʳ s. av. J.-C.). Général romain. Avec Marius, il triompha des Cimbres, qui l'avaient auparavant rejeté sur le Pô (101 av. J.-C.). Rallié à Sylla, il fut proscrit par Marius en 87 et se suicida.

Quintus Lutatius Catulus Capitolinus (* vers 120, † 61 av. J.-C.). Général et homme politique romain. Fils du précédent. Consul en 78, il battit son collègue M. Æmilius Lepidus, qui voulait abolir la Constitution de Sylla. Il fut ensuite, aux côtés de Caton, le chef le plus important et le plus énergique de l'oligarchie sénatoriale dans sa lutte contre les menées de Pompée et de

César; il essaya d'impliquer ce dernier dans la conspiration de Catilina.

CATURIGES. Peuple de Gaule qui habitait dans les défilés des Alpes-Cottiennes (région d'Embrun et département des Hautes-Alpes).

CAUCASE. Chaîne de montagnes de l'U.R.S.S., se déployant entre la mer Noire et la mer Caspienne.
Associé par les Grecs anciens aux légendes de Prométhée et de la Toison d'or, le Caucase a connu des cultures préhistoriques de type mésolithique, remplacées, à la fin du IIIᵉ millénaire, par la culture du Kouban (v.). Ce fut certainement un des premiers foyers de la métallurgie. Durant l'Antiquité et le Moyen Age, l'histoire du Caucase est essentiellement celle de la Colchide (v.), de la Géorgie (v.) et de l'Arménie (v.). Dès le VIIIᵉ/VIᵉ s. av. J.-C., les côtes de la mer Noire virent fleurir des établissements grecs, telle la colonie milésienne de Dioscurias. Le Caucase, qui avait marqué une des limites de la pénétration romaine (65 av. J.-C.), subit les invasions des Arabes (VIIIᵉ s.), des Mongols (XIIIᵉ s.) et de Tamerlan (XVᵉ s.).
C'est sous le règne de Pierre le Grand que la Russie commença à intervenir au Caucase (occupation de Derbent, 1722, et de Bakou, 1723); en 1772, les troupes russes firent leur première apparition sur le versant méridional du Caucase. En 1783, le protectorat russe s'étendit sur la Géorgie, qui fut annexée en 1801. Marquée par des reculs successifs de la Perse et de la Turquie, la conquête russe fut retardée par la résistance des farouches montagnards caucasiens et ne fut achevée qu'avec la reddition de Chamil (v.), en 1859.
Après la révolution de 1917, l'Arménie, l'Azerbaïdjan et la Géorgie devinrent des républiques socialistes soviétiques au sein de l'U.R.S.S.; d'autres nationalités moins importantes, telles que les Abkhazes et les Ossètes, reçurent également une autonomie administrative.
Dans la Seconde Guerre mondiale, les régions pétrolifères du Caucase (Bakou, Maïkop, Grozny), exploitées dès la fin du XIXᵉ s., furent l'objectif de l'offensive allemande déclenchée à la fin de juill. 1942. L'armée von Kleist obtint d'abord des résultats spectaculaires, et, avant la fin du mois d'août, le drapeau à la croix gammée flottait sur l'Elbrouz, le plus haut sommet du Caucase. Les Allemands se trouvaient pourtant encore à 600 km de Bakou, et c'est en vain qu'ils tentèrent de prendre Ordjonikidze (l'ancien Vladicaucase) en nov. 1942. Dès le mois de janv. 1943, menacés d'être pris à revers par la contre-offensive russe sur le Don, les Allemands furent contraints d'abandonner précipitamment leur conquête. Bien qu'aujourd'hui supplanté par les gisements de l'Oural et de la Volga, le Caucase demeure une source d'hydrocarbures importante pour l'U.R.S.S.

CAUCHON Pierre (* près de Reims, vers 1371, † Rouen, 18.XII.1442). Prélat fran-

çais. Évêque de Beauvais en 1420, rallié aux Bourguignons et aux Anglais, il devint le conseiller du duc de Bedford et se fit l'accusateur de Jeanne d'Arc, qui avait été prise sur son diocèse; il présida la cour qui la condamna à mort. Chassé de son diocèse, il devint évêque de Lisieux en 1432 et prit part au concile de Bâle (1435).

CAUDILLO. En Amérique du Sud, au XIXᵉ s., nom donné à un type de dictateur militaire, souvent métis ou soutenu par la population métisse et indienne, qui s'emparait du pouvoir en se faisant le champion des masses contre la riche bourgeoisie blanche; tout en employant des méthodes de terreur, ils se montrèrent en général bons administrateurs et favorisèrent le progrès économique. Parmi les plus célèbres caudillos, on peut citer : Francia, au Paraguay; Rosas, en Argentine; Carrera, au Guatemala; Diaz au Mexique; Juan Vicente Gómez, au Venezuela. Le titre de *caudillo* (en espagnol *chef*, équivalent du *Duce* italien et du *Führer* allemand) fut pris en Espagne, dès 1936, par le général Franco.

CAUDINES (fourches). Voir CAUDIUM.

CAUDIUM. Ancienne ville du Samnium, aux limites de la Campanie, entre Benevent et Capoue. C'est dans un défilé aux environs de cette ville que les Romains subirent une grave défaite en 321 av. J.-C.; ils s'y laissèrent enfermer par Gavius Pontius Herennius, chef des Samnites, qui les obligea à passer sous le joug (de là le nom de **fourches Caudines** donné à ce défilé).

CAULAINCOURT Armand Augustin Louis de, duc de Vicence (* Caulaincourt, Aisne, 9.XII.1773, † Paris, 19.II.1827). Homme politique français. Fils d'un général de l'armée royale, il fut requis par la conscription en 1795, servit sous Hoche et Bernadotte et fit ses débuts dans la diplomatie sous la protection de Talleyrand, ami de son père. Napoléon le nomma grand écuyer à son avènement, puis général de division (1805) et duc de Vicence (1808). Ambassadeur à Saint-Pétersbourg de 1807 à 1812, il fit tous ses efforts pour empêcher une rupture entre la France et la Russie. Ministre des Affaires étrangères en 1813, il continua à travailler pour une paix de compromis, notamment au congrès de Châtillon (mars 1814), où il défendit les intérêts du fils de Napoléon. On a publié ses *Mémoires* (1933).

CAULONIA. Ville d'Italie, sur la côte orientale de la Calabre. Colonie achéenne fondée au VIIᵉ s. av. J.-C., avant-poste de Crotone, elle combattit aux côtés des Athéniens durant la guerre du Péloponnèse. Détruite par Denys de Syracuse (389), Caulonia se releva, prit parti pour Hannibal dans la deuxième guerre punique, puis déclina rapidement.

CAULAINCOURT
Armand de C., duc de Vicence.
Homme politique français
(1773-1827).
Ph. Jeanbor © Archives - Photeb

CAUMARTIN
Louis. Homme politique français
(1552-1623).

CAUMARTIN Lefebvre de. Famille de robe, originaire du Ponthieu. **Louis Caumartin** (* 1552, † 1623), ambassàdeur, président du Grand Conseil sous Henri IV et Louis XIII, garde des Sceaux.

Louis Urbain Caumartin (* 1653, † 1720), arrière-petit-fils du précédent, conseiller d'État et intendant des finances, magistrat dont la droiture fut louée par Boileau et protecteur du jeune Voltaire.

Antoine Louis Caumartin, marquis de Saint-Ange, prévôt des marchands de Paris de 1778 à 1784, auteur de nombreuses améliorations dans la capitale.

CAUMONT. Maison noble du midi de la France, qui se distingua durant les croisades et dans les guerres contre les Anglais en Guyenne; elle s'allia aux maisons souveraines de Bretagne et d'Albret. Les deux branches principales sont celles de La Force, qui existe encore, et de Lauzun, éteinte en 1723 (v. ces noms).

CAURES (bois des). Bois des Hauts de Meuse, sur la rive dr. de la Meuse, au N. de Verdun. C'est là que se déclencha, le 22 févr. 1916, l'offensive allemande sur Verdun. Sous le commandement du colonel Driant (v.), 1 200 hommes des 56e et 59e chasseurs y opposèrent une résistance désespérée à l'attaque de quatre régiments allemands soutenus par un puissant bombardement d'artillerie. Cinquante hommes seulement parvinrent à se replier sur Vacherauville; le colonel Driant se trouvait parmi les morts.

CAUS Salomon de (* en Normandie, vers 1576, † Paris, 27.II.1626). Ingénieur français. Protestant, il fut employé comme ingénieur successivement en Angleterre, par le prince de Galles, en Allemagne, par le prince palatin Frédéric V, pour lequel il construisit une partie du château de Heidelberg (1614/20), enfin en France, à partir de 1620. Louis XIII lui conféra le titre d'ingénieur du roi. Habile surtout dans l'hydraulique, il fut chargé du nettoiement des rues de Paris. Arago le regardait comme l'inventeur de la machine à vapeur, dont il fixa au moins certains principes dans ses *Raisons des forces mouvantes* (1615).

CAVAIGNAC Jean-Baptiste (* Gourdon, Lot, 1762, † Bruxelles, 24.III.1829). Homme politique français. Membre de la Convention, il vota la mort sans sursis au procès de Louis XVI et se fit remarquer partout par son extrémisme (il fut notamment responsable de l'exécution des jeunes filles royalistes de Verdun). Chargé à plusieurs reprises de missions aux armées, il défendit ensuite la Convention contre les sections révoltées au 1er-Prairial et au 13-Vendémiaire. Par la suite, Murat le nomma conseiller d'État à Naples. Préfet de la Somme pendant les

Cent-Jours, il fut banni de France en 1816, comme régicide.

Son fils, **Louis Godefroy Cavaignac** (* Paris, 1801, † Paris, 5.V.1845), prit part dès 1830 à l'agitation républicaine contre la monarchie de Juillet et fonda la Société des droits de l'homme. Arrêté après les troubles d'avril 1834, il parvint à s'évader de la prison de Sainte-Pélagie le 13 juill. 1835, quitta la France et ne revint à Paris qu'en 1841; il se remit aussitôt à conspirer contre le régime de Louis-Philippe, mais mourut peu après de la tuberculose.

Louis Eugène Cavaignac (* Paris, 15.X. 1802, † château d'Ourne, Sarthe, 28.X. 1857), frère du précédent, général et homme politique français, ancien élève de l'École polytechnique, entra dans le génie. Après la révolution de 1830, ayant manifesté hautement ses convictions républicaines, il fut envoyé en 1832 à l'armée d'Afrique, se signala dans de nombreux combats, particulièrement dans la défense de Cherchell (1840), où il fut blessé. Il prit part à la bataille de l'Isly (1844) et y joua un grand rôle à la tête de l'avant-garde. Cavaignac se trouvait encore en Algérie lorsque éclata la révolution de 1848: le gouvernement provisoire le nomma général de division et gouverneur de l'Algérie. Entré peu après dans la politique, député à l'Assemblée constituante, il fut nommé ministre de la Guerre après l'émeute du 15 mai; dans cette fonction, il montra la dernière énergie dans la répression de l'insurrection des 23/26 juin 1848. Nommé par l'Assemblée chef du pouvoir exécutif, investi d'une véritable dictature, il prit des mesures draconiennes pour maintenir l'ordre (mise en état de siège, suspension de journaux, déportation des insurgés). Après l'entrée en vigueur de la nouvelle Constitution, il se porta candidat à la présidence de la République aux élections du 10 déc. 1848, mais n'obtint qu'un cinquième des suffrages, avec 1 448 302 voix. Il remit le pouvoir au prince Louis-Napoléon, passa dans l'opposition et fut incarcéré pendant quelques jours lors du coup d'État du 2-Décembre. Député de Paris au Corps législatif en 1852, il refusa de prêter serment à l'empereur et témoigna jusqu'à sa mort d'une fidélité intransigeante à ses convictions républicaines.

Godefroy Cavaignac (* Paris, 21.V.1853, † château d'Ourne, Sarthe, 25.IX.1905), fils du précédent, militant du parti républicain, fut élu député en 1882. Ministre de la Guerre dans le cabinet Léon Bourgeois (1895/96) et dans le deuxième ministère Brisson (juin 1898), il dut démissionner le 3 sept. 1898, à la suite de la découverte du *faux* Henry (v. DREYFUS, affaire). Auteur d'un remarquable ouvrage sur *La Formation de la Prusse contemporaine* (1891-97).

CAVAILLON. Ville de France (Vaucluse), dans le Comtat, près de la Durance. Dans l'Antiquité *Cabellio,* une des villes principa-

CAVAIGNAC
Louis Eugène. Général français
(1802-1857).

CAVAILLON
Armoiries de la ville, 1664.
Ph. Jeanbor © Photeb

CAVALERIE
Page ci-contre :
la charge des cuirassiers
à Reichshoffen,
6 août 1870.
Peinture de Dupray.
(Musée de l'Armée.)
C'est Jules Claretie
qui a immortalisé
ce fameux moment
d'une sanglante tragédie.
« Il leur fallait traverser
le village de Morsbronn,
descendre dans le vallon,
se reformer et charger
encore. Dans le village,
les Allemands embusqués
tirent à bout portant
sur la trombe qui passe.
Des officiers allemands
brûlent des cervelles en
étendant du haut des sentiers
leurs bras armés de revolvers
qu'ils déchargent sans danger
sur les cavaliers emportés...
Les cuirassiers
atteignent le vallon,
ils se reforment,
ils chargent.
Décimés, foudroyés,
ils s'élancent encore
et, tandis que l'armée
française s'éloigne,
ils donnent,
en se faisant tuer,
le temps aux vaincus
d'éviter la mort. »
Ph. Luc Joubert © Éd. Tallandier

les des Cavares, dans la Viennoise (vestiges d'un arc de triomphe à quatre baies, Ier s. de notre ère). Évêché du Ve s. à 1793.

CAVALERIE. Depuis le début du IIIe millénaire, en Égypte, en Chine, en Assyrie, les chars (v.) avaient dominé les champs de bataille. La cavalerie proprement dite n'apparut que vers 1000/500 av. J.-C. Cette substitution du cavalier au char fut l'œuvre de deux peuples qui s'étaient trouvés en contact avec les nomades de l'Asie centrale : les Perses et les Chinois. En Grèce, du fait de la structure démocratique des cités, la cavalerie tint peu de place dans des guerres intestines de l'époque classique (Ve s. av. J.-C.); la seule cavalerie renommée était celle des Béotiens. Dans l'armée macédonienne, l'élément de base était la fameuse phalange d'infanterie, mais la phalange, à cause de sa formation compacte, ne pouvait exploiter ses succès initiaux et mener avec rapidité la poursuite de l'ennemi. Aussi, Philippe II lui adjoignit un corps de cavaliers. Dans l'expédition d'Alexandre, la cavalerie devait jouer un rôle décisif en de nombreuses batailles. Les éléphants, que Cyrus avait déjà utilisés dans la conquête de la Lydie (VIe s.), figurèrent également dans l'armée des Séleucides. A Rome, la cavalerie était fournie à l'origine par des citoyens riches (v. ÉQUESTRE, ordre); elle fut longtemps la partie la plus faible de l'armée. Les Romains se virent infliger par la cavalerie d'Hannibal les défaites de la Trébie (218) et de Cannes (216); par la cavalerie parthe, dont la mobilité était extraordinaire, la défaite de Carrhae, en Syrie (53 av. J.-C.). Comme les Grecs, les Romains ignoraient le fer à cheval, la selle, l'étrier, qui étaient déjà connus des peuples nomades de l'Asie centrale, et qui furent révélés en Occident, à l'époque des Grandes Invasions, par les Goths et les Alains. Ces inventions techniques, adoptées à Constantinople dès le IVe s. de notre ère, furent une véritable révolution dans l'art de la guerre. La cavalerie prit alors la première place dans les armées byzantines, comme dans celles de la conquête musulmane. En Europe occidentale, les Francs du VIe s. étaient encore essentiellement des fantassins, mais, du VIe au Xe s., s'opéra une évolution qui fit peu à peu du combattant à cheval le guerrier par excellence.
Les armées féodales furent des armées de cavaliers. Comme la possession d'une monture de guerre et l'équipement complet du cheval et du cavalier coûtaient très cher, cette cavalerie ne pouvait être fournie que par les riches propriétaires fonciers; aussi, les armées féodales furent-elles très peu nombreuses. On estime que toutes les armées de la première croisade réunies comptaient au maximum de 2 500 à 3 000 cavaliers (fin du XIe s.). L'irruption de la cavalerie mongole à travers l'Asie antérieure et une partie de l'Europe (XIIIe s.) marqua l'apogée du rôle de la cavalerie, mais précéda de peu son déclin. Si les chevaliers européens, protégés par leurs pesantes armures, étaient à peu près invulnérables, il n'en allait pas de même

pour leurs montures, et le chevalier jeté à terre devenait une proie facile pour l'infanterie. Celle-ci fit sa réapparition avec les milices communales. A la bataille de Courtrai (1302), la piétaille des villes flamandes fit un carnage de la chevalerie française. Durant la guerre de Cent Ans, à Crécy (1346), à Poitiers (1356), à Azincourt (1415), les fantassins anglais, armés de longs arcs, décidèrent de la victoire en frappant d'une grêle de traits les chevaux français, dont les cavaliers étaient exterminés ou pris par les chevaliers anglais qui progressaient à pied, derrière les archers. Vers la même époque, les Suisses, en lutte avec les Habsbourg, retrouvaient la formation en phalange de l'Antiquité. Aux XVIe/XVIIe s., ce fut l'infanterie qui assura une longue prépondérance à l'Espagne.
Cependant la cavalerie s'adapta à l'ère des armes à feu : dans les guerres des XVIIe/XVIIIe s., le mode d'action classique de la cavalerie consistait à charger en rangs serrés, à faire feu de ses pistolets, puis à poursuivre le combat à l'arme blanche. La cavalerie contribua beaucoup aux victoires de Gustave-Adolphe durant la guerre de Trente Ans, à la victoire de Condé sur l'infanterie d'Espagne à Rocroi (1648), enfin aux victoires de Frédéric II, notamment à Rossbach (1757).
Son rôle fut au contraire effacé dans les guerres de la Révolution française, et, durant la campagne d'Égypte, l'infanterie de Bonaparte, malgré une grande infériorité numérique, décima à plusieurs reprises des armées de plusieurs dizaines de milliers de Turcs et de mamelouks. Cependant, sous le Ier Empire, Napoléon assigna une fonction particulièrement importante à la cavalerie : celle-ci intervenait, sur les flancs et l'arrière de l'ennemi, lorsque ce dernier commençait à plier sous le feu de l'artillerie. En dehors de ce rôle tactique de poursuite, la cavalerie française devait remplir, pendant toutes les campagnes napoléoniennes, un rôle stratégique d'observation et de renseignements dont elle s'acquitta d'une manière incomparable.
La guerre de Crimée et la guerre franco-allemande (v.) de 1870 virent les dernières grandes charges de cavalerie à l'arme blanche : charge de la brigade légère britannique à Balaklava (25 oct. 1854); charge des cuirassiers français de Reichshoffen (6 août 1870). On aurait pu croire que la Première Guerre mondiale, qui vit l'apparition de l'aviation d'observation (dès la bataille de la Marne) et du char d'assaut (1916), allait marquer la fin de la cavalerie, qui, durant ce conflit, ne joua de rôle important que sur le front oriental. Cependant, durant la guerre civile en Russie (1918/20), la cavalerie de l'armée rouge, dans laquelle s'illustra le futur maréchal Boudienny, contribua beaucoup au succès des forces bolcheviques. Durant la Seconde Guerre mondiale, plus de chevaux furent engagés au combat que dans aucune autre guerre du passé : près de 4 millions de chevaux du côté soviétique, près de 3 millions du côté allemand. En 1939, les incursions de uhlans polonais créèrent à plusieurs reprises des désordres graves dans les arrières alle-

mands. En 1941, l'armée rouge comptait 90 divisions de cavalerie; elles contribuèrent efficacement à la défense de Moscou, puis à l'encerclement de la VIe armée allemande à Stalingrad. Aussi la Wehrmacht, qui avait pratiquement supprimé sa cavalerie dans les premières années de la guerre, s'efforça-t-elle de la reconstituer rapidement dès 1943. Les missions de la cavalerie d'autrefois sont réparties aujourd'hui entre l'arme blindée (percée, poursuite) et l'aviation (observation, perturbation des arrières ennemis).

CAVALIER Jean (* le Mas Roux, près d'Anduze, Gard, 28.XI.1681, † Londres, 17.V.1740). Chef des camisards. Ancien garçon boulanger, protestant ardent, il se fit prédicant dans les Cévennes, se mit, en 1702, à la tête de nombreux partisans enthousiastes et défia longtemps les troupes de Louis XIV. En 1703, il menaça même Nîmes. Le maréchal de Villars négocia avec lui, en lui accordant une pension de 1 200 livres et un brevet de colonel, et lui fit déposer les armes (16 mai 1704); Cavalier fut accusé de trahison par ses hommes, qui, pour la plupart, l'abandonnèrent. Devenu désormais un soldat de métier, il entra dès 1704 au service de la Savoie, puis combattit dans les rangs anglais en Espagne (1705), devint général dans l'armée britannique (1735) et gouverneur de Jersey (1738). Cavalier a consigné ses souvenirs de l'insurrection camisarde dans *Memoirs of the Wars of the Cevennes* (1726).

CAVALIERS. Au cours de la Révolution anglaise, nom des partisans du roi Charles Ier, opposés aux Têtes rondes (v.), partisans du Parlement (1641). De 1661 à 1678, le Parlement fut surnommé **Parlement cavalier** en raison de la majorité de députés royalistes qui y siégèrent. Le terme de cavalier, pour désigner les royalistes, fit place, à partir de 1679, à celui de tory (v.).

CAVALLERO Ugo, comte (* Casale Monferrato, 20.IX.1860, † Grottaferrata, près de Frascati, 15.IX.1943). Maréchal italien. Après avoir occupé le poste de sous-secrétaire d'État à la Guerre (1925/28), il fut nommé commandant en chef des troupes d'Afrique orientale (déc. 1937/mai 1939), puis chef d'état-major général en déc. 1940 et commanda les troupes italiennes pendant la malheureuse campagne de Grèce (1940/41). Très germanophile, il fut promu maréchal en 1942. Arrêté par le gouvernement Badoglio après la chute de Mussolini, puis libéré par les Allemands, il se donna la mort pour des raisons restées mystérieuses.

CAVALLOTTI Felice (* Milan, 6.X.1842, † Rome, 6.III.1898). Homme politique italien. Journaliste démocrate, collaborateur du *Gazzettino rosa,* du *Lombardo* et de la *Ragione,* il fut député à partir de 1873 et s'efforça de rassembler contre Crispi toutes les forces de l'opposition démocratique. Il fut tué au cours d'un duel — le trente-troisième

de sa carrière — qui l'opposait à un autre journaliste, Ferruccio Macola.

CAVARES. Peuple de la Gaule, établi au début de notre ère dans la vallée du Rhône, sur le territoire actuel du Vaucluse et des Bouches-du-Rhône.

CAVELIER DE LA SALLE. Voir LA SALLE (CAVELIER DE).

CAVELL Edith Louisa (* Swardeston, Norfolk, 4.XII.1865, † Bruxelles, 12.X.1915). Infirmière anglaise. En 1907, elle entra à la clinique Berkendael de Bruxelles, qui fut transformée en hôpital de la Croix-Rouge durant la Première Guerre mondiale. Elle resta à son poste malgré l'occupation allemande et entra dans une organisation qui aidait les prisonniers alliés à gagner les Pays-Bas; elle fit évader ainsi 200 hommes. Arrêtée en août 1915, elle fut condamnée à mort par un tribunal militaire allemand et exécutée.

CAVENDISH. Famille anglaise à laquelle appartiennent les comtes, puis ducs de Devonshire et les ducs de Newcastle. Elle descend de **sir William Cavendish** (* 1505, † 1557), d'abord simple huissier du cardinal Wolsey dont le frère, George Cavendish, écrivit la biographie, et s'éleva aux honneurs grâce à la protection d'Henri VIII et de ses successeurs. Voir NEWCASTLE et DEVONSHIRE (ducs de).

CAVENDISH ou **CANDISH Thomas** (* Trimley Saint Martin, Suffolk, sept. 1560, † Ascension, mai 1592). Navigateur anglais. Parti de Plymouth, il fit le troisième voyage autour de la Terre (juill. 1586/sept. 1588), ravageant les établissements espagnols de la côte occidentale de l'Amérique du Sud. Il entreprit, en 1591, une nouvelle tentative de tour du monde et trouva la mort au cours de son voyage.

CAVOUR Camillo Benso, comte de (* Turin, 10.VIII.1810, † Turin, 6.VI.1861). Homme politique italien. Issu de la vieille noblesse piémontaise, mais d'une mère suisse et calviniste, il fut d'abord officier du génie mais dut démissionner (1831), ses opinions libérales l'ayant fait mal noter. Pendant une quinzaine d'années, il se consacra à la mise en valeur de son domaine familial, à Leri, s'intéressa passionnément aux nouvelles techniques agricoles, au progrès économique, à la création des chemins de fer, au développement des organismes de crédit. Il acquit ainsi des connaissances pratiques qui firent de lui un remarquable administrateur. De nombreux voyages en France (il parlait et écrivait le français mieux que l'italien) et en Angleterre lui permirent aussi d'étendre sa culture politique. Toujours libéral et hostile au régime de Charles-Albert, il fonda en 1847, avec son ami Cesare Balbo, le journal *Il Risorgimento,* où il mena campagne pour l'établissement d'une monarchie constitu-

CAVELL
Edith. Infirmière anglaise (1865-1915).
Ph. © Archives Photeb

tionnelle. Considérant encore le rêve mazzinien de l'unité italienne comme une chimère, il aspirait en revanche à des agrandissements substantiels du Piémont aux dépens de l'Autriche et, en 1848, il accueillit la guerre avec joie.

Premier ministre

Député au Parlement piémontais dès juin 1848, il siégea avec les conservateurs mais manifesta dès ce moment son anticléricalisme. Ministre de l'Agriculture, de l'Industrie et du Commerce dans le cabinet D'Azeglio (oct. 1850), chargé également des Finances à partir de 1851, il conclut, avec la gauche modérée de Rattazzi, un « mariage » secret, un *connubio*, qui lui permit de succéder à D'Azeglio comme Premier ministre (nov. 1852). Pendant neuf ans, jusqu'à sa mort, il allait rester la figure dominante de la politique piémontaise. La défaite de 1849 lui avait enseigné la vanité de l'orgueilleuse formule *Italia farà da se* : la victoire contre l'Autriche ne pouvait être acquise, au contraire, qu'avec le concours de l'étranger et, en premier lieu, du souverain le plus favorable à la cause italienne, Napoléon III. Mais, estimait Cavour, « il est impossible au gouvernement d'avoir une politique nationale, italienne, en face de l'étranger, sans être à l'intérieur libéral et réformateur ». Fort de son alliance avec la gauche modérée, il entreprit donc une active politique de réformes. Secouant la tutelle que les Rothschild exerçaient sur les finances piémontaises, il brisa les cadres du paternalisme économique, s'orienta résolument vers le libre-échangisme et institua une fiscalité sévère. Une loi de 1854 supprima un grand nombre de couvents de contemplatifs, dont les biens, confisqués, furent affectés à des œuvres sociales. Toujours passionné par l'agriculture, Cavour stimula l'irrigation et la bonification des terres; pour développer le commerce, il créa la Banque des États sardes, accéléra la construction des voies ferrées, amorça le raccordement des lignes italiennes au réseau savoyard et, plus tard, à la France, en faisant commencer en 1857 le tunnel du Mont-Cenis. En même temps, il préparait le Piémont à l'affrontement avec l'Autriche, laissait La Marmora réorganiser l'armée, transformait Alexandrie en une puissante forteresse, créait l'arsenal maritime de La Spezia.

De l'alliance avec Napoléon III
à la fondation
du royaume d'Italie

Entraîné par la volonté de Victor-Emmanuel II dans la guerre de Crimée, Cavour profita du congrès de Paris pour poser ouvertement la question italienne devant l'Europe (avr. 1856). Son séjour à Paris lui permit de sonder les intentions de Napoléon III; il commença à rallier autour de la maison de Savoie les exilés italiens, anciens

CAVOUR
Camillo Benso, comte de C.
Homme politique italien
(1810-1861).
Ph © Archives Photeb

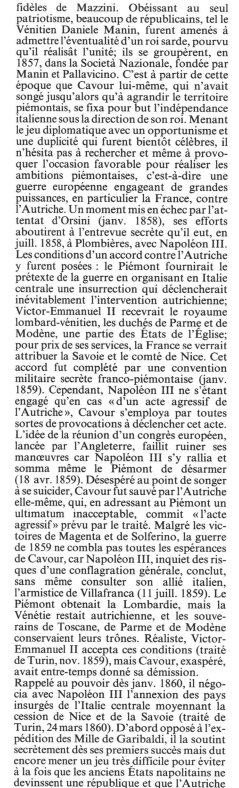

fidèles de Mazzini. Obéissant au seul patriotisme, beaucoup de républicains, tel le Vénitien Daniele Manin, furent amenés à admettre l'éventualité d'un roi sarde, pourvu qu'il réalisât l'unité; ils se groupèrent, en 1857, dans la Società Nazionale, fondée par Manin et Pallavicino. C'est à partir de cette époque que Cavour lui-même, qui n'avait songé jusqu'alors qu'à agrandir le territoire piémontais, se fixa pour but l'indépendance italienne sous la direction de son roi. Menant le jeu diplomatique avec un opportunisme et une duplicité qui furent bientôt célèbres, il n'hésita pas à rechercher et même à provoquer l'occasion favorable pour réaliser les ambitions piémontaises, c'est-à-dire une guerre européenne engageant de grandes puissances, en particulier la France, contre l'Autriche. Un moment mis en échec par l'attentat d'Orsini (janv. 1858), ses efforts aboutirent à l'entrevue secrète qu'il eut, en juill. 1858, à Plombières, avec Napoléon III. Les conditions d'un accord contre l'Autriche y furent posées : le Piémont fournirait le prétexte de la guerre en organisant en Italie centrale une insurrection qui déclencherait inévitablement l'intervention autrichienne; Victor-Emmanuel II recevrait le royaume lombard-vénitien, les duchés de Parme et de Modène, une partie des États de l'Église; pour prix de ses services, la France se verrait attribuer la Savoie et le comté de Nice. Cet accord fut complété par une convention militaire secrète franco-piémontaise (janv. 1859). Cependant, Napoléon III ne s'étant engagé qu'en cas « d'un acte agressif de l'Autriche », Cavour s'employa par toutes sortes de provocations à déclencher cet acte. L'idée de la réunion d'un congrès européen, lancée par l'Angleterre, faillit ruiner ses manœuvres car Napoléon III s'y rallia et somma même le Piémont de désarmer (18 avr. 1859). Désespéré au point de songer à se suicider, Cavour fut sauvé par l'Autriche elle-même, qui, en adressant au Piémont un ultimatum inacceptable, commit « l'acte agressif » prévu par le traité. Malgré les victoires de Magenta et de Solferino, la guerre de 1859 ne combla pas toutes les espérances de Cavour, car Napoléon III, inquiet des risques d'une conflagration générale, conclut, sans même consulter son allié italien, l'armistice de Villafranca (11 juill. 1859). Le Piémont obtenait la Lombardie, mais la Vénétie restait autrichienne et les souverains de Toscane, de Parme et de Modène conservaient leurs trônes. Réaliste, Victor-Emmanuel II accepta ces conditions (traité de Turin, nov. 1859), mais Cavour, exaspéré, avait entre-temps donné sa démission. Rappelé au pouvoir dès janv. 1860, il négocia avec Napoléon III l'annexion des pays insurgés de l'Italie centrale moyennant la cession de Nice et de la Savoie (traité de Turin, 24 mars 1860). D'abord opposé à l'expédition des Mille de Garibaldi, il la soutint secrètement dès ses premiers succès mais dut encore mener un jeu très difficile pour éviter à la fois que les anciens États napolitains ne devinssent une république et que l'Autriche

CAYLUS
Marguerite de Villette,
marquise de C. Aristocrate
française (1673-1729).
Ph. Jeanbor © Photeb

CEAUSESCU
Nicolae. Homme politique
roumain (né en 1918).
Ph. © Van Parys - Sygma

— ou Napoléon III, pressé par les catholiques français — n'intervînt pour empêcher une attaque de Garibaldi contre Rome. C'est alors que Cavour prit sa décision la plus audacieuse : devancer Garibaldi, ne pas lui laisser le monopole de l'idée unitaire, occuper les États du pape (à l'exception de Rome) et faire entrer Naples dans le mouvement national. Une insurrection plus ou moins provoquée dans les États de l'Église fournit le prétexte de l'intervention de l'armée sarde. Celle-ci balaya l'armée pontificale de Lamoricière à Castelfidardo (18 sept. 1860), occupa les Marches, l'Ombrie et entra dans l'ancien royaume de Naples. Cavour s'empressa d'introduire dans les régions occupées les lois et les formes d'administration piémontaises et, le 14 mars 1861, le premier Parlement italien proclamait roi d'Italie Victor-Emmanuel II. Cavour ne survécut pas trois mois à ce triomphe : épuisé par le surmenage, il fut enlevé par une maladie soudaine. Il n'avait pu achever son œuvre, mais, grâce à lui, les fondements de l'unité italienne étaient définitivement posés.

CAWNPORE ou KANPUR. Ville de la République indienne, au sud de l'État d'Uttar Pradesh (autrefois des Provinces-Unies). Pendant la révolte des Cipayes, la ville vit le massacre de la garnison anglaise et de la population européenne, sur l'ordre de Nana-Sahib (juin 1857).

CAXIAS Luis Alves de Lima e Silva, duc de (* Rio de Janeiro, 25.VIII.1803, † Rio de Janeiro, 8.V.1880). Général et homme politique brésilien. Vainqueur du dictateur argentin Rosas à Monte Casseros (1852), il emporta la décision dans la guerre contre le Paraguay (1867/69) par la prise d'Humaita et d'Asunción. Il occupa les fonctions de Premier ministre de 1875 à 1878.

CAXTON William (* dans le Kent, vers 1422, † Londres, vers la fin de 1491). Imprimeur anglais. D'abord commerçant, il apprit l'art de l'imprimerie à Bruges, où il publia, en 1474, le premier livre imprimé en anglais, le *Recuyell of the Historyes of Troye,* traduction par lui-même d'un ouvrage de Raoul Lefèvre. Vers 1476, il introduisit l'imprimerie en Angleterre, à Westminster, et publia en une quinzaine d'années plus de quatre-vingts ouvrages, dont vingt-quatre traduits directement du français par ses soins.

CAYLA Zoé Talon, comtesse du. Voir DU CAYLA.

CAYLUS, Marguerite de Villette, marquise de (* dans le Poitou, 1673, † Paris, 15.IV.1729). Petite-fille d'Artémise d'Aubigné, cousine de Mᵐᵉ de Maintenon, elle fut élevée à la cour de Louis XIV et mariée à l'âge de treize ans avec J.-A. de Tubières, marquis de Caylus. Femme d'esprit, elle a laissé d'intéressants Mémoires

sur son temps : *Souvenirs de Mᵐᵉ de Caylus* publiés par Voltaire en 1770.

Son fils, **Philippe de Tubières, comte de Caylus** (* Paris, 31.X.1692, † Paris, 5.IX. 1765), archéologue français, entreprit de grands voyages en Orient et rassembla une riche collection d'antiquités, qu'il devait léguer au Cabinet du roi. Membre des Académies de peinture (1731) et des inscriptions (1742). Il s'occupa, en amateur, de gravure et de peinture, écrivit des biographies de peintres (Mignard, Watteau, etc.), des *Œuvres badines* (1787) et un *Recueil d'antiquités égyptiennes, étrusques, grecques, romaines et gauloises* (1752-67).

C.D.U. Voir CHRISTLICH-DEMOKRATISCHE UNION.

CEAUSESCU Nicolae (* Scornicesti, 26. I.1918). Homme politique roumain. Entré à 15 ans dans l'organisation clandestine des Jeunesses communistes, il fut admis au comité central du parti en 1945 et au Politburo en 1955. Successeur de Georghiu-Dej au secrétariat général du parti en 1965, il cumula ces fonctions avec celles de chef de l'État à partir de 1967. Il accentua l'orientation déjà prise par son prédécesseur vers un communisme soucieux d'indépendance nationale dans le domaine économique et, à un moindre degré, dans la politique étrangère et militaire. Sous sa direction, la Roumanie a établi dès 1967 des relations diplomatiques avec l'Allemagne fédérale, refusé de rompre avec Israël lors de la guerre des Six Jours, réservé un accueil chaleureux au président Nixon, exprimé son désaccord avec l'intervention des forces du pacte de Varsovie en Tchécoslovaquie et maintenu de bonnes relations avec la Chine.
● Les remaniements intervenus au sein du parti en 1976 puis en 1977 ont encore marqué un renforcement de son pouvoir personnel. Le régime est devenu népotique : la femme du Premier roumain était nommée vice-Premier ministre en 1980; dans le même temps, de nombreux membres de la famille Ceausescu obtenaient des postes dans le gouvernement et dans l'administration. Toutefois, la baisse du niveau de vie provoquée par le retard du Plan et la crise économique a entamé la popularité du chef de l'État. En sept. 1977, il fit tirer sur les mineurs en grève de la vallée de Jiu.
Un an après la création, en 1979, du syndicat libre des travailleurs de Roumanie, de nombreuses grèves éclataient; en août 1981, le chef de l'État voulut se rendre dans les mines de Motru, occupées par des grévistes; il y fut accueilli à coups de pierres par une population de plus en plus excédée par les difficultés du ravitaillement et les réductions de salaires. Ceausescu tenta de sauver la situation intérieure en se démarquant de Moscou sur des questions de politique étrangère, notamment sur la question polonaise et sur le désarmement : en oct. 1981, il se déclara favorable au retrait des fusées

soviétiques SS 20 en échange de l'abandon du projet d'installation des missiles américains Pershing; il protesta en nov. 1983 contre le retrait des Soviétiques de la conférence de Genève (v. GUERRE FROIDE). En mai 1982, il fit procéder à une purge massive de dirigeants du parti insuffisamment zélés et à une réforme du système salarial dont le résultat a été de réduire de manière importante les rémunérations. Fin 1984, il fut réélu secrétaire général du parti communiste roumain. Sa femme, Elena, restait le deuxième personnage du régime. Voir ROUMANIE.

CEBU. Île de l'archipel des Philippines. Sa capitale, qui est aussi son deuxième port, *Cebu,* vit l'arrivée de Magellan (7 avr. 1521), et c'est là qu'en 1565 furent fondés le premier établissement espagnol et la première mission catholique des Philippines. L'île fut occupée de mars 1942 à 1945 par les Japonais, qui, en représailles d'actions de partisans, détruisirent presque complètement la ville de Cebu en mai 1942.

C.E.C.A. Sigle de COMMUNAUTÉ EUROPÉENNE DU CHARBON ET DE L'ACIER. Voir EUROPÉENNES (Institutions).

CECIL. Famille anglaise dont la puissance fut fondée par :

William Cecil, baron Burghley (* Bourne, Lincolnshire, 18.IX.1520, † Londres, 4.VIII.1598). Homme politique anglais. Après avoir fait ses études à Cambridge, il fut élu au Parlement en 1543 et 1547 et fut introduit à la cour par Somerset. Emprisonné quelque temps à la chute de ce dernier (1549), il refusa de l'aider dans ses tentatives pour reprendre le pouvoir, montra la plus grande souplesse sous le règne de Marie Tudor et alla même jusqu'à se convertir au catholicisme. Cependant, ses qualités d'administrateur lui valurent d'être nommé secrétaire d'État par Élisabeth dès 1558. Jusqu'à sa mort, pendant quarante ans, il allait rester le principal conseiller de la reine, qui le fit pair d'Angleterre en 1571 et lord-trésorier en 1572. Dévoué uniquement à l'État, Cecil joua un rôle primordial dans l'affermissement de l'Église anglicane; inquiet de la puissance conservée par les catholiques et des droits que Marie Stuart pouvait faire valoir sur le trône anglais, il travailla à la chute de la reine d'Écosse, puis à l'exécution de celle-ci. En politique étrangère, il se montra toujours très prudent. Sans se soucier des conflits religieux, il essaya d'abord de maintenir la paix avec l'Espagne, puis, lorsque la faction puritaine eut entraîné l'Angleterre dans la guerre (1585), ce fut lui qui, par son habile administration, permit à la marine britannique de remporter des victoires décisives qui marquèrent l'aube de la suprématie anglaise sur les océans.

Son fils, **Robert Cecil, 1er comte de Salisbury** (* Londres, 1.I.1563, † Marlborough, Wiltshire, 24.V.1612), remplit, à partir de 1590, les fonctions de secrétaire d'État et reçut ce titre en 1596. Deux ans plus tard, à la mort de son père, il lui succéda comme principal conseiller d'Élisabeth. En 1603, il assura l'avènement au trône de Jacques Ier, qui le conserva comme Premier ministre, le combla d'honneurs, le fit comte (1605) et lord-trésorier (1608).

Robert Arthur Talbot Gascoyne Cecil, 1er marquis de Salisbury. Voir SALISBURY.

CECIL OF CHELWOOD, Edgar Algernon Robert Cecil, 1er vicomte (* Londres, 14.IX.1864, † Tunbridge Wells, Kent, 24.XI.1958). Homme politique anglais. Député conservateur, ministre du Blocus (1916/18), puis secrétaire d'État adjoint aux Affaires étrangères, il fut l'un des principaux rédacteurs du pacte de la S.D.N. et consacra ses efforts à la défense d'une politique de sécurité collective. Prix Nobel de la paix en 1937.

CÉCROPS. Héros des temps légendaires de la Grèce. Venu de Saïs, en Égypte, à la tête d'une colonie, il aborda en Attique et fonda une partie des douze bourgades dont Athènes devint plus tard la capitale. Il aurait établi le tribunal de l'Aréopage, répandu le culte d'Athéna et de Zeus, enseigné aux habitants de l'Attique l'agriculture et le commerce, et introduit parmi eux le mariage et les sépultures.

C.E.D. Sigle de Communauté européenne de défense. Voir EUROPÉENNES (Institutions).

C.E.E. Sigle de Communauté économique européenne (ou Marché commun). Voir EUROPÉENNES (Institutions).

CEFALÙ. Ville de Sicile, à l'est de Palerme. Dans l'Antiquité *Cephaloedium,* elle s'allia en 395 avec les Carthaginois, passa sous la domination romaine en 254 av. J.-C., fut conquise par les Arabes après deux longs sièges (838 et 858) et prise en 1063 par les Normands, qui fondèrent la nouvelle ville en 1131. Elle conserve les vestiges d'un sanctuaire mégalithique préhellénique (IXe ou VIIIe s. av. J.-C.).

CÉLÈBES. Île de l'archipel de la Sonde (Indonésie), à l'est de Bornéo. Le sud-ouest de l'île fut le centre de la culture préhistorique toalienne (grotte de Pangangreang Tudea), qui pourrait remonter au IIIe millénaire et qui appartient à l'âge mésolithique. Parmi les habitants actuels de Célèbes, les Toalas semblent être les véritables indigènes; les Toradjas, les Bougis et les Macassars sont d'origine malaise; les Minahassans descendent vraisemblablement d'immigrants de race caucasienne venus du nord par les Philippines. Connue autrefois sous le nom d'*île des Épices,* Célèbes fut découverte par les Portugais en 1512. Cependant les Hollandais établirent leur premier comptoir à Macassar dès 1607 et ils supplantèrent les Portugais en 1667, mais c'est seulement à la

CECIL
William C., baron Burghley. Homme politique anglais (1520-1598). (Musée des Beaux-Arts, Tours.)
Ph. J.L. Charmet © Photeb

fin du xixe s. que leur contrôle s'étendit à la totalité de l'île. Occupée par les Japonais de janv. 1942 à août 1945, Célèbes fait partie depuis 1949 de la république d'Indonésie.

CÉLÈRES. Dans les temps légendaires de Rome, corps de cavalerie d'élite institué par Romulus pour lui servir de garde; il se composait de 300 hommes, effectif porté à 600 par Tarquin l'Ancien. Ce fut le noyau de l'ordre équestre.

CÉLESTIN Ier saint (* en Campanie?, † Rome, 432), pape (422/32). Il s'était fait remarquer comme diacre à Rome et avait vécu un certain temps à Milan, auprès de st. Ambroise. Il agit énergiquement contre le pélagianisme dans le sud de la Gaule et en Angleterre. Il fit condamner le nestorianisme à Rome (430) et au concile d'Éphèse (431). Sous son pontificat fut construite l'église Sainte-Sabine, sur l'Aventin.

CÉLESTIN II, Guido di Città di Castello († 8.III.1144), pape (1143/44). Élève d'Abélard, esprit large et pacifique, il leva l'interdit prononcé par Innocent II contre Louis VII, roi de France.

CÉLESTIN III, Giacinto Bobo Orsini (* Rome, vers 1106, † Rome, 8.I.1198), pape (1191/98). Le lendemain même de son intronisation, il sacra l'empereur Henri VI et l'impératrice Constance; il excommunia Léopold d'Autriche parce qu'il retenait Richard Cœur de Lion prisonnier au retour de la croisade. Il condamna le divorce de Philippe Auguste, donna la Sicile à Frédéric, fils d'Henri VI, à condition qu'il paierait tribut au Saint-Siège, confirma l'ordre des chevaliers Teutoniques et prépara une nouvelle croisade.

CÉLESTIN V saint, **Pietro Angelerio da Morrone** (* Isernia, Italie du Sud, vers 1215, † Fumone, 19.V.1296), pape (5 juill./12 déc. 1294). Bénédictin, il introduisit la réforme monastique qui porte son nom (v. CÉLESTINS). Très pieux, nullement fait pour le pouvoir, il vivait dans une cellule, livré aux plus dures austérités, lorsqu'on vint lui imposer la tiare (le siège pontifical était vacant depuis plus de deux ans). Il sentit lui-même son insuffisance et abdiqua cinq mois après son élection, après avoir été honteusement exploité par le roi de Naples, Charles d'Anjou. Il essaya de reprendre sa vie d'ermite, mais Boniface VIII, son successeur, craignant qu'on ne se servît de lui pour susciter un schisme, le fit arrêter et garder sous surveillance jusqu'à sa mort. Canonisé par Clément V en 1313.

CÉLESTINS. Congrégation monastique, sous la règle de st. Benoît, fondée par Pietro Angelerio da Morrone (futur Célestin V) en 1254 et vouée à la vie purement contemplative. Les célestins se répandirent rapidement en Europe aux xiiie et xive s. puis tombèrent en décadence. Ils furent sécularisés en France en 1776.

CÉLINE
Louis-Ferdinand DESTOUCHES,
dit L.-F. C. Écrivain français
(1894-1961).
Ph. © Daniel Fresnay - Bibl. Nat.,
Paris - Photeb

CÉLIBAT SACERDOTAL. Dans les trois premiers siècles de l'Église, il n'existait aucune obligation stricte de célibat. Parmi les apôtres, seuls Jean et Paul étaient certainement des célibataires. Sans être une obligation, le célibat était la réponse à un appel spécial, à un charisme. Dès les temps apostoliques, les prêtres et les évêques célibataires demeuraient non mariés après avoir reçu le sacerdoce; les prêtres et les évêques mariés, devenus veufs, ne se remariaient pas. A partir du ive s., un courant en faveur du célibat se répandit dans l'Église. Le concile espagnol d'Elvire (306) prescrivit le célibat aux évêques, prêtres et diacres, sous peine de déposition. Cette mesure fut généralisée vers 440 par le pape Léon le Grand. Néanmoins, à l'époque barbare et dans le haut Moyen Age, le célibat n'était pas encore passé dans les mœurs. Le nicolaïsme (mariage des prêtres) restait très répandu. Au xie s., le Saint-Siège, avec Grégoire VII et ses continuateurs de la « réforme grégorienne », entreprit une action énergique qui aboutit, en 1139, au IIe concile du Latran, à l'interdiction formelle du mariage pour les prêtres. Ainsi, c'est seulement au début du xiie s. que la discipline du célibat sacerdotal s'imposa absolument dans l'Église d'Occident. Elle rencontra encore de nombreuses résistances aux xive et xve s. et fut rejetée par la Réforme, mais le concile de Trente la sanctionna solennellement (session XIV, can. 9-10) et elle a été insérée dans le canon 132 du Code de droit canonique.

Dans les Eglises d'Orient un clergé marié ne cessa d'exister jusqu'à nos jours. La discipline de ces Églises fut fixée par le synode *in Trullo* de 692 : l'état matrimonial ne constitue pas un empêchement au sacerdoce, mais l'évêque doit observer la continence absolue; s'il est marié au moment de son élévation à l'épiscopat, son épouse doit le quitter et entrer dans un monastère (mais les évêques orthodoxes sont généralement choisis parmi les moines). Enfin, les prêtres, diacres et sous-diacres ne peuvent se marier après avoir reçu les ordres. La même discipline est en vigueur dans les Églises orientales unies à Rome.

Dans l'Église catholique romaine, un fort courant contre le célibat sacerdotal s'est développé dans certains milieux ecclésiastiques depuis le concile Vatican II; mais l'obligation du célibat a été maintenue par Paul VI dans son encyclique *Sacerdotalis caelibatus* (24 juin 1967).

CÉLINE, Louis-Ferdinand Destouches, dit **Louis Ferdinand** (* Courbevoie, 27.V.1894 † Meudon, 1.VII.1961). Écrivain français. Soldat héroïque et grand blessé de la Première Guerre mondiale, médecin de quartiers populaires, il produisit une véritable révolution dans la littérature romanesque avec le *Voyage au bout de la nuit* (1932) et *Mort à crédit* (1936), qui obtinrent un succès considérable. D'abord considéré comme un homme de gauche, il revint déçu d'un voyage en U.R.S.S. (1936) et publia alors un pam

CELTES
Pilier funéraire en grès rouge,
de Pfalzfeld, IVᵉ s.
(Landesmuseum, Bonn.)
Ph © du Musée - Arch. Photeb

Page ci-après :
1. Carte de l'expansion
des Celtes à l'ouest et au sud,
à partir d'un noyau primitif
situé en « Germanie ».

2. Le vase de Bavay.
Il a été découvert au XVIIIᵉ s.
dans cette ville du nord
de la France, ancienne capitale
des Nerviens, d'où rayonnaient
huit grandes voies
à travers la Gaule Belgique.
La panse du vase est ornée
de sept bustes en relief,
représentant des divinités
gauloises, dont l'une
est tricéphale.

Ph. © Belzeaux - Rapho

phlet anticommuniste, *Mea culpa*. Hanté par l'idée de la décadence, convaincu de l'irrémédiable déchéance de la France, il poursuivit son activité de pamphlétaire avec *Bagatelles pour un massacre* (1937), *L'École des cadavres* (1938), où il dénonçait pêle-mêle le capitalisme et le communisme, la démocratie, le nationalisme, l'alcoolisme, et surtout les Juifs, qu'il accusait de préparer une nouvelle guerre pour tirer vengeance de Hitler. Devenu l'idole de l'extrême droite fasciste et des collaborationnistes, il se tint lui-même, pendant l'occupation, à l'écart de la politique active, publiant toutefois *Les Beaux Draps* (1941) et *Guignol's Band* (1943). En 1944, sans illusions sur le sort qui l'eût attendu à la Libération, il partit pour l'Allemagne, afin d'essayer de gagner le Danemark. Il a donné de fantastiques descriptions de son odyssée à travers la défaite allemande dans *D'un château l'autre* (1957) et *Nord* (1960). Arrêté au Danemark en 1945, il rentra en France en 1951 et publia encore plusieurs romans.

CELJE, en allem. *Cilli*. Ville de Yougoslavie, en Slovénie. Dans l'Antiquité *Claudia Celeia* (en l'honneur de l'empereur Claude, qui la fonda en 41), elle fut détruite par les Slaves au vıᵉ s. et devint au Moyen Age le siège d'un comté qui échut aux Habsbourg en 1455.

CELLAMARE, Antonio del Giudice, duc de Giovenazzo, prince de (* Naples, 1657, † Séville, 16.V.1733). Diplomate espagnol. Ambassadeur d'Espagne à la cour de France (1715), instrument de la politique d'Alberoni, il forma avec le duc et la duchesse du Maine une conspiration contre le régent Philippe d'Orléans, afin de transférer la régence de France au roi d'Espagne, Philippe V. La conspiration fut découverte le 8 déc. 1718 : l'ambassadeur réussit à s'enfuir de France sous un déguisement, mais nombre de ses complices français furent arrêtés, parmi lesquels le duc et la duchesse du Maine, le prince de Conti, le duc de Richelieu, le cardinal de Polignac, etc. Ils furent relâchés peu après et reparurent à la cour, mais certains de leurs complices furent exécutés. Quant à Cellamare, il fut nommé capitaine général de la Vieille-Castille.

CELLE. Ville d'Allemagne (Basse-Saxe), sur l'Aller. Ville libre en 1292, elle fut, de 1369 à 1705, la résidence des ducs de Brunswick-Lüneburg.

CELLE-SAINT-CLOUD (La). Ville de France (Yvelines), dans la banlieue de Paris, près de Versailles. Dans l'ancien château de Mᵐᵉ de Pompadour, eurent lieu, les 5/6 nov. 1955, entre Antoine Pinay, ministre des Affaires étrangères, et le sultan Mohammed ben Youssef, des entretiens qui préparèrent le rétablissement sur le trône marocain de Mohammed ben Youssef et la reconnaissance par la France de l'indépendance du Maroc.

CELLIER (abri). Gisement du paléolithique supérieur, situé en Dordogne, près du village de Tursac. Ses niveaux les plus anciens ont révélé des vestiges de l'aurignacien, en particulier des gravures sommaires sur blocs de calcaire qui sont les plus anciens témoignages d'art figuratif jusqu'à présent connus.

CELTES. Nom d'un groupe de peuples indo-européens qui, vers la fin du Iᵉʳ millénaire av. J.-C., était établi dans toute l'Europe occidentale, depuis l'Allemagne du Sud jusqu'à la péninsule Ibérique, ainsi qu'en (Grande-) Bretagne et dans diverses régions de l'Asie Mineure.

L'apparition des Celtes

Le nom vient de *Keltoï*, qui apparaît chez les premiers historiens grecs, Hécatée de Milet et Hérodote (vᵉ s. av. J.-C.). Les origines des Celtes demeurent très mystérieuses. Leur berceau semble bien avoir été la région du haut Danube (Allemagne du Sud, Bohême), et les données d'Hérodote sont confirmées ici par l'archéologie. On attribue à des « Proto-Celtes » la culture des tumuli (v.) qui s'étendit, à l'époque du bronze (v.) moyen (vers 1500/1000 av. J.-C.), sur toute l'Europe centrale et bien au-delà du Rhin, puisqu'on a retrouvé des tumuli du même type que ceux de Bavière en Alsace, en Champagne, en Bourgogne. Dès cette époque également, des tribus celtes, auxquelles on attribue les tumuli longs *(Long Barrows)* dérivés des constructions mégalithiques, auraient envahi les îles Britanniques (v. GOIDELS, PICTES). A la fin de l'âge du bronze (vers 1200/700), les Proto-Celtes se trouvèrent aux prises avec des vagues successives d'envahisseurs apportant avec eux de nouveaux rites funéraires, l'incinération succédant à l'inhumation (v. CHAMPS D'URNES). L'époque de Hallstatt (v.) (vers 700/500), premier âge du fer (v.) en Europe, ne présente pas d'unité culturelle et n'est que partiellement celte. Mais la civilisation de La Tène (v.), qui lui fit suite et dura de 500 environ à l'époque de la conquête de la Gaule par César, appartient totalement aux Celtes et représente leur apogée. Géographiquement, elle s'étendit jusqu'à l'Espagne, à l'Italie, à la Grèce, à l'Asie Mineure, tandis que, vers l'est, le domaine celtique allait sans doute jusqu'à la Saale, affluent de l'Elbe. Tandis que les Celtes de Gaule (v.) se stabilisaient, d'autres peuples — les Belges (v.), les Cimbres (v.), les Teutons (v.) — poursuivaient leurs mouvements et franchissaient le Rhin. Il est très difficile de les ranger absolument parmi les Celtes ou parmi les Germains. Comme l'a remarqué A. Grenier, les Cimbres et les Teutons, à en juger par les noms propres de leurs chefs, parlaient une langue qui n'avait rien de germanique; ces noms, comme Teuto, Teutobocus, Boiorix, Lugius, Claodicus, étaient celtiques. A cette époque (jusqu'à la

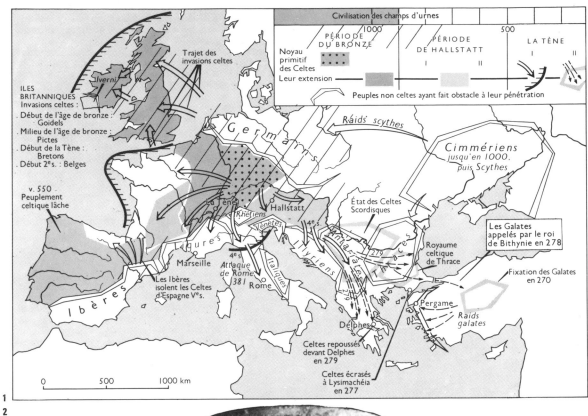

1

Civilisation des champs d'urnes

PÉRIODE DU BRONZE | PÉRIODE DE HALLSTATT | LA TÈNE

Noyau primitif des Celtes

Leur extension

Peuples non celtes ayant fait obstacle à leur pénétration

Germains

Ráids scythes

Cimmériens
jusqu'en 1000,
puis Scythes

ILES BRITANNIQUES
Invasions celtes :
. Début de l'âge de bronze : Goidels
. Milieu de l'âge de bronze : Pictes
. Début de la Tène : Bretons
. Début 2ᵉs. : Belges

Iverni

Trajet des invasions celtes

v. 550 Peuplement celtique lâche

La Tène

Rhétiens   Hallstatt   4ᵉ s.

Vénètes

4ᵉ s.

Ligures

Italiques

Marseille

Les Ibères isolent les Celtes d'Espagne Vᵉs.

Attaque de Rome /381   Rome

Ibères

Illyriens

279

Thraces

État des Celtes Scordisques

Royaume celtique de Thrace

Les Galates appelés par le roi de Bithynie en 278

Fixation des Galates en 270

Pergame

Raids galates

Délphes

Celtes repoussés devant Delphes en 279

Celtes écrasés à Lysimachéia en 277

0   500   1000 km

2

3

4

conquête de la Gaule par César), il convient de ne pas opposer nettement Celtes et Germains, qui n'étaient séparés que par une gradation insensible et ne devinrent des peuples distincts que lorsque Rome eut fait du Rhin — jusqu'alors voie naturelle de passage — une frontière militaire. On ne peut, souligne A. Grenier, « imaginer l'établissement des Celtes dans les régions où les trouve l'histoire comme le résultat d'invasions massives accomplies en une fois, par une voie et à une date déterminées. Il faut y reconnaître, au contraire, une série de mouvements successifs, partant de points différents, de direction et d'importance variables, qu'il serait par conséquent bien difficile de vouloir préciser ».

L'expansion celte

À la fin du VIIe s. av. J.-C., les Celtes ont rayonné de leur centre originel (la région occidentale et méridionale de l'Allemagne) vers la Bohême, les îles Britanniques, la Gaule (qu'ils commencèrent d'occuper avant 600), vers l'Espagne (où la civilisation de Hallstatt fait son apparition vers 600), mais également vers l'Italie, les Balkans et l'Asie Mineure. En Espagne, la fusion des Celtes et des indigènes devait donner naissance aux Celtibères (v.), mentionnés pour la première fois vers 300 av. J.-C. La pénétration celte en Italie se fit, non par la Gaule et les cols des Alpes occidentales, mais depuis l'Europe centrale, par le Brenner ou le Saint-Gothard. Les premières traces certaines de sépultures celtiques dans la plaine du Pô datent de 400 environ. Vers 340, les Celtes avaient atteint l'Adriatique. Établis en Lombardie (Gaule Cisalpine), ils surent remarquablement mettre en valeur cette région, comme le constatait Polybe qui, au milieu du IIe s. av. J.-C., vantait la fertilité du pays, la haute taille, la beauté physique des habitants et leur valeur guerrière. Ces Celtes portèrent un coup fatal à la puissance étrusque (vers 350); dès 390, ils avaient accompli, sur Rome, un raid dont le souvenir terrifia longtemps les Romains. Dès le début du IVe s. avant notre ère, les Celtes commencèrent à descendre le cours du Danube et, remontant les vallées de ses affluents, ils parvinrent jusqu'aux Carpates et au Balkan. En 279, le sanctuaire de Delphes était saccagé par des bandes conduites par un certain Brennos. Dès l'année suivante, quelque 20 000 Celtes franchissaient le Bosphore pour aller s'établir en Phrygie orientale, sous le nom de Galates (v.).

Mais on ne saurait assimiler cette extension à la constitution d'un « empire celtique »; il s'agissait plutôt de dispersion, d'émiettement. A la fin du IIIe s. avant notre ère, les Celtes étaient déjà en régression partout. En Asie Mineure, Attale Ier de Pergame avait arrêté leur expansion dès 230. La pression des Scythes les fit refluer sur le Danube, celle des Germains sur le Rhin. Après un siècle de luttes, les Romains achevèrent en 191 la conquête de la Gaule Cisalpine, qui préluda

CELTES

Page ci-avant :

3. Détail du « chaudron »
de Gundestrup.
(Musée de Copenhague.)
Datant du Iᵉʳ s. av. J.-C.,
il a été mis au jour en 1891
dans une tourbière danoise.
Peut-être trésor de guerre,
il provient du monde celtique
oriental (la Hongrie actuelle?).
On s'interroge encore
sur les nombreuses scènes
mythologiques qui le décorent.
Ce (dieu) géant noie-t-il
un ennemi? ou « baptise »-t-il
un fidèle? Ces guerriers
font-ils la ronde autour d'un
« mai » qu'ils vont planter?
ou qu'ils ont déraciné?
Ph. © Photothèque du musée
de l'Homme - Archives Photeb

4. Char votif en bronze,
trouvé en Styrie, largeur 40 cm.
VIᵉ/VIIᵉ s. av. J.-C.
Copie du musée de
Saint-Germain-en-Laye.
L'original, trouvé à Strettweg,
Autriche, est au
Landesmuseum Joanneum
de Gratz. Une femme nue,
la taille serrée par une large
ceinture, tient une coupe
à bout de bras.
Peut-être s'agit-il d'un rite
en vue d'obtenir la pluie.
Autour d'elle, un groupe
de piétons et de cavaliers
entoure des cerfs,
symbole sulaire. Défilé
religieux ou chasse à courre?
Ph. © Archives Photeb

Page ci-contre :
bouclier de cérémonie
en bronze,
incrusté de cabochons
de verre. Iᵉʳ s.
Découvert dans la Tamise,
près de Battersea.
(British Museum.)
Ph. © du musée - Arch. Photeb

à l'annexion de la *Provincia*, dans le sud de la Gaule (vers 121), puis à la conquête de toute la Gaule par César (58/51 av. J.-C.) et à celle de la Bretagne (Angleterre) vers le milieu du Iᵉʳ s. de notre ère. Mais les Celtes avaient en eux une extraordinaire faculté d'assimilation. « C'était, dit Camille Jullian, la moins irréductible des espèces humaines de l'Europe, la moins disposée à l'isolement. Elle ressembla toujours à ses dieux, qu'on verra se mouler sur les types les plus divers de la mythologie antique. Aucune n'a produit plus de nations métisses. » Les Gaulois conquis par Rome se romanisèrent très rapidement et profondément, à tel point qu'il semble à peu près impossible, sans s'aventurer dans des reconstitutions hasardeuses, de définir la part de l'élément proprement celtique dans la formation de la nation française. Le celtisme se maintint plus fermement dans l'Armorique, qui avait moins subi l'emprise romaine, et dans les régions occidentales de l'île de Bretagne, en Cornouailles, au pays de Galles, dans le nord-ouest de l'Écosse, et en Irlande. Voir la civilisation des Celtes à l'article GAULE. Voir aussi HALLSTATT et LA TÈNE.

CELTIBÈRES. Peuple établi depuis le IIIᵉ s. avant notre ère au moins dans le centre de l'Espagne (provinces actuelles de Soria et, en partie, de Guadalajara et de Teruel). Les Celtibères étaient issus du mélange des Celtes (v.), venus du Nord, à partir de 600, à travers les Pyrénées, et des Ibères. Ils formaient plusieurs peuples : les Arevaci, les Belli, les Titti, les Lusones. Leur culture présentait un mélange d'influences ibériennes et d'influences de la civilisation celtique de La Tène. Malgré leurs grandes qualités guerrières, les Celtibères furent soumis par les Romains entre 195 et 133 av. J.-C.

CELTIQUE. Après avoir désigné vaguement tout le pays habité par les Celtes, c'est-à-dire toute la Gaule Transalpine, ce nom désigna, au temps de César, la Gaule chevelue, comprise entre l'océan Atlantique, la Garonne, le Rhône, la partie inférieure du Rhin, la Marne et la Seine. Au temps d'Auguste, on donna le nom de *Gaule Celtique* à l'ensemble des quatre Lyonnaises. Voir les divisions de la Celtique à GAULE et à LYONNAISE.

CÉNACLE. Ancienne église de Jérusalem, au sud de la ville, qui aurait été bâtie sur l'emplacement de la maison où Jésus célébra la Cène avec ses disciples. Transformée en une vaste basilique au IVᵉ s., elle fut respectée par les musulmans lors de la prise de la ville en 640. En 1335, elle passa à des franciscains, mais un des derniers sultans mamelouks l'enleva aux chrétiens en 1452 et Soliman le Magnifique la transforma en mosquée (1524).

CENCI. Noble famille romaine, qui prétendait descendre du consul Crescentius. Un Cenci, fils d'un préfet de Rome et préfet lui-même, rallié au parti impérial, suscita une émeute contre Grégoire VII (1075). Un autre, **Pietro Cenci,** accusé de conspiration contre le pouvoir pontifical, fut exécuté (1398). Le personnage le plus célèbre de cette famille est **Francesco Cenci** (* 1549, † 1598), homme débauché et tyrannique, qui fut assassiné par ses enfants et sa seconde femme le 9 sept. 1598. Les meurtriers périrent tous quatre sur l'échafaud à Rome, le 11 sept. 1599; le pape Clément VIII s'appropria leurs biens. Parmi les parricides se trouvait la fille de la victime, **Béatrice Cenci** (* Rome, 6.II.1577), dont l'aventure tragique et le supplice inspirèrent des écrivains comme Shelley et Stendhal, des peintres comme Guido Reni et Delaroche.

CENIS (col du Mont-). Col des Alpes occidentales, à 2 083 m d'altitude. Utilisé depuis l'Antiquité, il est emprunté par la route construite, de 1803 à 1810, de Lanslebourg à Suse, sur l'ordre de Napoléon. Le tunnel ferroviaire du Mont-Cenis, de Modane à Bardonnèche, fut construit de 1857 à 1871.

CÉNOBITES. Voir MOINES.

CÉNOMANS. Peuple celte, de la confédération des Aulerques. Ils envahirent la région du Pô vers 400 av. J.-C. et s'établirent au nord du fleuve, entre l'Adige et l'Adda, autour de leurs villes principales : Brescia, Vérone, Crémone. Devenus des « alliés » du peuple romain dès 225 av. J.-C., ils obtinrent la citoyenneté romaine par la *Lex Iulia* (49 av. J.-C.). D'autres Cénomans étaient établis en Gaule, dans les actuels départements de la Sarthe et de la Mayenne.

CENS, lat. *census.* Nom donné chez les Romains aux listes de recensement que l'on dressait plus ou moins régulièrement tous les cinq ans, par les soins des consuls, puis des censeurs. Chaque père de famille était tenu d'y inscrire tous les membres de sa famille et les biens de toute nature sur lesquels il avait le *domaine quiritaire,* sous peine de confiscation de ceux qu'il avait cachés. Ce dénombrement servait de base au recrutement de l'armée et au recouvrement de l'impôt. Selon la tradition, le cens aurait été institué par Servius Tullius (577 av. J.-C.), qui, ayant ainsi déterminé la fortune de chacun, aurait divisé le peuple en classes et en centuries d'après l'ordre des richesses. Sous l'Empire, le cens ne se fit plus que de loin en loin : l'avant-dernier eut lieu sous Claude, le dernier sous Vespasien.

Dans le haut Moyen Age, le *census* est la somme fixe due pour chaque terre; le même terme fut appliqué à la redevance fixe que chaque tenancier d'une portion du domaine devait au seigneur. Ce cens pouvait consister en une somme d'argent ou en quelques mesures de grain, en volailles, en œufs, etc. La Révolution abolit les droits censuels.

843

CENSURE

Page ci-contre :
« Liberté de la presse »;
« Ne vous y frottez pas. »
Une grande fermentation
des esprits suivit
les insurrections
républicaines manquées
d'avril 1834 à Paris, à Lyon
et dans plusieurs villes
de province, ainsi que
l'organisation des procès
de leurs responsables.
Allait-on rétablir
la censure de la presse?
C'est dans ces circonstances
que Daumier grava
cette célèbre composition.
La loi du 9 sept. 1835
ne rétablit que la censure
dramatique, mais multiplia
les entraves
à la liberté de la presse.
Ph. © Bibl. Nat., Paris - Photeb

Litho de J.I. Granville
et E. Forest du journal
« La Caricature » :
Résurrection de la Censure?
« Et elle ressuscita
le troisième jour. »
Journalistes et littérateurs,
assombris, assistent
avec effarement à la sortie
de la Censure de son cercueil,
après les Trois Glorieuses
des 27, 28, 29 juillet 1830.
Au fond du cercueil :
les minutes du procès
du maréchal Ney. On identifie
les rédacteurs
de « La Tribune »,
du « Constitutionnel »,
le théâtre des Variétés,
celui des Nouveautés.
Cette caricature stigmatise
les entraves
mises à la liberté de la presse
à l'automne de 1830,
et qui coïncidaient avec
la création de l'hebdomadaire
« La Caricature »
par Charles Philipon.
Ph. J.L. Charmet © Photeb

Le suffrage censitaire

Au XIXᵉ s., on appela cens la quantité d'imposition, ou de revenu (en Angleterre), ou de propriété, etc., nécessaire pour être électeur ou éligible. Le suffrage censitaire fut en usage en France pendant la Révolution, sous le Iᵉʳ Empire, la Restauration et la monarchie de Juillet. Il correspondait aux conceptions de la bourgeoisie, qui tenait à écarter les masses populaires du pouvoir et à ne pas laisser la révolution politique se prolonger en une révolution sociale. D'après la Constitution de 1791, il fallait, pour avoir le droit d'élire les députés : a) dans les villes de plus de 6 000 habitants, être propriétaire ou usufruitier d'un bien dont le revenu équivalait à 200 journées de travail, ou bien être locataire d'une habitation évaluée à un revenu de 150 journées; b) dans les villes de moins de 6 000 habitants, avoir la propriété ou l'usufruit d'un bien évalué à un revenu de 150 journées de travail, ou une location d'un prix de 100 journées; c) dans les communes rurales, posséder en propriété ou en usufruit un bien évalué à un revenu de 150 journées de travail, ou avoir un fermage évalué au prix de 400 journées. La Constitution de 1793 abolit le cens électoral. La Constitution de l'an III n'accepta que les électeurs payant une contribution quelconque (mais tous les militaires ayant fait campagne pouvaient voter). La Charte de 1814 fixa le cens électoral à 300 francs de contributions directes et le cens d'élection à 1 000 francs. La Charte de 1830 abaissa le cens électoral à 200 francs et le cens d'élection à 500; en outre, la loi du 19 avr. 1831 adjoignit aux électeurs censitaires les licenciés en droit, les docteurs, les membres de sociétés savantes autorisées par le gouvernement. Cependant, à la fin de la monarchie de Juillet, il n'y avait encore que 240 000 électeurs. C'est en faveur d'une réforme électorale qu'eut lieu, à partir de 1847, la Campagne des banquets, qui prépara la chute du régime. La révolution de 1848 introduisit le suffrage universel, qui fut inscrit dans la Constitution votée le 12 nov. 1848. Mais la majorité conservatrice de l'Assemblée vota la loi du 31 mai 1850, qui fit dépendre le droit d'élection de l'inscription sur le rôle de la taxe personnelle ou de la prestation en nature; près de 3 millions de citoyens furent ainsi rayés des listes électorales. Louis-Napoléon exploita habilement le mécontentement de l'opinion publique, se posa en défenseur du suffrage universel, et la Constitution de 1852 abolit définitivement le cens électoral.

CENSEUR. Magistrat romain chargé à l'origine de faire le *cens*, c'est-à-dire de dresser la liste des centuries en évaluant la fortune des citoyens. Les premiers censeurs furent créés vers 443 av. J.-C. : ils étaient au nombre de deux, nommés pour cinq ans (intervalle entre deux recensement), mais n'exerçant leur pouvoir que pendant dix-huit mois. Ils devaient être d'accord pour toute décision. D'abord réservée aux patriciens, cette magistrature devint accessible aux plébéiens à partir de 366. Au IVᵉ s., le pouvoir des censeurs acquit une plus grande importance : ils furent chargés de l'administration des terres de l'État *(ager publicus)* mais aussi, à l'occasion de l'établissement du cens, du contrôle général des citoyens; ils pouvaient exclure un citoyen du corps électoral, le faire changer de classe, etc. En 312 av. J.-C., le plébiscite Ovinius les charge également de dresser la liste du sénat. Munis de tels pouvoirs, les censeurs pouvaient essayer de dominer la république (ainsi Appius Claudius en 312). La censure, temporairement supprimée par Sylla, fut supprimée sous Auguste, mais les empereurs exercèrent eux-mêmes les fonctions de censeur jusqu'à Vespasien.

CENSIVE. Sous le régime féodal, droit lié à la tenure (v.) roturière. Comme la redevance ou *cens* affectait la terre et grevait tous ses possesseurs successifs, la censive désignait aussi la tenure elle-même. Le cens, en général d'un montant très faible, était une redevance annuelle, en argent ou en nature; il avait une valeur symbolique très importante, car il jouait le même rôle que l'hommage (v.) pour le fief et était « recognitif de seigneurie ». Souvent d'ailleurs, il s'accompagnait d'une redevance plus lourde, appelée « gros cens » ou « cens costier ». Dans le Midi, la censive s'appelait *emphytéose*.

CENSORIALES (tables), *Tabulae censoriae.* A Rome, tables où étaient consignés l'état du recensement, le classement et la fortune des citoyens, un aperçu des ressources de l'État.

CENSURE. Dans l'ancienne Rome, fonction du censeur (v.).

CENSURE. La censure des écrits ne fut systématiquement organisée qu'après l'invention de l'imprimerie, mais, dès l'Antiquité, les gouvernements s'accordèrent le droit de prendre des mesures judiciaires contre ceux qui émettaient ou répandaient des idées jugées contraires aux intérêts de la cité. A Athènes, des philosophes comme Anaxagore et Protagoras, un poète tragique comme Euripide furent ainsi poursuivis sous l'accusation d'impiété. Socrate, accusé de corrompre la jeunesse, fut condamné à boire la ciguë, ce qui n'empêcha pas son disciple Platon, dans la *République,* de réclamer la censure contre les auteurs de fables et de poèmes. A Rome, une très grande liberté d'expression régna jusqu'à la fin du régime républicain, mais les empereurs, à commencer par Auguste (qui exila Ovide), utilisèrent la *loi de majesté* pour frapper, souvent de la peine de mort, les auteurs d'écrits séditieux. Avec le triomphe du christianisme (IVᵉ s.), ce qui restait du libre esprit antique acheva de disparaître et, jusqu'au XVIIIᵉ s., les divers États s'affirmant officiellement chrétiens exercèrent une censure qui portait non seule-

GUERRE DE CENT ANS

Page ci-contre :
le Prince Noir
(prince de Galles, 1330-1376,
fils aîné d'Édouard III)
fait prisonnier le roi
de France Jean II
(le Bon, 1319-1364)
à la bataille de Poitiers,
19 sept. 1356. Miniature
de la « St. Albans Chronicle ».
(Lambeth Palace
Libr., Londres.)
Alors que son armée était
en fuite ou taillée en pièces,
Jean le Bon, cerné
de toutes parts,
avait été jeté trois fois
à bas de son cheval.
Perdant son sang, il disait :
« A qui me rendrai-je?
où est mon cousin
le prince de Galles?
si je le voyais,
je lui parlerais. »
Une foule de chevaliers
ennemis le serraient de près,
se disputant l'honneur
de le faire prisonnier
et l'espoir d'une forte rançon.
Jean leur cria :
« Je suis assez grand seigneur
pour vous faire tous riches. »
Finalement, deux messagers
du prince de Galles
le conduisirent
sous une tente anglaise,
où le jeune vainqueur exigea
de servir lui-même à table
son royal prisonnier.
Ph. John R. Freemann © Archives
Photeb

Charles VI de France (à g.)
et Richard II
d'Angleterre (à dr.)
signent le traité
du 9 mars 1396, qui favorisera
la trêve jusqu'en 1415,
mais le second
va payer de son trône
sa politique de rapprochement.
Un chancelier rédige l'acte,
entouré de quatre ducs,
de greffiers et de clercs.
Le roi de France
a ici vingt-huit ans,
le roi d'Angleterre vingt-neuf.
(Miniature du ms. Harleian.)
Ph. © The British Library - Photeb

ment sur les écrits politiques mais aussi sur les idées morales ou métaphysiques. Le principe du contrôle rigoureux ne fut tempéré que par la plus ou moins grande largeur d'esprit des princes. Dès 333, Constantin ordonnait de livrer au feu les ouvrages d'Arius; avec Théodose, l'hérésie devint un crime contre l'État. L'institution de l'Inquisition (v.), au XIIIᵉ s., renforça encore le contrôle de la vie intellectuelle, mais, dans le domaine moral, les écrivains jouissaient d'une assez grande liberté, comme le prouve l'audace des auteurs de fabliaux et des conteurs italiens des XIVᵉ/XVᵉ s.

Après l'invention de l'imprimerie, le Saint-Siège et les divers souverains se préoccupèrent non seulement de réprimer la publication des écrits dangereux, mais encore de la prévenir. C'est à partir de ce moment qu'on peut vraiment parler de censure. En France, la censure fut d'abord confiée à la Sorbonne, puis, vers le milieu du XVIIᵉ s., à des *censeurs royaux*. D'abord au nombre de quatre, ceux-ci étaient quatre-vingt-seize en 1789. Ils pouvaient prolonger à leur gré leur travail, ce qui mettait au désespoir auteurs et éditeurs, mais leur contrôle était très peu efficace, car les livres subversifs, édités à Amsterdam, à La Haye, à Londres, se répandaient aisément dans le royaume. Supprimée officiellement par la loi du 14 sept. 1791, la censure des

imprimés fut rétablie sous le Consulat et organisée rigoureusement sous l'Empire. La Direction générale de l'imprimerie et de la librairie imposa alors un censeur à chaque journal. La Restauration supprima d'abord la censure (1815), mais soumit les journaux à l'autorisation préalable. Momentanément rétablie en 1820, en 1824 et de 1827 à 1830, la censure fut supprimée par la monarchie de Juillet mais, jusqu'en 1870, en particulier sous le second Empire, elle fut souvent remplacée par des mesures diverses — droit du timbre, cautionnement, etc. —, qui restreignaient considérablement la liberté de la presse. Celle-ci ne fut établie que par la loi de 1880, mais la censure fut encore imposée pendant les deux guerres mondiales. La censure des théâtres ne fut abolie qu'en 1906.
● La censure cinématographique, datant de 1919, fut appelée « restriction de programmation » après le décret du 31 oct. 1975 concernant la pornographie et la protection des mineurs.

CENTS (les Cinq-), en Grèce. Voir BOULÉ.

CENTS (Conseil des Cinq-). Voir CONSEIL DES CINQ-CENTS.

CENTS (les Quatre-). Voir QUATRE-CENTS.

GUERRE DE CENT ANS

CENT ANS (guerre de). Conflit qui opposa la France et l'Angleterre de 1337 à 1453, mais en étant entrecoupé par de nombreuses périodes de trêve.

La première guerre

Ce très long conflit prend place dans la suite des luttes qui avaient opposé les Capétiens aux Plantagenêts entre 1154 et 1259, luttes qu'on a pu appeler la « première guerre de Cent Ans ». Depuis la conquête de l'Angleterre par Guillaume Iᵉʳ (1066), les rois anglais se trouvaient, à l'égard du roi de France, dans une situation particulière : souverains en Angleterre, ils devaient cependant l'hommage au Capétien pour leurs possessions sur le continent. Le mariage d'Aliénor d'Aquitaine avec Henri II Plantagenêt (1152) avait considérablement agrandi les domaines des Plantagenêts, qui possédaient non seulement la Normandie, l'Anjou, mais encore le duché d'Aquitaine. Au cours de plusieurs guerres, les Capétiens — et en premier lieu Philippe Auguste — réussirent à briser la puissance continentale des Plantagenêts, lesquels, par le traité de Paris (1259), signé avec Louis IX (Saint Louis), renoncèrent à la Normandie, au Maine, à

l'Anjou, au Poitou, mais conservèrent le duché de Guyenne avec Bordeaux, en prêtant au roi de France l'hommage lige pour ces terres. Cet accord fut remis en question par Philippe le Bel, qui tenta, sans succès (1296/97), d'enlever la Guyenne à Édouard Iᵉʳ. En 1324/25, les troupes royales envahirent de nouveau la Guyenne.
En ce début du XIVᵉ s., l'Angleterre et la France, pays les plus « modernes » de l'Europe, étaient encore rapprochées par une communauté de culture. La conquête normande avait implanté outre-Manche une civilisation « française », dite « anglo-normande », qui devait mettre très longtemps à disparaître (au début du XVIIIᵉ s. encore, les rapports officiels du Parlement britannique étaient rédigés en français!). La prétention d'Édouard III au trône de France était conforme à la mentalité féodale; elle exprimait en outre ce sentiment très sincère de proximité, d'attachement, que les rois anglo-normands éprouvaient à l'égard de la France. Petit-fils de Philippe le Bel et descendant de Saint Louis par sa mère, Isabelle de France, Édouard III n'avait élevé aucune protestation à l'avènement au trône de Philippe VI de Valois (1328). Sans faire trop de

GUERRE DE CENT ANS

1. Prise de Caen en 1346 par les Anglais. Miniature de Loyset Liédet pour les « Chroniques » de Jean Froissart, XVe s. Enlevée aux Plantagenêts par Philippe Auguste en 1204, Caen attira les convoitises d'Édouard III, qui la prit et, trois jours durant, la pilla.

Ph. © Bibl. Nat., Paris - Photeb

2. Entrée de Charles VII à Caen, 6 juill. 1450. (Miniature des « Chroniques de Monstrelet ».) Quelque cent ans après la scène précédente, cet événement clôt la longue guerre franco-anglaise.

Ph. © Bibl. Nat., Paris - Photeb

difficultés, il avait prêté à ce dernier hommage simple (1329) et hommage lige (1331) pour le duché de Guyenne. Cependant, lorsque Philippe VI, à la suite d'une tension franco-britannique à propos des Flandres et de l'Écosse, eut procédé à la saisie du fief de Guyenne (mai 1337), le roi d'Angleterre fit connaître ses prétentions au trône de France. A trois reprises, la masculinité de la succession monarchique en France venait d'être affirmée : en 1316, à la mort de Jean Ier le Posthume; en 1322, à la mort de Philippe V; en 1328, à la mort de Charles IV. En 1316, Philippe V était devenu roi au détriment de Jeanne de France, fille de Louis X; en 1322, Charles IV aux dépens des filles de Philippe V; en 1328, Philippe VI aux dépens de la fille de Charles IV. Mais la question demeurait de savoir si les femmes ne pouvaient transmettre la couronne, à défaut de la porter. Contre Édouard III, les juristes français firent valoir qu'une femme ne peut transmettre les droits qu'elle n'a pas. Au traité de Brétigny (1360), Édouard III renonça d'ailleurs aisément à sa prétention au trône de France, l'hommage aquitain étant supprimé en contrepartie. Et, au traité de Troyes (1420), ce ne fut pas comme successeur d'Édouard III mais comme mari de Catherine de Valois et gendre de Charles VI qu'Henri V vit reconnaître ses droits.

Les premiers désastres français (1337/60)

La question successorale ne fut donc qu'une sorte de thème de propagande, utilisé après coup par les légistes anglais, alors que les intérêts tangibles des deux monarchies s'opposaient sur deux terrains essentiels : les possessions des Plantagenêts en France et la Flandre. Vassal du roi de France et prince français avant tout, le comte de Flandre, Louis de Nevers, adopta dès 1337 une attitude anti-anglaise, à laquelle Édouard III riposta en mettant l'embargo sur les exportations de laine anglaise en Flandre. Atteints par la crise économique qui s'ensuivit immédiatement, les marchands drapiers flamands se soulevèrent contre leur comte, sous la conduite d'Artevelde. Pour maintenir la fiction de la vassalité, Artevelde poussa Édouard III à se proclamer roi de France, et les Flamands devinrent les alliés de l'Angleterre (1340).

La guerre commença par la destruction de la flotte française en Flandre, dans le port de l'Écluse (24 juin 1340). Sur terre également, l'avantage devait appartenir à l'Angleterre : son armée nationale, comprenant notamment un corps d'archers armés du *long bow*, était plus mobile et plus efficace que l'armée française, laquelle se composait essentiellement de contingents féodaux pleins de bravoure mais indisciplinés et formés de cavaliers lourds, qui allaient être fauchés par l'infanterie britannique. Débarqué dans le Cotentin en juill. 1346, Édouard III traversa la Seine et remonta vers la Picardie, pour faire sa jonction avec les Flamands. Philippe VI de Valois, qui disposait de troupes deux fois supérieures en nombre, fut écrasé à Crécy (26 août 1346). Grâce à cette victoire, les Anglais, après un an de siège, purent s'emparer du port de Calais (août 1347), s'assurant ainsi pour toute la durée de la guerre la maîtrise de la Manche. Vainqueurs également des alliés de la France − David II Bruce d'Écosse et Charles de Blois, prétendant au duché de Bretagne −, les Anglais consentirent à une trêve (1347), que l'épidémie de la peste noire (v.) fit prolonger jusqu'en 1355.

Alors que le nouveau roi de France, Jean II le Bon, se trouvait aux prises avec Charles le Mauvais, roi de Navarre, l'Angleterre prit l'initiative de nouvelles hostilités. Le Prince Noir, fils d'Édouard III, débarqua en sept. 1355 à Bordeaux, ravagea le Languedoc, puis remonta vers la Loire. Près de Poitiers (19 sept. 1356), il infligea un nouveau désastre à la chevalerie française et fit prisonnier Jean le Bon, qui fut emmené en Angleterre. Cette défaite fut suivie d'une crise politique et sociale où la France faillit disparaître. Le dauphin (futur Charles V) dut faire face à l'opposition des états généraux, qui refusaient d'accorder des subsides et, sous l'impulsion du prévôt des marchands parisiens, Étienne Marcel, imposèrent un plan de réformes par lesquelles la bourgeoisie essayait d'imposer son contrôle à la monarchie (Grande Ordonnance de 1357). Tandis que les paysans, ruinés par les bandes armées, formaient en Beauvaisis, en Champagne, en Picardie une grave révolte, la Jacquerie (v.), Étienne Marcel, maître de Paris, s'alliait avec Charles le Mauvais et tentait, par l'émeute du 22 févr. 1358, d'intimider le dauphin. Celui-ci réussit cependant à s'enfuir et bloqua la capitale. Marcel, qui songeait à appeler les Anglais à son aide, fut massacré par les Parisiens retournés (31 juill. 1358). Rentré dans Paris, le dauphin put s'appuyer sur le sentiment national qui commençait à s'affirmer, un peu partout, contre les envahisseurs. Une nouvelle expédition d'Édouard III, en 1359, n'obtint aucun résultat. Les deux adversaires, également épuisés, signèrent l'accord de Brétigny (8 mai 1360), confirmé par les traités de Calais. Tout le sud-ouest de la France passait aux Anglais, ainsi que Calais. Jean le Bon, pour sa liberté, devait verser une rançon de 3 millions d'écus d'or (n'ayant pu s'en acquitter, il revint se constituer prisonnier en Angleterre, où il mourut en 1364).

De la paix de Brétigny au traité de Troyes (1360/1420)

Charles V de France, qui possédait, à la différence de son père, des qualités d'homme d'État réaliste, répara activement les désastres, réforma l'administration, rétablit les finances en améliorant la fiscalité; il fut servi par le premier grand homme de guerre français de ce conflit, Du Guesclin, qui éli-

mina Charles le Mauvais (bataille de Cocherel, 16 mai 1364) et débarrassa le pays des Grandes Compagnies en les emmenant en Espagne. L'armée fut réorganisée et placée sous le commandement d'officiers nommés par le roi. On développa l'artillerie, qui avait fait sa première apparition à Crécy. En continuant à se comporter en suzerain de la Guyenne, Charles V provoqua la reprise de la guerre, en 1369. Nommé connétable, Du Guesclin écrasa une armée anglaise à Pontvallain, près du Mans (déc. 1370). Le Rouergue, le Quercy, le Poitou, la Saintonge furent réoccupés. Une flotte castillane, alliée de la France, battit les Anglais au large de La Rochelle (1372). En 1380, l'Angleterre, qui venait de perdre successivement le Prince Noir et le père de celui-ci, Édouard III, ne possédait plus en France que la Guyenne et Calais.

La guerre s'interrompit pratiquement pendant trente-cinq ans, les deux belligérants étant en proie à des troubles intérieurs. En Angleterre, la révolte de Wat Tyler (1381), l'agitation provoquée par les doctrines de Wyclif et par les lollards (v.), les luttes de Richard II contre les barons, etc. En France, la minorité de Charles VI marquée par la révolte des maillotins (v.) (1382) et par l'insurrection des villes flamandes (bataille de Rozebeke, 1382), puis le début de la folie du roi (1392) et la rivalité de ses proches, Louis d'Orléans et Jean sans Peur, duc de Bourgogne. Après l'assassinat du duc d'Orléans (nov. 1407), les partisans des deux princes coururent aux armes, et la France se trouva livrée à une guerre civile entre Armagnacs (v.) et Bourguignons (v.). Les Bourguignons, puissants surtout dans le nord et le centre-est de la France, s'appuyaient en outre sur la bourgeoisie parisienne et l'Université. Celle-ci, alliée à la corporation des bouchers, inspira l'ordonnance cabochienne de 1413. Cependant, la capitale secoua la terreur qu'y faisaient régner les Cabochiens, et le pouvoir passa aux Armagnacs. Par la suite, ces derniers devaient apparaître comme les défenseurs de l'indépendance française, mais ils n'avaient pas hésité, en 1412, à rechercher l'aide du roi anglais Henri IV, en lui offrant la restitution de la Guyenne. Henri IV mourut sans s'être décidé, mais son successeur, Henri V (1413/22), prince plein d'ambition et grand chef de guerre, débarqua près de l'estuaire de la Seine en août 1415. A Azincourt, en Picardie, il fit subir à la noblesse française une défaite irréparable (25 oct. 1415). Au lieu de s'unir contre les Anglais, qui allaient s'emparer de la Normandie, les Français revinrent à leurs guerres civiles : en mai 1418, les Bourguignons entrèrent par trahison dans Paris et s'y livrèrent à d'horribles massacres. Cependant, la chute de Rouen (janv. 1419) alarma Jean sans Peur; il songeait à se rapprocher des Armagnacs lorsqu'il fut assassiné à Montereau, lors d'une entrevue avec les conseillers du dauphin (10 sept. 1419). Ce meurtre eût pour résultat de jeter les Bourguignons dans l'alliance anglaise, à laquelle poussait de son côté l'indigne épouse de Charles VI, Isabeau de Bavière. Sous ces influences, Charles VI, par le traité de Troyes (21 mai 1420), n'hésita pas à renier et à déshériter son fils, le dauphin Charles (futur Charles VII), à prendre pour gendre Henri V d'Angleterre et à le reconnaître comme régent du royaume et héritier au trône.

Le redressement français et la fin de la guerre (1420/1453)

La mort du roi d'Angleterre Henri V (1422) annula en fait le traité de Troyes, bien qu'Henri VI eût été proclamé roi de France, sous la régence de son oncle, le duc de Bedford. Réduit à se retirer derrière la Loire, Charles VII avait contre lui Paris, l'Université, le parlement, les régions soumises au duc de Bourgogne. Mais l'alliance anglo-bourguignonne était fragile — nombre de Bourguignons ayant refusé de reconnaître le traité de Troyes —, et les souffrances causées par la guerre contribuaient à provoquer dans le peuple une réaction sentimentale et spontanée contre les Anglais. Jeanne d'Arc fut le symbole de ce patriotisme populaire. Venue de Lorraine, région favorable aux Armagnacs, elle délivra Orléans assiégée (8 mai 1429), et, obéissant à une intuition où se conjuguaient le mysticisme et le réalisme politique, elle déjoua tous les obstacles pour faire sacrer Charles VII à Reims (juill. 1429). Ce fut le tournant décisif de la guerre car la légitimité du roi ne pouvait plus désormais être contestée. La mort de Jeanne d'Arc (30 mai 1431) n'empêcha pas le retournement des esprits en faveur de Charles VII. La paix d'Arras (20 sept. 1435) réconcilia les Bourguignons avec le roi et mit un terme aux guerres civiles. L'armée royale rentra dans Paris en 1436. La trêve conclue avec les Anglais en 1444 laissa à ces derniers le Bordelais, le Maine, la plus grande partie de la Normandie, Calais; elle fut confirmée par le mariage (1445) d'Henri VI d'Angleterre avec Marguerite d'Anjou, nièce du roi de France. Charles VII profita de la paix pour constituer le noyau d'une armée permanente par la création des compagnies d'ordonnance (v.) (1445) et des francs archers (v.) (1448). Il put ainsi rompre la trêve, reconquit la Normandie et sa capitale, Rouen (20 nov. 1449), vainquit une armée anglaise envoyée en renfort à Formigny (15 avr. 1450) tandis qu'en Guyenne, après la prise de Bergerac (1450), Bordeaux et Bayonne tombaient aux mains des Français (1451). L'année suivante les Anglais, commandés par Talbot, firent un retour offensif et furent accueillis avec enthousiasme par les Bordelais, mais ils furent battus à Castillon (17 juill. 1453), et, quelques semaines plus tard, Bordeaux fut annexée, cette fois définitivement, à la France. Les Anglais avaient perdu toutes leurs possessions en France, à l'exception de Calais, qu'ils détinrent jusqu'en 1558. Aucun traité ne mit fin à la guerre et, jusqu'en 1801, les rois d'Angleterre portèrent officiellement le titre de roi de France.

La guerre de Cent Ans fut une étape décisive dans la formation nationale de la France et de l'Angleterre. Elle fit prévaloir la différence des peuples sur la communauté de culture, de mentalité, d'organisation féodale, qui, jusqu'alors, avait rapproché, dans les liens complexes de la vassalité, les dirigeants des deux pays. En France, les ravages de la guerre s'exercèrent surtout sur la paysannerie et sur la noblesse; celle-ci fut décimée sur les champs de bataille et atteinte dans sa propriété foncière, alors que la bourgeoisie des villes supporta beaucoup mieux le conflit. L'affaiblissement de la noblesse ne pouvait que profiter à la monarchie, qui, tant sous Charles V que sous Charles VII, avait véritablement incarné l'intérêt commun menacé par les factions féodales ou populaires.

● **CENT ANS (médaille d'or de la guerre de).** Médaille frappée sous Charles VII remise aux officiers qui s'étaient distingués par leur vaillance. Première décoration française.

CENTAINE. A l'époque franque, subdivision du comté *(pagus)* qui était placée sous l'autorité d'un *centenier* élu; la centaine était sans doute, à l'origine, un groupe de cent familles.

CENT-ASSOCIÉS (compagnies des). Compagnie fondée par Richelieu en 1627 pour le développement du Canada, et ainsi nommée parce qu'elle groupait cent actionnaires. Elle reçut un monopole commercial de quinze ans, à charge pour elle d'amener au Canada de deux à trois cents colons par an; l'occupation des établissements français par l'Angleterre (1629/32) lui porta dès le début un grave coup; elle se heurta surtout à l'indifférence de l'opinion publique. En 1663, devant son échec, Colbert rattacha directement le Canada à la Couronne.

CENTENIER. Voir CENTAINE.

CENT-FLEURS (campagne des). Nom donné à une campagne de rectification lancée en 1956 par le parti communiste chinois, au cours de la réalisation du Ier plan quinquennal. Elle se traduisit par un assouplissement temporaire du régime et par l'autorisation de formuler toutes les critiques nécessaires à l'endroit des méthodes du parti. Bientôt cependant, la primauté même du parti parut mise en question. La campagne des Cent-Fleurs fut arrêtée dès juin 1957

CENT-GARDES
Grande tenue de service à pied,
sous le second Empire.
Ph. © Viollet - Photeb

et fut suivie d'une chasse aux « droitiers », qui préluda au « Grand Bond en avant » de 1958.

CENT-GARDES. Unité de gardes nobles qui, sous l'Ancien Régime, formaient une garde du corps : *cent-lances* et, plus tard, *gardes du corps, gardes suisses.* Les cent-gardes, comme escadron de gardes à cheval, furent rétablis par Napoléon III (décret du 24 mars 1854) et affectés à la garde de l'empereur et de la famille impériale; leur nombre fut porté à 200 en 1858; ils furent supprimés en 1870.

CENTIÈME DENIER. Droit de un pour cent établi en France en 1703, au profit du roi, sur toute mutation d'immeubles et droits réels immobiliers qui avait lieu par vente, échange, donation, succession collatérale. Il s'appliqua également à la transmission des offices à partir de 1771. La Révolution supprima le centième denier.

CENT-JOURS (les). Nom donné à la dernière période du règne de Napoléon Ier, qui commença le 20 mars 1815, date de l'arrivée de l'Empereur aux Tuileries, à son retour de l'île d'Elbe, et finit le 28 juin de la même année, date de la seconde restauration des Bourbons. Cette période fut marquée par l'Acte additionnel aux Constitutions de l'Empire (21 avr.), la coalition étrangère, le champ de mai (1er juin) et la bataille de Waterloo (18 juin), à la suite de laquelle Napoléon abdiqua pour la seconde fois, en faveur de son fils (22 juin). Voir NAPOLÉON Ier et EMPIRE (premier).

C.E.N.T.O. (Central Treaty Organization). Voir BAGDAD (pacte de).

CENTRAFRICAINE (République). État de l'Afrique centrale, sans accès à la mer, borné au nord par le Tchad, à l'est par le Soudan, au sud par la république populaire du Congo et par la république du Zaïre, à l'ouest par le Cameroun; capitale *Bangui.* Vers le milieu du XIXe s., ce pays était occupé par plusieurs tribus; les plus anciennes étaient les Banziris et les Sangas, mais la plus puissante était celle des Azandés, venue, au début du siècle, du Bahr el-Ghazal. C'est la descente du Congo par Stanley, en 1877, qui ouvrit la voie à l'exploration de cette région par les Européens. Dès 1889, les Français fondèrent le poste de Bangui, sur la rive droite de l'Oubangui. La région fut annexée par la France en 1894, mais la présence française ne fut définitivement établie qu'après le passage, en 1897, de la mission Marchand, en route vers le Nil. A la suite de l'incident de Fachoda, l'accord franco-anglais de mars 1899 laissa à la France tout le bassin de l'Oubangui.
Devenu colonie en 1905, l'Oubangui-Chari entra en 1910 dans l'Afrique-Équatoriale française. Cette région fut abandonnée à l'exploitation de compagnies commerciales, dont les excès devaient être dénoncés par André Gide dans son *Voyage au Congo* (1927); les autorités eurent à réprimer plusieurs rébellions. Après la Seconde Guerre mondiale, le mouvement nationaliste se

CENTRAFRICAINE
(République).
André Kolingba à l'Élysée,
le 5 nov. 1981, au lendemain
du 8e sommet franco-africain.
Ph. © Alain Mingam/Gamma.

développa sous la direction de Barthélemy Boganda. En 1958, l'Oubangui-Chari devint une république autonome au sein de la Communauté, puis il obtint son indépendance complète (13 août 1960), tout en signant des accords de coopération avec la France. Boganda ayant trouvé la mort dans un accident d'avion en 1959 eut pour successeur son neveu David Dacko, qui devint le premier président de la République et institua en 1961 un régime fondé sur un parti unique, le Mouvement d'évolution sociale de l'Afrique noire. Dacko devait être renversé, lors du coup d'État militaire du 1er janv. 1966, par son cousin, le colonel Jean Bedel Bokassa, qui suspendit le Parlement et les garanties constitutionnelles.
● S'étant fait nommer en 1972 président à vie, Bokassa se fit, avec faste, couronner empereur le 4 déc. 1976. L'arbitraire dont il usa dans les affaires intérieures et le luxe tapageur dont il s'entoura au milieu de la pauvreté de ses sujets contribuèrent à le discréditer. On l'accusa également d'avoir participé à un massacre d'écoliers. Il fut déposé le 21 sept. 1979, alors qu'il se trouvait en Libye. Bénéficiaire du coup d'État, David Dacko revint à la tête de la République, déclarant que les troupes françaises, qui stationnaient dans le pays, pourraient y demeurer « dix ans si nécessaire ». Le nouveau régime, auquel s'étaient aussitôt ralliés plusieurs responsables du précédent, procéda à une épuration par voie de justice, mais dut faire face à une forte opposition, menée par l'ancien ministre Ange Patassé. Un plan de redressement économique et financier fut mis au point avec l'aide de la France en 1980 et un nouveau parti, l'Union démocratique centrafricaine, tenta de normaliser la vie politique. Mais, le 1er sept. 1981, David Dacko était contraint de démissionner sous la pression de l'armée. Le général André Kolingba lui succédait à la tête de l'État. La R.C.A., malgré un taux de natalité important, reste sous-peuplée. Exportatrice de bois, de café, de diamants, sa balance commerciale reste cependant déficitaire.
La présence de l'armée française ne fut pas remise en question et les bases qu'elle utilise en Centrafrique lui permirent de mener au Tchad (v.) les opérations de soutien au gouvernement d'H. Habré. Le référendum constitutionnel de 1986 qui restaura la république, fit de Kolingba son président pour 6 ans, et consacra parti unique le Rassemblement démocratique centrafricain (R.D.C.) vainqueur des législatives de sept. 1987.

CENTRALES (écoles). Établissements d'enseignement secondaire institués par la Convention, en vertu de la loi du 7 ventôse an III (25 févr. 1795), dans tous les chefs-lieux de département. On devait y donner un enseignement encyclopédique, embrassant non seulement les lettres et les mathématiques, comme dans les collèges de l'Ancien Régime, mais aussi les sciences physiques et chimiques, l'histoire naturelle, l'agriculture, le commerce, l'économie politique, la législation, les langues vivantes. Chaque école centrale devait avoir une bibliothèque, un jardin botanique, un cabinet de physique et d'histoire naturelle, une collection de machines et de modèles pour les arts et métiers. Ces projets grandioses se révélèrent impossibles à exécuter. Mais quelques écoles centrales donnèrent des résultats remarquables, entre autres celles du Panthéon et des Quatre-Nations à Paris, où professèrent Lakanal, Laplace, Cuvier, Fontanes. La loi du 11 floréal an X (1er mai 1802) les remplaça par les lycées.

CENTRALE DES ARTS ET MANU-FACTURES (École). École créée à Paris en 1829 pour former des ingénieurs pour toutes les industries. D'abord privée, elle est devenue un établissement public national en 1856.

CENTRALES (puissances) ou **EMPIRES CENTRAUX.** Nom donné dans la Première Guerre mondiale à la coalition de l'Allemagne, de l'Autriche-Hongrie, de la Bulgarie et de la Turquie.

CENTRAL INTELLIGENCE AGENCY. Voir C.I.A.

● **CENTRE.** Sous ce nom a été créée, en 1960, une région économique française, composée des départements du Cher (Bourges), d'Eure-et-Loir (Chartres), de l'Indre (Châteauroux), d'Indre-et-Loire (Tours), de Loir-et-Cher (Blois), du Loiret (Orléans). Son revenu global atteignait, en 1981, 114 432 millions de francs pour 2 264 164 habitants.

CENTRE. Dans les régimes parlementaires, nom donné aux tendances politiques dont les représentants siègent au centre de l'hémicycle, entre la gauche et la droite. Le centre n'a joué aucun rôle dans la vie politique anglaise et américaine, fondée sur le bipartisme, mais son rôle a été très important, à diverses époques, dans des pays comme la France, l'Italie, l'Allemagne. Ses positions idéologiques ont considérablement varié selon les époques : le centre dépend, en effet, de la position des extrêmes, entre lesquels il se propose comme la recherche d'un juste milieu, d'un équilibre; de plus, comme les nouveaux partis les plus dynamiques apparaissent habituellement à gauche ou à droite, des partis jadis considérés comme extrémistes se sont trouvés peu à peu décalés vers le centre, qui n'est souvent qu'une gauche d'hier ou d'avant-hier, satisfaite et assagie par la jouissance du pouvoir (ce fut le cas, successivement, en France, pour les libéraux, les radicaux, les socialistes); enfin, l'influence du centre repose beaucoup moins sur une idéologie que sur une arithmétique parlementaire qui fait de lui l'arbitre des conflits et, bien souvent, l'élément indispensable des combinaisons ministérielles. A plusieurs reprises, de petits groupes centristes

ont pu jouer ainsi un rôle politique et gouvernemental hors de proportion avec leur importance réelle dans le pays.

En France

Le centre, qui formait à l'Assemblée constituante la masse largement majoritaire des « constitutionnels », auteurs de la Constitution de 1791, devint, dans la Législative et la Convention, la Plaine ou le Marais (v.). Composé d'hommes sincèrement attachés à la Révolution, mais réservés devant les menées des « factions » et inquiets des pressions de la rue, ce centre soutint d'abord les Jacobins et, par opportunisme, se prêta à la dictature de Robespierre, qui ménagea ses membres; c'est le ralliement ultime du centre à la conjuration antirobespierriste qui permit le 9-Thermidor (v.).

Sous la **Restauration,** un puissant courant centriste s'affirma aux élections de 1816, après la dissolution de la Chambre introuvable; ces royalistes modérés ou « constitutionnels », qui soutenaient le ministère Decazes, accrurent encore leur importance aux dépens des ultras lors des élections partielles de 1817 à 1819. Mais, devant la montée des libéraux et après l'assassinat du duc de Berry, la majorité du centre se conjugua avec la droite pour faire passer la loi du double vote (juin 1820), laquelle assura la victoire des ultras aux élections de 1820 et de 1824. Les élections de 1827 furent marquées par une scission des ultras, dont la majorité continua à soutenir le ministère Villèle et forma un nouveau centre de « ministériels » ou « gouvernementaux », contre la double opposition de la gauche libérale et des éléments d'extrême droite ayant fait « défection ».

Sous la **monarchie de Juillet,** le centre, largement majoritaire, fut constitué par les diverses tendances issues du parti de la Résistance (v.). On eut alors non plus un mais trois centres : le centre gauche de Thiers, le centre droit de Guizot, et, entre les deux, le Tiers Parti de Dupin, qui joua un rôle d'arbitre. Sous la IIe République, l'Assemblée constituante de 1848 fut dominée par un centre de « républicains modérés » (plus de 500 sur 800), qui rassemblait des nuances nombreuses allant du républicanisme authentique de Ledru-Rollin, d'Arago, de Lamartine, à un conservatisme plus ou moins camouflé. L'insurrection socialiste de juin 1848 amena une partie des hommes du centre, catholiques conservateurs, à rejoindre la droite orléaniste et légitimiste dans le « parti de l'Ordre »; celui-ci triompha aux élections de mai 1849, alors que les républicains modérés subissaient un écrasement. L'alliance du centre et de la droite, qui avait déjà permis l'élection de Louis-Napoléon à la présidence de la République, facilita les manœuvres du prince-président, qui laissa l'Assemblée se déconsidérer

CENTRE

Le partisan du « juste milieu » dans les cinq partis qui existaient en France en juill. 1831.

Ph. © Bibl. Nat., Paris - Photeb

CENTRE
Decazes, partisan du « juste
milieu », écroulé entre deux
chaises (le trône monarchique
et la crise jacobine). Détail
d'une caricature « ultra »
de 1820.
Ph. © Bibl. Nat., Paris - Photeb

Maurice Schumann prononçant
le discours d'ouverture
d'un congrès du Mouvement
républicain populaire, 1945.
Ph. © Keystone

par des mesures réactionnaires tandis qu'il se posait en défenseur du peuple et du suffrage universel.

Sous le **second Empire,** la naissance, entre 1864 et 1866, d'un nouveau centre, bonapartiste et libéral, le Tiers Parti d'Émile Ollivier, fut le tournant décisif d'une vie politique dominée depuis 1852 par les bonapartistes autoritaires. La victoire de ce Tiers Parti aux élections de 1869 fut le début de l'Empire parlementaire, qui devait sombrer, un an plus tard, dans la défaite.

La **IIIᵉ République,** caractérisée par la multiplicité des partis et des groupes parlementaires, offrit un terrain particulièrement favorable aux centres. Dès 1874, alors que royalistes et républicains s'opposaient sur le régime futur de la France, se produisit une première convergence entre les modérés de la gauche républicaine (Ferry, Grévy) et certains orléanistes (Dufaure, Léon Say) qui, mieux disposés à accepter une République conservatrice qu'un légitimisme trop clérical, formèrent un « centre gauche », cependant que la majorité des orléanistes, avec de Broglie, Dufaure, d'Audiffret-Pasquier, représentait le « centre droit ». Après leur victoire de 1877, les républicains accentuèrent leurs divisions, mais la formation de majorités centristes devait être retardée par les divergences sur le problème religieux. Bien que rejetés vers le centre dès 1881, par l'apparition de l'extrême gauche radicale de Clemenceau, les opportunistes (v.), aux prises avec une poussée de la droite aux élections de 1885 et avec la crise boulangiste, durent gouverner avec l'appoint des voix radicales. La politique de ralliement (v.) à la République, préconisée en 1890/92 par Léon XIII, porta un coup définitif à la droite monarchiste; elle favorisa, aux élections de 1893, la victoire des républicains modérés, qui bénéficièrent du désistement de nombreux « ralliés » et exercèrent le pouvoir, avec des majorités de centre droit, de 1893 à 1895 et de 1896 à 1898 (ministère Méline). Mais l'affaire Dreyfus et l'anticléricalisme portèrent au pouvoir la majorité du Bloc des gauches (1899/1906). La rupture entre Clemenceau et les socialistes (1906) ouvrit la voie, dans la législature 1910/14, à de nouveaux gouvernements à direction centriste (Poincaré, Barthou), mais le Bloc des gauches se reconstitua et l'emporta aux élections de 1914. Durant l'entre-deux-guerres, du fait de l'importance croissante du parti radical et de l'apparition d'un parti communiste, le parti radical-socialiste devint le principal groupe du centre, dont la participation était indispensable à la survie de tout gouvernement. Sa politique opportuniste, qui n'obéissait plus à une doctrine bien définie, le poussait soit dans l'opposition avec les socialistes, soit, plus souvent, au pouvoir avec les modérés — v. RADICALISME. On le vit ainsi, successivement, siéger dans les gouvernements du Bloc national (1920/22), puis constituer contre ce même Bloc le Cartel des gauches, avec la S.F.I.O. (1924), avant de participer, autour

de Poincaré, à une majorité d'« union nationale » (1926/28). On le retrouve en 1936 dans le Front populaire, mais son retour vers les modérés, en 1938, provoque la fin des expériences Blum. Cette attitude a été l'objet d'âpres critiques, mais elle était la conséquence inévitable du régime des partis; aussi bien correspondait-elle aux aspirations de cette majorité des « Français moyens » qui pouvaient, dans un scrutin, porter leur cœur à gauche, mais se refusaient à toute révolution profonde de la société.

Sous la **IVᵉ République,** le rejet des communistes hors du gouvernement et la fin du tripartisme, d'une part, l'apparition dans le R.P.F. d'une puissante opposition gaulliste, d'autre part, devaient, dès 1947, soumettre toute l'évolution du régime à des combinaisons centristes dont les deux principaux éléments furent le Rassemblement des gauches républicaines (R.G.R.), où se retrouvaient les radicaux, et le Mouvement républicain populaire (M.R.P.) (v.). La question de la laïcité ayant rejeté les socialistes dans l'opposition après les élections de 1951, des formules de centre droit prévalurent jusqu'à la constitution du ministère Mendès France (1954/55). Ce dernier ne put réussir à renouveler le parti radical, et, malgré le léger succès du Front républicain aux élections de 1956, les socialistes, dès l'année suivante, durent accepter des coalitions incluant la droite modérée. Sous la Vᵉ République, les centristes (M.R.P. et radicaux), qui s'opposaient à l'élection du président de la République au suffrage universel, subirent une sévère défaite en 1962. Après l'échec d'une tentative de fédération socialo-centriste patronnée par Gaston Defferre (1965), Jean Lecanuet remplaça le M.R.P. par un mouvement politique nouveau, le Centre démocrate (déc. 1965) : celui-ci se réunit, en nov. 1971, avec le parti radical-socialiste de Jean-Jacques Servan-Schreiber, avec le Centre républicain d'André Morice et avec le parti social-démocrate (dissidence du parti socialiste) pour former le mouvement réformateur. Au début des années 70, le centrisme se caractérisait surtout par ses options européennes et régionalistes et par son refus de la bipolarisation, qui n'a cessé de s'accentuer sous la Vᵉ **République.** Valéry Giscard d'Estaing, qui avait depuis longtemps déclaré que « la France désire être gouvernée au centre », a englobé le centre dans sa majorité présidentielle lors de son élection, en 1974.

● Mais la notion de centre restait de pure rhétorique. Après la victoire de F. Mitterrand aux présidentielles de mai 1981, le mode de scrutin amplifia le triomphe socialiste aux législatives de juin. Le scrutin proportionnel des législatives de 1986 favorisa plutôt l'extrême droite et la radicalisation des antagonismes : la victoire conservatrice fut celle du libéralisme économique. Le scrutin majoritaire rétabli pour les législatives anticipées de 1988, consécutives à la réélection de F. Mitterrand, fut cette fois plus favorable aux partis de l'U.D.F. se réclamant du centre; mais les tentatives d'ouverture du Premier ministre socialiste M. Rocard eurent peu de succès malgré la présence de 4 ministres centristes dans son gouvernement. □

En Allemagne

Un parti du Centre (v. CENTRE ALLEMAND) ou *Zentrum* se constitua dès 1871 pour la défense des droits catholiques. Il devint, en 1878, le principal parti du Reichstag. D'abord violemment opposé à Bismarck, à l'époque du Kulturkampf (v.), il apporta son appui au chancelier lorsque celui-ci, qui venait de rompre avec les nationaux-libéraux, dut se résigner à suspendre l'application des lois anticléricales. Dès lors, et jusqu'à la fin du régime impérial, les ministères s'appuyèrent presque constamment sur une coalition du Centre et des conservateurs, unis pour lutter contre les socialistes. Le Centre conserva une position importante durant la république de Weimar et gouverna alors en collaboration avec les sociaux-démocrates. Dans l'Allemagne fédérale, la C.D.U. (Christlich-Demokratische Union, v.) prit la succession du Centre, mais en perdant tout caractère confessionnel; la disparition des partis nationalistes après la défaite de 1945 fit de la C.D.U. un grand parti conservateur, capable, comme son homologue britannique, d'accepter les exigences d'une politique sociale. Au centre des forces politiques allemandes se plaça dès lors le parti libéral (Freie Demokratische Partei, F.D.P., v. LIBÉRAUX, partis). La coalition gouvernementale F.D.P.-C.D.U., formée en 1961, fut élargie aux socialistes en 1966 (gouvernement de « grande coalition » Kiesinger), mais, après les élections de sept. 1969, le F.D.P., qui ne disposait cependant que de 30 députés, bouleversa les données de la politique allemande en rompant avec la C.D.U. et en constituant une nouvelle coalition avec les sociaux-démocrates — nouvel exemple du rôle décisif qu'un parti du centre, même très minoritaire à l'échelle nationale, peut jouer au sein d'un système multipartite.
● En dépit des efforts du président de la C.D.U., Helmut Kohl, les libéraux restèrent fidèles à l'alliance avec le S.P.D. de Helmut Schmidt. Mais leur poids électoral ne cessa de diminuer. En 1982, la majorité du F.D.P. quitta la coalition de H. Schmidt et rejoignit la C.D.U. d'H. Kohl qui remporta les élections législatives de mars 1983. □

En Grande-Bretagne

● Pays traditionnel de la bipolarisation et de l'alternance entre travaillistes et conservateurs, la Grande-Bretagne vit naître en 1981 un parti centriste, le Social Democratic Party, dirigé par l'ex-parlementaire travailliste Shirley Williams. En 1982, une alliance du S.D.P. et du parti libéral de David Steel permettait d'envisager la fin du bipartisme dans le système électoral britannique. Mais les élections générales de 1983, où triomphèrent les conservateurs, ne confirmèrent pas ces pronostics. □

En Italie

Après l'élimination des communistes et, par voie de conséquence, des socialistes de Nenni (mai 1947), la Democrazia cristiana (v.) gouverna constamment à la tête de coalitions centristes.
De 1947 à 1958 prévalut le « centrisme degaspérien » qui associait au gouvernement la démocratie chrétienne et trois petits partis : le parti social-démocrate italien (P.S.D.I.) et le parti républicain italien (P.R.I.), de centre gauche, et le parti libéral italien (P.L.I.), de centre droit. L'évolution constante vers la droite de cette coalition fut dénoncée à partir de 1953, au sein même de la Democrazia cristiana, par une faction conduite par Fanfani, partisan d'une orientation plus à gauche, qui réintroduirait dans la majorité et même dans le gouvernement le parti socialiste italien (P.S.I.) de Nenni.
Cette formule de centre gauche (*centro sinistra*) fut réalisée progressivement : en 1962, Fanfani rejeta les libéraux dans l'opposition et constitua un cabinet D.C.-P.S.D.I.-P.R.I., qui bénéficia du soutien du P.S.I. A la fin de l'année suivante, Aldo Moro obtenait enfin l'entrée du P.S.I. dans le gouvernement. Cependant le centre gauche s'essoufflait dès 1968. A partir de cette date, l'Italie connut plusieurs gouvernements démocrates-chrétiens homogènes minoritaires. Inquiets des progrès des communistes, les socialistes, en déclin, souhaitaient désormais l'entrée de ceux-ci dans le gouvernement, ou du moins dans la majorité, afin qu'ils ne puissent conserver les avantages de l'opposition. Après les élections générales de juin 1976, qui furent marquées par le maintien de la D.C. comme premier parti italien, mais aussi par une forte poussée communiste, Andreotti, n'ayant pu obtenir la participation des socialistes, forma un nouveau cabinet démocrate-chrétien homogène et minoritaire.
● Les présidences du républicain Spadolini et du socialiste Craxi, dans les années qui suivirent, furent plutôt de centre gauche, avant le retour de la D.C. au pouvoir en 1987.

CENTRE ALLEMAND, *Zentrum.* Parti catholique allemand qui joua un rôle très important dans l'Empire wilhelmien et la république de Weimar et dont les députés siégeaient dans les travées centrales du Reichstag. Il fut fondé dès 1871 par Ludwig Windthorst, dans une perspective essentiellement confessionnelle, pour défendre les droits des catholiques au sein du nouvel Empire protestant. Le Centre, qui fut le premier en date des partis de masse de l'Allemagne impériale, résista énergiquement à la politique du Kulturkampf (v.), mais, après 1880, il apporta son soutien à Bismarck contre les socialistes. De 1894 à 1906, le Centre s'aligna sur les conservateurs pour

CENTRE
Amintore Fanfani prenant la parole au XIIᵉ Congrès national de la démocratie chrétienne, à Rome, juin 1973.
Ph. © Fabian Cevallos - Gamma

CENT-SUISSES
Porte-drapeau, XVIIIᵉ s.
Ph. Jeanbor © Photeb

soutenir Hohenlohe et Bülow et obtint ainsi d'importants avantages pour les catholiques; mais Bülow rompit avec lui en oct. 1906. Aussi bien l'influence du Centre était-elle alors en déclin, face à la montée des partis nationalistes et de la social-démocratie. Le 6 juill. 1917, le chef du Centre, Matthias Erzberger, prit l'initiative de déposer au Reichstag une motion réclamant une paix de compromis, sans annexion. Le Centre joua un rôle important dans la république de Weimar, où il gouverna généralement en coalition avec les sociaux-démocrates; Erzberger avait été assassiné en 1921 par des nationalistes, mais les chanceliers Brüning (1930) et von Papen (1932) furent des hommes du Centre. A l'instigation de von Papen, le Centre apporta son soutien à Hitler après les élections du 5 mars 1933; il aida à l'exclusion des députés communistes et au vote des pleins pouvoirs, ce qui n'empêcha pas Hitler de le dissoudre, ainsi que les autres partis démocratiques allemands, en juill. 1933. En République fédérale, depuis 1949, la C.D.U. (Christlich-Demokratische Union, v.) a renoué avec la tradition du Centre; toutefois, elle s'en sépare en ce qu'elle n'est pas un parti confessionnel.

CENT-SUISSES. Troupe d'infanterie d'élite, constituée au xvᵉ s., elle prit, en 1496, le titre de compagnie des cent-suisses ordinaires du corps du roi, dont elle constituait la garde personnelle. Elle était, comme son nom l'indique, recrutée en Suisse. Supprimée définitivement en 1830. Voir SUISSES.

CENTUMVIRS. Dans l'ancienne Rome, les *centumviri*, au nombre de 105, élus par les comices à raison de trois par tribu, étaient les membres d'un tribunal permanent qui jugeait les affaires civiles, notamment les procès de succession; ce tribunal fut constitué probablement vers 149 av. J.-C.; sous Trajan, le nombre de ses membres fut porté à 180.

CENTURIATES (comices). Voir COMICES.

CENTURIATEURS DE MAGDEBOURG. Groupe d'érudits luthériens qui, sous la direction de Mathias Flacius Illyricus, professeur à l'université d'Iéna, entreprirent, au xviᵉ s., une histoire assez polémique de l'Église, dans le propos de montrer l'accord de la doctrine des réformateurs avec la foi des premiers chrétiens. Cet ouvrage, intitulé *Centuries de Magdebourg* et publié à Bâle de 1559 à 1574, s'arrête à l'an 1300. Ses principaux rédacteurs, avec Mathias Flacius Illyricus, furent J. Wigand, M. Judex, B. Faber, A. Corvinus et Th. Holzhuter. Baronius s'efforça de les réfuter du point de vue catholique.

CENTURIE. Dans la Rome ancienne, compagnie de 100 hommes d'armes, formant le sixième de la cohorte et le soixantième de la légion.

CENTURION
Cuirasse de parade, couverte de « phalères » (ces médailles récompensaient le centurion pour chacune des dépouilles ennemies qu'il avait pu rapporter dans les rangs romains). (Musée de la Civilisation romaine, Rome.)
Ph. Scala © Archives Photeb

La réforme servienne (v. SERVIUS TULLIUS) transporta cette division militaire dans l'organisation civile et distribua le peuple romain en six classes, subdivisées en centuries. La 1ʳᵉ classe, composée des citoyens dont la fortune était évaluée à plus de 100 000 as, comprenait 98 centuries. Les trois classes suivantes, dont les membres avaient 75 000, 50 000 ou 25 000 as, comptaient chacune 20 centuries. La 5ᵉ classe, où l'on était admis avec 10 000 as, groupait 30 centuries. La 6ᵉ classe enfin, composée de tous les prolétaires, ne formait, malgré son nombre, qu'une seule centurie. Les six classes formaient donc 189 centuries, auxquelles s'ajoutaient quelques centuries supplémentaires, composées d'ouvriers, ce qui portait le nombre total à 193. Ainsi, quand on votait par centuries, l'accord des membres de la première classe, c'est-à-dire des plus riches, constituait la majorité.

CENTURION. Dans l'armée romaine, officier subalterne commandant une centurie, c'est-à-dire la soixantième partie d'une légion. Comme il y avait deux centuries (v.) par manipule (v.), chaque manipule avait deux centurions : le premier centurion (*ordo prior*) commandait à la fois sa centurie et celle de son collègue, qui la commandait en second. Les centurions étaient nommés par les tribuns militaires (v.), non seulement d'après l'ancienneté mais d'après le mérite. Le centurion de grade le plus élevé était le premier centurion de la première centurie du premier manipule; il portait le titre de *primipilus*, prenait part au conseil de guerre avec le consul et les tribuns, transmettait les ordres à tous les autres centurions, assurait la garde de l'aigle. Les soixante centurions de la légion obéissaient à une hiérarchie compliquée, depuis le deuxième centurion de la dernière centurie des *hastati* (v.) jusqu'au premier centurion de la première centurie des triaires (v.). Les centurions portaient un cep de vigne comme bâton de commandement.

CEP DE VIGNE. Voir CENTURION.

CÉPHALONIE. La plus grande des îles Ioniennes (Grèce). Ancien centre mycénien, alliée d'Athènes durant la guerre du Péloponnèse, elle fit partie de la ligue Étolienne; soumise à Rome en 189 av. J.-C., puis à Byzance, occupée par les Normands en 1085, elle passa à Venise en 1126, fut conquise par les Turcs en 1479, revint à Venise de 1500 jusqu'au 1797. Depuis, son histoire s'est confondue avec celle des îles Ioniennes (v.).

CÉPHISODOTE (ivᵉ s. av. J.-C.). Orateur athénien, l'un des dix ambassadeurs envoyés par Sparte à Athènes (368). Il commanda une expédition dans la Chersonèse, mais, ayant signé un traité défavorable à Athènes, il fut mis en jugement et échappa de peu à la peine capitale.

CÉRAMIQUE (le)
Amphores du musée
du Céramique, à Athènes.
1. Style géométrique,
900-850 av. J.-C.
2. Style géométrique, avec
figures de cerfs paissant,
après 750 av. J.-C.
Ph. © N. Stournaras

CÉPION Quintus Servilius. Voir SERVI-
LIUS CÉPION.

CÉRAMIQUE (le). Quartier situé au N.-
O. de l'Athènes antique, sur un terrain où
étaient installés des établissements de poteries et de tuileries, d'où son nom (*kéramos,*
tuile). Par la suite s'y élevèrent des temples,
des portiques, des théâtres et le Céramique
devint un des plus beaux quartiers athéniens.
Dans la partie du Céramique qui s'étendait
au-delà des murs, se trouvaient les jardins
d'Académos (v. ACADÉMIE). On voit au Céramique de magnifiques stèles funéraires
sculptées (les plus anciennes du IVe s. av.
J.-C.) et des vestiges de trois enceintes
d'Athènes, celle de Thémistocle, celle de
Conon et celle de Lycurgue (Ve/IVe s.).

CÉRAMIQUE. L'étude des poteries est
d'une grande importance pour l'histoire et,
surtout, pour la préhistoire. Les vestiges
céramiques, en effet, ne sont pas soumis aux
agents de destruction qui altèrent le métal, le
bois, le textile. Ils apportent des témoignages
de grand prix sur l'état de développement
intellectuel et technique des civilisations. La
céramique apparut au néolithique (v.) – les
premières poteries retrouvées en Anatolie, à
Çatal-Hüyük (v.), datent d'environ 6500 av.
J.-C. – et, d'une manière générale, elle est
liée à l'essor de l'économie agricole. Cependant, dans le Proche-Orient, on constate un
retard notable de la céramique sur la naissance de l'économie agricole; on emploie
donc le terme de néolithique *précéramique*
ou *acéramique* pour désigner le stade initial
du néolithique du Proche-Orient.

CERCLE, *Kreis.* Division administrative
historique du Saint Empire. Le nombre des
cercles d'Allemagne a varié au cours des siècles, passant de quatre en 1387 à six en 1438,
enfin à dix en 1512 (Autriche, Bavière,
Souabe, Franconie, Haute et Basse-Saxe,
Westphalie, Haut et Bas-Rhin, Bourgogne).
Chaque cercle était gouverné par un *directeur,* président une *Assemblée du cercle,* et
par des *princes convoquants.* Cette division
disparut en 1806, lors de la formation de la
Confédération du Rhin. Le cercle fut rétabli
en Allemagne, comme une subdivision du
Gau, sous le IIIe Reich. Dans la République
fédérale d'Allemagne, le cercle est aujour-
d'hui une subdivision du Land.

CERDAGNE. Ancien comté des Pyrénées
orientales situé sur l'un et l'autre versant;
réuni en 1117 au comté de Barcelone, puis à
l'Aragon, il fut partagé entre l'Espagne et la
France en 1659 (la partie française dans l'actuel département des Pyrénées-Orientales,
avec Montlouis pour ville principale).

CEREALIS Quintus Petilius (Ier s.). Général romain. Apparenté à l'empereur Vespasien, il s'attacha à ce dernier; il réduisit la
révolte batave (69) et fut ensuite gouverneur
de Bretagne (*Britannia*) (71/72).

CÉRIGNOLE, Cerignola. Ville d'Italie,
dans les Pouilles (Foggia). Victoire des
Espagnols, commandés par Gonzalve de
Cordoue, sur le duc de Nemours, qui fut tué
(28 avr. 1503). Cette défaite fit perdre à
Louis XII toutes ses possessions dans le
royaume de Naples.

CÉRISOLES. Ville d'Italie, dans le
Piémont, près de Coni. Victoire des Français, commandés par François d'Enghien,
sur les Impériaux, commandés par le marquis du Guast (14 avr. 1544); cette victoire
entraîna la prise de Carignan et rendit la
France maîtresse du Montferrat.

CERNUSCHI Enrico (* Milan, 1821,
† Menton, 12.V.1896). Banquier italien.
Établi à Paris après avoir fait partie de l'expédition de Garibaldi, il rassembla, au cours
d'un grand voyage en Asie (1871/73), une
importante collection d'antiquités orientales, dont il fit don à la ville de Paris (musée
Cernuschi).

CERRO GORDO. Plateau du Mexique,
sur la route de Veracruz à Mexico. Les 17/18
avr. 1847, le général américain Winfield
Scott y battit complètement les Mexicains,
commandés par Santa Anna.

CERTIFICAT DE CIVISME. Voir
CIVISME (certificat de).

CÉRULAIRE Michel. Voir MICHEL CÉRU-
LAIRE.

CERVERA Y TOPETE don Pascual
(* 18.II.1839, † Cadix, 3.IV.1909). Amiral
espagnol. Commandant de la flotte espagnole lors de la guerre hispano-américaine
de 1898, il fut bloqué dans le port de Santiago
de Cuba, tenta de prendre la mer (3 juill.
1898), mais subit un désastre, au cours
duquel il fut fait prisonnier.

CERVETERI. Voir CAERE.

CERVIN (mont), Matterhorn. Sommet des
Alpes Pennines, à la frontière de la Suisse
(Valais) et de l'Italie. Hauteur : 4478 m. Il
fut conquis pour la première fois, du côté de
l'arête suisse, le 14 juill. 1865, par l'expédition anglaise d'Edward Whymper, et, trois
jours plus tard, du côté de l'arête italienne,
par les guides italiens Jean Antoine Carrel et
Jean-Baptiste Bich.

CERVOLE ou CERVOLLE Arnaud de,
dit **l'Archiprêtre** (* dans le Périgord, vers
1300, † 1366). Audacieux chef de bande, il
possédait, quoique séculier, l'archiprêtrise de
Vernia, d'où son surnom. Après la bataille
de Poitiers (1356), il leva plusieurs compagnies de routiers, avec lesquels il ravagea la
Provence, rançonna le pape à Avignon et
pilla la Bourgogne. A plusieurs reprises il se
mit au service de Charles V, qui lui donna
le titre de chambellan; il repoussa les Tard-
Venus, puis ravagea la Lorraine, les Vosges

CERNUSCHI
Enrico. Financier et collectionneur
italien (1821-1896).
Ph. Jeanbor © Photeb

et les bords du Rhin. A la suite d'un échec en Alsace, il fut tué par un de ses hommes.

CÉSAIRE D'ARLES saint (* près de Chalon-sur-Saône, 469, † Arles, 27.VIII.542). Évêque gallo-romain. Formé au monastère de Lérins, il tomba malade à force d'austérités et on l'envoya se soigner à Arles, où il devint prêtre, puis, en 499, abbé d'une communauté établie dans une île du Rhône. Évêque d'Arles en 502, il fit face avec une énergie et une charité infatigables aux multi-ples problèmes posés par la présence des Barbares et des hérésies, par la misère matérielle et morale des populations, dont il se fit le protecteur. Il convoqua et présida plusieurs conciles, notamment le deuxième synode d'Orange (529) où furent condamnées les doctrines pélagiennes. Grand prédicateur, Césaire d'Arles a· laissé des homélies et des sermons, des lettres, ainsi que deux règles pour les moines et pour les moniales de sa sœur Césarie.

CÉSAR

CÉSAR, Caius Julius Caesar (* Rome, 12.VII.100?, † Rome 15.III.44 av. J.-C). Général et homme politique romain. D'une des plus anciennes familles patriciennes de Rome, celle des Jules, qui prétendait remonter à Énée et, par lui, à Vénus, il était, par sa mère, le neveu par alliance de Marius, et, dès l'âge de seize ans, il devint le gendre d'un des plus farouches marianistes, Cinna. Ainsi, dès le début de sa carrière, cet aristocrate se trouvait rangé dans le parti « populaire ». Mais il procéda avec une extrême prudence, qui lui valut d'être épargné par Sylla. Personne d'abord ne prit au sérieux l'homme qui devait se révéler comme le plus génial des ambitieux de cette Rome de la fin de la République qui en comptait tant. Sa jeunesse fut vouée apparemment à la dissipation la plus effrénée, aux amours passagères, à la poésie, aux dépenses fastueuses; comme tous les jeunes Romains élégants, il alla compléter son éducation auprès de professeurs grecs et, à Rhodes (74/73), il suivit les cours d'éloquence d'un maître fameux, Molon. Déjà cependant il avait fait ses preuves d'orateur en plaidant contre Cornelius Dolabella, accusé de concussion (77). Son ambition éveillée, il commença à briguer les honneurs, n'hésitant pas à emprunter des sommes énormes pour gagner la faveur populaire en organisant des jeux, des fêtes, ou en subventionnant des travaux publics. Questeur en 69, édile en 65, il manifesta symboliquement ses sentiments en relevant les trophées de Marius sur le Capitole. Soutenu par la plèbe, mais aussi par le richissime Crassus, il fut grand pontife en 63, préteur en 62. Soupçonné sans preuve de complicité avec Catilina, il réclama cependant au sénat, contre Caton, des mesures de clémence pour les conjurés. Propréteur en Espagne Ultérieure (61/60), il se distingua par sa bonne administration, acquit une gloire peu coûteuse et aussi des richesses qui lui permirent, à son retour à Rome, d'espérer le consulat. Son premier coup de maître fut de réconcilier les deux rivaux, Crassus et Pompée, également mécontents du sénat. Il forma avec eux une entente secrète, le *triumvirat,* destinée à la satisfaction de leurs ambitions respectives.

Du consulat à la domination du monde romain

Élu consul pour 59, César neutralisa aisément l'obstruction de son collègue Bibulus. Il satisfit Pompée en ratifiant les actes de ce dernier en Orient et en donnant des terres à ses vétérans, cependant que Crassus obtenait des avantages pour les chevaliers en Asie. En cette année de consulat, il prit une série d'initiatives propres à accroître sa popularité mais qui annonçaient aussi un homme d'État : deux lois agraires achevèrent le lotissement de l'*ager publicus* en Italie, au bénéfice des vétérans et des chômeurs; la publication des procès-verbaux du sénat imposa à celui-ci le contrôle de l'opinion publique; la mise au pas des gouverneurs de province, tenus désormais de rendre des comptes, annonçait une ère nouvelle pour les provinciaux. Mais César n'oubliait pas ses propres intérêts : aimant mieux, selon Plutarque, « être le premier dans un misérable village des Alpes que le second dans Rome », c'est à un pouvoir absolu qu'ils aspirait en voyant le régime républicain se décomposer. Ce qu'il lui fallait maintenant, c'était une riche province, pour payer ses dettes, pour acheter de nouveaux partisans, une nombreuse armée pour servir ses ambitions politiques, mais aussi pour connaître la gloire militaire, la vie des camps, la guerre, où il tremperait son âme, comme le dit encore Plutarque, par un régime sobre, par les fatigues, les marches interminables. Il se fit ainsi attribuer, à sa sortie de charge, le gouvernement de la Gaule Cisalpine, de l'Illyrie, auxquelles le sénat ajouta la Gaule Transalpine, pour une durée de cinq ans (58/54).

Laissant derrière lui à Rome des agents sûrs, en particulier Cornelius Balbus, il allait entreprendre la conquête de la Gaule (58/51), qui se terminerait — après de nombreuses révoltes, deux passages du Rhin (55 et 53) et deux descentes en (Grande-) Bretagne (55 et 54) — par la reddition de Vercingétorix à Alésia en 52 et, l'année suivante, par la prise d'Uxellodunum (v. GAULES, guerre des). César, qui avait cru à plusieurs reprises étreindre la victoire, n'avait pas dû mener moins de huit campagnes pour vaincre la résistance des Gaulois. Mais, en 51, il se trouvait désormais maître d'un vaste territoire riche en ressources et en hommes. Bâtisseur d'empire, il pouvait se prévaloir d'une œuvre aussi importante que celle accomplie par Pompée en Orient. Ses *Commentaires,* ouvrage de propagande autant que Mémoires de guerre, écrits au fur et à mesure de l'événement, publiés dès 51, entretenaient sa gloire auprès de l'opinion italienne. Son armée, merveilleusement aguerrie, était redoutable. Tout en menant les opérations, César n'avait pas perdu de vue les luttes politiques romaines, qu'il venait observer de plus près, chaque hiver, en Cisalpine. En 56, l'accord de Lucques avait renouvelé le triumvirat et permis à César de conserver son proconsulat en Gaule jusqu'en 50. Mais la mort de Julie, fille de César et femme de Pompée (54), puis celle de Crassus, tué au cours d'une expédition contre les Parthes (53), ne laissèrent plus subsister qu'une âpre rivalité entre César et Pompée. Ce dernier, devenu le dernier espoir de l'oligarchie sénatoriale et nommé consul sans collègue en 52, se flattait d'obliger César à revenir à Rome, comme un simple citoyen. César tenait au contraire à conserver son commandement jusqu'à ce que l'intervalle de dix ans, fixé par la loi entre deux consulats, fût écoulé et lui permît de briguer de nouveau cette magistrature. Sommé de renoncer à son armée, il exigeait que Pompée fît de même avec la sienne. Au bout d'une année de négociations confuses, le sénat accorda aux consuls des pouvoirs illimités contre César. Après quelque hésitation, celui-ci choisit la guerre : le 11 janv. 49, franchissant le Rubicon, qui marquait la limite méridionale de la Gaule Cisalpine, il marcha sur Rome.

En deux mois il fut maître de l'Italie, mais il ne put empêcher Pompée de se réfugier en Grèce, avec nombre de sénateurs. N'ayant pas de flotte immédiatement à sa disposition pour le poursuivre, César passa en Espagne; il vainquit les pompéiens près d'Ilerda, reçut la soumission de Marseille, après un siège de plusieurs mois (mai/sept. 49), puis arriva en Épire et, forçant l'ennemi à livrer bataille en Thessalie, il écrasa Pompée à Pharsale (28 juin 48). Il se lança à la poursuite de Pompée mais, quand il parvint en Égypte, celui-ci avait déjà été assassiné sur l'ordre d'un ministre du roi Ptolémée Aulète, qui pensait complaire ainsi au vainqueur. César pleura sur son rival, châtia ses meurtriers, puis donna le trône d'Égypte à Cléopâtre, dont il devint l'amant. Avec elle, il fit une brève inspection des bords du Nil avant de courir en Asie Mineure, où il battit, à Zéla, Pharnace II, fils de Mithridate (47) — c'est

cet épisode de guerre éclair qui fut résumé plus tard, lors du triomphe de 46, dans la célèbre formule : *Veni, vidi, vici.* Après une brève étape à Rome, César continua à poursuivre les chefs républicains qui, réfugiés dans la province d'Afrique, y avaient reconstitué une excellente armée. Leur défaite, à Thapsus (févr. 46), fut suivie par le suicide de Caton. Le dernier acte de cette guerre civile, qui s'était déroulée à l'échelle de l'ensemble du monde romain, fut la victoire décisive de César à Munda (17 mars 45), près de Cordoue. Seul d'entre les chefs, Sextus Pompée, fils du grand Pompée, parvint à s'échapper.

L'œuvre césarienne

Mais César n'avait plus qu'un an à vivre. De 49 à 45, obligé de parcourir les provinces en combattant, il n'avait passé que quelques mois à Rome. Comme pendant la guerre des Gaules, il avait entretenu sa propagande par des *Commentaires,* les trois livres du *De bello civili,* parus entre 49 et 47, où il faisait ressortir sa droiture, son patriotisme, la mauvaise foi de ses adversaires, l'innocence de ses intentions, l'esprit de paix et de clémence qui l'avait toujours animé. En 46, il avait triomphé sur la Gaule, le Pont, l'Égypte, la Numidie, traînant derrière son char Vercingétorix, la petite reine Arsinoé, le fils de Juba de Mauritanie. En 45, il triompha ouvertement des pompéiens, ce qui provoqua des murmures, car ce n'était pas la coutume qu'un Romain célébrât ainsi ses victoires sur d'autres Romains. Mais ces cérémonies s'accompagnaient de distributions d'argent, de blé, de vin, d'huile, de banquets populaires, de jeux, de représentations au cirque, de distributions de récompenses aux vétérans. César pouvait s'appuyer sur le peuple et, plus encore, sur la fidélité de 39 légions sous les armes, une armée comme Rome n'en avait encore jamais vu. Cette dictature militaire était cependant camouflée sous une accumulation de magistratures civiles juxtaposées qui annonçait déjà le régime du principat tel que devait le réaliser Auguste. Dictateur pour onze jours en 49, consul en 48, dictateur pour un an en 47, il devint, en 46, dictateur pour dix ans, consul pour dix ans, préfet des mœurs pour trois ans; enfin, en 44, il reçut le titre de dictateur perpétuel. Des prérogatives exorbitantes complétaient encore sa puissance : droit de paix et de guerre, serment imposé aux sénateurs et aux magistrats de respecter ses décisions, puissance tribunitienne, qui lui donnait (sans qu'il fût tribun) un caractère sacré. Il portait le titre d'*imperator,* transmissible à ses descendants, qui conférait en quelque sorte à sa race le privilège personnel de la victoire. Il avait en outre le droit de porter constamment le costume triomphal, la pourpre et le laurier, de surmonter sa maison d'un fronton, comme un temple, de faire élever sa statue au temple de Quirinus; enfin, au début de 44, il put prendre le nom de « divin Jules ».

1
2

CÉSAR
Jules. Général et homme politique romain (100?-44 av. J.-C.).
1. Vénus, fondatrice de la famille des Julii, accompagnée de la figure d'un Cupidon ailé. Droit d'une monnaie de Jules César. (Cabinet des Médailles, Paris.)
Ph. © Archives Photeb

2. Jules César. Monnaie frappée après sa mort, le représentant couronné de laurier, avec le « lituus ». Ce bâton recourbé servait aux augures à tracer, dans le ciel ou sur le sol, des divisions idéales, grâce auxquelles ils prédisaient l'avenir.
Ph. © Archives Photeb

Selon Suétone, César ne cachait pas, dans le privé, que la République n'était plus pour lui qu'« un vain mot sans corps ni figure » et qu'il fallait désormais « regarder ses paroles comme des lois ». Il ménagea cependant l'esprit traditionaliste des Romains. L'ancienne Constitution fut maintenue mais ne fut plus qu'une façade. Un sénat dont l'effectif se trouva porté de 600 à 900 membres, où les républicains qui avaient suivi Pompée furent remplacés par des provinciaux, des Italiens, des financiers, des centurions et même des affranchis, tous partisans éprouvés du maître, ce « Sénat introuvable » (J. Carcopino) fut réduit au rang de conseil. César affaiblit de même les magistrats en augmentant leur nombre (40 questeurs, 6 édiles, 16 préteurs), en bloquant la vie constitutionnelle pendant ses absences, en inventant des consuls suffects qui, au cours de l'année, remplaçaient les consuls ordinaires pour quelques mois ou quelques jours. Mais ce vainqueur d'une guerre civile se montrait magnifiquement libéral et clément; il avait demandé, à Pharsale, qu'on épargnât les citoyens; il offrit aux pompéiens qui acceptèrent de se rallier à lui l'amnistie la plus large, leur rendit magistratures et commandements, alla jusqu'à relever les statues de Sylla et de Pompée que le peuple avait renversées. Le trésor fabuleux qu'il avait constitué grâce aux butins de guerre, son autorité absolue sur toute l'administration de l'État lui donnaient tous les moyens d'acheter les foules et les consciences. Mais César, sans scrupule sur les moyens, sans illusion sur les hommes, poursuivait un dessein à sa mesure : être le rassembleur, l'unificateur de la plus grande Rome. Il se rendait compte que la longue guerre civile, obligeant tous les provinciaux et les tributaires les plus éloignés à prendre parti dans les luttes intestines de la Ville, avait été, en somme, un excellent creuset de l'unité impériale. Il fallait consolider celle-ci. D'abord en réintégrant le prolétariat italien, en rappelant à la terre cette plèbe déracinée, oisive, qui s'était habituée à vivre en vendant ses suffrages et en profitant des distributions de l'annone. Un des premiers actes de César fut de ramener de 320 000 à 150 000 le nombre de ceux qui bénéficieraient désormais des allocations gratuites. Les individus récupérables furent reclassés dans les différents secteurs de l'activité économique; un certain nombre furent employés à de grands travaux d'urbanisme, à la construction de routes, aux chantiers du nouveau Forum, à l'aménagement du port d'Ostie. La plupart reçurent des terres : 80 000 prolétaires redevinrent paysans sur des domaines confisqués aux partisans de Pompée; l'assèchement des marais Pontins fut décidé; pour réduire la misère, les dettes furent diminuées d'un quart et le non-paiement des loyers autorisé pour une année; des lois somptuaires sévirent contre le luxe désordonné. Les provinces avaient été abandonnées au pillage par la République. César entreprit d'en refondre le gouvernement de fond en comble, nommant lui-même les proconsuls et les déplaçant à son gré, portant

à la connaissance du public les budgets provinciaux, créant des colonies de pauvres ou de vétérans dans des lieux appelés à un grand développement économique : Hispalis en Espagne, Narbonne et Arles en Gaule, Corinthe, Sinope et Trébizonde en Orient, Carthage en Afrique. La *Lex Iulia municipalis* favorisa l'autonomie municipale. Il n'est pas jusqu'au calendrier qui n'ait été remanié par le génie réformateur de César : ce calendrier *julien* devait rester en vigueur jusqu'à la fin du XVIᵉ s. (V. CALENDRIER).

Vers l'Empire romain

Ayant mené ainsi de front la guerre civile et la réorganisation de l'État, César avait posé les bases d'une œuvre plus durable que celle du seul homme qui puisse lui être comparé, Napoléon. Sa poigne de fer fit craquer définitivement les cadres usés de la cité-État et traça à grands traits le plan d'après lequel allait s'édifier, pour plus de quatre siècles, l'Empire romain. Dictateur à vie, quasi divinisé de son vivant, César, au début de 44, concevait de plus en plus clairement qu'il lui fallait une consécration encore plus haute, plus difficile à faire accepter aux Romains : la dignité royale. Sa politique en Asie l'exigeait, au moment où il se préparait à une campagne contre les Parthes. Dans ces pays qui avaient vu grandir depuis des siècles tant de monarchies de droit divin, le dictateur de Rome devait « invoquer à haute voix les puissances célestes devant lesquelles se prosternaient les populations orientales et qu'il incarnerait à la ressemblance des *basileus* dont il aurait pris la place » (J. Carcopino). Mais, pour la première fois dans sa carrière, César s'opposait au sentiment populaire romain, qui voyait dans le nom même de royauté l'atteinte suprême à sa liberté. En février 44, lors de la manifestation des Lupercales organisée par Antoine, avec son accord certain, César aperçut le danger et repoussa le diadème qui lui était offert. Le sénat se décida cependant à lui accorder de porter le titre de roi, mais pas à Rome. Mais le 15 mars 44, jour prévu pour cet acte solennel, César, pendant la séance du sénat, tomba, frappé de vingt-trois coups d'épée par un groupe d'aristocrates républicains conduits par Brutus et Cassius.
Ce crime allait déclencher de nouvelles guerres civiles, sans rien changer au cours essentiel des événements. Dix ans à peine plus tard, le césarisme — sous la forme plus équilibrée du « principat » augustéen — s'imposera de nouveau comme l'unique solution conciliatrice, assimilatrice, unitaire, des problèmes d'une Rome étendue à l'échelle d'un monde. « Il était tellement impossible que la République pût se rétablir, dira Montesquieu, qu'il arriva ce qu'on n'avait encore jamais vu, qu'il n'y eut plus de tyran, et qu'il n'y eut pas de liberté; car les causes qui l'avaient détruite subsistaient toujours. » Marié trois fois — vers 84 avec Cornelia, fille de Cinna, en 67 avec Pompéia, qui fut répudiée après s'être laissé compromettre dans l'affaire des mystères de la Bonne Déesse

CÉSAR
Grande statue de marbre. (Palais du Sénateur, Rome.) César y est représenté dans la force de l'âge, embelli et idéalisé, en tenue de général romain avec grand manteau et cuirasse de parade endossée sur une tunique.
Ph. © L. von Matt - Arch. Photeb

(v.), enfin en 59 avec Calpurnia, fille de L. Piso —, César n'eut qu'un enfant légitime, Julie, qui épousa Pompée. Il fut sans doute le père de Césarion, fils naturel de Cléopâtre (exécuté plus tard sur l'ordre d'Auguste). Par son testament, rédigé en 45, il adopta le petit-fils de sa sœur, Octave (Auguste), et fit de lui son héritier.

CÉSAR. Le nom de *César,* pris par Octave comme fils adoptif de Jules César, devint un titre que portèrent tous les empereurs romains, même ceux qui étaient étrangers à la famille julio-claudienne. Il était aussi attribué aux héritiers présomptifs de l'Empire, usage qui devint une règle à partir de Dioclétien, les empereurs prenant dès cette époque le titre d'*auguste.*

Les douze césars. On désigne sous ce nom Jules César et les onze empereurs qui régnèrent après lui (quoique les six derniers soient entièrement étrangers à la famille de César) : Auguste, Tibère, Caligula, Claude, Néron, Galba, Othon, Vitellius, Vespasien, Titus et Domitien. Voir ces noms.

CÉSAR Caius et **Lucius.** Fils de Vipsanius Agrippa et de Julie, fille d'Auguste. Ils naquirent respectivement en 20 et en 17 av. J.-C., causant une immense joie à Auguste qui, n'ayant pas lui-même de fils, s'inquiétait de sa succession. Il combla ses deux petits-fils d'honneurs, les fit nommer consuls avant l'âge et les sénateurs saluèrent Caius du titre de « Prince de la Jeunesse ». Mais Lucius mourut à Marseille le 20 août 2 de notre ère et Caius, grièvement blessé au siège d'Artagira, en Arménie, expira à son tour le 21 févr. 4. Leur mort contraignit Auguste à choisir comme héritier son beau-fils, Tibère, qu'il adopta.

CÉSARÉE AUGUSTE, *Caesarea Augusta.* Ancienne ville de Tarraconaise, aujourd'hui *Saragosse.*

CÉSARÉE DE CAPPADOCE, *Caesarea Eusebia.* Ancienne ville d'Asie Mineure (auj. *Kayseri,* en Turquie), nommée ainsi en l'honneur d'Auguste, après la conquête de la Cappadoce par Tibère, en 17; elle s'appelait à l'origine *Mozaka.* Capitale de la province, elle eut un évêque dès le ${II}^e$ s. Patrie de st. Basile.

CÉSARÉE DE MAURITANIE, *Iulia Caesarea,* à l'origine *Iol;* auj. *Cherchell.* Résidence principale de Juba II, roi de Mauritanie, puis capitale de la province romaine de Mauritanie Césarienne (à partir de 42).

CÉSARÉE DE PALESTINE, *Caesarea Palestinae.* Ancienne ville de Judée, sur la côte. Elle fut agrandie et embellie par Hérode le Grand, qui changea son nom primitif de *Stratanos Pyrgos* en celui de *Césarée,* pour honorer Auguste. A partir de l'an 6, siège d'un procurateur romain;

CÉSARÉE DE CAPPADOCE
Monnaie frappée
dans cette ville, à l'effigie
de Messaline, épouse
de l'empereur Claude. (Cabinet
des Médailles.)
Ph. © Bibl. Nat., Paris - Photeb

métropole de la *Palaestina prima* au ${II}^e$ s. Elle eut, à partir du ${III}^e$ s., une école renommée, fut prise au ${VII}^e$ s. par les Arabes, en 1001 par les croisés; détruite par les musulmans en 1265.

CÉSARÉE DE PHILIPPE, *Caesarea Philippi,* auj. *Baniyas.* Ancienne ville de Palestine, près des sources du Jourdain. Elle reçut son nom de Philippe, un des fils d'Hérode le Grand, qui l'embellit. Jésus y séjourna avec les apôtres. Évêché à partir du ${IV}^e$ s.

CÉSARIENNE (Grande-). Province de la Bretagne romaine, au nord de l'actuelle Angleterre; habitée par les Brigantes, elle avait pour capitale *Eburacum* (York).

CESARINI Giuliano (* Rome, 1398, † près de Varna, nov. 1444). Cardinal italien. Il prêcha la croisade contre les hussites à la diète de Nuremberg (1431), présida le concile de Bâle, fut le principal orateur des Latins lors des discussions avec les Grecs aux conciles de Ferrare et de Florence, mena ensuite la guerre contre les Turcs et périt au cours de la retraite, après la défaite de Varna (10 nov. 1444).

CÉSARION (* 47, † 30 av. J.-C.). Fils de Jules César et de Cléopâtre, exécuté sur l'ordre d'Auguste.

CESENA. Ville d'Italie, en Émilie-Romagne (Forli). Dans l'Antiquité *Caesena,* évêché depuis le ${IV}^e$ s. Défendue héroïquement en 1357 par Marcia Ordelaffi, femme du gouverneur de Forli, contre le cardinal Albornoz, qui réussit cependant à s'en emparer, elle devint possession pontificale, mais fut concédée en fief aux Malatesta (1379/ 1466). Murat y battit les Autrichiens (30 mars 1815).

CESSION (**Acte de,** 1598). Voir TRANSFERT.

CESTE. Gantelet de cuir, souvent garni de fer, de plomb ou de bronze, dont étaient armés, dans les jeux publics, les pugilistes de l'Antiquité.

CETEWAYO (* vers 1820, † Eshowe, 8.II. 1884), roi des Zoulous (1873/79). Il mena contre les Anglais la guerre de 1878/79, au cours de laquelle fut tué le prince impérial Louis-Napoléon, fils de Napoléon III. Il fut finalement vaincu à Ulundi (juill. 1879) par

Wolseley, qui établit le protectorat britannique sur le Zoulouland. Voir ZOULOUS.

CETHEGUS. Une des plus anciennes familles de la Rome antique; elle formait une branche de la gens Cornelia et l'austérité de ses mœurs était célèbre :

Marcus Cornelius Cethegus († 196 av. J.-C.), grand pontife, préteur en Sicile, fut nommé censeur en 209. Consul en 204, il commanda ensuite en Étrurie et battit Magon. Au jugement de Cicéron, le meilleur orateur de son temps.

Caius Cornelius Cethegus († Rome, 5.XII. 63 av. J.-C.). Partisan de Marius, puis de Sylla, puis de Pompée, il finit par entrer dans la conjuration de Catilina, fut arrêté sur l'ordre de Cicéron et étranglé dans sa prison avec ses complices.

CETINJE. Petite ville de Yougoslavie, près de l'Adriatique. Ancienne capitale du Monténégro, elle se développa autour d'un monastère fondé en 1484. Elle fut occupée par les Autrichiens de 1916 à 1918 et par les Italiens de 1941 à 1944.

CEUTA, en arabe *Sebta*. Ville et port du Maroc, port sur la Méditerranée en face de Gibraltar. Dans l'Antiquité *Septem Fratres* (des sept montagnes voisines), fondée sans doute par les Carthaginois. Ceuta devint colonie romaine en Mauritanie Tingitane; sous la domination byzantine (534/710), elle fut ensuite prise par les Arabes, auxquels la place fut enlevée par les Portugais en 1415. Les Espagnols s'y installèrent en 1580 et l'ont gardée, bien que Ceuta, ainsi que Melilla, soit revendiquée par les Marocains. Elle fut déclarée port franc en 1956. Dans les environs s'élève la montagne de Ceuta, dans l'Antiquité *Abyla*, qui, avec Calpé en Espagne, formait les colonnes d'Hercule.

CÉVENNES (guerre des). Après la révocation de l'édit de Nantes (1685), les protestants des Cévennes, exaspérés par les dragonnades, prirent les armes en un véritable soulèvement où se distinguèrent de jeunes chefs tels que Jean Cavalier et Rolland. Exaltés par des prédicateurs ambulants qui se donnaient pour inspirés et répandaient des prophéties, ils se livrèrent à de violents excès, brûlèrent des églises, tuèrent des prêtres (assassinat de l'abbé du Chayla). Une armée royale, sous le commandement du maréchal de Montrevel, exerça la terreur, mais Villars, nommé en 1704, réussit à rétablir l'ordre par la diplomatie et la persuasion plutôt que par les armes. Voir CAMISARDS.

CEYLAN. Voir SRI LANKA.

C.F.D.T. Voir CONFÉDÉRATION FRANÇAISE DÉMOCRATIQUE DU TRAVAIL.

C.F.T.C. Voir CONFÉDÉRATION FRANÇAISE DES TRAVAILLEURS CHRÉTIENS.

C.G.I.L. Sigle de Confederazione Generale Italiana del Lavoro. Voir SYNDICALISME, *Italie*.

C.G.T. Voir CONFÉDÉRATION GÉNÉRALE DU TRAVAIL.

C.G.T.-F.O. Voir CONFÉDÉRATION GÉNÉRALE DU TRAVAIL - FORCE OUVRIÈRE.

CHAALIS (abbaye de). Ancienne abbaye cistercienne, près de Senlis. Fondée en 1136 par Louis le Gros, elle posséda une église (début du XIIIe s.), aujourd'hui en ruine, qui fut la première application du style gothique par les cisterciens. Reconstruite au XVIIIe s., puis supprimée par Louis XVI, l'ancienne abbaye fut achetée en 1902 par Nélie Jacquemart-André, qui y rassembla des collections d'antiquités romaines et orientales, des peintures, des sculptures et des objets d'art du Moyen Age, de la Renaissance et du XVIIIe s. Ce musée a été légué à l'Institut.

CHABAKA, roi d'Égypte, de la XXVe dynastie ou dynastie nubienne (716/701 av. J.-C.). Successeur et sans doute frère de Piankhi, il régna d'abord en Nubie, puis conquit la Basse-Égypte sur Bocchoris, qu'il fit brûler vif.

CHABAN-DELMAS Jacques (* Paris, 7.III.1915). Homme politique français. Inspecteur des finances, général dans la Résistance, député de la Gironde depuis 1946 et maire de Bordeaux depuis 1947, il fit partie du R.P.F. et présida le groupe parlementaire des républicains sociaux. Malgré ses sentiments gaullistes, il fut plusieurs fois ministre de la IVe République. En juin 1954, il reçut le portefeuille des Travaux publics dans le cabinet Mendès France, mais démissionna, le 13 août, pour protester contre le projet de la C.E.D. Il fut ensuite ministre de la Défense nationale dans le cabinet Gaillard (nov. 1957/mai 1958), et un membre de son cabinet, Delbecque, joua un rôle important dans le coup du 13-Mai à Alger. Président de l'Assemblée nationale (1958/69), il joua un rôle discret mais important durant tout le début de la Ve République. Après le départ du général de Gaulle, le président Pompidou lui confia la charge de Premier ministre (juin 1969/juill. 1972). Il élargit la majorité en appelant des personnalités centristes au gouvernement, proposa le programme d'une « nouvelle société » plus libérale, plus respectueuse de la dignité des individus et des communautés particulières, et inaugura une politique sociale contractuelle avec les syndicats. A la mort de Georges Pompidou, il apparaissait comme le candidat favori de la majorité aux élections présidentielles, mais toutes les prévisions furent renversées par la candidature de Valéry Giscard d'Estaing. Largement distancé par ce dernier, Chaban-Delmas n'obtint que 15,10% au premier tour des élections (5 mai 1974), et se trouva éliminé du second tour. En 1975, il a publié ses

CHABAN-DELMAS
Jacques. Homme politique
français (né en 1915).
Ph. © E.C.P. Armées - Photeb

CHAISE CURULE
Denier en argent, époque de la République romaine.
Il représente le tribunal du préteur,
le plus haut magistrat de l'ordre judiciaire.
A droite, les initiales A (« Absolvo », j'absous), C (« Condemno. »,
je condamne). Le juré déposera son bulletin de vote portant l'une de ces lettres
dans l'urne représentée à gauche. Le siège curule tient la place centrale.
Plat, sans dossier, en ivoire, muni de pieds courbes pivotants (il se repliait),
il était le privilège des hauts magistrats, malgré son inconfort.
Ph. © Bibl. Nat., Paris - Photeb

souvenirs politiques sous le titre : *L'Ardeur.*
Voir FRANCE.

CHABANNES. Ancienne famille du Bourbonnais, issue des comtes d'Angoulême et par conséquent alliée aux Valois. Elle a donné plusieurs grands capitaines, entre autres Antoine de Chabannes et Jacques de Chabannes, plus connu sous le nom de La Palice (v.).

Antoine de Chabannes (* Saint-Exupéry, Limousin, 1408, † Paris, 1488). Ancien compagnon de Jeanne d'Arc, il se mit ensuite à la tête des Écorcheurs et ravagea avec eux la Bourgogne, la Champagne et la Lorraine. A partir de 1430, il s'attacha à Charles VII, qui le fit grand-maître de France et auquel il rendit un important service en lui dénonçant une conspiration du dauphin (le futur Louis XI). Celui-ci, monté sur le trône, fit enfermer Chabannes à la Bastille, mais le prisonnier parvint à s'échapper et rentra en grâce en 1468, ne cessant plus de servir avec fidélité le roi, puis son fils, Charles VIII, qui le nomma gouverneur de Paris.

CHABATAKA, roi d'Égypte, de la XXVe dynastie (701/690 av. J.-C.). Fils et successeur de Chabaka, il laissa le fils de Piankhi, Taharka, exercer le pouvoir.

CHABLAIS. Ancienne province des États sardes, formant aujourd'hui la partie septentrionale du département de la Haute-Savoie, en bordure du lac Léman. Après avoir appartenu au royaume des Burgondes, le Chablais fut donné par l'empereur Conrad II (XIe s.) à la maison de Savoie, qui le conserva jusqu'en 1680. Sous le Ier Empire, il fit partie du département du Léman, mais fut rendu à la Sardaigne en 1814.

CHABROL (fort). Nom qui fut donné au local de la Ligue antisémite, rue de Chabrol, à Paris, lorsque le chef de cette ligue, Jules Guérin, qui avait déclenché une grande campagne contre la révision du procès Dreyfus, y résista pendant trente-sept jours à la police venue l'arrêter (1899).

CHABOT. Maison française de Poitou, connue dès le XIe s.; elle a formé les branches de Retz, Brion, La Grève, Jarnac, Mirebeau et s'est alliée aux Rohan.

CHABOT Philippe de, seigneur de Brion (* vers 1492, † 1.VI.1543). Amiral de France. Compagnon d'études du futur François Ier, il fut promu gentilhomme de la chambre du roi (1517). Capturé avec le « Roi-Chevalier » à Pavie (1525), il négocia avec succès la libération de son souverain. Il reçut la charge d'amiral et fut nommé gouverneur de la Bourgogne (1526). Envoyé en Piémont contre le duc de Savoie (1535), il remporta de brillantes victoires, mais se mêla ensuite d'intrigues de cour, fut accusé de malversations par le chancelier Guillaume Poyet, emprisonné, condamné à

CHABOT
François. Homme politique
français (1759-1794).

Ph. © Bibl. Nat., Paris - Photeb

1 500 000 livres d'amende et au bannissement (1541). François Ier lui accorda la révision de son procès (1542), sur les instances
d'Anne de Pisseleu, duchesse d'Étampes.
Mais Chabot mourut peu de temps après
être rentré en grâce; on lui attribue l'idée de
la colonisation du Canada.

CHABOT François (* Saint-Geniez,
Aveyron, 22.X.1759, † Paris, 5.IV.1794).
Homme politique français. Ancien capucin,
vicaire général de Blois, il défroqua lors de la
Révolution, se maria, fut député à la
Convention et se fit remarquer par son extrémisme sanguinaire. Membre redouté du club
des Jacobins, il fut l'un des principaux rédacteurs du *Catéchisme des sans-culottes* (on lui
attribue l'invention de ce terme) et l'un des
promoteurs du culte de la déesse Raison.
Accusé de malversations par Robespierre, il
finit sur la guillotine.

CHABOT-ROHAN. Voir Rohan.

CHABRIAS († Chios, 357 av. J.-C.). Général athénien. Excellent dans la guerre sur
mer, il battit la flotte spartiate à Égine (388)
et la flotte perse à Chypre. Il remporta une
nouvelle victoire sur les Lacédémoniens à
Naxos (376) et conquit plusieurs îles de
l'archipel; au combat naval de Chios, il préféra couler avec son navire plutôt que de le
laisser prendre.

CHACO ou **GRAN CHACO.** Plaine centrale de l'Amérique du Sud, partagée politiquement entre le Paraguay, la Bolivie et
l'Argentine. **La guerre du Chaco** (1932/35),
qui opposa la Bolivie et le Paraguay, trouva
sa conclusion dans le traité du 21 juill. 1938,
qui attribua au Paraguay la plus grande
partie des territoires contestés au nord du
Chaco et à la Bolivie un corridor vers la
rivière Paraguay

CHAD ou **CEADDA** saint (* en
Northumbrie, † 672). Disciple de st. Aidan à
Lindisfarne, il remplaça son frère, st. Cedd,
comme abbé de Lastingham, Yorkshire. Élu
archevêque d'York en l'absence de l'archevêque légitime, st. Wilfrid, il fut déposé en 669
mais devint la même année évêque de Mercie
et fixa son siège à Lichfield.

● **CHADLI Bendjedid Chadli**, dit (* Bou-
teldja, 14.IV.1929). Chef militaire et homme
d'État algérien. Il prit part dès 1954 à l'insurrection. En 1962, nommé commandant, il fut
mis à la tête de la Ve région militaire
(Constantine), et en 1964 dirigea la IIe région
(Oran). En juin 1965 il participa au coup
d'État qui évinça Ben Bella (v.). Membre du
Conseil de la Révolution; nommé colonel en
juin 1969, il devint secrétaire général du
F.L.N. après la mort du président Boume-
diene (v.) en 1978 et succéda à celui-ci à la
tête de la République algérienne, après les
élections du 7 février 1979 où, candidat
unique, il recueillit 99,5 % des suffrages.
Il fut réélu chef de l'État le 12 janv. 1984. Les
émeutes, sévèrement réprimées, qui soulevè-

rent le pays en oct. 1988, amenèrent le président Chadli à une révision constitutionnelle
approuvée par référendum en nov. Il put
ainsi réduire le rôle institutionnel du F.L.N.
et retirer à l'armée une partie de ses prérogatives. De nouveau candidat unique à la
présidence de la République, il fut réélu le 22
décembre 1988.
La nouvelle Constitution, adoptée en
février 1989, orientait le pays vers plus de
démocratie. Voir Algérie.

CHAH ALEM II, Ali Gauhar (* 5.VI.
1728, † Delhi, 10.XI.1806), empereur mogol
de l'Inde (1759/1806). Fils et successeur
d'Alamgir II, il tomba dès 1765 sous la
tutelle des Anglais. En 1788, le chef rohilla
Ghulam Kader, s'étant emparé de Delhi, le
fit aveugler. Il vécut ensuite sous la protection des Marathes, puis, après 1803, sous
celle des Britanniques.

CHAH ISMAÏL, roi séfévide de Perse.
Voir Ismaïl.

CHAH JAHAN (* Lahore, 5.I.1592,
† Agra, 22.I.1666), empereur mogol de
l'Inde (1628/58). Fils de Jahangir, auquel il
succéda, après s'être révolté contre lui, en
1627. Hanté par la crainte de voir contester
son pouvoir, il commença par faire assassiner tous ses rivaux possibles. Il rêvait de
recréer l'empire de Tamerlan et de Gengis
khan et se lança sans grand succès dans une
guerre contre les Persans (1647/53). Rompant avec la politique religieuse tolérante
d'Akbar, il protégea systématiquement les
musulmans au détriment des hindous.
Amoureux du faste, grand bâtisseur, il fit
construire sur la tombe de son épouse préfé-
rée le célèbre Tadj Mahal d'Agra (1632/54).
De son règne datent également le palais
impérial de Delhi (1638) et les grandes mos-
quées d'Agra et de Delhi (1644, 1648). Ses
dernières années furent troublées par les
guerres de ses fils, qui se disputaient déjà sa
succession. L'un d'eux, Aurengzeb, le desti-
tua en 1658.

CHAHPUR Ier, II, III. Voir Sapor Ier, II,
III.

CHAILLOT. Ancien village des environs
de Paris, entré en 1450 dans le domaine
royal, donné par Louis XI à Philippe de
Commynes et incorporé à la capitale en
1787. Il forme aujourd'hui un quartier du
XVIe arrondissement.

Le **palais de Chaillot,** qui a remplacé l'ancien Trocadéro (v.), fut construit lors de
l'Exposition internationale de 1937, d'après
les plans de Carlu, Azéma et Boileau.

CHAISE CURULE, *sella curulis.* Siège
pliant d'ivoire, à quatre pieds assemblés en
X, sans bras ni dossier, d'origine étrusque,
qui, dans la Rome antique, était réservé aux
hauts magistrats civils et militaires, notamment les consuls, préteurs et dictateurs, et
symbolisait leur pouvoir judiciaire.

CHAH JAHAN
Empereur mogol de l'Inde
(1628/1658).

Ph. Jeanbor © Photeb

CHAISE-DIEU (La). Ville de France (Haute-Loire), près de Brioude. Son abbaye bénédictine avait été fondée en 1052, sur un plateau boisé du Velay, par st. Robert de Thurlande. Elle connut un grand rayonnement et compta, au XIIIᵉ s., 90 prieurés dans la seule Auvergne, 186 en France et 17 à l'étranger. Sa congrégation fut unie en 1640 à celle de Saint-Maur. L'église abbatiale, très grand édifice gothique à trois nefs, possédant une célèbre fresque de *La Danse macabre,* fut construite de 1344 à 1352 aux frais du pape Clément VI, ancien moine de La Chaise-Dieu.

CHAISE ÉLECTRIQUE. Instrument de supplice par électrocution introduit en juin 1888 dans l'État de New York. C'est le 6 août 1890 qu'eut lieu la première exécution par la chaise électrique. La chaise électrique était, en 1984, en usage dans quinze États et dans le district de Columbia.

CHAISE D'OR. Ancienne monnaie française où le roi était représenté assis. On la frappa depuis Philippe le Bel jusqu'à Charles VI; elle était généralement estimée à 20 sous parisis ou à 25 sous tournois.

CHAISE A PORTEURS. Siège fermé et couvert dans lequel on se faisait porter par deux hommes soutenant deux longs leviers mobiles appliqués sur les côtés de la chaise. La *sella gestatoria* ou *sella portaria* des Romains était une chaise à porteurs que des esclaves, dont le nombre variait de deux à huit, portaient en soutenant les leviers par leurs épaules. Connue également des Aztèques, la chaise à porteurs ne fit son apparition dans l'Europe moderne qu'à la fin du XVIᵉ s. et resta en usage jusqu'à la Révolution. Les riches possédaient leur chaise et leurs porteurs personnels, mais il existait également des chaises de louage, qui, véritables ancêtres de nos taxis, stationnaient sur les places publiques.

CHALAIN (lac de). Lac du Jura, à l'est de Lons-le-Saunier. On y a découvert à partir de 1904 les vestiges de cités lacustres remontant jusqu'à 2400 av. J.-C. (âge du bronze).

CHALAIS Henri de Talleyrand, comte de (* 1599, † Nantes, 19.VIII.1626). Gentilhomme français. Maître de la garde-robe du roi, jeune fou sans idées arrêtées, il conspira contre Richelieu à l'instigation de sa maîtresse, la duchesse de Chevreuse. Richelieu lui fit grâce une première fois, à condition qu'il le servirait auprès de Gaston d'Orléans en poussant ce prince à épouser Mˡˡᵉ de Montpensier, de la maison de Guise. Sur les instances de Mᵐᵉ de Chevreuse, Chalais fit tout le contraire et monta un nouveau complot avec les Vendôme. Abandonné par Gaston d'Orléans, qui se fit son accusateur, et condamné après un procès plein d'iniquité, Chalais fut exécuté.

CHALCÉDOINE. Ancienne ville de Bithynie, sur le Bosphore, en face de Byzance. Fondée par les Mégariens au VIIᵉ s. avant notre ère, elle passa sous la domination romaine en 133 av. J.-C.

Concile de Chalcédoine (451). Quatrième concile œcuménique, convoqué par l'empereur Marcien pour mettre fin aux hérésies monophysites d'Eutychès et de Dioscore. Il se réunit le 8 oct. 451 et rassembla de cinq à six cents évêques, presque tous orientaux, ainsi que deux légats pontificaux. Il condamna le monophysisme et adopta la doctrine du «tome à Flavien» sur l'union hypostatique dans le Christ. Mais le pape Léon le Grand refusa d'accepter le 28ᵉ canon de Chalcédoine, qui reconnaissait une prééminence au siège de Constantinople.

CHALCIDIQUE. Presqu'île de Macédoine, qui s'avance dans la mer Égée, à l'est de Salonique. Elle doit son nom aux colonies que Chalcis y établit au VIIᵉ/VIᵉ s. av. J.-C. Sa plus importante cité, dans l'Antiquité, était Potidée (v.). Elle fut conquise par les Macédoniens au IVᵉ s. et par les Romains au IIᵉ s. av. J.-C. Au IXᵉ s., y fut fondé le célèbre monastère grec du Mont-Athos.

CHALCIS. Dans l'Antiquité, principale ville de l'île d'Eubée. Elle devait son nom à ses fabriques d'armes de bronze (en grec *khalkos*). Puissante dès le IXᵉ s. avant notre ère, elle prit une part décisive à l'essor de la colonisation grecque à partir du VIIIᵉ s. et fonda des établissements en Sicile (Rhégion, Zanclé, Naxos, Catane, Léontinoï), en Italie du Sud (Cumes) et dans le N. de la mer Égée (Chalcidique). Victorieuse de sa rivale Érétrie, elle domina toute l'Eubée (VIIᵉ s.), mais déclina après la défaite que lui infligea Athènes, en 506 av. J.-C. Aristote y mourut. Au Moyen Age, Chalcis connut une nouvelle prospérité sous les Vénitiens, qui la possédèrent durant près de trois siècles, jusqu'à sa conquête par les Turcs (1470).

CHALCOLITHIQUE, de *khalkos,* cuivre, bronze, et *lithos,* pierre. Nom donné à la phase de transition entre le néolithique (v.) et l'âge du bronze (v.), du fait que l'emploi du cuivre précéda celui du bronze mais coexista avec l'emploi de la pierre, qui conservait encore la place prédominante. Ce terme est synonyme d'*énéolithique* (du latin *aeneus,* cuivre).

CHALDÉE. Nom donné autrefois à la Babylonie. Voir BABYLONE, ASSYRIE, OUR, SUMER, MÉSOPOTAMIE.

CHALDÉENNE (ÉGLISE). Voir ÉGLISES ORIENTALES.

CHALEURS (baie des). Formée par le golfe du Saint-Laurent, au Canada. Découverte et ainsi nommée par Jacques Cartier (1534); les Anglais y détruisirent une flotte française, en 1760.

CHAMBERLAIN
1. Joseph. Homme politique
anglais (1836-1914). Peint
à cinquante ans par F. Hill.
(National Portrait Gallery.)
Ph. © du musée - Photeb

2. Sir Austen C. Homme
politique anglais (1863-1937).
Ph. Jeanbor © Archives Photeb

CHALEUXIEN. Nom donné par A. Rutot à la plus récente industrie du paléolithique supérieur en Belgique, d'après la grotte de Chaleux, près de Dinant, où fut mis au jour un abondant outillage datant du magdalénien supérieur.

CHALIER Marie-Joseph (* Beaulard, près de Suse, 1747, † Lyon, 16.VII.1793). Homme politique français. D'abord négociant à Lyon, il fut un des extrémistes de la Révolution, prit Marat pour modèle, créa un club et un tribunal révolutionnaire à Lyon. Renversé par un soulèvement de la population, il fut condamné à mort et guillotiné.

CHALLE Maurice (* Pontet, Vaucluse, 5.IX.1905, † Paris, 18.I.1979). Général français. Spécialiste de l'arme aérienne, il fut nommé par de Gaulle commandant en chef en Algérie (1959), puis commandant du secteur Centre-Europe de l'O.T.A.N. (1960). Fidèle à l'idée de l'Algérie française, il démissionna de son poste en févr. 1961 et dirigea le soulèvement militaire du 22 avr. 1961 en Algérie; constatant l'échec de sa tentative de rallier autour de lui l'armée unanime, il se constitua prisonnier et fut condamné à quinze ans de détention. Gracié en 1966.

CHALLEMEL-LACOUR Paul Armand (* Avranches, Manche, 19.V.1827, † Paris, 26.X.1896). Homme politique français. Professeur de philosophie à Pau, banni de France à cause de son opposition au coup d'État du 2-Décembre, il fut nommé préfet de Lyon en 1870, puis combattit les monarchistes à l'Assemblée nationale, aux côtés de Gambetta. Ambassadeur à Londres (1880/82), ministre des Affaires étrangères (1883), président du Sénat (1893/96). Membre de l'Académie française (1893).

CHÂLONS-SUR-MARNE. Ville de France, chef-lieu du département de la Marne, sur la Marne. À l'époque gallo-romaine *Catalaunum,* c'est peut-être dans ses environs qu'eut lieu, aux champs Catalauniques, la grande bataille où Attila fut vaincu par Ætius (451). Évêché depuis le IVᵉ s., plusieurs conciles s'y réunirent au Moyen Âge; st. Bernard y prêcha la croisade en 1147.

CHALON-SUR-SAÔNE. Ville de France (Saône-et-Loire), sur la Saône. Dans l'Antiquité *Cabillonum,* importante ville des Éduens, elle eut de bonne heure un évêché (IVᵉ/Vᵉ s.), fit partie du royaume burgonde et devint à l'époque carolingienne le siège d'un comté héréditaire, qui releva comme fief du duché de Bourgogne, auquel il fut rattaché en 1237; tous deux rentrèrent dans le domaine de la Couronne en 1477. Chalon-sur-Saône opposa une courageuse résistance aux Alliés (v.) en 1814.

CHALOUKYA. Nom de deux dynasties de l'Inde ancienne. La puissance des Chalou-kya fut fondée au VIᵉ s. apr. J.-C. par Poulakesin Iᵉʳ, prince originaire de la région de Bijapour, qui monta sur le trône en 543 et dont les descendants régnèrent sur le Dekkan jusqu'en 757. La dynastie atteignit son apogée avec Poulakesin II (609/642) et résista à l'invasion des Pallava. Mais en 757, Kirtivarman II fut renversé par les Rachtrakouta. Ceux-ci furent détrônés par une seconde dynastie des Chaloukya, qui régna, de 973 à 1190 environ, à Kalyani, près de Bombay. D'autre part, des «Chaloukya orientaux» avaient régné à Vengi, dans l'Andhra Pradesh, de 611 à 1078.

CHALUS. Ville de France (Haute-Vienne), au nord-ouest de Saint-Yrieix. Richard Cœur de Lion reçut une blessure mortelle en assiégeant le château de Chalus (1199).

CHAMBELLAN. Sous les Mérovingiens et les Carolingiens, les chambellans, placés sous l'autorité du chambrier, étaient de simples domestiques chargés du service de la chambre à coucher du roi. Vivant à proximité du souverain, ils prirent bientôt de l'importance, et la charge de chambellan devint un des grands offices de cour, recherché par les plus illustres familles. Au XIVᵉ s., le premier chambellan prit le titre de *grand chambellan;* il portait deux clefs d'or comme insigne de sa dignité, présentait la chemise au roi à son réveil, avait dans ses attributions l'inspection de la chambre et de la garde-robe; il avait droit au manteau du vassal qui venait rendre hommage au roi (droit de *chambellage*). Supprimée par la Révolution, la charge de chambellan fut rétablie sous le premier et le second Empire, ainsi que sous la Restauration. Napoléon Iᵉʳ avait donné à Talleyrand le titre de grand chambellan.

CHAMBERLAIN Joseph (* Londres, 8.VII.1836, † Londres, 2.VII.1914). Homme politique anglais. Riche industriel, maire de Birmingham (1873/76), il fut élu au Parlement en 1876, comme député libéral. Ministre du Commerce de 1880 à 1885 sous Gladstone, il se sépara de ce dernier à propos de la politique irlandaise et prit la tête des «libéraux unionistes» (partisans du maintien de l'union entre l'Angleterre et l'Irlande) qui se rapprochèrent des conservateurs. Secrétaire d'État aux Colonies (1895/1903), il incarna l'impérialisme anglais de la fin de l'époque victorienne, soutint le projet de Cecil Rhodes d'un chemin de fer du Cap au Caire et mena la guerre des Boers. Mais il ne put imposer ni ses conceptions économiques protectionnistes ni sa politique étrangère de rapprochement avec l'Allemagne : la conclusion de l'Entente cordiale et les élections libérales de 1906 marquèrent la fin de l'attitude de «splendide isolement» dont Joseph Chamberlain s'était fait le défenseur.

Son fils, **sir Austen Chamberlain** (* Birmingham, 16.X.1863, † Londres, 16.III. 1937), membre des Communes à partir de 1892, fut l'un des chefs du parti conservateur. Chancelier de l'Échiquier (1903/05), secrétaire d'État pour les Indes (1915/17), de nouveau chancelier de l'Échiquier (1919/21), il fut ministre des Affaires étrangères dans le cabinet Baldwin de 1924 à 1929. A ce titre, il prit une part importante à l'élaboration du traité de Locarno (1925). Prix Nobel de la paix (1925).

Arthur Neville Chamberlain (* Birmingham, 18.III.1869, † Heckfield, 9.XI.1940), second fils de Joseph Chamberlain et frère du précédent, lord-maire de Birmingham (1915), membre unioniste (conservateur) du Parlement à partir de déc. 1918, chancelier de l'Échiquier en 1923/24 et de 1931 à 1937. Il fut alors le principal artisan du redressement financier britannique. Succédant à Baldwin, il devient en 1937 Premier ministre et premier lord de la Trésorerie. Avec une bonne foi peut-être imprudente, il consacra tous ses efforts à écarter les menaces de guerre. Lors de la crise des Sudètes, il adopta une attitude de conciliation, alla conférer avec Hitler à Berchtesgaden (15 sept. 1938) puis à Godesberg (22/24 sept. 1938) et signa les accords de Munich (29 sept. 1938). Cependant, l'entrée des troupes du Reich à Prague l'amena à modifier profondément sa politique : s'efforçant de renforcer les alliances de l'Angleterre et manifestant sa volonté de s'opposer désormais à toute nouvelle agression, il signa des pactes d'assistance avec la Pologne, la Grèce, la Roumanie, engagea des négociations avec l'U.R.S.S. et rétablit la conscription. Malgré l'ultimatum lancé à Berlin dès l'attaque contre la Pologne (1er sept. 1939), Chamberlain, avant de jeter l'Angleterre dans une nouvelle guerre mondiale, manifesta des hésitations qui lui valurent l'animosité des travaillistes. Les hostilités engagées, il ne put former le vaste cabinet de coalition qu'il envisageait, et la défaite alliée en Norvège, au printemps 1940, porta un coup fatal à son ministère. Le 10 mai 1940, il céda la direction des affaires à Churchill.

CHAMBERLAIN
Arthur Neville C. Homme politique anglais (1869-1940), peint par H. Lamb. (National Portrait Gallery.)
Ph. © du musée - Photeb

CHAMBERLAIN Houston Stewart (* Portsmouth, 9.IX.1855, † Bayreuth, 9.I. 1927). Philosophe allemand d'origine anglaise. Fils d'un amiral anglais, élevé en France et en Suisse, il s'établit ensuite en Allemagne, où il devint un wagnérien enthousiaste. Après avoir épousé Éva, la fille du grand musicien, il s'établit à Bayreuth en 1909. Remarquable exégète de Wagner (*Das Drama Richard Wagners*, 1892), mais aussi disciple de Paul de Lagarde et de Gobineau, il se fit l'apôtre du racisme et du pangermanisme politique et spirituel dans son grand ouvrage, *Die Grundlagen des 19. Jahrhunderts* (*La Genèse du XIXᵉ siècle*, 1899). Il fut un des premiers intellectuels à se rallier à Hitler, qu'il saluait comme «le grand simplificateur».

CHAMBÉRY. Ville de France, chef-lieu du département de la Savoie. Capitale des comtes puis des ducs de Savoie, de 1232 à 1562, elle fut annexée par la France de 1792 à 1815 (département du Mont-Blanc) et lui revint définitivement en 1860.

CHAMBIGES. Famille d'architectes français dont les plus connus sont **Pierre Iᵉʳ Chambiges** († 1544), qui travailla à la cour du Cheval-Blanc de Fontainebleau et au château de Saint-Germain, et son fils, **Pierre II** (* 1544, † 1615), qui participa à la construction du Pont-Neuf et de la Grande Galerie du Louvre.

CHAMBORD. Ville de France (Loir-et-Cher), à l'est de Blois. Sur l'emplacement d'un pavillon de chasse des comtes de Blois, François Iᵉʳ y fit bâtir, de 1519 à 1547, un magnifique château, chef-d'œuvre de l'architecture du début de la Renaissance française. L'architecte en est inconnu, les entrepreneurs en furent Denis Sourdeau et Pierre Nepveu.
Souvent habité par Louis XIV, puis par Stanislas Leszczynski, il fut donné par Louis XV au maréchal de Saxe, échut en 1809 à Berthier, prince de Wagram, puis fut acheté par souscription nationale en 1821 et offert au duc de Bordeaux, qui prit de là le titre de comte de Chambord (v. article suivant). Acquis par l'État en 1932.

CHAMBORD Henri, comte de (* Paris, 29.IX.1820, † Frohsdorf, Autriche, 24.VIII. 1883). Prince français. Fils posthume du duc de Berry et petit-fils de Charles X, il fut fait duc de Bordeaux à sa naissance, mais porta le titre de comte de Chambord, du château qui lui avait été offert par les royalistes à son baptême. A la suite de la révolution de 1830, de l'abdication de Charles X et de la renonciation du duc d'Angoulême, il devint l'héritier légitime au trône de France. Exilé en Autriche, il suivit néanmoins de près la politique de son pays et publia des lettres sur la décentralisation (14 nov. 1862) et sur les ouvriers (20 avr. 1865). Dès la chute du second Empire, il fit acte de prétendant par ses manifestes des 9 oct. 1870, 8 mai et 5 juill. 1871 et fut salué sous le nom d'Henri V par les légitimistes. Les royalistes étant largement majoritaires à l'Assemblée nationale et l'adhésion des orléanistes étant acquise à la suite de la visite du comte de Paris à Frohsdorf (5 août 1873), l'accession au trône du comte de Chambord semblait certaine, lorsque le prétendant fit connaître nettement qu'il ne renoncerait jamais au drapeau blanc (lettre à Chesnelong du 23 oct. 1873) : dès lors s'écroulaient toutes les chances d'une restauration monarchique. Fidèle à ses ancêtres et à sa tradition, le comte de Chambord avait été, selon le mot de Charles Maurras, « prêtre et pape de la royauté plutôt que roi ». Mort sans enfants, il laissait les Orléans héritiers du trône de France.

CHAMBRE (Grand'). Voir PARLEMENT.

CHAMBRE ARDENTE. Nom donné à plusieurs cours de justice investies d'un pouvoir extraordinaire pour juger des faits d'ex-

CHAMBRE DES COMPTES
Une séance sous François Ier, au Palais de Justice.
Miniature illustrant le « Registre des titres
et privilèges de la Chambre des comptes de Paris », v. 1525.
Au fond, le retable dit « du Parlement de Paris », une Crucifixion,
que l'on retrouve souvent dans l'iconographie
des grandes délibérations de Paris jusqu'à la Révolution.

ception; elles étaient tendues de noir et éclairées, même de jour, par des flambeaux. Citons : la commission érigée dans chaque parlement, vers 1535, pour punir les hérétiques (les arrêts de ces chambres ardentes étaient souverains et exécutés sans délai; elles disparurent en 1560); la commission extraordinaire nommée en 1680 par Louis XIV pour juger la Brinvilliers et la Voisin, et qui fut aussi appelée *Cour des poisons;* la chambre qui, sous la Régence (1716), vérifia les comptes des fermiers généraux; celle qui fut constituée lors du *visa* (d'où son nom de *Chambre du visa*) des opérations de la banque de Law (1721).

CHAMBRE BLEU HORIZON. Voir BLOC NATIONAL.

CHAMBRES CIVIQUES. Tribunaux d'exception créés par une ordonnance du 28 oct. 1944. Composées d'un magistrat et de quatre jurés qui étaient tirés au sort sur des listes établies par les organismes de la Résistance, ces chambres devaient juger les « collaborationnistes » qui, « même sans enfreindre une règle pénale existante, s'étaient rendus coupables d'une activité antinationale caractérisée ». Elles frappaient ceux-ci d'indignité nationale (v.). Plus de 40 000 condamnations à l'indignité nationale furent ainsi prononcées.

CHAMBRES DE COMMERCE. La première chambre de commerce créée en France fut celle de Marseille, à la fin du XVIᵉ s. A Paris, les juges consuls et les six corps des marchands tenaient le rôle d'une chambre de commerce. Ces associations de commerçants, réunis pour délibérer sur les intérêts de leur ville ou de leur région, pour donner leur avis au gouvernement sur toutes les mesures concernant l'industrie et le commerce, enfin pour fonder et administrer des établissements à usage commercial, se multiplièrent au XVIIIᵉ s. : Lyon (1702), Rouen et Toulouse (1703), Montpellier (1704), Bordeaux (1705), La Rochelle (1710), Lille (1714), etc. Supprimées par l'Assemblée constituante en 1791, les chambres de commerce furent rétablies par le Consulat à la fin de 1802. A partir de 1832, leur recrutement se fit par élection.
● Devenues chambres de commerce et de l'industrie en 1898, elles sont regroupées en 21 chambres régionales.

CHAMBRE DES COMMUNES. Voir COMMUNES.

CHAMBRE DES COMPTES. Cours souveraines chargées, dans la monarchie française, d'examiner en dernier ressort tout ce qui concernait les finances du royaume, la conservation des domaines de la Couronne, etc. Ce fut d'abord à la *curia regis* (v.) qu'incomba l'examen des comptes péesentés par les agents du roi, notamment les prévôts et baillis, mais, de même que l'organe judiciaire se distingua dans le parlement (v.), de même les affaires financières relevèrent de la Chambre des comptes, érigée en corps constitué par l'ordonnance de Vivier-en-Brie (1320). Cette cour, composée à l'origine de sept vérificateurs (quatre clercs et trois laïcs), devint le seul organe commun aux finances ordinaires et aux finances extraordinaires; elle était chargée de la conservation du domaine royal, vérifiait toutes les écritures des comptables des deniers royaux, donnait des instructions à tous les agents inférieurs; elle jouait auprès du roi un rôle de conseil financier et enregistrait les ordonnances financières; à partir du XIVᵉ s., elle fut chargée en outre de recevoir les actes de foi et d'hommage, d'octroyer des lettres d'anoblissement; elle avait aussi la responsabilité du contentieux des monnaies et du contentieux du domaine, lesquels, au XVIᵉ s., passèrent, l'un à la Chambre des monnaies, l'autre à la Chambre du trésor, puis aux bureaux des finances établis dans les généralités. Au XVIIᵉ s., la direction des finances était passée au contrôleur général et au Conseil royal des finances (v. CONSEIL DU ROI), la Chambre des comptes gardant essentiellement la haute direction du domaine royal et le contrôle des comptes des agents financiers du roi. A partir du XVIᵉ s., des Chambres des comptes avaient été créées dans les provinces. On en comptait douze en 1789 (Paris, Dijon, Rouen, Grenoble, Nantes, Aix-en-Provence, Montpellier, Pau, Metz, Nevers, Nancy, Bar-le-Duc). Les Chambres des comptes furent supprimées en 1790 et 1791 et remplacées par une Commission de comptabilité nationale. En 1807, fut créée l'actuelle Cour des comptes (v.).

CHAMBRE AUX DENIERS. Sous l'Ancien Régime, juridiction dont relevait tout ce qui regardait les dépenses de la Maison du roi ou des princes.

CHAMBRE DES DÉPUTÉS. Voir DÉPUTÉS (Chambre des).

CHAMBRE DORÉE. Nom donné à la Grand' Chambre du parlement. Voir PARLEMENT.

CHAMBRES ECCLÉSIASTIQUES ou **CHAMBRES DES DÉCIMES.** Tribunaux où étaient jugés en appel les procès relatifs aux décimes et aux impôts du clergé. On en comptait neuf en France au XVIIᵉ s. Elles étaient composées par des évêques et des conseillers-clercs au parlement.

CHAMBRE DES ENQUÊTES. Voir PARLEMENT.

CHAMBRE ÉTOILÉE. En Angleterre, haute cour de justice composée des conseillers du roi, qui se réunissaient dans une salle ornée d'étoiles d'or. Constituée dès la fin du XVᵉ s., elle devint sous Henri VIII l'un des principaux instruments du pouvoir royal et le resta sous Élisabeth et jusqu'à Charles Iᵉʳ; elle fut supprimée en juill. 1641 par le Long Parlement.

CHAMBRE DES COMPTES
Jacques Tubeuf (1606-1670), président de la Chambre des comptes, peint par Ph. de Champaigne. (Musée national du château de Versailles.)
Ph. H. Josse © Photeb

CHAMBRE IMPÉRIALE, *Reichskammergericht.* Cour de justice souveraine du Saint Empire, créée en 1495 par Maximilien Ier, à la diète de Worms. Elle connaissait de tous les procès des États immédiats de l'Empire et jugeait en dernier ressort pour les États médiats, mais seulement en matière civile. Ses juges étaient nommés en partie par l'empereur, en partie par les princes. Elle disparut avec le Saint Empire, en 1806.

CHAMBRE INTROUVABLE. Sobriquet donné à la Chambre des députés élue le 14 août 1815, qui se signala par son ultra-royalisme, son cléricalisme et ses efforts pour rétablir l'Ancien Régime. Louis XVIII se vit obligé de la dissoudre le 5 oct. 1816.

CHAMBRE DES LORDS. Voir LORDS.

CHAMBRES MI-PARTIES ou **CHAMBRES DE L'ÉDIT.** Chambres créées par l'édit de pacification de 1576 auprès des huit parlements de Paris et de la province pour juger les procès auxquels étaient mêlés des réformés; la moitié des juges devaient appartenir au protestantisme. Réduites à quatre (Paris, Castres, Grenoble et Bordeaux) par l'édit de Nantes (1598), ces chambres furent supprimées, les unes dès 1679, les autres par la révocation de l'édit de Nantes (1685).

CHAMBRE DES PAIRS. Voir PAIRS.

CHAMBRES DE RAPHAËL. Voir VATICAN.

CHAMBRE DES REPRÉSENTANTS, aux États-Unis. Voir REPRÉSENTANTS (Chambre des).

CHAMBRE DES REPRÉSENTANTS, en France, en 1815. Voir REPRÉSENTANTS (Chambre des).

CHAMBRE DES REQUÊTES. Voir PARLEMENT.

CHAMBRES DE RÉUNION. Voir RÉUNIONS (politique des).

CHAMBRE DE LA TOURNELLE. Voir PARLEMENT.

CHAMBRIER, *camerarius.* Grand officier de la Couronne, qui, assisté de chambellans, était chargé de la garde de la chambre du roi, de ses archives et du trésor royal. Sa fonction devint honorifique à partir du XIIIe s. et fut supprimée en 1545, après la mort du dernier chambrier, Charles de France, duc d'Orléans. Le chambrier fut remplacé par les quatre gentilshommes de la chambre.

CHAMEAU (bataille du). Bataille livrée en 656, près de Bassora, par Ali, qui y écrasa la révolte de Talha et de Zobéir, alliés à Aïcha, seconde femme de Mahomet.

CHAMBRIER
Sceau de Gautier, chambrier de France, 1174.
Ph. © Arch. Nat., Paris - Photeb

CHAMILLY
Noël Bouton, comte de C.
Maréchal de France (1636-1715).
Ph. © Bibl. Nat., Paris - Photeb

CHAMIL (* Himry, vers 1797, † Médine, 1871). Chef musulman du Daghestan, il se rattacha au mouvement du muridisme (v.). A partir de 1834, il mena, à la tête des tribus montagnardes du Caucase, une guerre infatigable contre les Russes, mais fut finalement vaincu par l'action énergique du gouverneur Bariatinski et dut se rendre, avec ses cent derniers partisans, en sept. 1859. Assigné à résidence en divers endroits de la Russie, il fut autorisé en 1869 à aller à La Mecque et se retira à Médine.

CHAMILLART Michel de (* Paris, 10.I. 1652, † Paris, 14.IV.1721). Homme politique français. Conseiller au parlement de Paris, intendant de Rouen (1689), il aurait d'abord attiré l'attention de Louis XIV par sa grande adresse au jeu de billard; protégé par Mme de Maintenon, il fut nommé contrôleur général des Finances (1699) et ministre de la Guerre (1701) : intègre pour lui-même, il usa d'expédients pour remplir le Trésor et précipita la banqueroute. Louis XIV l'écarta des affaires en 1709, mais lui conserva toujours son amitié. Membre de l'Académie française (1702).

CHAMILLY Noël Bouton, comte de (* Chamilly, Bourgogne, 1636, † Paris, 1715). Maréchal de France (1703). Il avait servi au Portugal sous Schomberg en 1663; c'est au cours de son séjour dans ce pays qu'il aurait séduit une jeune religieuse de Beja, Marianna Alcoforado; cette aventure inspira peut-être les célèbres *Lettres portugaises* (1669) (v. GUILLERAGUES). Il se signala en Hollande par sa belle défense de Grave, où il soutint contre le prince d'Orange un siège de 93 jours (1675).

CHAMOUN Camille (* Deir el-Kamar, 1899, † Beyrouth, 1987). Homme politique libanais. Avocat, de religion chrétienne maronite, il fut élu président de la République en 1952. Devant faire face à une opposition insurrectionnelle surtout musulmane, dirigée par Kamal Joumblat, chef des Druzes, Saeb Salam, chef des musulmans de Beyrouth, et Rachid Karamé, chef des musulmans de Tripoli (mai 1958), il fit appel à l'intervention des forces américaines mais dut se retirer en sept. 1958, laissant la place à un autre maronite, le général Chehab.
● Député, il continua d'être un des chefs de file maronites (v.). La longue guerre civile commencée en 1975 lui permit de revenir au premier plan. Président du Front libanais regroupant les partis conservateurs chrétiens, il proposa, avec l'aide indirecte d'Israël, un partage du pays et la constitution d'un petit Liban chrétien. En juill. 1980, son parti, le parti national libéral, fut écarté, par une sorte de coup d'État, de la direction de la Résistance chrétienne au profit des phalanges de Béchir Gemayel (v.) qui liquidèrent ses milices (plus de 200 morts, des centaines de blessés). Il s'opposa à l'entrée des phalanges dans le Chouf, son fief traditionnel; mais les populations chrétiennes y furent massacrées par les Druzes ou condamnées à

CHAMOUN
Camille, chef de file des partis conservateurs chrétiens du Liban (1899-1987).
Ph. © Jon Blair. Camera Press - Parimage

l'exode. Il participa aux conférences de réconciliation nationale de Genève en nov. 1983 et de Lausanne en mars 1984. L'évolution de la situation libanaise vers le renouveau d'une solution multicommunautaire, le vide créé dans le Chouf par l'exode des chrétiens, l'importance prise par la poussée chiite ont conduit Walid Joumblat, chef de file des Druzes (v.), et C. Chamoun à rechercher un nouvel équilibre des communautés druze et maronite. Voir LIBAN.

CHAMP D'ASILE. Colonie fondée au Texas, sur le golfe du Mexique, entre les rivières del Norte et de la Trinité, par un groupe de bonapartistes français émigrés lors de la Restauration et dirigés par le général Lallemand. Le vice-roi espagnol du Mexique fit détruire l'établissement en 1819; le gouvernement des États-Unis offrit alors un nouveau refuge aux exilés, dans l'Alabama, où furent fondés le canton de Marengo et la cité d'Aigleville.

CHAMP DE MARS, *Campus Martius.* Terrain d'exercices militaires et sportifs de la Rome antique, s'étendant, à l'origine, sur toute la plaine au nord du Capitole, entre le Quirinal et le Tibre. On commença à y construire dans les derniers temps de la République, et, sous l'Empire, le champ de Mars fut couvert dans sa plus grande partie de magnifiques monuments (Panthéon, mausolée d'Auguste, thermes de Néron, d'Agrippine, etc.). C'est également au champ de Mars que se tenaient les assemblées du peuple.

CHAMP-DE-MARS (affaire du). Les républicains, ayant espéré, après la fuite de Louis XVI à Varennes (20 juin 1791), que la République serait immédiatement proclamée, furent très mécontents de voir l'Assemblée constituante qualifier le départ du roi d'*enlèvement* et déclarer que Louis XVI serait, non pas *déchu,* mais *suspendu* et gardé à vue jusqu'à l'achèvement de la Constitution; il devait être ensuite rétabli dans ses fonctions après avoir juré d'observer cette Constitution. Une pétition, rédigée au club des Cordeliers par Brissot et Laclos, et demandant la déchéance de Louis XVI, fut déposée le dimanche 17 juill. 1791 sur l'autel de la Patrie, au Champ-de-Mars, pour y recevoir des signatures. Deux hommes, cachés sous l'autel, ayant été découverts et massacrés par la foule, la Constituante invita le maire de Paris, Bailly, à proclamer la loi martiale et à faire disperser les pétitionnaires par la Garde nationale. La Fayette, voyant celle-ci assaillie à coups de pierres, donna l'ordre de tirer; la fusillade fit une cinquantaine de victimes. L'événement provoqua une rupture complète entre les éléments révolutionnaires avancés et l'Assemblée. Sous la Terreur, Bailly fut exécuté au Champ-de-Mars (12 nov. 1793), après avoir subi les injures et les coups de la populace, en expiation de la fusillade de juill. 1791.

CHAMP DE MARS, DE MAI. Chaque année, au mois de mars, les rois mérovingiens rassemblaient leurs guerriers pour les passer en revue, avant le départ en campagne. Sous les Carolingiens, la prépondérance nouvelle de la cavalerie dans l'armée obligea à repousser ce rassemblement au mois de mai, époque où le fourrage est abondant. A l'origine, ces assemblées avaient aussi un rôle politique, le roi en profitant pour faire approuver ses décisions par le peuple, après avoir conféré avec les grands. Dès le règne de Louis le Pieux, elles furent supplantées par les plaids (v.) généraux.

CHAMP DE MAI (1815). Assemblée tenue au Champ-de-Mars, à Paris, pendant les Cent-Jours, à l'imitation des anciens *champs de mai :* annoncée pour le 26 mai 1815, elle ne put avoir lieu que le 1er juin. Napoléon y proclama, en présence des députations de tous les collèges électoraux et des corps de l'armée, l'Acte additionnel aux Constitutions de l'Empire.

CHAMP DU MENSONGE, *Lügenfeld.* Nom donné à la plaine de Rothfeld, près de Colmar, qui vit en juin 833 la défection de l'armée de Louis le Pieux, laquelle, de nuit, abandonna l'empereur pour se joindre à ses fils révoltés. Lothaire en profita pour se faire aussitôt proclamer seul empereur et fit enfermer Louis le Pieux au monastère de Saint-Médard de Soissons.

CHAMPS D'URNES (civilisation des). Civilisation protohistorique européenne qui correspond à l'époque du bronze (v.) final et à la transition entre l'âge du bronze et l'âge du fer (v.). Elle est caractérisée par le groupement en nécropoles d'urnes enfouies dans la terre et contenant les cendres d'un mort, d'où le nom de «champs d'urnes». Cette civilisation, qui succéda, en Europe centrale et dans une partie de l'Europe occidentale, à la civilisation des tumuli (v.) du bronze moyen, correspond à de grands mouvements de peuples qui se produisirent vers le début du Ier millénaire avant notre ère, non sous la forme d'une invasion brutale, mais par vagues successives. On a supposé que la Lusace, aux confins de la Saxe et de la Silésie, où l'on a trouvé une poterie funéraire originale, dite «poterie mamelonnée», pourrait avoir été le point de départ de ce courant. Mais la civilisation des champs d'urnes a été le résultat de nombreuses influences, et il est encore impossible de déterminer exactement son foyer d'origine. En certains endroits, elle se mêla avec des éléments venus de la civilisation des tumuli : l'incinération s'imposa comme rite funéraire, mais l'urne fut placée sous un tumulus. De l'Allemagne du Sud, la civilisation des champs d'urnes se répandit dans la vallée du Rhin et le Palatinat, en Hollande, en Belgique, en France (surtout dans l'Est et dans le Midi), en Catalogne, et, vers le sud, en Carniole, en Carinthie, en Styrie. La civilisation de Villanova (v.), en Italie, lui est apparentée.

CHAMPAGNE
Armoiries de la province, XVIIᵉ s.
Ph. Jeanbor © Photeb

CHAMPA. Ancien royaume d'Indochine, qui s'étendait sur la côte sud-est de l'actuel Viêt-nam et avait pour noyau la région de Huê. Les Chams, population autochtone mais hindouisée par ses contacts fréquents avec des marchands venus de l'Inde, fondèrent, en 192 apr. J.-C., un royaume connu sous le nom chinois de Lin-yi. Après des guerres victorieuses contre les Chinois, le Champa connut une première grande période vers 400, sous le règne de Bhadravarman, lequel dédia à Çiva le sanctuaire de My-son, qui devait rester le centre religieux du royaume. Malgré la destruction de leur capitale par un raid chinois (446), les Chams se relevèrent rapidement. Au VIIᵉ s., le Champa jouait un rôle important d'intermédiaire dans le commerce des épices, de la soie et de l'ivoire entre la Chine d'une part, l'Inde et le monde musulman d'autre part. Mais à partir de l'an 1000, le Champa fut soumis à une pression annamite croissante. En 1069, il perdit le Quang-binh, puis, à deux reprises (1145/47 et 1190/1220), le Champa fut submergé par les Khmers. Dès la fin du XIVᵉ s., il passa sous la tutelle vietnamienne.

CHAMPAGNE. Ancienne province de la France du Nord-Est, qui correspondait approximativement aux actuels départements de l'Aube, de la Marne, de la Haute-Marne, des Ardennes et de l'Yonne.
Gouvernée à l'époque mérovingienne par des ducs, elle appartint, de 923 à 1019, à des comtes de la maison de Vermandois, puis passa à la maison de Blois, avec Eudes II, petit-fils de Thibaut le Tricheur, comte de Blois. La Champagne devint alors un des fiefs les plus puissants de la France médiévale. Thibaut, fils du comte Eudes II, donna naissance à deux branches de la maison de Champagne : l'aînée, qui posséda d'abord le fief, s'éteignit en 1125; la cadette, celle des comtes de Blois, Chartres et Brie, hérita en 1125 du comté de Champagne. En 1152, elle se divisa à son tour en deux lignes : la deuxième ligne de Blois et la ligne champenoise, qui eut la Champagne et la Brie et qui commença avec Henri Iᵉʳ. Son fils aîné, Henri II, devint roi de Chypre, puis de Jérusalem († 1197). Le comté de Champagne passa ensuite à son frère, Thibaut V, auquel succéda Thibaut VI le Posthume. Ses successeurs, qui régnèrent à la fois en Champagne et en Navarre, furent Thibaut VII, Henri III et Jeanne Iʳᵉ. Celle-ci apporta la Champagne et la Navarre en dot à son époux Philippe le Bel (1284). Depuis lors, la Champagne ne fut plus séparée de la couronne de France, mais la réunion officielle ne fut prononcée qu'en 1361.
La Champagne, avec les vallées parallèles de l'Aisne, de la Vesle et de la Marne, fut au Moyen Age une voie privilégiée de circulation et un carrefour entre les pays de la Méditerranée et la Bourgogne, les régions de la mer du Nord, les régions rhénanes et l'Allemagne. Les six grandes foires de Champagne constituèrent, aux XIIᵉ/XIIIᵉ s., le plus grand marché commercial et financier de

CHAMPAGNE
Affiche pour la marque
Jules Mumm, par Rivalès
Dumont, v. 1900.
Ph. Jeanbor © Photeb

l'Occident : c'étaient celle de Lagny (décembre/janvier), celle de Bar-sur-Aube (pendant le Carême), les deux foires de Provins (mai-juin et septembre), les deux foires de Troyes (juin/juillet et octobre/novembre). Elles atteignirent leur apogée à la fin du XIIᵉ s., lorsque les marchands italiens commencèrent à les fréquenter régulièrement, rejoignant les Flamands, les Lorrains, les Allemands, les Anglais et les marchands venus des autres régions de France. Les comtes de Champagne protégeaient les marchands sur les routes en les plaçant sous le «conduit des foires»; ils établissaient des «gardes de foire», chargés de la police des opérations; ils fondèrent l'hôtel-Dieu de Provins pour recueillir les marchands malades. Les guerres franco-flamandes du début du XIVᵉ s. puis la guerre de Cent Ans portèrent un coup fatal à ces foires.
A la fin du Moyen Age, l'industrie textile, alimentée par la laine des moutons champenois, était déjà florissante. Fondée sur le travail à domicile jusqu'à la fin du XVIIIᵉ s., elle se transforma au siècle dernier en une industrie urbaine. Sous le second Empire, Troyes devint le premier centre français de la bonneterie. Vers 1850 encore, la Champagne restait la première région métallurgique française, le minerai de fer, répandu partout, étant traité par le charbon de bois, abondamment fourni par les grandes forêts voisines. Aux prises avec la concurrence de la sidérurgie lorraine, la métallurgie champenoise ne put survivre qu'en se transformant en une métallurgie différenciée (machines agricoles, outils, accessoires d'automobiles, etc.). L'industrie vinicole ne s'est développée qu'à partir de la fin du XVIIᵉ s., à la suite des découvertes de dom Pérignon, cellérier de l'abbaye de Hautvilliers, près d'Épernay; le célèbre vin mousseux détrôna alors les vins rouges, gris ou blancs de Champagne. La région, qui livrait 30 millions de bouteilles par an en 1952 à peu près autant que dans les années d'avant-guerre —, quadrupla sa production en vingt ans, avec une prévision de 175 millions de bouteilles pour les années 1970/80.
● Après les récoltes déficitaires de 1978, 1980 et 1981, par suite de mauvaises conditions climatiques, les expéditions de 1982 furent ramenées à 146 millions de bouteilles au lieu de 186 millions en 1978. Mais grâce aux récoltes exceptionnelles de 1982 (2 214 000 hl pressurés, 290 millions de bouteilles) et de 1983 (2 270 000 hl pressurés, 300 millions de bouteilles), les stocks ont pu être reconstitués. Le marché international est essentiellement fourni par de grandes marques : Moët-Hennessy, Mumm, Pommery-Lanson, Taittinger, Veuve Clicquot.
La région économique de Champagne-Ardenne, créée en 1960, est composée des départements des Ardennes (Charleville-Mézières), de l'Aube (Troyes), de la Marne (Châlons-sur-Marne) et de la Haute-Marne (Chaumont). Son revenu global atteignait, en 1981, 70 308 millions de francs pour 1 345 935 habitants.

Batailles de Champagne (1914/18). Durant la Première Guerre mondiale, la Champagne fut dévastée par plusieurs grandes batailles : du 20 déc. 1914 au 20 mars 1915, des attaques françaises dans les secteurs de Souain/Perthes-lès-Hurlus/Beauséjour/Massiges ne donnèrent que de faibles résultats; en automne 1915 (22 sept.-3 nov.), dans la région de Tahure, les lignes allemandes furent au contraire pénétrées sur plusieurs kilomètres; mais ces gains de terrain étaient obtenus au prix de pertes extrêmement sanglantes et d'épreuves quotidiennes pour les combattants, qui rendirent tristement célèbre la « boue de Champagne ». Aussi ce front demeura-t-il très calme en 1916/17. En juill. 1918, la dernière offensive allemande fut arrêtée en Champagne par l'habile manœuvre défensive de Gouraud, à la tête de la IVᵉ armée; la contre-offensive française débuta le 26 sept. 1918.

CHAMPAGNY Jean-Baptiste Nompère de, duc de Cadore (* Roanne, 4.VIII.1756, † Paris, 3.VII.1834). Homme politique français. D'abord officier de marine, député de la noblesse aux États généraux, il fut très apprécié de Bonaparte, qui le nomma conseiller d'État (1800), ambassadeur à Vienne (1801), ministre de l'Intérieur (1804) et enfin ministre des Relations extérieures (1807/11) : dans cette dernière fonction, il négocia le traité de Vienne de 1809 et le mariage de Napoléon avec Marie-Louise. Créé duc de Cadore en 1808. Ses *Souvenirs* furent publiés en 1846.

CHAMPART. Dans le régime féodal, redevance foncière consistant en une quote-part de la récolte d'une terre; suivant les pays, elle variait entre le onzième et le sixième de la récolte, allant plus rarement jusqu'au quart. Voir CENSIVE.

CHAMPAUBERT. Village de France, dans la Marne, au sud-ouest d'Épernay. Le 10 févr. 1814, victoire de Napoléon sur les Russes, commandés par le général Olsufiev.

CHAMPCENETZ, Louis Edmond, chevalier de (* Paris, 1759, † Paris, 23.VII.1794). Journaliste français. Officier aux gardes françaises en 1789, connu par son esprit, il resta fidèle à la royauté et ridiculisa les révolutionnaires dans le périodique *Les Actes des apôtres,* qu'il rédigea avec Rivarol, et dans son *Petit Dictionnaire des grands hommes.* Exécuté pendant la Terreur.

CHAMPDIVERS Odette de. Voir ODETTE DE CHAMPDIVERS.

CHAMPEAUX Guillaume de. Voir GUILLAUME DE CHAMPEAUX.

CHAMPIGNY-SUR-MARNE. Ville de la banlieue de Paris. Du 30 nov. au 3 déc. 1870, des troupes de la garnison parisienne, sous le commandement du général Ducrot, y menè-rent de violents et inutiles combats pour essayer de briser l'encerclement autour de la capitale et de faire leur jonction avec l'armée de la Loire.

CHAMPIONNET Jean Étienne (* Valence, 14.IV.1762, † Antibes, 9.I.1800). Général français. Fils naturel d'un avocat, soldat de métier, il servit dans les armées de la Révolution, fut nommé général de brigade (1793) et se distingua particulièrement à Fleurus (1794). Envoyé en Italie, il battit l'armée napolitaine, cinq fois plus nombreuse que la sienne, et fonda la République parthénopéenne; arrêté par ordre du Directoire à la suite d'un démêlé avec un commissaire du gouvernement, libéré en 1799, il prit le commandement de l'armée des Alpes, mais, vaincu à Genola, il donna sa démission et mourut peu après.

CHAMPLAIN Samuel de (* Brouage, vers 1567/70, † Québec, 25.XII.1635). Navigateur et colonisateur français. Fils d'un marin, il fit, en 1598/1600, un premier voyage en Amérique sur un navire espagnol et fut un des premiers à suggérer le percement de l'isthme de Panama. Revenu en France en 1601, il fut adjoint comme géographe à l'expédition d'Aymar de Chaste, qui venait d'être nommé gouverneur de la Nouvelle-France. Parti d'Honfleur le 15 mars 1603, il explora le golfe du Saint-Laurent et remonta le fleuve Saint-Laurent jusqu'à la hauteur de Montréal. En 1604, il revint au Canada avec de Monts, qui avait succédé à Aymar de Chaste; il explora les côtes qui devaient devenir celles du Maine et de la Nouvelle-Angleterre. Rentré en France en 1607, il repartit dès l'année suivante et fonda la ville de Québec (3 juill. 1608). Il noua des relations avec les Algonkins et les Hurons, participa à leurs luttes contre les Iroquois et fit, vers l'intérieur, des incursions qui lui permirent de découvrir le lac qui porte son nom (juill. 1609). Après deux nouveaux voyages en France, il repartit en mars 1611, puis en 1613, mais cette fois comme gouverneur au nom du vice-roi de la Nouvelle-France, le prince Henri de Condé. Croyant parvenir à la « mer du Nord » (la baie d'Hudson), il remonta l'Ottawa en 1613 et en 1615, découvrit le lac Huron et le lac Ontario et fut légèrement blessé aux côtés de ses amis hurons, dans une bataille contre les Iroquois. Il consacra le reste de sa vie à la mise en valeur de la colonie de Québec. Inquiet du petit nombre des colons, il entra dans la compagnie des Cent-Associés (v.), dont il devint le mandataire au Canada. Attaqué par les Anglais, il dut leur abandonner Québec (19 juill. 1629), mais la colonie fut restituée à la France par le traité de Saint-Germain-en-Laye (1632). Champlain, qui avait été retenu prisonnier en Angleterre, revint au Canada (1633). Il avait publié plusieurs ouvrages, récits de ses voyages et de ses expériences (éditions par C.-H. Laverdière, Québec, 1870, et par H.-P. Biggar, 1922-36).

CHAMPLAIN (lac). Lac des États-Unis, sur les confins du Vermont et de l'État de New York. Découvert par Champlain en 1609. Les Américains, commandés par Mac Donough, détruisirent une flotte anglaise sur ce lac (1814).

CHAMPOLLION Jacques Joseph, dit **Champollion-Figeac** (* Figeac, Lot, 5.X. 1778, † Fontainebleau, 9.V.1867). Archéologue français. Conservateur des manuscrits à la Bibliothèque royale, puis professeur de paléographie à l'École des chartes, il fut nommé en 1849 bibliothécaire du château de Fontainebleau. Il a publié les *Annales des Lagides* (1819), *L'Égypte ancienne* (1839), ainsi que diverses études sur les patois français, etc.

Son frère, **Jean-François Champollion,** dit **Champollion le Jeune** (* Figeac, 23.XII. 1790, † Paris, 4.III.1832). Égyptologue français. Passionné par l'Égypte dès sa prime jeunesse, il pensait pouvoir déchiffrer l'égyptien ancien à partir du copte. Après avoir entrepris à Paris des études de langues orientales, il fut nommé professeur d'histoire à Grenoble (1812/15, 1818/21). Disposant de textes déjà nombreux copiés par des voyageurs en Égypte, de ceux qui avaient été découverts par l'expédition de Bonaparte et publiés dans la *Description de l'Égypte,* enfin et surtout d'un fac-similé de la pierre de Rosette (v.), il réussit, en 1821/22, les premiers déchiffrements des hiéroglyphes (v.) et consigna les résultats de ses recherches dans sa *Lettre à M. Dacier relative à l'alphabet des hiéroglyphes phonétiques* (sept. 1822). Il publia ensuite un *Précis du système hiéroglyphique* (1824). Envoyé en mission par Charles X, il visita, de 1824 à 1826, les collections égyptologiques d'Italie, fut nommé conservateur du département égyptien du Louvre (1826), puis alla parcourir l'Égypte, à la tête d'une mission scientifique, de 1828 à 1830. A son retour, on créa pour lui une chaire d'Antiquité égyptienne au Collège de France (1831), mais il n'eut le temps d'y donner que quelques leçons. Après sa mort, parurent sa *Grammaire égyptienne* (1836-41), son *Dictionnaire égyptien en écriture hiéroglyphique* (1842-43) et ses *Monuments de l'Égypte et de la Nubie* (1835-45).

CHAMPOLLION
Jean-François. Archéologue
français (1790-1832).
Ph. Jeanbor © Archives Photeb

CHAMPS (château de). Château des environs de Paris, près de Meaux. Construit par J.-B. Bullet, de 1703 à 1707, pour le financier Poisson de Bourvalais, fournisseur aux armées (qui possédait également, à Paris, un hôtel de la place Vendôme, devenu le ministère de la Justice). Il appartint ensuite à la princesse de Conti, à son cousin, le duc de La Vallière, et fut loué à Mᵐᵉ de Pompadour de 1757 à 1760. La famille Cahen d'Anvers, qui l'acquit en 1895, en fit don à l'État en 1935 et le château devint une résidence d'été du président du Conseil. Son parc, dessiné par Claude Desgots, neveu de Le Nôtre, est un des chefs-d'œuvre du jardin français.

CHAMPS-ÉLYSÉES. Grande avenue parisienne qui va de la place de la Concorde à la place du Général-de-Gaulle (ex-place de l'Étoile) et se prolonge, par l'avenue de la Grande-Armée et l'avenue de Neuilly, jusqu'au rond-point de la Défense. Longue de 1,9 km, elle est constituée, dans une portion de sa première partie (de la Concorde vers le rond-point des Champs-Élysées), par l'ancien Cours-la-Reine, parc-promenade de 700 m de long, planté en 1628, sous le règne de Louis XIII. Ce Cours-la-Reine, allongé en 1723, fut complété en 1760/65, sur l'initiative de Marigny, directeur général des Bâtiments royaux, par le Grand-Cours, qui allait jusqu'au rond-point actuel. Les Champs-Élysées, dont l'entrée fut flanquée en 1794 par les deux chevaux de Coustou (auparavant à l'abreuvoir de Marly), devinrent un lieu de promenade en vogue à partir du Directoire. C'est seulement sous la Restauration qu'on commença de bâtir au-delà du rond-point; les Champs-Élysées, qui avaient fait partie du domaine de la couronne et avaient été réunis au domaine national en 1792, furent cédés à la Ville de Paris en 1828.
Longtemps résidentiel, le quartier des Champs-Élysées est devenu de plus en plus, à partir des années 1930, un quartier d'affaires et de divertissement.

CHAMPVALLON François de Harlay de. Voir HARLAY.

CHANCELADE (race de). Race du paléolithique supérieur définie d'après un squelette découvert en 1888, par Féaux et Hardy, dans l'abri-sous-roche de Raymonden, à Chancelade, près de Périgueux. Ce squelette, en position forcée, les genoux repliés jusqu'au menton et la main gauche placée sous la tête, les os passés à l'ocre, était celui d'un homme d'une soixantaine d'années, de petite taille (1,60 m); il était associé à une industrie magdalénienne. Cette race, dont on a trouvé d'autres vestiges à Laugerie-Basse, à la grotte du Placard, à la station solutréenne du Roc (Charente), présente certaines analogies avec les Esquimaux actuels, sans qu'on puisse établir avec certitude une filiation entre eux.

CHANCELIER. A Rome, la chancellerie constituait le centre de l'administration impériale. Organisée par l'empereur Claude, elle comprit d'abord quatre bureaux : *ab epistulis,* chargé de la correspondance administrative; *a libellis,* chargé de répondre aux requêtes adressées à l'empereur; *a cognitionibus,* chargé de l'instruction des procès devant le tribunal de l'empereur; *a studiis,* chargé des études préparatoires pour l'administration. Hadrien créa un cinquième bureau, *a memoria,* chargé de la préparation des dossiers politiques. A la tête de chaque bureau se trouvait un chef de service, souvent un affranchi. Sous Dioclétien, le bureau des finances vint s'ajouter à ces divers organismes administratifs, dont la direction fut confiée à un *vicarius a consiliis sacris,* sorte de chancelier.

Dans la **monarchie franque** et l'**Empire carolingien,** le chancelier, d'abord subordonné à l'archichapelain, était toujours un ecclésiastique : chargé théoriquement du service religieux du palais, il devint en fait l'officier le plus important, une sorte de secrétaire général du souverain, occupé notamment à la rédaction des actes législatifs, des lettres royales, à la garde du sceau, à la publication des actes du roi. Le pouvoir croissant du chancelier finit par inquiéter le souverain; sa charge faillit être supprimée au XIIIᵉ s. Au XIVᵉ s., la chapelle royale fut confiée à un aumônier et le chancelier put ainsi être un laïque. Alors que les autres grands officiers de la couronne étaient peu à peu confinés dans les fonctions domestiques, le chancelier seul survécut comme membre du ministère. Le *chancelier de France,* inamovible, conservait pour fonction essentielle d'authentiquer les actes du roi par l'apposition du sceau; il contrôlait ainsi la légalité des actes royaux. Chef suprême de la justice, il présidait les Conseils en l'absence du roi, donnait des ordres aux tribunaux, servait d'intermédiaire entre le roi et les parlements; au XVIIIᵉ s., il eut en outre à surveiller la librairie, par le moyen de la censure (lettres patentes d'approbation). La charge de chancelier fut supprimée en 1790. Napoléon créa le titre d'*archichancelier* en faveur de Cambacérès, à qui il donna l'administration de l'état civil de sa maison. La Restauration rétablit le chancelier de France, mais lui ôta la garde des sceaux, qui fut confiée au ministre de la Justice, et lui attribua la présidence de la Chambre des pairs. Cette charge, demeurée vacante de 1830 à 1837, fut supprimée en 1848. Il existe encore en France un grand chancelier de l'ordre de la Légion d'honneur (v.) et un grand chancelier de l'ordre de la Libération (v.).

En **Allemagne,** dans le Saint Empire, les fonctions d'archichancelier *(Erzkanzler)* furent dévolues, à partir de la fin du Xᵉ s., à l'archevêque de Mayence. L'archevêque de Cologne était archichancelier des possessions impériales en Italie, l'archevêque de Trèves archichancelier du royaume d'Arles et l'archevêque de Besançon archichancelier du royaume de Bourgogne, mais ces trois derniers titres étaient honorifiques. La charge d'archichancelier ne disparut qu'avec le Saint Empire lui-même, en 1806. Le dernier titulaire, Dalberg, devint chancelier de la Confédération du Rhin créée par Napoléon. En Prusse, le ministre de la Justice porta le titre de grand chancelier de 1747 à 1807. Après la victoire prussienne de Sadowa (1866), Bismarck devint chancelier, c'est-à-dire chef du gouvernement fédéral de la Confédération de l'Allemagne du Nord créée en 1867, puis, en 1871, chancelier d'Empire *(Reichskanzler).* Dans l'empire, le chancelier, nommé par l'empereur et non responsable devant le Parlement, jouait le rôle de Premier ministre fédéral; il dirigeait, en particulier, la politique étrangère du

CHAMPS-ÉLYSEÉS

L'avenue est représentée depuis le sommet de l'arc de triomphe
où les tailleurs de pierre effectuent les derniers travaux,
avant l'inauguration du 29 juill. 1836 par Louis-Philippe.
Au premier plan, les deux pavillons de la « barrière de l'Étoile »,
qui ouvrent ici le mur des Fermiers-Généraux, pour le service de l'octroi.
Ils ont servi de 1788 à 1860, date à laquelle ils furent démolis,
quand Paris s'agrandit jusqu'à la barrière de Neuilly.
Le quartier est encore champêtre, avec des bocages et des prairies,
beaucoup d'arbres dans l'avenue et peu de promeneurs.
Tout au fond, à l'horizon, le pavillon central du palais des Tuileries,
Notre-Dame, Sainte-Geneviève (le Panthéon).
Des quartiers neufs bordent le centre de l'avenue :
à gauche, le quartier Beaujon, où l'on aperçoit encore
le curieux moulin de la Folie-Beaujon; à droite, le quartier Marbeuf.

Reich. Sous le régime de Weimar (1919/33), le chancelier, chef du gouvernement, était nommé et renvoyé par le président de la République, mais il était responsable devant le Reichstag. Dans le IIIe Reich, après la mort de Hindenburg et en vertu de la loi du 1er août 1934, Adolf Hitler cumula les fonctions de chef de l'État et de chef du gouvernement, avec le titre officiel de « Führer et chancelier du Reich » et une autorité illimitée sur toute l'administration et toute la politique de l'Allemagne. Dans la République fédérale d'Allemagne, la « loi fondamentale » de 1949 a confié la direction des affaires fédérales à un chancelier fédéral (*Bundeskanzler*), qui, désigné par le président de la République, doit être investi par la majorité absolue du Bundestag. En **Autriche,** le Premier ministre porte également, depuis le XVIIIe s., le titre de chancelier. En **Suisse,** le chancelier fédéral, élu par l'Assemblée fédérale, est le chef de la chancellerie qui assiste le Conseil fédéral dans ses différentes tâches administratives.

En **Grande-Bretagne,** la charge de chancelier apparaît au début du XIe s., sous le règne d'Édouard le Confesseur. Au Moyen Age, de nombreux chanceliers jouèrent un grand rôle politique, tels st. Thomas Becket, sous le règne d'Henri II, l'archevêque Hubert Walter, sous Richard Cœur de Lion, Robert Burnell, sous Édouard Ier, et Thomas Wolsey, sous Henri VIII. Aujourd'hui, le lord grand chancelier (*Lord high chancellor*) a principalement des fonctions judiciaires; il est aussi président de la Chambre des lords et membre du cabinet, comme ministre de la Justice. Le chancelier du duché de Lancastre est chargé de l'administration des terres de la couronne et du contrôle des tribunaux dans le duché de Lancastre (ce titre est habituellement donné à un ministre sans portefeuille). Le titre de chancelier de l'Échiquier (v.) est celui que porte le ministre des Finances britannique.

CHANCELIER DE FER. Surnom donné à Bismarck.

CHANCELLOR Richard († dans la baie d'Aberdeen, Écosse, 10.XI.1556). Navigateur anglais. Cherchant le passage du Nord-Est (v.), il pénétra dans la mer Blanche (1553) et se rendit jusqu'à Moscou afin d'y établir les premières relations commerciales maritimes entre l'Angleterre et la Russie. Chancellor fit un second voyage en Russie en 1555 mais disparut à son retour, dans un naufrage.

CHANCELLORSVILLE. Ville des États-Unis (Virginie). Durant la guerre de Sécession, brillante victoire des sudistes, commandés par Lee, sur les troupes de l'Union, commandées par J. Hooker (2/4 mai 1863).

CHANCHÁN. Voir CHIMÚ.

CHANDERNAGOR. Ancien comptoir français de l'Inde (Bengale-Occidental), au

CHANDRAGOUPTA II
Empereur indien (v. 375/414). Monnaie indienne. (Cabinet des Médailles.)
Ph. © Bibl. Nat., Paris - Photeb

N. de Calcutta. Cédé en 1674 à la Compagnie française des Indes, il connut son apogée sous l'administration de Dupleix, fut pris à plusieurs reprises par les Anglais, rendu en 1816 à la France, qui le restitua à la République indienne en févr. 1951, après que la population se fut prononcée par référendum en faveur de son rattachement à l'Inde (juin 1949).

CHANDOS John († Mortemer, près de Poitiers, 1.I.1370). Homme de guerre anglais. L'un des plus habiles capitaines de la guerre de Cent Ans, avec le Prince Noir, il combattit à Crécy et à Poitiers. Nommé par Édouard III lieutenant général des provinces possédées en France par les Anglais, il négocia la paix de Brétigny. Il fit prisonnier Du Guesclin à la bataille d'Auray (1364) et à celle de Navarette en Espagne (1367), mais demanda lui-même sa libération. Lorsque Édouard III érigea l'Aquitaine en principauté en faveur de son fils, le prince de Galles, Chandos devint le connétable de ce dernier. Il fut mortellement blessé au combat de Lussac. Les Français, en particulier Du Guesclin, l'eurent en grande estime.

CHANDRA BOSE Subhas. Voir BOSE.

CHANDRAGOUPTA, en grec *Sandracottos,* empereur indien (vers 321/297 av. J.-C., selon certains historiens, vers 313/289 av. J.-C.). Général et sans doute parent du souverain de la dynastie des Nanda qui régnait sur le Magadha (l'actuel Bihar), il se brouilla avec lui et s'exila vers l'Ouest. Il élimina les préfets et les garnisons macédoniennes qu'avait laissés Alexandre le Grand dans la région de l'Indus, puis il marcha sur Pataliputra (Patna), capitale du Magadha, et renversa le dernier roi de la dynastie Nanda. Fondateur de l'Empire Maurya, Chandragoupta régna pendant vingt-quatre ans. Sous son autorité, toute l'Inde du Nord, pour la première fois dans l'histoire, fut unifiée, de Hérat au delta du Gange. Il eut pour conseiller Chanakya, identifié traditionnellement avec Kautylia, auquel on attribue l'*Artha-çastra,* le principal traité politique de l'Inde. L'empire de Chandragoupta fut bientôt assez puissant pour obliger Séleucos Nicator, vers 305, à renoncer à pénétrer en Inde. Séleucos préféra traiter avec Chandragoupta, auquel il abandonna les satrapies de Kandahar, de Kaboul, de Hérat et du Béloutchistan, en échange de 500 éléphants qui lui furent cédés par le monarque indien et furent mis en ligne à la bataille d'Ipsos (301). Chandragoupta épousa une fille de Séleucos et reçut à Pataliputra son ambassadeur grec, Mégasthènes, qui devait laisser une excellente description de l'Inde antique. Chandragoupta aurait fait partie de la secte des jaïnistes : ayant choisi d'abdiquer, il aurait disparu dans la solitude, pour se livrer à l'ascèse, et, selon une coutume en honneur dans sa secte, il aurait choisi de mourir en se suicidant par inanition. Mais l'empire des Maurya continua de grandir après lui et

CHANG
Vase rituel Kou, en bronze, XIe s.
av. J.-C. (Musée Guimet.)
Ph. © Archives Photeb

atteignit son apogée sous le règne du petit-fils de Chandragoupta, Açoka.

CHANDRAGOUPTA Ier, empereur indien (vers 320/335). Premier souverain connu de la dynastie des Goupta (v.), marié à la princesse Koumaradéva, de la puissante tribu des Licchavis, dans le Bihar, il régna sur tout le Magadha (avec Patalipoutra) et sur l'Oudh (avec Allahabad). Il semble qu'il ait abdiqué en faveur de son fils Samoudragoupta.

CHANDRAGOUPTA II Vikramaditya, c'est-à-dire *Soleil de puissance,* empereur indien (vers 375/414). Troisième souverain de la dynastie des Goupta, il fut l'un des plus prestigieux monarques de l'histoire indienne. Fils et successeur de Samoudragoupta, il serait monté sur le trône après avoir assassiné son frère, Ramagoupta, dont il épousa la veuve. Il poursuivit la politique d'expansion de son père et, entre 388 et 401, il conquit le Malwa, le Goudjerate et le Sourachtra. Son règne vit fleurir une belle civilisation indienne mêlée d'influences étrangères, iraniennes, gréco-romaines, scythes. C'est au temps de Chandragoupta II que le pèlerin bouddhiste chinois Fa-hien visita l'Inde (vers 400/411), dont il devait laisser une description.

CHANFREIN. Pièce d'armure qui protégeait la tête du cheval d'armes. En usage dès l'Antiquité, le chanfrein était fait soit de cuir bouilli et de mailles, soit de métal. Il comportait souvent, au milieu du front, un dard, dirigé contre le cheval de l'adversaire. Certains chanfreins étaient ornés d'or et de pierreries et surmontés d'un panache.

CHANG... Voir les noms chinois commençant par *Chang* et qui ne sont pas mentionnés ci-après à T<small>CHANG</small>...

CHANG ou YIN. Deuxième des dynasties royales chinoises, la dynastie Chang succéda aux Hia et régna, selon les dates traditionnelles, de 1766 à 1122 environ av. J.-C. Cette époque correspond à l'apparition et au développement de la civilisation du bronze en Chine. Archéologiquement, la civilisation des Chang est connue par la céramique de Pan-chan, dans le Kan-sou, et surtout par les fouilles de Ngan-yang, dans le nord du Ho-nan. Ngan-yang fut une des dernières capitales de la dynastie (vers le XIIIe s.), et les découvertes réalisées dès la fin du XIXe s. et surtout à partir de 1934/35 ont révélé la culture Chang à son apogée. Des dizaines de milliers d'os et d'écailles de tortue portant des inscriptions à usage divinatoire (questions posées à un oracle) ont fourni les premiers exemples d'écriture chinoise et ont donné de nombreux renseignements sur les activités et les croyances des Chinois à la fin du IIe millénaire avant l'ère chrétienne. Encore assez proche de la pictographie, l'écriture Chang est cependant le résultat d'un long processus de stylisation, et l'on y trouve déjà, plus ou moins appliqués,

Stèle gravée d'idéogrammes du IIe millén. av. J.-C. (Musée de l'Histoire de Chine, Pékin.)
Ph. © P. Koch - Rapho

les principes essentiels de la formation des caractères chinois modernes. Les peuples de l'époque Chang vivaient de la chasse, de la pêche et de l'agriculture. Les rites religieux, centrés, semble-t-il, sur le culte des ancêtres, tenaient une place considérable dans leur vie, comme l'indique le nombre des os divinatoires et des vases de sacrifice. Les rois et les nobles étaient inhumés dans de grandes tombes avec un abondant matériel, avec leur char, leurs chevaux — et aussi avec leurs serviteurs, car des sacrifices humains étaient célébrés au cours du remplissage de la fosse, laquelle pouvait atteindre 14 m de profondeur. Les fouilles ont mis au jour des trésors artistiques : céramiques ornées de spirales rouges et noires; vases de bronze sacrificiels, aussi admirables par la technique de la fonte, qui n'a pas été surpassée, que par les décors composés de motifs géométriques, animaliers ou mythologiques (un motif particulier d'une grande richesse est le *t'ao-t'ie,* tête de monstre changeant d'aspect selon le sens dans lequel on le regarde); remarquables jades, également rituels; sculptures sur marbre en ronde bosse.

L'époque Chang vit la première expansion des Chinois hors de la Grande Plaine : au sud, vers le bassin du Yang-tseu; au nord, vers le Chan-si, au nord-ouest, vers le Chen-si. Mais les Chang se trouvèrent aux prises avec deux redoutables rivaux : les Hiong-nou (v.), nomades de la Haute-Asie, et les seigneurs Tcheou (v.). Corrompue par la richesse matérielle, la dynastie déclina. Le dernier souverain Chang, Cheou-sin (vers 1154/22 av. J.-C.), apparaît comme une sorte de Néron chinois, fastueux, débauché et cruel. Les extravagances auxquelles il se livrait provoquèrent une révolte qui fut mise à profit par le chef de la maison de Tcheou, Wou-wang. Son armée vaincue, Cheou-sin, paré de ses perles et de ses jades, se suicida théâtralement en se jetant de la terrasse de son palais dans un brasier. La dynastie Tcheou prit le pouvoir.

CHANGARNIER Nicolas Anne Théodule (* Autun, 26.IV.1793, † Paris, 14.II.1877). Général français. En Algérie, où il combattit presque sans interruption de 1830 à 1848, il se distingua notamment à la prise de Constantine (1836). Orléaniste, il fut privé de son commandement à Paris par Napoléon III en 1851 et banni de France après le coup d'État. Rentré en 1859, il servit en 1870 à l'armée de Metz et dirigea les négociations entre Bazaine et le prince Frédéric-Charles. Député royaliste (1871), il vota contre les lois constitutionnelles de 1875, mais accepta, la même année, de devenir sénateur inamovible.

CHANGE. L'histoire des changes est aussi ancienne que celle de la monnaie (v.). Dans la Grèce antique, les trapézites (v.) faisaient, entre autres activités bancaires, fonction de changeurs. A Rome, la *permutatio* n'était rien d'autre, à l'origine, que le change des monnaies étrangères, mais désigna égale-

CHANGE

Page ci-contre :
le ministre japonais Wardhana,
président du Club des Vingt,
lors de la réunion du Club
dans l'immeuble
de l'Union panaméricaine,
les 26-27 mars 1973,
à Washington.
Le ministre tient en main
le dossier du Fonds
monétaire international
qui réorganise
le système monétaire.
Le 12 février, le dollar
a été dévalué
de 10%. Fin février,
la Bourse de Londres a connu
une très forte hausse de l'or;
le 11 mars, les neuf pays
de la Communauté européenne
ont décidé de laisser
flotter leurs monnaies;
le 19, les grandes banques
internationales ont décidé
de soutenir le dollar;
le 3 avr., c'est la création
du Fonds européen
de coopération monétaire.
Ph. © Allen - Sygma

CHANG-HAI

Page ci-contre :
l'exode à l'approche
des troupes de Mao Tsé-toung,
1949. La rivière Wou Song,
confluant au cœur
de la ville avec le Houang-pou,
avait délimité jusqu'en
1945, au nord,
la concession internationale.
A l'approche des troupes
de Mao, Chang-hai était
encore un carrefour
de spectacles et de plaisirs
à tous les tarifs,
la capitale de la drogue,
du jeu, de la prostitution,
et plus encore une
très grande cité commerciale,
industrielle, universitaire.
Ph. © U.S.I.S. - Photeb

ment par la suite, une sorte de lettre de change (v.). Au Moyen Age, les termes de changeur et de banquier restèrent synonymes jusqu'à la fin du XIVᵉ s. Mécanisme indispensable du commerce, le change servait souvent à camoufler le prêt à intérêt, interdit par les lois ecclésiastiques. A cette époque, les Italiens monopolisaient les opérations de change en Europe occidentale. La multiplicité des espèces monétaires favorisait leurs activités, peu susceptibles d'un contrôle efficace des pouvoirs politiques. Parfois, le changeur devenait l'agent financier du pouvoir local, de la ville ou du seigneur. A partir de la fin du XIVᵉ s., les opérations de change furent soumises à une réglementation plus stricte; il fut désormais interdit de les pratiquer sans lettres du roi et de l'administration des monnaies, mais, jusqu'au XVIIIᵉ s., les changeurs purent continuer à cumuler le change avec des activités commerciales. Sous Louis XI, on comptait en France 750 changeurs, dont 450 s'intitulaient également « marchands ».

A l'époque contemporaine, l'expansion du capitalisme, jusqu'à la Première Guerre mondiale, s'accompagna d'une liberté des changes qui favorisa le commerce international. Sous le régime du Gold Standard, toutes les monnaies des grands pays, définies par rapport à l'or (v.), s'échangeaient librement sur la base de leur définition, quelle que fût l'ampleur de la somme, au profit des habitants du pays comme au profit des étrangers. Le cours effectif des opérations de change sur billets ne pouvait guère s'écarter du cours officiel ou *pair :* si, par exemple, le cours effectif de la livre à New York avait été inférieur au pair, un possesseur de livres avait toujours la ressource de convertir ses livres en or à Londres, d'introduire l'or en Amérique et d'y obtenir à cours fixe des dollars contre métal. L'attachement à la liberté des changes était si puissant encore au début du XXᵉ s. que, même lors d'une crise aussi grave que la guerre de 1914-18, les belligérants ne prirent que très progressivement des mesures restrictives. En France, la sortie de l'or fut prohibée dès 1915, mais les opérations de change ne furent soumises à un contrôle qu'en 1917, et c'est seulement en avr. 1918 qu'une loi réglementa l'exportation des capitaux et l'importation des valeurs mobilières. Après le conflit, la Russie des soviets imposa un strict contrôle des changes dès 1918, mais les pays occidentaux s'efforcèrent de revenir à la liberté antérieure. Ce n'est qu'après la grande crise de 1929 que les interventions des États se multiplièrent, essentiellement sous deux formes : *a)* création de fonds de régularisation changes, chargés d'intervenir sur le marché afin d'atténuer l'ampleur des variations des cours (un fonds de régularisation anglais fut créé en 1931, un fonds américain en 1934, un fonds français en 1936); *b)* établissement du contrôle des changes. Dans ce dernier cas, le marché libre des changes est supprimé. L'État fixe lui-même, par voie d'autorité, le cours du change et s'assure le monopole

des opérations sur les monnaies étrangères; les particuliers doivent désormais passer par un organisme officiel pour obtenir ou céder des devises étrangères. Institué en Allemagne en 1931, le contrôle des changes fut renforcé sous le IIIᵉ Reich : la loi du 1ᵉʳ déc. 1936 punit même de mort et de confiscation des biens l'exportation clandestine de fonds à l'étranger. En France, le contrôle des changes fut institué dès le début de la guerre de 1939-45. Les accords de Bretton Woods (1944) fixèrent comme but à atteindre le retour à la convertibilité des monnaies et à la liberté des changes. L'Accord monétaire européen (1958) s'accompagna de mesures de libération dans la plupart des pays de l'Europe occidentale.

Cependant, des mesures plus ou moins rigoureuses de contrôle des changes durent être rétablies périodiquement par la Grande-Bretagne, la France, l'Italie, les États-Unis; certains pays (Grande-Bretagne, France, Italie) furent également contraints de laisser flotter leur monnaie.

● Durant les années 80, les monnaies entrèrent dans un cycle de fluctuation ininterrompue comme jamais elles n'en avaient connu. Il était provoqué par les variations continuelles du dollar américain. L'entrée en vigueur du Système monétaire européen (S.M.E.) le 13 mars 1979 et la création d'un numéraire commun à la C.E.E., l'écu (v.), n'ont pas évité 11 opérations de réalignement des monnaies entre 1979 et 1987. Du 10 mai 1981 à mars 1984, la dévaluation du franc par rapport au mark allemand a été de 30 %. Entre 1986 et 1988 le franc avait encore perdu 9 % par rapport au mark mais gagnait près de 8 % par rapport au franc suisse.

CHANGE (lettre de). Voir LETTRE DE CHANGE.

CHANGE (agents de). Voir AGENTS DE CHANGE.

CHANGE (Pont-au-). Voir PONT-AU-CHANGE.

CHANG-HAI, *Shanghai.* Ville de Chine, port sur le Houang-p'ou, près de son confluent avec le Yang-tseu, et à une vingtaine de km de la mer. Petit port de pêche, Chang-hai ne prit son essor qu'à partir du traité de Nankin (1842), qui ouvrit son port au commerce occidental. La Chine dut y accorder des concessions territoriales à l'Angleterre (1843), à la France (1849), puis une concession internationale qui devint le centre des affaires. Principal centre industriel, bancaire et commercial de la Chine, Chang-hai joua un rôle très important par ses universités, qui contribuèrent à répandre la culture et les techniques occidentales. Après l'occupation japonaise (1937-45), les concessions occidentales furent supprimées (1946). Sous le régime communiste (depuis 1949), les firmes étrangères ont été expulsées mai Chang-hai concentre toujours le cinquième environ du potentiel industriel chinois; pa

sa population (6,4 millions en 1982) c'est, après Tokyo, la deuxième ville de l'Asie.

CHANOINES. Le nom de chanoine *(canonicus)* fut d'abord donné à tous les ecclésiastiques qui formaient le petit groupe des collaborateurs et des familiers de l'évêque. En de nombreux diocèses, les chanoines menaient avec l'évêque une vie commune et quasi monastique. St. Augustin avait organisé son clergé de cette manière à Hippone, et la « règle de Saint-Augustin » devait avoir une grande influence dans le développement de la vie religieuse. A la fin du VIIIᵉ s., Chrodegang, évêque de Metz, composa lui aussi pour ses chanoines une règle qui devait connaître une grande diffusion. Par la suite, la vie canoniale se différencia de plus en plus de la vie monastique. On distingua les *chanoines séculiers* (les chanoines au sens courant du terme), qui étaient des prêtres séculiers appartenant à une cathédrale ou une collégiale, mais vivant à part et jouissant d'une partie des revenus de l'église *(mense capitulaire)* — et les *chanoines réguliers*. Ceux-ci apparurent vers le XIᵉ s., dans un effort encouragé par la papauté pour réformer le clergé séculier en l'arrachant à toute propriété individuelle et en le soumettant à une discipline monastique. Les premières congrégations de chanoines réguliers furent celle d'Arrouaise, en Artois (1090), celle des Prémontrés, fondée par st. Norbert (vers 1120), celle des chanoines de Saint-Victor de Paris, fondée vers 1174. Les chanoines réguliers, qui suivaient la règle de Saint-Augustin, furent les précurseurs des ordres mendiants (dominicains et franciscains).

CHANS. Voir BIRMANIE.

CHANT DU DÉPART. Hymne patriotique de l'époque de la Révolution, paroles de Marie-Joseph Chénier, musique de Méhul. Composé pour célébrer le cinquième anniversaire de la prise de la Bastille, il semble qu'il ait été exécuté pour la première fois le 14 juill. 1794.

CHANT SÉCULAIRE, *Carmen saeculare.* Voir SÉCULAIRES (jeux).

CHANTS NATIONAUX. Voir HYMNES NATIONAUX.

CHANTAL sainte **Jeanne de.** Voir JEANNE DE CHANTAL.

CHANTELOUP. Château, à 2 km d'Amboise, construit pour la princesse des Ursins; il servit de retraite à Choiseul après son départ du pouvoir. Celui-ci l'agrandit et y tint une véritable cour. Il fut démoli après la Révolution. Il en reste une très curieuse tour-pagode.

CHANTIERS DE JEUNESSE. Organisation créée le 30 juill. 1940 par le gouvernement de Vichy sous le commandement du général de La Porte du Theil. Tous les jeunes Français de la zone libre y furent appelés par classes, à l'âge de vingt ans, pour y faire un stage de huit mois. Cette organisation répondait à une double ambition : orienter la jeunesse vers les idéaux de la « révolution nationale »; maintenir le recrutement en zone sud, en dépit de l'armistice, afin de préparer une masse d'hommes disciplinés et encadrés pour le jour d'une éventuelle reprise des hostilités. Aussi les autorités allemandes finirent-elles par s'inquiéter des Chantiers, qui furent dissous en 1944, après la déportation de leur fondateur.

CHANTILLY. Ville de France (Oise), à l'ouest de Senlis. C'est Anne de Montmorency qui, sur l'emplacement d'une forteresse médiévale, fit construire, de 1527 à 1532, par Pierre Iᵉʳ Chambiges, le premier Grand Château de Chantilly, dans le style de la Renaissance française. Le Petit Château, qui existe encore, fut édifié à la même époque par Jean Bullant. Passé en 1643 à Henri II de Bourbon, 3ᵉ prince de Condé, époux de Charlotte de Montmorency, Chantilly resta aux Condés jusqu'à l'extinction de cette famille, en 1830. Le Grand Condé y fit procéder à de nombreux embellissements par Mansart, Le Nôtre, etc. Au XVIIIᵉ s., Jean Aubert construisit les grandes écuries, chef-d'œuvre architectural. Le Grand Château fut dévasté sous la Révolution mais, sous la Restauration, le Petit Château fut restauré par le dernier prince de Condé, lequel légua Chantilly à son petit-neveu et filleul, le duc d'Aumale, fils de Louis-Philippe. C'est le duc qui fit édifier le Grand Château actuel, dans le style Renaissance (1875-81). A sa mort (1897), il légua à l'Institut de France le château et les inestimables collections qu'il y avait rassemblées. Ces collections ont formé le musée Condé (œuvres des Clouet et de leur école; œuvres de Raphaël, de Titien, de Véronèse, etc.; collection de manuscrits, dont celui des *Très Riches Heures du duc de Berry*). Pendant la Première Guerre mondiale, le grand quartier général français fut établi à Chantilly d'oct. 1914 à janv. 1917.

CHANZY Antoine Eugène Alfred (* Nouart, Ardennes, 18.III.1823, † Châlonssur-Marne, 4.I.1883). Général français. Après avoir servi en Algérie et à Solférino, il commanda, en 1870/71, la IIᵉ armée de la Loire et se distingua par sa belle retraite de Vendôme au Mans; Moltke le considérait comme le meilleur chef militaire français de l'époque. Il fut ensuite gouverneur de l'Algérie (1873) et ambassadeur à Saint-Pétersbourg (1879).

CHAO K'OUANG-YIN, premier empereur chinois de la dynastie des Song. Voir TCHAO K'OUANG-YIN.

CHAPE. Vêtement liturgique, en forme de demi-cercle, sans échancrure, attaché sur la poitrine par une patte d'étoffe ou, pour les évêques, par une plaquette en métal, le formal ou pectoral. Le terme bas latin *cappa* dési-

CHANZY
Antoine. Général français
(1823-1883).
Ph. © Bibl. Nat., Paris - Photeb

gnait d'abord (VIIIᵉ s.) un manteau porté aussi bien par les laïcs que par les clercs. Dans les inventaires d'églises et de monastères, la chape n'apparaît qu'au IXᵉ s.; à Rome, son usage fut tardif, et c'est seulement au XIIᵉ s. que la chape fut mise au nombre des vêtements strictement liturgiques.

C'est à la chape qu'il avait le droit de porter en tant qu'abbé laïc de plusieurs monastères que Hugues Capet dut le surnom qui servit ensuite à désigner sa dynastie, celle des Capétiens. « La chape, remarque Honorius d'Autun au XIIᵉ s., est le vêtement propre des chantres, bien qu'elle soit portée par tous les ordres. »

Chape de saint Martin. Célèbre relique, considérée comme le manteau de st. Martin de Tours, que les rois de France, du VIIᵉ au IXᵉ s., emportaient avec eux dans leurs campagnes militaires.

Chape de plomb. Ancien instrument de supplice consistant en un lourd manteau de plomb dont on affublait le condamné, lequel s'effondrait bientôt sous le poids du fardeau.

CHAPEAU. C'est vers le XIVᵉ s. que le chapeau *(chapel)* de feutre ou de fourrure commença à remplacer les bonnets, les chaperons et les toques. Au XVᵉ s., les formes les plus courantes étaient le chapel à bec et à bords relevés, le feutre à fond plat, déjà très moderne, le bonnet-à-la-cocarde, orné d'une crête et d'une longue queue attachées à un turban rigide. Le chapeau féminin fut un peu plus tardif. Sous François Iᵉʳ et Henri II, la mode fut au chapeau de feutre, de velours, de satin, à fond tout à fait plat, orné d'une plume qui faisait panache sur le côté. En été, on portait des chapeaux de jonc, d'écorce blanche de tilleul *(til)*. Sous Henri II, commença à se répandre une sorte de melon. Le chapeau de femme avait été plus tardif que le chapeau masculin; sous le règne d'Henri III, les élégantes portaient volontiers un feutre d'origine albanaise, assez proche du melon, à bords plats. Au temps de Louis XIII, s'imposèrent pour les hommes le large feutre ou le castor, bas de forme, penché sur le côté droit et entouré d'une large plume d'autruche (la *pleureuse*); certains couvre-chefs, plus extravagants, étaient ornés d'un triple panache, mais les bourgeois se contentaient d'un feutre haut et tronconique, à bords étroits (ce fut la coiffure des « têtes rondes » lors de la révolution anglaise contre Charles Iᵉʳ). Sous Louis XIV, les chapeaux masculins, d'abord hauts de forme et très empanachés, diminuèrent de volume à partir de 1660 pour aboutir, dès la fin du XVIIᵉ s., au tricorne, qui prédomina durant toute l'époque Louis XV. Ce tricorne, à bords galonnés, généralement plat et de petites dimensions, ne servait guère et, à cause des perruques, était porté le plus souvent sous le bras. Les femmes également portaient le tricorne, pour la chasse et l'équitation. Mᵐᵉ de Pompadour mit à la mode un grand chapeau de bergère, mais ce fut seulement après l'adoption des coiffures basses, vers 1780/85, que le chapeau féminin connut toute sa vogue, sous des formes aussi variées que gracieuses : chapeaux plats, chapeaux à petits bords ornée de plumes et relevés dans des sens divers, grands chapeaux anglais surmontés d'un échafaudage de plumes (tableaux de Gainsborough).

Sous le règne de Louis XVI, le tricorne masculin prit des dimensions plus importantes; il avançait sur le devant en une corne proéminente dans le *chapeau à la Suisse* et le *chapeau à l'Androsman*. Le *chapeau à la Valaque* avait un bord droit sur le devant et relevé tout droit par-derrière. La guerre de l'Indépendance américaine lança le *chapeau à la Pennsylvanie*, à larges bords légèrement relevés. Sous la Révolution, les chapeaux d'hommes devinrent des bicornes à larges dimensions, mais le légendaire « petit chapeau » de Napoléon Iᵉʳ n'était qu'une variante du chapeau à la suisse, en modèle réduit. Parmi les civils, c'est le chapeau haut de forme qui connut la plus grande vogue au début du XIXᵉ s., soit à petits bords plats et étroits *(chapeau à la Robinson)*, soit à larges bords inclinés par-devant et par-derrière *(chapeau demi-bateau)*, soit à larges bords relevés sur les côtés *(chapeau cintré)*. A partir du Directoire, il y eut une variété prodigieuse de chapeaux féminins; le plus typique de l'époque du premier Empire fut le *chapeau à la Paméla,* avec ses bords rabattus sur les oreilles par un ruban se nouant sous le menton. Le chapeau de soie, apparu en Italie vers 1760, fit son apparition en France comme en Angleterre vers 1810. Il existait aussi des chapeaux de velours, de reps, de crêpe, et surtout de nombreux chapeaux de paille à grande passe, ornés de plumes ou de fleurs.

Sous la Restauration, le chapeau haut de forme s'imposa, pour près d'un siècle, comme l'élément indispensable du costume de l'homme élégant. En feutre ou en soie, il révêtait toutes sortes de formes : il y eut les *murillos,* à bords étroits — le chapeau des ultras —, les *bolivars,* à larges bords — le chapeau des libéraux —, les chapeaux claques, apparus en 1823 et perfectionnés par Gibus, qui leur laissa son nom. Dans les années 1820, la coiffure féminine connut de grands bouleversements : la vogue revint à de grands chapeaux ornés de plumes, de fleurs, de nœuds de ruban. Les élégantes de l'époque Louis-Philippe affectionnèrent, au contraire, de petits chapeaux, appelés *bibis,* qui laissaient passer les longues boucles ou *anglaises.* Sous le second Empire, les chapeaux, qui enveloppaient d'abord étroitement la tête (chapeau à *fanchon* ou à *bavolet),* finirent par devenir minuscules *(casquettes Windsor, chapeaux-bergères),* tandis que les hommes restaient fidèles à d'imposants hauts-de-forme. Le « tube » maintint son hégémonie jusqu'en 1914; il était porté aussi bien par les gens du monde que par les employés de bureau, les commerçants, les étudiants. Le melon n'était guère qu'une coiffure du matin. Dans les premières années du XXᵉ s., on n'admettait encore le chapeau

CHAPEAU

1. Charles IX, roi de France (1560/1574), coiffé d'un béret de velours piqué d'un plumet. Portrait attribué à F. Clouet. (Musée Condé, Chantilly.)
Ph. H. Josse © Photeb

2. Louis XIV, coiffé d'un chapeau à larges bords orné d'une grande plume, le 6 juin 1660, lors du festin de ses fiançailles à Saint-Jean-de-Luz.
Ph. © Bibl. Nat., Paris - Photeb

CHAPEAU

CHAPERON

mou qu'à la campagne, à la chasse. Les Européens ne commencèrent à l'adopter en ville qu'après 1920, sous l'influence de l'Amérique.

Après 1945, le chapeau masculin et féminin semble être tombé de plus en plus en désuétude, victime sans doute du développement du transport automobile, qui rend le couvre-chef inutile.

CHAPEAUX ET BONNETS. Voir Bonnets.

CHAPELLE (Sainte-). Voir Sainte-Chapelle.

CHAPELLE ARDENTE. Salle éclairée de cierges (d'où son nom), où l'on expose la dépouille d'un personnage important en attendant de l'ensevelir. La première chapelle ardente connue dans l'histoire fut dressée lors des obsèques de Dagobert Iᵉʳ (639).

CHAPELLE EXPIATOIRE. Monument dc Paris que Louis XVIII fit construire, de 1816 à 1825, dans le quartier de Saint-Augustin, sur l'emplacement des sépultures primitives de Louis XVI et de Marie-Antoinette (dont les restes avaient été transférés à Saint-Denis, nécropole des rois de France, dès le 21 janv. 1815).

CHAPELLE SIXTINE. Voir Sixtine (chapelle).

CHAPELLE-AUX-SAINTS (La). Localité de France (Corrèze), près de Brive-la-Gaillarde. En 1908, les abbés A. et J. Bouyssonie et L. Bardon y découvrirent un squelette presque complet d'homme de Neanderthal ; il s'agissait d'un individu de sexe masculin, de petite taille (1,60 m), d'une capacité crânienne estimée à 1 600 cm³, âgé d'une cinquantaine d'années.

CHAPERON. Au Moyen Age, le chaperon fut, à l'origine, un capuchon cntouraut la tête ; dès le XIVᵉ s., il atteignit une longueur telle qu'on l'enroulait autour de la tête, l'extrémité formant une sorte de crête ; les chaperons étaient en drap, en soie, en velours, souvent bordés de fourrure, ornés de broderies et même de pierreries. Tout en fourrure ou en peaux, ils s'appelaient *aumusses*. Les hommes cessèrent de porter le chaperon à la fin du XVᵉ s., les femmes un peu plus tard.

CHAPERONS. Nom sous lequel on désigne plusieurs factions populaires qui prirent pour signe de ralliement des coiffures ou *chaperons* de couleur particulière. Le chaperon rouge était couleur de Paris, le chaperon bleu couleur de Navarre : aussi, en 1356, pendant la captivité du roi Jean, les communes de Paris, soulevées contre le dauphin (futur Charles V) et alliées à Charles II le Mauvais, roi de Navarre, portèrent des chaperons bleu et rouge. En 1379, les gens de métier à Gand, qui étaient révoltés contre le duc de Bourgogne, portaient des chaperons blancs.

CHAPOCHNIKOV Boris Mikhaïlovitch (* Zlatooust, Oural, 4.X.1882, † Moscou, 25.III.1945). Maréchal soviétique. Ancien élève de l'école militaire de Moscou et de l'académie de guerre Nikolaïevski (1910), officier de l'armée tsariste passé à la révolution, il devint, en 1936, un des conseillers militaires les plus proches de Staline. Réorganisateur de l'armée, chef d'état-major général (1937/42), maréchal de l'Union soviétique (1940).

CHAPULTEPEC. Éminence rocheuse au S.-O. de la ville de Mexico. Après les empereurs aztèques, les vice-rois du Mexique et l'empereur Maximilien y établirent leur résidence. Les troupes nord-américaines, commandées par le général Winfield Scott, s'en emparèrent le 12 sept. 1847. Le château devint musée national en 1937.

Acte de Chapultepec (8 mars 1945). Déclaration signée par tous les États américains, à l'exception de l'Argentine ; elle réaffirmait les principes d'assistance et de solidarité du panaméricanisme.

CHARACÈNE ou **MÉSÈNE.** Royaume vassal de l'Empire parthe, occupant la région formée par l'embouchure du Tigre et de l'Euphrate. Il fut fondé vers 127 av. J.-C. par Hyspaosine et eut pour capitale Charax, qui devint un important centre commercial, dont le site n'a pas encore été retrouvé. Ce royaume, dont beaucoup de monnaies subsistent, dura jusqu'à l'avènement des Sassanides, au début du IIIᵉ s. de notre ère.

CHARBON. Il semble que, dès le début du Iᵉʳ millénaire avant notre ère, les Chinois aient fait usage du charbon. Il fut sans doute connu des Romains, mais sur une échelle très limitée. C'est seulement vers 1200 qu'on mentionne les premières mines de charbon, en Belgique et en Angleterre. A la fin du XIIIᵉ s., le charbon était employé à Londres, mais seulement pour des usages industriels. On l'accusait d'être dangereux pour la santé et, en 1306, le Parlement anglais demanda au roi d'en interdire l'usage. C'est à partir du XVIᵉ s. que l'industrie du charbon commença à se développer dans toute l'Europe, mais la demande et, par conséquent, la production restèrent très faibles jusqu'au XVIIIᵉ s. A cette époque, l'Angleterre était le principal producteur : vers 1600, sa production n'atteignait cependant pas 220 000 tonnes (elle était, en 1966, de 174 millions de tonnes). Une étape décisive dans l'histoire du charbon fut l'invention, au XVIIᵉ s. début du XVIIIᵉ s., par un maître de forges anglais, Abraham Darby, du procédé de fabrication du coke, dont l'application allait se répandre rapidement. L'apparition de la machine à vapeur (Watt, 1786) puis le développement des chemins de fer, à partir de 1830, firent du charbon la principale source d'énergie du XIXᵉ s. En France, la généralisation de la vapeur, à partir de 1850, nécessita une exploitation intensive des houillères. La production des mines de charbon françaises passa de 4 500 000 tonnes en 1850 à 13 500 000 tonnes en 1869; elle atteignit 28 millions de tonnes en 1895, 40 millions en 1913, 46 millions en 1938 et, depuis 1960, elle a oscillé entre 50 et 58 millions de tonnes. La production mondiale passa de 182 millions de tonnes en 1865 à 928 millions en 1905 (progression de plus de 500% en quarante ans); elle est aujourd'hui d'environ 2 milliards de tonnes. L'Angleterre, principal producteur jusqu'en 1900, fut alors dépassée par les États-Unis, qui, au début des années 1970, avaient une production annuelle d'environ 600 millions de tonnes. L'Union soviétique atteignait des résultats équivalents.

Au cours des deux dernières décennies, des progrès considérables avaient été réalisés par la Chine, dont la production de charbon passait de 32 millions de tonnes en 1948 à environ 250 millions en 1970; par la Pologne, qui avait ouvert 14 nouvelles mines depuis la fin de la Seconde Guerre mondiale; par l'Australie, devenue, dans les années 60, le principal fournisseur de la sidérurgie japonaise. L'Union soviétique envisage de doubler sa production charbonnière dans la décennie 1970/80. En revanche, les mines de charbon d'Europe occidentale, du fait de leur productivité insuffisante, de la concurrence du pétrole et du gaz naturel, semblent vouées à une mort inéluctable. En Belgique, où l'activité charbonnière occupait en 1925 deux cent cinquante et un puits de mine, il n'existait plus en 1972 que dix-neuf exploitations, ne produisant que 11,4 millions de tonnes. Aux Pays-Bas, la dernière mine devait être fermée avant 1975. En Allemagne (111 millions de tonnes en 1970), l'industrie charbonnière souffrait de la concurrence britannique (142 millions de tonnes), appelée à devenir plus redoutable encore après l'entrée du Royaume-Uni dans la Communauté économique européenne. En France, la production de charbon, qui se situait à 45 millions de tonnes par an après la Libération, atteignait son maximum — 58 millions de tonnes — en 1958. Mais les difficultés d'extraction et le faible rendement du mineur français (moins de 3 tonnes de charbon par jour, contre 13 à 14 tonnes par le mineur américain) amenèrent le gouvernement français, dans les années 60, à pratiquer une politique volontaire de récession, qui fit tomber la production charbonnière à 27 millions de tonnes en 1973 et décroître le nombre des mineurs de 300 000 avant 1958 à 70 000 en 1973. A cette date, le charbon ne représentait plus que 20% à peine de la consommation française annuelle d'énergie (contre 75% en 1950); en voie de disparition dans le secteur domestique (10%), il restait dominant dans la consommation sidérurgique (60%). Dès cette époque, la tension croissante sur le prix du pétrole, prélude à la crise qui éclata à la fin de 1973, avait poussé les États-Unis à prendre des mesures en vue de l'augmentation de leur production charbonnière. L'Allemagne, la Grande-Bretagne, l'Australie, l'Afrique du Sud, de leur côté, cherchaient les moyens de constituer une industrie nouvelle permettant de tirer du charbon les hydrocarbures et le gaz naturel indispensables à une économie moderne. S'il est peu probable que le charbon redevienne la première des sources d'énergie, du moins pourrait-il assurer une transition jusqu'à ce que les grandes nations industrielles soient pleinement entrées dans l'ère de l'énergie nucléaire.

● En 1987, la production de la houille s'établissait dans le monde à 3 420 millions de tonnes, se répartissant ainsi : Chine 855; États-Unis 758; U.R.S.S. 589; Inde 215; Pologne 191; Australie 176; Afrique du Sud 174; Grande-Bretagne 102 (France, 14). Les perspectives de la production de l'an 2000 s'établissaient à 5 680 millions de tonnes avec un développement considérable de la production de l'Australie, de la Chine, de l'U.R.S.S. et des États-Unis.

CHARBONNAGES DE FRANCE. Établissement public, à caractère industriel et commercial, créé par la loi du 10 mai 1946 qui opéra la nationalisation des mines de charbon privées et les répartit en 9 grands groupes.

● A la suite de la réorganisation réalisée en 1969, quatre établissements publics ont été dotés de la personnalité civile et de l'autonomie financière : 3 houillères de bassin (Nord et Pas-de-Calais, Lorraine, Centre-Midi) et l'établissement central qui contrôle et coordonne leurs activités, les Charbonnages de France. Les houillères, qui employaient 358 000 personnes en 1947, n'en comptaient plus que 55 918 en 1983, dont 24 273 au fond. La production est passée de 35 millions de tonnes en 1945 à 17 millions en 1983. Mais les Charbonnages sont lourdement déficitaires. En 1987, ils ont reçu une aide de l'État de 6,8 milliards de francs. Les activités chimiques du groupe sont aussi en déficit. En 1987, le rendement était de 560 kg par homme et par poste, pour un prix de revient de 561 F par tonne (150 F par tonne pour le charbon australien). En 1987, la France importait 14,6 millions de tonnes de charbon.

CHARBONNERIE. Voir CARBONARI.

CHARCAS. Présidence coloniale espagnole d'Amérique du Sud, dont le territoire correspondait approximativement à celui de la Bolivie actuelle. Établie en 1559, elle fut rattachée à la vice-royauté du Pérou, puis, en 1776, à celle de La Plata.

CHARCOT Jean-Baptiste (* Neuilly-sur-Seine, 15.VII.1867, † en mer, 16.IX.1936). Explorateur français. Fils du célèbre neuropathologiste Jean Charcot, il fut d'abord médecin, puis entreprit dans les régions antarctiques situées au S. de l'Amérique deux grands voyages (1903/05 et 1908/10) qui lui permirent de compléter la carte des régions australes (terre de Graham, terre de Charcot — île découverte par lui en 1910). Au cours

CHARBON
Femme des houillères
de Charleroi (Belgique), 1867.
Ph. Jeanbor © Photeb

CHARBON
Descente dans la mine. Gravure de I.F. Bonhommé (1809-1881).
Ce peintre et lithographe s'est consacré à la représentation
du travail industriel, de la métallurgie et particulièrement de la mine.
Comme on peut le voir ici, le seul fait de descendre dans un puits, en équilibre
sur le rebord d'une grosse cuve en bois, était déjà un dur exploit.
Mais un progrès notable est à constater : les mineurs sont munis
de lampes de sûreté à toile métallique, inventées
par l'Anglais H. Davy (1778-1829) pour éviter les « coups de grisou ».

d'une expédition sur les côtes du Groenland, son navire, le *Pourquoi-Pas?*, qu'il avait fait construire spécialement en 1908 pour l'exploration polaire, se brisa sur des récifs au S.-O. de l'Islande. Charcot y périt avec tous ses compagnons, à l'exception d'un seul.

CHARDIN Jean (* Paris, 25.XI.1643, † Londres, 26.I.1713). Voyageur français. Fils d'un joaillier parisien et joaillier lui-même, il parcourut pour ses affaires l'Inde, la Perse (1665/70), l'Arménie et la Turquie; après un nouveau voyage en Orient (1671/77), il revint en France par le cap de Bonne-Espérance. Pour échapper aux persécutions qui frappaient les protestants, il s'établit à Londres (1681), où il devint joaillier de la cour. Charles II le fit chevalier. En 1683, il fut chargé de représenter en Hollande la Compagnie des Indes orientales. Il a laissé un intéressant récit de ses *Voyages* (1711).

CHARDJA, *Charjah.* Voir ÉMIRATS ARABES UNIS.

CHARDON (ordre du). Ordre écossais, fondé en 1540 par Jacques V d'Écosse et renouvelé par Jacques II en 1687. Supprimé par la révolution de 1688, il fut restauré par la reine Anne en 1703.

CHARÈS († avant 324 av. J.-C.). Général athénien. Il commanda dans la guerre d'Athènes contre ses alliées (357/355), puis appuya le satrape Artabaze, révolté contre le roi de Perse. En 338, il se mesura avec Philippe de Macédoine, qui le vainquit à Chéronée. Il entra en 333 au service du roi de Perse Darius III. D'une grande bravoure, il était détesté pour sa cupidité.

CHARETTE DE LA CONTRIE François Athanase, baron de (* Couffé, Loire-Atlantique, 17.IV.1763, † Nantes, 29.III.1796). Chef vendéen. D'abord lieutenant de vaisseau, il fut choisi comme chef, en mars 1793, par les paysans du canton de Machecoul, participa au soulèvement de la Vendée et prit part aux sièges de Nantes et de Luçon. En désaccord avec d'autres chefs royalistes, il quitta brusquement l'armée, poursuivit seul le combat et réussit notamment la prise du camp républicain de Saint-Christophe, près de Challans (1794). En févr. 1795, il traita avec la Convention mais reprit les armes pour soutenir l'expédition de Quiberon. Capturé par Hoche, il fut aussitôt fusillé.

Son petit-neveu, **Athanase, baron de Charette de La Contrie** (* Nantes, 1828, † château de la Basse-Motte, 1911), organisateur des zouaves pontificaux, combattit à Castelfidardo (1860), Mentana (1867) et devant Rome (1870). Pendant la guerre franco-allemande, il forma avec ses zouaves la légion des volontaires de l'Ouest et s'illustra notamment à Patay. Auteur de *Souvenirs des zouaves pontificaux* (1875).

CHARGES. Voir OFFICES.

CHARETTE
François Athanase, baron de C. de La Contrie. Chef vendéen (1763-1796).
Ph. Jeanbor © Photeb

CHARGEURS RÉUNIS. Compagnie de navigation maritime fondée en 1872 par des armateurs havrais et des banquiers marseillais. Elle desservit d'abord l'Amérique du Sud, obtint en 1899 la concession du service maritime postal avec l'Afrique occidentale et inaugura en 1902 ses services réguliers avec l'Indochine. En 1930, elle devint une affaire marseillaise en passant sous le contrôle de Léon et Paul Fabre, propriétaires de la Compagnie Cyprien-Fabre. Sa filiale aérienne, l'Aéromaritime, fondée en 1934, devint en 1954 l'Union aéromaritime de transports (U.A.T.), laquelle, ayant fusionné en 1963 avec la T.A.I., est devenue l'Union de transport aérien (U.T.A.).

CHARIBERT. Voir CARIBERT.

CHARIDÈME (* Oréos, île d'Eubée, † en Perse, 333 av. J.-C.). Général grec. Mercenaire, il combattit d'abord au service des Athéniens, puis de leur ennemi, Cotys, roi de Thrace, repassa ensuite au service des Athéniens, dont il commanda les forces en Chersonèse contre Philippe II de Macédoine (351), puis dans la guerre d'Olynthe (349). Après la destruction de Thèbes (335), il réussit à échapper à Alexandre et se réfugia auprès de Darius III, mais celui-ci, dont il avait critiqué les plans de bataille, le fit mettre à mort.

CHARITÉ (Frères de la). Ordre religieux fondé en 1540 à Grenade par st. Jean de Dieu et approuvé en 1572 par st. Pie V, qui le soumit à la règle de Saint-Augustin. Introduits en France en 1601, les frères de la Charité desservirent l'hôpital de la Charité, à Paris, et l'hôpital de Charenton, et ils se firent apprécier par leurs talents de chirurgiens. On les appelle aujourd'hui frères de Saint-Jean-de-Dieu.

CHARITÉ (Filles de la). Fondées en 1633 par st. Vincent de Paul assisté de ste Louise de Marillac, elles furent précédées par une autre fondation du même saint, les *Dames de la Charité* (1618), confrérie charitable dont les membres n'étaient pas liés par des vœux ni par la vie commune. Appelées «sœurs grises», puis «sœurs de Saint-Vincent-de-Paul», les filles de la Charité, vouées au service des pauvres, des malades, des enfants trouvés, des orphelins, virent leur congrégation approuvée par le pape en 1668. Répandues dans le monde entier, avec leur maison mère à Paris, rue du Bac, elles ne prononcent ni vœux publics ni vœux perpétuels.

CHARITÉ-SUR-LOIRE (La). Ville de France (Nièvre), sur la Loire. Abbaye bénédictine, l'une des cinq «filles» de Cluny (1059), dont le prieur était nommé directement par l'abbé de Cluny; elle était le plus important prieuré de l'ordre clunisien et comptait au XIe s. environ 200 moines. L'église prieurale, dont ne subsistent que le transept (XIe s.) et le chœur (début du XIIe s.), l'une des premières manifestations de la technique du grand appareil), avait un vaisseau à cinq nefs, plan qui se retrouve à la troisième abbatiale de Cluny. Elle constitue un des plus importants vestiges d'architecture romane du centre de la France. Durant la guerre de Cent Ans, La Charité fut prise en 1422 par Perrinet Gressart, au service des Anglais, et Jeanne d'Arc tenta vainement de la reconquérir à la fin de 1429. Devenu un foyer du protestantisme, la ville souffrit beaucoup des guerres de Religion; elle fut une des places cédées aux calvinistes en 1570.

CHARITON et **MÉNALIPPE** (VIᵉ s. av. J.-C.). Citoyens d'Agrigente, célèbres pour leur amitié. Chariton, ayant conspiré contre le tyran Phalaris, allait être mis à mort; pour le sauver, Ménalippe vint s'accuser d'être l'instigateur du complot. Phalaris, touché, leur accorda la vie sauve et se contenta de les bannir.

CHARIVARI (Le). Journal satirique illustré publié à Paris de 1832 à 1927. Il lutta avec un esprit mordant contre le régime de Louis-Philippe et réunit les plus grands caricaturistes de l'époque, Daumier, Grandville, Gavarni, Philippon, etc. Il connut sa grande époque sous la monarchie de Juillet et s'assagit sous le second Empire.

CHARLEMAGNE

CHARLEMAGNE
Miniature d'un « capitulaire » du Xᵉ s.
Ph. © Bibl. Nat., Paris - Photeb

CHARLEMAGNE ou **CHARLES Iᵉʳ le Grand,** en latin **Carolus Magnus,** en allemand **Karl der Grosse** (* 2.IV.742, † Aix-la-Chapelle, 28.I.814), roi des Francs (768/814) et empereur d'Occident (800/814). Fils aîné de Pépin le Bref et de Berthe au grand pied, il dut, à la mort de son père, partager le royaume franc avec son frère cadet Carloman (automne 768), mais la mort de Carloman (déc. 771) rétablit l'unité en faisant de Charles le seul roi des Francs. Renonçant à la politique d'alliance franco-lombarde, il répudia la fille de Didier, roi des Lombards, qu'on lui avait fait épouser. Il renoua l'alliance des Francs et du Saint-Siège et intervint dès 773 contre les Lombards qui attaquaient Rome. Didier ayant été forcé de capituler dans Pavie, Charles ceignit la célèbre couronne de fer (5 juin 774) et fit de l'État lombard une sorte de vice-royauté franque. Agissant en protecteur de l'Église, à la place de l'empereur de Byzance défaillant, il renouvela au pape la « donation de Pépin » et s'assura ainsi définitivement l'appui de l'Église. Il lui fallut cependant plusieurs années pour imposer son autorité en Italie, où les duchés lombards méridionaux de Spolète et de Bénévent conservèrent une indépendance de fait. En Gaule même et en Germanie, l'autorité de Charles se heurtait à des particularismes puissants; il reconnut l'autonomie de l'Aquitaine en faisant de ce pays un royaume pour son fils Louis (781), mais la Bavière, dont le duc Tassilon s'était révolté, perdit complètement son indépendance (788).

L'œuvre militaire

Dès le début de son règne, Charlemagne avait mesuré la menace que les Saxons païens, établis dans les plaines marécageuses entre Rhin et Elbe, faisaient peser sur l'Austrasie. La lutte commença dès 772 par une campagne qui n'était encore que d'intimidation : ayant détruit l'idole Irminsul, Charles atteignit la Weser et se fit livrer des otages. De nouvelles opérations, entreprises en 775, firent apparaître la volonté nouvelle du roi franc de conquérir le pays, en menant de pair les opérations militaires et l'évangélisation, seule capable de rendre durables les résultats acquis. Ces guerres de Saxe furent longues, difficiles, acharnées, et obligèrent Charles à recourir à des méthodes brutales. Le soulèvement de Wittikind (à partir de 778) infligea de graves échecs aux Francs, notamment au mont Sunthal (782). Ripostant par la terreur, Charles fit massacrer 4 500 otages à Verden (782); la reddition et le baptême de Wittikind, à la fin de 785, ne suffirent pas à pacifier le pays, et les Francs durent encore recourir à des déportations massives de Saxons, en 799 et 804. La consolidation des marches orientales du royaume franc fut complétée par l'annexion de la Frise (785) et par les campagnes menées sur le Danube contre les Avars de 791 à 805. Au Sud, sans songer pour autant à une conquête de l'Espagne, Charlemagne apporta son appui aux princes sarrasins en lutte contre l'émir de Cordoue, mais l'expédition limitée de 778 se termina par le désastre de l'arrière-garde franque surprise par les Basques au col de Roncevaux (août 778). Charles se contenta dès lors, à partir de 785, d'occuper progressivement des places de sécurité en Catalogne (Gérone, 785; Barcelone, 801) et en Navarre. Pour protéger l'empire ainsi constitué, Charles organisa des *marches* en avant des territoires annexés : marche danoise, marche sorabe (face aux Slaves de la région de l'Elbe), Ostmark, ou Autriche (face aux Avars), marche du Frioul (face aux Croates), marche d'Espagne, marche de Bretagne.
Dans ces dernières années du VIIIᵉ s., le roi des Francs apparaissait comme l'arbitre suprême de l'Occident chrétien. Il vit encore

son prestige accru en 799, lorsque le pape Léon III dut implorer son aide contre ses ennemis romains. Charles descendit en Italie, s'érigea en juge du pape qu'il justifia des accusations dont il était l'objet, et, en échange de ce service, le jour de Noël 800, dans la basilique Saint-Pierre, Léon III lui ceignit la couronne impériale, ce qui faisait de lui, selon la conception politique augustinienne de *La Cité de Dieu*, l'« avocat », le protecteur et le défenseur officiel de l'Église. Cet événement, dont Charlemagne feignit d'être le premier surpris, créa d'abord une tension avec l'empire de Byzance. Après avoir songé peut-être à régler ce conflit en épousant l'impératrice Irène, Charles dut se résoudre à intimider Byzance en se servant de ses bonnes relations avec le calife de Bagdad, Haroun el-Rachid, puis en occupant la Dalmatie et la Vénétie (809). Vers la fin du règne, un compromis se dessinait entre le vieil empire d'Orient et le nouvel empire d'Occident : l'empereur Michel consentit en 812 à appeler Charlemagne « frère », mais c'est seulement sous Louis le Pieux que Byzance reconnut le titre impérial du souverain d'Occident.

L'Empire, idéal moral

Au point de vue politique, le couronnement impérial de Charles n'entraîna pas immédiatement de grands changements : « C'est, dit J. Calmette, que l'Empire n'est point un régime mais un idéal moral : il signifie l'unité de l'Occident sous un chef qui exerce la plénitude du pouvoir temporel dans l'intérêt de la république chrétienne. Une double délégation divine plane sur les *fidèles*. Le même terme désigne les sujets de l'État et ceux de l'Église : le pape et l'empereur sont au sommet de la hiérarchie qui préside aux destinées des corps et des âmes. Ainsi se précise le concept médiéval : les rapports de l'Empire et de la papauté conditionnent désormais l'équilibre du système. » *(Le Monde féodal.)* L'acte du jour de Noël 800 ouvrait aux empereurs de nombreuses possibilités d'intervention dans les affaires ecclésiastiques. Charlemagne, s'il veilla diligemment sur les monastères, s'il se fit le défenseur de la chrétienté, n'en poursuivit pas moins la mise en tutelle de l'Église pratiquée par ses prédécesseurs Charles Martel et Pépin. Le christianisme était pour lui avant tout un élément d'ordre et de stabilité. Dans le vaste Empire, qui s'étendait de la mer du Nord à la Toscane, de l'Elbe et du Danube aux Pyrénées, l'anarchie restait encore très grande, malgré un puissant effort d'organisation administrative (division en comtés; assemblées annuelles des dignitaires laïcs et ecclésiastiques au palais impérial; envoi dans les provinces de *missi dominici*, chargés d'enquêtes et d'inspections; publication des capitulaires, etc.). Charlemagne restait d'ailleurs dans la tradition franque et on ne voit pas chez lui ce profond sentiment unitaire qui fera plus tard la force des Capétiens. En 806, il décida qu'après sa mort ses États seraient partagés entre ses trois fils, ce qui aurait iné-

CHARLEMAGNE

Le roi des Francs (768/814), empereur d'Occident (800/814)
et son fils Pépin, roi d'Italie (781/810). Miniature d'un codex du Xᵉ s.
(Archives du chapitre de la cathédrale de Modène.)
La légende a tant exploité, et sous tant de formes illustré,
les exploits de l'empereur « à la barbe fleurie »,
l'iconographie contemporaine
concernant Charlemagne est si rare
que l'on pourra toujours douter des détails de sa physionomie.
Cette miniature confirme le « portrait » de la célèbre mosaïque
du triclinium du Latran, réalisée du vivant de l'empereur,
et où on le voit en compagnie du pape Léon III :
en 800, âgé de cinquante-huit ans, Charlemagne était sans barbe
mais portait de grandes moustaches.
A moins, bien entendu, que le mosaïste comme le miniaturiste
n'aient voulu représenter un monarque éternellement jeune.

vitablement ramené l'Empire au chaos si Louis le Pieux n'avait été le seul de ses fils à lui survivre. La paix carolingienne permit du moins un renouveau des études, auquel Charles prit part personnellement en créant des écoles et en appelant à sa cour les meilleurs érudits européens : l'Anglais Alcuin, le Lombard Paul Diacre, l'Allemand Egin-

hard (son biographe), l'Espagnol Théodulphe, etc. Une école fut établie dans le palais même du souverain; l'architecture et les arts connurent également un brillant essor, qui prépara directement la renaissance romane (chapelle palatine d'Aix, vers 796-803; mosaïques, fresques, sculptures sur ivoire, miniatures, etc.). Voir CAROLINGIENS.

CHARLEMAGNE
miniature d'un « capitulaire »
du Xᵉ s.
Ph. © Bibl. Nat., Paris - Photeb

CHARLEROI. Ville de Belgique, dans le Hainaut, sur la Sambre. Forteresse créée en 1666, Charleroi, qui s'appela d'abord *Charnoy*, fut prise par les Français en 1667 et renforcée par Vauban. Rendue à l'Espagne en 1678, elle passa à la Hollande par le traité d'Utrecht, fut prise par le prince de Conti en 1746 et attribuée à l'Autriche par la paix d'Aix-la-Chapelle (1748). En 1794, elle ne se rendit à Jourdan qu'après une magnifique résistance. Charleroi, devenue au XIXᵉ s. un important centre minier et industriel, se trouve au cœur d'un bassin houiller qui souffre gravement de la crise charbonnière de Wallonie.

Bataille de Charleroi (21-23 août 1914). Elle fut le principal épisode de la bataille des frontières livrée par l'armée française pour tenter d'empêcher la réalisation du plan Schlieffen par les Allemands. Dès le 14 août 1914, Lanrezac, commandant de la Vᵉ armée sur la Meuse, avait vainement tenté d'alerter Joffre sur l'ampleur du mouvement de débordement de la droite allemande, au nord de la Meuse et de la Sambre. S'en tenant aux données fournies par son service

de renseignements, qui mésestimait l'importance des forces adverses, Joffre avait d'abord négligé cet avertissement et poursuivi ses attaques vers le Luxembourg et en Lorraine. Déplacée cependant de la Meuse vers la Sambre, dans le secteur compris entre Givet et Charleroi, la Vᵉ armée de Lanrezac, couverte à sa gauche par le corps expéditionnaire britannique de French, se trouva, avec 13 divisions, aux prises avec la masse des Iʳᵉ et IIᵉ armées allemandes au nord, de la IIIᵉ armée allemande à l'est – au total, 30 divisions. L'action, commencée le 21 août, assura aux Allemands une tête de pont sur la rive sud de la Sambre, au soir du 22. Le 23, les Français se trouvèrent pris en tenaille entre les Iʳᵉ (Kluck) et IIᵉ (Bülow) armées allemandes venant de Charleroi et la IIIᵉ armée (Hausen) venant de Dinant. Dans la nuit du 23 au 24, Lanrezac ordonna la retraite vers Maubeuge, sauvant de l'encerclement les forces britanniques. L'opinion le rendit injustement responsable de la défaite de Charleroi, laquelle serait beaucoup plus imputable à Joffre, qui avait trop longtemps minimisé la menace de la droite allemande.

CHARLES

CHARLES III
le Gros, empereur d'Occident
(881/887). Denier avec son
monogramme. Atelier de Verdun.
(Cabinet des Médailles.)
Ph. © Bibl. Nat., Paris - Photeb

CHARLES. Nom porté par de nombreux saints et souverains.

SAINT

CHARLES BORROMÉE saint, **Carlo Borromeo** (* Arona, près du lac Majeur, 2.X.1538, † Milan, 3.XI.1584). Cardinal italien. D'une grande famille milanaise, neveu du pape Pie IV, il fit ses études de droit canonique, fut fait cardinal à vingt-deux ans (avant même d'être ordonné prêtre) (1560), puis archevêque de Milan (1564). Malgré sa jeunesse, il se révéla un énergique protagoniste de la réforme catholique et mena à son terme le concile de Trente (déc. 1563). Son œuvre principale, outre la direction de la commission chargée de rédiger le

Catéchisme romain, fut l'institution de séminaires assurant la formation des futurs prêtres. Canonisé en 1610.

ALLEMAGNE (empire d').

CHARLES Iᵉʳ, empereur. Voir CHARLE-MAGNE.

CHARLES II le Chauve, empereur. Voir CHARLES II, roi de France.

CHARLES III le Gros, (* 839, † Reichenau, 13.I.888), empereur d'Occident (881/887). Arrière-petit-fils de Charlemagne, troisième fils de Louis le Germanique,

CHARLES QUINT

Page ci-contre :
carte de son empire,
ayant pour centre
l'héritage bourguignon
de Philippe le Beau.
Les alliances matrimoniales
de ses ascendants
ont fait que le soleil
ne se couche point
sur cet immense domaine,
dont on ne voit ici
que la partie européenne.
Triple héritage : Bourgogne
(Flandre, Luxembourg
et comté); territoires
autrichiens des Habsbourg;
Castille-Aragon, avec leurs
possessions américaines.

La séance d'abdication,
25 oct. 1555.
Gravure de Fr. Hogenberg.
Légende originale :
« (Le souverain), connaissant
par la défaillance
de ses forces corporelles
approcher sa fin,
fait assembler
les États du Pays bas
en la ville de Bruxelles,
résignant la seigneurie
dudit Pays entre les mains
du roi Philippe,
son fils et héritier.
D'où bientôt après il partit,
faisant voile vers l'Espagne...
vaquer à la contemplation
des choses divines. »
Charles, alors âgé
de cinquante-cinq ans,
devait vivre encore trois ans..
On voit ici le roi Philippe
à genoux devant son père;
à droite : Marie Tudor,
son épouse (1516-1558),
alors reine d'Angleterre.

Ph. Jeanbor © Photeb

roi d'Alémanie en 865, il hérita de l'Italie et de l'Allemagne à la mort de ses frères et fut couronné empereur en 881. Roi de France en 884, à la mort de Carloman, il reconstitua un instant l'Empire carolingien, mais sa faiblesse devant les invasions normandes (885/886) et son incompétence en Allemagne le firent déposer par la diète de Tribur (nov. 887).

CHARLES IV DE LUXEMBOURG
(* Prague, 14.V.1316, † Prague, 29.XI.1378), empereur allemand (1346/78). Fils de Jean de Luxembourg, roi de Bohême, petit-fils de l'empereur Henri VII, c'est avec l'appui du pape qu'il fut proclamé roi de Bohême et roi des Romains (1346) contre l'empereur Louis IV de Bavière. A la mort de ce dernier, il fut couronné empereur à Rome (1355). Sous la dépendance de la papauté, il renonça à la politique impériale traditionnelle en Italie et ne s'occupa guère que de renforcer la puissance de sa maison en Bohême, par l'annexion de la Lusace et de la Silésie. Il promulgua la fameuse Bulle d'or de 1356, qui réglementait les élections impériales. Prince cultivé, ami de Pétrarque, il fit de sa cour un foyer d'humanisme et fonda l'université allemande de Prague (1348).

CHARLES V dit CHARLES QUINT
(* Gand. 25.II.1500, † monastère San Jeronimo de Yuste, Estrémadure, 21.IX.1558), roi d'Espagne sous le nom de **Charles I**er (1516/56) et empereur germanique (1519/56). Fils de l'archiduc Philippe le Beau et de Jeanne la Folle, il était par son père le petit-fils de l'empereur Maximilien Ier de Habsbourg, par sa mère le petit-fils des Rois Catholiques, Ferdinand d'Aragon et Isabelle de Castille. C'était un homme pâle, de complexion chétive, sans beauté, avec le menton en galoche des Habsbourg; le travail et les préoccupations le vieillirent avant l'âge, et il semblait n'avoir pas eu de jeunesse. Il fut éduqué dans un milieu bourguignon, mais qui avait déjà reçu l'influence castillane et autrichienne; sa langue naturelle était le français et il parla toujours fort mal l'allemand. Il hérita de son milieu les traditions chevaleresques de l'ancienne cour de Bourgogne, mais sans l'éclat, sans le débordement de vie et de faste qui avaient marqué le siècle de Philippe le Bon. Ses deux principaux éducateurs furent Guillaume de Croÿ, seigneur de Chièvres, lequel demeura son plus proche conseiller, et Adrien d'Utrecht, qui forma spirituellement le jeune prince selon les idées du mouvement de la « dévotion moderne », dans une foi chrétienne absolue, mais déjà humaniste par sa recherche de la simplicité intérieure.
A la mort de son père (1506), Charles devint souverain des Pays-Bas, mais, comme il n'avait que six ans, la régence fut exercée par sa tante, Marguerite d'Autriche. A l'âge de quinze ans, il fut émancipé devant les états généraux (5 janv. 1515). Un an plus tard, le 23 janv. 1516, son grand-père maternel, Ferdinand d'Aragon, mourut, et la succession

du trône d'Espagne fut ouverte. D'après le testament de Ferdinand, Charles n'aurait dû gouverner l'Aragon et la Castille que nominalement, comme représentant de sa mère, Jeanne, dont la raison avait sombré à la mort de son mari. Dans le dessein secret de déshériter son petit-fils, Ferdinand, peu avant de mourir, avait même contracté un second mariage. Mais ses adversaires assurèrent le trône à Charles, qui, le 14 mai 1516, fut proclamé à Bruxelles, sous le nom de Charles Ier, roi des Espagnes et des Deux-Siciles et souverain des Amériques. En 1517, il partit pour l'Espagne, emmenant avec lui un grand nombre de nobles belges et flamands, que les Espagnols reçurent fort mal. Charles eut beaucoup de mal à imposer son autorité : les nobles et les villes, en Castille surtout, trouvaient dans le changement de souverain et dans l'avènement de la dynastie étrangère des Habsbourg une occasion de se rebeller contre la politique centralisatrice qui avait été suivie par les Rois Catholiques. Charles savait à peine le castillan et on lui reprochait son entourage flamand. En 1520/21, des révoltes armées (révolte des *comuneros*) éclatèrent en Castille et en Aragon; Charles avait déjà quitté l'Espagne, mais la subversion fut énergiquement réprimée par Adrien d'Utrecht, qu'il avait laissé comme régent, et dès 1522, la péninsule Ibérique pouvait être considérée comme soumise. Elle allait contribuer largement, par ses soldats et par ses richesses, à l'effort de guerre de son souverain.

La lutte contre la France

Sa formation essentiellement française et l'influence de Chièvres poussaient Charles à rechercher un arrangement durable avec François Ier; par le traité de Noyon (août 1516), il avait reconnu à la France la possession immédiate du Milanais. Mais l'élection impériale de 1519, à la suite de la mort de Maximilien Ier, allait ouvrir, entre la France et les Habsbourg, une lutte qui n'eut pas seulement des enjeux matériels (l'héritage bourguignon), mais qui opposait aussi deux conceptions de la politique : la vieille idée impériale des Hohenstaufen, dont Charles se fit l'héritier, et l'idée moderne de l'État national, dont la France était le champion. Maximilien avait multiplié les efforts pour assurer la succession de l'Empire à son petit-fils. A sa mort, un rival imprévu se présenta en la personne de François Ier, qui poussa sa candidature à grand renfort d'intrigues et d'argent. Ce fut néanmoins Charles qui fut choisi par les Électeurs germaniques (28 juin 1519), grâce à l'appui des Fugger, et il prit le nom de Charles V. Cette élection faisait peser une menace terrible sur la France. A la fois souverain des Pays-Bas, roi d'Espagne et empereur germanique, Charles Quint allait régner sur un empire « où le soleil ne se couchait pas »; il était maître de la péninsule Ibérique et des possessions espagnoles d'outre-mer, de la Sardaigne, de la Sicile,

Legend:

1506	Héritage de Philippe le Beau
1519	Territoires autrichiens des Habsbourg à la mort de Maximilien
1516	Royaumes de Castille, d'Aragon Colonies espagnoles d'Amérique à la mort de Ferdinand d'Aragon
1521	Tournai
1526	Ferdinand, frère de Charles V élu roi de Bohême et de Hongrie
de 1524 à 1543	Les provinces du Nord-Est: Frise, Drenthe, Groningue, Overijssel, Gueldre, Utrecht
	Présides d'Afrique du Nord
	Limites théoriques du St Empire

Map labels: PROVINCES DU NORD-EST, Lübeck, Brême, BRANDEBOURG, POLOGNE, Wittenberg, Mühlberg, Smalkalde, Cologne, 1526, Ferdinand élu roi de Bohême, Anvers, Gand, Bruxelles, LUX., SAXE, Prague, BOHÊME, MORAVIE, Tournai, Mayence, Worms, PALATINAT, Spire, Nuremberg, Passau, Vienne, AUTRICHE, STYRIE, HONGRIE, Paris, Strasbourg, Ulm, BAVIÈRE, Augsbourg, Innsbruck, TYROL, CARINTHIE, Dijon, Constance, CONFÉDÉRATION HELVÉTIQUE, Trente, EMPIRE OTTOMAN, FRANCE, Cognac, Lyon, MILAN, VENISE, Venise, Gênes, FLORENCE, ÉTATS DE L'ÉGLISE, Valladolid, R^ME DE NAVARRE, PORTUGAL, ROYAUME DE CASTILLE, ARAGON, St-Yuste, Madrid, Tolède, Barcelone, ROYAUME D'ARAGON, Rome, Naples, NAPLES, Valence, MAJORQUE, SARDAIGNE, Séville, Grenade, SICILE, Tanger, Ceuta, Peñon de Velez, Melilla, Oran 1509, 1510-1519, Alger, Bougie 1510-1555, Bône 1535, Bizerte 1535, Tunis 1535, La Goulette 1535

891

de Naples, des Pays Bas, de la Flandre, de l'Artois, de l'Alsace, de la Franche-Comté, de l'Autriche, des possessions allemandes des Habsbourg. En face de cette puissance prodigieuse, la France, encerclée, pouvait sembler condamnée. Charles Quint apparaît comme le premier monarque de l'univers. La réalité ne correspondait pas tout à fait à ces belles apparences : soutenu ardemment par la noblesse belge, Charles Quint resta un étranger en Allemagne plus encore qu'en Espagne, surtout lorsque l'explosion de la Réforme eut créé un antagonisme religieux entre l'empereur et les princes germaniques, déjà déçus que Charles n'eût pas tenu les promesses libérales qu'il avait faites en 1519. L'immensité et la diversité des possessions de Charles étaient, au fond, une cause de faiblesse, que la France allait exploiter.

Les cinq guerres menées par Charles Quint contre François Ier et Henri II (1521/26, 1527/29, 1536/38, 1542/44, 1552/56) constituèrent les premiers chapitres d'une lutte entre la France et la maison d'Autriche qui ne devait prendre fin qu'au milieu du XVIIIe s. Du fait de ce conflit, ce ne fut qu'à l'occasion de courts répits que Charles Quint put trouver le temps de régler les affaires intérieures de son empire. Cependant, les hostilités avaient commencé fâcheusement pour le roi de France. Après l'échec diplomatique français du camp du Drap d'or (1520), François Ier dut attaquer seul Charles et ses alliés, le pape Léon X et le roi d'Angleterre, Henri VIII. Le connétable de Bourbon passa du côté des Impériaux, le Milanais fut perdu, la France envahie (1522) et François Ier lui-même vaincu et fait prisonnier à Pavie (24 févr. 1525). Captif en Espagne, il signa le traité de Madrid (14 janv. 1526), par lequel il renonçait à l'Italie et à toute suzeraineté sur l'Artois, la Flandre et la Bourgogne. A peine libéré, François Ier refusa d'exécuter les stipulations du traité de Madrid et rouvrit la guerre, mais cette fois avec l'aide du pape Clément VII et de l'Angleterre (1527/29). Charles Quint, qui se donnait volontiers comme le défenseur de la chrétienté, n'hésita pas à laisser mettre à sac Rome par ses reîtres (mai 1527), et son prestige en fut atteint.

Il dut se résigner à un compromis : à la paix des Dames (traité de Cambrai, 3 août 1529), Charles renonça à la Bourgogne et François Ier à l'Italie. Loin de tenir cette paix pour définitive, François déploya aussitôt une intense activité diplomatique. Au grand scandale de la chrétienté, il noua alliance avec les princes protestants allemands (1534) et même avec les Turcs (1535). Les troisième et quatrième guerres (1536/38 et 1542/44), malgré les invasions des Impériaux en Provence et en Champagne, se terminèrent encore par une paix de compromis, le traité de Crépy (18 sept. 1544), qui consacrait les traités précédents : Charles Quint avait réussi à conserver l'Italie dans la mouvance impériale et espagnole, mais la Bourgogne était définitivement perdue. En 1552, les Français profitèrent de ses difficultés en Allemagne pour occuper les Trois-Évêchés : Metz, Toul et Verdun. Lorsque les Impé-

CHARLES QUINT
Roi d'Espagne (1516/1556).
Empereur germanique
(1519/1556). Portraituré
à vingt-sept ans par
le miniaturiste d'un bréviaire
ayant appartenu à
Marguerite d'Autriche.
Ph. © Bibl. Nat., Paris - Photeb

riaux voulurent reprendre Metz, ils furent repoussés par l'énergique défense de François de Guise (1533).

Champion du catholicisme

Si la lutte contre la France aboutissait à un échec relatif, malgré l'énorme supériorité initiale du Habsbourg, c'est que Charles Quint, à partir de 1530, avait dû constamment lutter sur plusieurs fronts, menacé sur ses arrières, en Allemagne par les princes protestants, en Hongrie, en Autriche et en Méditerranée par les Ottomans. Les entreprises espagnoles sur les côtes d'Afrique avaient poussé les Barbaresques, dès 1518, à se reconnaître vassaux des Turcs. Charles Quint réussit à s'emparer de Tunis (1535), mais une expédition contre Alger aboutit à un désastre (1541). Pendant ce temps, Soliman II avançait dans la vallée du Danube : après leur victoire de Mohacs (1526), les Turcs submergèrent la plaine hongroise et parvinrent sous les murs de Vienne (1529). Repoussés, ils restèrent menaçants et, en 1536, Soliman scella son alliance avec François Ier par le traité des capitulations.

Défenseur de l'Europe contre les Turcs, Charles Quint était aussi le champion du catholicisme en Allemagne. Politique et religion étaient ici étroitement mêlées. Par la capitulation de 1519, Charles s'était engagé solennellement à respecter les libertés germaniques, à ne conclure aucun traité, à ne pas déclarer de guerre, à ne pas introduire de mercenaires étrangers à l'intérieur de l'Empire sans le consentement des Électeurs. Pour Charles, l'Allemagne restait une possession secondaire par rapport à l'héritage bourguignon, à l'Espagne et à l'Italie. De formation française et catholique, l'empereur, en face de la Réforme, ne pouvait avoir qu'une position antiallemande. S'il savait exploiter la haine allemande contre Rome en jetant les lansquenets germaniques au sac de la Ville éternelle (1527), il n'attendait qu'une occasion d'étouffer la Réforme et d'imposer son autorité absolue en Allemagne. Il ne put intervenir qu'en 1529, après la paix de Cambrai et l'échec des Turcs devant Vienne. La seconde diète de Spire (1529) prétendit interdire aux princes allemands le droit de régler eux-mêmes les questions religieuses; les princes luthériens répliquèrent par une « protestation », puis, lorsque Charles Quint ordonna la stricte application de l'édit de Worms, ils formèrent la ligue de Smalkalde (1530), qui s'allia bientôt avec François Ier. Mesurant l'ampleur du danger, Charles essaya longtemps d'amener ses adversaires à composer pacifiquement. Mais après la paix de Crépy, commença la guerre civile allemande (1546/47), marquée par la victoire de l'empereur sur les protestants à Mühlberg (24 avr. 1547). Cependant, l'intervention française en Lorraine et une nouvelle invasion turque en Hongrie empêchèrent Charles Quint d'exploiter son avantage : en 1552, il dut autoriser son frère Ferdinand à signer la

CHARLES QUINT
Détail de son portrait, par Titien.
(Alte Pinakotek, Munich.)
Ph. Scala © Archives Photeb

CHARLES VII
Empereur allemand (1697-1745).
Ph. © Bildarchiv Preussischer
Kulturbesitz

trêve de Passau, suivie par la paix d'Augsbourg (1555), qui consacrait la division religieuse de l'Allemagne et laissait les princes libres d'imposer leur religion à leurs sujets.

Essor des Pays-Bas

C'est finalement aux Pays-Bas que Charles Quint connut le moins de déboires. Reprenant la politique d'annexion des ducs de Bourgogne, il ajouta à ses domaines héréditaires Tournai (1521), la seigneurie de Frise (1523), le territoire d'Utrecht et l'Overijssel (1528), les territoires de Drenthe et de Groningue (1536), le duché de Gueldre et le comté de Zutphen (1543). La paix des Dames (1529) avait rompu définitivement les liens de vassalité entre la Flandre et la France. L'ensemble des Pays-Bas forma, à partir de cette époque, les Dix-Sept Provinces, que la pragmatique sanction de 1549 déclara un tout « indivisible et impartageable ». En 1530, Charles Quint désigna comme gouvernante générale des Pays-Bas sa propre sœur, Marie de Hongrie, qu'il assista d'un conseil d'État, d'un conseil privé et d'un conseil des finances, les états généraux conservant le vote des impôts. Tout le règne fut une période particulièrement heureuse pour cette partie de l'Europe : grâce au commerce avec le Nouveau Monde et avec l'Asie, Anvers devint un grand marché des épices et l'une des premières places financières de l'Europe. L'humanisme et les sciences brillaient avec le moraliste Érasme, le médecin Vésale, la peinture avec Quentin Matsys et Pierre Breughel l'Ancien, la musique avec Roland de Lassus. Cependant, en 1539, Charles Quint eut à vaincre la révolte de Gand, qui avait fait appel à l'aide de François Ier, et dont les privilèges furent abolis par la concession Caroline. Arrivé à l'âge de cinquante-cinq ans, Charles Quint pouvait contempler avec quelque mélancolie l'histoire de son règne : il avait conçu, comme une mission divine, le rétablissement sous son sceptre de l'universalité chrétienne du Moyen Age, l'affirmation de l'Empire en tant que puissance temporelle suprême, chargée de maintenir la paix dans l'unité de la foi à l'intérieur, et à l'extérieur, de défendre la chrétienté par la croisade contre le musulman. A l'aube des Temps modernes, il fut le dernier serviteur de l'idée médiévale de l'Empire chrétien universel. Mais partout il avait échoué : la nationalité française et, tout autant, le protestantisme allemand avaient tenu l'empereur en échec. Sur le plan politique comme sur le plan spirituel, la maison de Habsbourg se heurtait déjà à ces particularismes qui devaient lentement préparer sa chute. Même au-delà des mers, la conquête chrétienne (celle du Mexique par Cortez, 1519/21; celle du Pérou par Pizarre et Almagro, 1531/34) était souillée par la cupidité et les violences des conquistadores. L'afflux des métaux précieux orientait l'Europe vers le grand capitalisme commercial tandis que l'exploitation

de l'Amérique, une fois les indigènes décimés, allait développer la traite des esclaves noirs d'Afrique. Ainsi l'idéal chrétien qui soutenait les conceptions politiques de Charles Quint se reflétait-il dans une sombre caricature. Charles Quint, qui avait été le dernier souverain du Moyen Age, décida de renoncer au pouvoir : il abdiqua son autorité d'abord sur les Pays-Bas (25 oct. 1555), puis sur ses possessions espagnoles (16 janv. 1556), en faveur de son fils, Philippe II; le 12 sept. 1556, il transmit le titre impérial à son frère, Ferdinand Ier.

Il se retira alors en Espagne, dans une demeure contiguë au monastère de Yuste, et passa les deux dernières années de sa vie dans la retraite, sans cesser cependant de s'intéresser aux affaires de l'État et de conseiller son fils.

CHARLES VI (* Vienne, 1.X.1685, † Vienne, 20.X.1740), empereur allemand (1711/40). Second fils de Léopold Ier. Dans la guerre de la Succession d'Espagne, il fut opposé comme roi d'Espagne (1703) à Philippe V, petit-fils de Louis XIV, mais ne put prendre possession de sa couronne. Devenu empereur à la mort de son frère Joseph Ier (1711), il renonça à ses prétentions sur l'Espagne par le traité de Rastatt (1714) et obtint en compensation la cession de Naples, du Milanais, de Mantoue, de la Sardaigne (échangée contre la Sicile en 1718) et des Pays-Bas. Son règne fut marqué par la Quadruple-Alliance de 1718/19, avec la France, l'Angleterre et la Hollande, visant à mettre en échec la politique d'Alberoni. Dans la guerre de 1716/18 contre les Turcs, l'Autriche, grâce aux victoires du Prince Eugène, conquit le Banat, le N. de la Bosnie, la Serbie avec Belgrade et une partie de la Valachie, mais elle reperdit une grande partie de ces territoires dans la guerre malheureuse de 1736/39. Sans héritier mâle, Charles VI fut surtout préoccupé d'assurer à ses filles la succession de ses États autrichiens; dès 1713, il édicta en ce sens une pragmatique sanction, qu'il réussit, après beaucoup d'efforts, à faire garantir par l'Europe entière (cependant, dès l'avènement de sa fille, Marie-Thérèse, allait s'ouvrir la guerre de la Succession d'Autriche). En 1733, il favorisa l'élection du roi de Pologne Frédéric Auguste contre Stanislas, soutenu par la France; néanmoins, en dédommagement, il fut dans l'obligation, par le traité de Vienne (1735), d'abandonner la Lorraine à Stanislas et Naples aux Bourbons d'Espagne.

CHARLES VII ALBERT DE WITTELSBACH (* Bruxelles, 6.VIII.1697, † Munich, 20.I.1745), empereur allemand (1742/45). Prince Électeur de Bavière (1726/45), fils de Maximilien-Emmanuel, marié à une fille de l'empereur Joseph Ier, il refusa, dès la mort de Charles VI (1740), de reconnaître la fille de celui-ci, Marie-Thérèse, pour héritière des États d'Autriche; il déclencha la guerre de la Succession d'Autriche et, avec l'alliance de la France, conquit d'abord la haute Autriche et la Bohême et

CHARLES Iᵉʳ
Roi de Grande-Bretagne
et d'Irlande (1625/1649). Peint
d'après Van Dyck. (National
Portrait Gallery.)
Ph. © du musée - Photeb

parvint à se faire couronner empereur à Francfort en janv. 1742; mais il perdit rapidement ses conquêtes et fut même, pendant quelque temps, chassé de ses États héréditaires par les armées autrichiennes.

ANGLETERRE

CHARLES Iᵉʳ (* Dunfermline, Écosse, 19.XI.1600, † Londres, 30.I.1649), roi de Grande-Bretagne et d'Irlande (1625/49). Fils et successeur de Jacques Iᵉʳ Stuart, il fut d'abord populaire en raison de la dignité et de la noblesse de ses manières, mais son mariage avec la princesse catholique Henriette de France, sœur de Louis XIII, choqua l'opinion anglaise (1625). Vivant éloigné de son peuple par timidité, Charles était absolutiste et partisan du droit divin. Il commit l'erreur de garder auprès de lui Buckingham, universellement méprisé, qui entraîna l'Angleterre dans des expéditions malheureuses contre l'Espagne et la France. Après avoir dissous deux Parlements qui lui refusaient des subsides (1625, 1626), il dut, après l'échec de la flotte anglaise à La Rochelle, convoquer un troisième Parlement (mars 1628), qui rappela énergiquement les libertés traditionnelles du peuple anglais et obligea le roi à souscrire à la Pétition des droits. Après l'assassinat de Buckingham, Charles Iᵉʳ procéda à la dissolution d'un quatrième Parlement (mars 1629) et imposa son gouvernement personnel (que les Anglais appellent la « tyrannie de onze ans », 1629/40). Grâce à la politique d'économies de Strafford, Charles put se passer du Parlement. Sous l'influence de sa femme, il se montra de plus en plus tolérant pour le catholicisme, dont l'Église anglicane elle-même sembla se rapprocher, sous l'impulsion de l'archevêque Laud. En 1637, on chercha à imposer à l'Écosse une nouvelle liturgie, fondée sur le *Book of Common Prayer* anglais, ce qui provoqua la révolte de la cathédrale à Édimbourg (1637), l'union de l'opposition presbytérienne dans le Covenant (1638) et les deux « guerres épiscopales » (1638/39, 1640/41).
Charles Iᵉʳ se vit forcé, pour obtenir des subsides, de convoquer un nouveau Parlement, mais l'assemblée redoubla de critiques contre la politique royale et fut renvoyée au bout de trois semaines. A ce Court Parlement (avr./mai 1640) succéda, en nov. 1640, le Long Parlement, qui devait être prorogé jusqu'en 1660. Se trouvant financièrement aux abois, Charles Iᵉʳ entra dans la voie des concessions : il laissa exécuter son ministre Strafford (mai 1641), accepta le *Triennal Bill* (févr. 1641), qui lui imposait de convoquer le Parlement au moins une fois tous les trois ans, et dut même renoncer au droit de dissoudre le Parlement siégeant à ce moment, sauf consentement de l'assemblée elle-même (mai 1641).
Cependant, Charles voyait se former autour de lui un parti royaliste décidé à la résistance. Il crut pouvoir ressaisir le pouvoir par un coup d'État et ordonna l'arrestation de six chefs de l'opposition parlementaire, parmi

CHARLES II
Roi de Grande-Bretagne
et d'Irlande (1660/1685).
Ph. J.L. Charmet © Arch. Photeb

lesquels Pym (4 janv. 1642). Mais les accusés se réfugièrent à la Cité de Londres, qui refusa de les livrer au roi. Ce fut le début de la guerre civile : derrière le roi, qui avait quitté Londres, se rangèrent les *cavaliers,* surtout recrutés dans la noblesse, auxquels s'opposaient les parlementaires, bourgeois des villes et petits propriétaires ruraux, qui furent affublés du surnom de *têtes rondes* (v.). L'armée royaliste remporta d'abord quelques succès, mais les parlementaires trouvèrent, en la personne de Cromwell, un grand chef militaire. Vaincu à Marston Moor (2 juill. 1643) et à Naseby (14 juin 1645), Charles Iᵉʳ se réfugia en Écosse en mai 1646, mais les covenanters écossais le livrèrent au Parlement (janv. 1647). Détenu à Hampton Court, puis à Hurst Castle, dans le Hampshire, le roi put jouir d'abord d'une certaine liberté, mais il refusa obstinément de traiter avec le Parlement. Jugé à Westminster le 20 janv. 1649, il récusa l'autorité du tribunal, disant qu'« un roi n'a pas de juge sur la terre ». Condamné à mort, il marcha courageusement vers l'échafaud, dressé à Whitehall. Ses lettres, discours et proclamations ont été publiés par Charles Petrie en 1935.

CHARLES II (* Londres, 29.V.1630, † Londres, 6.II.1685), roi de Grande-Bretagne et d'Irlande (1660/85). Fils de Charles Iᵉʳ, réfugié en France en 1646, il fut proclamé roi en Écosse après la mort de son père et, ayant accepté le *Covenant,* fut couronné à Scone en 1651; mais ses troupes furent complètement battues par Cromwell à Worcester (3 sept. 1651). Obligé de se retirer de nouveau sur le continent, il vécut dans une relative pauvreté, publia la déclaration conciliante de Bréda (14 avr. 1660) et, avec l'aide du général Monk, fut restauré sur le trône le 29 mai 1660. Catholique et absolutiste de tempérament, il sut toutefois ménager les convictions de son peuple et évita une rupture définitive avec le Parlement; il ne se rallia pas officiellement à l'Église catholique, dont il reçut cependant les derniers sacrements à son lit de mort. Par l'Acte d'uniformité (1662), il avait rétabli l'Église anglicane.
En politique étrangère, Charles II mit l'Angleterre à la remorque de la France et mena contre la Hollande les guerres de 1665/67 et de 1672/74. L'opposition parlementaire le força cependant à approuver le Test Act de 1673 et à conclure la paix (1674). En définitive, son règne, endeuillé par la peste (1665) et l'incendie de Londres (1666), fut marqué par l'accroissement de l'influence du Parlement (vote de l'*habeas corpus,* 1679), la constitution de groupes politiques (tories et whigs), le développement du commerce et de la colonisation et l'ascension de l'Angleterre comme puissance navale. Londres, émergeant de l'ennui puritain, connut une vie brillante, spirituelle, frivole, corrompue, à l'imitation des mœurs françaises. Prince amoureux du faste et des plaisirs, Charles II donna à sa cour un éclat qui rivalisa avec celui de Versailles. Marié en 1662 à Catherine de Bragance, Charles II eut plusieurs

CHARLES
Prince de Galles
investi le 1er juill. 1969.

Ph. © Tim Graham - Sygma

bâtards de ses nombreuses maîtresses, mais mourut sans enfants légitimes. Il eut pour successeur son frère Jacques II.

CHARLES ÉDOUARD Stuart. Voir STUART.

CHARLES, prince de Galles (* Buckingham Palace, Londres, 14.XI.1948). Fils de la reine Élisabeth II et du duc d'Édimbourg, il a fait ses études supérieures à Cambridge. Héritier au trône, il a été solennellement investi comme prince de Galles à Caernarvon Castle, le 1er juillet 1969.
● Il a épousé le 29 juill. 1981 Diana Frances Spencer, née le 1er juill. 1961, dont il a eu deux fils, William, le 21 juin 1982, et Harry, le 22 sept. 1984.

ANJOU

CHARLES Ier, comte d'Anjou, voir CHARLES Ier, roi de Sicile. — **Charles II,** comte d'Anjou, voir CHARLES II, roi de Sicile. — **Charles III,** comte d'Anjou, voir *FRANCE :* CHARLES DE VALOIS.

AUTRICHE

CHARLES D'AUTRICHE l'archiduc (* Florence, 5.IX.1771, † Vienne, 30.IV. 1847). Feld-maréchal autrichien. Troisième fils de l'empereur Léopold II et frère de François II, il commanda en 1796 les troupes impériales sur le Rhin, obligea Jourdan et Moreau à repasser le Rhin, prit Kehl en 1797 et battit Masséna à Zurich (4 juin 1801). Ministre de la Guerre (1806/09), il n'eut pas assez de temps pour mener à bien sa réorganisation de l'armée autrichienne, qu'il avait entreprise au lendemain d'Austerlitz, et perdit la bataille décisive de Wagram, où il fut blessé (juill. 1809). Tombé alors en disgrâce, détesté de la cour à cause de ses idées libérales, il ne prit pas part aux campagnes de 1813/15. Auteur de divers ouvrages militaires : *Grundsätze der Strategie* (1814), *Geschichte des Feldzugs von 1799* (1819).

CHARLES Ier (* Persenbeug, Basse-Autriche, 17.VIII.1887, † Funchal, Madère, 1.IV.1922), empereur d'Autriche et, sous le nom de **Charles IV,** roi de Hongrie (1916/18). Fils aîné de l'archiduc Othon de Habsbourg et petit-neveu de l'empereur François-Joseph, il devint héritier au trône après l'assassinat de son oncle François-Ferdinand à Sarajevo (28 juin 1914). Durant la guerre mondiale, il commanda en Galicie et en Transylvanie. Ayant succédé à François-Joseph en 1916, il céda à l'influence de sa femme, l'impératrice Zita (de Bourbon-Parme), et chercha à conclure une paix de compromis avec les Alliés, par l'intermédiaire du prince Sixte de Bourbon-Parme; mais ses offres furent repoussées par la France. En nov. 1918, il renonça au pouvoir, mais sans abdiquer, et se réfugia en Suisse; à deux reprises (avr. et oct. 1921), il tenta

CHARLES D'AUTRICHE
L'archiduc Ch. d'A. Feld-maréchal autrichien (1771-1847).

Ph. © Archiv. Bibl. Nat., Vienne
Archives Photeb

de provoquer un coup d'État en Hongrie, mais en vain.

BADE

CHARLES FRÉDÉRIC (* Karlsruhe, 22. XI.1728, † Karlsruhe, 10.VI.1811), margrave (1738/1806) puis grand-duc (1806/11) de Bade. Pendant un règne de plus de soixante-dix ans, il gouverna son petit État selon les principes du despotisme éclairé et fut admiré par toute l'Europe des lumières. Ami du marquis de Mirabeau et de Du Pont de Nemours, il s'inspira des idées des physiocrates pour améliorer les techniques de l'agriculture. En 1783, il supprima le servage. D'abord adversaire de la Révolution française, il adopta une attitude conciliante à l'égard de Bonaparte, ce qui lui valut d'agrandir ses États, d'obtenir la dignité électorale (1803) et de pouvoir prendre le titre de grand-duc. On a publié sa *Correspondance politique* (1888-1915).

BAVIÈRE

CHARLES THÉODORE, duc de Bavière. Voir les souverains du *PALATINAT*.

BELGIQUE

CHARLES DE BELGIQUE, comte de Flandre (* Bruxelles, 10.X.1903, † Bruxelles, 1.VI.1983), régent de Belgique (1944/51). Second fils du roi Albert Ier, frère de Léopold III. Durant la Seconde Guerre mondiale, il prit une part active à la résistance contre les Allemands et, à la libération de la Belgique, fut élu régent du royaume par le Parlement (20 sept. 1944), Léopold III ayant été interné en Allemagne. En févr. 1945, après la démission du gouvernement Pierlot, il désigna pour lui succéder le socialiste Van Acker, hostile au retour au pouvoir de Léopold III. Le régent Charles abandonna le pouvoir quand la question royale fut réglée par l'avènement de son neveu, Baudouin Ier (1951).

BOURGOGNE

CHARLES le Téméraire (* Dijon, 10.XI. 1433, † près de Nancy, 5.I.1477), duc de Bourgogne (1467/77). Fils et successeur de Philippe le Bon qui lui laissa le gouvernement dès 1465, il avait reçu une éducation toute française. Nature ardente, sportif, grand chasseur, il était aussi extrêmement cultivé, lisait les auteurs latins, aimait la musique et composa même des chants. Courageux jusqu'à la témérité, loyal et franc, chevaleresque, il avait un caractère violent, orgueilleux et entêté, ce qui le mettait en infériorité devant son retors adversaire, le roi de France Louis XI, qui le jugeait « fol ou peu s'en fault ». Son grand dessein était de réunir ses possessions de Flandre (Pays-Bas, Belgique, Luxembourg actuels) à celles de Bourgogne et de Franche-Comté, afin de créer, entre France et Empire, un nouveau royaume qu'il projetait d'étendre jusqu'à la

CHARLES LE TÉMÉRAIRE
Duc de Bourgogne (1467/1477).
Détail d'une miniature
le représentant en train
de présider un chapitre
de la Toison d'or.
Ph. © Bibl. Nat., Paris - Photeb

CHARLES III
Roi d'Espagne (1759/1788).
Détail du portrait
le représentant en chasseur,
par Goya. (Musée
du Prado, Madrid.)
Ph. © Mas - Photeb

Méditerranée. Du vivant de son père, encore comte de Charolais, il fut un des chefs de la ligue du Bien public et livra à Louis XI la bataille de Montlhéry (1465), suivie du traité de Conflans, où il se fit restituer les villes de la Somme cédées en 1435 à Philippe le Bon, mais que Louis XI avait récupérées depuis. Devenu duc de Bourgogne en 1467, il punit avec rigueur les Liégeois qui s'étaient révoltés contre leur évêque, son parent et son allié, avec l'aide de Louis XI. Celui-ci poussant les Liégeois à une nouvelle révolte, Charles déjoua les manœuvres du roi de France à l'entrevue de Péronne (oct. 1468) et l'obligea à prendre part à ses côtés à la destruction de Liège. Tout son règne fut rempli par ses guerres avec Louis XI (dont il était le plus puissant vassal et contre lequel il chercha à dresser l'empereur et le roi d'Angleterre) et par les efforts qu'il fit pour agrandir ses États aux dépens de ses voisins. Il annexa la Gueldre (1473), ne put se maintenir en Haute-Alsace (1469/74), mais entreprit, en 1475, la conquête de la Lorraine. Cependant Louis XI, qui avait réoccupé dès 1471 les villes de la Somme, trouvait des alliés contre l'expansion bourguignonne, notamment les Suisses, qui eurent à supporter tout le poids de la guerre. Ce furent eux qui portèrent au Téméraire les coups décisifs, à Grandson (2 mars 1476), puis à Morat (22 juin 1476). Charles trouva la mort peu après sous les murs de la ville de Nancy, qu'il disputait au duc de Lorraine René II. Avec lui s'effondrait l'État bourguignon : tandis que Louis XI annexait la Bourgogne propre, la fille du Téméraire, Marie de Bourgogne, apportait le reste de son héritage à la maison d'Autriche, par son mariage avec Maximilien, fils de l'empereur Frédéric III.

BRETAGNE

CHARLES DE BLOIS ou DE CHÂTILLON (* vers 1319, † Auray, 29.IX.1364). Fils de Guy de Châtillon, comte de Blois, neveu, par sa mère, de Philippe VI de Valois, il épousa, en 1337, Jeanne de Penthièvre, nièce de Jean III, duc de Bretagne, à la condition qu'il prendrait le nom et les armes de Bretagne et succéderait au duc Jean III, qui n'avait pas d'enfants. A la mort du duc (1341), Charles de Blois, soutenu par le roi de France, se fit reconnaître dans la Bretagne française, tandis que la Bretagne bretonnante reconnaissait le comte de Montfort, frère de Jean III, qui avait l'appui de l'Angleterre. Ce fut le début de la guerre de la Succession de Bretagne (v.), qui dura vingt-trois ans, jusqu'à la mort de Charles de Blois, vaincu et tué à la bataille d'Auray. Célèbre pour ses vertus et sa droiture, Charles de Blois a été béatifié par l'Église.

ESPAGNE

CHARLES Ier ou CHARLES QUINT. Voir CHARLES V, empereur d'Allemagne.

CHARLES II (* Madrid, 6.XI.1661, † Madrid, 1.XI.1700), roi d'Espagne (1665/ 1700). Fils et successeur de Philippe IV. Ayant commis l'imprudence d'entrer dans la coalition contre Louis XIV, il se vit enlever la Franche-Comté, l'Artois et de nombreuses places des Flandres (traité de Nimègue, 1678).
Marié deux fois, mais resté sans enfants, il fut le dernier des Habsbourg d'Espagne et, par testament, choisit comme héritier Philippe de France, duc d'Anjou et petit-fils de Louis XIV. Ce testament, contesté par l'Autriche, provoqua la guerre de la Succession d'Espagne (v.).

CHARLES III (* Madrid, 20.I.1716, † Madrid, 14.XII.1788), roi d'Espagne (1759/88). Fils de Philippe V et d'Élisabeth Farnèse, il régna d'abord sur Parme (1730), sur la Toscane (1731) et sur le royaume de Naples (1735), qu'il laissa à son fils Ferdinand lorsqu'il devint roi d'Espagne (1759). Il pratiqua en Italie un despotisme éclairé, avec l'appui du ministre Tanucci. Lié par le *Pacte de famille* bourbonien (août 1761), il engagea l'Espagne aux côtés de la France pendant la guerre de Sept Ans et la guerre de l'Indépendance américaine, se vit enlever Minorque et la Floride par les Anglais, mais les recouvra en 1783. Dans son gouvernement intérieur, il se montra favorable aux philosophes, donna un grand élan aux réformes administratives et économiques et expulsa les jésuites (1767).

CHARLES IV (* Portici, 12.XI.1748, † Rome, 19.I.1819), roi d'Espagne (1788/ 1808). Fils et successeur du précédent, il se laissa dominer par sa femme, la reine Marie-Louise de Parme, et par le favori de celle-ci, Godoy. Contraint de terminer rapidement la guerre contre la France (1793/95), il fit de l'Espagne un satellite de celle-ci et fut entraîné par son alliance avec Napoléon dans une guerre désastreuse contre l'Angleterre; celle-ci remporta la victoire de Trafalgar (1805) et mit la main sur les plus belles colonies espagnoles. Lors de l'entrevue de Bayonne (mai 1808), il dut abdiquer en faveur de Napoléon qui nomma son frère, Joseph Bonaparte, roi d'Espagne. Charles IV résida ensuite à Compiègne et à Marseille (jusqu'en 1811), puis en Italie. Il fut le père de Ferdinand VII.

CHARLES. Infants et prétendants au trône d'Espagne, voir CARLOS.

FRANCE

CHARLES MARTEL (* vers 688, † Kierzy-sur-Oise, 22.X.741). Bâtard de Pépin de Herstal, il s'assura le pouvoir en Austrasie à la mort de celui-ci (714) au détriment des petits-fils légitimes de son père, devint duc d'Austrasie, battit définitivement les Neustriens en 724 et se trouva désormais maître de tout le royaume franc, en tant que maire du palais. Secondé par son frère Chil-

CHARLES II
le Chauve. Roi de France
(843/877)
et empereur d'Occident
(875/877). Détail d'une
miniature du « Codex
aureus ». (Bibl. Nat., Munich.)
Ph. © Bildarchiv Foto
Marburg - Archives Photeb

CHARLES V
le Sage. Roi de France
(1364/1380). Détail
d'une miniature du « Rational
des divins offices »,
représentant son sacre.
Ph. © Bibl. Nat., Paris - Photeb

debrand, il déploya son énergie farouche à unifier l'État mérovingien, vainquit les Saxons, les Frisons et soumit la Thuringe et la Bavière. Surtout, par sa victoire de Poitiers (oct. 732), il arrêta l'invasion arabe en Europe et apparut aux yeux du monde chrétien comme le champion de la Croix. Exploitant à fond sa victoire, il soumit fermement l'Aquitaine et la Provence (campagnes de 737 et 739 dans la vallée du Rhône). A l'égard de l'Église, Charles Martel mena une politique de laïcisation des biens ecclésiastiques, mais ne cessa de maintenir sa collaboration avec Rome, notamment en soutenant les missions de st. Boniface en Germanie, posant les bases de cette étroite alliance avec le Saint-Siège que devaient encore développer ses successeurs, Pépin le Bref, son fils, et Charlemagne, son petit-fils. Son surnom de *Martel* évoque la profonde impression laissée par ce guerrier politique qui façonna comme avec un marteau le monde de son temps, ouvrant ainsi les voies à l'Empire carolingien.

CHARLES Ier, roi de France. Voir Charlemagne.

CHARLES II le Chauve (* Francfort-sur-le-Main, 13.VI.823, † Avrieux, Savoie, 6.X. 877), roi de France (843/877) et empereur d'Occident (875/877). Le plus jeune des fils de Louis le Pieux, duc de Souabe en 829, la faveur que lui témoigna son père au détriment de ses aînés fut la cause des troubles qui agitèrent la fin du règne de Louis. Il s'allia à Louis le Germanique pour combattre Lothaire, leur frère aîné, et tous deux remportèrent, le 25 juin 841, la bataille de Fontenoy-en-Puisaye, près d'Auxerre. Après avoir raffermi leur union par les fameux serments de Strasbourg (14 févr. 842), Charles et Louis, par le traité de Verdun (843) contraignirent Lothaire à partager l'Empire carolingien : Charles obtint tous les pays situés à l'ouest de l'Escaut, de la Meuse, de la Saône et du Rhône. Par la suite, il y réunit, soit par conquête, soit par héritage, plusieurs autres États, notamment la Provence et la Lotharingie (mais il dut partager celle-ci avec Louis le Germanique, traité de Mersen, 870, qui porta la frontière de ses États sur la Moselle et rendit voisines la France et l'Allemagne).
En 875, il se rendit en Italie pour se faire couronner empereur par le pape Jean VIII, mais se vit forcé de revenir en France pour lutter contre ses neveux, fils de Louis le Germanique, qu'il avait dépouillés après la mort de leur père, et fut battu à Andernach (8 oct. 876). Il dut faire des concessions aux grands : le capitulaire de Kiersy-sur-Oise (v.) (877), sans avoir l'importance qu'on lui a parfois attribuée dans la genèse du système féodal, renforça néanmoins l'hérédité de fait des fonctions comtales.

CHARLES le Gros, régent de France sous Charles le Simple. Voir Charles III, empereur d'Allemagne.

CHARLES III le Simple (* 17.IX.879, † Péronne, 7.X.929), roi de France (893/ 929). Carolingien, fils posthume de Louis le Bègue et petit-fils de Charles le Chauve, oublié dans la succession au trône après la mort de ses frères Louis III et Carloman, il cristallisa cependant l'opposition au Robertien Eudes, qui avait été élu roi après la déposition de Charles le Gros (887). Charles le Simple fut couronné le 28 janv. 893 par l'archevêque de Reims, Foulques. La rivalité entre le Carolingien et le Robertien fut apaisée en 897 par un accord : Eudes, en mourant, laissait le pouvoir à Charles (janv. 898). Sincère et honnête (c'est ce que signifie son surnom de « simple »), mais aussi lucide et résolu, Charles sut mettre un terme aux dévastations des pirates du Nord en implantant les Normands à l'embouchure de la Seine, par le traité de Saint-Clair-sur-Epte (911), qui concédait le pays de Caux en fief héréditaire à Rollon et créait la Normandie. Mais en Lorraine, son action se heurta à la résistance des grands, qui réussirent à le détrôner dès 922; devenu le prisonnier d'Herbert de Vermandois, Charles mourut captif à Péronne. Sa chute marque le déclin définitif des Carolingiens.

CHARLES DE VALOIS (* printemps 1270, † Le Perray, près de Rambouillet, 16. XII.1325). Troisième fils de Philippe III le Hardi, comte de Valois (1284) et d'Alençon (1293), comte d'Anjou, sous le nom de **Charles III,** par son mariage avec Marguerite, fille aînée de Charles II d'Anjou (1290), prétendant au trône latin de Constantinople par son remariage (1301) avec l'héritière de Baudoin II, dernier roi latin de Constantinople, il se fit en Italie le défenseur de Boniface VIII, puis remporta sur les Anglais plusieurs victoires qui hâtèrent la paix entre Édouard II d'Angleterre et Charles IV le Bel (1324). Son fils monta sur le trône sous le nom de Philippe VI, et avec lui commença la dynastie des Valois. On a dit de Charles de Valois qu'il fut « fils de roi, frère de roi, oncle de rois, père de roi et jamais roi ».

CHARLES IV le Bel (* 1294, † Vincennes, 1.II.1328), roi de France (1322/28). Troisième fils de Philippe le Bel, successeur de son frère Philippe V, il s'appliqua à la réorganisation des finances et de la justice. Son règne fut marqué par une aggravation de la tension avec les Plantagenêts, annonciatrice de la guerre de Cent Ans. Mort en ne laissant que des filles, il fut le dernier des Capétiens directs : la couronne passa à Philippe VI, de la branche des Valois (v.), lequel se vit contesté par Édouard III d'Angleterre.

CHARLES V le Sage (* Vincennes, 21.I. 1338, † Beauté-sur-Marne, 16.IX.1380), roi de France (1364/80). Fils aîné de Jean II le Bon et de Bonne de Luxembourg, il fut le premier héritier au trône de France à porter le titre de dauphin (1349). De complexion maladive, peu fait pour la guerre, il prit part cependant à la bataille de Poitiers, où son

CHARLES VI

père fut vaincu et fait prisonnier par les Anglais (1356). Devenu régent du royaume, il se trouvait dépourvu du prestige qu'exigeait la grave situation de la France : la détresse financière avait obligé Jean le Bon à convoquer les états généraux, qui furent rapidement dominés par l'évêque de Laon, Robert Lecoq, et par le prévôt des marchands de Paris, Étienne Marcel. Les états essayèrent d'imposer au dauphin une monarchie constitutionnelle et même parlementaire; ils réclamaient le renvoi des conseillers de Charles et la constitution, auprès du régent, d'un conseil de vingt-huit membres, élus par les états. Le besoin de subsides contraignit Charles à faire des concessions qui furent inscrites dans la Grande Ordonnance de mars 1357. Mais le dauphin ne cherchait, au fond, qu'à ruser avec la représentation nationale et à reprendre le gouvernement en main. L'évasion du roi de Navarre, Charles le Mauvais, renforça ses adversaires et il se trouvait aux prises avec la révolution communaliste d'Étienne Marcel. Au cours d'une émeute, le maréchal de Champagne et le maréchal de Normandie furent massacrés en présence du dauphin (22 févr. 1358); celui-ci fut obligé d'adopter les couleurs parisiennes et de renouveler solennellement l'ordonnance de mars 1357. Mais Charles reconquit sa liberté d'action en s'enfuyant de Paris (mars 1358) : agissant avec maîtrise, il rallia à lui les nobles de Picardie et d'Artois, ainsi que les états de Champagne, s'assura des subsides, tandis que, dans la capitale, Étienne Marcel était renversé et assassiné par la fraction de la bourgeoisie restée loyaliste. Charles rentra triomphalement dans Paris (2 août 1358), ayant réussi, à la fois par sa ruse et par son énergie, à maintenir intactes les prérogatives royales.

A la suite des traités de Brétigny et de Calais (1360), Jean II le Bon rentra en France, mais il fut incapable de payer les échéances de sa rançon et revint loyalement se constituer prisonnier en Angleterre, tandis que son fils reprenait la régence. Jean le Bon étant mort à Londres (avr. 1364), Charles devint roi de France. Homme de cabinet, grand travailleur, méthodique et tenace, il avait de belles qualités d'administrateur et de diplomate; il eut la chance d'être servi par un grand homme de guerre, Du Guesclin, et par des ministres tels que les chanceliers Jean de Dormans, Guillaume de Dormans, Pierre d'Orgemont. Il écarta d'abord la menace de Charles le Mauvais, qui fut battu à Cocherel (mai 1364) et qui dut consentir, en 1365, à échanger ses possessions normandes contre la seigneurie de Montpellier. Dans la guerre de la Succession de Bretagne, Du Guesclin ne put empêcher la défaite et la mort du prétendant français, Charles de Blois, mais la diplomatie de Charles V répara partiellement l'échec militaire par le traité de Guérande (12 avr. 1365), où Monfort fit hommage au roi de France. Pour se débarrasser des Grandes Compagnies, Charles les expédia en Castille (1366), tout en en gardant une partie pour former une armée régu-

lière permanente. Exploitant, non sans mauvaise foi, les clauses compliquées du traité de Calais, Charles V rouvrit en 1368 la guerre contre les Anglais, dégagea le Limousin et le Rouergue (1369), reconquit le Poitou (1373), l'Aunis et la Saintonge (1377). A sa mort, les Anglais ne tenaient plus en France que Calais et la Guyenne. Tout en déployant cette activité militaire et diplomatique, Charles V avait veillé sur la convalescence du royaume; il avait renforcé l'autorité royale et rétabli la monnaie. Prince lettré, il aimait à s'entourer de savants, tels le clerc Raoul de Presles et l'économiste et théologien Nicolas Oresme, auxquels il demanda de lui traduire st. Augustin et Aristote. Il fonda la Bibliothèque royale. Grand bâtisseur, il entreprit la reconstruction du Louvre, fit élever l'hôtel Saint-Pol, à Paris, la chapelle de Vincennes, le château de Beauté. Dépourvu de tout fanatisme religieux, il protégea les Juifs et s'efforça de freiner les activités de l'Inquisition dans le Languedoc. A la fin de sa vie, il contribua à l'ouverture du Grand Schisme en reconnaissant, contre Urbain VI, l'antipape Clément VII (Robert de Genève). Marié en 1350 à sa cousine Jeanne de Bourbon, Charles V eut pour successeur son fils, Charles VI.

CHARLES VI le Fou (* Paris, 3.XII. 1368, † Paris, 21.X.1422), roi de France (1380/1422). Encore mineur à la mort de son père Charles V, il fut marié en 1384 à Isabeau de Bavière. Sa minorité fut troublée par les ambitions rivales de ses oncles, les ducs d'Anjou, de Bourgogne, de Berry et de Bourbon, qui se disputaient le pouvoir; par des désordres sociaux (révolte des *Maillotins,* à Paris, 1382, de la *Harelle,* à Rouen); par l'insurrection des villes de Flandre (victoire royale de Rozebeke, 1382). Affirmant en 1388 sa volonté de gouverner personnellement, il appela auprès de lui d'anciens conseillers de son père, qu'on appela les marmousets (v.). Cependant, dès 1392, le roi commença à donner des signes de démence, mais ses retours intermittents à la raison empêchèrent la constitution d'une régence. La France fut livrée aux luttes des partis : le duc Louis d'Orléans, frère du roi, ayant été assassiné en 1407 sur les ordres de Jean sans Peur, duc de Bourgogne, le pays se divisa en *Armagnacs,* partisans du duc d'Orléans, et en *Bourguignons,* partisans du duc de Bourgogne. Profitant de ces circonstances, Henri V d'Angleterre reprit la guerre, remporta sur les Armagnacs la victoire d'Azincourt (25 oct. 1415), conquit la Normandie (1419) et s'allia au parti bourguignon, alliance que l'assassinat de Jean sans Peur contribua à sceller (1419). Avec la complicité de la reine Isabeau, fut conclu le traité de Troyes (21 mai 1420) : le dauphin Charles (futur Charles VII) fut déclaré bâtard; Henri V, qui épousait Catherine de Valois, fille de Charles VI, était reconnu comme héritier du royaume de France. Mais Henri V devait mourir jeune, quelques semaines avant Charles VI.

CHARLES VII
Roi de France (1422/1461).
(Musée Condé, Chantilly.)
Ph. H. Josse © Photeb

CHARLES VII le Victorieux (* Paris, 22.II.1403, † Mehun-sur-Yèvre, 22.VII. 1461), roi de France (1422/61). Cinquième fils de Charles VI et d'Isabeau de Bavière, il devint dauphin en 1417, après la mort de tous ses frères aînés. Chargée d'une lourde hérédité, sa personnalité s'affirma avec une lenteur extrême et, pendant des années d'apathie, il fut soumis à l'influence de conseillers médiocres, parfois dangereux. En mai 1418, il dut fuir Paris occupé par les Bourguignons et se réfugia à Bourges. Il songeait cependant à se rapprocher des Bourguignons et allait rencontrer Jean sans Peur à Montereau, lorsque le duc de Bourgogne fut assassiné par un des officiers royaux (10 sept. 1419), ce qui eut pour résultat de rouvrir aussitôt la guerre civile. L'inconduite de la reine Isabeau de Bavière accréditait les bruits selon lesquels le dauphin était un bâtard, et Isabeau elle-même conclut le traité de Troyes (21 mai 1420), qui déshéritait Charles au profit du roi d'Angleterre Henri V, lequel prenait le titre d'« héritier de France ». Henri V mourut peu après (1422), mais le duc de Bedford devint régent du royaume et tuteur de son neveu mineur, Henri VI.

Tandis que le roi anglais était reconnu dans tous les territoires occupés par les armées britanniques, y compris à Paris, Charles VII n'était plus que le « roi de Bourges », auquel le Centre, le Midi et quelques régions dans l'Est restaient cependant fidèles. Ses partisans portaient les noms de « Dauphinois » ou d'« Armagnacs » (v. ARMAGNACS). Toujours indolent, Charles VII ne soutint pas comme ils le méritaient les efforts de Richemont, mais la résistance d'Orléans, commencée en oct. 1428, allait marquer l'aube d'un renouveau.

En févr. 1429, Charles reçut à Chinon la visite de Jeanne d'Arc, qui le reconnut solennellement comme le vrai roi et qui, après avoir forcé les Anglais à lever le siège d'Orléans (mai 1429), alla faire sacrer Charles VII à Reims (17 juill. 1429). L'Orléanais, le Vendômois, la Champagne, la Brie, le Valois, le Beauvaisis repassèrent sous l'autorité du roi, qui, par le sacre, disposait désormais d'une légitimité incontestable. Cependant, Charles VII assistait plutôt passivement à cette restauration de son pouvoir; jusqu'en 1433, il resta sous la tutelle absolue de La Trémoille, que Richemont et les princes d'Anjou réussirent enfin à évincer. Charles se ressaisit : après avoir contracté une alliance avec l'empereur Sigismond (1434), il réussit à détacher les Bourguignons de l'Angleterre en accordant à Philippe le Bon d'importantes concessions au traité d'Arras (21 sept. 1435). En 1436, Richemont reprit Paris, où Charles fit à son tour une rentrée triomphale (12 nov. 1437). Le Capétien de nouveau maître de sa capitale, la confiance revint chez ses partisans et les Anglais signèrent la trêve de Tours (28 mai 1444). Durant cinq années, la France reconstitua ses forces : les ordonnances de 1445 et 1448 créèrent une armée nouvelle,

avec une cavalerie de compagnies d'ordonnance, recrutées dans la noblesse, et une infanterie de francs archers. La monnaie fut stabilisée; les aides et les tailles commencèrent à être levées régulièrement. A la reprise de la guerre, en 1449, l'armée française était forgée pour la victoire finale : la bataille de Formigny (15 avr. 1450) permit de ressaisir la basse Seine, et, en août suivant, la chute de Cherbourg acheva la reconquête de la Normandie. La victoire de Castillon (17 juill. 1453) et la capitulation de Bordeaux (19 oct.) assurèrent la reconquête de la Guyenne et mirent fin à la guerre de Cent Ans (v.). Calais seul restait encore entre les mains des Anglais. Toute la fin du règne de Charles VII fut une « ère de renaissance » et l'essor commercial de la France s'incarna dans l'activité inépuisable d'un Jacques Cœur. Charles VII, qui avait brisé l'agitation nobiliaire de la Praguerie (v.), à laquelle avait participé son propre fils, le futur Louis XI, sut également affirmer l'autorité royale en face de l'Église : la pragmatique sanction de Bourges (7 juill. 1438) limita l'autorité pontificale sur les évêques français et permit au roi d'intervenir dans les nominations des prélats. Le roi cessa de convoquer les états généraux et se passa de leur consentement pour lever les impôts; l'armée fut encore renforcée et dotée, par les frères Bureau, de la plus puissante artillerie de l'Europe. A l'extérieur, Charles, conscient du danger bourguignon, s'efforça d'affirmer la présence française en Lorraine. En 1422, Charles VII avait épousé Marie d'Anjou, fille de Louis II de Naples et de Yolande d'Aragon; il eut aussi plusieurs favorites, dont la plus célèbre fut Agnès Sorel, qui exerça la meilleure influence sur le roi.

CHARLES VIII (* Amboise, 30.VI.1470, † Amboise, 8.IV.1498), roi de France (1483/98). Petit-fils du précédent, fils et successeur de Louis XI, monté sur le trône à treize ans, l'âme enflammée par les romans de chevalerie, il régna d'abord sous la régence de sa sœur, Anne de Beaujeu; celle-ci arrangea son mariage (1491) avec Anne, héritière de Bretagne, et qui amena cette province à la France. Jeune et aventureux, rêvant d'expéditions lointaines et de croisade contre les Turcs, il voulut faire valoir les droits que les derniers princes de la maison d'Anjou avait légués à sa famille, et entreprit, en 1494, les guerres d'Italie (v.). Après une chevauchée rapide, il se rendit maître du royaume de Naples (févr. 1495), mais se heurta bientôt à une ligue formée par Ferdinand d'Aragon, le pape Alexandre VI, Milan et Venise. Abandonnant ses conquêtes napolitaines, il parvint seulement à s'ouvrir la route du retour en remportant la victoire de Fornoue (6 juill. 1495). Mort d'un accident banal (il heurta du front une porte basse de son château d'Amboise), Charles VIII ne laissait pas d'enfant survivant et eut pour successeur son cousin, le duc d'Orléans, qui régna sous le nom de Louis XII.

CHARLES IX (* Saint-Germain-en-Laye, 27.VI.1550, † Vincennes, 30.V.1574), roi de

CHARLES VIII
Roi de France (1483/1498).
(Musée Condé, Chantilly.)
Ph. H. Josse © Photeb

CHARLES X
Roi de France (1824/1830).
Détail du portrait peint
par T. Lawrence. (Coll. privée.)
Ph. J.L. Charmet © Arch. Photeb

CHARLES III
Duc de Lorraine (1545-1608).
Dessiné adolescent, école
des Clouets. (Bibl. du Musée
Condé, Chantilly.)
Ph. H. Josse © Photeb

France (1560/74). Deuxième fils d'Henri II et de Catherine de Médicis, il succéda à son frère François II, à l'âge de dix ans. Il régna d'abord sous la régence de sa mère, Catherine de Médicis, qui garda toujours une grande influence sur lui. Il chercha la conciliation avec les protestants par la paix de Saint-Germain (1570) et par le mariage de Marguerite, sa sœur, avec Henri de Navarre, futur Henri IV; mais, incapable de résister aux haines populaires accumulées contre les huguenots, il laissa s'accomplir le massacre de la Saint-Barthélemy (24 août 1572). Il mourut quelques mois plus tard, en ne laissant qu'un bâtard, fils de Marie Touchet. Son frère, Henri III, lui succéda.

CHARLES X (* Versailles, 9.X.1757, † Gorizia, Vénétie, 6.XI.1836), roi de France (1824/30). Petit-fils de Louis XV, il était le frère cadet de Louis XVI et de Louis XVIII. Jusqu'à son avènement, il porta le titre de comte d'Artois. Dès la prise de la Bastille, il donna le signal de l'émigration (1789), parcourut les diverses cours d'Europe pour chercher des défenseurs à la cause royale, assista aux conférences de Pillnitz (1791) et, avec le titre de lieutenant général du royaume, tenta même un débarquement à l'île d'Yeu, sur les côtes de Vendée, mais sans succès (1795). Après avoir passé en Angleterre toute l'époque napoléonienne, il rentra en France en 1814 et, comme lieutenant général, signa avec les Alliés la convention militaire du 23 avr. 1814. A la seconde Restauration, il se tint d'abord éloigné des affaires, mais sa résidence du pavillon de Marsan devint l'un des centres du parti ultra. Pourtant, lorsque la mort de Louis XVIII l'appela au trône (1824), il inaugura son règne par quelques mesures libérales (abolition de la censure), mais cette attitude ne dura point. Dernier roi de France à avoir reçu le sacre de Reims (29 mai 1825), il laissa le gouvernement à Villèle, dont les mesures réactionnaires (loi du sacrilège, milliard des émigrés, licenciement de la garde nationale) contribuèrent à l'impopularité du souverain. Charles X, après la brève tentative d'apaisement du ministère Martignac (janv. 1828/août 1829), confia de nouveau les affaires à un représentant des ultras, Polignac. Malgré l'adresse des 221, parurent les ordonnances du 25 juillet 1830, qui provoquèrent la révolution des 27/29 juillet. Le 2 août, à Rambouillet, Charles X abdiqua en faveur de son petit-fils, le duc de Bordeaux (v. CHAMBORD), mais cette renonciation tardive resta sans effet. Le souverain déchu s'établit alors en Angleterre, puis (à partir de 1832) en Autriche, au château du Hradschin, à Prague et enfin à Görz (aujourd'hui Gorizia). Deux faits ont marqué, dans la politique extérieure, le règne de Charles X : l'intervention en faveur des Grecs, qui aboutit à la victoire de Navarin et à l'affranchissement de la Grèce (1830); l'expédition contre le dey d'Alger et la prise d'Alger (6 juill. 1830), qui ouvraient l'ère de la grande politique coloniale française. Marié, en 1773, à Marie-

Thérèse de Savoie, Charles X avait eu deux fils, le duc d'Angoulême et le duc de Berry, assassiné en 1820.

CHARLES DE VALOIS, fils naturel de Charles IX. Voir ANGOULÊME.

CHARLES DE BOURBON, le connétable. Voir BOURBON.

CHARLES D'ORLÉANS. Voir ORLÉANS.

HONGRIE

CHARLES Iᵉʳ ou CHARLES-ROBERT (* 1288, † Visegrad, 16.VII.1342), roi de Hongrie (1309/42). Il appartenait à la maison d'Anjou et était le petit-fils de Charles II de Naples. Arrière-petit-fils, par sa grand-mère, d'Étienne V de Hongrie, il réclama la couronne à l'extinction des Arpades, mais dut combattre des compétiteurs, Wenceslas II de Bohême et Othon de Bavière; il fut élu roi en 1309 et couronné en 1310. Fondateur de la branche hongroise de la maison d'Anjou, il abaissa la puissance des magnats, réorganisa l'armée, accrut les privilèges des villes et rapprocha la Pologne et la Hongrie en assurant à son fils, Louis Iᵉʳ le Grand, la succession de Pologne.

CHARLES II. Voir CHARLES III DE DURAS, roi de Naples.

CHARLES III. Voir CHARLES VI, empereur allemand.

CHARLES IV. Voir CHARLES Iᵉʳ, empereur d'Autriche-Hongrie.

LORRAINE

CHARLES Iᵉʳ (* 953, † Orléans, vers 992), duc de Basse-Lorraine (977/991). Carolingien, second fils de Louis IV d'Outremer et frère de Lothaire, il reçut, en 977, de l'empereur Othon II le duché de Basse-Lorraine (Brabant), sur lequel il avait des droits par sa mère. Exclu de la succession au trône de France par Hugues Capet en 987, à la mort de Louis V, il chercha à faire valoir ses droits par la force, mais fut pris à Laon (991) et mourut en prison.

CHARLES II (ou Iᵉʳ, quand on ne compte pas pour premier duc le précédent) **le Hardi** (* vers 1365, † Nancy, 25.I.1431), duc de Lorraine (1390/1431). Élevé à la cour de France sous Charles V, il combattit aux côtés des Français à Azincourt et fut fait connétable.

CHARLES III (ou II) le Grand (* Nancy, 18.II.1543, † Nancy, 14.V.1608), duc de Lorraine (1545/1608). Fils du duc François Iᵉʳ et de Christine de Danemark, il fut marié à Claude, fille du roi de France Henri II. Il se montra le bienfaiteur de son peuple, fut le fondateur des villes de Clermont-en-Argonne, Lunéville, Stenay, et fit dresser le plan d'un nouveau Nancy.

CHARLES IV (ou **III**) (* Nancy, 5.IV. 1604, † Allenbach, près de Trèves, 20.IX. 1675), duc de Lorraine (1625/75). Petit-fils du précédent. Ayant pris part aux intrigues de la politique intérieure française sous Richelieu et pendant la Fronde, il se vit dépouillé de ses États par la France de 1633 à 1641 et de 1644 à 1661. Il fut de nouveau chassé par Louis XIV en 1670. Soldat courageux, il mourut peu après avoir remporté la victoire de Konz (11 août 1675) sur le maréchal de Créqui.

CHARLES V (ou **IV**) **LÉOPOLD** (* Vienne, 5.IV.1643, † Wels, Haute-Autriche, 18.IV.1690), duc de Lorraine (1675/90). Neveu du précédent, il succéda à ses droits en 1675, malgré l'opposition de Louis XIV, mais ne put jamais prendre possession de son duché, qui était occupé par les Français. Au service de l'Autriche dès 1664 et beau-frère de l'empereur Léopold Ier, il commanda en chef contre les Turcs (1683/88), débloqua Vienne en 1683, prit Buda (1686) et remporta sur l'armée ottomane la grande victoire de Mohacs (12 août 1687).

CHARLES-ALEXANDRE, prince de Lorraine et de Bar (* Lunéville, 12.XII.1712, † Tervueren, Belgique, 4.VII.1780). Feldmaréchal autrichien. Beau-frère de l'impératrice Marie-Thérèse, il fut battu à plusieurs reprises par Frédéric le Grand, au cours de la guerre de la Succession d'Autriche. Gouverneur général des Pays-Bas de 1748 à 1778, il se révéla un remarquable organisateur et fonda l'Académie des sciences et des lettres de Bruxelles (1772).

MONACO

CHARLES III (* Paris, 1818, † Marchais, 1889), prince de Monaco (1856/89). Il céda Menton et Roquebrune à la France, qui, en échange, reconnut l'autonomie de sa principauté (1861).

NAPLES et SICILE

CHARLES Ier D'ANJOU (* mars 1227, † Foggia, 7.I.1285), comte d'Anjou et du Maine (1232/85), comte de Provence (1246/85), roi de Naples et de Sicile (1266/85). Dixième fils de Louis VIII et de Blanche de Castille, frère cadet de Louis IX (Saint Louis), il fut marié en 1246 à Béatrice, fille et héritière de Raymond Bérenger V, comte de Provence. Après avoir accompagné son frère à la croisade d'Égypte, où il fut fait prisonnier (1248/50), il revint en Provence, où il trouva les villes et les seigneurs, notamment la maison des Baux, prêts à défendre contre lui leur indépendance. Avec l'aide de son frère Alphonse, comte de Toulouse, il soumit successivement Arles (1251), Marseille (1252), Tarascon (1256), Apt (1258), supprimant partout les institutions (consulats) et les libertés municipales, plaçant à la tête de l'administration un sénéchal entouré d'officiers angevins et français. Très ambitieux, il chercha à s'étendre au-delà des Alpes, annexa le comté de Vintimille (1258) et imposa sa suzeraineté au marquisat de Saluces (1260), ce qui lui ouvrait l'accès vers la vallée du Pô et la Lombardie. En 1265, le pape français Clément IV offrit un nouveau champ à son ambition effrénée : à l'appel de la papauté, il battit le Hohenstaufen Manfred à Bénévent et fut investi par le pape du royaume de Naples et de Sicile (janv. 1266). Il dut combattre deux ans encore le dernier Hohenstaufen, Conradin. Sa victoire de Tagliacozzo (23 août 1268) et l'exécution de Conradin le rendirent maître de ses nouveaux États.

Plein de grands projets, il accompagna Louis IX à la croisade de Tunis (1270), puis tourna ses regards vers les Balkans : il rêvait de reconstituer à son profit l'Empire latin de Constantinople et acheta en 1277 le titre de roi de Jérusalem. Mais la domination oppressive des Français en Italie provoqua la révolte des Siciliens (massacre des Vêpres siciliennes, 31 mars 1282). Chassé de la Sicile par Pierre III d'Aragon, il obtint l'appui de son neveu, le roi de France Philippe III, et du pape; mais la croisade d'Aragon échoua lamentablement, les Aragonais détruisirent la flotte angevine dans la baie de Naples (juin 1284) et Charles Ier mourut sans avoir pu réparer cette défaite. Il avait fondé en Provence la première dynastie angevine (1246/1382) et ouvert en Italie la longue rivalité entre la maison d'Anjou et la maison d'Aragon, qui devait se poursuivre jusqu'à l'expulsion définitive des Angevins d'Italie (1442).

CHARLES II D'ANJOU le **Boiteux** (* vers 1254, † Naples, 5.V.1309), comte de Provence et roi de Naples (1285/1309). Fils et successeur du précédent, marié en 1270 à Marie de Hongrie, fille du roi de Hongrie Étienne V, il était, à la mort de son père, prisonnier des Aragonais depuis la bataille de Naples (juin 1284). Pour se libérer, il dut renoncer à la Sicile (1288), et, malgré ses efforts, il ne réussit jamais à s'y rétablir. Son autre grand dessein fut d'assurer la succession de Hongrie à son fils aîné, Charles Martel, qui mourut (1295) sans être parvenu à s'imposer. Charles II fit de fréquents séjours en Provence, où il se montra un sage administrateur.

CHARLES III DE DURAS (* 1345, † Kerker, près de Visegrad, 27.II.1386), roi de Naples (1381/86). Arrière-petit-fils du précédent, fils adoptif de la reine Jeanne Ire contre laquelle il se souleva à l'instigation du pape Urbain VI, il fut couronné en juin 1381. Il fit enfermer et étouffer Jeanne, mais dut faire face à Louis Ier d'Anjou, à qui Jeanne avait cédé ses droits. Appelé en 1385 au trône de Hongrie et couronné sous le nom de **Charles II,** il fut assassiné sur l'ordre de la reine de Hongrie, veuve du dernier roi, qui avait feint de renoncer à ses droits. Son fils Ladislas (ou Lancelot) dit le Magnanime lui succéda sur le trône de Naples.

CHARLES Ier D'ANJOU
Roi de Naples et de Sicile
(1266/1285).
Détail d'une fresque
de la tour Ferrande, à
Pernes-les-Fontaines, Vaucluse.
Ph. © Bulloz - Photeb

CHARLES Ier. Voir CHARLES IV le Bel, roi de France.

CHARLES II le Mauvais (* 1332, † 1.I.1387), roi de Navarre (1349/87). Fils de Philippe d'Évreux et descendant, par sa mère, Jeanne de Flandre, de Philippe le Bel, il devint roi de Navarre en 1349, et épousa en 1353 une fille de Jean II le Bon. Ayant des droits sur la couronne de France en cas d'extinction de la branche des Valois, il ne cessa de fomenter des troubles dans l'espoir d'arriver au trône. Emprisonné par son beau-père en 1356, il s'évada en nov. 1357 et souleva Paris, de concert avec Étienne Marcel, contre le dauphin (Charles V). Ses troupes ayant été vaincues par Du Guesclin à Cocherel (16 mai 1364), il dut signer avec le roi le traité de Vernon (1366). Se tournant alors vers l'Espagne, il eut de longs démêlés avec Pierre le Cruel et Henri de Trastamare, qui se disputaient la Castille. Trahissant tous les partis, il se fit tant d'ennemis qu'il ne put se tirer d'affaire qu'en abandonnant ses possessions de Normandie (1378); il vendit néanmoins la place de Cherbourg à l'Angleterre. Charles le Mauvais passa ses dernières années enfin en paix, ne s'occupant plus que de l'administration de la Navarre.

CHARLES III le Noble (* Mantes, 1361, † Olite, 8.IX.1425), roi de Navarre (1387/1425). Fils du précédent, mais de caractère tout différent, il s'appliqua à vivre en paix avec ses voisins, se réconcilia avec les Valois en renonçant aux prétentions de son père sur plusieurs provinces françaises (1404) et reçut en dédommagement le duché de Nemours, le titre de pair et une somme considérable. Il propagea la civilisation française en Navarre.

CHARLES IV (* 1421, † 1461), roi titulaire de la Navarre par sa mère, Blanche d'Évreux, fut écarté par son père Jean II, roi d'Aragon (1452), après une guerre civile.

CHARLES-LOUIS (* 22.XII.1617, † 28.VIII.1680), Électeur palatin (1648/80). Fils de Frédéric V, il rentra, grâce au traité de Westphalie, en possession du Palatinat rhénan et, en dédommagement du reste de ses États héréditaires, obtint l'investiture d'un huitième électorat qui fut spécialement créé en sa faveur.

CHARLES-THÉODORE (* Drogenbusch, 11.XII.1724, † 16.II.1799), Électeur palatin (1742/99) et duc de Bavière (1777/99). Peu intéressé par les affaires d'État, il s'attacha à faire de Mannheim un centre de culture scientifique et artistique. Chef de la branche cadette de la maison palatine, il fut appelé à succéder à l'Électeur de Bavière Maximilien-Joseph, lequel était mort sans enfants en 1777. Il mit fin à la guerre de la Succession de Bavière en cédant à l'Autriche les territoires bavarois de la rive droite de l'Inn (Innviertel), en 1779.

CHARLES Ier (* Lisbonne, 28.IX.1863, † Lisbonne, 1.II.1908), roi de Portugal (1889/1908). Successeur de son père Louis Ier, marié en 1886 à Marie-Amélie, fille du comte de Paris. Son appui à la dictature de João Franco entraîna une violente réaction et il fut assassiné par des républicains, en même temps que le prince héritier Louis-Philippe. Il fut remplacé sur le trône par son fils Manuel II.

CHARLES ou **CAROL Ier** (* Sigmaringen, 20.IV.1839, † Sinaia, 10.X.1914), prince (1866/81) puis roi (1881/1914) de Roumanie. De la maison de Hohenzollern-Sigmaringen, il fut choisi par un plébiscite en avr. 1866; il dut d'abord faire face à la double opposition de la Russie et de la Turquie, profita de la guerre russo-turque de 1877/78 pour se rendre complètement indépendant de la Turquie et fut proclamé roi le 26 mars 1881 (couronné à Bucarest le 22 mai suivant). Allié secrètement aux Empires centraux dès 1883, il fut contraint, en 1914, par le gouvernement et l'opinion, favorables aux Alliés, de choisir la neutralité. Marié à Élisabeth de Wied (Carmen Sylva), il perdit sa fille unique et eut pour successeur son neveu, Ferdinand Ier.

CHARLES ou **CAROL II** (* Sinaia, 15.X.1893, † Estoril, Portugal, 4.IV.1953), roi de Roumanie (1930/40). Fils de Ferdinand Ier, il épousa en mars 1921 Hélène de Grèce, fille du roi Constantin, mais fut contraint en 1925 de renoncer à ses droits au trône et de s'exiler, en raison de sa liaison affichée avec Mme Lupescu. Son mariage fut dissous en juin 1928. Rappelé par le gouvernement Maniu et devenu roi le 8 juin 1930, il pratiqua une politique d'alliance avec les États danubiens et balkaniques, et d'alignement sur la politique des démocraties occidentales. En févr. 1938, il prononça la dissolution des partis politiques et institua une dictature royale, bientôt appuyée sur une Constitution autoritaire. Mais il ne put résister aux pressions allemandes et soviétiques et dut abdiquer, le 6 sept. 1940, en faveur de son fils Michel. Il vécut dès lors en exil, au Portugal, où il se remaria avec Mme Lupescu.

CHARLES Ier le Guerrier (* 1468, † 1490), duc de Savoie (1482/90). Frère et successeur de Philibert Ier, il fit la guerre avec succès au marquis de Saluces (d'où son surnom), épousa Blanche de Montferrat et hérita, à la mort de Charlotte de Lusignan (1487), du titre de roi de Chypre; il mourut

CHARLES ou Carol II. Roi de Roumanie (1930/1940).
Ph. © Keystone

CHARLES-EMMANUEL II
Duc de Savoie (1638/1675).
Ph. © Bibl. Nat., Paris - .Photeb

au cours d'un voyage en Piémont, peut-être empoisonné par le marquis de Saluces.

CHARLES II (* 1489, † 1496), duc de Savoie (1490/96). Fils et successeur du précédent, il n'avait que neuf mois à la mort de son père. La reine Blanche de Montferrat exerça la régence.

CHARLES III le Bon (* 1486, † 1553), duc de Savoie (1504/53). Durant les guerres d'Italie, il essaya de préserver son indépendance en flottant sans cesse entre François Ier, son neveu, et Charles Quint son beau-frère; il fut maltraité par l'un et l'autre et se vit enlever presque tous ses États.

CHARLES-EMMANUEL Ier le Grand (* Rivoli, 12.I.1562, † Savigliano, 26.VII.1630), duc de Savoie (1580/1630). Fils et successeur d'Emmanuel-Philibert, il intrigua dans les affaires françaises durant les guerres de Religion et, avec l'appui de certains ligueurs, tenta de se faire nommer roi de France. Au traité de Lyon (1601), Henri IV lui reconnut le marquisat de Saluces contre la cession de la Bresse, du Bugey et du pays de Gex. Il tenta vainement de s'emparer de Genève (nuit de l'Escalade, 12 déc. 1602), et dut, en 1617, restituer le Montferrat aux Espagnols. D'une ambition sans bornes, il brigua le trône impérial après la mort de l'empereur Matthias (1619).

CHARLES-EMMANUEL II (* 1634, † 1675), duc de Savoie (1638/75). Fils de Victor-Amédée Ier, petit-fils d'Henri IV par sa mère, Christine de France, il laissa gouverner celle-ci jusqu'en 1663. Allié fidèle des Français, à partir de 1659, il favorisa la conspiration de Raffaele della Torre contre Gênes. Son règne, paisible à l'extérieur, fut marqué par des massacres de vaudois (1655). Charles-Emmanuel II protégea le commerce et les arts, fit construire le palais royal de Turin, ainsi que le *Chemin de la Grotte,* sur la montagne des Échelles, pour faciliter les communications entre la France et l'Italie.

CHARLES-EMMANUEL III (* Turin, 27.IV.1701, † Turin, 19.II.1773), duc de Savoie et roi de Sardaigne (1730/73). Fils et successeur de Victor-Amédée II. D'abord allié à la France et à l'Espagne contre l'Autriche, il battit les Impériaux à Guastalla et obtint Novare (1738); renversant ses alliances, il se rangea aux côtés de Marie-Thérèse durant la guerre de la Succession d'Autriche et, au traité d'Aix-la-Chapelle, s'assura une grande partie du Milanais jusqu'à Pavie (1748), bien que la France lui eût fait subir la défaite de Coni (1744). Auteur d'une importante réforme judiciaire (*Corpus Carolinum,* 1770).

CHARLES-EMMANUEL IV (* Turin, 24.V.1751, † Rome, 6.X.1819), duc de Savoie et roi de Sardaigne (1796/1802). Il succéda en 1796 à son père Victor-Amédée III, auquel la France venait d'enlever la plus grande partie de ses États, fut contraint de se retirer en Sardaigne (1798) et, après la paix d'Amiens, abdiqua en faveur de son frère Victor-Emmanuel. Il entra en 1815 chez les jésuites.

CHARLES-FÉLIX (* Turin, 6.IV.1765, † Turin, 27.IV.1831), roi de Sardaigne (1821/31). Presque aveugle, il devint roi par l'abdication forcée de son frère Victor-Emmanuel Ier; il réprima durement les mouvements libéraux de 1821, régularisa l'administration et gouverna selon l'esprit de la Sainte-Alliance. Il mourut sans enfant mâle et la branche aînée de la maison de Savoie s'éteignit avec lui; la couronne passa au duc de Carignan, Charles-Albert.

CHARLES-ALBERT (* Turin, 2.X.1798, † Porto, Portugal, 28.VII.1849), roi de Sardaigne (1831/49). Il appartenait à la branche latérale de Savoie-Carignan; élevé en France, réputé libéral, il devint l'espoir des carbonari et de tous les patriotes italiens. Régent du royaume lors de l'insurrection de mars 1821, il proclama aussitôt la Constitution des Cortes espagnoles de 1812, mais dut se retirer (21 mars 1821) devant l'intervention de l'Autriche. Après des années de disgrâce, il fut appelé au trône en 1831, lorsque la branche aînée de la maison de Savoie s'éteignit avec Charles-Félix. Il procéda à d'importantes réformes, réorganisa la justice et l'armée, mais en montrant des tendances de plus en plus conservatrices, qui le firent considérer comme un traître par les révolutionnaires. En 1848, entraîné par le mouvement général de l'Italie, il promulgua le Statut constitutionnel du 4 mars, et, après l'insurrection de Milan, il déclara la guerre à l'Autriche (22 mars). Vaincu par Radetzky à Custozza (24 juill. 1848), il dut accepter l'armistice de Salasco; mais les soulèvements républicains qui s'ensuivirent l'amenèrent, en mars 1849, à reprendre les hostilités. Ce fut pour subir la cuisante défaite de Novare (23 mars); il abdiqua le soir même en faveur de son fils Victor-Emmanuel II. Depuis longtemps malade, il mourut quatre mois plus tard, en exil.

SAXE-WEIMAR

CHARLES-AUGUSTE (* Weimar, 3.IX. 1757, † Graditz, près de Torgau, 14.VI. 1828), duc (1758/1815) puis grand-duc (1815/28) de Saxe-Weimar-Eisenach. Il régna d'abord sous la régence de sa mère, Anne Amélie de Brunswick. Lié avec Goethe dès 1774, il fit de Weimar, où il attira, entre autres, Wieland — son ancien précepteur —, Herder et Schiller, le plus brillant foyer spirituel de l'Allemagne à la fin du XVIIIe s.; il donna un grand lustre à l'université d'Iéna, fonda le théâtre de Weimar (1791) et cultiva personnellement les sciences naturelles. Fidèle allié de la Prusse, il dut cependant entrer dans la Confédération du Rhin (1806/13), mais prit part aux guerres de Libération de 1813/14. Ayant reçu le titre grand-ducal en 1815, il donna une Constitu-

CHARLES-ALBERT
Roi de Sardaigne (1831/1849).
Ph. © Bibl. Nat., Paris - Photeb

CHARLES X GUSTAVE
Roi de Suède (1654/1660).

Ph. J.L. Charmet
© Archives Photeb

tion libérale à ses États (1816), autorisa la célébration de la fête de la Wartburg (1818) et fut l'un des premiers artisans de l'unité allemande.

SUÈDE

La Suède compte quatorze rois du nom de Charles. Mais l'existence des six premiers est douteuse et semble n'être qu'une invention du chroniqueur Johannes Magnus.

CHARLES VII († 1167), roi de Gothie en 1155 et de toute la Suède en 1161, à la mort d'Éric IX. Protecteur de l'Église, il fonda l'archevêché d'Upsal (1164). Assassiné par Knut Eriksson, fils de son prédécesseur.

CHARLES VIII Knutsson (* vers 1408, † Stockholm, 15.V.1470), roi de Suède (1448/70). Descendant du roi Eric IX. Simple noble, il fit déposer Éric de Poméranie (1439), et, à la mort de Christophe III et à la dissolution de l'union de Kalmar, il fut élu roi. Chassé par les nobles en 1457, il se vit rappeler sept ans plus tard, mais ne fut plus qu'un souverain nominal.

CHARLES IX (* Stockholm, 4.X.1550, † Nyköping, 30.X.1611), roi de Suède (1599/1611). Fils cadet de Gustave Vasa, il porta d'abord le titre de duc de Sudermanie et profita de l'absence de l'héritier légitime, son neveu catholique, Sigismond, qui avait été élu roi de Pologne en 1587, pour s'emparer du pouvoir (1592). Ardent protestant, il confirma le luthéranisme comme religion d'État et déposa officiellement Sigismond en 1599; cependant, il ne se fit lui-même couronner qu'en 1607. En lutte contre les Russes, il les vainquit et soumit la Finlande, mais subit des revers dans ses guerres contre les Danois et les Polonais. Père de Gustave-Adolphe, qui lui succéda.

CHARLES X GUSTAVE (* Nyköping, 8.XI.1622, † Gothenburg, 13.II.1660), roi de Suède (1654/60). Fils de Jean Casimir, prince palatin du Rhin, et de Catherine, fille de Charles IX. Après avoir montré tout jeune ses talents militaires au cours de la guerre de Trente Ans, il fut désigné comme héritier au trône en 1649 et devint roi à l'abdication de sa cousine, Christine (1654). Rêvant d'établir la domination suédoise sur toute la Baltique, il mena contre la Pologne et le Danemark la première guerre du Nord (v.) (1655/60). Il gagna sur les Polonais la bataille de Varsovie (28/30 juill. 1656) et s'empara de toute la Pologne en moins de trois mois. L'année suivante, il remportait des succès aussi foudroyants contre le Danemark, qui, par la paix de Roskilde (27 févr. 1658), lui céda la Scanie et le Bohuslän, au S. de la Suède actuelle. Une alliance entre l'empereur, les Pays-Bas, la Pologne et le Brandebourg l'obligea à évacuer la Pologne; il mourut peu de temps après, alors qu'il menait une nouvelle guerre, moins heureuse que la première, contre le Danemark.

CHARLES XI (* Stockholm, 24.XI.1655, † Stockholm, 5.IV.1697), roi de Suède (1660/97). Fils et successeur du précédent, roi à l'âge de cinq ans (1660), il commença à gouverner personnellement en 1672. Allié de Louis XIV, il engagea la guerre contre la Hollande et le Brandebourg. Le Grand Électeur lui infligea la sévère défaite de Fehrbellin (28 juin 1675), qui porta un coup très grave au prestige militaire de la Suède. Bien qu'attaqué par une nouvelle coalition de la Hollande, du Danemark et de l'empereur, il remporta plusieurs victoires sur Christian V de Danemark, qui dut lui accorder l'avantageuse paix de Lund (1679). La suite de son règne, qui fut paisible, fut occupée à diminuer la puissance de la noblesse, à réorganiser complètement l'administration, à maintenir la puissance de l'armée et de la marine. Charles XI, qui avait établi l'absolutisme en Suède, encouragea le commerce, protégea les sciences, les lettres et les arts : on lui doit en particulier la fondation du port de Karlskrona et de l'université de Lund.

CHARLES XII (* Stockholm, 17.VI.1682, † Fredrikshald, 11.XII.1718), roi de Suède (1697/1718). Fils et successeur de Charles XI, il n'avait que quinze ans à son avènement, mais se révéla tout jeune comme un grand capitaine au cours de la seconde guerre du Nord (1700/21), provoquée par la coalition de la Russie, de la Pologne et du Danemark, qui voulaient mettre fin à la suprématie suédoise dans la Baltique. Après avoir forcé le Danemark à se retirer de la lutte (traité de Travendal, 1700), Charles XII courut en Livonie, et, avec une armée de 9 000 hommes, il mit en fuite 40 000 Russes à Narva (30 nov. 1700). Mais il commit la faute de ne pas envahir immédiatement la Russie et de passer cinq ans (1701/06) à chasser Auguste II de Pologne de ses États. Il mit à sa place Stanislas Leszczynski, qui était tout dévoué à la Suède. Alors seulement il se retourna contre le tsar Pierre le Grand, qui, entre-temps, avait réparé ses forces et affermi ses positions sur la Baltique (fondation de Saint-Pétersbourg, 1703). Il avança d'abord vers Moscou, puis obliqua vers l'Ukraine, où un chef de Cosaques, Mazeppa, lui faisait espérer, à tort, un grand soulèvement contre les Russes. Son armée, épuisée par des marches interminables, fut écrasée par les Russes à Poltava (8 juill. 1709). Réfugié en Turquie, Charles XII y resta inactif et quasi-prisonnier pendant cinq ans, tandis que l'Empire suédois s'effondrait à la suite de l'occupation par les Russes de la Carélie, de l'Ingrie, de l'Estonie, de la Livonie, du rétablissement d'Auguste II en Pologne et de l'annexion par les Danois des duchés de Brême et de Verden. Enfin rentré dans son pays (1714), Charles XII tenta d'enlever la Norvège aux Danois, mais il fut tué au siège de Fredrikshald. Trois ans après sa mort, le traité de Nystad (1721) sanctionna la ruine de l'hégémonie suédoise en mer Baltique. Voltaire écrivit l'*Histoire de Charles XII* (1731). Chef de guerre magnifique, de

CHARLES XII
Roi de Suède (1697-1718).

Ph. © Bibl. Nat., Paris - Photeb

caractère énergique, de manières simples et sévères, Charles XII manqua de qualités politiques; en s'abandonnant à sa nature excessive, il épuisa la Suède et la fit disparaître du nombre des grandes puissances.

CHARLES XIII (* Stockholm, 7.X.1748, † Stockholm, 5.II.1818), roi de Suède (1809/18) et de Norvège (1814/18). Oncle et successeur de Gustave IV, régent dès 1792, sans enfants, il adopta d'abord pour successeur le prince de Holstein-Augustenburg, qui mourut en 1810, puis le général français Bernadotte, auquel il laissa tout le gouvernement (v. article suivant). C'est sous son règne que la Norvège fut réunie à la Suède par le traité de Kiel (1814).

CHARLES XIV JEAN, Jean-Baptiste Bernadotte (* Pau, 26.I.1763, † Stockholm, 8.III.1844), maréchal de France, puis roi de Suède (1818/44). Fils d'un avocat, engagé comme simple soldat en 1780, fait général de brigade par Kléber, sur le champ de bataille, en 1794, il contribua à la victoire de Fleurus (1794), fit capituler Maastricht et prit Altdorf (1795). En 1797, il fut chargé de conduire à Bonaparte en Italie une armée de renfort de 20 000 hommes, et, sans nourrir beaucoup de sympathie pour le jeune général corse, il le seconda de son mieux durant toute la campagne. Ambassadeur à Vienne en avr. 1798, il y suscita une émeute pour avoir arboré le drapeau tricolore. La même année, par son mariage avec la jeune Marseillaise Désirée Clary, il devint le beau-frère de Joseph Bonaparte. Ministre de la Guerre en 1799, il fut suspecté de jacobinisme, dut se retirer et refusa de participer au 18-Brumaire. Sous le Consulat, il fut envoyé en Vendée (1800), où il sut empêcher les Anglais de débarquer à Quiberon. En 1804, Napoléon lui donna le bâton de maréchal, avec le gouvernement du Hanovre; il se distingua à Austerlitz. Prince de Pontecorvo (1806), il battit les Prussiens devant Halle et à Lübeck, où il fit Blücher prisonnier; puis, marchant sur la Pologne, il passa la Vistule et défit les Russes à Mohrungen et à Spanden, où il fut grièvement blessé (1807). Nommé alors gouverneur des villes hanséatiques, et chargé d'opérer contre la Suède, il arrêta les hostilités dès qu'il sut qu'une révolution avait renversé Gustave IV, l'adversaire de la France; cette attitude lui attira

CHARLES XIV
Jean-Baptiste Bernadotte.
Maréchal de France,
puis roi de Suède (1818/1844).
Esquisse de Gérard. (Musée
nat. du château de Versailles.)
Ph. H. Josse ©Photeb

l'estime et l'affection des Suédois. Bernadotte s'illustra ensuite à Wagram et repoussa les Anglais débarqués à Walcheren (juill. 1809). Ses rapports avec Bonaparte devenaient de plus en plus mauvais lorsque Charles XIII de Suède le choisit comme héritier : élu prince royal le 20 août 1810, il partit avec l'accord de Napoléon. Son influence politique s'exerça d'abord en faveur de la France, mais, devant les conséquences désastreuses du Blocus continental, Bernadotte, s'attachant désormais avant tout aux intérêts suédois, se tourna vers la Russie, rompit avec Napoléon et entra dans la coalition. Nommé généralissime des armées du Nord, il débarqua en 1813 à Stralsund, avec 18 000 Suédois, battit Oudinot à Gross-Beeren, Ney à Dennewitz et joua un rôle décisif dans la bataille de Leipzig. Pénétrant ensuite dans le Holstein, il imposa au Danemark la paix de Kiel (14 janv. 1814), qui attribuait la Norvège à la Suède. Il resta neutre pendant les Cent-Jours. Reconnu roi de Suède à la mort de Charles XIII (1818), il se montra un remarquable administrateur, cimenta l'union des Suédois et des Norvégiens tout en laissant à chacun des deux peuples sa Constitution propre, développa l'instruction, l'agriculture, l'industrie, le commerce, ouvrit le canal Göta reliant la Baltique à la mer du Nord (1832) et maintint des relations également bonnes avec l'Angleterre et avec la Russie. Il sut rester toujours fidèle à la devise qu'il avait adoptée : « L'amour de mon peuple est ma récompense. »

CHARLES XV (* Stockholm, 3.V.1826, † Malmö, 18.IX.1872), roi de Suède (1859/72). Petit-fils du précédent et successeur d'Oscar Ier, il introduisit en Suède un système parlementaire bicaméral par la Constitution de 1864. Son peuple aimait son caractère généreux et chevaleresque, comme il portait une grande admiration à ses dons de peintre et de poète.

CHARLES XVI GUSTAVE (* Stockholm, 30.V.1946), roi de Suède (à partir de 1973). Fils du prince Gustave-Adolphe, qui mourut d'un accident d'avion quelques mois après sa naissance, il succéda à son grand-père, Gustave VI Adolphe, à la mort de ce dernier.

CHARLESTON. Ville des États-Unis, en Caroline du Sud. Fondée en 1670, cette ville vit le début de la guerre de Sécession : celle-ci éclata à la suite de la prise par les sudistes, le 12 avr. 1861, du fort Sumter, l'un des ouvrages défensifs de la baie de Charleston. Assiégée par les forces de l'Union à partir d'août 1863, Charleston ne se rendit aux nordistes que le 19 févr. 1865.

CHARLEVILLE. Ancien chef-lieu de canton du département des Ardennes, aujourd'hui réuni avec Mézières (v.) sous le nom de Charleville-Mézières. Fondée en 1608 en face de Mézières, dans un méandre de la Meuse, par Charles de Gonzague, elle fut construite sous la direction de Clément Métezeau; celui-ci conçut notamment la place Ducale, exemple caractéristique de

l'architecture du début du XVIIᵉ s., qui présente de nombreuses analogies avec la place des Vosges, à Paris. Charleville vit naître Arthur Rimbaud (1854).

CHARLIEU. Ville de France, dans la Loire, au N.-E. de Roanne. Célèbre abbaye bénédictine, fondée au IXᵉ s., rattachée ensuite à Cluny. Les portails de l'église prieurale (consacrée en 1094) comptent parmi les chefs-d'œuvre de la sculpture romane bourguignonne.

CHARLOTTE DE SAVOIE (* vers 1445, † 1483). Reine de France. Fille de Louis II, duc de Savoie, elle épousa en 1457 le futur Louis XI, qui la négligea; mère de Charles VIII, d'Anne de Beaujeu, de ste Jeanne de France, belle-mère de Louis XII.

CHARLOTTE-ÉLISABETH DE BAVIÈRE, dite **la princesse Palatine** (* Heidelberg, 27.V.1652, † Saint-Cloud, 8.XII.1722). Fille de Charles-Louis, Électeur palatin du Rhin, petite-fille d'Élisabeth Stuart (fille de Jacques Iᵉʳ d'Angleterre), elle devint, en 1671, la seconde épouse de Monsieur, duc d'Orléans, frère de Louis XIV, qui la délaissa pour ses amitiés masculines. Au milieu de la cour de Versailles, elle se singularisa par son esprit incisif et sa rude franchise, qui la firent redouter de beaucoup. Sa correspondance est un document de premier ordre sur la vie de la cour (édit. franç. 1788). Elle fut la mère du duc d'Orléans, le futur Régent.

CHARLOTTE AUGUSTA (* Londres, 7.I.1796, † Londres, 5.XI.1817). Princesse de Galles, fille unique du futur Georges IV et de Caroline de Brunswick, elle fut mariée en 1816 à Léopold de Saxe-Cobourg et devait hériter du trône, mais elle mourut l'année suivante en mettant au monde un enfant qui ne lui survécut pas.

CHARLOTTE (* Laeken, près de Bruxelles, 7.VI.1840, † Bouchout, près de Bruxelles, 19.I.1927). Impératrice du Mexique. Fille du roi des Belges Léopold Iᵉʳ, elle fut mariée en 1857 à l'archiduc d'Autriche Maximilien, auquel Napoléon III fit attribuer le titre d'empereur du Mexique. Partie pour le Mexique avec son mari en 1864, elle revint en 1866 en Europe et essaya sans succès de sauver l'infortuné Maximilien. Désespérée, elle perdit la raison en 1866. Selon certaines hypothèses, elle serait la mère du général Weygand.

CHARLOTTENBURG. Ville d'Allemagne, sur la Spree, incorporée en 1920 dans Berlin. Son château, de style classique, fut construit au début du XVIIIᵉ s. pour Sophie Charlotte, femme de Frédéric Iᵉʳ. Dans le parc, tombeaux de Frédéric-Guillaume II et de la reine Louise.

CHARM EL-CHEIK. Ville et port d'Égypte, sur la mer Rouge, à la pointe méri-

dionale de la péninsule du Sinaï. Sa position, qui commande le détroit de Tiran et l'entrée du golfe d'Akaba, seul accès de l'État d'Israël à la mer Rouge, lui a donné une grande importance militaire durant les conflits israélo-arabes (v.). En 1967, Israël invoqua la fermeture du détroit par Nasser, à partir de Charm el-Cheik, pour déclencher sa nouvelle attaque contre l'Égypte.
● La ville fut occupée de 1967 à 1982 par les Israéliens qui souhaitaient y aménager un grand aéroport.

CHARMES. Ville de France, dans les Vosges, au N.-E. de Mirecourt. En 1632, un traité y fut signé entre Louis XIII et le duc de Lorraine, qui livra provisoirement la place de Nancy à la France. Ville natale de Maurice Barrès.

Trouée de Charmes. Nom donné à l'espace vide laissé après 1870 dans le système fortifié français, entre les camps retranchés de Toul et d'Épinal. Au début de la Première Guerre mondiale, la VIIᵉ armée allemande tenta de pénétrer dans ce « couloir d'invasion », mais fut arrêtée par la résistance de la Iʳᵉ armée française que commandait Dubail (23-29 août 1914).

CHARMETTES (Les). Hameau de la Savoie, près de Chambéry, célèbre par le séjour qu'y fit Rousseau chez Mᵐᵉ de Warens (1735/40).

CHARNACÉ Hercule Girard, baron de (* Charnacé, Anjou, 1588, † Bréda, 1637). Diplomate français. Efficace agent de Richelieu, il contribua beaucoup à l'intervention de Gustave-Adolphe de Suède dans la guerre de Trente Ans. Dès 1629, il réussit à réconcilier la Suède et la Pologne, afin de permettre au roi de se consacrer à la préparation de sa campagne en Allemagne, et il assura au souverain suédois les subsides de la France par le traité de Bärwalde (janv. 1631). Il fut tué au siège de Bréda.

CHAROBERT, roi de Hongrie. Voir CHARLES Iᵉʳ, roi de Hongrie.

CHAROLAIS. Partie de l'ancien duché de Bourgogne, comprise aujourd'hui dans le département de Saône-et-Loire (villes principales : *Charolles, Paray-le-Monial*). Simple châtellenie du comté de Chalon-sur-Saône, le Charolais fut érigé en comté en 1316, passa en 1327 à la maison d'Armagnac, qui le vendit à Philippe le Hardi, duc de Bourgogne, en 1390. Rattaché à la France par Louis XI en 1477, rendu par Charles VIII aux Habsbourg, héritiers de Marie de Bourgogne (1493), cédé à l'Espagne par le traité des Pyrénées (1659), il passa à la famille de Condé en 1684 et fut réuni à la couronne de France en 1761.

CHAROLAIS (comte de). Titre porté par l'héritier du duc de Bourgogne après l'achat du Charolais par Philippe le Hardi, en 1390.

CHARS

CHARS D'ASSAUT

Ce titre fut porté successivement par Jean sans Peur, par Philippe le Bon et par Charles le Téméraire.

CHARONDAS de Catane (VIᵉ s. av. J.-C.). Législateur grec. Peut-être disciple de Pythagore, il aurait donné des lois aux colonies chalcidiennes de Sicile et d'Italie du Sud et se serait suicidé pour avoir enfreint involontairement un article de sa propre législation.

CHAROST. Ville de France, dans le Cher, à 25 km au S.-O. de Bourges. Elle donna son nom à une branche de la maison de Béthune, qui l'acheta en 1608, et fut érigée en duché-pairie en 1672.

CHARRUE. Toutes les civilisations agricoles de l'Antiquité ont ignoré la charrue et ne connurent que l'**araire**. Celui-ci est un instrument de labour à traction animale, mais il se distingue de la charrue par des traits essentiels : pourvu d'un soc terminé en pointe ou en fer de lance, il effectue un travail symétrique (l'axe de la résistance est dans l'axe de la traction) et rejette des deux côtés la terre déplacée par le soc. Utilisé en Mésopotamie et en Égypte dès le IVᵉ millénaire avant notre ère, « l'araire, qui gratte la terre plus qu'il ne la retourne, convenait aux sols légers et pierreux, particulièrement abondants sur les pentes des zones méditerranéennes. Il se recommandait par sa légèreté, sa facilité de maniement et n'exigeait que des attelages réduits. Mais il était incapable d'ouvrir les terres lourdes, plus ou moins chargées d'argile, souvent les plus riches dans les vastes plaines du Nord-Ouest (de l'Europe) ». (Ph. Wolff.) Comme les autres peuples anciens, les Romains ne connurent que l'araire.

Dès le début de notre ère, les Germains utilisaient au contraire la charrue, laquelle, selon un texte de Pline, fut découverte pour la première fois par les Romains en Rhétie (Suisse actuelle).

La charrue aurait pénétré en Gaule septentrionale lors de l'invasion des Francs. Elle progressa lentement, mais, à partir de l'an 1000 environ, elle supplanta de plus en plus l'araire, qui devait se maintenir jusqu'à la fin du XIXᵉ s. dans les pays méditerranéens. La charrue, qui était, à l'origine, un instrument extrêmement lourd, traîné par des attelages d'au moins quatre bœufs, avait sur l'araire d'importants avantages : pourvue d'un versoir qui retournait la bande de terre découpée horizontalement par le soc, elle effectuait un travail dissymétrique, en profondeur, et permettait aux agriculteurs de s'attaquer aux terres lourdes. « Le labour prend une vertu que ne pouvait pas lui conférer l'araire. Le sillon n'est plus seulement une écorchure superficielle du sol, il en est le renouvellement. Il amène à la surface une partie profonde de la terre arable, celle que les racines de la plante cultivée ont à peine atteinte ou n'ont même pas touchée. Elle s'offre ainsi avec de nouvelles possibili-

tés et d'autant plus que la portion du sol retournée par la charrue s'est souvent enrichie par l'accumulation des sels nourriciers, entraînés par l'eau d'infiltration. Ramenée au contact direct de l'air, de la pluie, cette terre profonde prend en quelque sorte une vie active par suite de l'action des micro-organismes fertilisants. Le labour à la charrue équivaut ou presque à un nouveau défrichement. » (D. Faucher, « A propos de l'araire »).

CHARS (dans l'Antiquité). Connu en Mésopotamie dès le milieu du IVᵉ millénaire, le char fut utilisé au combat au moins dès 2500 av. J.-C. mais il ne prit toute son importance dans les guerres de l'Orient ancien qu'avec les invasions indo-européennes du IIᵉ millénaire. Les Kassites et les Mitanniens en répandirent l'usage en Mésopotamie. En Égypte, il ne fut connu qu'après l'invasion des Hyksos (XVIIIᵉ/XVIᵉ s.). La charrerie égyptienne commença à se constituer au déplacement du Nouvel Empire, sous la XVIIIᵉ dynastie. Le remplacement de la roue pleine par la roue à rayons permit d'atteindre plus de vitesse et de mobilité. Le char égyptien était généralement monté par deux hommes, le cocher et le combattant, ce dernier armé d'un arc. A la bataille de Kadesh (1300), Ramsès II dut affronter deux attaques massives de la charrerie hittite, l'une de 2 500 chars, l'autre de 1 000, et le pharaon chargea personnellement sur son char. En Égypte, la charrerie formait l'arme d'élite, dans laquelle combattait le roi, ses fils et les nobles. Elle constitua de même, en Assyrie, la principale arme de combat et de choc; les chars assyriens, plus lourds que les égyptiens et à caisse renforcée, étaient montés par trois hommes, un cocher, un combattant et un servant qui couvrait ses deux compagnons d'un large bouclier. Les Perses inventèrent des chars armés de faux, les unes, attachées à l'essieu, s'étendant obliquement à droite et à gauche, les autres, placées sous le siège du cocher, inclinées vers la terre pour couper les obstacles sur leur passage. Cependant, dans l'armée perse, la charrerie fut rapidement supplantée par la cavalerie. Elle ne joua pas de rôle dans les guerres médiques, mais on la voit utilisée, sans grande efficacité, à Counaxa (401) et à Arbèles (331 av. J.-C.).

En Grèce, les chars disparurent pratiquement comme arme après l'époque homérique; cependant, les Macédoniens adoptèrent le char à faux des Perses, qui semble avoir figuré pour la dernière fois à la bataille de Magnésie (191 av. J.-C.). En Chine, les chars furent employés au moins dès 1400 av. J.-C. Les Gaulois qui envahirent l'Italie et combattirent aux côtés des Samnites, au IIIᵉ s. av. J.-C., possédaient des chars, que les Romains auraient vus alors pour la première fois. On a trouvé, notamment en Champagne, des tombes gauloises des Vᵉ-IVᵉ s. av. J.-C. où le guerrier repose couché sur son char à deux roues avec, en avant du timon, les harnachements de deux chevaux. Mais, comme chez les Grecs de l'époque homérique, le char servait surtout aux

CHARS D'ASSAUT
Char amphibie. Démonstration en mai 1976, dans la Marne.
Ce char vient de rouler en submersion sous quatre mètres d'eau.
Il fait partie d'une unité du génie. La Seconde Guerre mondiale
et surtout les opérations du débarquement
ont appris à varier les possibilités des engins blindés.
C'est ainsi que le général Hobart, beau-frère du général Montgomery,
avait conçu pour l'opération Overlord de 1944 en Normandie
des « funnies » très spécialisés : chars-camions amphibies,
chars déroulant un tapis de toile armée,
chars antimines munis de chaînes battant le sol,
chars bulldozers, chars lance-flammes, chars porte-pont.
Ph. © L. Maous - Gamma

Gaulois pour se rendre au combat et les guerriers s'affrontaient à pied. Durant la guerre des Gaules, César ne rencontra de combattants en char que dans l'île de Bretagne. Comme les peuples de la steppe, les Germains avaient de grands chars qui leur servaient d'habitation.

CHARS D'ASSAUT. L'arme blindée moderne a pour ancêtres lointains la charrerie des empires de l'Antiquité (voir article précédent), les éléphants des armées de Cyrus, des Séleucides et d'Hannibal, et aussi les projets de Léonard de Vinci, auxquels les hommes de guerre de son temps ne prêtèrent guère attention. Dès la fin du XIXᵉ s., les premières études de véhicules blindés furent entreprises simultanément en France, en Angleterre et aux États-Unis. Le premier véhicule blindé à tourelle fut construit en France par Charron, en 1904. Au début de la Première Guerre mondiale, l'Angleterre et la France poursuivirent activement, mais indépendamment, la mise au point des chars d'assaut. Les pionniers de l'arme nouvelle furent, en France, le général Estienne, en Angleterre Winston Churchill (alors premier lord de l'Amirauté), le colonel Swinton et le général Fuller. Les premiers chars anglais Mark 1, qui pesaient 31 tonnes, étaient armés d'un canon de 57 et de 4 mitrailleuses et avaient une vitesse de 6 km/h environ, furent engagés le 15 sept. 1916 à Flers, dans la Somme. Leur efficacité tactique fut assez faible, mais leur effet psychologique fut considérable sur le moral de l'ennemi. Dès la fin de 1916, la France disposait également d'une arme blindée appelée alors *artillerie d'assaut*, prête à entrer en action. Malgré les résultats plus que décevants de la première attaque, qui eut lieu à Berry-au-Bac, le 16 avr. 1917, la construction des chars d'assaut fut poursuivie. Les premiers chars (Schneider et Saint-Chamond) furent abandonnés et la production se concentra entièrement sur le char léger Renault FT (6,5 tonnes, canon de 37 et une mitrailleuse, vitesse : 7,7 km/h), dont plus de 3 000 unités furent construites jusqu'à la fin de la guerre. Voyant l'échec relatif des premières attaques de chars alliés, les Allemands, durant la Première Guerre mondiale, firent montre d'une carence presque absolue dans ce domaine; ils utilisèrent seulement des chars pris aux Alliés et réparés, ainsi que quelques chars lourds d'une quarantaine de tonnes. En 1918, les Anglais et les Français avaient également mis au point des chars lourds, mais les hostilités prirent fin alors que commençait seulement leur production en série.

Au lendemain du conflit, les hauts commandements restaient convaincus que les chars ne pouvaient être employés que dans des opérations limitées d'un front continu, en appui de l'infanterie, et sous la protection d'un puissant barrage d'artillerie. La prophétie du général Estienne : « L'artillerie d'assaut (c'est-à-dire les chars) fait aujourd'hui la véritable destinée des armées et des peuples », n'était pas prise au sérieux. Seuls quelques théoriciens militaires n'appartenant pas aux commandements supérieurs se rendirent compte que l'apparition massive des chars d'assaut pouvait bouleverser complètement les « enseignements » du premier conflit mondial : plus de continuité des fronts, mais des entreprises autonomes, agissant par surprise, réalisant la percée et désorganisant les arrières de l'adversaire. Ces premiers théoriciens furent, en France, le général Estienne, en Angleterre le général J.F.C. Fuller et le critique Liddell Hart, en Italie le général Douhet; leurs idées furent reprises plus tard en France par le colonel de Gaulle, en Allemagne par Guderian, mais c'est seulement en Allemagne et en U.R.S.S. que ces théories parvinrent à s'imposer. L'Allemagne, qui avait porté peu d'intérêt aux chars durant la Première Guerre mondiale, et à laquelle le traité de Versailles avait interdit toute arme blindée, ne se trouvait pas tributaire des mêmes préjugés que la France et l'Angleterre. Hitler appuya les efforts de Guderian.

Les *panzer* furent, avec les avions en piqué (v. STUKA), les instruments décisifs de la guerre éclair menée par la Wehrmacht en Pologne (1939), puis à l'Ouest (1940). En 1941, les Allemands engagèrent la campagne de Russie avec une infériorité numérique de l'ordre de un à dix (2 400 chars allemands contre 24 000 chars soviétiques). Mais l'arme blindée allemande était bien supérieure par ses qualités manœuvrières, forgées au cours des deux années précédentes. Dans les trois premiers mois de la guerre germano-russe, les Soviétiques perdirent 17 500 chars et les Allemands seulement 550. Mais l'armée rouge tira avec une remarquable rapidité la leçon de ses échecs, et, à partir de 1943, elle n'eut plus rien à envier à la Wehrmacht dans le domaine tactique, tandis que sa supériorité numérique ne cessait de s'accentuer. Jusqu'en 1945, le char d'assaut resta l'élément décisif de la guerre à l'Est. Il en fut de même dans les batailles de Normandie et d'Allemagne (1944/45). Les principaux chars d'assaut de la Seconde Guerre mondiale furent : en Allemagne, le *Tiger* (1942), de 65 tonnes, armé de canons de 88 ou de 128, et le *Panther* (1943), de 45 tonnes, armé d'un canon à tir rapide de 75; en U.R.S.S. le *T 34* (1942), de 27 tonnes, armé d'un canon de 76 ou de 85, et le *Staline* (1945), de 57 tonnes, armé d'un canon de 122; aux États-Unis, le *Sherman M-4* (1942), de 30 tonnes, armé d'un canon de 75, de 76 ou de 105, et le *Pershing M-6* (1944), de 45 tonnes armé d'un canon de 90; en Angleterre, le *Churchill* (1942), de 40 tonnes, armé d'un canon de 57. Les principaux chars d'assaut depuis 1945 sont : les chars soviétiques *T 54* (27 tonnes, canon de 100), *T 62, T 72, T 80* (40 tonnes, canon de 122); les chars américains *M 60 A 1, X M 1* (50 tonnes, canon de 105); l'*AMX 30* français (36 tonnes, canon de 105; l'*AMX Leclerc* sera de 50 tonnes, avec un canon de 120); les chars britanniques *Centurion* (50 tonnes, canon de 90) et *Chieftain* (54 tonnes, canon de 120); le *Leopard II AV* ouest-allemand (54,5 tonnes, canon de 120).

CHARTE
Remise d'une charte,
V-1320. Détail de l'initiale ornée d'une charte de coutumes de Montsaunès. (Archives dép. de la Haute-Garonne.)
Ph. © Lauros-Giraudon - Photeb

CHARTE. Nom donné, au Moyen Age, à des actes passés soit entre particuliers, soit entre le roi ou le seigneur et une collectivité urbaine. Les actes passés entre particuliers sont la principale source documentaire sur le droit coutumier aux XIᵉ/XIIᵉ s.; ces chartes nous ont été conservées le plus souvent en copie sur des registres appelés cartulaires (v.), lesquels proviennent, pour la plupart, des archives des fondations ecclésiastiques, églises ou monastères.

Les chartes municipales, qui apparaissent en France au XIIᵉ s., sous Louis VII, sont des actes solennels par lesquels le roi ou un seigneur accorde à une ville un statut privilégié. La charte est octroyée, mais elle est le résultat d'une négociation et constitue une sorte de contrat. Souvent fortifiée par un serment et confirmée par le suzerain du seigneur, jusqu'au roi en dernier ressort, souvent aussi approuvée par les dignitaires ecclésiastiques locaux, elle est renouvelée et confirmée à chaque changement de seigneur, et, d'habitude, les habitants de la ville s'efforcent, à cette occasion, d'obtenir une extension de leurs privilèges. La charte est soigneusement conservée dans les archives de la ville. Parfois, comme à Paris, le statut privilégié d'une ville est purement coutumier et n'a pas donné lieu à l'établissement d'une charte. D'une façon générale, la charte précise les privilèges accordés aux bourgeois de la ville, règle l'accès à la bourgeoisie, et fixe les conditions dans lesquelles sera désormais administrée la cité, les rapports entre les pouvoirs municipaux et le pouvoir seigneurial. Dans la grande variété des chartes, on peut distinguer trois types principaux :

a) La **charte de simple franchise.** Le seigneur conserve sa juridiction sur la ville, où il est représenté par un agent qui est habituellement un prévôt (v.). Mais les bourgeois jouissent de la liberté civile; les serfs sont affranchis, immédiatement ou au bout d'un certain délai; le régime seigneurial est régularisé; de nombreuses coutumes seigneuriales sont sérieusement limitées ou complètement supprimées; la charte fixe les conditions de la levée des impôts; le seigneur garde le droit de justice, mais il garantit aux bourgeois la liberté de leur personne et de leurs biens; la procédure, les frais de justice, amendes, voies d'exécution sont précisés; souvent, le prévôt, dans ses fonctions judiciaires, est assisté par un certain nombre de bourgeois. Certaines villes (comme dans la loi de Beaumont-en-Argonne) obtiennent même d'avoir part à l'administration municipale. Cependant, la caractéristique de ces chartes est que le seigneur conserve en droit tous les pouvoirs. C'est donc ce type de charte qui a évidemment les préférences des féodaux; il existe dans toute la France mais prédomine dans le domaine royal, dans la région parisienne, dans le Centre, l'Ouest, le Sud-Ouest, toutes régions qui ne figurent pas à la pointe de la renaissance commerciale du XIIᵉ s.;

b) La **charte de commune jurée.** Outre les privilèges précédents, elle accorde aux villes une véritable autonomie à l'égard du sei-

CHARTE CONSTITUTIONNELLE

CHARTE DE L'ATLANTIQUE

gneur. La commune, désormais maîtresse chez elle, possédant une personnalité juridique distincte, s'administrant elle-même par un corps municipal d'échevins et de jurés dirigés souvent par un maire, devient une « vassale collective du seigneur » (G. Lepointe). Celui-ci ne peut concéder une charte aussi libérale, qui diminue la valeur de son fief, qu'avec le consentement de son propre suzerain. Ces communes jurées sont rares dans le domaine royal; on les rencontre essentiellement dans la région du Nord (Amiens, Arras, Laon, Saint-Quentin, Noyon, Soissons, etc.);

c) Dans le midi de la France, le **statut des villes à consulat** (v.).

Certaines chartes eurent un grand succès et furent largement imitées : ainsi la charte de Lorris, en Gâtinais, accordée par Louis VII, en 1155, qui n'était qu'une charte de simple franchise, fut reprise par plus de quatre-vingts villes ou bourgs du Centre; la loi de Beaumont-en-Argonne, octroyée par l'archevêque de Reims, eut quelque trois cents imitations en Champagne et en Lorraine; l'« Alfonsine », concédée en 1270 par Alphonse de Poitiers à la ville de Riom, se propagea dans toute l'Auvergne; les Établissements de Rouen furent imités dans toutes les possessions continentales des Plantagenêts.

CHARTE DE CHARITÉ, *Carta Caritas.* Constitution fondamentale de l'ordre cistercien, rédigée en 1114 par st. Étienne Harding, troisième abbé de Cîteaux, et approuvée en 1119 par le pape Calixte II. Elle organisait l'ordre sur la base de l'égalité et de l'autonomie entre les monastères cisterciens (à l'opposé du système de vassalité clunisien), mais en les contrôlant par la visite annuelle de l'abbé fondateur, dit « père immédiat », et par le chapitre général, réuni chaque année à Cîteaux. Voir CISTERCIENS.

CHARTE (la Grande), *Magna Carta.* Important document de l'histoire constitutionnelle de l'Angleterre, que les barons révoltés arrachèrent, le 15 juin 1215, dans la lande de Runnymead, près de Windsor, au roi Jean sans Terre. Elle ne constituait pas en elle-même un acte révolutionnaire et avait surtout pour but de faire disparaître les abus dont le roi Jean s'était rendu coupable et de faire reconnaître les garanties accordées par les chartes d'Henri Ier (1100), d'Étienne (1136), d'Henri II (1154). Comportant, dans sa version primitive de 1215, soixante-trois clauses, elle proclamait la liberté de l'Église, en particulier la liberté des élections épiscopales; les barons recevaient l'assurance que le roi n'exigerait plus d'eux que les droits fixés par les anciennes coutumes; en outre, le souverain ne pouvait plus lever d'impôts extraordinaires sans le consentement du Grand Conseil du royaume, qui existait déjà et était composé des prélats et des barons. La partie la plus novatrice de la Grande Charte était l'article 39, où l'on a vu le loin-

tain fondement de la Pétition des droits de 1628 et de l'Habeas corpus de 1679 : « Aucun homme libre ne sera arrêté, emprisonné ou privé de ses biens, ou mis hors la loi ou exilé, ou lésé de quelque façon que ce soit. Nous (le roi) n'irons pas à l'encontre de cet homme libre, Nous n'enverrons personne contre lui, sauf en vertu d'un jugement légal de ses pairs, conformément à la loi du pays. » L'article 61 de la charte accordait de plus aux barons, dans le cas où le roi ne tiendrait pas ses promesses, un véritable droit à l'insurrection. Vingt-cinq barons élus étaient chargés de surveiller l'application de la charte et de signaler les abus au roi; si celui-ci ne les corrigeait pas dans un délai de quarante jours, les barons, « avec le commun du pays tout entier », pourraient l'y contraindre en saisissant les châteaux, les terres, les possessions royales « et par tous les autres moyens possibles ». Cependant, Jean sans Terre, dès le début de 1216, obtint du pape l'annulation de la Grande Charte; les barons prononcèrent alors sa déposition et offrirent le trône au fils de Philippe Auguste, le futur Louis VIII de France, qui débarqua en Angleterre. Après la mort de Jean sans Terre (oct. 1216), la charte fut remaniée (1217), et, dans son état définitif, fut confirmée par Henri III (1225.) Elle allait rester le symbole des libertés britanniques.

CHARTE AUX NORMANDS. Actes des 13 mars et 22 juill. 1315, par lesquels Louis X le Hutin confirma les libertés et privilèges traditionnels des ordres et pays de Normandie et s'engagea notamment à ne pas lever d'impôt sans le consentement préalable des Normands (ce fut l'origine des états de Normandie).

CHARTE DU ROI JEAN. Arrêtée avec les états généraux assemblés à Paris le 23 déc. 1355 et publiée le 22 janv. 1356, elle consacrait en principe la périodicité des états généraux, le vote annuel de l'impôt, le droit de refuser le paiement des impôts illégalement établis, la valeur légale des monnaies; cette charte ne fut jamais appliquée.

CHARTE CONSTITUTIONNELLE. Octroyée aux Français par Louis XVIII, le 4 juin 1814, et datée de la dix-neuvième année de son règne, elle marquait cependant une rupture définitive avec l'Ancien Régime et instituait un régime de monarchie constitutionnelle qui devait durer jusqu'à la révolution de 1848. Tout en affirmant que l'autorité tout entière résidait dans la personne du roi, la Charte consacrait les principales conquêtes politiques et sociales de la Révolution : égalité de tous devant la loi et les charges de l'État (art. 1-2); accès égal aux emplois civils et militaires (art. 3); liberté individuelle, assurée par l'inamovibilité des juges, la publicité des débats et l'institution conservée des jurys (art. 4, 58, 64, 65); liberté religieuse, bien que le catholicisme soit proclamé « religion de l'État » (art. 5-6); liberté

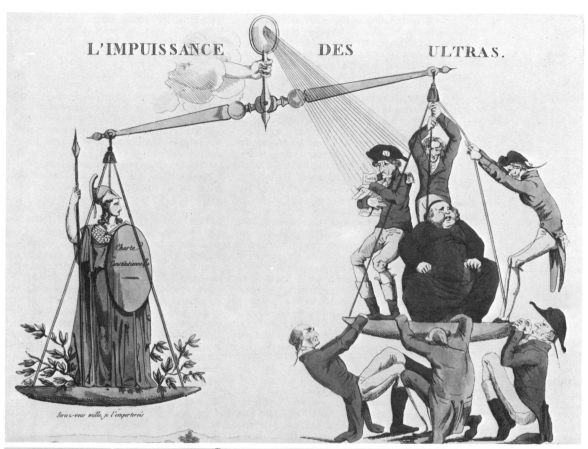

L'IMPUISSANCE DES ULTRAS.

CHARTRES
Armoiries de la ville, 1664.
Ph. Jeanbor © Photeb

de publier ou de faire imprimer ses opinions, « en se conformant aux lois qui doivent réprimer les abus de cette liberté » (art. 8); inviolabilité de la propriété et reconnaissance des biens nationaux à leurs acquéreurs (art. 9); amnistie complète pour tous les actes commis jusqu'à la Restauration (art. 11). En outre, la conscription était abolie (art. 12). Le roi, inviolable et sacré, exerçait seul le pouvoir exécutif (art. 13); chef suprême de l'État, commandant des forces armées, il déclarait la guerre, concluait les traités de paix, d'alliance, de commerce, nommait à tous les emplois de l'administration, faisait les règlements et ordonnances nécessaires pour l'exécution des lois et la sûreté de l'État (art. 14). Il conservait en outre une partie du pouvoir législatif, puisqu'il proposait les lois (art. 16), les sanctionnait et les promulguait (art. 22). Cependant la représentation nationale était assurée par deux Chambres : la Chambre des pairs, dont les membres étaient nommés par le roi à vie ou à titre héréditaire; la Chambre des députés, élue pour cinq ans. Ces deux Chambres participaient également à la confection des lois, sauf pour la loi de finances, qui devait d'abord être votée par les députés (art. 17). Le roi convoquait les Chambres, décidait de la durée des sessions et avait le droit de dissoudre la Chambre des députés, avec obligation d'en convoquer une nouvelle dans un délai de trois mois.
S'appuyant sur l'article 14, Charles X, en juillet 1830, promulgua quatre ordonnances qui provoquèrent la révolution fatale aux Bourbons. La Charte fut maintenue par Louis-Philippe, mais modifiée (7 août 1830) : le préambule de 1814 fut supprimé, la Charte ne fut donc plus octroyée par le roi; le drapeau tricolore fut adopté, le roi prit le titre de « roi des Français »; une modification de l'article 14 rendit désormais impossible l'interprétation qu'en avait faite Charles X; la religion catholique ne fut plus considérée comme religion de l'État, mais reconnue comme religion « de la majorité des Français »; la censure et les tribunaux d'exception furent abolis; l'initiative des lois fut donnée aux Chambres comme au souverain; l'âge de vote et d'éligibilité fut abaissé respectivement à vingt-cinq et à trente ans. Cette Charte fut abolie par la révolution de févr. 1848.

CHARTE D'AMIENS. Voir AMIENS.

CHARTE DE L'ATLANTIQUE. Signée le 14 août 1941 à bord du *Potomac,* dans l'océan Atlantique, entre Churchill et Roosevelt, elle définissait les principes de base de la paix future : renonciation à tout agrandissement territorial, droit des peuples à choisir leur forme de gouvernement, libre accès de tous les États aux matières premières, liberté des mers, condamnation du recours à la force. La Charte de l'Atlantique, approuvée par les États alliés, devait inspirer la Charte des Nations unies.

CHARTE DU TRAVAIL. Loi publiée par le gouvernement de Vichy le 26 oct. 1941. Elle avait pour but d'organiser les rapports professionnels entre employés et employeurs de façon à éviter la lutte des classes. D'inspiration corporatiste, elle stipulait que les conflits sociaux devaient être réglés, en dernier ressort, par des organismes professionnels mixtes. Elle refusait aux ouvriers le droit de grève, mais aussi le droit de lock-out aux patrons. Pour la première fois en France, elle introduisait la notion de salaire minimum vital fixé par l'État. Cette Charte du travail, qui ne devait jamais être complètement appliquée, fut abolie par une ordonnance du gouvernement de Gaulle, le 27 juill. 1944.

CHARTE DES NATIONS UNIES. Charte signée le 26 juin 1945, au terme de la conférence de San Francisco, par les délégués des 50 États qui avaient pris part à cette conférence. Cette charte, qui remplaça l'ancien pacte de la S.D.N. et servit de base à l'Organisation des Nations unies (v.), donnait pour objet essentiel de « maintenir la paix et la sécurité internationales ». Elle posait en principes : l'égalité de tous les membres des Nations unies; le règlement de leurs conflits par des moyens pacifiques; l'engagement de ne pas recourir à la force; le devoir d'assistance de chaque membre pour toute action entreprise par l'Organisation conformément à la charte; la non-intervention de l'Organisation des Nations unies dans les affaires intérieures des États membres. La charte définissait en outre les principaux rouages et le mécanisme de l'Organisation des Nations unies.

CHARTES (École nationale des). Projetée par Napoléon Ier, elle fut créée à Paris, en 1821, afin de former des archivistes. Dans une première période, son enseignement fut tourné presque exclusivement vers le Moyen Age et laissa de côté l'Antiquité, la philologie et l'histoire elle-même. Cependant, dès 1829, des cours de diplomatique et de paléographie y furent ajoutés. C'est Guizot qui réorganisa l'École en 1846; elle devint dès lors l'établissement d'enseignement supérieur des sciences auxiliaires de l'histoire. Ses élèves reçoivent, à la sortie de l'École, le titre d'*archiviste-paléographe.*

CHARTISME, *Chartism.* Nom du premier mouvement politique ouvrier qui se développa en Angleterre dans les années 1830. L'agitation chartiste commença lors de la crise économique des années 1837/38. La réforme électorale partielle de 1832 avait profondément déçu les classes pauvres britanniques, qui restaient frustrées d'une représentation parlementaire équitable. En mai 1838, sur l'initiative de l'Association des travailleurs londoniens, fut adoptée une Charte ouvrière qui réclamait le suffrage universel masculin, un juste découpage des circonscriptions électorales, l'abolition du cens électoral, la réunion annuelle du Parlement, le secret des votes, l'allocation d'une indemnité aux députés (afin de permettre l'élection des pauvres aux Communes). En févr. 1839, se réunit à Londres une convention nationale, qui décida de présenter aux Communes une pétition rédigée dans le sens de la Charte ouvrière. Cette pétition fut discutée au Parlement en juill. 1839, mais sans résultat, et le gouvernement prononça la dissolution de la convention. Celle-ci envisagea alors de recourir à l'action directe — certains de ses membres se prononçaient en faveur de la grève générale. Le 3 nov. 1839 de violentes émeutes eurent lieu à Newport, où 24 chartistes furent tués par la force armée; mais les autres chartistes d'Angleterre ne suivirent pas ce mouvement révolutionnaire. Une seconde campagne de pétition se développa dans le pays au cours des années suivantes : en 1842, elle avait déjà recueilli plus de 3 millions de signatures, mais elle fut, comme la première, rejetée par le Parlement (mai 1842). Le mouvement chartiste commença à se décomposer, après avoir connu une dernière flambée en 1848, lors de la grande manifestation de Kensington (10 avr. 1848). Cet échec contribua en grande partie à détacher la classe ouvrière anglaise de l'action politique jusqu'à la naissance du parti travailliste (v.), au début du XXᵉ s.

CHARTRES. Ville de France, chef-lieu du département de l'Eure-et-Loir. Dans l'Antiquité *Autricum,* capitale des Carnutes, Chartres fut, dès le Xᵉ s., le siège d'un comté qui, après avoir appartenu à la maison de Blois, passa à la maison de Châtillon, laquelle le vendit à Philippe le Bel en 1286. Après avoir été l'apanage de Charles de Valois, père de Philippe VI, le comté de Chartres fut érigé en duché par François Iᵉʳ, en 1528, au profit de Renée de France, duchesse de Ferrare. Vainement attaquée par les protestants en 1568, la ville fut prise en 1591 par Henri IV, qui se fit sacrer dans la cathédrale (27 févr. 1594). Louis XIV donna le duché de Chartres à la maison d'Orléans, dont l'héritier porta, jusqu'à Louis-Philippe, le titre de duc de Chartres. Chartres fut prise par les Allemands en oct. 1870 et en juin 1940 (Jean Moulin (v.) y était alors préfet).
● La ville comptait 18 000 habitants en 1851, 32 000 en 1936, 37 000 en 1982.

Cathédrale de Chartres. Elle se dresse sur le site d'un puits qui était le centre d'un culte dès avant l'ère chrétienne, alors que la région était occupée par le peuple gaulois des Carnutes. En ce lieu s'éleva un temple gallo-romain où l'on vénérait une statue de déesse mère identifiée aux chrétiens à la Vierge; cette statue de « Notre-Dame sous Terre » aurait subsisté, dans la crypte de la cathédrale, jusqu'à la Révolution. La cathédrale actuelle a succédé à un édifice roman du XIIᵉ s. détruit par un incendie dans la nuit des 9/10 juin 1194. De la cathédrale romane subsistent la crypte, les tours et la base de la façade occidentale avec le portail Royal (1145-55), l'un des chefs-d'œuvre de la

statuaire romane. En raison de la célébrité du sanctuaire marial de Chartres, la nouvelle cathédrale fut construite avec le concours de toute la France, roi, nobles, bourgeois, peuple participant à l'entreprise par leurs dons ou par leur travail. Commencée aussitôt après l'incendie de 1194, la reconstruction fut menée rapidement : dès 1220, la nouvelle nef, les parties basses du transept et le chœur étaient achevés; la dédicace, à laquelle assista Saint Louis, fut célébrée le 24 oct. 1260. Les innovations de l'édifice marquèrent une étape importante dans l'évolution de l'architecture gothique : élévation des grandes arcades de la nef et du chœur; hardiesse de l'ordonnance des fenêtres hautes, abandon des tribunes, remplacées par un triforium, unité sans précédent du vaisseau, du transept et du chœur.
Par une chance à peu près unique, la cathédrale de Chartres a conservé presque tous ses vitraux des XIIᵉ/XIIIᵉ s.; ils constituent le plus bel ensemble du Moyen Age français.

CHARTREUSE. Nom qui désigne les monastères de chartreux. Le monastère de la **Grande-Chartreuse,** en France (Isère, au N. de Grenoble), fondé par st. Bruno en 1084, fut reconstruit en 1132 et en 1678 (v. article suivant). Ce monastère est la maison mère de l'ordre et c'est là que se tient le chapitre général; le prieur de la Grande-Chartreuse est le général de l'ordre cartusien; un procureur général le représente auprès du Saint-Siège.

CHARTREUX. Ordre de moines contemplatifs fondé par st. Bruno en 1084, dans la montagne de la Grande-Chartreuse, près de Grenoble. D'une particulière austérité de vie, les chartreux mènent une existence semi-érémitique, habitent dans des cellules distinctes mais groupées et ne se rencontrent que pour l'office liturgique. Les derniers entretiens de st. Bruno avec le prieur Landuin et la dernière lettre du saint à ses fils de la Chartreuse (1101) constituèrent le « testament de saint Bruno » et la substance de l'observance cartusienne, qui fut codifiée par le cinquième prieur de la Grande-Chartreuse, Guigues, dans les *Consuetudines carthusiae* (1127). La Constitution définitive de l'ordre ne date que du troisième chapitre général (1163) : c'est alors que les chartreux furent définitivement organisés par Alexandre III (1164). Étant donné le caractère strictement contemplatif des chartreux, l'ordre n'a guère eu d'histoire. Il atteignit son apogée au XIVᵉ s., avec plus de cent monastères, puis déclina lentement, mais sans connaître le même relâchement que la plupart des autres ordres religieux. Au XVIIᵉ s., de nombreux chartreux adhérèrent au jansénisme. L'une des plus fortes personnalités de l'ordre fut Innocent Le Masson, prieur général de la Grande-Chartreuse de 1675 à 1705, qui entreprit la reconstruction de son monastère et encouragea dom Le Couteulx à écrire l'histoire de l'ordre (*Annales ordinis Cartusiensis,* 1687). Durant l'épreuve de la Révo-

CHARTREUSE
Sceau du monastère de la Grande-Chartreuse, 1367.
Ph. © Arch. Nat., Paris - Photeb

CHASSE

lution française, les chartreux, en quasi-totalité, restèrent fidèles à leur vocation. Expulsés de la Grande-Chartreuse en août 1792, ils s'y réinstallèrent en juill. 1816. A la suite des lois sur les congrégations, ils furent de nouveau expulsés le 29 avr. 1903 et se réfugièrent en Italie, à Farneta, près de Lucques. Dès le 21 juin 1940, les chartreux revinrent en Dauphiné. Il existe aujourd'hui environ 25 chartreuses dans le monde.

CHASE Salomon Portland (* Cornish, New Hampshire, 13.I.1808, † New York, 7.V.1873). Homme politique américain. Sénateur de l'Ohio (1849/55 et 1861), il fut un des chefs de la lutte contre l'esclavage et s'opposa au compromis de 1850. Secrétaire au Trésor (1861/64), il eut à faire face aux difficultés de la guerre de Sécession et établit, en 1863, un système de banque nationale. En 1864, Lincoln le nomma président de la Cour suprême et il occupa ce poste jusqu'à sa mort. Il fut quatre fois candidat malheureux à la présidence des États-Unis.

CHASÉ (esclave), *servus casatus*. A l'époque carolingienne, nom donné à l'esclave ayant reçu une terre, attaché à elle jusqu'à sa mort (il ne pouvait être vendu sans la terre, ni la terre sans lui) et dont la situation ne se distinguait guère, pratiquement, de celle du colon (v.) ou du lide (v.), qui étaient des hommes libres, mais en fait attachés à perpétuité à la terre qu'ils cultivaient. La plupart des esclaves carolingiens étaient des *servi casati;* leur statut marqua une étape importante dans l'évolution de l'esclavage (v.) au servage (v.).

CHASSE. Avant d'être chasseur, l'homme servit lui-même de gibier aux fauves. Les hommes les plus primitifs vécurent surtout de la cueillette de graines et de fruits; pendant des centaines de millénaires, la chasse dut se limiter à des bêtes malades ou blessées, constituant des proies plus faciles.

La chasse préhistorique

Le passage à la chasse active du gros gibier est relativement récente : il se situe au moustérien, entre −100000 et −50000. Les animaux chassés alors en Europe étaient l'éléphant antique, le rhinocéros, l'ours, le bison. A la station moustérienne de Taubach, près de Weimar, on a retrouvé une grande quantité d'ossements et de dents appartenant à des représentants pour la plupart jeunes de ces espèces; mais on ne saurait affirmer que ce gibier ait été pris dans des fosses-pièges et peut-être le marais a-t-il joué le rôle de fosse naturelle, car l'outillage moustérien de tradition acheuléenne de Taubach ne permettait guère de creuser des fosses assez grandes pour un éléphant.
Avant la fin du moustérien, la glaciation de Würm refoule vers le sud la faune arctique. Vers −30000/−25000, les chasseurs aurignaciens de la race de Cro-Magnon se concentrent pour chasser collectivement le mammouth. On a trouvé ainsi, en Moravie, des charniers de quelque cent (Dolni Vestonice) et même cinq cents mammouths (Predmost). Les mammouths, vivant en hardes, étaient attirés vers des marais ou des pièges à poids (le sol gelé rendait désormais difficile le creusement de fosses) et sans doute abattus sur place; un mammouth pesait de 4 à 7 tonnes et pouvait être exploité non seulement pour sa viande mais aussi pour son ivoire, qui servait à la confection d'armes et d'outils. On pratiquait également la chasse au cheval sauvage; à Solutré, près de Mâcon, au pied d'un escarpement rocheux, on a exhumé d'innombrables ossements de chevaux que peut-être des rabatteurs avaient cernés au sommet de la falaise et affolés pour qu'ils se précipitassent dans le vide.
En Occident, dès le magdalénien inférieur, le renne devient le centre de l'économie chasseresse; dépassant de loin le cheval, il représente à lui seul 60 à 90% de la chasse. Le renne offrait l'avantage de vivre en hardes et d'être totalement utilisable (chair, ossements, bois de ramure). Cependant, le cheval des steppes, l'antilope, l'ours brun figuraient aussi dans le gibier habituel, qui, au magdalénien récent, inclut aussi des espèces plus petites, tel le lièvre polaire, et de nombreux oiseaux, notamment la perdrix des neiges (lagopède), qu'on prenait au piège, alors que les petits oiseaux du genre passereau n'étaient pas chassés et manquent totalement, par exemple, à la grotte de la Vache, près de Tarascon-sur-Ariège (L.-R. Nougier, *L'Économie préhistorique*, p. 36-37, P.U.F., 1970). Dans cette humanité magdalénienne tout entière tendue vers la chasse, c'est de la magie utilitaire servant d'envoûtement sur les animaux considérés comme gibier que va naître le grand art pariétal, animalier et réaliste, des grottes de Lascaux, de Font-de-Gaume, de Rouffignac. Le réchauffement de la fin du magdalénien entraîna, avant −10000, l'exode du renne vers le nord. Alors commença la transition finale de la préhistoire, l'orientation d'une économie de prédateurs adonnés à la chasse et à la pêche vers une économie de production agricole et d'élevage.

La chasse dans l'Antiquité

Dans l'Égypte ancienne, la chasse s'imposa d'abord comme une nécessité — préserver les villages des bêtes féroces, recruter les troupeaux —, mais, dans les temps historiques, elle devint rapidement un plaisir, un sport. Dans les marais du Delta, on chassait les oiseaux avec des filets de grande dimension tendus entre deux taillis de roseaux; ou bien on abattait les oiseaux en vol, avec une sorte de boomerang. Les oies, les canards, les cailles, les perdrix étaient plumés et mis en conserve dans du sel. Dans le désert, on chassait le bœuf sauvage, la gazelle, l'oryx, le mouflon, l'ibex qui s'approchaient du fleuve, et aussi le lion et les grands félins — le

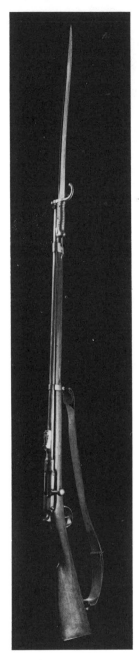

CHASSEPOT
Fusil, 1870.
Ph. Luc Joubert
© Tallandier

léopard, le tigre —, qui étaient, dans les temps les plus anciens, encore assez nombreux. La chasse au lion était la chasse royale par excellence; sous le Nouvel Empire, Aménophis III tua 112 lions dans les dix premières années de son règne. Les rois aimaient se faire représenter dans leurs exploits cynégétiques.

En Assyrie et en Perse, la chasse tenait également une grande place dans la vie des souverains et des nobles; les rois assyriens chassaient l'aurochs ou bœuf sauvage et surtout les lions, mais ceux-ci devinrent rapidement rares en Haute-Mésopotamie et il fallait les faire venir de l'Arabie, de l'Élam, de l'Afrique même. Des chiens étaient spécialement dressés à la chasse au lion. Le lion tient une grande place dans l'art du Proche-Orient ancien : la fameuse *Lionne blessée* et les autres reliefs de chasse des palais assyriens de Nimroud et de Khorsabad (Londres), lion couché de Khorsabad, lion de bronze de Suse (Louvre), etc. Les Grecs, et surtout les Spartiates, voyaient dans la chasse un exercice de préparation militaire; Thessaliens et Macédoniens étaient aussi de grands chasseurs, à la différence des Athéniens, qui ne trouvaient d'ailleurs dans l'Attique qu'un maigre gibier. Les Romains des classes aristocratiques laissaient généralement à leurs esclaves le soin de chasser dans les vastes *latifundia*.

« Quand les Germains ne vont pas à la guerre, écrivait Tacite, ils chassent ». (*Germ.,* xv.) La chasse était de même un des exercices habituels des Gaulois en temps de paix : c'est à eux que remonte la chasse à courre.

Moyen Age et Temps modernes

Au Moyen Age, le seigneur, quand il n'est pas à la guerre et que la saison est bonne, ne vit guère que pour chasser. Ce n'est pas seulement pour lui un jeu car, pendant longtemps, l'Europe restera infestée de bêtes sauvages. Alors que le bétail reste rare, insuffisamment nourri, la venaison constitue d'ailleurs une part essentielle de l'alimentation des riches. Jusqu'à la fin du XIVᵉ s., les roturiers comme les nobles ont le droit de chasse, bien que le roi et les seigneurs se soient efforcés depuis toujours de se réserver certains territoires. Le droit de chasse ne s'établit définitivement qu'au XVᵉ s., et Louis XI, en 1465, prétendit même, mais en vain, interdire la chasse aux nobles. En Angleterre, les rois normands, arrivés en conquérants, avaient constitué plus aisément d'immenses forêts royales, parfois au détriment de la terre arable, mais leur privilège exorbitant n'avait pas été sans provoquer de graves conflits. Vers la fin du Moyen Age, on pratiquait surtout la chasse au cerf, au daim, au chevreuil, au loup, au sanglier, à l'ours, au renard, au lièvre, au lapin. Le grand veneur et le grand fauconnier comptaient parmi les grands officiers du royaume et avaient sous leurs ordres plusieurs centaines de personnes. Les seigneurs, les ecclésiastiques même ne dédaignaient pas

d'écrire des traités de vénerie : l'un des plus célèbres fut, au XVᵉ s., celui de Gaston III Phébus, comte de Foix. A la fin de l'Ancien Régime, le droit de chasse continuait à peser lourdement sur les paysans : la peine de mort pour les braconniers récidivistes, édictée en 1601 par Henri IV, avait été abolie par l'ordonnance de 1669, mais les délits de chasse étaient punis de lourdes amendes, de bannissement même, et le braconnage dans les forêts royales pouvait conduire aux galères. Dès le 11 août 1789, l'Assemblée constituante abolit les anciennes réglementations royales, mais elle prit des mesures pour empêcher les abus d'une liberté illimitée.

La loi du 3 mai 1844 fixa en France une police de la chasse qui, dans ses grandes lignes, est toujours en vigueur. Le souci nouveau de la défense de l'environnement suscite aujourd'hui une opposition grandissante à la chasse, ou du moins à ses excès : la chasse a été complètement interdite, à la suite d'un référendum, dans le canton de Genève (1974); elle a subi de sévères restrictions en Angleterre même.

CHASSE David Hendrik, baron (* Thiel, 18.III.1765, † Bréda, 2.V.1849). Général hollandais. Il participa au mouvement révolutionnaire de 1787, puis entra au service de la France, et se distingua notamment en Espagne, où Napoléon lui donna le surnom de « général Baïonnette ». Lieutenant général des forces hollandaises en 1815, gouverneur d'Anvers en 1832, il résista pendant trois semaines dans la citadelle, avec 5 000 hommes, contre 60 000 Belges et Français.

CHASSÉEN. Nom d'une des principales cultures néolithiques de l'Europe occidentale, ainsi désignée par le site de Chassey-le-Camp (Saône-et-Loire), où fut découvert, en 1864, un village préhistorique fortifié; on lui rattache les cultures de Cortaillod, en Suisse, et de La Lagozza, en Italie du Nord (groupe de Cortaillod-Chassey-Lagozza). Reflétant l'influence d'un courant méditerranéen venu du sud de l'Espagne ou d'Afrique du Nord, le chasséen est caractérisé par une céramique peu décorée, fine, lustrée, à fond rond et formes simples; il a recouvert des industries lithiques indigènes très diverses.

CHASSELOUP-LAUBAT François, marquis de (* Saint-Sornin, Saintonge, 18. VIII.1754, † Paris, 10.X.1833). Général français. Officier de l'Ancien Régime, brillant spécialiste du génie rallié à la Révolution, il défendit Montmédy (1792), dirigea les sièges de Maastricht (1794), de Mayence (1795), de Milan et de Mantoue (1796), de Dantzig et de Stralsund (1807). Rallié en 1814 aux Bourbons, il fut élevé à la pairie par Louis XVIII.

Son fils, **Justin Napoléon Samuel Prosper Chasseloup-Laubat** (* Alexandrie, Piémont, 29.III.1805, † Versailles, 29.III.1873), ministre de la Marine (1851, 1860/67) et des Colonies (1858/60), dirigea un ambitieux programme naval et contribua à l'annexion

CHASSEURS
Chasseur à pied. Premier
Empire. Gravure d'après Raffet.
Ph. © Bibl. Nat., Paris - Photeb

Insigne du 59e chasseurs de Driant,
1923. (Serv. hist. de l'armée
de terre - section Symbolique.)
Ph. Jeanbor © Photeb

de la Cochinchine ainsi qu'à l'établissement du protectorat français sur le Cambodge.

CHASSEPOT Antoine Alphonse (* Mutzig, près de Molsheim, Bas-Rhin, 4.III.1833, † Gagny, Seine-Saint-Denis, 13.II.1905). Inventeur français. Il fabriqua en 1858 le fusil (calibre 11 mm) qui porte son nom et qui, introduit dans l'armée française en 1866, équipait les troupes au cours de la guerre franco-allemande de 1870/71. Le fusil Chassepot était plus précis, de tir plus rapide et de plus longue portée que le fusil allemand Dreyse, mais fut cependant abandonné au profit du fusil Gras en 1874.

Nos chassepots ont fait merveille. Phrase utilisée par le général de Failly, commandant du corps expéditionnaire français auprès des troupes pontificales, après la victoire remportée sur les Italiens de Garibaldi à Mentana (3 nov. 1867). Livrée à la publicité et comprise à tort comme une injure à l'égard des vaincus, elle souleva la colère des Italiens et fut exploitée en France par les opposants à l'Empire.

Les chassepots partiraient d'eux-mêmes. Mots du maréchal de Mac-Mahon, évoquant la réaction prévisible de l'armée en cas d'un retour du drapeau blanc que réclamait en 1873 le comte de Chambord.

CHASSEURS. Nom de plusieurs corps militaires de l'armée française :
a) Les *chasseurs à cheval,* créés sous le règne de Louis XV, en 1757, formèrent un des éléments de la cavalerie légère et subsistèrent jusqu'en 1940; la garde de Napoléon Ier, celle des Bourbons sous la Restauration et celle de Napoléon III comprirent un régiment de chasseurs à cheval.
b) Les *chasseurs à pied* furent créés également sous le règne de Louis XV, en 1760. Il y eut d'abord des chasseurs dans chaque bataillon d'infanterie, puis les chasseurs furent organisés en bataillons spéciaux à partir de 1788. La garde impériale de Napoléon Ier comprit deux régiments de chasseurs à pied. Les chasseurs se sont illustrés particulièrement à Sidi-Brahim (1845) et, avec le commandant Driant, à Verdun (1916). Sous la IIIe République, furent créés des bataillons de chasseurs alpins.
c) Les *chasseurs d'Afrique,* comprenant des Français et des indigènes, renforcés par des *spahis,* furent créés en Algérie en 1831.

CHASSEY-LE-GRAND. Voir CHASSÉEN.

CHASSIDISME. Voir HASSIDISME.

CHASTELARD Pierre de Boscosel de (* en Dauphiné, vers 1540, † Burntisland, Écosse, début 1563). Gentilhomme et poète français. Page du connétable de Montmorency, puis du maréchal de Damville, il accompagna celui-ci auprès de Marie Stuart (1561), pour laquelle il se prit d'une violente passion; surpris à deux reprises dans la chambre de la reine, il fut pendu.

CHASTELLUX Claude de Beauvoir, seigneur de (* en Bourgogne, fin XIVe s., † 1453). Homme de guerre bourguignon. Il servit Jean sans Peur, duc de Bourgogne, prit Paris (1418) et contribua à la victoire de Cravant (1424).

CHASUBLE. Vêtement sacerdotal porté par le prêtre pour célébrer la messe. Elle a pour origine la *paenula* romaine, sorte de manteau sombre en forme de cloche, d'abord porté l'hiver ou en voyage, et qui, dans les premiers siècles de notre ère, commença à remplacer la toge. La chasuble, qui garda cette forme de cloche jusqu'aux XIIIe/XIVe s., fut, dès le VIIe s., un vêtement uniquement sacerdotal en Gaule et en Espagne, alors qu'à Rome elle resta commune à tous les clercs jusqu'au XIe s.

CHÂTEAU. Apparu dès le VIe s. sur les confins de l'Empire byzantin, le château fort est introduit en Espagne au IXe s. par l'invasion musulmane. En France, où il continue la tradition des tours centrales de la villa franque, il prend de l'importance à partir du Xe s., à la suite des invasions normandes. La décadence du pouvoir central, l'insécurité générale amènent les grands propriétaires immunistes et les hauts fonctionnaires, qui jouissent déjà d'une indépendance de fait, à construire un peu partout des *castella,* qui vont jouer le triple rôle de point d'appui militaire, de lieu de refuge pour les populations du voisinage et enfin de centre administratif de l'organisation féodale. La possession d'un château devient la base de l'autonomie juridique et d'un pouvoir politique *(jurisdictio castro inhaeret).* Sans doute l'autorisation du roi est-elle théoriquement nécessaire pour construire un château mais, aux approches de l'an mille, le pouvoir royal est bien trop faible pour détruire les châteaux non autorisés. Rares sont les grands seigneurs qui peuvent faire respecter de leurs vassaux leur droit exclusif d'accorder des permis de construire : tel le duc de Normandie, qui donne à ses hommes les plus sûrs le droit et les moyens matériels de construire des châteaux aux frontières du duché. Les guerres privées, qui succèdent aux invasions, accélèrent d'ailleurs la construction des châteaux. Exposés comme les autres aux attaques de leurs voisins, les seigneurs ecclésiastiques se dotent également de châteaux, qu'ils confient à des avoués ou vidames laïcs. Le château et le territoire dépendant, avec plusieurs villages, forment la châtellenie, où le seigneur est chef militaire, juge, administrateur; c'est la cellule élémentaire du système féodal.

De la tour de bois
à la forteresse de pierre

Jusqu'au Xe s., le château reste un édifice précaire et primitif. Il consiste en une tour de bois dressée sur une butte de terre (motte) et entourée d'une enceinte de palissades et de terre battue, parfois doublée de fossés rem-

CHÂTEAU

Page ci-contre :
siège et reddition
de la forteresse de Dinan,
à Guillaume de Normandie,
en 1604. Le duc de
Conan (à dr.) tend les clefs
à Guillaume au bout
d'une lance. Détail de la
« Toile de Bayeux ».
C'est le type
de château-rempart.
Il est constitué par une
palissade de bois, abritant
des constructions de bois,
juchées sur une motte.
Celle-ci est entourée
d'un fossé triangulaire
que franchit un pont (à g.).
Avec autorisation spéciale
de la Ville de Bayeux.
Ph. © Giraudon - Arch. Photeb

Le Château-Gaillard.
Richard Cœur de Lion,
roi d'Angleterre
et duc de Normandie,
l'avait fait commencer en 1196
et il fut achevé
en guère plus d'un an.
Philippe Auguste mit
huit mois pour s'en emparer.
Son donjon, dont le mur
a 4,50 m à la base,
fut démoli sur
l'ordre d'Henri IV.
Ph. © J. Roubier - Arch. Photeb

CHATEAUBRIAND
François René. Écrivain
et homme politique français
(1768-1848). Chevalier
de Saint-Louis. Officier
de la Légion d'honneur.
Ph. © Bibl. Nat., Paris - Photeb

plis d'eau. La tour de bois avait une disposition des plus sommaires : au rez-de-chaussée, le cellier à provisions; au premier étage, une salle commune, où le seigneur vivait, mangeait, dormait avec sa famille et ses gens. Ces châteaux de bois étaient évidemment très vulnérables, mais ils présentaient l'avantage de pouvoir être dressés et reconstruits en quelques semaines. On continua à en édifier jusqu'au XIIIe s., mais, dès la seconde moitié du XIe s., les plus riches seigneurs utilisaient la pierre ou la brique.

Désormais préservé de l'incendie, le château, étant donné l'état des armements de l'époque, est pratiquement imprenable; pourvu qu'il ait une garnison suffisante, on ne saurait le réduire que par un long siège — mais le roi lui-même, d'après le droit féodal, ne peut exiger de ses vassaux l'aide militaire que pendant quarante jours par an et se trouve donc danc l'incapacité de mener une longue guerre. A partir du XIIe s., le château se présente comme un puissant camp retranché. En général, il se dresse sur un obstacle naturel : butte, colline, rocher isolé. Entouré d'un très large fossé, qu'on traverse au moyen d'un pont-levis, il comprend d'abord une enceinte de murs épais flanquée de tours. Au sommet du mur, court le chemin de ronde, équipé d'abord d'une galerie de bois couverte en encorbellement (les *hourds*), dont le plancher est percé d'ouvertures par lesquelles on peut jeter des projectiles sur les assaillants; plus tard, les hourds seront remplacés par des *mâchicoulis* de pierre et le parapet denté d'ouvertures ou *créneaux*. Les portes, encadrées de tours, sont particulièrement défendues. Au-delà du pont-levis, au-dessus de la porte, une *bretèche* de bois surplombe l'entrée et sert de poste de veille et de défense; si des assaillants réussissent à franchir le fossé, ils se heurtent à la *herse*, grille de bois renforcé ou de fer qu'on peut faire descendre de l'étage supérieur pour barrer l'ouverture.

L'intérieur du château peut comprendre plusieurs enceintes concentriques et des cours; c'est là, en cas de péril, que les gens de la châtellenie viennent se réfugier avec leurs biens. Dans la cour principale, se dresse une énorme tour, dont la hauteur peut atteindre 40 m et qui, soit indépendante (comme à Coucy), soit faisant corps avec l'ensemble du système fortifié, est souvent protégée par un nouveau fossé. C'est l'habitation du seigneur, son ultime réduit en cas d'envahissement du château, le *donjon* — souvent la seule partie du château médiéval qui ait résisté au temps (comme à Langeais, à Loches, à Montbazon).

Parmi les plus importants de ces châteaux forts, citons : en France, le Château-Gaillard (fin XIIe s.), le château de Coucy (début XIIIe s.), Vincennes et Pierrefonds (XIVe s.); en Angleterre, Caernarvon (seconde moitié du XIIIe s.), Kenilworth, Beaumaris, Arundel; en Allemagne, les châteaux construits par l'ordre Teutonique en Prusse-Orientale, notamment Marienburg; en Espagne, les châteaux de La Mota et de Peñafiel (prov. de Valladolid), de Coca (prov. de Ségovie),

de Consuegra (prov. de Tolède); en Italie, les châteaux élevés par les Hohenstaufen dans le sud de la péninsule — notamment, dans les Pouilles, le Castel del Monte, avec son enceinte octogonale et en Sicile —; en Palestine, les forteresses construites par les croisés (krak des Chevaliers, XIIe/XIIIe s.).

Les « résidences-palais »

Au XVe s., le renforcement du pouvoir royal et l'apparition de l'artillerie enlevèrent au château son rôle à la fois politique et militaire. L'influence de la Renaissance va contribuer à la transformation du château fort en une résidence-palais, appelée à servir de décor aux réceptions et aux fêtes somptueuses. Cependant, le château français du XVIe s. conserve encore un aspect médiéval, et notamment ses tours (Chambord, Chenonceaux, Azay-le-Rideau, Blois), mais il perd son caractère militaire : ses murailles s'ouvrent pour s'orner de larges fenêtres et de portes richement décorées. Au début du XVIIe s., Louis XIII et Richelieu font détruire ou démanteler un grand nombre d'anciens châteaux susceptibles d'être encore une menace pour le pouvoir central. Pacifique mais d'une noblesse par trop princière, le château de Vaux contribue à la disgrâce de Fouquet, mais il joue un rôle central, exemplaire, dans l'art du XVIIe s., comme « un Versailles anticipé » (B. Teyssèdre).
Après la noblesse féodale, la puissance financière est brisée par la monarchie nationale : c'est la résidence royale, dont Versailles reste le type accompli, imité par le roi de Prusse à Sans-Souci, par les souverains bavarois à Nymphenburg, par l'empereur d'Autriche à Schönbrunn, par Pierre le Grand et Catherine II à Peterhof, qui constitue l'ultime et sompteux épanouissement du château dans les grands États qui ont maîtrisé les guerres privées et les luttes civiles.

CHATEAUBRIAND François René, chevalier et plus tard **vicomte de** (* Saint-Malo, 4.IX.1768, † Paris, 4.VII.1848). Écrivain et homme politique français. Principal initiateur du romantisme en France (*Atala*, 1801; *René*, 1802), il contribua beaucoup, par son *Génie du christianisme* (1802) et son épopée, *Les Martyrs* (1809), au renouveau religieux qui suivit la Révolution. Sa carrière politique fut déterminée à la fois par sa fidélité à la monarchie légitime et par sa conviction que la société moderne allait inéluctablement vers la démocratie. Après avoir fait partie de l'armée de Condé (1792), il revint en France en 1799 et fut nommé par le Premier consul secrétaire d'ambassade à Rome (1803), puis ministre de France dans le Valais (1804). Rejeté dans l'opposition par l'exécution du duc d'Enghien (mars 1804), il ne rentra dans la vie publique qu'à la première Restauration, qu'il facilita par son pamphlet *De Buonaparte et des Bourbons* (mars 1814). Ministre de l'Intérieur dans le gouvernement de Louis XVIII exilé à Gand

921

LES BARBARES
VOULAIENT LES TUER
ILS LES ONT RENDUS
IMMORTELS
(Georges POLITZER fusillé le 14 Mai 1942)

MAURICE TENINE
MAURICE BARTHELEMY
CHARLES DELAVAQUERIE
MAXIMILIEN BASTARD
JULIEN LEPENSE
MARC BOURHIS
TITUS BARTOLI
EUGENE KERIVEL
HUONG HOUYNK
CLAUDE LALET
ANTOINE PESQUIER
EDMOND LEFEBVRE
RAYMOND TELLIER

CHARLES MICHEL
JEAN POULMARCH
PIERRE TIMBAUT
JULES VERCRUYSSE
DESIRE GRANET
MAURICE GARDETTE
JEAN GRANDEL
JULES AUFFRET
PIERRE GUEGUEN
RAYMOND LAFORGE
EMILE DAVID
GUY MOCQUET
HENRI POURCHASSE
VICTOR RENEL

22 OCTOBRE 1941
CHATEAUBRIANT

CHÂTEAUBRIANT
Affiche en hommage aux fusillés. Cette paisible sous-préfecture
de la Loire-Atlantique, à 66 km de Nantes,
doit à la proximité d'un ancien champ de courses
le drame qui l'ensanglanta. C'est là en effet
qu'étaient détenus des civils de la région,
pris au cours des opérations de police qui avaient suivi
l'invasion de l'U.R.S.S. par l'armée allemande, le 22 juin 1941.
Le 22 octobre 1941, vingt-sept d'entre eux — ci-dessus nommés –
furent fusillés dans une carrière de sable.
Un Monument national des Fusillés et Massacrés de la Résistance
y a été érigé en 1950. Mentionnons
qu'un des premiers seigneurs du lieu, Geoffroy V Briant,
blessé à Mansourah aux côtés de Saint Louis,
avait reçu du roi l'autorisation de porter
blason de gueules (rouge) à fleurs de lis d'or,
et d'arborer la devise : « Mon sang teint les bannières de France. »
Ph. © Coll. Viollet - Photeb

pendant les Cent-Jours, nommé pair de France lors de la seconde Restauration, il protesta contre la dissolution de la Chambre introuvable et mécontenta Louis XVIII en publiant *La Monarchie selon la Charte* (nov. 1816), où il développait le principe : le roi règne, mais ne gouverne pas. Indigné de voir la monarchie restaurée chercher de préférence son appui auprès d'hommes compromis sous la Révolution et l'Empire, Chateaubriand se trouva rejeté du côté des ultras. Dans *Le Conservateur,* qu'il avait fondé avec Bonald et Lamennais, il s'affirma comme le plus brillant polémiste de ce parti. L'assassinat du duc de Berry lui inspira son *Mémoire touchant la vie et la mort du duc de Berry* (1820) et le ramena vers le pouvoir, en même temps que les ultras. Ambassadeur à Berlin (1820/22) puis à Londres (1822), il représenta la France au congrès de Vérone; pour donner à la monarchie l'auréole de la gloire militaire, il fit décider l'intervention en Espagne. Ministre des Affaires étrangères (déc. 1822/juin 1824), il ne tarda pas à indisposer le roi, tomba en disgrâce et, à partir de 1824, passa à l'opposition libérale. Dans le *Journal des débats,* il mena une violente campagne contre Villèle et pour les libertés publiques. A la chute de Villèle, il fut nommé ambassadeur à Rome (1828/29), mais donna sa démission lorsque Charles X revint à la politique la plus conservatrice en appelant aux affaires Polignac. En 1830, il affirma cependant son indéfectible fidélité à la branche aînée. Champion de la légitimité, il démissionna de la Chambre des pairs, attaqua Louis-Philippe dans *De la Restauration et de la monarchie élective* (1831) et, s'étant mis au service de la duchesse de Berry, se vit accusé de complot contre l'État (juin 1832, non-lieu), puis arrêté et traduit en cour d'assises pour son *Mémoire sur la captivité de la duchesse de Berry* (1833). Après avoir encore accompli pour la duchesse une mission auprès de Charles X à Prague, il se tint en dehors de la politique, tout en développant longuement ses idées dans ses *Mémoires d'outre-tombe* (1848). Dans ce livre, qui est son chef-d'œuvre, il apparaît bien que sa fidélité aux Bourbons lui était dictée plutôt par son sentiment de l'honneur que par ses convictions, qui allaient vers le libéralisme. Cette attitude devait influencer une grande partie du monde monarchiste et catholique français au XIXe s.

CHÂTEAUBRIANT. Ville de France (Loire-Atlantique), au nord-est de Nantes.

Traité de Châteaubriant (4 avr. 1487). Conclu entre Anne de Beaujeu et des seigneurs bretons révoltés contre leur duc François II.

Édit de Châteaubriant (17 juin 1551), par lequel Henri II organisait la répression du protestantisme.

Fusillés de Châteaubriant. En oct. 1941, à la suite du meurtre par des résistants du com mandant allemand de la place de Nantes, les Allemands décidèrent une exécution massive d'otages. Ils soumirent au ministre de l'Intérieur du gouvernement de Vichy, Pucheu, une liste comprenant surtout des anciens combattants; Pucheu ayant protesté, les Allemands dressèrent une seconde liste, comprenant uniquement des militants communistes; Pucheu s'étant alors incliné, vingt-sept otages communistes du camp de Choisel (parmi lesquels Guy Môquet, Charles Michels, Jean-Pierre Timbaud) furent exécutés à Châteaubriant le 22 oct. 1941. Les 22 et 24 oct., soixante et onze autres otages étaient exécutés à Nantes, au Mont-Valérien et près de Bordeaux.

CHÂTEAUBRIANT, Françoise de Foix, comtesse de (* vers 1495, † 1537). Dame française. Mariée à l'âge de quatorze ans à Jean de Montmorency-Laval, qui l'amena à la cour, elle devint vers 1518 la maîtresse de François Ier, mais fut supplantée en 1526 par la duchesse d'Étampes. Elle serait morte des mauvais traitements que son mari, jaloux, lui aurait fait subir.

CHÂTEAUBRIANT Alphonse de (* Rennes, 22.III.1877, † Kitzbühel, Autriche, 2.V.1951). Écrivain français. Romancier, auteur de *Monsieur des Lourdines* (prix Goncourt 1911) et de *La Brière* (1924), il fit en 1935 un séjour en Allemagne, et, dans *La Gerbe des forces* (1937), il proclama son ralliement au national-socialisme, qu'il saluait comme une révolution spirituelle. Durant l'occupation, il fut l'animateur du groupe « Collaboration » et dirigea l'hebdomadaire *La Gerbe* (1940-44). Parti pour l'Allemagne à la veille de la Libération, il passa la fin de sa vie dans une retraite cachée, au Tyrol.

CHÂTEAUDUN. Ville de France (Eure-et-Loir), sur la rive gauche du Loir. Ancien oppidum des Carnutes *(Castellodunum)*, elle fut réunie au XIVe s. au comté de Dunois, dont elle devint la capitale. Son magnifique château fut entrepris vers le milieu du XVe s. par le célèbre Dunois, compagnon de Jeanne d'Arc; de cette époque subsistent un grand donjon rond, un corps de logis (le reste de l'édifice date de la Renaissance) et la Sainte-Chapelle, de style flamboyant (1451-68). La seigneurie passa ensuite aux Longueville et aux Luynes. Important marché entre la Beauce et le Perche, la ville, très éprouvée par les incendies de 1590 et de 1723, déclina au XVIIIe s., faute d'industries. Après de violents combats contre les francs-tireurs de Testanières et de Lipowski, elle fut prise par le corps prussien de Wittich, le 18 oct. 1870.

CHÂTEAU-GAILLARD. Ancienne forteresse, édifiée sur une falaise dominant la vallée de la Seine, près des Andelys. Construit en 1197 par Richard Cœur de Lion, roi d'Angleterre et duc de Normandie, pour barrer à Philippe Auguste la route de Rouen par la vallée de la Seine, le Château-Gaillard était un des plus puissants châteaux forts du Moyen Âge. Il comprenait deux enceintes et un donjon circulaire sur l'une de ses faces, en forme de proue sur l'autre, la plus exposée à une attaque. Après un siège de huit mois, Philippe Auguste s'en empara en mars 1204. La forteresse servit de prison à Marguerite de Bourgogne, qui y fut étranglée sur l'ordre de son époux, Louis X (1315), puis à Charles le Mauvais (1356); prise par les Anglais en 1419, reprise par Charles VII en 1449; démantelée de 1603 à 1610. Il n'en reste que des ruines.

CHÂTEAUNEUF, Renée de Rieux, dite la Belle (* en Bretagne, vers 1550). Dame française. Fille de Jean de Rieux, seigneur de Châteauneuf, elle devint fille d'honneur de Catherine de Médicis. De 1569 à 1571, elle fut la maîtresse du duc d'Anjou (futur Henri III), qui lui adressa des sonnets galants. Elle épousa ensuite le Florentin Antinotti, qu'elle poignarda dans un accès de jalousie (1577), puis un capitaine de galères italien, que le roi fit baron de Castellanc.

CHÂTEAUNEUF-DE-RANDON. Ville de France (Lozère), au N.-E. de Mende. Du Guesclin l'assiégeait lorsqu'il mourut, et le gouverneur de la place, qui lui avait promis de se rendre, vint déposer les clefs sur son cercueil (1380).

CHÂTEAUNEUF - LÈS - MARTIGUES. Ville de France (Bouches-du-Rhône), au nord de la chaîne de l'Estaque. Des fouilles, commencées en 1900 par Repelin et menées ensuite méthodiquement par M. Escalon de Fonton, y ont mis au jour 22 niveaux archéologiques superposés depuis le mésolithique tardif (tardenoisien) jusqu'à la fin de l'âge du bronze. Les niveaux les plus anciens ont permis de définir le faciès *castelnovien* (entre −6500 et −5500).

CHÂTEAU-RENAULT François Louis de Rousselet, comte de (* Château-Renault, Touraine, 22.IX.1637, † Paris, 15.XI.1716). Marin français. Il vainquit Ruyter en 1675, participa aux tentatives faites pour aider Jacques II en Irlande (1689/90), remporta la victoire navale de Bantry (10/11 mai 1689), mais ne put exploiter ce succès. Dans la guerre de la Succession d'Espagne, il conduisit les flottes espagnoles d'Amérique en Europe et protégea les Antilles. Vice-amiral (1701) et maréchal de France (1703).

CHÂTEAUROUX. Ville de France, chef-lieu du département de l'Indre. Elle prit son premier essor autour du château bâti au Xe s. par Raoul de Déols (Château-Raoul). Louis XIII l'érigea en duché-pairie en faveur d'Henri II de Condé (1616). Sous Louis XV, ce duché fut donné à la favorite Marie Anne de Mailly, qui prit alors le titre de duchesse de Châteauroux (1743).

CHÂTEAUROUX Marie Anne de Mailly-Nesle, duchesse de (* Paris, 5.X. 1717, † Paris, 8.XII.1744). Cinquième fille

Le Grand Chaftelet de Paris.

CHÂTELET
L'entrée du Grand Châtelet, au début du XVIIᵉ s.
Ph. © Archives - Photeb

de Louis de Mailly, marquis de Nesle, mariée en 1734 au marquis de La Tournelle, veuve à vingt-trois ans, elle devint, après ses deux sœurs, Mᵐᵉ de Mailly et Mᵐᵉ de Vintimille, la maîtresse de Louis XV (déc. 1742). Favorite en titre, soutenue par le duc de Richelieu, elle fut quelque temps toute-puissante à Versailles. Elle aimait sincèrement le roi, qu'elle accompagna aux armées en Flandre et en Alsace. Renvoyée à Paris, à l'instigation des prêtres, lorsque Louis XV tomba malade à Metz, en 1744, elle retrouva tout son crédit après la guérison du roi et allait recevoir une charge de surintendante de la maison de la dauphine lorsqu'elle mourut brusquement, ce qui fit croire, sans preuves, à un assassinat. Elle avait reçu de Louis XV le duché de Châteauroux (1743) et s'était fait construire à Choisy un magnifique château.

CHÂTEAU-THIERRY. Ville de France (Aisne), sur la Marne. Ainsi nommée à cause d'un château que Charles Martel y aurait fait construire pour Thierry IV, Château-Thierry, place importante, fut disputée au temps des guerres de Religion; prise par Mayenne en 1591, la ville se soumit à Henri IV en 1595. Napoléon Iᵉʳ y battit Blücher (12 févr. 1814). Elle souffrit des combats de 1814, de 1918 et de juin 1940.

Bataille de Château-Thierry (1918). Lancée le 27 mai 1918, la dernière grande offensive allemande perça le front allié au Chemin des Dames (v.) et, après une progression de 60 km, atteignit dès le 30 mai la Marne à Château-Thierry. D'importants renforts (27 divisions, dont 2 américaines) ayant été envoyés en hâte dans ce secteur par Pétain, les Allemands durent renoncer à poursuivre leur offensive (3 juin); mais ils avaient créé, entre Compiègne et Reims, une large poche dans le front allié, dite poche de Château-Thierry. C'est sur le front ouest de cette poche que Foch et Pétain lancèrent, le 10 juill. 1918, la contre-offensive décisive, menée par les Xᵉ (Mangin) et VIᵉ (Degoutte) armées françaises. En deux semaines, la poche était réduite (seconde bataille de la Marne), et, dès le 8 août, le haut commandement allemand admettait la nécessité de devoir mettre fin rapidement à la guerre.

CHÂTEAU-TROMPETTE. Ancienne forteresse qui se dressait à Bordeaux, à l'emplacement de l'actuelle place des Quinconces. Elle avait été construite par Charles VII pour tenir en main la population de la ville, qui, en 1451/53, avait nettement manifesté ses sympathies pour l'Angleterre. Elle fut démolie en 1785.

CHÂTEAUVIEUX (suisses de). En 1790, dans le climat d'indiscipline militaire qui se développait depuis le début de la Révolution, trois régiments se mutinèrent à Nancy, mais la sédition fut réduite par Bouillé, après un sanglant combat (31 août 1790). Vingt-neuf soldats furent fusillés et quarante-deux pour la plupart des suisses du régiment de

CHÂTEAU-THIERRY
Armoiries de la ville, 1664.
Ph. Jeanbor © Photeb

Châteauvieux, envoyés aux galères. Les révolutionnaires les regardèrent comme des victimes des aristocrates. En 1792, l'Assemblée législative vota leur mise en liberté, et, à leur retour en France, ils reçurent un accueil triomphal à Paris.

CHÂTEL Jean (* 1575, † Paris, 29.XII. 1594). Fils d'un marchand de drap, âgé de dix-neuf ans, il réussit, le 27 déc. 1594, à pénétrer dans la chambre du roi et commit un attentat sans gravité sur Henri IV; il fut écartelé deux jours plus tard et célébré comme un martyr par les Ligueurs. Comme il était ancien élève des jésuites, ceux-ci furent accusés, sans autre preuve, d'être les instigateurs de cet attentat et ils furent bannis de France pendant quelque temps.

CHÂTELET. Au Moyen Age, petit château qui défendait le passage d'un pont, d'un gué, d'un défilé, ou l'accès au château fort. A la différence du château, il ne servait pas de résidence seigneuriale et n'était occupé que par des hommes d'armes.
On appelait aussi *châtelet* une hune couverte, au sommet du grand mât des navires, où se tenaient des vigies pendant la navigation et des archers pendant le combat.

CHÂTELET (Grand et Petit). Nom de deux forteresses parisiennes, situées l'une sur la rive droite de la Seine, à l'entrée de la rue Saint-Denis, du côté du Pont-au-Change, l'autre sur la rive gauche, à l'extrémité du Petit-Pont. La première, sur l'emplacement d'un fort romain, fut reconstruite par Louis le Gros ou Philippe Auguste; elle fut démolie en 1802 et son emplacement est devenu la place du Châtelet. Le Petit Châtelet, d'abord construit en bois, fut renversé par une crue de la Seine en 1296 et rebâti en pierre par Charles V en 1369; il servit dès lors de prison et fut démoli en 1782. Jusqu'à la Révolution, le Grand Châtelet fut la résidence des prévôts de Paris et le siège de la justice royale ordinaire dans la capitale; on y avait installé, au XVIIe s., une prison pour les criminels de droit commun. La juridiction du Grand Châtelet comprenait lors de sa suppression, en 1790, le prévôt, le lieutenant général civil, le lieutenant général de police, le lieutenant criminel, deux lieutenants particuliers, 55 conseillers, 10 conseillers honoraires, 13 gens du roi, un greffier en chef, un auditeur particulier pour les causes mineures, 48 commissaires au Châtelet, 385 huissiers à cheval, 240 huissiers à verge, 120 huissiers-priseurs. La milice du Châtelet comptait environ 250 hommes, répartis en deux compagnies, celle du lieutenant criminel et celle du chevalier du guet.

CHÂTELLENIE. Voir CHÂTEAU.

CHÂTELLERAULT. Ville de France (Vienne), au N.-E. de Poitiers, sur la rive dr. de la Vienne. A l'origine *Castellum Heraldi*, du nom du seigneur Ayraud, qui y construisit un château vers le IXe s.; la ville fut érigée en

duché-pairie en 1514 pour les princes de Bourbon et cédée en 1551 par Henri II au comte d'Arran. Ralliée de bonne heure au protestantisme, elle fut prise par les catholiques en 1562, reprise par les protestants en 1569. C'est de Châtellerault qu'Henri de Navarre (futur Henri IV) lança un manifeste par lequel il se proposait comme médiateur entre Henri III et la Ligue.
L'implantation de l'industrie de la coutellerie y remonte au XIVe s. Manufacture d'armes, fondée en 1820.
● La ville comptait 9 500 habitants en 1821, 22 800 en 1891, 35 800 en 1982.

CHÂTELPERRONIEN. Culture préhistorique du début du paléolithique supérieur, identifiée par l'abbé Breuil à l'aurignacien (v.) inférieur, par D. Peyrony au périgordien (v.) inférieur. Elle doit son nom à la grotte des Fées de Châtelperron (Allier), qui a été fouillée à partir de 1867, et se caractérise par des lames à dos abattu (pointes de Châtelperron). Elle eut une extension restreinte, dans la région de l'Yonne (Arcy-sur-Cure) et dans le Sud-Ouest.

CHATHAM. Ville et port d'Angleterre (Kent), sur la Medway. Son port, créé sous Henri VIII et Élisabeth Ire, agrandi au XVIIe s. par les Stuarts, devint la principale station de la marine anglaise.

CHATHAM, William Pitt, 1er comte de. Voir PITT.

CHÂTILLON (congrès de). Voir CHÂTILLON-SUR-SEINE.

CHÂTILLON Charles de. Voir CHARLES DE BLOIS

CHÂTILLON (maison de). Famille noble de Champagne, titulaire dès le IXe s. du comté de Châtillon-sur-Marne, éteinte en 1762. Parmi ses principaux membres :
Eudes, fut pape sous le nom d'Urbain II.
Renaud de Châtillon. Voir RENAUD DE CHÂTILLON.
Gaucher III de Châtillon († 1219), sénéchal de Bourgogne, accompagna Philippe Auguste en Terre sainte, se signala au siège d'Acre et à la bataille de Bouvines.
Cette famille forma les branches de Saint-Pol, Blois, Penthièvre, Chartres, etc. Une maison toute différente, celle de Châtillon-sur-Loing, a produit plusieurs hommes célèbres, entre autres les trois frères Coligny. Voir COLIGNY.

CHÂTILLON-SUR-SEINE. Ville de France (Côte-d'Or). Centre de commerce lainier au Moyen Age. Du 5 févr. au 19 mars 1814, se tint à Châtillon un congrès en vue de la conclusion de la paix entre Napoléon (représenté par Caulaincourt) et les Alliés : ceux-ci exigeant que la France rentre dans ses frontières de 1792, Napoléon temporisa, dans l'espoir de rétablir sa situation militaire par une victoire décisive, et les négociations

CHÂTILLON-SUR-SEINE
Armoiries de la ville, 1664.
Ph. Jeanbor © Photeb

furent rompues sans résultat. Quartier général de Joffre en 1914 (ordre du jour de la Marne). Très éprouvée en juin 1940. Son musée abrite le trésor de Vix (v.).

CHATSWORTH. Château situé près d'Endensor, dans le Derbyshire (Angleterre), sur la rive gauche de la Derwent. Construit en 1687 pour William Cavendish, qui devint le 1er duc de Devonshire, il abrite les précieuses collections d'art des ducs de Devonshire (tableaux de Holbein, Dürer, Véronèse, Titien, Michel-Ange, Léonard de Vinci; sculptures de Canova).

CHATTANOOGA. Ville des États-Unis (Tennessee). Durant la guerre de Sécession, Chattanooga, important centre de communications, fut un objectif des nordistes. Sous la conduite de Grant et de Sherman, ceux-ci y remportèrent, le 23 nov. 1863, une victoire qui leur livra tout le Tennessee et obligea les sudistes à se replier sur la Georgie.

CHATTES *(Chatti ou Catti).* Peuple de Germanie (confondu à tort par César avec les Suèves) établi au début de notre ère dans une région correspondant approximativement à la Hesse actuelle. Très belliqueux, ils prirent part à la révolte d'Arminius; durant le règne de Marc Aurèle, ils firent des incursions en Germanie romaine et en Rhétie. Au IIIe s., ils furent absorbés par les Francs.

CHAUFFEURS. Nom donné à des bandits qui, pendant la Révolution, attaquaient les maisons isolées et torturaient leurs victimes, le plus souvent en leur chauffant les pieds jusqu'à ce qu'elles avouassent où elles avaient déposé leur argent. Certains se mêlèrent aux Chouans et prirent un caractère politique qui les rendit encore plus célèbres. Ils disparurent en 1803.

CHAULNES Charles Honoré d'Albert, duc de. Voir CHEVREUSE.

CHAUMETTE
Pierre Gaspard. Homme politique français (1763-1794).
Ph. © Bibl. Nat., Paris - Photeb

CHAULNES (Tables de). Plan de gouvernement rédigé par Fénelon, en nov. 1711, au château de Chaulnes (Somme), chez son ami Charles Honoré d'Albert, duc de Chaulnes et de Chevreuse (v.). Exprimant les idées du petit cercle aristocratique qui mettait ses espoirs dans l'avènement du duc de Bourgogne, Fénelon proposait une série de réformes hardies qui eussent mis fin à la monarchie absolue : suppression des intendants; établissement d'états généraux se réunissant tous les trois ans; abolition des fermes des impôts, lesquels devront être réglés par les états provinciaux; réduction des dépendances militaires; régénérescence de la noblesse, qui devra être soutenue en particulier par la liberté de commercer en gros. La mort prématurée du duc de Bourgogne (févr. 1712) ruina ces projets.

CHAUMETTE Pierre Gaspard (* Nevers, 24.V.1763, † Paris, 13.IV.1794). Homme politique français. Fils d'un cordonnier,

mousse, puis étudiant en médecine, il devint un ardent révolutionnaire. Procureur syndic de la Commune (déc. 1792), il fut un des chefs des extrémistes, se signala par sa haine de l'Église, mais prit aussi l'initiative d'une série de mesures démocratiques et sociales dans le domaine de l'enseignement et de la santé publique. Il organisa, en nov. 1793, la fête de la déesse Raison à Notre-Dame de Paris. Guillotiné avec les hébertistes.

CHAUMONT. Ville de France, chef-lieu du département de la Haute-Marne. Ancien chef-lieu du comté de Chaumont, réuni à la Champagne en 1228.

Traité de Chaumont, 9 mars 1814 (daté du 1er mars), par lequel la Russie, l'Autriche, la Prusse et l'Angleterre, constatant l'échec du congrès de Châtillon, conclurent une alliance d'une durée de vingt ans contre Napoléon et s'engagèrent à ramener la France à ses frontières de 1792.

CHAUMONT (buttes). Hauteurs du nordest de Paris, au pied desquelles s'élevait, au Moyen Age, le célèbre gibet de Montfaucon (v.). Les Alliés y rencontrèrent une vive résistance, le 30 mars 1814. En 1867, y fut inauguré le parc des Buttes-Chaumont, dans la manière des jardins anglais.

CHAUMONT-SUR-LOIRE. Ville de France (Loir-et-Cher), sur la Loire, au sudouest de Blois. Château construit au début du XVIe s. par la maison d'Amboise. Catherine de Médicis l'acheta et obligea Diane de Poitiers à le prendre, en échange de Chenonceaux. Sous Napoléon Ier, Mme de Staël, éloignée de Paris par l'empereur, y séjourna.

CHAUQUES. Peuple germanique, établi au début de notre ère entre le cours inférieur de l'Ems et l'Elbe. D'abord alliés des Romains, ils se révoltèrent, furent battus et, à partir de 58 de notre ère, émigrèrent vers l'O. et le S. Une partie d'entre eux aurait formé le noyau du peuple saxon.

CHAUSSE. Élément du costume masculin jusqu'au XVIIe s. Les chausses furent d'abord, à l'époque franque, des bas ou chaussettes d'étoffe qui, souvent, ne couvraient que la moitié du pied. Au Moyen Age, les chausses, collantes, s'attachaient au vêtement par des aiguillettes. C'est vers la fin du XVe s. qu'apparut le *haut-de-chausses,* sorte de petite culotte collante, auquel on attachait les chausses *(bas-de-chausses),* qui étaient des bas collants fréquemment « partis », c'est-à-dire chacun d'une couleur différente ou avec des couleurs alternées dans le sens vertical ou horizontal. Sous François Ier, les hauts-dechausses étaient également partis; ils descendaient jusqu'au bas des cuisses, mais raccourcirent sous Henri II pour former une petite culotte bouffante, de formes très variées. Dès cette époque, le terme de chausses commençait à ne plus s'appliquer qu'aux hauts-de-chausses, les bas-de-chausses étant appelés *bas*. Sous Louis XIII, les chausses s'allongèrent jusqu'à descendre au-dessous du genou et devinrent le pantalon (v.).

CHAUSSE DE MAILLES. Dans l'armure médiévale, pantalon de peau, garni extérieurement de mailles de fer, qui s'attachait au bord inférieur de la cotte de mailles.

CHAUSSURES. Dans **l'Antiquité.** Les *Égyptiens* allaient le plus souvent nu-pieds. Cependant, dès le début de l'époque historique, ils possédaient des sandales, mais l'usage de celles-ci ne se généralisa qu'au Nouvel Empire. Encore ne les portaient-ils qu'à l'intérieur des maisons, et les femmes n'en usaient pas. Ces sandales consistaient en une semelle de cuir ou de papyrus reliée à une languette sur le milieu du pied par deux ou trois attaches latérales de la même matière. Les Sémites mésopotamiens ignoraient les chaussures, mais non les Hébreux ni les peuples indo-européens (Hittites, Perses) installés dans le Proche-Orient ancien.

En *Grèce,* les Spartiates ne se chaussaient guère que pour marcher de nuit, pour aller à la chasse et à la guerre; les enfants et les jeunes gens allaient nu-pieds. Ailleurs, se chausser semble avoir été un usage général puisque Socrate se faisait remarquer en sortant hiver comme été sans chaussures. Les hommes portaient l'*endromide,* haut brodequin de cuir montant à mi-jambe, qu'on laçait sur le devant et qui, souvent, laissait nus les orteils. La *crépide* avait été adoptée par les deux sexes : c'était une épaisse semelle à laquelle était fixée une bande de cuir contournant le pied, laissant nue sa partie supérieure, et munie d'œillets permettant de passer des courroies de maintien. Les femmes portaient des chaussures de formes variées et élégantes, aux couleurs vives, ornées d'or, d'argent, de pierreries; elles mettaient parfois, pour se grandir, jusqu'à quatre semelles liées ensemble. La chaussure des acteurs était le *cothurne* (v.), mais, dans la comédie, on portait des chaussures plus légères, permettant des mouvements plus rapides et plus vifs.

Les *Romains* avaient deux types de chaussures particulièrement répandus : le *calceus,* sorte de bottine montante et fermée, couvrait la totalité du pied et s'attachait au-dessus de la cheville avec une courroie ou un cordon. C'était la chaussure nationale du citoyen lorsqu'il portait la toge; se présenter en public avec d'autres chaussures eût paru inconvenant. La forme, la hauteur, la couleur du *calceus* variaient suivant le rang social ou le sexe. La chaussure des femmes était généralement blanche, ornée, sur le dessus, de broderies et de perles. Les hommes portaient d'habitude des souliers noirs, mais le *calceus* des sénateurs patriciens se distinguait en ce qu'il montait jusqu'à mi-jambe, avec quatre courroies d'attache et un croissant d'ivoire sur le dessus du pied. La chaussure rouge, que la tradition faisait remonter aux rois de Rome, devint le privi-lège des magistrats curules, des triomphateurs et, par la suite, de Jules César et des empereurs. Un autre type de chaussures répandu chez les *Romains* était la *solea,* sandale qui couvrait seulement la plante des pieds et que seules les femmes portaient en dehors de la maison. Parmi les autres modèles, citons le *pero,* grossier soulier de campagne en cuir, pour aller dans la boue, porté surtout par les paysans; la *caliga,* chaussure militaire, souvent garnie de clous. Les acteurs tragiques portaient, comme en Grèce, le cothurne; les acteurs comiques, le *soccus.*

Au Moyen Age. Les Gaulois portaient des galoches en cuir dur et sans talon, que les Romains appelèrent *gallicae*. Les chaussures des Francs étaient attachées par des bandes molletières en cuir, qui serraient la jambe jusqu'au genou. Jusqu'au XIVᵉ s., la forme des souliers resta très simple : soit le *patin,* semelle de bois maintenue au pied par une bride de cuir et pourvue, en dessous, de deux tasseaux, l'un au talon, l'autre à l'extrémité du pied; soit le soulier découvert, en cuir ou en étoffe, qui tenait au pied par une patte pourvue d'une boucle ou d'un noeud. C'est vers 1350 que commença la mode des *souliers à la poulaine,* ainsi nommés parce que probablement d'origine polonaise; leur pointe, recourbée vers le haut, atteignait parfois une telle longueur qu'il fallait l'attacher à la jambe par une chaînette. A la fin du XVᵉ s., les poulaines furent remplacées par des souliers larges et courts, en bec de cane, les *escafignons*. Le patin subsista durant tout le XVIᵉ s., avec un talon central ou un talon à chaque bout. A partir de 1550, le soulier masculin s'affina pour épouser la forme du pied, avec des taillades sur le dessus; on portait aussi des *babouches,* ne couvrant que l'extrémité des orteils. Le soulier féminin subit l'influence italienne : souliers à crevés, pianella, mules, haut patin vénitien.

Depuis le XVIIᵉ s. Sous Louis XIII, la botte devint la chaussure masculine habituelle, non seulement pour les gentilshommes mais aussi pour les bourgeois. Elle prit des formes très variées : bottes basses ou *lazzarines,* à revers épanoui, dans lesquelles s'enfonçaient les chausses (v.), devenues un long et bouffant pantalon (v.); longues et étroites bottes de chasse; bottes à entonnoir simple avec un devant-de-pied, sorte de patte de cuir à laquelle était attaché l'éperon, etc. Cette mode des bottes cessa sous Louis XIV; il devint inconvenant de se présenter dans un salon ou à la cour avec des bottes, et celles-ci disparurent même de la plupart des uniformes militaires. Les souliers, fixés par une boucle sur le cou-de-pied, ornés, jusque vers 1680, d'un large nœud de ruban, étaient grands et carrés. Ils devinrent étroits et pointus sous la Régence et sous Louis XV, plus arrondis sous le règne de Louis XVI : les souliers *à la d'Artois,* avec de larges boucles d'argent, étaient apparus en Angleterre dès la fin du XVIIᵉ s. A la mode en France à la veille de la Révolution, ils furent portés par

CHAUTEMPS
Camille. Homme politique
français (1885-1963).

Ph. Harcourt © Bibl. Nat., Paris
Photeb D.R.

les ecclésiastiques jusqu'au second Empire. Les femmes du XVIIIe s. avaient souvent des talons très élevés et incommodes, mais portaient également des mules à talon bas. Sous la Révolution et l'Empire, la plupart des hommes revinrent aux bottes : bottes *à la Souvarov,* unies, montant au genou; demi-bottes à revers collants, garnies de velours ou taillées en cœur et ornées d'un gland sur le devant; bottes *à la hussarde.* Jusque sous Napoléon III, les hommes portèrent des bottes, mais, le soir, ils chaussaient des escarpins. Vers 1885, la demi-botte cirée ou vernie céda définitivement devant la bottine ou le soulier bas à semelle mince. Les élégants de la fin du XIXe s. possédaient des armoires pleines de chaussures pour tous les temps, toutes les circonstances. La chaussure de confection, dont les origines remontent à la fin du XVIIIe s., ne fit l'objet d'une fabrication de masse que vers 1900.

CHAUTEMPS Camille (* Paris, 1.II. 1885, † Washington, 1.VII.1963). Homme politique français. Député radical-socialiste de l'Indre-et-Loire (1919/28), puis député (1929/34) et sénateur (1934/40) du Loir-et-Cher, il fut ministre de l'Intérieur dans le premier cabinet Herriot (1924), ministre de la Justice sous Painlevé (1925) et de nouveau ministre de l'Intérieur dans les cabinets Briand et Herriot (1925/26). Dignitaire de la franc-maçonnerie, très apprécié à la Chambre pour ses talents de conciliateur, il fut président du Conseil pour la première fois en févr. 1930. Ministre de l'Intérieur en 1932/33, il forma en nov. 1933 un second cabinet, qui eut à faire face à l'affaire Stavisky; il dut démissionner trois mois plus tard. Après la victoire du Front populaire, il fut ministre d'État dans le premier cabinet Blum (1936/37) et remplaça Léon Blum à la tête du gouvernement (juin 1937/mars 1938). Grâce aux mesures prises par son ministre Georges Bonnet, il obtint un certain redressement financier, essaya de continuer la politique du Front populaire (nationalisation des chemins de fer et création de la S.N.C.F., août 1937), mais se heurta bientôt à l'opposition des communistes et des socialistes, qui réclamaient l'application intégrale du programme commun. Vice-président du Conseil dans le cabinet Daladier et dans le cabinet Reynaud (1938/40), il conserva jusqu'à la guerre une grande influence politique. Favorable à l'armistice en juin 1940, il fit partie du premier gouvernement Pétain, démissionna dès juill. 1940 et fut chargé d'une mission aux États-Unis, où il demeura pendant tout le reste de la guerre.

CHAUVEAU-LAGARDE Claude François (* Chartres 21.I.1756, † Paris, 28.II. 1841). Avocat français. Il se distingua par son courage durant la Terreur en défendant Brissot, Charlotte Corday, la reine Marie-Antoinette et la princesse Élisabeth, sœur du roi. Arrêté, il fut sauvé par le 9-Thermidor. Auteur d'une *Notice sur le procès de la reine et de Madame Élisabeth* (1816).

CHAUVEAU-LAGARDE
Claude François. Avocat
français (1756-1841).

Ph. © Bibl. Nat., Paris - Photeb

CHAUVELIN Germain Louis de (* Paris, 1685, † Paris, 1762). Homme politique français. Avocat général au parlement de Paris, homme de confiance du cardinal de Fleury, il fut choisi par celui-ci comme garde des Sceaux (1727) et comme secrétaire d'État aux Affaires étrangères (1727/37). Jeune, remuant, impatient de jouer un grand rôle en reprenant la politique traditionnelle de lutte contre la maison d'Autriche, il profita de l'affaire de la succession de Pologne pour contraindre le pacifique Fleury à la guerre (1733) et il négocia une double alliance avec la Sardaigne et l'Espagne. Traitant avec l'empereur Charles VI par-dessus sa tête, Fleury fit la paix avec l'Autriche dès oct. 1735, et, jugeant Chauvelin trop aventureux, il lui enleva son portefeuille et le fit exiler en province.

François Claude, marquis de Chauvelin († 1774), servit en Italie et en Flandre, devint ambassadeur à Gênes et à Turin, puis revint à la cour de Versailles, où il fut l'un des intimes de Louis XV.

Son fils, **Bernard François, marquis de Chauvelin** (* 1766, † 1832), se rallia à la Révolution, qui le chargea d'une mission diplomatique à Londres en 1792; il siégea au Tribunal après le 18-Brumaire et fut intendant de la Catalogne (1812). Sous la Restauration, à la Chambre des députés, il se montra un ardent libéral.

CHAUVINISME. Exaltation excessive du sentiment patriotique; ce mot a pour origine le nom du soldat Nicolas Chauvin, popularisé par une pièce de Cogniard, *La Cocarde tricolore* (1831).

CHAVIN. Nom donné à la plus ancienne civilisation des Andes (Amérique du Sud), dont le centre paraît avoir été Chavin de Huántar, au Pérou, à l'est de la Cordillère blanche. Cette civilisation, qui se développa au Ier millénaire avant notre ère, à partir de 800/700, a laissé à Chavin de Huántar un édifice imposant, le « Castillo », qui constitue un ensemble de terrasses en plusieurs étages réunies par des rampes et des escaliers; il s'agissait probablement d'un temple. L'art décoratif de Chavin se distingue par un motif de félin très stylisé. Cette civilisation agricole rayonna largement des hautes terres du Nord vers la côte.

CHAYBANIDES. Dynastie fondée en 1500, au Turkestan, par Mohammed Chaybani, descendant de Djoetchi et de Gengis khan. Les Chaybanides régnèrent sur Samarkand et Boukhara jusqu'en 1599.

● **CHEB,** en allemand *Eger,* ville de Tchécoslovaquie, sur l'Ohre, en Bohême occidentale. Un château, en partie du XIIe s., rappelle que Cheb fut une place forte commandant l'accès à Nuremberg et à la Franconie. En 1634, Wallenstein y fut assassiné ainsi que d'autres généraux impériaux.

CHECHANK, pharaons égyptiens. Voir SHESHONK.

CHEDDAR. Ville d'Angleterre (Somerset), au sud-ouest de Bristol. Dans ses environs se trouve une caverne, la Grough's Cave, où l'on a mis au jour un outillage et des fossiles animaux du paléolithique final.

CHEF. Au début du XXᵉ s., le sociologue allemand Max Weber dégagea la notion de « chef charismatique », dont la personne se singularise par l'héroïsme, par l'autorité naturelle, par des qualités exemplaires et souvent prodigieuses qui attirent à de tels hommes, intérieurement « appelés », le dévouement tout personnel de fidèles, de militants, de sujets. Selon Weber, les chefs charismatiques se rencontrent dans tous les domaines et à toutes les époques historiques. Ils ont surgi sous l'aspect de deux figures essentielles : celle du magicien et du prophète, d'une part; celle du chef de guerre élu et du condottiere, d'autre part. A l'époque contemporaine, ce type se présente sous l'aspect du chef de parti.
Après la Première Guerre mondiale, une mystique du chef se répandit dans de nombreux pays européens, particulièrement en Italie et en Allemagne, où elle engendra le fascisme (v.) et le national-socialisme (v.). Chefs charismatiques, Mussolini et Hitler soulignèrent leur « vocation » en prenant le titre de « guide » *(Duce, Führer)*. En France même, la mystique du chef fut très forte dans certains partis de droite tels que les Croix-de-Feu (v.) de La Rocque, les Francistes (v.) de Bucard, le Parti populaire français (v.) de Doriot, etc. L'entourage immédiat de Hitler avait coutume d'appeler celui-ci par le mot français *chef (Der Chef)*.

Chef de l'État français. Titre adopté par le maréchal Pétain dans l'acte constitutionnel nº 1 du 11 juill. 1940.

Chef de l'État. Nom donné souvent en France au président de la République, particulièrement depuis 1958.

CHEF-D'ŒUVRE. Dans les corporations de l'Ancien Régime, travail particulier que les compagnons devaient exécuter sous contrôle pour être reçus maîtres. Le chef-d'œuvre existait dès le XIIIᵉ s., mais il ne fut longtemps qu'une particularité d'un petit nombre de métiers et ne devint une loi générale obligatoire qu'au XVᵉ s. Cette mesure se justifiait sans doute par la complexité croissante des techniques artisanales, mais elle était également inspirée par un désir d'entraver l'accès à la maîtrise, les maîtres désirant réserver les ateliers à leurs fils. Par rapport à ces derniers, les simples compagnons étaient assez défavorisés : ils devaient, pendant plusieurs mois, et parfois plus d'un an, se consacrer à un travail qui ne leur rapportait rien, se procurer des matériaux coûteux, offrir aux jurés cadeaux et banquets. En outre, rien ne garantissait l'impartialité des jurys, dont le comportement inclina de plus en plus à favoriser les fils ou les gendres de maîtres. Le roi vendait d'ailleurs des « lettres de maîtrise », qui dispensaient du chef-d'œuvre. Ainsi cette coutume du chef-d'œuvre, qui a pu produire des travaux admirables, contribua-t-elle finalement au déclin des corporations (v.).

CHEF-D'ŒUVRE
Pavillon à plusieurs étages, réalisé par un « compagnon passant charpentier du devoir - bon drille ». Celui-ci a figuré à l'Exposition universelle de 1855.
Ph. © Bibl. Nat., Paris - Photeb

CHÉHAB Fouad (* Ghazir, près de Beyrouth, 1903, † Jounieh, près de Beyrouth, 25.IV.1973). Général et homme politique libanais. Chrétien maronite descendant d'une ancienne famille princière, ancien élève de l'École de guerre à Paris, commandant en chef de l'armée libanaise (1946), il fut élu président de la République en juill. 1958, pour mettre fin à la guerre civile qui opposait les partisans du président du Conseil, Sami Solh, et l'opposition nassérienne. Tout en montrant une grande modération, il rapprocha le Liban des autres pays arabes, déjoua, en 1961, un coup d'État de droite et, après avoir refusé une révision constitutionnelle qui eût permis sa réélection, s'effaça, en 1964, devant le président Hélou.

CHE HOUANG-TI, c'est-à-dire **Premier Auguste Seigneur** (* 259, † 210 av. J.-C.), empereur chinois (221/210 av. J.-C.). Prince de Ts'in à partir de 247, il acheva de détruire les derniers Royaumes Combattants (v.), et, en 221, il mit fin à trois siècles d'anarchie en faisant sous son autorité de fer l'unité de la Chine. Che Houang-ti fut le vrai fondateur de l'Empire chinois; il étendit à toute la Chine l'administration centralisée qui avait fait la force de la principauté de Ts'in. La Chine fut divisée en une quarantaine de commanderies, à la tête desquelles furent placés des préfets et des gouverneurs militaires impériaux; les châteaux forts et les remparts des villes furent rasés; pour briser la puissance de la noblesse, Che Houang-ti l'obligea à venir résider dans sa capitale de Hienyang; les lois, les poids et mesures, les caractères d'écriture furent unifiés, et, comme les lettrés, hostiles à ces innovations, invoquaient les anciennes traditions, l'empereur décida de faire brûler toutes les archives, à l'exception de celles de Ts'in : ce fut la « destruction des livres » de 213. Pour faciliter le contrôle du pouvoir central sur tout le pays, trois grandes routes furent construites, vers le S., vers l'E. et vers le N.; elles comprenaient une allée centrale, réservée aux usages impériaux, et des pistes latérales, à l'usage des sujets. Grand bâtisseur — il commença la construction de la Grande Muraille pour préserver ses frontières des incursions des Hiong-nou —, Che Houang-ti fit aménager magnifiquement sa capitale. Il avait proclamé que sa dynastie régnerait « jusqu'à mille et dix mille générations ». Elle s'effondra quatre ans seulement après sa mort, devant une révolte d'anciens féodaux. Mais Che Houang-ti avait posé les bases durables d'un empire unitaire, et la nouvelle dynastie des Han allait poursuivre son œuvre.

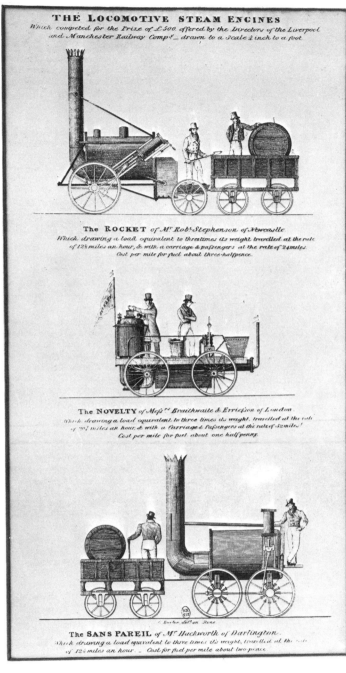

THE LOCOMOTIVE STEAM ENGINES
Which competed for the Prize of £500 offered by the Directors of the Liverpool and Manchester Railway Comp.ᵈ _ drawn to a scale ¼ inch to a foot

The ROCKET of Mʳ Robᵗ Stephenson of Newcastle
Which drawing a load equivalent to three times its weight, travelled at the rate of 12½ miles an hour, & with a carriage & passengers at the rate of 24 miles. Cost per mile for fuel about three-halfpence.

The NOVELTY of Mesʳˢ Braithwaite & Ericsson of London
Which drawing a load equivalent to three times its weight, travelled at the rate of 20½ miles an hour, & with a carriage & passengers at the rate of 32 miles. Cost per mile for fuel about one halfpenny.

The SANS PAREIL of Mʳ Hackworth of Darlington.
Which drawing a load equivalent to three times its weight, travelled at the rate of 12½ miles an hour. _ Cost for fuel per mile about two pence.

CHEMINS DE FER
Les premières locomotives utilisées en Grande-Bretagne.
De haut en bas : la « Rocket » (Fusée) de Robert Stephenson, de Newcastle, la « Novelty » de Braithwarte et Erricsson, de Londres, la « Sans Pareil » de Hackworth, de Darlington.
Ce document est un « programme » pour le concours de Rainhill, qui, en 1829, vit le triomphe de la « Fusée », à 46,660 km/h devant ses deux adversaires.
Ph. © Bibl. Nat., Paris - Archives Photeb

CHEIKH EL-BELED. Statue égyptienne en bois peint de l'Ancien Empire (IVᵉ dynastie, vers le XXVIᵉ s. av. J.-C.). Découverte par Mariette, elle se trouve au musée du Caire. Elle offre l'intérêt d'attester la permanence du type physique égyptien, après plus de quatre millénaires : les terrassiers égyptiens qui la mirent au jour s'écrièrent : « Cheikh el-Beled ! », c'est-à-dire : « Le maire du village », et ce surnom lui est resté.

CHE KI, *Mémoires historiques.* Titre du plus ancien ouvrage historique chinois, œuvre de Sseu-ma Ts'ien (fin du IIᵉ s. av. J.-C.). Il traite de toute l'histoire, depuis les origines jusqu'à l'empereur Wou des Han, et constitue la principale source pour l'histoire ancienne non seulement de la Chine mais de tout l'Extrême-Orient.

CHELEPINE Alexandre Mikhaïlovitch (* Voronej, 1918). Homme politique soviétique. Entré dès la fin de ses études dans l'appareil du parti, il fut premier secrétaire des Jeunesses communistes (1952/58) et, à partir de 1954, fut chargé de rassembler des travailleurs pour le défrichement des terres vierges en Sibérie. Président du comité de sécurité d'État en 1958, il se trouva ainsi, jusqu'au XXIIᵉ congrès (1961), à la tête de la police politique; il semble avoir contribué à déstaliniser cet organisme mais fut impliqué par un tribunal allemand dans l'assassinat, sur le territoire de la République fédérale, de l'exilé ukrainien Bandera. Secrétaire du comité central du parti, vice-président du Conseil des ministres, président du comité de contrôle de l'État et du parti, membre titulaire du présidium, il abandonna la plupart de ces fonctions en 1967 pour prendre la direction du Conseil central des syndicats soviétiques. Il essaya d'établir des liens plus étroits entre ceux-ci et les syndicats occidentaux, mais ses visites en Allemagne fédérale et en Angleterre, au printemps de 1975, suscitèrent de telles protestations, en raison de son passé de policier, que la direction soviétique l'obligea à se démettre.

CHELLÉEN. Nom donné autrefois, en raison du gisement des sablières de Chelles (Seine-et-Marne), au faciès industriel du paléolithique inférieur, aujourd'hui appelé abbevillien (v.).

CHELLES. Ville de France (Seine-et-Marne), sur la Marne, au sud-ouest de Meaux. Dans ses sablières, on a mis au jour un intéressant gisement préhistorique (v. CHELLÉEN). Célèbre abbaye de moniales, fondée vers 658/659 par la reine Bathilde; plusieurs princes mérovingiens y furent relégués. Un concile s'y tint en 1008.

CHELMNO, en allemand *Kulm.* Ville de Pologne, sur la rive droite de la Vistule. Elle a pour origine une forteresse fondée par l'ordre Teutonique en 1232; l'année suivante, Hermann von Salza lui donna sa charte communale. L'évêché fut fondé en 1243

Chelmno fit partie de la Pologne à partir de 1466, échut à la Prusse lors du premier partage de la Pologne (1772), fut comprise de 1807 à 1815 dans le grand-duché de Varsovie, revint à la Prusse en 1815, puis à la Pologne en 1919.

CHELMSFORD Frederic John Napier Thesiger, 1er **vicomte** (* Londres, 12.VIII. 1868, † Ardington House, près de Wantage, Berkshire, 1.IV.1933). Homme politique anglais. D'abord gouverneur de la Nouvelle-Galles du Sud, en Australie (1909/13), il fut nommé vice-roi des Indes (1916/21) durant la période particulièrement difficile de la Première Guerre mondiale. Il mena une politique de réformes résumée par le Government of India Act (1919), qui, en associant les aristocraties locales au pouvoir, établissait le système de la dyarchie. Cette mesure ne satisfit pas les nationalistes, qui, à l'appel de Gandhi, organisèrent la résistance passive.

CHELSEA. Quartier de l'ouest de Londres, sur la rive gauche de la Tamise, réuni en 1965 à Kensington. A partir du XVIIIe s., Chelsea fut la résidence de nombreux artistes et écrivains, parmi lesquels Turner, Sargent, Whistler, Swift, Carlyle, Oscar Wilde.

CHEMINS DE FER

CHEMINS DE FER. Dès le XVIe s., on utilisait dans plusieurs mines européennes des « chemins de fer », les rails permettant à des hommes ou des chevaux de traîner plus facilement des wagonnets. En 1807, un chemin de fer hippomobile pour voyageurs fut mis en service en Angleterre, à Oystermouth. En France, la première voie ferrée, de Saint-Étienne à Andrézieux, inaugurée en oct. 1828, fonctionna avec des chevaux jusqu'en 1832.

Premiers trains à vapeur

Mais les chemins de fer, au sens moderne du mot, ne commencèrent vraiment qu'avec l'apparition de la traction mécanique. C'est le Français Joseph Cugnot qui fit le premier essai de véhicule à vapeur, en 1770 (V. AUTOMO-BILE). A partir de 1797, l'Anglais Richard Trevithick construisit des locomotives à vapeur expérimentales, et, dès 1812/13, des engins de ce genre furent mis en service dans des charbonneries de Leeds. George Stephenson, qui avait construit en 1814 une locomotive utilisée pour la traction des wagonnets de charbon dans les mines de Killingworth, devait équiper le premier train à vapeur transportant des voyageurs, qui joignit Stockton à Darlington, le 27 sept. 1825. En 1829, à un concours de locomotives organisé à Rainhill, la *Rocket* de Stephenson, qui pouvait atteindre la vitesse de 35 miles à l'heure (56 km/h), remporta le prix en remorquant une charge de 13 tonnes à la vitesse de 29 miles à l'heure. La ligne régulière Liverpool-Manchester fut inaugurée le 15 sept. 1830. En Amérique, la ligne Baltimore-Ellicott's Mills fonctionna dès mai 1830. En France, la traction à vapeur fut introduite sur la ligne de Saint-Étienne à Andrézieux en 1832, et, la même année, fut ouverte la ligne de Saint-Étienne à Lyon.
Le chemin de fer naissant se heurta à de vives résistances. Le savant Arago mettait en garde les Français contre « les illusions que peuvent donner deux tringles de fer » et l'Académie de médecine de Lyon énonçait en 1835, dans un mémoire resté célèbre : « La translation trop rapide d'un climat à un autre produira sur les voies respiratoires un effet mortel... L'anxiété des périls constamment courus tiendra les voyageurs dans une perpétuelle alerte et sera le prodrome d'affections cérébrales. Pour une femme enceinte, tout voyage entraînera infailliblement une fausse couche, avec toutes ses conséquences » (cité par A. Philip, *Histoire des faits économiques et sociaux,* I, 94). Alors que l'Angleterre construisait rapidement un réseau qui comptait, dès 1850, plus de 10 000 km en exploitation, alors que la Belgique possédait, dès 1845, un réseau complet de lignes principales qui lui permit d'attirer une grande partie du trafic de transit de l'Europe centrale et septentrionale, la France prenait un grave retard qui ne fut rattrapé que sous le second Empire. En 1848, elle n'avait pas plus de 3 000 km de lignes, et encore n'étaient-ce, pour la plupart, que des tronçons isolés, d'intérêt local. A la fin de la monarchie de Juillet, la diligence restait le principal moyen de locomotion. C'est seulement dans les années 1850/80 que se produisit, par le chemin de fer, un immense bouleversement des relations commerciales. Alors que la vitesse moyenne des diligences françaises était de 4,5 km/h, la moyenne de 65 km/h était atteinte sous Napoléon III. Le chemin de fer accélérait la circulation des marchandises, mais aussi celle des nouvelles, des lettres, des journaux; il brisait l'isolement des provinces, facilitait les migrations; durant la campagne d'Italie, en 1859, et plus encore lors de la guerre austro-prussienne de 1866, il révélait sa puissante efficacité militaire, que l'état-major allemand fut le premier à comprendre et, en 1870, à utiliser à fond.

CHEMINS DE FER
La locomotive de Trevithick, 1808, surnommée la « M'attrape qui peut ».
Ph. © Archives Photeb

Les chemins de fer à travers le monde

En **France,** c'est le manque de capitaux qui fut largement responsable du retard pris dans les années 1830/50. L'essor ne commença qu'avec la grande loi de 1842 : le ministère Guizot décida que l'État accorderait des monopoles à des compagnies privées, dans le cadre de concessions à long terme; il installait à ses frais l'infrastructure mais obtenait, en échange, de larges pouvoirs de contrôle; à l'expiration des concessions, les chemins de fer devaient devenir la propriété de l'État. On décida que le réseau principal comprendrait sept lignes rayonnant de Paris aux diverses frontières, à la Manche, à la Méditerranée, à l'Atlantique, et deux lignes allant de l'Atlantique à la Méditerranée et de la Méditerranée au Rhin. Contrarié par la crise de 1846 et la révolution de 1848, ce plan fut accéléré sous le second Empire. La longueur des voies ferrées passa de 3 000 en 1848 à 17 000 en 1870 (24 000 en 1878); le nombre des locomotives en service quintupla dans la même période (5 000 en 1870), le nombre des voyageurs kilométriques quintupla, celui des tonnes kilométriques décupla. Avant 1857, se formèrent les six grands réseaux français : Nord, Est, Paris-Orléans, Paris-Lyon-Méditerranée, Midi et Ouest. Après la réalisation du plan Freycinet, lancé en 1879, la France, au début du XXe s., possédait l'un des réseaux ferroviaires les plus denses d'Europe (12,6 km pour 10 000 habitants). Dès 1908, l'État avait dû incorporer le réseau de l'Ouest, déficitaire, et, après la Première Guerre mondiale, il nationalisa également les chemins de fer de l'Alsace-Lorraine. L'ensemble des chemins de fer français fut nationalisé le 1er janv. 1938 et regroupé dans une Société nationale des chemins de fer français (S.N.C.F.), constituée pour 45 ans comme une société anonyme dont le capital est détenu pour 51% par l'État, pour 49% par les représentants des compagnies privées auxquelles la S.N.C.F. a succédé. La loi d'orientation de 1982 en fit un établissement public industriel et commercial conservant la dénomination S.N.C.F. La S.N.C.F., qui a les obligations d'un service public, a dû faire un effort considérable au lendemain de la Libération, alors que 80% de la puissance de traction, 80% des voitures de voyageurs, 64% des wagons de marchandises étaient détruits ou endommagés à la suite des hostilités. Les grandes réalisations des vingt-cinq dernières années furent : l'électrification du réseau (3 300 km en 1939, 9 392 km en 1971); la substitution, sur les autres lignes, de locomotives Diesel à la traction à vapeur, aujourd'hui pratiquement disparue; la mise en service de locomotives de plus en plus rapides (dès les 28-29 mars 1955, la BB 9004 et la CC 7107 dépassaient 330 km/h); l'ouverture du service commercial des turbotrains (200 km/h, ligne Paris-Caen-Cherbourg, dès 1970).

● De 1976 à 1983 a été aménagée la voie pour un « train à grande vitesse » (T.G.V.). Il se présente sous la forme d'une rame articulée longue de 200 mètres, d'un poids de 386 tonnes, composée de deux motrices électriques encadrant 8 voitures. La puissance totale de la rame est de 6 300 kW (8 650 ch.). Circulant à 260 km/h, le T.G.V. met Lyon à 2 heures de Paris et Marseille à moins de 3 heures de Lyon. Des T.G.V. Paris-Lausanne, en 1984, et Rouen-Lyon, en 1986, ont été mis en service. □

En **Grande-Bretagne,** l'essor des chemins de fer avait commencé dès 1840 et la longueur du réseau passa de 3 120 km à la fin de 1843 à 10 590 km en 1850. En 1923, les 123 compagnies ferroviaires britanniques furent regroupées en quatre réseaux, lesquels furent nationalisés sous l'autorité de la British Transport Commission le 1er janv. 1948.

En **Allemagne,** la première ligne de chemin de fer à vapeur, joignant Nuremberg à Fürth, fut inaugurée en déc. 1835. La ligne Leipzig-Dresde (116 km) fut construite de 1837 à 1839. Dès 1850, l'Allemagne possédait un réseau de 6 000 km, mais encore peu coordonné, et le développement des chemins de fer, sur un plan national, ne prit toute son ampleur qu'après la création de l'Empire allemand, dans les années 1871/80. Les chemins de fer allemands furent nationalisés en 1920, puis constitués en société autonome en 1924 et enfin définitivement nationalisés en févr. 1937.

En **Italie,** la première ligne de chemin de fer, Naples-Portici, fut ouverte en 1839, mais il fallut attendre la réalisation de l'unité (1861) pour construire un véritable réseau national : en dix ans (1861/71), la longueur des voies ferrées passa de 2 000 à 6 000 km. L'Italie fut la première nation du monde à utiliser la traction électrique (dès 1901). La plus grande partie des chemins de fer de la péninsule fut nationalisée dès 1905/07.

En **Espagne,** l'histoire des chemins de fer ne commence qu'en 1848, avec l'inauguration de la ligne Barcelone-Mataró. Comme la Russie, l'Espagne adopta un écartement de voies plus large que celui des autres réseaux européens. Les chemins de fer espagnols ont été nationalisés en 1941.

Les chemins de fer européens, qui abordaient sur la défensive les années 70, du fait de la concurrence croissante des transports routiers, ont bénéficié ensuite d'un regain d'intérêt en raison de l'augmentation considérable des prix pétroliers et de la crise de l'énergie qui a frappé l'Occident industriel en 1973. On a constaté que le train utilisait comparativement quatre fois moins d'énergie que les véhicules automobiles et l'avion. Le plan de modernisation des chemins de fer européens, publié en nov. 1973 par l'Union internationale des chemins de fer, prévoyait la construction, en Europe occidentale, dans une période de dix à vingt ans, d'un nouveau réseau rapide de 30 000 km permettant aux trains d'atteindre des vitesses allant jusqu'à 300 km/h, ce qui réduira de moitié la durée des voyages entre les principales villes d'Europe. Ce réseau devait être constitué

CHEMINS DE FER
Maniement d'un signal fixe, v. 1850.
Ph. © « La Vie du Rail »
Archives Photeb

CHEMIN DE FER
Les T.G.V. au départ de la gare de Lyon, à Paris, en oct. 1983.
En deux années d'exploitation, 15 millions de voyageurs ont emprunté
les rames orange, soit près de 25 000 usagers par jour, alors que le T.G.V.
n'assure encore que 40% de son programme de desserte.
Ph. © Patrice Habans - Sygma

pour moitié de lignes existantes moderni-
sées, pour moitié de lignes nouvelles, comme
celle du T.G.V. français (voir ci-avant).

En Russie et aux États-Unis

La **Russie** eut sa première voie ferrée en
1836 : elle allait de Saint-Pétersbourg au
palais d'Été du tsar, à Tsarskoïé-Sélo, et la
traction était encore assurée par des chevaux. Le gouvernement fit ensuite construire
une ligne de Varsovie à Cracovie et à la frontière autrichienne (1848), puis la ligne Mos-
cou-Saint-Pétersbourg (1851). L'insuffisance des chemins de fer contribua beaucoup
aux défaites russes durant la guerre de
Crimée; aussi, dès 1857, le gouvernement
entreprit systématiquement la mise en place
d'un réseau ferré sur l'ensemble du territoire.
La longueur des voies passa de 3 800 km en
1865 à 29 000 km en 1890. C'est dans les dix
dernières années du XIXᵉ s. que l'expansion
ferroviaire connut son accélération maximale. De 1890 à la Première Guerre mondiale, furent construits 30 000 autres kilomètres de voies. Le Transcaucasien fut construit de 1871 à 1883; le Transcaspien, de la
Caspienne à Tachkent, date de 1885-98; le
Transaralien joignit le sud de l'Oural à
Tachkent en 1905; la construction du Transsibérien (v.) commença en 1891 et fut pratiquement achevée en 1904. Les chemins de fer
russes adoptèrent l'écartement de 1,52 m (au
lieu de 1,44 m dans le reste de l'Europe),
mais, depuis 1945, des systèmes de changements d'essieux permettent aux trains
soviétiques de passer facilement dans les
réseaux des démocraties populaires de l'Est
européen. La densité du réseau soviétique
reste très éloignée de celle des pays occidentaux. Au début des années 1980, la longueur
du réseau était de 140 000 km, trois fois
seulement la longueur du réseau français
pour une surface quarante fois plus grande
et pour sept fois plus de trafic par kilomètre
de voie ferrée qu'en France (le réseau ferroviaire assure encore environ 80% des échanges intérieurs de l'U.R.S.S.). ● En 1983, la
ligne Baïkal-Amour Magistral (B.A.M.)
était mise en service (3 148 km). □

Aux **États-Unis,** la révolution ferroviaire,
commencée dès 1830, fut relativement lente
jusqu'en 1845/50, mais elle prit dès ce
moment l'allure d'un *boom* d'une ampleur
sans égale. Plus que partout ailleurs, les chemins de fer, dans ce pays neuf en voie de
colonisation, jouèrent un rôle moteur dans le
développement de l'industrie métallurgique;
ils assurèrent le peuplement des immenses
régions de l'Ouest, favorisèrent les échanges
entre l'Est industriel et les régions agricoles.
Entre 1850 et 1860, la longueur du réseau
américain tripla; elle atteignait près de
50 000 km au début de la guerre de Sécession,
au cours de laquelle le chemin de fer joua un
rôle militaire de première importance.
L'aventure ferroviaire connut son apogée
avec la construction des transcontinentaux.
Entrepris depuis Omaha, à l'est, par l'Union

CHEMINS DE FER
Maniement des signaux
1. Libre chemin,
par drapeau blanc.
2. Arrêt, par drapeau rouge.
Ph. © « La Vie du Rail »
Archives Photeb

CHEMINS DE FER

C'est la célèbre poignée de main entre l'Est et l'Ouest,
le 10 mai 1869, à Promontary Point, Utah. Les ouvriers de l'Union Pacific
et ceux de la Central Pacific font leur jonction :
le continent nord-américain est traversé par le chemin de fer,
de l'Atlantique au Pacifique.
17 000 hommes, dont beaucoup de Chinois immigrés,
y ont travaillé dans des conditions parfois épouvantables
(à travers Rocheuses et sierra Nevada), tandis que 33 bateaux
faisaient une chaîne ininterrompue par le cap Horn,
contournant le continent américain, pour apporter le matériel à l'ouest.
Finalement les deux voies, mal orientées,
se croisèrent et se doublèrent à distance, sur 320 km... Enfin le 10 mai...

935

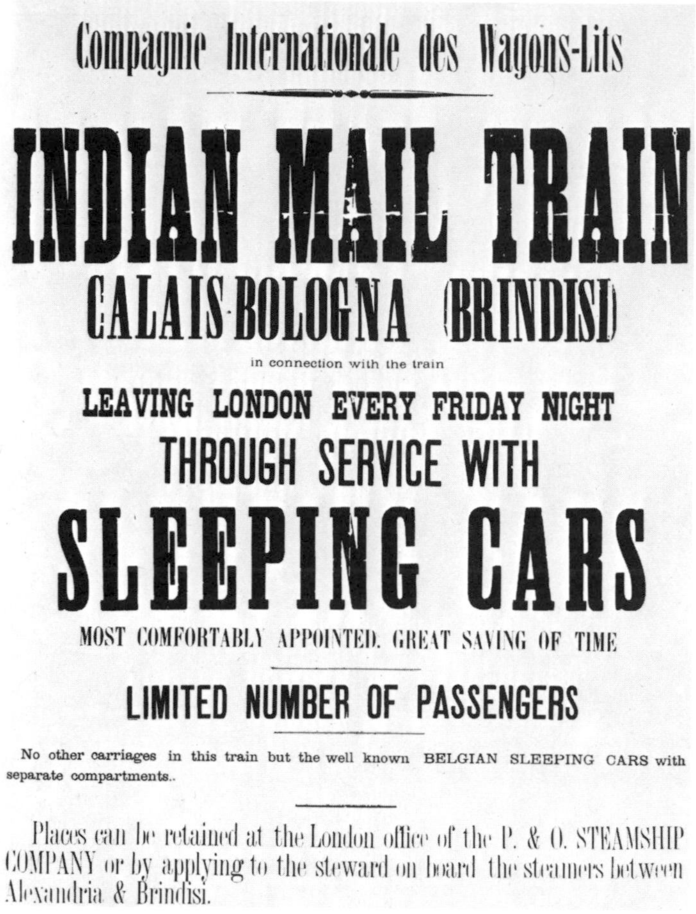

Compagnie Internationale des Wagons-Lits

INDIAN MAIL TRAIN

CALAIS-BOLOGNA (BRINDISI)

in connection with the train

LEAVING LONDON EVERY FRIDAY NIGHT

THROUGH SERVICE WITH

SLEEPING CARS

MOST COMFORTABLY APPOINTED. GREAT SAVING OF TIME

LIMITED NUMBER OF PASSENGERS

No other carriages in this train but the well known BELGIAN SLEEPING CARS with separate compartments.

Places can be retained at the London office of the P. & O. STEAMSHIP COMPANY or by applying to the steward on board the steamers between Alexandria & Brindisi.

CHEMINS DE FER

Affiche pour le premier service wagons-lits sur la « Malle des Indes », 1879.
Trois ans après sa fondation, la Compagnie internationale des wagons-lits,
sous la présidence de Georges Nagelmackers (trente-quatre ans),
inaugure, malgré la concurrence de Pullman,
le parcours régulier Manche-Adriatique,
qui permet au trafic britannique de voyageurs
de gagner douze jours sur la très longue route de l'empire des Indes.
Le « Peninsular Express », nom réservé à ce train, en 1890,
partait de Londres le vendredi à 15 h 15,
arrivait à Paris à 23 h, à Brindisi le dimanche à 16 h, d'où le paquebot partait à 22 h.
Mais il n'y avait pas de parcours semblable pour le retour.

Ph. © Cie Intern. des wagons-lits - Photeb

Pacific Railroad, depuis Sacramento, en Californie, par la Southern Pacific, le premier transcontinental (New York-San Francisco) fut achevé le 10 mai 1869. C'est « une date capitale dans la croissance de l'Union : elle écarte les risques de sécession, presque aussi efficacement que la défaite des Confédérés, et réalise effectivement l'unité de ce vaste continent. Il n'y a plus désormais ni désert ni Rocheuses : l'espace est vaincu, les deux océans reliés. La résistance indienne se désagrège... » (René Rémond, *Histoire des États-Unis*, p. 77, P.U.F., 1963). Par la suite furent construits le Santa Fe Pacific (New York-Los Angeles, 1881), le Great Northern Pacific (Chicago-Seattle), le Southern Pacific (La Nouvelle-Orléans-Los Angeles). Avec 350 000 km, la longueur du réseau des États-Unis est égale à celle de tout le réseau européen et au quart du réseau mondial. Le chemin de fer demeure le premier transporteur de marchandises, mais le trafic voyageurs supporte de moins en moins bien la concurrence de l'automobile et de l'avion, et de nombreuses compagnies connaissent de graves difficultés financières.

Au **Canada,** la première ligne fut inaugurée en 1836. Le premier transcontinental canadien, le Canadian Pacific, fut achevé en 1885 et complété, en 1914 et 1915, par deux autres transcontinentaux, le Grand Trunk Pacific et le Canadian Northern.

En Asie et en Afrique

En **Asie,** les seuls pays possédant un véritable réseau sont l'Inde et le Japon. Les chemins de fer indiens furent créés par les Anglais à partir de 1849, et la première ligne, Bombay-Thana, fut ouverte en 1853. Bien que très peu dense, le réseau indien dessert l'ensemble du pays, mais les trains sont lents et surchargés. Au Japon, la première ligne, entre Tokyo et Yokohama, fut construite par des ingénieurs anglais, grâce à un emprunt sur Londres, en 1872. Peu après, les Japonais construisirent sans aide extérieure la ligne Kyoto-Otsu. La longueur du réseau passa de 160 km en 1880 à près de 3 000 km en 1892. Les chemins de fer japonais ont été nationalisés en 1949.

En **Chine,** la première ligne date de 1895, mais, jusque vers 1930, toutes les voies ferrées furent construites par des compagnies étrangères. En 1949, on comptait environ 26 000 km de lignes, dont 14 000 seulement ouverts au trafic, en raison des destructions de la guerre. Depuis l'avènement du régime maoïste, 26 000 km de chemins de fer nouveaux ont été construits. En 1955, fut achevé le Transmongolien, de Oulan-Oudé, près d'Irkoutsk, à Pékin. Le grand pont ferroviaire et routier de Wouhan, sur le parcours du Transchinois, relie la Chine du Nord et la Chine du Sud. Actuellement en construction, une voie transcontinentale doit, par la porte de Dzoungarie, relier Lan-Tchéou, sur le fleuve Jaune, à Alma-Ata, au Kazakhstan (U.R.S.S.).

En Afrique, plusieurs grands projets (chemins de fer du Cap au Caire; chemin de fer transsaharien français) ne connurent pas de réalisation; la seule voie transcontinentale, détruite lors des affrontements qui suivirent l'indépendance, joignait Lobito, en Angola, à Beira et Maputo au Mozambique.

Au **Proche-Orient,** des ingénieurs allemands entreprirent en 1903 le chemin de fer de Bagdad (v.), qui ne fut achevé qu'en 1940.

CHEMIN DES DAMES. Route longue de 30 km, sur une crête séparant les vallées de l'Ailette et de l'Aisne, en Champagne, au sud de Laon. Il doit son nom aux filles de Louis XV, *Mesdames,* qui l'empruntaient pour se rendre chez leur amie, la duchesse de Narbonne, au château de la Bove. Durant la Première Guerre mondiale, le Chemin des Dames resta, après la première bataille de la Marne, entre les mains des Allemands, qui en firent une puissante position fortifiée. L'offensive lancée par Nivelle le 16 avr. 1917 contre le Chemin des Dames se solda par un échec total; les pertes terribles, la démoralisation des troupes provoquèrent dans l'armée de graves mutineries (v.). Le 27 mai 1918, c'est sur le Chemin des Dames que, lors de leur ultime offensive, les Allemands enfoncèrent le front allié; le soir même, ils commençaient à franchir l'Aisne, et, trois jours plus tard, ils atteignaient Château-Thierry (v.). Le Chemin des Dames fut définitivement reconquis à la fin d'oct. 1918. Les principaux lieux-dits de la région du Chemin des Dames illustrés par les combats de 1914/18 furent, d'ouest en est : le moulin de Laffaux, le fort de la Malmaison, la caverne du Dragon, la ferme d'Hurtebise, le plateau de Craonne.

CHEMISES rouges. Nom donné, en raison de leur uniforme, aux volontaires garibaldiens qui prirent part aux combats du Risorgimento. La chemise rouge fut adoptée pour la première fois par la Légion italienne formée par Garibaldi à Montevideo, en 1845, pour participer, aux côtés des Uruguayens, à la guerre contre l'Argentine. Elle fut ensuite l'uniforme des Mille (v.), qui firent la conquête du royaume des Deux-Siciles en 1860, puis des garibaldiens qui envahirent les États pontificaux en 1867.

Chemises bleues. Nom donné, en raison de leur uniforme, aux militants nationalistes italiens des années 1919/23, qui s'intégrèrent ensuite dans le mouvement fasciste. La chemise bleue fut aussi le signe distinctif des membres de la Phalange (v.) espagnole et de deux mouvements fascistes français, le francisme de Bucard et le parti populaire français de Doriot.

Chemises noires. Nom donné aux fascistes italiens en raison de la chemise noire *(camicia nera)* caractéristique de leur uniforme; la chemise noire avait déjà été portée par les Arditi (v.) durant la Première Guerre mondiale, puis par les légionnaires que D'An-

CHEMISES NOIRES
Militant fasciste en uniforme, avec ses insignes : aigle et faisceau.
Ph. © Archives Tallandier

nunzio avait conduits lors du coup de main sur Fiume (sept. 1919).

Chemises brunes. Nom donné aux membres des Sections d'assaut (S.A.) du parti national-socialiste allemand, lesquels furent revêtus de chemises de couleur brune à partir de 1925.

Chemises vertes. Nom donné, en raison de leur uniforme : aux membres de l'association nationaliste «Jeune-Égypte», qui lutta contre la domination britannique dans les années 1930; aux membres de la Garde de fer (v.) roumaine; aux militants du parti «intégraliste» brésilien, de tendances fascistes (1932/38); aux membres des Jeunesses paysannes, fondées en France par Henri Dorgères en 1935.

CHEMNITZ. Ville industrielle d'Allemagne, en Saxe. Siège d'une ancienne abbaye bénédictine, elle fut une ville impériale, puis passa à la maison de Wettin en 1308. Elle adhéra à la Réforme en 1539. Florissante dès le Moyen Age grâce à son industrie textile, elle fut ruinée par la guerre de Trente Ans, et ne retrouva véritablement son importance qu'au XIXe s. Incluse aujourd'hui dans la République démocratique allemande, elle a pris, en 1953, le nom de *Karl-Marx-Stadt.*

CHENNAULT Claire Lee (* Commerce, Texas, 6.IX.1890, † La Nouvelle-Orléans, 27.VI.1958). Général américain. Durant la guerre sino-japonaise, il devint conseiller du gouvernement nationaliste chinois en matière aéronautique et, en 1941, forma un groupe de pilotes volontaires américains surnommés les *Tigres volants.* Après l'entrée en guerre des États-Unis, il prit le commandement de l'aviation américaine en Chine (1942/45).

CHENONCEAUX. Ville de France (Indre-et-Loire), sur le Cher. Le château de Chenonceaux, construit de 1515 à 1532 pour Thomas Bohier, receveur général des finances, et Catherine Briçonnet, son épouse, passa à la Couronne en 1534. Henri II en fit don à Diane de Poitiers, mais, à la mort du roi, Diane fut forcée par Catherine de Médicis de l'échanger contre le château de Chaumont-sur-Loire. Louise de Lorraine y prit le deuil de son époux Henri III, assassiné. Bâti sur une île du Cher, le château, l'un des chefs-d'œuvre de l'architecture de la Renaissance en Touraine, est caractéristique de la transition entre le château féodal (subsistance d'un donjon dit tour de Marques) et la résidence princière à l'italienne.

CHEN PO-TA, *Chen Boda* en pinyin (* dans le Fou-kien, 1904). Homme politique chinois. D'origine paysanne, formé à Moscou, secrétaire politique de Mao Tsé-toung durant les années de guerre contre les Japonais et les nationalistes, il devint un des principaux idéologues du parti communiste. Vice-président de l'Académie des sciences et vice-chef de la propagande dès 1949, il fut un des principaux bénéficiaires de la révolution culturelle et était parvenu en 1968 au quatrième rang de la hiérarchie, après Mao, Lin Piao et Chou En-lai. Mais on révéla, en août 1972, qu'il avait participé au complot de Lin Piao.

CHEN-SI, *Shaanxi* en pinyin. Province de la Chine septentrionale. Elle devint la base du mouvement révolutionnaire communiste après la Longue Marche (v.).

CHEN TOU SIEOU. Voir Tch'en Tou Sieou.

CHEN-YANG. Voir Moukden.

CHEN YI, *Tch'en Yi* en pinyin (* Loghan, Sseu-tch'ouan, 1901, † Pékin, 8.I.1972). Maréchal et homme politique chinois. D'origine bourgeoise, fils d'un magistrat, il séjourna de 1919 à 1921 en France, où il se rallia au socialisme. Rentré en Chine, il adhéra au parti communiste et montra toujours une fidélité absolue à Mao Tsé-toung. Durant la Longue Marche, il couvrit les arrières de l'armée rouge, puis exerça d'importants commandements au cours de la guerre contre les Japonais et contre les nationalistes. En 1948/49, ses troupes s'emparèrent de Nankin et de Chang-hai. Maire de Chang-hai, vice-premier ministre, il remplaça Chou En-lai comme ministre des Affaires étrangères en 1958 et conserva ce poste jusqu'à sa mort. Durant la révolution culturelle, il subit de nombreuses attaques, mais Mao Tsé-toung lui garda sa confiance.

CHÉOPS, Khnom Koufoui. Roi d'Égypte, deuxième pharaon de la IVe dynastie (vers 2589/2566 av. J.-C.), fils et successeur de Snéfrou. Il fit construire la première et la plus haute des pyramides de Gizèh.

CHÉPHREN, Khaefrê. Roi d'Égypte, de la IVe dynastie (vers 2558/2538 av. J.-C.). Frère ou fils de Chéops, il régna, semble-t-il, après l'usurpation de Didoufri (ou Rêdedef). Il fit construire à Gizèh, au S.-O. de la pyramide de Chéops, la pyramide qui porte son nom.

CHÉQUARDS. Surnom péjoratif donné par l'opinion publique aux parlementaires compromis à partir de 1892 pour avoir reçu des chèques des animateurs de l'entreprise du canal de Panama (v.).

CHÉPHREN
Roi d'Égypte
(v. 2558-2538 av. J.-C.).
Ph. Gianni Dagli Orti © Photeb

CHÈQUE. Le chèque bancaire, qui a pour origine la lettre de change (v.), semble avoir fait son apparition en Italie dès le XIVe s., mais c'est en Angleterre et dans les pays anglo-saxons que son usage se développa, à partir de la fin du XVIIIe s. Il ne pénétra en Europe continentale qu'au siècle dernier et se heurta longtemps en France à une méfiance qui n'a vraiment disparu qu'après 1945. Le chèque barré, qui ne peut être payé qu'à un banquier ou à un client d'un banquier, fut introduit en France en 1911.

CHÈQUES POSTAUX. Système permettant à des particuliers ou à des entreprises de déposer des fonds dans les bureaux de poste et de les virer ou de les retirer au moyen d'un carnet de chèques. Les chèques postaux apparurent en Autriche dès la fin du XIXe s., puis en Allemagne, en Belgique, en Suisse. Ils ne furent introduits en France qu'en 1918 et ne connurent, pendant l'entre-deux guerres, qu'un faible succès. Leur développement a été au contraire très rapide depuis la Libération : le nombre des comptes ouverts passa de 800 000 en 1939 à plus de 6 500 000 en 1970 et 7 600 000 en 1983.

CHEQUERS. Maison de campagne du XVIe s., en Angleterre, près de Wendover (Buckinghamshire), au N.-O. de Londres. En 1921, son propriétaire, lord Lee of Fareham, en fit don au gouvernement britannique pour servir de maison de campagne au Premier ministre en exercice. Depuis, les Chequers ont été associés à des événements importants de la vie politique anglaise.

CHERASCO. Ville d'Italie (Coni), au N. de Mondovi. En 1631, un traité y fut signé qui mettait fin à la guerre de la Succession de Mantoue et maintenait le duc de Nevers, Charles Ier, dans le duché de Mantoue. Armistice entre Bonaparte et le Piémont, qui abandonna à la France Nice et la Savoie (28 avr. 1796).

CHERBOURG. Ville de France (Manche), port sur la Manche. D'une grande importance stratégique durant la guerre de Cent Ans, vainement assiégée par Édouard III d'Angleterre en 1346, la place fut livrée aux Anglais par son gouverneur (1418), mais reprise par les Français en 1450. Fortifiée par Vauban (1686), ravagée par la flotte anglaise de Howe en 1758, elle fut dotée d'un grand port militaire, aménagé de 1783 à 1858 et protégé par une digue de 3,7 km. C'est à Cherbourg que Charles X s'embarqua pour l'exil en 1830. Pris le 18 juin 1940, Cherbourg fut transformé en base de sous-marins par les Allemands; ceux-ci firent leur reddition aux Américains le 27 juin 1944, mais contrairement aux espérances du haut commandement allié, le port, systématiquement détruit, se révéla inutilisable pour le ravitaillement de l'armée d'invasion. Important escale transatlantique avant 1939, Cherbourg a perdu ce rôle du fait du développe

CHERBOURG
Le maire
célébrant la libération
de la ville, le 27 juin 1944.
Ph. © U.S.I.S. - Photeb

ment de la navigation aérienne mais s'efforce de s'industrialiser.

● La ville comptait 28 000 habitants en 1851, 42 900 en 1901. Elle n'avait plus que 28 400 habitants en 1982, au profit de son agglomération (82 500 habitants en 1982).

CHERCHELL. Ville et port d'Algérie, à l'ouest d'Alger. Important centre dans l'Antiquité, elle fut d'abord, sous le nom de *Iol*, une escale carthaginoise. Au Iᵉʳ s. avant notre ère, elle faisait partie du royaume de Juba II, qui en fit une de ses capitales (avec Volubilis) et lui donna, en l'honneur d'Auguste, le nom de *Caesarea*. Annexée à la province romaine d'Afrique sous Claude, en 42 apr. J.-C., elle devint la capitale de la province de Mauritanie Césarienne. Dévastée par les Vandales au Vᵉ s., reconquise par les Byzantins, elle fut prise par les Arabes au début du VIIIᵉ s. et porta dès lors le nom de *Cherchell*. Après un long déclin, elle fut reconstruite au XVᵉ s. par les Maures, chassés d'Espagne. Elle fut prise en 1531 par Andrea Doria et en 1840 par les Français. Le 20 oct. 1942, eut lieu dans les environs une entrevue secrète entre le général Clark, débarqué d'un sous-marin, et le général Mast, représentant du général Giraud. Cette entrevue avait pour but de préparer le débarquement allié en Afrique du Nord de nov. 1942. Durant les dernières années de la guerre, c'est à Cherchell que fut réorganisée l'École spéciale militaire de Saint-Cyr (1943/45).

CHERCHE-MIDI (prison du). Ancienne prison militaire, installée à Paris, rue du Cherche-Midi, en 1853; l'établissement fut démoli en 1961.

CHEROKEES. Importante tribu indienne des États-Unis, établie originellement dans le Tennessee et les deux Carolines. Entrés en relations avec les Anglais dès 1730, les Cherokees se montrèrent favorables aux royalistes durant la guerre d'Indépendance américaine. En 1796, Washington les choisit comme la nation témoin de l'effort que le gouvernement américain se proposait alors d'entreprendre en faveur des Indiens. Ils firent de rapides progrès : la nation Cherokee possédait une Constitution démocratique, avec un chef élu et des assemblées représentatives; vers 1820, ils adoptèrent un alphabet syllabique, et, en 1828, parut le premier journal cherokee. Mais, à la suite du traité de New Echota (déc. 1835), les Cherokees furent déportés, dans des conditions dramatiques, dans une région de l'Oklahoma (1838/39).

CHÉRONÉE, *Khairôncia.* Ancienne ville de la Béotie, sur les confins de la Phocide; patrie de Plutarque. Plusieurs batailles s'y déroulèrent : en 447 av. J.-C., victoire des Béotiens sur les Athéniens; le 2 août ou le 1ᵉʳ sept. 338 av. J.-C., victoire de Philippe II de Macédoine sur Athènes, Thèbes et leurs alliés (cette bataille fit passer toute la Grèce sous la domination macédonienne); en 86

av. J.-C., victoire de Sylla sur Archélaos, général de Mithridate.

CHERSONÈSE. Mot grec qui signifie péninsule.

Chersonèse de Thrace. Dans l'Antiquité, nom de la presqu'île de Gallipoli, située sur la rive européenne de l'Hellespont (Dardanelles). Cette région, commandant les routes commerciales de l'Égée vers la mer Noire, apparut très tôt comme vitale aux yeux des Athéniens, qui voulaient s'assurer le monopole des blés d'Ukraine. Dès le VIIᵉ s. av. J.-C., des Éoliens et des Ioniens y avaient établi des colonies grecques. Au temps de Pisistrate, Miltiade, fils de Cypsélos, y fonda une colonie athénienne, s'imposa comme tyran et transmit le pouvoir à ses descendants. Mais la Chersonèse se soumit aux Perses vers 492. Après les guerres médiques, les Athéniens y rétablirent leur influence et amenèrent les cités à entrer dans la ligue de Délos. Chassés par les Spartiates en 405, ils revinrent en Chersonèse en 353, mais, après la bataille de Chéronée (338), furent supplantés par les Macédoniens. A l'époque hellénistique, la Chersonèse fit partie du royaume des Séleucides; elle passa en 188 à celui de Pergame et, en 133 av. J.-C., aux Romains.

Chersonèse taurique, aujourd'hui la Crimée. Elle fut d'abord habitée par les *Tauri,* peuple inhospitalier qui massacrait les étrangers égarés sur leurs côtes. Cependant, au VIᵉ s. av. J.-C., des Ioniens fondèrent le comptoir grec de *Chersonèse* (près de l'actuelle Sébastopol), près duquel s'établit une colonie de Mégariens exilés d'Héraclée Pontique. Les habitants de Chersonèse durent se défendre contre les Scythes, contre les Tauri et également contre le royaume du Bosphore (v.). Ils réussirent à préserver leur indépendance et, durant toute l'Antiquité, furent les principaux exportateurs du blé d'Ukraine vers Athènes et les villes de l'Égée. Sous la pression des Scythes, ils durent se placer sous la protection du roi du Pont, à la fin du IIᵉ s. av. J.-C. et furent annexés par Mithridate VI. Passée ensuite aux Romains, la Chersonèse retrouva toute sa prospérité qui se maintint à l'époque byzantine jusqu'à la prise de la ville par le grand-prince de Kiev, en 988.

Chersonèse cimbrique, aujourd'hui la presqu'île du Jutland, ainsi nommée des *Cimbres* qui l'habitaient.

CHÉRUSQUES, Cherusci. Peuple de Germanie, établi au début de notre ère dans la région de la Weser, entre l'Elbe et la forêt de Teutoburg. Mentionnés pour la première fois par César, soumis aux Romains en l'an 4, les Chérusques prirent une part décisive à la lutte contre la domination romaine; ils participèrent au soulèvement de l'an 9 contre Varus, et à la guerre contre Germanicus (15/16), reconquirent leur indépendance, mais durent bientôt accepter l'aide des Romains contre les Chattes. Par la suite, ils

939

CHESNELONG
Pierre Charles. Homme politique
français (1820-1899).
Ph. Franck © Photeb

CHESTERFIELD
Philip, 4ᵉ comte de C. Homme
politique anglais (1694-1773).
Peint en 1742 par W. Hoane.
(National Portrait Gallery,
Londres.)
Ph. © du musée - Photeb

CHEVALERIE
Page ci-contre :
chevalier revêtu d'une armure
de parade à grand cimier,
pour le carrousel
du duc de Bourgogne, 1430.
Ph. © Bibl. Nat., Paris - Photeb

émigrèrent vers la Saxe. Des fouilles ont
révélé leur haut degré de civilisation.

CHESNELONG Pierre Charles (* Orthez, Pyrénées-Atlantiques, 14.IV.1820,
† Orthez, 22.VII.1899). Homme politique
français. Maire de sa ville natale (1855),
député à l'Assemblée nationale (1871) et
chef des légitimistes, il dirigea la campagne
pour la restauration de la monarchie en
faveur du comte de Chambord.

CHESTER. Ville et port d'Angleterre, sur
la Dee, au S. de Liverpool, chef-lieu du
comté de Chester (ou Cheshire). A l'époque
romaine *Deva* ou *Castra Devana*, elle fut
une importante base militaire et le quartier
de la 20ᵉ légion, puis la capitale du royaume
gallois de Gwynedd, jusqu'à la prise de la
ville par Egberg (828). Elle fut la dernière
place d'Angleterre à se rendre à Guillaume
le Conquérant, en 1070. Chester a conservé
de nombreux monuments du Moyen Age,
entre autres sa cathédrale et la ceinture complète de ses remparts (XIVᵉ s.).
Son port, tourné vers l'Irlande, puis vers
l'Espagne et le Portugal, connut une grande
activité commerciale du XIVᵉ au XVIᵉ s.

**CHESTERFIELD, Philip Dormer Stan-
hope,** 4ᵉ **comte de** (* Londres, 22.IX.1694,
† Londres, 24.III.1773). Homme politique
anglais. Ambassadeur en Hollande (1728),
vice-roi d'Irlande (1745), secrétaire d'État
(1746/48), il fut lié avec de nombreux
hommes célèbres de son temps, particulièrement avec Voltaire et Montesquieu. Ses *Let-
ters to His Son* (*Lettres à son fils Philip
Stanhope,* 1774), adressées au fils naturel
qu'il avait eu d'une Française, forment un
code de vie assez cynique de l'homme élégant
et spirituel du XVIIIᵉ s.

CHEVAGE. Au Moyen Age, le chevage
(capitagium) était une charge personnelle
due par chaque serf, d'un montant peu élevé
— en général quatre deniers (on appelait souvent le serf « l'homme de quatre deniers ») —,
mais qui constituait chaque année un aveu
renouvelé du servage.

CHEVAL. Le cheval a précédé l'homme sur
la terre et l'on situe généralement son berceau dans les steppes de l'Asie centrale. En
Europe occidentale, les hommes du
paléolithique supérieur, vers − 20000/
− 15000, chassaient abondamment le cheval
sauvage; au cours des fouilles de Solutré, en
Saône-et-Loire, on a mis au jour d'innombrables ossements de chevaux qui, peut-
être, avaient été cernés par troupeaux entiers
et poussés par des rabatteurs, du haut du
promontoire escarpé qui domine le site. La
domestication du cheval a été assez tardive.
Jusque vers le milieu du IIᵉ millénaire avant
notre ère, le cheval est inconnu des civilisations du Proche-Orient (Égypte, Mésopotamie). Les Indo-Européens, qui le connaissaient depuis longtemps, semblent l'avoir
amené avec eux dans leurs migrations. En
Égypte, le cheval n'apparut qu'au

moment de l'invasion des Hyksos, vers
− 1650, et son élevage ne se développa qu'au
temps du Nouvel Empire. Égyptiens et Assyriens se servirent surtout du cheval comme
animal de trait (la charrerie − v. CHARS −
devint l'arme d'élite), mais rarement comme
monture, à la différence des peuples de la
steppe et des Perses. Ni en Grèce ni à Rome,
la cavalerie (v.) ne joua un rôle militaire
important. Mais les Grecs de l'époque homérique organisaient déjà les courses de chars
(*Iliade,* XII), et des courses de chevaux
montés apparaissent dès la fin du VIIᵉ s.
avant notre ère. Dans l'Inde védique était
pratiqué un sacrifice solennel du cheval, l'*aç-
vamedha,* rite caractéristique de la royauté,
qui assurait à un souverain déjà victorieux la
puissance et la gloire sans limites.
Jusqu'à l'apparition de la vapeur, au milieu
du XIXᵉ s., le cheval allait jouer un rôle essentiel dans la vie des hommes, comme animal
de trait, comme monture de voyage ou de
guerre. A partir du IVᵉ s., la lutte contre les
peuples cavaliers obligea les Romains à
donner une importance de plus en plus
grande à leur cavalerie. Mais l'Antiquité
ignora toujours le fer à cheval, la selle et
l'étrier, qui n'apparurent dans le monde
méditerranéen oriental que vers 400, introduits par les Goths venus d'Ukraine, lesquels
avaient hérité de ces inventions techniques au
contact des peuples de la steppe. Dès l'époque de Charlemagne, l'armée fut entièrement
montée et, comme un cheval coûtait cher, le
service militaire fut restreint à un petit
nombre d'hommes. Le cheval devint ainsi un
principe de différenciation sociale :
« Combattant = cavalier = chevalier. Le
chevalier est le vassal qui doit le service militaire et ce service ne se conçoit plus qu'à
cheval. D'autre part, en ce siècle où la guerre
est la chose de tous les jours, le chevalier
représente la force par excellence : une idée
de supériorité s'attache à cette condition
sociale. Une équivalence s'établit ainsi :
combattant = cavalier = chevalier =
noble. Un fief sera réputé noble qui compor-
tera l'obligation du service militaire à
cheval. » (G. Castellan, *Histoire de l'armée*).
Voir ARMÉE, COURSES de chevaux.

CHEVALERIE. La chevalerie est née de la
profonde révolution militaire des VIIᵉ/Xᵉ s.,
qui entraîna la substitution de la cavalerie
(v.) aux fantassins comme force principale
des armées germaniques. Dans la situation
d'insécurité de la société européenne du haut
Moyen Age, tout homme fort et courageux
est soldat, et le soldat, c'est désormais le
guerrier à cheval, le *chevalier.* A cette
époque, la noblesse n'est pas une classe
fermée : quiconque est assez riche pour posséder un cheval et s'équiper à ses frais deviendra noble si un compagnon d'armes, un chevalier, le fait lui-même chevalier par la *colée*
Dans certaines régions, en particulier dans le
midi de la France, on passait facilement d[e]
la roture à la chevalerie, et les exemples d[e]
vilains armés chevaliers sont nombreux. L[e]
fils d'un noble n'était pas chevalier par s[a]

mõs · de · ternant ·

naissance : il ne le devenait qu'après avoir reçu solennellement ses «armes viriles». Ainsi voit-on Charlemagne ceindre solennellement l'épée à son fils Louis, âgé de treize ans (791). Cette coutume remonte sans doute à de vieux usages germaniques, signalés par Tacite (*La Germanie*, chap. XIII).

La remise des armes revêtit très tôt le sens d'un engagement moral : bravoure, fidélité au suzerain, loyauté dans le combat, telles furent toujours les obligations du chevalier, auxquelles s'ajoutèrent celles de protéger l'Église et les clercs, de défendre la chrétienté, de combattre les infidèles. L'Église vit dans l'institution de la chevalerie un moyen de discipliner et de christianiser la féodalité (v.). L'apogée de la chevalerie se place aux XIIe et XIIIe s. A cette époque, le titre de chevalier appartient déjà presque exclusivement aux personnes de naissance noble. On se prépare dès l'enfance à devenir chevalier, après avoir passé, à la cour du suzerain ou du roi, par les rangs de damoiseau *(domicellus)*, de valet *(vassaletus)*, d'écuyer *(armiger)*. L'âge où l'on était armé chevalier variait beaucoup : quinze ans en général, mais il y a des exemples d'enfants armés chevaliers à dix ou onze ans; plus tard, la tendance fut de retarder l'entrée dans la chevalerie jusqu'à l'âge de la majorité, vingt et un ans.

La cérémonie de l'*adoubement* était fixée d'ordinaire de manière à coïncider avec une grande fête de l'Église; mais on créait souvent des chevaliers à l'improviste, sur les champs de bataille, après des actions d'éclat, ou même au moment d'engager l'action. L'adoubement, à l'origine cérémonie toute laïque et militaire, s'imprégna de plus en plus de christianisme. Dès la fin du Xe s., on trouve dans un rituel romain une «bénédiction du chevalier». A la fin du XIIe s. et au XIIIe s., la réception de la chevalerie est devenue comme un «huitième sacrement». On s'y prépare par une veillée d'armes passée devant l'autel, par un bain rituel, par la confession et la communion. Après la messe, suivie d'un repas, le jeune homme se rend sur le perron du château. Il reçoit, avec le baudrier, l'épée que le prêtre a consacrée, puis les éperons, le haubert, le heaume, l'écu, la lance. Alors, de la paume de la main, son parrain lui donne sur la nuque un formidable coup qui le fait souvent chanceler : c'est la *colée* ou *paumée*. Au XIIIe s., c'est le prêtre qui ceint lui-même l'aspirant de l'épée, prononce la formule : « Sois chevalier », avec un léger soufflet qui remplace la colée, et adresse au nouveau chevalier un sermon de circonstance. Aux XIIIe et XIVe s., l'adoubement est pratiqué de plus en plus sur les champs de bataille. Alors que la féodalité créait seulement des rapports de suzerain à vassal, la chevalerie sanctifiait la profession guerrière. Le chevalier qui manquait à ses devoirs était déclaré *félon* et perdait ses privilèges.

CHEVALET. Ancien instrument de torture constitué d'une pièce de bois en forme de prisme, portée sur quatre pieds; on y mettait à cheval le condamné, dont le corps était lié

CHEVALIER
Michel. Économiste
français (1806-1879).
Ph. © Bibl. Nat., Paris - Photeb

et immobilisé, et à qui l'on attachait de lourds poids aux jambes, qui étaient graduellement disloquées.

CHEVALIERS (à Rome). Voir ÉQUESTRE (ordre).

CHEVALIER Michel (* Limoges, 13.I. 1806, † Montplaisir, près de Montpellier, 28.XI.1879). Économiste français. D'abord saint-simonien, directeur du journal *Le Globe* (1830/32), il participa en 1831 à l'expérience communautaire d'Enfantin à Ménilmontant. Professeur d'économie politique au Collège de France en 1840, il fut, avec Cobden, le principal instigateur du traité de commerce libre-échangiste entre la France et l'Angleterre (1860).

CHEVALIERS (krak des). Voir KRAK DES CHEVALIERS.

CHEVALIERS DE MALTE. Voir HOSPITALIERS DE SAINT-JEAN-DE-JÉRUSALEM.

CHEVALIERS PORTE-GLAIVE. Voir PORTE-GLAIVE (chevaliers).

CHEVALIERS TEUTONIQUES. Voir TEUTONIQUE (ordre).

CHEVAUCHÉE. Au Moyen Age, courte expédition de cavalerie, coup de main tenté contre un château ennemi, raid d'intimidation ou de razzia sur le sol ennemi. Tout seigneur pouvait requérir de ses vassaux le service de chevauchée, qui se distinguait de la grande expédition militaire ou ost (v.).

CHEVAU-LÉGERS. Corps de cavalerie légère organisé en France sous Louis XII, en 1498. Ils constituèrent d'abord des compagnies spéciales, légèrement armées, qui combattaient avec l'arbalète en avant des gendarmes. En 1599, Henri IV créa les chevau-légers de la garde du roi, qui formaient, sous Louis XIV et Louis XV, une compagnie de 150 hommes environ, tous nobles; ils furent supprimés en 1787. En 1779, les chevau-légers attachés aux régiments de ligne furent réorganisés en 6 régiments distincts. Sous le premier Empire, la garde impériale eut 2 régiments de chevau-légers lanciers. Les chevau-légers disparurent de l'armée française en 1815.

Le surnom de chevau-légers fut donné aux 80 députés légitimistes de l'Assemblée nationale de 1871, qui restèrent inébranlablement fidèles au comte de Chambord, même après que ce dernier eut fait connaître son choix du drapeau blanc (juill. 1871).

CHEVELUE (Gaule), Gallia comata. Nom donné, en raison de la longue chevelure des Gaulois, à la Gaule qui était restée indépendante jusqu'à la conquête de César, par opposition à la Gaule Narbonnaise, dite *braccata* (v.).

CHEVERNY. Ville de France (Loir-et-Cher), près de Blois. Château de styl

Louis XIII, construit en 1634 par l'architecte blésois Boyer pour Henri Hurault, comte de Cheverny, fils du chancelier de France Philippe Hurault.

CHEVERT François de (* Verdun, 1695, † Paris, 1769). Général français. Entré au service comme simple soldat, il était lieutenant-colonel lors du siège de Prague par Maurice de Saxe (1741) et prit la plus grande part dans la prise de la ville, qu'il devait défendre l'année suivante, pendant 18 jours, avec 1 800 hommes, contre toute l'armée autrichienne, avant de capituler aux conditions les plus honorables. Il fut ensuite maréchal de camp, puis lieutenant général.

CHEVERUS Jean Louis Lefebvre de (* Mayenne, 28.I.1768, † Bordeaux, 19.VII.1836). Prélat français. Émigré en 1792 comme prêtre réfractaire, il arriva aux États-Unis en 1796, effectua d'héroïques missions chez les Indiens du Maine et devint évêque de Boston (1808). Revenu en France sur les instances de Louis XVIII, il devint évêque de Montauban (1823), archevêque de Bordeaux et pair de France (1826) puis cardinal (1836).

CHEVKET Mahmoud (* Bassora, 1858, † Constantinople, 11.VI.1913). Général et homme politique turc. Gouverneur de Skoplje, en Macédoine, il entra en contact avec le mouvement des Jeunes-Turcs. Au printemps 1909, à la tête de l'armée de Salonique, il marcha sur Constantinople et provoqua ainsi la déposition du sultan Abdul-Hamid II (avr. 1909). Ministre de la Guerre (1912), puis grand vizir (janv. 1913), il fut assassiné, et les Jeunes-Turcs purent s'emparer complètement du gouvernement.

CHEVREUSE. Ville de France au S.-O. de Versailles. La seigneurie de Chevreuse, après avoir appartenu aux Montmorency, fut érigée en duché pairic pour Claude de Lorraine (* 1578, † 1657), époux de la célèbre duchesse de Chevreuse, et, faute d'héritiers, passa en 1664 à la maison de Luynes; l'usage s'établit dans cette dernière famille de porter alternativement de mâle en mâle les titres de duc de Luynes et de duc de Chevreuse.

CHEVREUSE, Marie de Rohan-Montbazon, duchesse de (* déc. 1600, † Gagny, 12.VIII.1679). Fille d'Hercule de Rohan, duc de Montbazon, elle épousa en 1617 Charles d'Albert, duc de Luynes, puis, en 1622, Claude de Lorraine, duc de Chevreuse. Sa vie fut remplie d'aventures galantes et d'intrigues. Elle chercha à compromettre Anne d'Autriche, son amie intime, avec Buckingham (1625), fit échouer le projet de Louis XIII qui voulait marier son frère, Gaston d'Orléans, à Mlle de Montpensier, monta toute une conspiration contre Richelieu et y jeta son jeune amant, Chalais, qui fut décapité.
Exilée de la cour, elle se réfugia en Lorraine, où elle devint la maîtresse du duc Charles IV; elle poussa celui-ci à se joindre à l'Angleterre

CHEYENNES
Le chef de tribu
Dull Knife, v. 1875.
Ph. © U.S.I.S. - Photeb

contre la France. Richelieu, la jugeant moins dangereuse encore à Paris qu'à l'étranger, la rappela, mais elle fut de nouveau exilée en 1632 et 1637. Elle ne revint en France qu'à la mort de Louis XIII, pour se lancer aussitôt dans la cabale des Importants, puis dans la Fronde. Elle fit sa paix définitive avec Mazarin en 1652, et, en 1657, elle se remaria secrètement avec le marquis de Laigues.

Charles Honoré d'Albert, duc de Luynes, de Chaulnes et de Chevreuse (* 1646, † Paris, 1712), gendre de Colbert, fut l'ami de Racine et de Fénelon. Très dévot, formé par les jansénistes, il évolua vers le quiétisme, sous l'influence de l'archevêque de Cambrai. Fénelon fit de fréquents séjours à Chaulnes à partir de 1703 et c'est là qu'il écrivit, en 1711, à l'intention du duc de Bourgogne, ses fameuses *Tables de Chaulnes* (v. CHAULNES, Tables de), où il proposait un plan de réformes pour libérer le royaume de l'absolutisme.

CHEVRON. Galon d'or, d'argent ou de laine, en forme de V renversé, que les soldats et les sous-officiers français, jusqu'au grade d'adjudant, portaient sur la manche gauche de l'uniforme et qui indiquaient les années de service. Les chevrons furent établis en 1771; chaque chevron représentait d'abord 8 années de service. Aboli par la Révolution en 1791, rétabli par Bonaparte en 1802, le chevron disparut après l'institution du service militaire obligatoire, mais il fut de nouveau porté pendant la Première Guerre mondiale pour témoigner des années de campagne ou de blessures reçues.

CHEYENNES. Indiens de l'Amérique du Nord installés au XVIIe s. dans le centre de l'actuel Minnesota; à la fin du XVIIIe s., sous la pression des Sioux, ils émigrèrent à l'O. du Missouri, dans le Dakota du Sud et le Wyoming. Dans les années 1860/70, les Cheyennes menèrent contre les Blancs de longues guerres, qui furent marquées par le massacre de Sandy Creek (1864).

CHEZAL-BENOÎT. Ville de France (Cher), près de Saint-Amand-Mont-Rond. Abbaye bénédictine fondée au XIe s. et qui, sous l'impulsion de l'abbé Pierre Dumas, devint à partir de 1488 le foyer d'une réforme monastique inspirée de Sainte-Justine de Padoue et le centre d'une petite congrégation constituée en 1508 et rattachée à Saint-Maur en 1636.

CHIAPPE Jean (* Ajaccio, 3.V.1878, † en Méditerranée, 27.XI.1940). Homme politique français. Très populaire préfet de police de Paris (1927/34) il fut privé de son poste en févr. 1934 en raison de ses sympathies pour les ligues d'extrême droite. Son remplacement par Bonnefoy-Sibour contribua à déclencher l'émeute du 6-Février. Il fut nommé haut-commissaire en Syrie par le gouvernement de Vichy en 1940; l'appareil dans lequel il rejoignait son poste fut abattu en Méditerranée par un avion britannique.

CHIBCHAS. Ancien peuple de l'Amérique du Sud, qui était établi au XVIᵉ s. dans les hautes vallées des rios Bogotá et Chicamocho, en Colombie. Les Chibchas, qui comptaient, au moment de la conquête espagnole environ 800 000 âmes, étaient, en dehors de l'empire des Incas, le peuple le mieux organisé politiquement de l'Amérique du Sud. Le pays chibcha était partagé entre deux souverains héréditaires, par ordre de succession matrilinéaire (le chef avait pour héritier le fils de sa sœur), le *zipa* et le *zaque,* dont l'autorité, respectée par tous, était d'essence sacerdotale autant que politique; ils étaient représentés localement par des chefs qui souvent rivalisaient entre eux, mais qui ne mettaient jamais en question le pouvoir central. Au point de vue économique, cette société était fondée sur l'agriculture, l'artisanat (principalement le tissage et l'orfèvrerie) et sur un commerce très actif, mais ayant pour base le troc, car le pays était pauvre en métal et l'or nécessaire aux orfèvres devait être échangé avec les pays voisins.
La religion des Chibchas avait une mythologie riche en dieux humanisés et des doctrines cosmogoniques; elle comportait des sacrifices de jeunes garçons considérés comme des intermédiaires entre les hommes et le Soleil. La civilisation chibcha disparut après la conquête espagnole menée en 1536/38 par Jiménez de Quesada.

CHICAGO. Ville des États-Unis (Illinois), sur le lac Michigan, la deuxième après New York par sa population, et son rôle économique et culturel. Le site où s'éleva plus tard Chicago fut reconnu pour la première fois en 1673 par Marquette et Joliet. Un siècle environ plus tard y fut établi un comptoir commercial, et le fort Dearborn y fut construit en 1803. L'année suivante vit la fondation de la ville, qui commença à se développer grâce au trafic sur le lac et surtout grâce à l'arrivée du chemin de fer (1848). A la suite du terrible incendie qui la ravagea presque complètement en 1871, l'ancienne ville de bois fit place à une grande cité moderne de pierre et d'acier. La croissance industrielle de Chicago s'accompagna de graves troubles sociaux tels que l'émeute de Haymarket Square (1886) et la grève de Pullman (1894). Entre les deux guerres mondiales, la ville devint la principale base des gangsters et des racketters (Al Capone), mais la Century of Progress Exposition de 1933/34 donna un témoignage éclatant de la puissance et de la prospérité de la ville, qui devaient encore s'accroître durant la Seconde Guerre mondiale. Chicago, qui était au milieu du siècle dernier le principal marché américain des céréales, devint à partir de 1875 le centre d'immenses conserveries de viande, mais, dès 1890, ces industries étaient surpassées par la métallurgie, et Chicago devenait, après New York, la deuxième ville industrielle des États-Unis : hauts fourneaux, aciéries, fabriques de machines agricoles (McCormick), de matériel ferroviaire (Pullman), de produits chimiques, etc.

CHICHÉN ITZÁ
Le « Porte-étendard », grande sculpture érigée sur l'escalier du temple des Guerriers.
Ph. © H. Stierlin
Archives Photeb

Principal nœud ferroviaire des États-Unis, Chicago voit se croiser la moitié des principales lignes américaines; son agglomération (plus de 7 millions d'habitants, dont plus de 3 millions dans la ville même) est desservie par 20 aérodromes; elle possède aussi un grand port fluvial, relié au Mississippi par l'Illinois canalisé (depuis 1933). Son importance culturelle dans la vie américaine n'est pas moindre, avec l'université de Chicago (fondée en 1892), l'institut des beaux-arts (1879), le musée d'histoire naturelle, l'institut de technologie de l'Illinois, l'université Loyola (catholique), etc.
● La ville a fait de considérables efforts pour purifier les eaux du lac Michigan dont elle occupe un front de 100 km. Ainsi a-t-elle édifié la plus grande station d'épuration du monde; sujette aux inondations, elle a aménagé un immense réservoir pour le trop-plein des eaux pluviales. Très soucieuse d'urbanisme, elle se flatte d'avoir inventé l'architecture moderne; elle a élevé 2 des 5 gratte-ciels les plus hauts du monde et a mis en chantier l'exposition universelle de 1992.

CHICHÉN ITZÁ. Ancienne ville du Mexique méridional, dans la presqu'île du Yucatán. Fondée vers le milieu du VIᵉ s. de notre ère, elle ne fut d'abord qu'un poste frontière de l'Empire maya, mais, à la fin du Xᵉ s., elle devint un des principaux centres du Nouvel Empire maya, puis, au XIIIᵉ s., la capitale des Toltèques, alliés aux Mayas. C'est alors qu'elle connut son apogée, dont témoignent le temple « El Castillo », la place des Mille Colonnes, etc. Chichén Itzá fut brusquement désertée vers le milieu du XVᵉ s., pour des raisons demeurées obscures.

CHICHESTER. Ville d'Angleterre (Sussex). A l'époque romaine *Noviomagus* ou *Regnum,* elle fut relevée vers 490 par le prince saxon Cissa, auquel elle doit son nom, et devint la principale résidence royale du Sussex. L'évêché du Sussex, fondé par st. Wilfrid à Selsey, fut transféré à Chichester en 1075. La ville reçut l'étape des laines en 1348. Les restes d'un amphithéâtre romain y furent découverts en 1935. Grande cathédrale (XIIᵉ-XIIIᵉ s.).

CHICKAMAUGA. Ville des États-Unis, dans le N.-O. de la Georgie, au S. de Chattanooga. Il s'y livra une bataille indécise, mais l'une des plus sanglantes de la guerre de Sécession, dont l'enjeu était la possession de l'important nœud ferroviaire de Chattanooga (19/20 sept. 1863).

CHICOT, Antoine d'Anglerays, dit (* vers 1550, † Pont-de-l'Arche, 1592). Gentilhomme gascon, il devint le bouffon d'Henri III et se rendit célèbre autant par sa bravoure que par son esprit. Rallié à Henri IV, il fut blessé mortellement au siège de Rouen.

CHIEN. Le chien, qui descendrait selon les uns du loup, selon les autres du chacal, fut le plus ancien des animaux domestiques. Se

CHIEN
Insigne d'un groupe
vétérinaire. (Serv. hist.
de l'armée de terre -
section Symbolique.)
Ph. Jeanbor © Photeb

CHIÈVRES
Guillaume de Croÿ, seigneur
de C. Homme politique belge.
Peint avec le collier de
la Toison d'or. (Musée
des Beaux-Arts, Bruxelles.)
Ph. © A.C.L. - Archives Photeb

restes les plus anciens, découverts en Amérique, dans l'Idaho, ont été datés de −9000. Au Danemark, dans des couches résiduaires pouvant remonter à −7000, on a retrouvé des vestiges de chiens parmi d'autres ossements et des débris de poterie. On peut imaginer quel a été le processus de domestication du chien : des canidés errants se mirent à suivre l'homme préhistorique à la chasse pour profiter des déchets des bêtes abattues; ces chiens, qui pouvaient avertir le chasseur des dangers qui le menaçaient, surent aussi rabattre vers lui des proies; peu à peu, les liens entre l'homme et le chien se resserrèrent et, dès le néolithique, le chien s'installa dans les habitations humaines pour devenir le compagnon fidèle de l'homme.

Dès le début du IIIe millénaire, on trouve des représentations de chiens sur les monuments d'Égypte. Plusieurs races peuvent être distinguées : des lévriers, des mastiffs ou des dogues, un chien plus grand que le lévrier et à oreilles tombantes, des bassets, etc. Chasseur, gardien de troupeau, le chien accompagnait aussi les activités de son maître dans la maison. Il faisait partie des vénérations religieuses égyptiennes et était associé au culte d'Isis et d'Osiris. On a retrouvé de nombreuses momies de chiens et, dans les nécropoles, des emplacements réservés aux tombes de chiens. Les sculptures assyriennes nous montrent des lévriers et des molosses associés à des scènes de chasse et de guerre. Les Juifs, en réaction peut-être contre les goûts des Égyptiens, vouèrent une véritable détestation au chien, considéré comme un animal impur; ils ne devaient pas se servir de chiens pour la chasse, car le gibier qui aurait été tué par un chien aurait été souillé.

En Grèce, au contraire, le chien tient une grande place au moins dès l'époque homérique. Dans *L'Odyssée*, le brave Argos est le premier à reconnaître son maître Ulysse rentrant comme mendiant dans Ithaque, et il en expire de joie. Les fresques grecques représentent non seulement des chiens de chasse et de guerre (l'un de ces derniers s'illustra à Marathon), mais aussi de petits chiens d'agrément en train de jouer avec les enfants. Dès cette époque, le chien apparaît sur les médailles et les pièces de monnaie comme symbole de la fidélité. Les Romains connaissaient trois grandes sortes de chiens : les chiens de garde *(canes villatici)*, les chiens de berger *(canes pastorales)* et les chiens de chasse *(canes venatici)*. Célèbre est la mosaïque de Pompéi représentant un chien attaché avec la légende : *Cave canem,* « Prenez garde au chien »; dans la ville ensevelie sous la lave, on a retrouvé également un chien pétrifié, retenu par ses chaînes. Les chiens combattaient aussi les bêtes sauvages dans l'arène.

Pour l'homme noble du Moyen Age, passionné de chasse, le chien est un compagnon presque aussi indispensable que le cheval; des peines très sévères frappent ceux qui volent ou tuent des chiens « nobles » tels que le lévrier et le braque; la superstition populaire attribue au chien le pouvoir de déceler les esprits, mais elle fait aussi de lui un messager de l'au-delà. Lors de la conquête de l'Amérique, les Espagnols sont accompagnés de troupes de molosses spécialement formés à la guerre; ils découvrent que les Indiens du Nouveau Monde connaissent déjà au moins une vingtaine de races canines. Les chiens d'agrément, d'espèces naines, se multiplient en Europe à partir de la Renaissance. Des courses de lévriers sont organisées en Angleterre dès le règne d'Élisabeth Ire. Le nombre des chiens domestiques se multiplie aux XIXe et XXe s., et les premières lois pour préserver les chiens et les autres animaux domestiques des mauvais traitements sont prises en France en 1791 et en 1850. La population canine était estimée en France, en 1975, à environ 7 millions d'individus.

CHIETI. Ville d'Italie (Abruzzes et Molise). Dans l'Antiquité *Teate,* capitale des Marrucins, elle fut l'alliée de Rome pendant la deuxième guerre punique, mais participa plus tard à la guerre sociale. Dévastée par les invasions barbares, elle fut reconstruite par Théodoric, devint une forteresse lombarde, puis, au Xe s., la capitale d'un comté normand. Un de ses évêques, le futur pape Paul IV, fonda en 1524 l'ordre des *Théatins,* ainsi appelé du nom latin de la ville.

CHIÈVRES, Guillaume de Croÿ, seigneur de (* Chièvres, Hainaut, 1458, † Worms, 18.V.1521). Homme politique flamand. D'abord au service de l'empereur Maximilien, il participa à la conquête de Naples dans l'armée de Charles VIII. Principal conseiller de Philippe le Beau, il devint en 1509 le gouverneur du futur Charles Quint et eut une influence décisive sur la formation du jeune prince. Charles fit de lui son principal ministre et le combla d'honneurs. Cependant Chièvres réussit fort mal en Espagne, car lui-même et son entourage symbolisaient aux yeux des Espagnols l'influence prédominante des Flamands.

CHIFFA. Fleuve d'Algérie, qui se jette dans la Méditerranée près de Sidi-Ferruch. De nombreux combats se livrèrent sur ses rives durant la conquête de l'Algérie; le 31 déc. 1839, les Français y écrasèrent l'infanterie régulière d'Abd el-Kader.

CHIFFON DE PAPIER. Vocables employés par le chancelier allemand Bethmann-Hollweg, lors de son ultime entretien avec l'ambassadeur anglais à Berlin, le 4 août 1914, pour évoquer le traité de 1839 garantissant la neutralité belge, laquelle avait été violée deux jours plus tôt par les troupes allemandes (« A cause d'un mot seulement : *neutralité,* chose qui a été si souvent violée pendant des guerres, et pour un chiffon de papier, l'Angleterre va combattre contre une nation qui est sa parente, et qui ne lui demande rien d'autre que de l'amitié! »).

CHIGI. Famille italienne, originaire de Sienne, dont le premier représentant connu,

CHILI
Des prisonniers (à dr.) sont amenés au général San Martín,
victorieux à la bataille de la rivière Maipu, 5 avr. 1818.
L'armée de libération, forte de 5 000 hommes, était venue de Buenos Aires
et avait franchi les Andes, au cœur de l'hiver 1817,
pour délivrer le pays de la domination espagnole.
Le parti de l'indépendance chilienne était fort, mais l'étroitesse
du territoire, long de 1 850 km et possédant
de nombreux ports, permit aux Espagnols de tenir jusqu'en 1820
Ph. Jeanbor © Archives Photeb

le banquier **Agostino Chigi, le Magnifique**
(* vers 1465, † 10.IV.1520), vint s'établir à
Rome en 1485. Devenu l'argentier du pape,
il accrut considérablement sa fortune et fit
construire la villa Farnésine, décorée de fresques par Raphaël, lequel travailla aussi aux
chapelles Chigi de Santa Maria del Popolo
et de Santa Maria della Pace. Un membre
de la famille Chigi, Fabio, fut élu pape en
1655 sous le nom d'Alexandre VII (v.).
Le **palais Chigi,** sur la piazza Colonna à
Rome, commencé en 1562 par Giacomo
Della Porta, achevé par Maderno et Della
Greca, fut le siège du ministère italien des
Affaires étrangères (1923/60) et, à partir de
1961, de la présidence du Conseil.

CHIITES ou **SHIITES,** du mot arabe
shî'a, parti. Secte de l'islam, qui ne reconnaît
qu'Ali ibn-abi-Talib (v.) pour légitime successeur de Mahomet et que les descendants
d'Ali pour imams, c'est-à-dire chefs spirituels de la communauté. Le nom péjoratif
de *chiites* (partisans, factieux) leur est
donné par les orthodoxes ou *sunnites.* L'opposition entre chiites et orthodoxes ne cessa
de s'approfondir au cours des siècles, car le
chiisme avait prédominé en Perse et la résistance persane contre les Arabes et les Turcs
s'exprima sous cette forme.
Le groupe chiite le plus répandu est celui
des *imamites,* qui admettent après Ali douze
imams (v.) dont le dernier aurait disparu
tout jeune, en 878, et vivrait aujourd'hui
encore caché pour revenir, à la fin des
temps, établir le règne de la justice; cette
doctrine des imamites devint, en 1572, la
religion d'État de la Perse; les *ismaïliens* (v.)
se rattachent également au chiisme, dont ils
forment le groupe le plus extrémiste. L'origine du parti chiite remonte à l'assassinat
d'Ali et à l'usurpation des Ommeyades, qui
exclurent du califat les descendants d'Ali
(659).
● Dans l'islam, les chiites sont minoritaires
par rapport aux sunnites; en particulier, ils
sont absents de l'islam africain. Ils sont
majoritaires à 60 % au Bahreïn, où le pouvoir
est aux mains d'une dynastie de sunnites; en
Irak, ils constituent 50 % des musulmans, ce
qui représentait un facteur de tension particulièrement dangereux dans la guerre du
Golfe livrée contre l'Iran, le plus grand pays
chiite (93 %). Au Liban, ils constituent 50 %
de la population musulmane et en
Afghanistan, 20 % (dont une importante
partie réfugiée en Iran après l'invasion
soviétique). Là s'arrête leur importance,
alors que le sunnisme est seul présent dans
plusieurs dizaines de pays. En revanche, le
rôle joué par la révolution khomeiniste
d'Iran (v.) à partir des années 80 a donné au
chiisme une puissance internationale (voir
INTÉGRISME et ISLAM). Au Liban (v.), où les
chiites constituent la communauté la plus
défavorisée, l'organisation Amal de Nabih
Berri a acquis, à la faveur de la guerre civile
et de l'invasion du sud du Liban par les
Israéliens, une position importante. Les plus
extrémistes, formaient les milices d'Hezbol-
lahi, «fous d'Allah», animées par le fanatisme khomeiniste. Voir ISLAM, LIBAN.

CHILDEBERT Ier (* vers 495, † Paris, 23.XII.558), roi de Paris (511/558). Troisième fils de Clovis, il reçut le royaume de Paris (v.), participa à l'assassinat de ses neveux, fils de Clodomir, qui devaient hériter du royaume d'Orléans, et partagea leur héritage avec ses frères Clotaire Ier et Théodoric Ier, annexant Chartres et Orléans (524). Il démembra ensuite le royaume de Bourgogne et le partagea avec Clotaire (534). Se tournant contre les Wisigoths d'Espagne, il prit prétexte de ce que sa sœur Clotilde, mariée au roi arien Amalaric, se trouvait persécutée pour sa foi pour attaquer ce dernier, qu'il battit près de Narbonne en 531. Mort sans enfant mâle, il laissait son frère Clotaire seul roi des Francs.

CHILDEBERT II (* vers 570, † déc. 595), roi d'Austrasie (575/595). Fils de Sigebert Ier et de Brunehaut, c'est à l'âge de cinq ans qu'il succéda à son père dans le royaume d'Austrasie (575); à cause de son jeune âge, il resta sous la tutelle de sa mère. En 592, à la mort de son oncle Gontran, il réunit à l'Austrasie les royaumes de Bourgogne, d'Orléans et une partie de celui de Paris. Il mourut, empoisonné peut-être par Frédégonde, et laissa deux fils, Thierry et Théodebert.

CHILDEBERT III (* vers 683, † 711), roi de Neustrie et de Bourgogne (695/711). Fils de Thierry III d'Austrasie, il succéda, à l'âge de douze ans, à son frère Clovis III, mais laissa Pépin de Herstal, maire du palais, exercer le pouvoir.

CHILDÉRIC Ier (* vers 436, † Tournai, vers 481), roi des Francs Saliens (457/481). Fils de Mérovée et père de Clovis. Allié des Romains, il combattit les Wisigoths et les Saxons. Il aurait séduit la femme du roi de Thuringe, Basine, dont il eut Clovis.

CHILDÉRIC II (* vers 649, † forêt de Lognes, près de Chelles, sept./nov. 675), roi d'Austrasie (662/675). Fils de Clovis II, il réunit à ses États, après la chute d'Ebroïn, la Neustrie et la Bourgogne (673), mais ne respecta pas les promesses qu'il avait faites aux nobles de ces pays et fut assassiné.

CHILDÉRIC III († Sithiu, Flandre, 755), dernier roi mérovingien (743/751). Fils de Chilpéric II, il fut placé sur le trône, puis déposé par Pépin le Bref, maire du palais, qui le relégua dans un monastère, monta lui-même sur le trône et fonda la nouvelle dynastie des Carolingiens (v.).

CHILI

CHILI, *Chile*. État de l'Amérique du Sud, dont le territoire s'étend le long de l'océan Pacifique; capitale *Santiago*.

Venus du Pérou, les Espagnols, commandés par Diego de Almagro, pénétrèrent sur le territoire actuel du Chili dès 1536, mais ils ne purent s'y maintenir contre les Indiens Araucans. Au cours d'une nouvelle expédition, Valdivia fonda la ville de Santiago (févr. 1551), mais il trouva la mort en 1553, dans les guerres contre les Araucans; la conquête fut poursuivie par Garcia Hurtado de Mendoza, dont les troupes atteignirent le détroit de Magellan. Cependant, la résistance des Araucans (v.) ne devait être définitivement brisée qu'au siècle dernier. Province de la vice-royauté du Pérou, puis capitainerie générale (1778), le Chili, colonie essentiellement agricole, vit se développer une importante population métisse. Dès 1810, éclata le premier mouvement d'indépendance, mais la désunion entre les insurgés permit aux Espagnols de reprendre le contrôle du pays, après leur victoire de Rancagua (1er-2 oct. 1814).

« La Prusse de l'Amérique du Sud »

C'est l'armée de San Martin, venue d'Argentine en franchissant les Andes, qui établit définitivement l'indépendance du Chili (12 févr. 1818) et, par la victoire de Maipu (5 avr. 1818), écarta toute menace d'une reconquête espagnole. Nommé « directeur suprême » (1818/23), O'Higgins posa les bases de l'État chilien en instituant un gouvernement fortement centralisé, mais sa dictature rencontra une opposition grandissante. Au cours d'une longue période de troubles, s'opposèrent les libéraux, partisans d'un régime fédéral et de l'autonomie locale, et les conservateurs, qui réclamaient un exécutif fort et un système centralisé. Les conservateurs, qui avaient pour chef Portales, l'emportèrent à la bataille de Lircay (avr. 1830). Ils allaient conserver le pouvoir sans interruption pendant plus de trente ans, sous les présidents Joaquin Prieto (1831/41), Manuel Bulnes (1841/51) et Manuel Montt (1851/61), et firent du Chili un État centralisé (Constitution de 1833), un pays d'ordre et de progrès, qu'on surnomma « la Prusse de l'Amérique du Sud » et qui affirma sa supériorité militaire sur les Péruviens et les Boliviens à la bataille de Yungay (1839). La présidence de Joaquin Pérez (1861/71) inaugura une évolution vers un régime plus démocratique. Un nouveau conflit avec la Bolivie et le Pérou, la guerre du Pacifique (v.) (1879/84), se termina à l'avantage du Chili, qui reçut toute la région côtière bolivienne d'Antofagosta et la province péruvienne de Tarapacá, riche

en nitrates; les provinces d'Arica et de Tacna demeurèrent sous occupation chilienne (leur sort ne fut définitivement fixé qu'en 1929, par l'annexion d'Arica au Chili et la rétrocession de Tacna au Pérou).

La guerre civile de 1891, marquée par la victoire des partisans du Congrès sur le président Balmaceda, fut suivie d'une longue période d'hégémonie du parti libéral et de fonctionnement régulier du régime parlementaire. L'élection du président Arturo Alessandri (1920/24) constitua une victoire des classes moyennes. Chassé en 1924 par une partie de l'armée, rappelé en janv. 1925 par d'autres militaires, Alessandri, sous la pression de l'armée, dut promulguer une nouvelle Constitution (1925), qui étendait les pouvoirs du président aux dépens du Parlement et instituait la séparation de l'Église et de l'État. Cette révision constitutionnelle ne fut d'ailleurs pas d'un grand secours pour Alessandri, lequel fut renversé un mois plus tard (oct. 1925) par le coup d'État de son ministre de la Guerre, Carlos Ibañez. Sous la dictature d'Ibañez (1925/31), l'État intervint, très audacieusement pour l'époque, dans la vie économique en créant, avec des capitalistes nationaux et étrangers, un monopole du nitrate, la C.O.S.A.C.H. Depuis le XIX⁰ s., le Chili avait connu un grand essor industriel et commercial, mais son économie restait fragile, parce qu'essentiellement tributaire des exportations de cuivre et des fluctuations des cours mondiaux. La crise mondiale de 1929 eut au Chili des effets extrêmements désastreux : la chute des exportations fit baisser de moitié la production de cuivre entre 1927 et 1931; les deux tiers des travailleurs des mines se trouvèrent sans emploi. Après la chute d'Ibañez (juill. 1931), Arturo Alessandri revint à la présidence (1932/38), avec le soutien des forces politiques du centre et de la droite, mais la lenteur du redressement économique favorisa la formation, en 1936, d'un Front populaire rassemblant les radicaux, les socialistes et les communistes.

Parvenu au pouvoir en 1938 avec une faible majorité de 4 000 voix, le Front populaire devait conserver la direction des affaires jusqu'en 1952. Le président Pedro Aguirre Cerda (1938/42) inaugura une sorte de « New Deal » chilien et fit un gros effort dans le domaine de l'instruction publique, de la sécurité sociale et de la santé; l'activité industrielle fut encouragée par la Corporación de Fomento de la Producción, organisme d'État chargé de diriger les investissements publics vers les branches prioritaires. Sous la présidence de Juan Antonio Rios (1942/46), le Chili, qui était resté neutre durant la Première Guerre mondiale, rompit ses relations diplomatiques avec l'Axe (janv. 1943) et entra tardivement en guerre aux côtés des Alliés, en févr. 1945. Après les élections de 1946, le nouveau président, González Videla (1946/52), s'appuya d'abord sur la gauche du Front populaire et fit même entrer au gouvernement trois ministres communistes, fait sans précédent en Amérique latine. Mais les pressions économiques des États-Unis, la dépendance du Chili à l'égard des capitaux nord-américains dans son programme d'industrialisation et une recrudescence de l'agitation sociale amenèrent la rupture entre le président et l'extrême gauche (le parti communiste chilien fut interdit de 1948 à 1958).

D'Alessandri à Allende

Après un retour au pouvoir de Carlos Ibañez en tant que président régulièrement élu (1952/58), ce fut le candidat de la droite, l'homme d'affaires Jorge Alessandri (fils de l'ancien président des années 20), qui occupa la présidence de 1958 à 1964. Jouissant de la confiance des États-Unis, il tenta de remédier au malaise économique par un plan d'austérité, qui pesa lourdement sur les classes les plus défavorisées et suscita de profonds mécontentements. Le démocrate-chrétien Eduardo Frei (1964/70) mit en œuvre un vaste programme de réformes économiques et sociales, tout en suivant une ligne souple et prudente, afin de ne pas décourager les investissements nord-américains, nécessaires à l'industrialisation. En négociant avec les compagnies productrices, il imposa, en 1969, une participation chilienne majoritaire dans l'exploitation du cuivre. Il inaugura également une réforme agraire, indispensable dans un pays où 700 propriétaires détenaient 55% des terres utilisables : en 1970, 18 600 familles paysannes avaient été ainsi installées sur 3 millions d'hectares expropriés (environ le dixième de la superficie cultivable). Mais ces réformes, qui obéraient lourdement le budget de l'État, étaient jugées trop lentes et insuffisantes par l'aile gauche de la démocratie chrétienne, qui, sous la conduite de Jacques Chonchol, se joignit aux socialistes et aux communistes pour soutenir la candidature de Salvador Allende aux élections présidentielles de 1970. Arrivé en tête à ce scrutin, mais avec 36% des voix et 40 000 voix seulement d'avance sur le candidat de la droite, Alessandri, Allende fut élu président par un vote du Parlement, le groupe démocrate-chrétien lui ayant accordé ses suffrages contre la promesse que les libertés et la légalité seraient respectées (24 oct. 1970).

C'est donc par une révolution légaliste qu'Allende essaya de faire du Chili un État socialiste. Il forma un gouvernement d'« union populaire », avec les communistes, les socialistes, les radicaux et les chrétiens d'extrême gauche; mais, accusé de réformisme par la gauche révolutionnaire (M.I.R.), il ne pouvait compter sur l'appui du Parlement, où l'opposition détenait la majorité dans les deux Chambres. La nationalisation du cuivre (juill. 1971), l'accélération de la réforme agraire déjà entreprise par le gouvernement Frei, le passage sous le contrôle de l'État des grandes banques, du papier, du textile, des houillères, de l'industrie sidérurgique, etc., furent les principales réformes de structure du gouvernement Allende. Mais certaines de ces mesures portaient préjudice

949

aux intérêts de sociétés nord-américaines; les États-Unis, méfiants envers un gouvernement ouvertement marxiste et favorable à Fidel Castro, coupèrent les crédits dès 1971 et organisèrent une sorte de blocus financier autour du Chili. L'industrie nationalisée du cuivre, gravement atteinte par la baisse des cours mondiaux de cette matière première, souffrait aussi du départ des techniciens étrangers et de l'incompétence des nouvelles directions choisies selon des critères souvent plus politiques que techniques.

Dès son arrivée au pouvoir, Allende avait pris une double mesure : blocage des prix et augmentation des salaires de 40 à 66%, qui lui valut une grande popularité; mais le très fort accroissement de la production qu'impliquait une telle politique ne put être obtenu, en raison du fâcheux effet psychologique, sur les petites et moyennes entreprises, de l'interventionnisme croissant de l'État, des expropriations et des réquisitions décidées sous prétexte de production insuffisante ou de conflits du travail sans issue. Dès juill. 1971, Allende avait perdu le soutien parlementaire de la démocratie chrétienne. Face à une majorité parlementaire irréductiblement hostile, il laissa se développer — malgré les avertissements des communistes — l'activité arbitraire et désordonnée des gauchistes du M.I.R., dont les groupes procédaient à des mesures improvisées de collectivisation, surtout dans les campagnes. En 1972, le taux d'inflation atteignit 180%, la production alimentaire accusa une chute catastrophique (7 millions de quintaux de blé contre 13 millions en 1970), la balance commerciale — excédentaire à l'arrivée au pouvoir d'Allende — marqua un déficit de 400 millions de dollars, alors que la dette chilienne s'élevait déjà à 4 milliards de dollars. Contraint d'instaurer le rationnement, Allende dut faire face à l'agitation multiforme des ménagères qui protestaient contre la pénurie, des commerçants, des transporteurs routiers, des conducteurs de transports en commun, etc. Pour consolider son gouvernement, il dut y faire entrer des militaires (nov. 1972) et, aux élections législatives de mars 1973, en dépit de quelques progrès de l'Union populaire, l'opposition conserva la majorité dans les deux Chambres du Parlement, avec 54,70% des suffrages.

Le gouvernement de la junte

Le gouvernement d'union populaire fut renversé le 11 sept. 1973; une junte, commandée par le général Pinochet, s'empara du pouvoir par un putsch au cours duquel Allende trouva la mort dans son palais présidentiel. Proclamant sa résolution d'extirper complètement le marxisme du Chili, la junte militaire procéda à une sanglante répression : des milliers de personnes furent exécutées sommairement, d'autres internées sans jugement par milliers. Le Parlement fut dissous, les partis politiques — y compris ceux de l'opposition au régime Allende — durent cesser

leurs activités. En juill. 1974, le général Pinochet prit le titre de « chef suprême de la nation ». Dans le contexte de la crise mondiale et de l'affaissement continu des cours du cuivre, la situation économique ne connut aucune amélioration. Le taux d'inflation, qui atteignait 360% à la fin du régime Allende, s'élevait à 370% à la fin de 1974; quelque 300 000 personnes, soit dix pour cent de la population active, étaient en chômage. Au lendemain du putsch, la junte, par réaction antisocialiste, adopta une politique économique résolument néo-libérale, inspirée par l'école de Chicago (Milton Friedman); le remaniement ministériel d'avr. 1975, qui fut marqué par l'arrivée de trois civils aux postes clés de l'Économie, des Finances et de la Coordination économique, ne devait pas entraîner de modification de cette orientation fondamentale.

● Les premiers résultats économiques furent satisfaisants et l'on parla même du « miracle chilien ». L'inflation fut réduite à 33%, le produit national brut connut une progression annuelle de 8% entre 1977 et 1980. Des droits de douane réduits et un dollar bon marché favorisèrent l'importation des biens de consommation. L'afflux de capitaux étrangers entraîna la création de groupes puissants capables de contrôler et d'animer de larges secteurs de l'économie. Dans ces conditions, le vote du 11 sept. 1980 fut favorable par 67% des voix au maintien au pouvoir du général Pinochet, tout en prévoyant un processus de transition : le général resterait en place jusqu'au terme de son mandat, c'est-à-dire 1989, et l'armée resterait maîtresse des candidatures à la présidence de la République jusqu'en 1997, date où le retour à des élections libres pourrait être envisagé. En attendant, des mesures de libéralisation seraient prises : suppression de l'état d'exception, retour des milliers d'exilés, allègement de la censure, autorisation des partis politiques, loi électorale. Mais durant le second semestre de 1982, le miracle économique se transforma en débâcle. Il fallait surtout freiner l'endettement extérieur qui, en dix années, s'était multiplié par six; le plan de stabilisation mit au chômage un tiers de la population active et le peso, maintenu à son cours pendant trois ans, fut condamné à flotter; les grandes banques passèrent sous le contrôle de l'État et le revenu national tomba au-dessous de son niveau de 1966. Les classes moyennes, qui avaient assisté sans déplaisir à la chute d'Allende et avaient goûté du « miracle » chilien, furent non seulement déçues, mais aussi directement touchées par la récession. Malgré la répression, malgré les relégations aux confins du pays, l'opposition commença à s'organiser. A la fin de 1982 parut le Proden (Projet de développement national), groupement allant de la droite modérée aux socialistes. La Confédération des travailleurs du cuivre (C.T.C.) crut le moment venu, à la fin d'avril 1983, d'appeler à une grève générale. Ce fut un échec mais les forces multiformes — et d'ailleurs toujours désunies — de l'op-

position (étudiants, Église, partis, syndicats de gauche) réussirent depuis cette date à organiser plusieurs journées nationales de protestation. Le patronat, pour qui la seule solution à la crise économique réside dans la relance de la demande intérieure, s'opposa lui-même à l'austérité fiscale et monétaire exigée par le Fonds monétaire international.

Après des années de dictature, il dut, à la veille de ce plébiscite, en oct. 1988, décréter d'importantes mesures permettant d'assurer l'impartialité du scrutin. Malgré le rejet du régime exprimé par la majorité des électeurs, le général Pinochet pouvait constitutionnellement conserver le pouvoir jusqu'en 1990, ce qu'il paraissait décidé à faire (renforcement immédiat de son contrôle personnel sur l'armée). Le régime, pourtant, gardait des partisans, la manière forte du dictateur ayant, selon ceux-ci, évité la guerre civile et créé les conditions favorables à un redressement économique réel (même si les fruits de la croissance étaient très inégalement répartis), facilité par l'appréciation du cuivre sur le marché mondial.

CHILIARQUE. Commandant de mille hommes, dans la milice grecque.

CHILLON. Château fort de Suisse (Vaud), sur le lac de Genève, près de Montreux. Possession des ducs de Savoie dès le XIIᵉ s., il servit de prison d'État; son plus célèbre prisonnier fut Bonivard, détenu de 1530 à 1536, célébré par Byron dans *Le Prisonnier de Chillon.*

CHILLY-MAZARIN. Ville de France (Essonne), au S. de Paris. Cette ancienne seigneurie appartenait au duc Armand de La Meilleraye, qui prit le titre de duc de Mazarin après son mariage avec Hortense Mancini, nièce du cardinal et duchesse de Mazarin, en 1661.

CHILON (VIᵉ s. av. J.-C.). Éphore de Sparte vers 556, il lutta pour limiter le pouvoir royal, fit donner aux éphores le droit de déposer les rois et substitua, en fait, à la monarchie un régime aristocratique. Il mourut de joie, dit-on, en embrassant son fils, couronné aux jeux Olympiques. On le comptait parmi les Sept Sages de la Grèce.

CHILPÉRIC Iᵉʳ (* 539, † forêt de Chelles, sept. ou oct. 584), roi de Neustrie (561/84). Le plus jeune des fils de Clotaire Iᵉʳ; avec sa maîtresse Frédégonde, il assassina sa femme, Galswinthe, sœur de Brunehaut (567), ce qui déchaîna la lutte sauvage où se dressèrent contre lui Brunehaut et son frère Sigebert Iᵉʳ, époux de Brunehaut. Vaincu par les Austrasiens, Chilpéric fut sauvé par le meurtre de Sigebert d'Austrasie (575). Mais il périt lui aussi, victime d'un assassinat au cours d'une partie de chasse.

CHILPÉRIC II (* vers 670, † Noyon, début 721), roi de Neustrie (715/721). Fils de Childéric II (?), placé sur le trône de Neustrie par les chefs du pays, qui voulurent l'opposer à Charles Martel, maître de l'Austrasie; il fut vaincu en 716 et ne conserva de la royauté que le titre.

CHIMAY. Petite ville de Belgique (Hainaut), sur l'Eau-Blanche. La seigneurie de Chimay, qui appartenait au XVᵉ s. à la maison de Croÿ, fut érigée en comté par Charles le Téméraire en 1473 et en principauté par l'empereur Maximilien, en 1486. Elle passa ensuite aux maisons de Ligne-Arenberg (1612), de Boussu (1686) et enfin à la famille Riquet de Caraman. Mᵐᵉ Tallien, devenue comtesse de Caraman, mourut au château de Chimay en 1835.

CHIMÈNE ou **JIMENA** († 1111). Fille du comte Lozano de Gormas, nièce de Sanche II, elle fut mariée en 1074 au Cid Campeador. Après la mort de son mari (1099), elle défendit héroïquement Valence contre les Maures, mais sans réussir à sauver la ville. Elle se retira au monastère de Cardeña, où elle fut inhumée. Le rôle que lui prête Corneille dans *Le Cid* est de pure fiction.

CHIMÚS. Ancien peuple de l'Amérique du Sud établi avant la domination des Incas sur la côte septentrionale du Pérou. Selon les traditions légendaires recueillies au XVIᵉ s. par Cabello Balboa, les Chimús seraient arrivés en radeau, venant de terres inconnues, jusqu'à l'embouchure du rio Lambayeque. Culturellement, ils prirent la succession des Mochicas (v.). Leur royaume, qui naquit vers 1200 de notre ère, s'étendit vers le sud jusqu'à la région de Casma-Paramonga. Il avait pour capitale Chanchan, au nord de Moche, importante métropole de plan géométrique, qui possédait des temples pyramidaux, de nombreux jardins, des canaux d'irrigation. L'économie des Chimús était fondée sur l'agriculture, mais il y avait parmi eux des artisans de grande valeur (orfèvrerie, poterie, textile). Ils ne connaissaient pas l'écriture. Leur religion, centrée sur l'adoration de la Lune et des forces naturelles, comportait des sacrifices d'enfants. Vers 1465/70, les Chimús furent vaincus par les Incas, qui les incorporèrent à leur empire.

CHINDASWINTHE († 653), roi wisigoth d'Espagne (642/653). Il commença la compilation du *Forum judicum (Fuero juzgo),* le plus remarquable des codes barbares, qui fut achevé par son fils Receswinthe.

CHIMÚS
Dragon, motif modelé en pisé.
Ph. © Vautier Decool

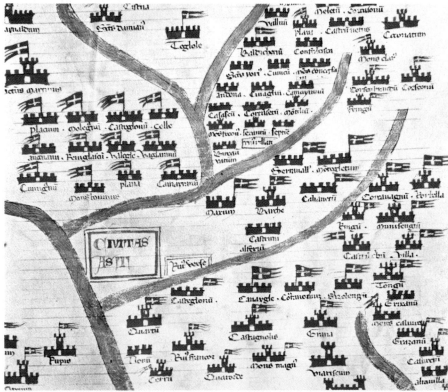

CHÂTEAU :
pour la défense d'un
territoire, XIIIe s.

CHÂTEAU : lieux de plaisance plutôt que forteresses, XVIIIᵉ s.

CHEMINS DE FER : les premiers trains, XIXᵉ s.

CHÂTEAU

En haut :
le château de Peyrepertuse (Pyr.-Or.).
C'est un des « cinq fils de Carcassonne »,
avec les châteaux de Termes, Aguilar,
Queribus et Puylaurens, qui,
dans les Corbières, défendaient contre
les·Espagnols la frontière de la France,
jusqu'à la possession définitive,
par celle-ci, du Roussillon en 1659
(traité des Pyrénées). Le château,
dont les ruines couvrent 7 000 m², remonte
à l'époque wisigothique,
mais c'est seulement en 1240 que Louis IX
en fit une forteresse, restaurée en 1587.
Ses remparts prolongent l'à-pic
de la falaise. Son donjon,
édifié sur le roc de San Jordi, se dresse
au point culminant du rocher, à 797 m.
Ph. © Yvan Dieûzaide

En bas :
**carte des terres de la commune
d'Asti,** avec leurs châteaux du XIIIᵉ s.
Miniature du Codex Astensis.
Quelque quatre-vingts forteresses
peuvent être dénombrées sur ce petit
territoire du Piémont dont la production
viticole fit très tôt la fortune.
Ph. G. Tomsich © Photeb

CHÂTEAU

En haut :
**reddition à Charles-Emmanuel III,
duc de Savoie, du Castello Sforzesco
de Milan,** 1733. Détail d'un tableau
de N. de La Peigne, peintre de batailles,
né à Bruxelles, et militaire
successivement au service de la France,
des princes de Savoie,
puis de la maison d'Autriche.
(Musée du Risorgimento, Turin.)
Le Castello Sforzesco, implanté au cœur
de la ville, est le type de ces places
que de fortes dynasties établissaient
pour gouverner un territoire important.
Les Visconti, qui régnèrent
sur le Milanais de 1277 à 1447,
construisirent ici un premier château.
Les Sforza, qui leur succédèrent
— jusqu'en 1535 —, édifièrent le château
que l'on peut encore voir aujourd'hui,
aussi bien résidence seigneuriale
que caserne : sa place d'armes mesurait
170 m de long sur 90 de large.
Les Espagnols, puis les Habsbourg,
en furent ensuite les maîtres jusqu'à
ce que le royaume de Piémont-Savoie,
mangeant l'« artichaut lombard »
feuille par feuille, le fasse sien.
Ph. G. Tomsich © Photeb

En bas :
**le duc de Choiseul passant le pont
d'Amboise,** 1770. Dessin aquarellé.
(Bibl. Nat., Paris.) Né à Amboise,
le roi Charles VIII a fait reconstruire,
en 1492, son vieux château médiéval.
Il en a fait un château Renaissance,
qu'il a rempli des chefs-d'œuvre
rapportés de ses expéditions d'Italie.
Louis VI donna Amboise au duc de Choiseul,
aristocrate fastueux, qui préféra
se faire construire, non loin de là,
et à l'imitation de Versailles, le château
splendide de Chanteloup, dont
il ne reste plus aujourd'hui qu'une pagode.
(L'un et l'autre se dressent ici à l'horizon.)
Le duc va y vivre son « exil » après
les difficultés qu'il a eues avec la cour.
Ph. J.L. Charmet © Photeb

CHEMINS DE FER

En haut :
**inauguration de la ligne
Vienne-Gloggnitz,** le 5 mars 1842.
Tableau de V. Anton Schiffer.
(Nieder-Österreichisches Landesmuseum,
Vienne.) Une longue bataille d'experts
va suivre. Cette même année, l'ingénieur
autrichien Carl von Ghega se rend
aux États-Unis, dans les monts Alleghanys,
admirer les prouesses de la compagnie
Baltimore-Ohio, et apprendre
comment pourrait être prolongée
la Südbahn au-delà de Gloggnitz, à travers
les rudes pentes alpines. Il lui faudra
beaucoup de temps et de courage
pour persuader ses compatriotes
que cette entreprise est possible.
Ph. © Staatsbibliothek

En bas :
**inauguration du chemin de fer
Naples-Portici en présence du roi
des Deux-Siciles, Ferdinand II,
le 4 oct. 1839.**
Détail d'un tableau de S. Fergola.
(Musée national de San Martino, Naples.)
Équipé d'une locomotive Stephenson,
« Patentee », le chemin de fer
ne parcourt qu'une dizaine de kilomètres,
entre le palais et les casernes
et arsenaux. Le souverain,
par prudence ou défiance, avait décidé
que seuls des fonctionnaires
et des militaires feraient partie
d'un convoi expérimental, parti de Portici.
Il ne s'embarqua à son tour, avec sa suite,
pour l'inauguration officielle,
que lorsque ce premier train fut parvenu
sain et sauf à Naples.
Ph. G. Tomsich © Photeb

I

II III

CHEMINS DE FER

En haut :
**le train « Érié », en gare
d'Hornelsville, à New York.**
Détail d'une affiche de la Erie Cy, créée
pour rivaliser avec la N. Y. Central Cy.
La détermination de l'écartement
des voies fut une question longtemps
disputée et un point sur lequel beaucoup
d'États des deux mondes tenaient
à faire preuve de fantaisie nationale.
Le chemin de fer de l'Érié, qui assurait
la liaison avec les États de l'Ouest,
se distingua, de 1831 à 1880, par un
des plus grands écartements du monde
(1,82 m), alors que les Anglais, grands
constructeurs de locomotives, imposaient
1,44 m, mesure fixée par Stephenson.
Ph. Alain Lantz © Photeb

En bas :
**les trains de marchandises
au service des charbonnages,** v. 1900.
Prospectus pour la H.C. Frick Coke Cy
de Connelsville, Pennsylvanie.
(Librairie du Congrès, Washington.)
Le tournant du XIXe s. constitua l'âge d'or
pour les chemins de fer des États-Unis.
Le réseau continua de croître
jusqu'en 1916, au point qu'il représentait
alors, avec 425 000 km, près du tiers
du réseau mondial. Le réseau de l'Est,
le plus dense, regroupait 46% du trafic
des États-Unis, avec une énorme
prépondérance du transport des matières
premières. La « Penn Central »,
aboutissant à Philadelphie, transporte
aujourd'hui 50 millions de tonnes l'an.
Ph. © Snark International

CHINE

**Cartes des principaux moments
de l'histoire de la Chine,**
entre la fin du IIe millénaire et le début
du VIIe s. de notre ère.
La page doit être étudiée
de bas en haut. L'indication des dynasties
impériales aide à la compréhension
des grandes étapes de l'histoire.

CHINE

En haut :
une audience de l'empereur.
Illustration d'un album peint, première
moitié du XIXe s. (Bibl. Nat., Paris.)
Depuis 1644, la dynastie mandchoue
des T'sin a supplanté la dynastie chinoise
des Ming, sans que rien de véritablement
nouveau soit venu modifier l'absolutisme
de droit divin du souverain,
ou rajeunir une étiquette millénaire.
Une hiérarchie de mandarins, puissants
et riches, liés à la classe des grands
propriétaires fonciers, enfermés dans
des bureaux fortifiés, reproduit à l'échelon
provincial l'image de l'empereur
dans sa « Cité interdite » de Pékin.
Ph. J.L. Charmet © Photeb

En bas :
débarquement européen, vers 1860.
Détail d'un rouleau peint. (Bibl. Nat., Paris.)
Prenant prétexte d'incidents mineurs,
deux expéditions franco-anglaises,
en 1858 et 1860, imposèrent le traité
de T'ien-tsin. Les troupes de lord Elgin
et du baron Gros s'emparèrent de Pékin,
où le palais d'Été de l'impératrice fut pillé.
Les Occidentaux obtinrent
l'ouverture de onze nouveaux ports
(avec autonomie des « concessions »),
le droit de remonter le Yang-tseu
jusqu'à Han-k'éou, et le contrôle douanier
des produits européens importés.
Ph. Th. Parant © Photeb

IV

V

VI

CHEMINS DE FER : le chaudron de l'économie, XIXᵉ s.

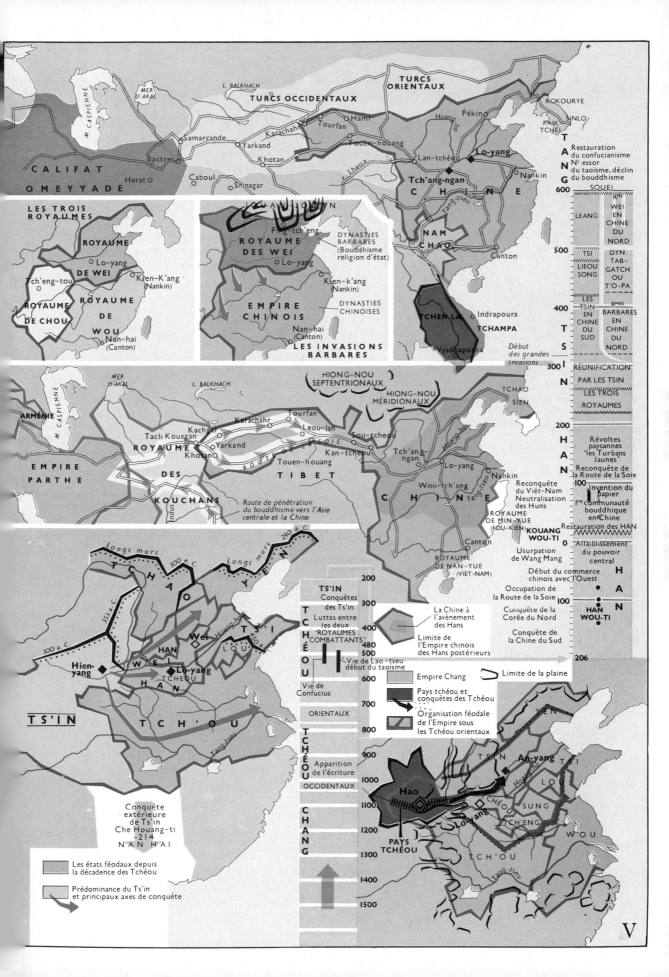

MER CASPIENNE

L. BALKHACH

MER D'ARAL

TURCS ORIENTAUX

TURCS OCCIDENTAUX

CALIFAT OMEYYADE

Herat O

Caboul O

Srinagar O

Bactres O

Samarcande O

Yarkand O

Khotan O

Karachahr

Tourfan O

Hami O

Touen-houang

Lan-tchéou O

Lo-yang

Péking O

KOKOURYE

SINLO

PAIK TCHEI

Tch'ang-ngan

CHINE

Nankin O

NAM CHAO

L. Lhassa

Hoang ho

Yang-tseu

Canton O

TCHEN LA

Indrapoura O

TCHAMPA

Vyadhapoura O

LES TROIS ROYAUMES

ROYAUME DE WEI

Lo-yang O

Tch'eng-tou O

ROYAUME DE CHOU

ROYAUME DE WOU

Kien-K'ang (Nankin) O

Nan-hai (Canton) O

KOUANG TOUEN

ROYAUME DES WEI

Ping-tch'eng O

Lo-yang O

DYNASTIES BARBARES (Bouddhisme religion d'état)

EMPIRE CHINOIS

Kien-k'ang (Nankin) O

DYNASTIES CHINOISES

Nan-hai (Canton) O

LES INVASIONS BARBARES

HIONG-NOU SEPTENTRIONAUX

HIONG-NOU MÉRIDIONAUX

MER D'ARAL

L. BALKHACH

ARMÉNIE

M. CASPIENNE

EMPIRE PARTHE

ROYAUME DES KOUCHANS

Tachi Kourgan

Kachgar

Yarkand

Khotan O

Karachahr

Tourfan O

Leou-lan

Kan-tcheou

Sou-tcheou

ROUTE DE LA SOIE

Touen-houang

Lhassa

T I B E T

Indus

TCHAO SIEN

Tch'ang-ngan

Lo-yang

Nankin O

Wou-tch'ang

C H I N E

Hoang-ho

Yang-tseu

Route de pénétration du bouddhisme vers l'Asie centrale et la Chine

ROYAUME DE MIN-YUE (FOU-KIEN)

KOUANG WOU-TI

Canton O

ROYAUME DE NAN-YUE (VIET-NAM)

Longs murs

TCHAO

290 a. C

Longs murs

300 a. C

YEN

355 a C.

300 a. C

TS'I

Hoang-ho

430 a. C.

LOU

Wei

Hien-yang

HAN

WEI

Lo-yang

TCHEOU

HAN

TS'IN

TCH'OU

Yang-tseu

Conquête extérieure de Ts'in Che Houang-ti -214 NAN HAI

La Chine à l'avènement des Hans

Limite de l'Empire chinois des Hans postérieurs

Empire Chang

Limite de la plaine

Pays tchéou et conquêtes des Tchéou

Organisation féodale de l'Empire sous les Tchéou orientaux

YEN

An-yang

TS'I

LOU

Hoang-ho

Hao

SUNG

CHÉOU

TCH'ENG

Lo-yang

PAYS TCHÉOU

TCH'OU

WOU

Yang-tseu

Les états féodaux depuis la décadence des Tchéou

Prédominance du Ts'in et principaux axes de conquête

V

CHINE : tradition et intervention, XIXᵉ s.

CHINE

CHINE
Poterie funéraire du néolithique
récent. Province de Kan-sou.
Ph. © Coll. Musée de l'Homme
Archives Photeb

CHINE. État de l'Asie orientale, capitale
Pékin.

Des origines à la fin des Tcheou
(IIIᵉ s. av. J.-C.)

La Chine fut une des premières régions du
monde habitées par l'homme. Le sinan-
thrope (v.) de Chou-kou-tien (v.) vivait vers
−400000, et le paléolithique inférieur est
également représenté en Chine par les
industries de la vallée de la Fen (v.), qui se
situent, chronologiquement, entre le chou-
koutiénien et les civilisations des Ordos (v.);
celles-ci attestent l'expansion des techniques
moustériennes jusqu'en Asie orientale. On
n'a pu encore distinguer une phase mésolithique chinoise. C'est au IIIᵉ millénaire que
le néolithique fait son apparition, sur le cours
moyen du fleuve Jaune, avec la culture de
Yang-chao (v.), dont la poterie peinte présente de curieuses analogies avec les céramiques d'Asie centrale et d'Ukraine, sans toutefois qu'on puisse en conclure, à l'heure
actuelle, à un cheminement des motifs
d'ouest en est, à travers le continent asiatique. Cette civilisation néolithique s'étendit à
toute la Chine du Nord-Est, et, au début du
IIᵉ millénaire, florissait dans le Chang-tong
la culture de Long-chan (v.).
C'est à cette époque que remonte la première
dynastie semi-légendaire des rois chinois,
celle des Hia (XXIᵉ/XVIᵉ s. av. J.-C.). Il est à peu
près certain que les Protochinois ne furent
pas des immigrants venus de l'Ouest, mais
des autochtones dont le berceau se situe dans
les plateaux de lœss et dans la grande plaine
du bassin moyen et inférieur du fleuve Jaune.
Ces Protochinois ne se différencièrent des
peuples voisins, leurs frères de race restés
nomades des steppes du Chan-si et du Chen-
si, qu'en ce qu'ils adoptèrent une vie séden-
taire, vouée à l'agriculture. Dès la fin du IIIᵉ
millénaire, les travaux des champs tenaient
une place essentielle dans l'économie protohistorique chinoise, comme l'atteste l'importance accordée par les légendes à des héros
tels que Chen-nong, le premier défricheur,
Héou-tsi, «le Prince Millet», et Yu le
Grand, fondateur de la dynastie des Hia,
auquel on attribue de grands travaux d'assèchement et des constructions de digues et
de canaux. C'est cette civilisation agricole
qui allait peu à peu unifier le monde chinois,
en s'étendant à toute la Chine du Nord (IIᵉ
millénaire), puis à la Chine du Sud (Iᵉʳ millénaire avant notre ère), et en assimilant peu à
peu les nomades de l'Asie intérieure qui, au
cours des siècles, n'allaient cesser de se ruer
vers les riches terres du Nord-Est. Malgré les
invasions, les convulsions politiques, les
alternances d'unification et de démembrement, la vie chinoise, du fait de sa vocation
essentiellement paysanne, connut, jusqu'au
XXᵉ s., une exceptionnelle permanence, qui
était fondée sur des vertus de sobriété et de
patience, sur un sens de la solidarité entre les
hommes et la nature, sur une adhésion quasi
religieuse à l'ordre universel et aux immua-
bles rythmes cosmiques.
La dynastie des Chang (XVIᵉ/XIᵉ s. av. J.-C.),
qui succéda à celle des Hia, vit l'épanouissement du bronze chinois (v. CHANG). Il semble
que, dès cette époque, les Chinois aient
domestiqué le cheval, le bœuf, le chien, le
mouton, la chèvre, le porc. Ils possédaient
alors un système d'écriture pictographique
déjà relativement évolué, avaient mis au
point des méthodes divinatoires complexes et
effectuaient leurs premières observations
systématiques d'astronomie. Vers 1050
avant notre ère, les Chang furent renversés
par une maison vassale, celle des Tcheou (v.)
qui, installés sur les plateaux du Chen-si, face
aux Barbares de la steppe, disposaient de
guerriers éprouvés. Ces Tcheou devaient
régner nominalement pendant plus de huit
cents ans, mais, dès le VIIIᵉ s. av. J.-C., ils
n'exerçaient plus qu'une autorité d'ordre
religieux sur des États féodaux en voie
d'émancipation. Bientôt se constituèrent
quelques puissants royaumes, qui se disputaient l'hégémonie dans des guerres incessantes. Ces conflits entraînaient des bouleversements politiques et sociaux; les valeurs
morales et religieuses de la Chine archaïque
étaient mises en question; dans le chaos, des
idées nouvelles se faisaient jour, des sectes et
des écoles rivales naissaient. C'est dans ce
climat d'inquiétude et de fermentation intellectuelle que les grandes orientations de la
pensée chinoise furent définies, aux VIᵉ et
Vᵉ s. avant notre ère, par Confucius (v.), dans
le domaine moral et politique, et par Lao-
tseu, fondateur du taoïsme (v.), dans l'ordre
de la philosophie mystique.
Au cours de la période des Royaumes combattants (v.) (IVᵉ/IIIᵉ s.), «l'ancienne guerre
de chevalerie fit place à une guerre d'aventuriers sans pitié ni loyauté, puis à des guerres
de masse où toute la population d'un pays
était lancée contre des populations voisines»
(R. Grousset). La dynastie des Tcheou, qui
n'était plus représentée que par des rois
fainéants, perdit toute autorité, et, à partir
de 335 av. J.-C., les chefs des diverses principautés commencèrent à prendre le titre de
roi. Le plus redoutable de ces Royaumes
combattants était le royaume de Ts'in, véritable Prusse de la Chine antique, qui s'était
constitué dans le Chen-si, sur les marches de
l'Ouest, dans la proximité dangereuse des
Barbares, en cette région même qui avait été
autrefois le berceau des Tcheou. Entre 230 et

CHINE
Modèle de maison. Poterie
polychrome. Époque
des Han, 206 av./220 apr. J.-C.
(Nelson Gallery of Art,
Kansas City.)
Ph. © du musée - Photeb

Page ci-contre :
1. La Chine,
de l'époque néolithique
jusqu'à l'époque historique.
La première civilisation
se forma sur les plateaux
de limon fertile
de la Chine du Nord
et dans les vallées
de ses grands fleuves.
Les influences
du Proche-Orient
à travers les peuples
des steppes s'y firent
sentir, et réciproquement.

2. La Chine jusqu'au VIIe s.
de notre ère. Au nord,
la route de la Soie reliait
Nankin à la Caspienne
et, par-delà, aux ports
de la Méditerranée orientale
et à l'Occident.
Vers le sud,
un embranchement
contournait l'Himalaya
et descendait
jusqu'au delta du Gange.

221 av. J.-C., le roi de cet État autoritaire et centralisé détruisit successivement toutes les autres principautés féodales, celles de Tchao (228), de Yen (226), de Wei (225), de Ts'in (221), réunifia toute la Chine d'alors et fonda l'Empire chinois en prenant le titre de Che Houang-ti (« Premier Auguste Seigneur »).

Des débuts de l'Empire à la fin des Han

Che Houang-ti, surnommé « le César chinois », gouverna en suivant les principes des Légistes, lesquels, assez dédaigneux des anciennes coutumes, préconisaient une sorte de despotisme éclairé réglé par la loi écrite, selon une conception du droit assez proche de la conception romaine, mais qui ne devait pas prévaloir en Chine. Avec l'aide de son ministre Li Sseu, le premier empereur s'attacha à faire de la Chine un État unitaire, à l'exemple de la principauté de Ts'in; il brisa le pouvoir des féodaux en divisant le pays en préfectures administrées par des fonctionnaires; il unifia les lois, les règlements, la langue, les mesures de longueur et de poids, la dimension des essieux de chars, la largeur des routes; procéda à de massifs transferts de populations; et, pour étouffer l'opposition des Lettrés confucéens, qui représentaient le courant traditionaliste, il ordonna (213) la destruction des livres, en particulier les « Classiques » du confucianisme. Pour préserver la Chine des incursions des nomades, il entreprit, en 214, avec le concours d'une immense main-d'œuvre constituée par des travailleurs forcés, l'édification de la Grande Muraille (v.).

A la mort de Che Houang-ti (210 av. J.-C.), l'œuvre de réorganisation, accomplie trop rapidement et trop brutalement, révéla sa fragilité, et la Chine fut sur le point de retomber dans l'anarchie, mais l'aventurier Lieou Pang s'empara du pouvoir (206) et fonda la grande dynastie des Han (v.), qui devait régner, avec une brève interruption, jusqu'en 220 de notre ère, soit plus de quatre siècles. L'époque des Han correspond ainsi dans le temps à l'apogée de la puissance romaine en Occident. Après des débuts difficiles, sous la double menace de la féodalité reconstituée, à l'intérieur, et, à l'extérieur, des Barbares Hiong-nou (v.), dont les vagues battaient la Grande Muraille, les Han parvinrent à donner une forme institutionnelle durable au césarisme chinois en y ralliant les Lettrés confucéens. Ceux-ci s'employèrent à doter la dynastie d'une sorte de légitimité religieuse, et, dès cette époque, le confucianisme devint une sorte de doctrine officielle, d'armature idéologique de l'État chinois. L'empereur Wou-ti (140/87 av. J.-C.) décida que tous les candidats à des fonctions administratives devraient désormais passer un examen sur au moins un des cinq Classiques de Confucius, qui devenaient ainsi la base de l'enseignement d'État. Le gouvernement impérial des Han renouait, d'une manière plus mesurée, avec l'esprit de despotisme éclairé intro-

duit par Che Houang-ti; l'État dirigeait ou contrôlait les grandes activités économiques du pays, en particulier les travaux d'irrigation.

A l'extérieur, du milieu du IIe s. av. J.-C. à la fin du Ier siècle de notre ère, la dynastie s'employa avec succès à l'extension du domaine chinois. Dès 111 av. J.-C., l'autorité impériale s'affirmait dans les provinces du Sud, à Canton, et le Tonkin était envahi; peu après, la Corée passait sous le protectorat chinois (108). Face aux Barbares de la steppe, la Chine abandonnait la défensive et entreprenait d'établir la « paix chinoise » en Asie centrale. Les campagnes militaires de l'empereur Wou-ti et de son deuxième successeur, Siuan-ti (73/49 av. J.-C.), puis du général Pan Tch'ao, à la fin du Ier s. de notre ère, portèrent les armées chinoises jusqu'au Turkestan : ainsi fut ouverte la route de la Soie, et des relations commerciales s'établirent entre la Chine, l'Inde et le monde romain, tandis que des missionnaires venus d'Inde du Nord introduisaient le bouddhisme en Chine (fin du Ier s. de notre ère). Malgré ces succès, les Han donnèrent très tôt des signes de déclin. Les guerres continuelles épuisaient le Trésor et obligeaient les empereurs à recourir à des expédients. Un usurpateur, Wang Mang, se maintint quelques années (9/23 apr. J.-C.) au pouvoir et tenta une curieuse expérience collectiviste. Après la jacquerie des Sourcils rouges et une réaction légitimiste, les Han purent se restaurer (25), sans toutefois parvenir à mettre fin à la corruption de la Cour et aux ambitions grandissantes des Lettrés. Des luttes sanglantes (révolte paysanne des Turbans jaunes, 184; rébellion du général Tong Tcho, 189; dictature du général Ts'ao Ts'ao, 196; retours agressifs des Hiong-nou sur les frontières) préparèrent la chute de la dynastie, qui sombra au milieu de l'anarchie militaire, en 220 de notre ère.

De la fin des Han à la grandeur des T'ang

Les quatre siècles qui suivirent la déposition du dernier souverain Han par Ts'ao Ts'ao furent pour la Chine une période de morcellement, de guerres civiles, d'invasions étrangères. L'empire fut d'abord divisé entre les Trois Royaumes (v.) (220/265) : le royaume Wei, en Chine du Nord, était dirigé par les descendants de Ts'ao Ts'ao; la Chine du Sud constituait le royaume Wou, où régnait la famille Souen; enfin le Sseu-tch'ouan, à l'Ouest, était devenu le royaume de Chou, fondé par Lieou Pei, considéré comme le continuateur légitime de la dynastie des Han. C'est le royaume Wei qui l'emporta finalement sur les deux autres et qui, avec la dynastie Tsin (v.), rétablit l'unité nominale de la Chine (265/420). Mais le pays était plongé dans une horrible misère, la moitié de la population avait péri dans les guerres entre les Trois Royaumes, à l'heure où, pour la Chine comme pour l'Occident européen,

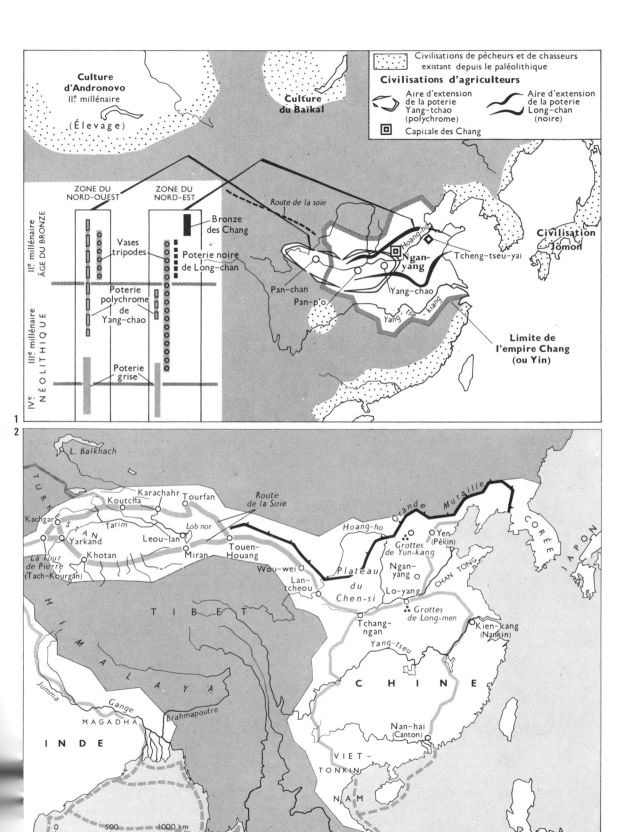

1

Culture d'Andronovo
IIe millénaire

(Élevage)

Culture du Baïkal

Civilisations de pêcheurs et de chasseurs existant depuis le paléolithique

Civilisations d'agriculteurs

Aire d'extension de la poterie Yang-tchao (polychrome)

Aire d'extension de la poterie Long-chan (noire)

Capitale des Chang

ZONE DU NORD-OUEST

ZONE DU NORD-EST

IIe millénaire ÂGE DU BRONZE

IIIe millénaire

IVe NÉOLITHIQUE

Bronze des Chang

Vases tripodes

Poterie noire de Long-chan

Poterie polychrome de Yang-chao

Poterie grise

Route de la soie

Hoang-ho

Ngan-yang

Tcheng-tseu-yai

Civilisation Jomon

Pan-chan

Pan-p'o

Yang-chao

Yang-tseu-kiang

Limite de l'empire Chang (ou Yin)

2

L. Balkhach

TURKESTAN

Karachahr

Koutcha

Tourfan

Route de la Soie

Kachgar

Tarim

Yarkand

Lob nor

Leou-lan

Khotan

La Tour de Pierre (Tach-Kourgan)

Miran

Touen-Houang

Wou-wei

Lan-tcheou

Hoang-ho

Grande Muraille

Yen (Pékin)

Grottes de Yun-kang

CORÉE

JAPON

H I M A L A Y A

T I B E T

Plateau du Chen-si

Ngan-yang

Lo-yang

CHAN-TONG

Grottes de Long-men

Kien-kang (Nankin)

Tchang-ngan

Yang-tseu

Jumma

Gange

Brahmapoutre

MAGADHA

I N D E

C H I N E

Nan-hai (Canton)

VIET-TONKIN

NAM

0   500   1000 km

CHINE
Exorciste. Poterie funéraire.
Époque des Trois
Royaumes. IIIᵉ s.
Ph. H. Josse © Photeb

commençait l'ère des grandes invasions de peuples surgis de l'intérieur du continent eurasiatique.

Comme les empereurs romains, les Tsin commirent l'imprudence d'accueillir dans leur empire des groupes de Barbares et même de leur confier la garde des frontières. Les Hiong-nou, installés dès l'époque des Trois Royaumes dans la grande boucle du fleuve Jaune, s'emparèrent en 311 de la capitale dés Tsin; leur chef, Lieou Ts'ong, se proclama empereur et ravagea le pays jusqu'au Yang-tseu. Réfugiés en Chine du Sud, à Nankin, les Tsin y maintinrent un empire national chinois qui devait subsister (sous d'autres dynasties à partir de 420) jusqu'en 589. Balayée au cours du IVᵉ s. par des hordes turco-mongoles (Hiong-nou, Sien-pei), la Chine du Nord passa tout entière, au début du Vᵉ s., sous la domination d'un de ces peuples barbares, sans doute de race turque, les Tabghatch (ou, en chinois, T'o-pa), qui, avec Tao Wou-ti, avaient fondé la dynastie Wei (v.) (386/534). Rapidement sinisés, les rois Wei se convertirent au bouddhisme après 450 et attachèrent leur nom à la plus grande sculpture religieuse qu'ait possédée la Chine, celle des grottes bouddhiques de Yun-kang, dans le nord du Chan-si, et de Long-men, près de Lo-yang, au Ho-nan (fin Vᵉ/début VIᵉ s.). Au Sud, la dynastie Tsin fut renversée en 420 par un soldat de fortune, Lieou Yu, qui rendit pendant quelque temps une vitalité à l'empire national; ses descendants, qui régnèrent jusqu'en 479, eurent pour successeurs trois nouvelles dynasties méridionales, celle des Ts'i (v.) (479/502), celle des Leang (v.) (502/557) et celle des Tch'en (v.) (557/589). Cette époque, au Nord comme au Sud, fut marquée par une puissante expansion du bouddhisme — souvent plus ou moins confondu avec le taoïsme —, et un recul du confucianisme. La Chine, qui, jusqu'alors, avait reçu le bouddhisme de missionnaires étrangers (tels que Kumarajiva, IVᵉ/Vᵉ s.), vit ses propres moines bouddhistes entreprendre des pèlerinages par voie de terre ou par mer vers les Indes; les plus célèbres de ces pèlerins furent Fa-hien (fin du IVᵉ/début du Vᵉ s.) et Hiuan-tsang, ou Siuan-tsang (VIIᵉ s.). Après la rupture qui avait suivi la chute des Han et l'abandon de la route de la Soie, les relations étaient rétablies entre la Chine et les contrées occidentales.

La dynastie Soueï (v.) (581/618), qui avait succédé, dans le Nord, aux héritiers des T'o-pa, eut pour fondateur Yang Kien (Wen-ti), qui réussit, en 589, à soumettre le Sud et à reconstituer l'unité de la Chine, tout en repoussant les Turcs sur les frontières du Nord-Ouest. Le second empereur Soueï, Yang-ti (605/618), essaya de renouer avec la politique ambitieuse des Han et de reprendre la marche en Asie centrale; il réussit à contrôler les oasis du Tarim et rétablit les relations commerciales avec la Perse et l'Inde. Moins heureux du côté de la Corée, il lassa son peuple par une fiscalité excessive et fut emporté par une révolte qui marqua le terme de sa dynastie (618).

Les Soueï avaient eu le mérite de mettre fin à des siècles de morcellement et de préparer le puissant redressement qui allait s'épanouir sous les T'ang (v.) (618/907), l'une des plus grandes dynasties de l'histoire chinoise. Elle fut fondée par Li Che-min, qui plaça d'abord son père sur le trône et qui lui succéda sous le nom de T'ai-tsong (626/649). Les T'ang rétablirent l'hégémonie chinoise sur l'Asie centrale, imposèrent leur suzeraineté jusqu'au Turkestan, rattachèrent à l'empire tout l'ancien khanat des Turcs Orientaux (c'est-à-dire l'actuelle Mongolie) et exercèrent un ascendant puissant sur tous leurs voisins, Annamites, Coréens, Japonais. Le gouvernement et l'administration furent énergiquement restaurés. Le confucianisme retrouva son rang de doctrine d'État, mais le bouddhisme continua de prospérer (jusqu'à l'édit de proscription de 845) et de nouvelles religions (nestorianisme, manichéisme, islam) pénétrèrent en Chine, où elles trouvèrent une grande tolérance mais firent peu d'adeptes. L'époque des T'ang fut encore marquée par des progrès scientifiques (notamment en astronomie), par l'apparition de l'imprimerie (première édition des Classiques confucéens, 932/953), par une admirable floraison des lettres (poésie de Li Po, de Tou Fou, de Wang Wei, de Po K'iu Yi; naissance de la prose classique avec Han Yu et Lieou Tsong-yuan) et des arts (équilibre classique de la sculpture et de la peinture bouddhiques; art animalier; terres cuites à sujets militaires et féminins; tendance au cosmopolitisme, sous l'influence commune de l'Inde et de la Perse).

C'est sous le règne de Hiuan-tsong (712/756) que la culture T'ang atteignit son apogée, mais les dernières années de cet empereur furent troublées par la révolte d'un aventurier turc, Ngan Lou Chan, qui entraîna l'exécution de la favorite Yang Koui-fei, la fuite de Hiuan-tsong et son abdication (755/756). La dynastie faillit sombrer dans la guerre civile qui suivit et ne dut son salut qu'à l'intervention des Ouïgours, qui, descendus de Mongolie, chassèrent les rebelles de Lo-yang. Mais l'empire avait subi un ébranlement dont il ne se releva pas. La guerre, les pillages, les destructions de cultures firent tomber le chiffre de la population de 52 millions d'habitants en 754 à 30 millions en 839, crise démographique qui s'accompagna d'une crise économique et sociale sans précédent. Privés de l'appui des Ouïgours, dont l'empire fut détruit en 840 par les Kirghizes, les derniers souverains T'ang résistèrent de plus en plus faiblement aux révoltes populaires. La jacquerie de Houang Tch'ao dévasta, en 880/881, les capitales impériales de Lo-yang et de Tch'ang-ngan. La petite propriété paysanne, qui avait fait la solidité de l'empire, avait été détruite, dès la fin du VIIIᵉ s., sous le poids écrasant des impôts, des corvées, du service militaire. Endettés, les ruraux vendirent en masse leurs terres aux grands propriétaires, qui les réduisirent progressivement à la condition de serfs. « Au lieu d'un peuple de paysans aisés, la Chine

Figure sculptée. Grotte de Long Men. Époque de la dynastie Wei, VIᵉ s. (Museum Rietbert, Zurich.)
Ph. © du musée

CHINE
Cavalier. Époque de la dynastie
T'ang. 618-907.
(Museum of Eastern Art, Oxford.)
Ph. © du Musée

ne possédait plus qu'une sorte de prolétariat agricole » (Grousset); comme en Europe à la même époque, une féodalité héréditaire s'installait partout; et les vestiges du pouvoir impérial étaient à la merci d'un audacieux chef de brigands comme Tchou Wen, qui, en juin 907, déposa le dernier souverain T'ang, un enfant de treize ans, et le fit exécuter peu après.

L'époque des Song (Xᵉ/XIIIᵉ s.)

Après la chute des T'ang, la Chine retomba dans le chaos (période des Cinq Dynasties et des Dix États, 907/959). En 936, la région de Pékin et le Chan-si passèrent aux Khitan mongols. A l'Ouest, le Kan-sou et l'Ordos furent occupés, vers l'an 1000, par les Tangouts (ou Si-hia), d'origine tibétaine. Un grand guerrier, T'ai-tsou (960/976), réussit à rétablir un empire national chinois en fondant une nouvelle grande dynastie, celle des Song (v.) (960/1276). Mais ni lui ni ses successeurs, T'ai-tsong (976/997) et Tchen-tsong (997/1022), ne parvinrent toutefois à restaurer dans son intégralité l'empire des T'ang, et, après de vaines luttes, les Song durent consentir à traiter avec les Khitan de Pékin (1004) et se contenter de régner au sud du fleuve Jaune.

La paix qu'ils assurèrent à la Chine méridionale fut profitable au commerce extérieur (relations maritimes avec le Japon, l'Inde, l'Arabie, l'Égypte), à l'artisanat, aux nouvelles inventions (compas, poudre à canon), ainsi qu'à la recherche philosophique (néo-confucianisme de Tchou Hi) et aux arts (paysagistes Song). La Chine des Song rayonna en premier lieu sur les Khitan mongols, mais ce fut au détriment des vertus guerrières de ces derniers. En 1122/23, le royaume khitan de Pékin, qui avait victorieusement repoussé, aux Xᵉ/XIᵉ s., toutes les attaques des Song, s'effondra sous les coups des Kin ou Djurtchèt, peuple de race toungouse, qui enlevèrent rapidement aux Song le reste de la Chine du Nord, franchirent le Yang-tseu et approchèrent de Canton. A la paix de 1141, ils se contentèrent néanmoins des provinces du Nord et de la Mandchourie (leur capitale était à Pékin), les Song conservant la Chine du Sud, cependant qu'à l'Ouest subsistait le royaume des Si-hia. C'est donc une Chine divisée en trois États qui allait subir, au XIIIᵉ s., l'assaut de nouveaux Barbares, les Mongols.

Des Mongols aux Ming (XIIIᵉ/XVIIᵉ s.)

Maître de la Mongolie dès 1206, Gengis khan commença la conquête de la Chine en imposant sa suzeraineté au royaume des Si-hia (1209); puis il se tourna contre les Kin, qui, bien que déjà sinisés et civilisés, lui opposèrent une farouche résistance. Tournant la Grande Muraille par le Tarim, les Mongols, après de grandes difficultés, réussirent à s'emparer de Pékin, qui subit une dévasta-

tion terrible (mai 1215). Les Kin se retirèrent au Ho-nan, où ils furent définitivement écrasés par les Mongols en 1234. Après la prise de Pékin, Gengis khan dédaigna la Chine pour se tourner vers l'Ouest, et, pendant une trentaine d'années, les Mongols se contentèrent d'opérations de pillage limitées contre l'empire chinois des Song. C'est le troisième successeur de Gengis khan, Mongka (1251/59), qui entreprit la conquête systématique de l'empire des Song, continuée après lui par son frère Koubilaï (1260/94), lequel fonda la dynastie mongole Yuan (v.) (1260/1368), s'empara, en 1276, de Hang-tcheou, la capitale des Song, et, en 1278, de Canton.

Pour la première fois, un étranger se trouvait maître de toute la Chine, mais Koubilaï, qui avait montré depuis toujours un goût très vif pour la civilisation chinoise, eut à cœur de se comporter en souverain national. Il mit les Mongols à l'école des Chinois. Pour symboliser sa volonté de siniser son empire, il établit sa capitale à Pékin, qu'il fit reconstruire afin d'effacer les ravages de Gengis khan. Il adopta tous les usages chinois, réorganisa l'État, remit en service les canaux et les routes, encouragea les études; tout en respectant les traditions nationales et en se montrant tolérant envers les autres religions, il accorda une faveur particulière au bouddhisme. A la cour mongole, la littérature chinoise connut une certaine renaissance, et c'est de cette époque que date l'essor du théâtre chinois, avec les pièces de Kouan Han-k'ing et de Wang Che-fou. La peinture de paysages brilla d'un nouvel éclat avec Ni Tsan. A deux reprises (1274, 1281), Koubilaï tenta, mais sans succès, d'envahir le Japon. Il ne fut pas plus heureux dans ses expéditions contre l'Annam et le Champa et contre Java. Son règne vit la reprise des relations entre la Chine et l'Occident; des marchands (comme Marco Polo, qui séjourna en Chine de 1275 à 1291) et des missionnaires européens (comme Jean de Montcorvin et Oderic de Pordenone) purent visiter librement l'empire et s'y installer. Malheureusement, successeurs de Koubilaï furent médiocres et se révélèrent incapables de continuer son œuvre.

Candidats à la civilisation, les Mongols, malgré leurs efforts, n'en demeurèrent pas moins, aux yeux des Chinois, une minorité étrangère. Une révolte nationale, partie des provinces du Sud — les dernières conquises par les Mongols —, trouva son chef dans un simple fils de paysan, Tchou Yuan-tchang, qui s'empara de Nankin (1356), de Canton (1367) et enfin de Pékin (1368). Dès 1371, les Mongols étaient complètement chassés de Chine. Devenu empereur sous le nom de Hong-wou, Tchou Yuan-tchang fonda la dynastie des Ming (v.) (1368/1644). Celle-ci, qui atteignit son apogée sous le règne de Yong-lo (1403/24), gouverna avec énergie et fit régner la prospérité, mais une politique étrangère constamment pacifiste et l'influence prédominant des Lettrés confucéens engendrèrent un immobilisme dange-

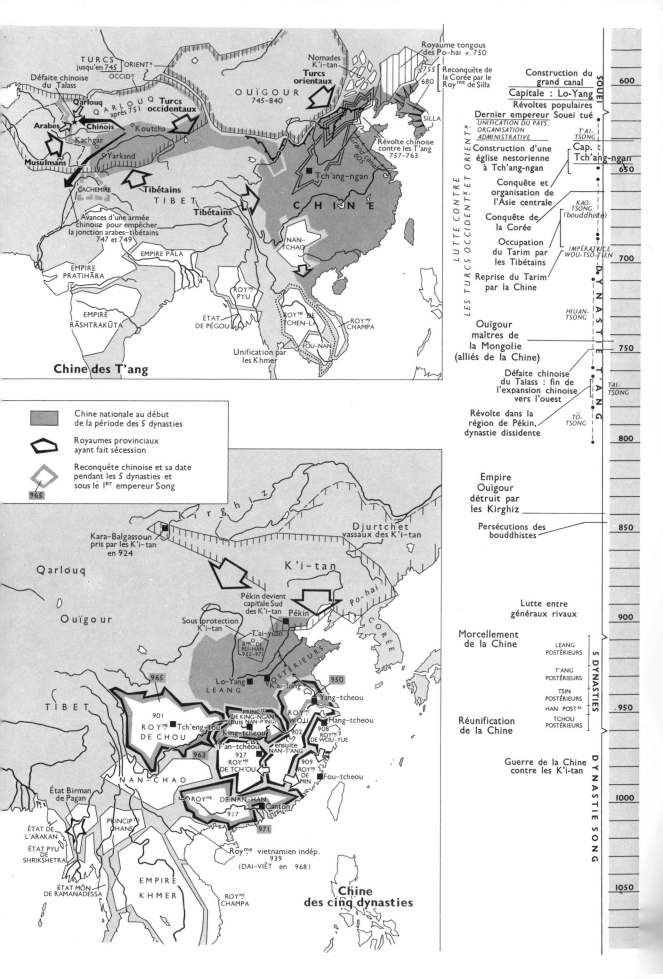

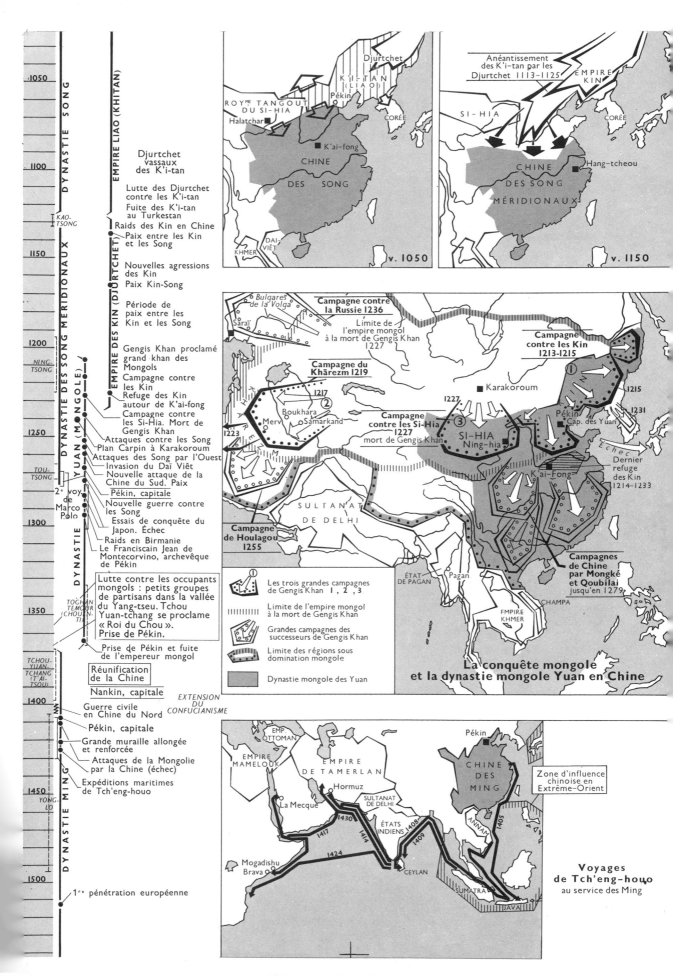

La conquête mongole et la dynastie mongole Yuan en Chine

Voyages de Tch'eng-houo au service des Ming

Page ci-contre :
jeune Chinois dans l'allée
des tombeaux des Ming.
L'ensemble
des treize sépultures
des souverains Ming
(1368-1644), près de Pékin,
est précédé d'allées,
toutes jalonnées
d'animaux au repos
et de guerriers
aux dimensions colossales.
Le relief fort accidenté
de la région exigea
qu'on employât des chariots
à seize roues, traînés
par des centaines de mulets,
pour transporter
les blocs de marbre.
Le tombeau de Wan-li
(1573-1619)
s'est révélé intact
et son contenu très riche.
Ph. © R. Burri - Magnum

reux et amenèrent la Chine à se replier sur elle-même, à l'heure où les Européens prenaient pied pour la première fois sur le sol national (les Portugais à Macao, 1557) et où les missionnaires catholiques, à la suite du P. Matteo Ricci (arrivé en Chine en 1582), entreprenaient une audacieuse adaptation du christianisme à la culture chinoise. L'arrivée des premiers Occidentaux eut peu de retentissement en Chine; celle-ci était plus préoccupée par les incursions des Japonais sur ses côtes et par l'agitation persistante des Mongols derrière la Grande Muraille. Enfermés dans Pékin, où ils laissaient gouverner les eunuques du palais, les Ming devaient succomber sous les coups des Mandchous, guerriers toungouses qui, venus de Sibérie, s'étaient infiltrés en Mandchourie dès la fin du XVIᵉ s. Repoussés devant Pékin en 1627, grâce à l'artillerie fabriquée par les jésuites, les Mandchous s'emparèrent de la capitale en 1644, proclamèrent la déchéance des Ming et, en 1651, achevèrent la conquête de toute la Chine.

Les Mandchous de 1644 à 1900

La nouvelle dynastie mandchoue (v.) (1644/1912) se sinisa rapidement. L'empereur K'ang-hi (1662/1722) et son petit-fils, K'ien-long (1736/96), comptent parmi les plus grands souverains chinois : sous leurs règnes, la Chine réalisa son programme millénaire d'expansion en Asie centrale, en imposant son protectorat à la Mongolie, au Tibet et à la Kachgarie; la Corée également fut réduite en vassalité. Le traité de Nertchinsk (1689) écarta pour près de deux siècles la menace russe sur la Mandchourie. La nouvelle dynastie se montra d'abord favorable aux missionnaires chrétiens — notamment aux jésuites, qui remplissaient des fonctions de conseillers techniques à la cour (astronomie, cartographie, artillerie). Mais l'incompréhension manifestée par Rome dans l'affaire des Rites chinois (v.) — c'est-à-dire de l'adaptation du catholicisme aux traditions nationales chinoises — amena les empereurs à interdire la prédication chrétienne (1717), puis à expulser la plupart des missionnaires (1724).
La Chine se ferma sur elle-même plus hermétiquement encore que sous les Ming. Ignorant la révolution industrielle qui allait transformer l'Europe, oubliant même les connaissances et les techniques scientifiques apportées par les missionnaires, elle s'engourdit dans la sclérose administrative en maintenant un système d'examens qui n'avait pas changé depuis deux mille ans. Elle provoquait les puissances occidentales en aggravant la législation contre le christianisme (1805), mais surtout en maintenant des restrictions draconiennes à l'encontre du commerce étranger, qui n'était toléré qu'à Canton, sous la surveillance d'un groupe de marchands chinois *(Co-hong),* lesquels se livraient à des abus de toutes

sortes. Les Anglais, qui avaient développé en Inde la culture du pavot et avaient introduit en Chine, vers la fin du XVIIIᵉ s., l'usage de l'opium, ressentaient particulièrement la prohibition par le gouvernement chinois, depuis 1800, de l'importation de cette drogue. A partir des années 1830/40, les commerçants européens firent pression sur leurs gouvernements pour qu'ils obtinssent la liberté du trafic étranger en Chine. En 1839, le vice-roi Lin Tseu-siu confisqua et fit détruire à Canton une importante cargaison d'opium. Les Anglais répliquèrent en faisant le blocus de Canton et en déclenchant la « guerre de l'Opium » (v.) (1841/42). Par le traité de Nankin (29 août 1842), la Chine se vit obligée d'ouvrir au commerce britannique cinq de ses ports (parmi lesquels Canton et Chang-hai) et de céder aux Anglais l'îlot de Hongkong (occupé dès 1841). Des avantages analogues furent accordés en 1844 aux États-Unis et, par le traité de Whampoa (24 oct. 1844), à la France, laquelle obtint en outre la tolérance de la religion chrétienne et de l'apostolat des missionnaires.
La révolte des T'ai-p'ing (v.) (1850/64), où le mysticisme se mêlait à des aspirations collectivistes, mit au grand jour la crise profonde de l'État mandchou; pendant plus de dix ans, toute la Chine méridionale échappa à l'autorité du gouvernement de Pékin. Celui-ci devait faire face à de nouvelles exigences des puissances européennes, qui justifiaient leurs interventions en invoquant la sécurité de leurs marchands et de leurs missionnaires. Deux interventions franco-anglaises (1858, 1859/60) aboutirent, après la victoire de Pa-li-k'iao (Palikao), le 21 sept. 1860, à l'occupation de Pékin (13 oct. 1860) et à l'incendie du palais d'Été, en représaille de tortures infligées à des Européens. Par les traités de T'ien-tsin (26-29 juin 1858) et les conventions de Pékin (24-25 oct. 1860), les Français et les Anglais obtinrent l'ouverture de nouveaux ports, l'installation de missions chrétiennes dans l'intérieur de l'empire, la création de légations à Pékin, des privilèges de juridiction pour leurs ressortissants et de substantielles indemnités de guerre. La Russie avait profité de ces événements pour s'assurer des avantages plus considérables encore : annexion de la rive septentrionale de l'Amour (traité d'Aïgoun, 1858) et, en 1860, du territoire situé entre l'Oussouri et le Pacifique, où fut fondé Vladivostok. Désormais intéressés au maintien du gouvernement mandchou, les Occidentaux aidèrent celui-ci à écraser la révolte des T'ai-p'ing en lui fournissant des armes ainsi que des instructeurs; les opérations finales contre les insurgés furent menées, à partir de 1859, sous la direction de l'Américain Ward, puis de l'Anglais Gordon.
La Chine allait désormais subir la pénétration européenne sous des formes multiples : établissement de « concessions » dans les villes ouvertes; privilèges d'exterritorialité pour les étrangers; franchises accordées aux marchandises occidentales; contrôle européen sur le système des douanes (dirigé, de

1863 à 1908, par l'Anglais Robert Hart); colonisation économique. Mais la majorité des Chinois, aux prises avec ce défi sans précédent, refusaient de reconnaître la supériorité matérielle et technique de l'Occident et essayaient désespérément de préserver leurs usages traditionnels. La Chine ne pouvait plus cependant subsister dans l'isolement, car son plus proche voisin, le Japon, devenait une puissance moderne, avide d'expansion et redoutable.

La première guerre sino-japonaise (v.) (1894/95), terminée par le traité de Shimonoseki (17 avr. 1895), coûta aux Chinois la Corée, Formose, les îles Pescadores et la péninsule du Liao-toung; ses effets psychologiques furent encore plus désastreux car elle fit la preuve que l'Empire mandchou était bien devenu « l'homme malade » de l'Asie orientale. L'heure de son dépècement semblait sonnée et le ministre de France, Harmand, pouvait écrire, en août 1897, que « la Chine est appelée à subir la férule de la race européenne ». Les Russes entreprirent la construction, à travers la Mandchourie, d'un chemin de fer destiné à relier le Transsibérien à Vladivostok (1895) et s'établirent à Port-Arthur (1898); les Allemands s'emparèrent de Tsing-tao et de Kiao-tcheou (1897); la France se fit céder Kouang-tcheou et l'Angleterre Wei-hai-wei (1898).

Sous le coup de ces humiliations, le parti réformateur parvint au pouvoir, en juin 1898, avec K'ang Yeou-wei et Leang K'itchao; il voulait réorganiser l'administration chinoise, équiper l'armée à l'européenne, ouvrir des écoles et des universités modernes, adopter les techniques européennes pour permettre à la Chine de se libérer de l'Europe. L'Empire mandchou semblait sur le point de connaître une révolution comparable à celle de l'ère Meiji au Japon. Mais l'impératrice Ts'eu-hi, qui exerça pendant près d'un demi-siècle (de 1861 à 1908) une influence prépondérante à la cour de Pékin, arrêta net ce mouvement réformiste et favorisa les sociétés secrètes, traditionalistes et xénophobes. Encouragés par elle, les Boxers (v.), en juin 1900, assassinèrent le ministre allemand à Pékin et assiégèrent les légations occidentales. Celles-ci ne furent dégagées que par l'intervention rapide d'un corps expéditionnaire international, commandé par le feld-maréchal allemand von Waldersee, qui entra à Pékin en août 1900.

Les débuts de la République

La dynastie mandchoue se trouvait à la merci des grandes puissances, qui lui imposèrent un humiliant traité (7 sept. 1901) : elle dut présenter des excuses à Berlin pour l'assassinat du ministre allemand et faire exécuter les chefs des Boxers; l'importation des armes et des munitions fut interdite en Chine pour une période de deux ans; en outre, le gouvernement chinois s'engageait à verser aux puissances, dans un délai de trente-neuf ans, l'énorme indemnité de 450 millions de thaels (environ 1,7 milliard de francs-or). La guerre russo-japonaise (v.) de 1904/05 – qui n'avait d'autre enjeu que la province chinoise de Mandchourie – et l'annexion par les Japonais, en 1910, de la Corée, séculaire protectorat chinois, illustrèrent de nouveau le déclin de la Chine. Réduite à la dernière extrémité, l'impératrice Ts'eu-hi elle-même, aussitôt après la crise des Boxers, se rallia à la politique réformatrice. En dépit de l'opposition persistante du clan mandchou rétrograde, elle appela auprès d'elle l'énergique ministre Yuan Che-k'ai : l'armée fut réorganisée à l'européenne; les traditionnels examens de fonctionnaires furent supprimés (1905); plus de 30 000 écoles d'État furent ouvertes entre 1901 et 1910, et, par l'édit du 27 août 1908, la Chine s'orienta vers un régime de monarchie constitutionnelle.

Mais l'impératrice Ts'eu-hi et l'empereur Kouang-siu moururent à quelques jours d'intervalle (nov. 1908), et le trône passa à un enfant de trois ans, P'ou-yi. La régence fut exercée par son père, le prince Tch'ouen, tout acquis au parti traditionaliste, et dont un des premiers actes fut de renvoyer Yuan Che-k'ai : la tentative de réforme impériale était désormais condamnée et l'initiative passait aux révolutionnaires du Sud, à la fois nationalistes et démocrates, qui se groupaient dans le Kouo-min-tang (v.), fondé en 1900 par Sun Yat-sen. Alors qu'à Pékin le régent multipliait les manœuvres dilatoires pour retarder l'établissement du régime constitutionnel promis par Ts'eu-hi, la révolution éclata à Wou-tch'ang, dans le Ho-pei (10 oct. 1911). La cour impériale, affolée, rappela Yuan Che-k'ai, qui constitua un gouvernement de réformateurs, mais le mouvement révolutionnaire s'étendait rapidement à quatorze des dix-huit provinces chinoises, qui réclamaient une République.

Le 30 déc. 1911, une Assemblée nationale, réunie à Nankin, proclamait Sun Yat-sen président de la République. Comprenant la vanité de tout recours à la force, Yuan Che-k'ai, travaillant désormais pour lui-même, préféra devancer les républicains du Sud. Il contraignit à l'abdication l'empereur enfant P'ou-yi (12 févr. 1912) et, trois jours plus tard, institua le régime républicain à Pékin. Par souci d'union nationale, Sun Yat-sen s'effaça, et, dès mars 1912, Yuan Che-k'ai était reconnu comme président de la nouvelle République dans tout le pays.

Aucun accord durable n'était possible entre les démocrates du Kouo-min-tang et Yuan Che-k'ai, car celui-ci ne songeait qu'à confisquer la révolution à son profit. Ayant réussi à redresser temporairement la situation financière grâce à un emprunt de 25 millions de livres sterling à un consortium occidental, il se sentit assez fort pour éliminer les députés du Kouo-min-tang (4 nov. 1913), pour dissoudre le Parlement, qui fut remplacé par une commission nommée (janv. 1914), et pour supprimer les assemblées provinciales (mars 1914). Yuan songea même, en déc. 1915, à rétablir pour lui-même le régime impérial, mais une rébellion des provinces du Sud l'obligea à renoncer à ce rêve; il venait de réaffirmer son attachement à la République lorsqu'il mourut brusquement (juin 1916). Son échec laissait la Chine en proie aux séductions contradictoires du nationalisme et des idées démocratiques occidentales, à la désorganisation administrative, à l'autonomisme provincial, à l'ambition des chefs militaires, qui se comportaient en potentats, à la vieille rivalité entre le Nord et le Sud, enfin à toutes les pressions de l'étranger.

Dès août 1914, les Japonais, qui attaquaient le territoire allemand de Tsing-tao, avaient violé la neutralité chinoise et occupé la région du Chang-toung. En janv. 1915, le gouvernement de Tokyo présenta à Yuan Che-k'ai ses « Vingt et une demandes » (v.), qui n'impliquaient rien de moins qu'une colonisation économique de la Chine. Pékin dut céder partiellement à l'ultimatum japonais, mais celui-ci eut pour résultat de susciter dans tout le pays, surtout dans le Sud, un puissant mouvement patriotique qui devait avoir des conséquences durables. Entrée en guerre aux côtés des Alliés en août 1917, la Chine espéra obtenir de la Conférence de la paix, en 1919, l'abolition de l'exterritorialité, la rétrocession des territoires cédés à bail, la restitution des possessions ex-allemandes du Chang-toung et la liberté de fixer ses droits de douane. Mais la France et l'Angleterre, qui proclamaient contre l'Allemagne et l'Autriche-Hongrie le droit des peuples à disposer d'eux-mêmes, ne songeaient nullement à rendre à la Chine son indépendance économique. Aussi les délégués chinois refusèrent-ils de signer le traité de Versailles. Mais cet acte symbolique avait été précédé par une démonstration populaire de beaucoup plus grande portée : le « mouvement du 4-Mai » (qui prit son nom de la grande manifestation patriotique des étudiants de Pékin, le 4 mai 1919), de caractère antijaponais et antioccidental, constituait l'affirmation d'une volonté à la fois nationale et moderniste tournée vers une Chine nouvelle, intérieurement régénérée et capable de faire respecter sa dignité par toute puissance étrangère.

En même temps que ce réveil politique, se développait la « révolution littéraire », qui eut pour pionniers Tch'en Tou-sieou et Hou Che, et qui réussit, dès 1920, à faire adopter comme base de l'enseignement la langue parlée *(pai-houa)*, afin de briser le monopole que mandarins et lettrés confucéens s'étaient adjugé depuis plus de deux millénaires sur la culture nationale. Celle-ci allait désormais pouvoir s'ouvrir à tous. En quelques années, une foule de périodiques et de quotidiens firent leur apparition. Un trait caractéristique de l'époque fut aussi la multiplication des sociétés littéraires : à la Société d'études littéraires, créée en 1920, qui reflétait l'esprit libéral et humanitaire de Hou Che et de Lou Sioun, s'opposa bientôt le groupe Création, fondé la même année, qui insistait sur la rupture avec les traditions et sur l'engagement social. Des articles sur Hegel, Marx, Engels, Lénine, parurent dans les revues et l'on traduisit *Le Capital*.

Le radicalisme révolutionnaire commença à conquérir la jeunesse intellectuelle. On rejetait l'art pour l'art, on réclamait une littérature prolétarienne, néo-réaliste, anti-individualiste et au service du collectif. Vers 1930, apparut la Ligue des écrivains de gauche, qui rallia au courant révolutionnaire d'anciens libéraux tels que Lou Sioun et Mao Touen. Mais, dès le printemps 1918, avait été fondée à l'université de Pékin une société pour l'étude du marxisme, avec Chang Kouo-tao, Li Ta-chao et son bibliothécaire, Mao Tsé-toung. Dès le 1er juill. 1921, le parti communiste chinois avait été réellement organisé dans la concession française de Chang-hai.

La révolution nationale du Kouo-min-tang

La situation de la Chine, au début des années 20, apparaissait cependant bien décourageante. Entre le Sud et le Nord, la cassure, intervenue peu après la mort de Yuan Che-k'ai, dès 1917, était irrémédiable. Au gouvernement révolutionnaire de Sun Yat-sen, qui siégeait à Canton et exerçait son autorité sur les provinces méridionales, s'opposait le gouvernement de Pékin, tombé rapidement sous la coupe des seigneurs militaires du Nord, parmi lesquels se signalaient Tchang Tso-lin, gouverneur de la Mandchourie, et Wou P'ei-fou, général très populaire. Alliés pour s'emparer de Pékin et y imposer un gouvernement de leur choix (juill. 1920), Wou et Tchang ne tardèrent pas à s'opposer. Battu en 1922, Tchang Tso-lin n'eut d'autre issue que de se retirer dans son fief mandchourien.

Tandis que l'anarchie militaire s'étendait ainsi dans le Nord, Sun Yat-sen entreprenait de forger l'armée du Kouo-min-tang, qui devait refaire peu à peu l'unité de la Chine. Fidèles au «mouvement du 4-Mai», les révolutionnaires de Canton se réclamaient d'un programme nationaliste qui comportait avant tout l'abolition des «traités inégaux», c'est-à-dire des traités impliquant des obligations incompatibles avec la pleine souveraineté de la Chine sur le territoire national : ils réclamaient la fin des concessions étrangères, le départ des troupes et forces de police des puissances occidentales, la nationalisation des compagnies de chemin de fer possédées par les étrangers, etc. La Chine était encore un des pays les moins évolués économiquement du monde. Les trois quarts de la population vivaient de l'agriculture, mais à peine un quart des surfaces cultivables étaient exploitées, et avec un matériel insuffisant et rudimentaire; couramment, la même charrue devait servir à cinq ou six familles. La plupart des paysans chinois étaient des fermiers, surtout dans le Sud, où la proportion atteignait 70%, et les fermages, qui représentaient de 40 à 60% de la récolte, pesaient comme un fardeau écrasant sur le

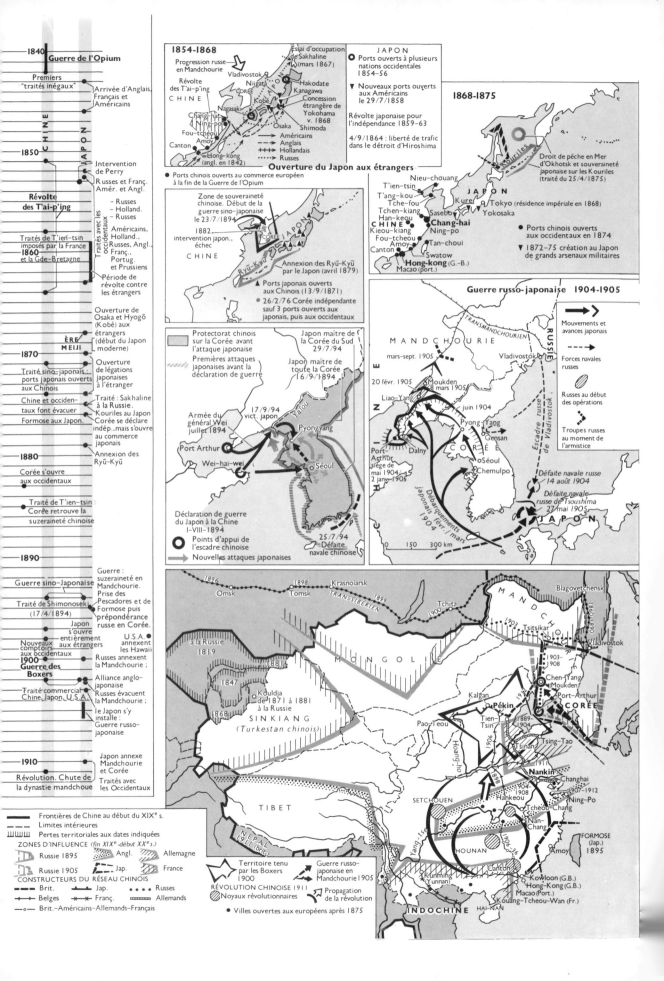

paysan chinois, réduit à s'endetter à un taux usuraire (jusqu'à 10 et 12% par mois). L'industrie était concentrée dans la Mandchourie, où le capitalisme japonais était en train de se tailler la part du lion, et dans la cité de Chang-hai, qui était une création occidentale. Les immenses ressources minérales de la Chine restaient à peu près inexploitées; pour des réserves de houille estimées à 900 milliards de tonnes, on extrayait encore, vers 1930, 28 millions de tonnes seulement par an. La consommation de fer par an et par habitant, à la même date, était seulement de 1,5 kg (230 kg en France). L'artisanat continuait à prédominer. Les étrangers contrôlaient les fabriques, les banques, les chemins de fer, dirigeaient les douanes. En 1928, le capital étranger était de 70% dans l'industrie houillère, de 90% dans la métallurgie, de 80% dans l'industrie textile. La Chine était désormais abaissée au rang d'une colonie économique de l'Occident et du Japon.

Les revendications nationales de Sun Yatsen n'étaient guère propres à valoir au gouvernement de Canton la sympathie des Occidentaux. A la conférence de Washington (1921/22), les États-Unis et les Européens se montrèrent surtout préoccupés de faire reculer l'impérialisme japonais, dont l'Amérique commençait à s'inquiéter. L'Union soviétique, au contraire, comprit très tôt l'avantage qu'elle pouvait trouver en affichant un désintéressement complet à l'égard de la Chine. Par la déclaration Tchitcherine du 4 juill. 1918, le gouvernement des Soviets avait renoncé solennellement aux droits et intérêts acquis par les tsars aux dépens de la souveraineté chinoise. Au IIᵉ congrès de l'Internationale communiste (été 1920), fut décidée à Moscou la collaboration des communistes à la lutte pour la libération nationale des peuples colonisés. Persuadé que le marxisme était inapplicable en Chine, Sun Yat-sen était prêt cependant, pour réaliser l'unité nationale, à accepter l'aide militaire soviétique et à collaborer avec le parti communiste chinois. Celui-ci, qui n'était encore qu'un petit groupe de quelques centaines d'intellectuels, décidait, en janv. 1924, de coopérer avec le Kouo-min-tang. A cette date, le régime de Sun Yat-sen bénéficiait déjà de l'aide d'une mission militaire soviétique dirigée par Mikhaïl Borodine. L'U.R.S.S. fournissait aussi de l'argent, des armes, des munitions. Des instructeurs soviétiques et allemands formaient les cadets de l'école militaire de Whampoa. Le plus brillant des jeunes chefs de guerre du Kouo-min-tang, Tchang Kaï-chek, avait fait, en automne 1923, un séjour à Moscou.

A la mort de Sun Yat-sen (mars 1925), le gouvernement national de Canton passa sous la présidence de Wang Tsing-wei. En juill. 1926, Tchang Kaï-chek déclencha la marche des armées nationalistes vers le Nord; il s'empara successivement de Hank'éou (sept. 1926), de Chang-hai (20 mars 1927), de Nankin (24 mars) et installa le gouvernement national dans cette dernière ville. Au cours de cette campagne, les communis-

tes collaborèrent étroitement avec le Kouomin-tang, mais ils s'efforçaient d'instaurer, dans les régions occupées, des pouvoirs révolutionnaires. Leur dynamisme inquiétait les dirigeants modérés du Kouo-min-tang. Prévenant un coup de force des Rouges, Tchang Kaï-chek décida de procéder sans tarder à une grande purge du Kouo-min-tang : il écrasa l'organisation communiste à Chang-hai (12 avr. 1927), puis à Wou-Han (11 nov.), tandis que la mission soviétique de Borodine quittait la Chine, abandonnant les communistes chinois à leur sort. Réduits à la clandestinité, ceux-ci déclenchèrent encore, sans succès, le soulèvement ouvrier de Canton (déc. 1927). Le Kouo-min-tang rompit alors toute relation avec l'U.R.S.S. En avr. 1928, Tchang lança l'ultime offensive contre les « seigneurs de la guerre » du Nord. Tchang Tsolin fut contraint d'abandonner Pékin, où les troupes du Kouo-min-tang firent leur entrée (4 juin 1928). La Chine était réunifiée et le long cycle des guerres civiles semblait avoir pris fin.

Chef de l'État dès 1928, Tchang Kaï-chek entreprit une œuvre de reconstruction qui s'efforçait, dans ses principes, de concilier les exigences de la modernisation avec la fidélité aux traditions nationales. Contre le radicalisme révolutionnaire, on s'efforça de remettre en honneur les valeurs de la plus ancienne Chine. C'est dans cet esprit qu'en 1934 fut fondé le mouvement de la « Vie nouvelle », et que le jour anniversaire de la mort de Confucius fut déclaré fête nationale. Le gouvernement nationaliste fit un effort tout particulier dans le domaine de l'enseignement : de 1912 à 1935, le nombre des élèves des écoles élémentaires passa de 2,7 à 11,6 millions, le nombre des étudiants, de 52 000 à 500 000 environ. En 1933, la Chine — qui n'avait encore, en 1912, que quatre établissements supérieurs — possédait 40 universités d'État ou privées et 29 écoles techniques supérieures d'agriculture, de commerce, d'industrie, d'architecture, etc. Les finances furent assainies sous l'impulsion du ministre T.V. Soong. Le réseau ferroviaire et surtout le réseau routier se développèrent. Le mouvement des coopératives agricoles connut un vif succès. Tout le système judiciaire fut réorganisé et le gouvernement promulgua un Code civil (1931) et un Code pénal (1935). Mais le gouvernement nationaliste se montra impuissant à résoudre la question sociale, encore aggravée par la crise mondiale qui atteignait également la Chine (dont les exportations tombèrent de 439 millions de dollars en 1929 à 116 millions en 1932).

La lutte contre les communistes et la guerre sino-japonaise

A l'extérieur, Tchang Kaï-chek releva le prestige de la Chine en intensifiant la participation de celle-ci à la S.D.N. et en obtenant de certaines puissances, à l'expiration des anciens « traités inégaux », de nouveaux accords, qui prévoyaient l'abolition de l'ex-

Portrait de Sun Yat-sen,
fondateur de la République,
gravé sur un billet de
50 cents émis par la banque
du Kouang-tong, en 1935.
Ph. © Coll. Viollet - Photeb

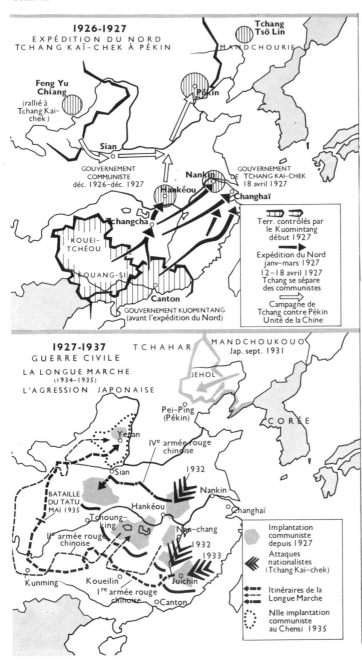

1926-1927
EXPÉDITION DU NORD
TCHANG KAÏ-CHEK À PÉKIN

Tchang Tsö Lin

MANDCHOURIE

Feng Yu Chiang
(rallié à Tchang Kaï-chek)

Pékin

Sian

GOUVERNEMENT
COMMUNISTE
déc. 1926-déc. 1927

Nankin

GOUVERNEMENT
DE TCHANG KAI-CHEK
18 avril 1927

Hankéou

Changhaï

Tchangcha

KOUEI-TCHÉOU

KOUANG-SI

Canton

GOUVERNEMENT KUOMINTANG
(avant l'expédition du Nord)

Terr. contrôlés par le Kuomintang début 1927

Expédition du Nord janv-mars 1927

12-18 avril 1927 Tchang se sépare des communistes

Campagne de Tchang contre Pékin Unité de la Chine

1927-1937
GUERRE CIVILE
LA LONGUE MARCHE
(1934-1935)
L'AGRESSION JAPONAISE

TCHAHAR

MANDCHOUKOUO
Jap. sept. 1931

JEHOL

Pei-Ping (Pékin)

CORÉE

Yenan

IVᵉ armée rouge chinoise

Sian

1932

BATAILLE DU TATU MAI 1935

Hankéou

Nankin

Changhaï

Tchoung-king

Nan-chang

1932

IIᵉ armée rouge chinoise

1933

Kunming

Koueilin

Iʳᵉ armée rouge chinoise

Juichin

Canton

Implantation communiste depuis 1927

Attaques nationalistes (Tchang Kai-chek)

Itinéraires de la Longue Marche

NIle implantation communiste au Chensi 1935

CHINE
Les positions du nationalisme et du communisme en Chine,
de la prise du pouvoir par Tchang Kaï-chek à la guerre sino-japonaise.

territorialité et des autres privilèges incompatibles avec la souveraineté nationale. En 1939, seuls la France, la Grande-Bretagne, le Japon et les États-Unis jouissaient encore du privilège de l'exterritorialité. Mais le gouvernement nationaliste, à peine rétablie l'unité chinoise, avait dû faire face aux ambitions japonaises. A la suite d'incidents près de Moukden, le long du chemin de fer sud-mandchourien, en territoire chinois, les Japonais commencèrent, en sept. 1931, l'occupation militaire de la Mandchourie, qu'ils transformèrent, en févr. 1932, en un État satellite du Mandchoukouo, sous la souveraineté nominale du dernier empereur mandchou, P'ou-yi. Au même moment, sans déclaration de guerre, les Japonais, qui avaient un besoin impérieux des débouchés chinois pour leurs produits industriels et de territoires pour leur surplus de population, attaquaient les garnisons chinoises de Chang-hai. Des combats sporadiques sino-japonais allaient se poursuivre au cours des années suivantes pour aboutir, en juill. 1937, à un véritable conflit.

A cette agression, devant laquelle la S.D.N. fit la preuve de son impuissance, Tchang Kaï-chek répondait assez passivement. Depuis 1930, il était occupé avant tout à essayer de réduire la subversion communiste, qui avait son centre dans la province du Kiang-si. Après la purge de 1927 et l'échec du soulèvement ouvrier de Canton, le communisme chinois, sous la conduite de Mao Tsé-toung, avait cessé de voir dans le prolétariat des villes l'aile marchante de la révolution et s'était orienté vers la lutte paysanne. Il avait réussi à constituer une armée disparate, composée surtout de paysans misérables et de soldats déserteurs du Kouo-mintang, mais peu à peu organisée par des chefs de valeur tels que Chou En-lai et Chou-teh. Dans les régions qu'ils contrôlaient, les communistes procédaient à une réforme agraire radicale, qui leur valait l'appui de la population : les terres des gros propriétaires étaient confisquées et distribuées gratuitement aux paysans, les dettes annulées, l'usure interdite, tous les anciens impôts remplacés par un impôt unique proportionnel à la richesse. En nov. 1931, une République soviétique chinoise fut proclamée au Kiang-si, sous la présidence de Mao Tsé-toung. Bientôt, les communistes s'infiltrèrent dans les provinces voisines du Foukien, du Hou-nan, du Hou-pei. A partir de déc. 1930, Tchang Kaï-chek dut mener six campagnes, avant de parvenir à réduire le bastion communiste du Kiang-si. En oct. 1934, pour échapper à la destruction, l'armée communiste entreprit la *Longue Marche* (v.) qui, en un an, au terme de 12 000 km, dans des conditions extrêmement pénibles, devait la conduire dans le Chen-si, en Chine du Nord. Cependant, sous la pression de l'U.R.S.S., inquiète des progrès nippons, le gouvernement soviétique chinois lança, dès l'été 1935, un appel à l'union contre l'agression japonaise. Ce thème trouva une résonance profonde chez tous les patriotes qui reprochaien

CHINE
Tchang Kaï-chek (1887-1975) vers les années 1923-1925, lorsque, après un séjour en U.R.S.S., il avait été nommé directeur de l'académie militaire de Whampoa.
Ph. © Coll. Viollet - Photeb

Dollar d'argent du parti communiste chinois, avec l'emblème de la faucille et du marteau, émis en 1934 dans le Sseu-tch'ouan.
Ph. © Coll. Eustache

à Tchang Kaï-chek son apathie face à l'ennemi extérieur. En déc. 1936, le généralissime nationaliste fut enlevé à Si-ngan par les soldats de Tchang Hiue-leang (fils de Tchang Tso-lin), qui réclamaient une action énergique contre le Japon. Libéré avec des excuses, après intervention de Chou En-lai et sur ordre de Moscou, Tchang Kaï-chek dut cesser la guerre civile. Le péril extérieur rapprochait, en apparence, le Kouo-mintang et les communistes.

Le 7 juil. 1937, l'incident du pont de Lou-keou-k'iao déclencha la guerre sino-japonaise (v.), qui allait durer pendant huit ans. Les Japonais remportèrent, au début, d'éclatants succès : ils s'emparèrent de Pékin (28 juill.), de T'ien-tsin (29 juill.), occupèrent rapidement la Chine du Nord, Chang-hai (8 nov.), atteignirent la basse vallée du Yang-tseu et entrèrent dans Nankin (13 déc. 1937). L'année suivante, ils établirent d'importantes têtes de pont en Chine du Sud (prise de Canton, 21 oct. 1938), cependant que leurs troupes continuaient à progresser le long du Yang-tseu, s'emparaient de Han-k'eou (25 oct. 1938) et obligeaient Tchang Kaï-chek et le gouvernement nationaliste à se réfugier sur les confins occidentaux de la Chine classique, à Tchong-k'ing, dans le Sseu-tch'ouan. Dès mars 1938, les Japonais avaient installé à Nankin un gouvernement chinois des régions occupées, présidé par Wang Tsing-wei, ancien successeur de Sun Yat-sen, devenu le rival de Tchang Kaï-chek.

Au cours de ce conflit, nationalistes et communistes, officiellement alliés contre l'envahisseur, ne cessèrent de rivaliser pour imposer leur influence. La guerre sino-japonaise fut le tournant décisif de la lutte intestine commencée en 1927. Alors que le régime de Tchang Kaï-chek s'affaiblissait dans les intrigues et la corruption et ne parvenait pas à obtenir une véritable mobilisation morale des masses, les communistes, qui avaient conservé leur implantation régionale et leur armée autonome, organisaient, malgré le manque de moyens matériels, de puissantes guérillas dans le nord et le nord-est de la Chine. Dans les zones libérées, soustraites à l'occupation japonaise, l'armée rouge vivait de plain-pied avec les paysans, que des distributions gratuites de terres gagnaient aisément au communisme. Le mouvement de Mao Tsé-toung, en identifiant nationalisme et révolution agraire, s'assurait désormais l'appui de larges couches populaires.

L'établissement de la République populaire

En août 1945, lors de la défaite japonaise, les troupes nationalistes se trouvaient toujours confinées dans les régions du centre-ouest du Sud, loin des côtes et des régions industrielles, alors que les communistes tenaient déjà solidement en main de vastes territoires, en Chine du Nord et en Mandchourie. L'attitude des Américains révélait beaucoup

d'hésitations. Le général Stilwell, qui avait été nommé, en 1942, à la tête du théâtre d'opérations Chine-Birmanie-Inde, laissait paraître une certaine sympathie pour la combativité des communistes. Il appréciait ainsi dans son journal les deux forces rivales : « Kouo-mintang : corruption, négligence, chaos, discordance entre les paroles et les actes, accaparement, marché noir, échanges commerciaux avec l'ennemi. Programme communiste : réduction des impôts, des loyers, du taux d'intérêt; élever la production et le niveau de vie; le peuple participe au gouvernement; ils pratiquent ce qu'ils prêchent. » Cependant, sur les instructions du gouvernement de Washington, l'armée américaine, au moment de la capitulation du Japon, organisa un pont aérien et maritime qui permit aux nationalistes de gagner la course au désarmement des forces japonaises de Chine du Nord et de s'emparer des grandes villes. En même temps, le gouvernement de Tchang Kaï-chek obtenait un traité d'amitié et d'alliance de l'U.R.S.S.; en échange, il reconnaissait l'indépendance de la Mongolie-Extérieure et accordait aux Soviétiques d'importantes positions stratégiques en Mandchourie et à Port-Arthur (14 août 1945). Mao Tsé-toung, isolé, était contraint par Staline à une rencontre officielle de réconciliation avec Tchang (28 août 1945).

Mais pendant que les nationalistes prenaient le contrôle des principaux centres et des voies de communication du Nord et de l'Est, les communistes conservaient leur implantation dans les campagnes et maintenaient l'organisation de guérillas qu'ils avaient mise sur pied contre les Japonais. Les négociations entre Mao et Tchang ne faisaient que souligner la divergence des points de vue. La tentative de médiation du général Marshall (déc. 1945/janv. 1947) n'aboutit à aucun résultat. Après une demi-trêve de près d'un an, la guerre civile éclata au printemps 1946. Après les succès nationalistes de l'année 1947 (prise de Yenan, la capitale communiste, 19 mars), la situation se renversa en 1948, car le désordre, la corruption, l'incurie ne cessaient de faire des progrès dans le camp nationaliste, abandonné d'ailleurs par les Américains, qui consacraient désormais tous leurs efforts à l'Europe. Maîtres de la Mandchourie dès la fin de 1948, les communistes s'emparaient de T'ien-tsin et de Pékin dès janv. 1949 et déferlaient aussitôt vers le Sud, alors que le Kouo-min-tang se disloquait. Successivement, Nankin (24 avr. 1949), Canton (15 oct.), Tchong-k'ing (8 déc.) tombèrent aux mains des Rouges, lesquels, à la fin de l'année 1949, contrôlaient toute la Chine continentale. Tchang Kaï-chek et le gouvernement nationaliste se réfugiaient à Formose (T'ai-wan). Voir l'histoire de la Chine nationaliste depuis 1949 à FORMOSE.

Dès le 1er oct. 1949 avait été proclamée la République populaire de Chine, avec Mao Tsé-toung comme président et Chou En-lai comme chef du gouvernement. Le nouveau régime rallia à lui des dirigeants non commu-

CHINE
Mao Tsé-toung fêtant
la proclamation de la République
populaire, 1949.
Ph. © Sygmachine

nistes et reçut la caution de la veuve de Sun Yat-sen. La moitié seulement des membres du premier gouvernement de la République populaire étaient des communistes, mais le parti, déjà fort de 6 à 7 millions de membres, contrôlait tous les postes clés et s'insérait dans toute la vie de la population grâce à ses organisations militaires et syndicales, ses mouvements de jeunes, de femmes, etc. Tous les moyens d'information, tout l'enseignement et les rouages essentiels de l'économie passèrent sans tarder sous la tutelle étroite de l'État. Des millions de «contre-révolutionnaires» furent arrêtés; les uns furent exécutés après les jugements sommaires de «tribunaux du peuple», où chacun pouvait venir lancer contre les accusés une dénonciation fatale, les autres furent envoyés dans des camps de rééducation politique (tel le dernier souverain mandchou, P'ou-yi, que les Japonais avaient fait empereur de l'État fantoche du Mandchoukouo, et qui, «rééduqué», finit paisiblement sa vie comme bibliothécaire). Dans un discours de 1957, Mao Tsé-toung devait reconnaître la liquidation de 840 000 personnes entre 1949 et 1954. La Chine fut, selon l'expression officielle, «mise dans le moule» de l'idéologie marxiste repensée par Mao. Sans que l'héritage de la culture traditionnelle soit radicalement répudié, le culte de Confucius fut aboli; la mainmise universelle de l'État et du parti et l'émancipation des femmes disloquèrent la cellule familiale. La lutte contre les influences idéologiques étrangères prit surtout la forme d'une persécution anticatholique. Après la saisie des écoles religieuses (mars 1951) et l'expulsion du nonce apostolique (sept. 1951), l'Église catholique se vit imposer le régime de la «triple autonomie»: autonomie du recrutement, qui devait être désormais purement chinois; autonomie financière, c'est-à-dire interdiction de recevoir des subsides de l'extérieur; autonomie spirituelle, c'est-à-dire obligation d'adopter une liturgie et une théologie d'expression chinoise. On procéda à des arrestations massives de prêtres, les missionnaires étrangers furent expulsés et les religieuses furent l'objet de vastes campagnes de diffamation. Dès 1957, l'Église chinoise était totalement coupée du Saint-Siège; le gouvernement communiste suscitait une association dite des Catholiques patriotes chinois, et, en avr. 1958, avaient lieu les premières consécrations d'«évêques patriotes», élus par les fidèles sans l'approbation de Rome.

La Constitution du 20 sept. 1954 devait définir la Chine comme «un État démocratique populaire conduit par la classe ouvrière et fondé sur l'alliance des ouvriers et des paysans».

Évolution intérieure de la République populaire

En même temps que cette mobilisation politique et idéologique, le gouvernement communiste entreprenait une reconstruction économique qui allait bouleverser toutes

les bases matérielles de la société. La réforme agraire chinoise, inaugurée par la loi du 28 juin 1950, devait être la plus gigantesque de l'histoire. Lors de l'établissement de la République populaire, les propriétaires fonciers (dans la terminologie communiste, ceux qui possédaient la terre sans la cultiver eux-mêmes) représentaient 4% de la population et détenaient environ la moitié de toutes les terres cultivables, qu'ils louaient à un taux de fermage très élevé; 70% des paysans ne possédaient que 20% des terres; en outre, sur une superficie totale d'environ 950 millions d'hectares, à peine 100 millions d'hectares étaient cultivés. La première étape de la réforme agraire fut terminée en 1953: sur 100 millions d'hectares, 47 millions furent purement et simplement confisqués et distribués à 300 millions de paysans répartis en 70 millions de familles, soit une moyenne de 15,7 ares par tête ou 67 ares par famille. De 1950 à 1953, les confiscations portèrent en outre sur près de 3 millions d'animaux de trait, 39 millions d'outils agricoles, 38 millions de pièces d'habitation et plus de 5 millions de tonnes de céréales, légumineuses, etc. Mais l'ambition du régime n'était nullement de donner aux paysans la propriété individuelle des terres confisquées.

Dès 1950, l'orientation vers le collectivisme fut nettement marquée. Elle se manifesta d'abord sous la forme d'un mouvement d'«entraide» qui devait amener les petits propriétaires à se regrouper volontairement pour les grands travaux: récoltes, semailles, etc. Dans les premières années, cette entraide fit réellement appel au volontariat: à la fin de 1950, elle ne recueillait encore l'adhésion que de 10% de la population rurale (43% dès 1953). Mais déjà la voie était ouverte à des formes d'«entraide permanente» comportant l'organisation collective du travail, avec maintien de la propriété individuelle. En 1953, commença l'étape de la collectivisation proprement dite: généralisation des équipes d'entraide et développement des coopératives de producteurs agricoles, qui constituaient une transition vers les fermes collectives, sans propriété privée. En juin 1955, on comptait déjà 650 000 coopératives groupant 17 millions de familles paysannes (15% du total) sur 16,6 millions d'hectares. A la suite des directives du Comité central d'oct. 1955, le mouvement vers la collectivisation connut une accélération extraordinaire dans les derniers mois de 1955. Dès le 1er janv. 1956, le nombre des coopératives agricoles était passé de 650 000 à 1 900 000, groupant 63% des paysans chinois. En mai 1956, 91,2% des paysans étaient groupés en coopératives, dont 62% en coopératives socialistes de «type supérieur». La collectivisation de l'industrie fut menée parallèlement avec celle de l'agriculture. Le secteur privé disparut progressivement, au profit du secteur d'État. En 1955, le gouvernement décida d'accélérer la mise en place d'entreprises mixtes, dans lesquelles le propriétaire de l'usine ou de l'atelier devenait — volontairement, dit-on — un fonctionnaire

En 1957, les entreprises privées ne représentaient déjà plus que 0,01% de la production industrielle, et le commerce privé 3% du commerce intérieur.

Dans une première période, qui correspond au premier plan quinquennal (1953/57), la Chine populaire, imitant les méthodes et les priorités de l'Union soviétique, donna une priorité absolue à l'industrie lourde et aux biens de production. Il en fut de même, à un degré quelque peu moindre, dans le deuxième plan quiquennal (1958/62), mais la réalisation de celui-ci fut compromise par l'arrêt, en 1960, de l'assistance soviétique. Le gouvernement chinois révisa les orientations fondamentales de sa planification et lança le slogan selon lequel l'industrialisation devait se faire « en marchant sur les deux jambes », c'est-à-dire par un développement parallèle des grandes usines et des petits ateliers ruraux ou urbains. « La recherche de la productivité s'effaça devant d'autres critères de gestion, plus qualificatifs, tels que l'autonomie des économies régionales et la réduction des trois grandes différences qui dominent la situation en Chine : différences entre la ville et la campagne, entre l'industrie et l'agriculture, entre le travail manuel et intellectuel » (Bruce McFarlane.)

Le processus de collectivisation n'avait pas été sans susciter de nombreuses tensions, et, en 1956, Mao Tsé-toung dut lancer la *campagne des Cent-Fleurs*. Elle provoqua l'explosion d'une vague de critiques d'une telle ampleur que le gouvernement s'alarma et, dès févr./juin 1957, porta un coup d'arrêt à cette campagne en proclamant que les transformations socialistes de l'économie, la dictature démocratique du peuple, le centralisme démocratique, la direction du parti communiste ne pouvaient en aucun cas faire l'objet de critiques. Ce raidissement, immédiatement suivi d'une répression qui frappa les intellectuels, les fonctionnaires, les cadres de l'industrie, préludait au *Grand Bond en avant* de 1958. Dans sa deuxième session de mai 1958, le VIIIe congrès du P.C. adoptait le slogan : « Rattraper et dépasser la Grande-Bretagne en quinze ans, ou même en moins de temps, dans la production des principaux produits industriels. »

En août 1958, commençait une nouvelle expérience, celle des « communes populaires ». Unité de base à la fois agricole, industrielle, culturelle, militaire, la commune populaire regroupait 4 à 5 000 familles, parfois près de 10 000, dans un système qui prétendait supprimer les derniers vestiges de la propriété individuelle, de la cellule familiale et de la vie privée elle-même : propriété collective, travail collectif, vie collective, selon un style militaire. Les femmes étaient libérées des travaux domestiques et affectées aux mêmes travaux de production que les hommes, des équipes spéciales étant chargées de la cuisine, de la couture, du soin des jeunes enfants; la nourriture était prise en commun dans des réfectoires et le système du dortoir, en principe, établi. Alors que le kolkhoze soviétique laissait les paysans copropriétaires des terres cultivées, de l'outillage et du cheptel, et maintenait la propriété privée pour la demeure familiale et pour un petit lopin de terre, la commune populaire, dans l'esprit de ses promoteurs, devait constituer un passage décisif du socialisme au communisme : la rémunération n'y était plus fondée sur le principe « à chacun son travail », mais sur le principe communiste « à chacun selon ses besoins », la commune fournissant gratuitement à chacun repas, vêtements et autres biens de consommation.

Dès nov. 1958, plus de 740 000 coopératives avaient fusionné en plus de 26 000 communes populaires rassemblant plus de 120 millions de foyers, soit la quasi-totalité de la paysannerie. Mais, dès ce moment aussi, des résistances se faisaient jour. Le communisme de l'austérité faisait baisser la productivité individuelle; les distributions gratuites engendraient le gaspillage; l'autarcie communale se révélait en bien des cas impraticable, de même que la juxtaposition des activités agricoles et des activités industrielles; l'acier produit par les petits hauts fourneaux de village était médiocre, souvent inutilisable; le transfert vers les campagnes d'une partie de la population des villes, notamment des fonctionnaires, désorganisait l'administration urbaine.

En août 1959, le comité central dut constater l'échec partiel des communes populaires, réajuster ses prévisions de production, renoncer aux formes les plus contraignantes de la vie collective, restituer aux paysans un petit domaine et un outillage personnels, rétablir le travail aux pièces, les primes, les suppléments.

La révolution culturelle et ses suites

Le début des années 60 fut marqué par un certain apaisement dans le rythme de la marche vers le communisme. Cependant, à la suite de l'échec du Grand Bond en avant, Mao Tsé-toung devait faire face à une opposition grandissante au sein même de la direction communiste. En 1959, il avait abandonné la présidence de la République, où il avait été remplacé par Liou Chao-chi. Autour de ce dernier allaient se rassembler des fonctionnaires et des technocrates soucieux avant tout d'efficacité et résolus à ne pas retomber dans les erreurs économiques qu'un excès de rigueur idéologique avait provoquées dans les années 1958/59. Entre ce groupe et celui de Mao Tsé-toung, qui donnait la priorité à l'idéologie et à la politique sur l'économique, la tension se développa sourdement jusqu'à la réunion du Comité central de sept. 1965, où les éléments modérés, qui s'appuyaient sur l'organisation du parti à Pékin, mirent en échec Mao Tsé-toung. Celui-ci, considérant que le régime évoluait vers le « révisionnisme », dut engager la lutte contre l'appareil du parti, en s'appuyant essentiellement sur deux forces, l'armée et son chef, Lin Piao, et la jeunesse.

CHINE
...étail d'un ensemble gymnique
...ans le grand stade
...e Pékin, 1964.
...h. © Pic

CHINE
Le « Petit livre rouge », 1966.
Ph. © Pic - Gamma

Chou En-lai au milieu
des gardes rouges, pendant
la révolution culturelle.
Ph. © Sygmachine

Dès avr. 1966, le *Journal de l'armée* lança un appel à une révolution culturelle et reçut l'appui du Premier ministre, Chou En-lai. Des attaques publiques commencèrent à être formulées contre Liou Chao-chi et divers dirigeants du parti. Au plénum du Comité central d'août 1966, les partisans de Mao bénéficièrent d'importantes promotions dans la hiérarchie du parti, tandis que Liou Chao-chi rétrogradait du deuxième au huitième rang; Mao ne put réussir cependant à éliminer ses adversaires du Comité central. L'épreuve de force devint inévitable : pour renverser l'appareil «révisionniste» du parti, Mao Tsé-toung n'hésita pas à déclencher une véritable insurrection de la jeunesse sous la forme du mouvement des gardes rouges, qui prit son départ officiel le 18 août 1966, lors d'une grande manifestation à Pékin. Né à l'université de Pékin, le mouvement des gardes rouges mobilisa rapidement, dans la plupart des provinces, toute la population scolaire. Ce fut un événement unique dans l'histoire mondiale que cette soudaine libération, au nom de la pureté révolutionnaire, de tous les appétits de renouveau, de contestation, d'agressivité, de violence d'une jeunesse immense. Les gardes rouges reçurent, au début, une totale liberté d'action et de mouvement, qui ne respecta rien, sinon les organes de la production industrielle. Pendant quelques mois, la Chine parut chavirer sous un ouragan de frénésie juvénile. Mais, à travers excès et désordres, les gardes rouges menaient un effort de renouvellement et de rectification idéologiques. Déversés par trains entiers dans toutes les parties de la Chine, ils provoquaient, par leurs campagnes d'affiches et de journaux muraux, une multitude d'échanges de vues et de discussions, un extraordinaire défoulement de toute une population contrainte par des années de dictature. Ils répandaient aussi un culte idolâtrique de Mao, qui trouvait son symbole dans le « Petit Livre rouge », ce recueil de *Citations du président Mao Tsé-toung* que les gardes rouges récitaient inlassablement en commun et que, dans leurs randonnées, ils brandissaient comme un fétiche les préservant des génies malfaisants de la contre-révolution et comme un talisman leur ouvrant toutes grandes les portes de l'avenir.

A partir de janv. 1967, les maoïstes s'efforcèrent d'installer, dans les campagnes et dans les villes, de nouveaux pouvoirs, les comités révolutionnaires, constitués sur la base de la « triple alliance » des gardes rouges, des militaires et des cadres du parti restés fidèles à Mao. L'extension de ces comités rencontra de vives résistances, et, pendant toute l'année 1967 et une partie de 1968, l'anarchie se répandit dans de nombreuses provinces. Il apparut nécessaire de freiner les violences des gardes rouges, et, en févr. 1967, avec l'appui de Chou En-lai, l'armée prit le contrôle de la capitale. A l'automne 1968, avec l'installation des comités révolutionnaires dans toute la Chine, la révolution culturelle toucha à son terme : les maoïstes avaient

triomphé de l'appareil du parti. L'élimination officielle de Liou Chao-chi (oct. 1968), qui mourut peu après en prison, consacra symboliquement l'établissement d'un ordre nouveau. Au IXᵉ congrès du parti (avr. 1969), les militaires tinrent une place de premier plan (71 des 176 membres du présidium) et le maréchal Lin Piao fut désigné comme le successeur de Mao Tsé-toung.

La révolution culturelle semblait ainsi aboutir à la prédominance de l'armée, qui tenait tout le pays par les comités révolutionnaires. Mais une nouvelle lutte de tendances commença aussitôt : alors que Lin Piao essayait de prolonger l'hégémonie de l'armée, promue comme remplaçante provisoire du parti et gardienne de la pureté révolutionnaire, les hommes de gouvernement, avec Chou En-lai, travaillaient à un retour rapide à la légalité socialiste et voulaient reconstituer le parti, afin de rendre au pays la stabilité indispensable à une relance de l'économie. Ce nouveau conflit interne s'alimentait aussi d'oppositions sur la conduite de la politique étrangère, Lin Piao tenant pour une diplomatie tout entière au service de la révolution mondiale, alors que Chou En-lai et la majorité des autres dirigeants, conscients de la menace militaire croissante exercée par l'U.R.S.S. aux frontières du nord-ouest, envisageaient déjà une normalisation des rapports sino-américains, souhaitée d'ailleurs par Washington. L'invitation lancée par Mao Tsé-toung à Nixon de se rendre à Pékin (déc. 1970) consomma la mise en minorité de Lin Piao et marqua le triomphe des thèses soutenues par Chou En-lai. Hostile à ce rapprochement avec les États-Unis, Lin Piao tenta de fuir vers l'Union soviétique et trouva la mort dans un accident d'avion en Mongolie (sept. 1971); la nouvelle de sa mort ne fut publiée dans la presse chinoise qu'en juill. de l'année suivante.

La reconstruction des organes du parti et du gouvernement se poursuivit lentement au cours des années 1972/74. De nombreuses personnalités de la « vieille garde », éliminées par la révolution culturelle, furent réhabilitées et réinstallées dans d'importantes fonctions; l'influence des militaires fut progressivement réduite par la reconstitution des organisations du parti (jeunesse, femmes, syndicats) et par la réorganisation du haut commandement, en déc. 1973. Les décisions du Xᵉ congrès du parti (août 1973) manifestèrent la constitution d'une nouvelle équipe dirigeante, rassemblant des modérés ou « pragmatistes », des radicaux ou « idéalistes » et des militaires. La campagne déclenchée contre Confucius mettait l'accent sur l'unité de l'État et le rôle du parti et associait le « féodalisme » confucéen et Lin Piao. Les problèmes posés par la succession prochaine de Mao Tsé-toung et par la maladie du Premier ministre Chou En-lai furent en partie résolus par les décisions du Congrès national du peuple (janv. 1975) : la présidence de la République, jadis occupée par Liou Chao-chi et convoitée par Lin Piao, était abolie; Chou En-lai restait Pre

CHINE
Affiche de propagande « pour
une récolte abondante ».
Ph. © Coll. Viollet - Photeb

mier ministre en dépit de son état de santé,
mais il lui était adjoint douze vice-Premiers
ministres, formant une sorte de direction
collégiale. Parmi eux se détachait Teng
Hsiao-ping, naguère victime de la révolution
culturelle, qui cumulait désormais la vice-
présidence du parti et celle du gouvernement. Cependant, après la mort de Chou En-
lai (janv. 1976), c'est le ministre de la Sécurité, Hua Kuo-feng, qui était nommé chef par
intérim du gouvernement chinois, alors
qu'une violente campagne de presse et d'affiches se développait contre Teng Hsiao-
ping, bien que celui-ci ne fût pas désigné par
son nom. Des partisans de ce dernier ayant
provoqué, sur la place Tien An-men, à
Pékin, une grande manifestation qui fit plus
de cent blessés, Hua Kuo-feng fut officiellement nommé Premier ministre et vice-président du parti communiste, et, simultanément, Teng Hsiao-ping fut démis de toutes
ses fonctions dans le gouvernement et dans
le parti (7 avr. 1976).

Les progrès économiques
de 1949 à 1976

A travers une série de convulsions politiques,
la Chine populaire a accompli, depuis 1949,
des progrès économiques et sociaux
incontestables, bien qu'aucune statistique
officielle ne soit connue en Occident. Dans le
domaine agricole, des travaux hydrauliques
très importants ont été réalisés, tel le barrage
de la vallée des Ming (1958), qui a soustrait à
l'inondation la plaine de Pékin et a permis
l'irrigation de 20 000 hectares. Depuis 1957
est en cours l'aménagement du fleuve Jaune,
qui intéresse une région grande comme une
fois et demie la France (ces travaux doivent
s'étendre sur un demi-siècle). Malgré une
mécanisation encore faible et une production d'engrais insuffisante, la production
agricole progressait après la crise de 1959/62,
qui avait obligé le gouvernement chinois à
faire des achats importants aux pays occidentaux : la récolte de céréales, qui était de
183 millions de tonnes en 1956, devait se
situer, en 1970, entre 220 et 260 millions de
tonnes, soit trois fois celle de l'Inde pour une
population supérieure de moitié seulement.
Dans le domaine industriel, la Chine se clas-
sait parmi les dix grandes puissances du
monde, mais elle restait encore très loin derrière les États-Unis, l'Europe occidentale et
l'U.R.S.S. La production d'acier, qui était,
avant la Seconde Guerre mondiale, de
900 000 tonnes environ, et en 1956 de 4,5 millions de tonnes, était estimée en 1975 à 26
millions de tonnes, dont la moitié provien-
drait du complexe sidérurgique d'Anchan, en
Mandchourie. La production de pétrole
brut atteignait 80 millions de tonnes. L'essor
de l'industrie nucléaire a été foudroyant
puisque la Chine, en dépit du rappel des
techniciens soviétiques, faisait exploser sa
première bombe atomique en oct. 1964 et sa
première bombe à hydrogène en juin 1967.

entinelle chinoise à 3 800 m
altitude, dans le Sin-kiang,
l'endroit où aboutissent les
ontières afghane et soviétique.
n. © A.F.P. - Photeb

La politique étrangère
de la République populaire

Reconnue dès 1950 par l'U.R.S.S. et les pays
du bloc communiste, la Chine populaire
fonda d'abord sa politique étrangère sur le
pacte sino-soviétique du 14 févr. 1950, lequel
stipulait l'abandon par l'U.R.S.S. de
tous ses droits sur les chemins de fer de la
Mandchourie et de l'Est chinois et la restitution à la Chine des bases de Port-Arthur et
de Dairen. Les Soviétiques apportèrent en
outre une aide considérable à la jeune république, dans les domaines financier, technique et militaire. L'instauration du communisme en Chine allait au contraire remettre
en question toute une longue tradition d'amitié américano-chinoise. Dès le début de la
guerre de Corée (juin 1950), le président
Truman décréta la neutralisation du détroit
de Formose, et l'intervention de « volontaires » chinois dans la guerre de Corée (oct.
1950) acheva d'aliéner à la Chine populaire
le gouvernement des États-Unis, qui s'opposa dès lors à l'entrée de la Chine à
l'O.N.U. et, en déc. 1954, conclut un accord
de défense avec le gouvernement nationaliste de Formose. Toutefois, en avr. 1951, le
président Truman avait destitué Mac-
Arthur, qui semblait prêt à courir le risque
d'une guerre généralisée contre la Chine.
Dès 1950, les Chinois occupèrent le Tibet,
qui reçut un statut de région autonome; neuf
ans plus tard, une rébellion des Tibétains fut
écrasée avec rudesse et le dalaï-lama dut se
réfugier en Inde (v. TIBET). La Chine se trouvait ainsi sur les frontières de l'Inde, ce qui
allait provoquer quelques heurts sino-indiens
en 1962 et 1965. Un grand effort de colonisation chinoise fut entrepris dans les régions de
la périphérie occidentale, au Tibet, au Sin-
kiang, en Mongolie-Intérieure. Proposant
son expérience en exemple aux pays en voie
de développement, la Chine nouvelle voulut
apparaître comme un foyer révolutionnaire
qui rayonnerait sur le tiers monde, aussi bien
dans les jeunes États africains et à Cuba que
dans les marches chinoises traditionnelles
telles que la Corée, le Viêt-nam, la Malaisie,
l'Indonésie. Chou En-lai joua un rôle important à la conférence de Bandoung (avr.
1955), de même qu'il avait contribué au
règlement entre la France et le Viêt-minh, à
la conférence de Genève. A partir de 1960, le
radicalisme révolutionnaire de la diplomatie
chinoise devait cependant rencontrer des
échecs, en Indonésie et en Afrique notamment, et, fait plus grave encore, il allait provoquer un conflit idéologique entre Moscou
et Pékin.
Après la mort de Staline (1953), les Chinois
manifestèrent une méfiance croissante
devant l'atténuation de la guerre froide et les
premiers signes de rapprochement entre
l'Union soviétique et les États-Unis. Pékin
n'accepta pas le réquisitoire lancé par
Khrouchtchev contre Staline au XXe
congrès du P.C. soviétique (1956, v. COMMU-
NISME), et, dès 1958, la Chine, se posant en

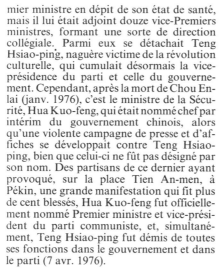

CHINE

Page ci-contre :
28 avr. 1984.
Teng Hsiao-ping,
véritable chef
de l'État chinois, s'entretient
avec le président
américain Reagan, lors
de la visite de six jours
que fit celui-ci en
Chine. Un accord
sur l'utilisation pacifique
de l'énergie nucléaire
fut paraphé. Pékin réaffirmait
sa position sur T'ai-wan
et ne cachait pas ses
divergences avec la politique
antisoviétique de Washington.
Ph. © J.-L. Atlan - Sygma

Pékin, place Tien An-men
en mai 1983. La bicyclette
reste la reine d'un pays
très pauvre, où le P.N.B.
par habitant était évalué
à 2 100 francs en 1982
(9 937 en France).
Si les portraits
gigantesques de Marx
et d'Engels dominent
toujours la vie quotidienne,
le costume, depuis
la disparition de Mao,
s'est libéralisé.
Ph. © J.-Cl. Francolon - Gamma

gardienne de l'orthodoxie révolutionnaire, formula ses premières attaques contre le « révisionnisme » des dirigeants soviétiques. En juill. 1960, l'U.R.S.S., qui n'avait apporté aucun soutien à la Chine populaire dans son conflit frontalier avec l'Inde, décida de rappeler ses techniciens et experts en mission en Chine, ce qui aggrava considérablement les difficultés internes du régime maoïste, engagé à fond dans l'expérience des « communes populaires ». Les Soviétiques supprimèrent également leur aide financière, dénoncèrent contrats et projets de coopération; les dirigeants chinois furent alors contraints de réviser la priorité donnée jusqu'alors à l'industrie lourde. L'année 1963 vit la querelle Pékin-Moscou s'étaler au grand jour, et, après l'échec d'une tentative de réconciliation qui suivit, en 1964/65, la chute de Khrouchtchev, le conflit ne cessa plus de s'aggraver sur deux terrains : rivalité entre Chinois et Soviétiques au sein du mouvement communiste mondial; face à face menaçant des deux armées aux confins de la Mandchourie, de la Mongolie et de la Sibérie (incidents de frontière sur l'Oussouri et dans le Sin-kiang, en 1969).

Au début des années 70, la Chine et l'U.R.S.S. paraissaient se préparer à un vaste affrontement armé dans une période plus ou moins prochaine. Cette situation critique, de même qu'elle poussait l'Union soviétique à rechercher une détente en Europe, devait amener les dirigeants chinois à assurer leurs arrières par un règlement général avec les États-Unis, à l'heure même où ceux-ci, instruits par l'expérience vietnamienne, aspiraient à un désengagement en Asie. La Chine ne voulait plus avoir à faire face à deux menaces simultanées, la soviétique et l'américaine. La visite du président Nixon à Pékin (févr. 1972) devait montrer que Mao Tsé-toung et Chou En-lai considéraient désormais la menace soviétique comme majeure. C'est aussi dans cet esprit que la Chine, s'opposant, comme la France, à tous les accords sur la limitation des armes nucléaires, accords qui maintiendraient la suprématie des « super-Grands », poursuivait le développement de sa force de dissuasion nucléaire, laquelle, dès 1972, disposait de fusées d'une portée de 2 500/3 000 km. Compromis par la révolution culturelle, le prestige international de la Chine se redressa brillamment à partir de 1970. Après plus de vingt ans de candidature infructueuse, la Chine populaire, qui avait été reconnue diplomatiquement par la France dès 1964, fut enfin admise à l'O.N.U. et comme membre permanent du Conseil de sécurité le 25 oct. 1971, ce qui entraîna l'exclusion de la Chine de Formose. Toutefois, le gouvernement chinois ne semblait pas enclin à résoudre militairement le problème de Formose. Tout en dénonçant l'hégémonie des deux « super-Grands », U.R.S.S. et États-Unis, c'est surtout contre l'Union soviétique que s'est déployée la diplomatie chinoise.

La démaoïsation à partir de 1976

● La mort de Mao Tsé-toung, le 9 sept. 1976, provoqua de grands changements qui n'apparurent que lentement. Hua Kuo-feng, devenu président du parti (oct.), engagea la lutte contre la tendance dite « de gauche », dont les quatre principaux dirigeants, Chiang Ching, veuve de Mao, et les 3 théoriciens du « groupe de Chang-hai » furent arrêtés sous l'accusation de complot. La veuve de Mao, à qui l'on reprochait 727 425 crimes ayant entraîné la mort de 34 724 personnes, sera condamnée à mort en 1981, puis graciée. Après l'élimination de cette *bande des quatre*, Hua Kuo-feng dut assez vite s'effacer devant Teng Hsiao-ping qui rendit la priorité aux questions économiques en lançant la campagne des quatre modernisations : industrie, agriculture, défense nationale, sciences et techniques. Des accords commerciaux furent signés avec le Japon, l'Assemblée nationale populaire s'ouvrit symboliquement en 1979 à des bouddhistes, des musulmans, des chrétiens, on ne craignit pas de remettre en cause l'idéologie de Mao accusée d'avoir fait faire à la Chine « un grand bond en arrière »; au début de 1979, Teng se rendit même aux États-Unis où il signa des accords de coopération technique et scientifique. L'armée chinoise, le 17 février, attaqua le Viêt-nam, qui avait lui-même envahi le Cambodge (v.) allié de la Chine, et il fallut qu'Hanoï annonçât le 5 mars la mobilisation générale pour que Pékin consentît à retirer ses troupes. En même temps, les effets de la révolution culturelle étaient soigneusement révisés : 3 millions de cadres du parti communiste étaient réhabilités, 470 000 exclus étaient réintégrés. Cette démaoïsation n'évita pas les conflits de personnes qui se résolurent au profit de l'équipe de Teng Hsiao-ping : deux de ses disciples, Hu Yao-bang et Zao Zi-yang furent mis, l'un à la tête du parti, l'autre à la tête du gouvernement. Cette rénovation politique s'accompagna de résultats économiques sur lesquels les opinions des observateurs divergent, faute sans doute de la publication de statistiques normalisées et permanentes. Une première étape a été franchie avec l'instauration d'une nouvelle fiscalité des entreprises, désormais autorisées à conserver une partie de leurs bénéfices, progrès de taille qui met un terme à l'égalitarisme maoïste et qui favorise les entreprises bénéficiaires. La rentabilité des sociétés est elle aussi réhabilitée avec la mise en place dans les entreprises d'État, d'un système de salaires flottants directement liés au travail de chacun. Des mesures très sévères de limitation des naissances ont été prises pour permettre une stabilisation du taux de croissance démographique, afin de limiter la population à 1,2 milliard d'habitants en l'an 2000. En outre, l'arrivée des générations pléthoriques nées dans les années 50 et 60 en âge de se marier et de procréer, sera un obstacle supplémentaire à la réalisation de l'objectif officiel. Pour faire face à se

CHINE
Zao Zi-yang. Premier ministre
depuis oct. 1980.
Ph. © François Lochon - Gamma

considérables besoins, pour moderniser son économie, la Chine a décidé de s'ouvrir davantage sur l'Occident capitaliste et d'absorber techniques et capitaux étrangers dans le cadre d'une société socialiste. Trois structures originales ont été mises au point à cet effet : sociétés mixtes, « zones franches », centres d'exportation.

Tous ces changements économiques, voire sociaux, ne doivent pas infléchir la rigueur politique. Au XIIe congrès du parti communiste, sept. 1982, la période maoïste a été définitivement condamnée, une campagne de « rectification » du parti, qui compte 40 millions de membres, a été mise en chantier pour 3 ans. En sept. 1985, la moitié des membres du bureau politique, dont de nombreux militaires très âgés, et 20 % des membres du comité central démissionnaient pour faciliter ce renouvellement.

La campagne des « quatre modernisations » (industrie, agriculture, défense nationale, sciences et techniques) engagea la Chine dans une révision fondamentale des dogmes socialistes, tant en matière économique qu'idéologique. Une nouvelle constitution fut adoptée en 1982, qui créa un poste tout honorifique de président de la République (Li Xian-nian en 1983, Yang Chang-kun en 1988).

En une dizaine d'années la Chine passa de l'égalitarisme maoïste au culte de la réussite individuelle, sans pour autant accepter l'évolution démocratique (« la cinquième modernisation ») réclamée par un groupe d'intellectuels oppositionnels impitoyablement réprimés. L'évolution du pays était telle, et tellement inquiétante du point de vue d'une direction politique craignant de ne plus pouvoir contrôler mentalités et besoins, ou simplement même de faire respecter l'autorité de l'État, qu'une offensive des « conservateurs » (ou « planificateurs », formés en général à Moscou) eut raison de Hu Yao-bang. Zhao Zi-yang lui succéda au congrès du P.C. en oct. 1987, alors que le Comité central rajeunissait ses cadres et s'ouvrait à ces « planificateurs », dont Li Peng le nouveau Premier ministre. Un rapprochement avec l'U.R.S.S. était d'ailleurs sensible depuis plusieurs années, qui s'exprimait par un apaisement relatif des conflits cambod-

gien ou sino-vietnamien. Cette évolution, plus nette encore depuis l'émergence de Gorbatchev, fut confirmée par l'annonce d'une entrevue entre Teng et Gorbatchev, prévue en 1989.

Alors que montait au sein du parti communiste chinois, l'étoile de Qiao Shi, chef de la sécurité, Teng, qui n'occupait plus aucune fonction importante, restait l'arbitre incontesté malgré son grand âge.

Au plan économique, le grand boom des années 1980-1985, provoqué par la décollectivisation des terres, par l'introduction des principes de rentabilité, de priorité aux exportations, par la libération de certains prix, avait masqué les effets pervers d'une libéralisation brutale et incohérente : en 1988, surchauffe, inflation, chômage, accroissement de la dette extérieure, ajoutaient leurs méfaits à la corruption et à la désorganisation administrative (on apprenait notamment que les données démographiques — plus d'un milliard d'habitants selon le recensement de 1982, le plus récent — devaient être réestimées à la hausse; la multiplication des grèves traduisait les réticences des 26 millions d'ouvriers d'État, l'aristocratie du régime, soutenus par une importante fraction du Parti, à perdre leurs privilèges au profit d'une nouvelle bourgeoisie; l'exode rural rapide, à la fois cause et conséquence des disparités sociales nouvelles entre villes et campagnes et au cœur des campagnes elles-mêmes, s'accompagnait d'un profond malaise au sein de la jeunesse où l'accroissement des besoins était à la mesure du changement de mode de vie. En 1989, une nouvelle offensive des réformateurs, soutenus par Teng, s'en prenait à la propriété collective (les 2/3 de la production industrielle chinoise dépendaient du secteur étatisé). Depuis 1987, le Japon s'était d'ailleurs engagé résolument dans cette Chine en mutation. Après trois décennies de blocage, les risques d'explosion semblaient réels. Les zones côtières, en particulier, connaissaient le décollage économique le plus rapide jamais vu en Asie (plus de 50 % de progression annuelle dans les zones économiques créées depuis le lancement du nouveau cours économique). Voir à PINYIN la transcription des noms géographiques et des noms de personnes.

CHINON
Armoiries de la ville, 1664.
Ph. Jeanbor © Photeb

CHINON. Ville de France (Indre-et-Loire), sur la Vienne. Possession des Plantagenêts dès 1044, Chinon fut prise par Philippe Auguste en 1205 et rattachée à la couronne : Charles VII y résidait lorsque Jeanne d'Arc lui fut présentée (févr. 1429). Ville natale de Rabelais.

CHIO, *Khios.* Île grecque de la mer Égée, près de la côte occidentale de l'Asie Mineure et du golfe de Smyrne. Peuplée

par des Ioniens, l'un des foyers de la poésie homérique, elle fut annexée à l'Empire perse (493/479 av. J.-C.) et dut fournir des contingents à Darius Ier; mais elle retrouva sa liberté après la défaite de Xerxès et devint l'alliée d'Athènes. Passée sous le contrôle de Sparte en 412, elle se délivra de l'occupation lacédémonienne en 394 et entra en 377 dans la seconde ligue athénienne. Depuis Sylla jusqu'à Vespasien, elle fut une cité libre dans l'Empire romain, puis se trouva

CHIO
Monnaie d'argent, avec
un sphinx. (Cabinet
des Médailles.)
Ph. © Bibl. Nat., Paris - Photeb

englobée dans la province des Îles. Possession de l'Empire byzantin, momentanément occupée par les Seldjoukides et les Vénitiens au XIe et au XIIe s., elle fut comprise en 1204 dans l'Empire latin de Constantinople. Donnée ensuite aux Génois, administrée par la maison Giustiniani à partir de 1362, elle passa aux Turcs en 1566 mais obtint dès 1595 une relative autonomie. En 1821, ses habitants se révoltèrent et les Turcs se livrèrent à une terrible répression (avr. 1822, tableau de Delacroix). Chio ne fut rattachée à la Grèce qu'en 1912.

CHIOGGIA. Ville d'Italie (Vénétie), sur la lagune de Venise. Son nom dérive probablement de celui de l'estuaire canalisé par les Romains, *Fossa Claudia*. Dévastée par les invasions barbares, Chioggia fut rattachée dès le VIIe s. à l'État vénitien, fut constituée en commune libre (1110/1214), puis devint de nouveau sujette de Venise jusqu'à la fin de la République, en 1797.

Guerre de Chioggia (1378/81). Nom donné à la troisième guerre qui opposa les deux grandes républiques maritimes italiennes, Venise et Gênes. Alliés au roi de Hongrie et à Francesco de Carrara, seigneur de Padoue, les Génois envoyèrent dans l'Adriatique une flotte importante, commandée par Pietro Doria, et ils s'emparèrent de Chioggia. Mais les Vénitiens réussirent à bloquer la flotte génoise dans ce port, et les marins génois, affamés, durent capituler (24 juin 1380). La guerre se termina l'année suivante par le traité de Turin (v.).

CHIPPENDALE Thomas (* Otley, Yorkshire, juin 1718, † Londres, nov. 1779). Ébéniste anglais. Créateur du style de mobilier qui porte son nom, variété du rococo européen. Auteur du *Gentleman's and Cabinet Maker's Director* (1754).

CHIRAC Jacques (* Paris, 29.XI.1932). Homme politique français. D'origine corrézienne, fils d'un dirigeant de société aéronautique, formé à l'Institut d'études politiques et à l'École nationale d'administration, chargé de mission au cabinet du Premier ministre en 1962, il se lia étroitement avec Georges Pompidou. Député gaulliste de la Corrèze (1967), il entra aussitôt au gouvernement comme secrétaire d'État à l'Emploi et négocia avec les syndicats durant la crise de mai 1968. Secrétaire d'État à l'Économie et aux Finances (1968/71), il devint le proche collaborateur de Valéry Giscard d'Estaing. Ministre chargé des relations avec le Parlement (1971/72), il reçut ensuite le portefeuille de l'Agriculture (1972/74). Ministre de l'Intérieur dans le dernier cabinet Messmer (mars/mai 1974), il joua un rôle décisif à la mort du président Pompidou en favorisant, dès avant le premier tour des élections présidentielles, le ralliement des gaullistes à Valéry Giscard d'Estaing. Nommé Premier ministre par ce dernier (27 mai 1974), il se trouva peu à peu en désaccord avec Giscard d'Estaing et, le 26 juill. 1976, il donna sa démission; celle-ci devint effective le 25 août suivant. Réélu député de la Corrèze (14 nov.),

CHIRAC
Jacques (né en 1932).
Homme politique français.
Ph. © Jean-Paul Paireault -
Magnum

J. Chirac reprit énergiquement en main la direction de l'U.D.R. qu'il transforma en un Rassemblement pour la République (R.P.R.) (5 déc. 1976). Sa divergence de tactique avec le président de la République s'accentua encore, lorsque, le 25 mars 1977, il fut élu maire de Paris, évinçant Michel d'Ornano, désigné par l'Élysée comme candidat unique de l'opposition.
● Lors des élections législatives de 1978, il ne ménagea pas ses critiques à l'égard de la politique gouvernementale et contesta au Premier ministre Raymond Barre toute vocation à être le fédérateur de la majorité. Malgré la perte de 23 sièges gaullistes, le R.P.R. obtint 26,11% des voix (contre 28,31% au P.S. et 23,18% à l'U.D.F., nouveau parti présidentiel) et fut avec 150 élus le premier parti au Parlement. Fort de ses résultats, il fut un partenaire difficile de la majorité conservatrice, mais n'obtint que de médiocres résultats (16,25% des voix) aux élections européennes de 1979. Le dynamisme qu'il affichait dans la gestion de la municipalité de Paris, ses interventions souvent spectaculaires qui le démarquaient de la politique de Valéry Giscard d'Estaing permirent à J. Chirac de remonter ce handicap. Il obtint 5 318 571 voix, soit 18% des suffrages, aux élections présidentielles du 26 avr. 1981, contre 7 437 282 voix à François Mitterrand et 7 929 850 à V. Giscard d'Estaing. Son soutien au président sortant au second tour fut extrêmement ambigu et n'empêcha pas le candidat de la gauche de l'emporter. J. Chirac devint alors le principal chef de l'opposition dans l'Assemblée issue des élections de juin 1981. Les élections municipales de mars 1982 consacrèrent le succès de sa politique : il emporta toutes les mairies des 20 arrondissements de Paris et le R.P.R. gagna les municipalités de 18 grandes villes de province et de nombreuses villes de plus de 30 000 habitants. J. Chirac modifia ensuite ses choix en politique étrangère, prenant souvent la défense de la politique américaine et se voulant résolument européen au point de prôner le principe d'une liste unique de l'opposition aux élections européennes de juin 1984 sous la direction de Simone Veil. Il redevint Premier ministre en mars 1986, après la victoire de la droite aux législatives, et tenta d'imposer le libéralisme économique malgré la présence d'un président de la République élu par la gauche. La réélection de F. Mitterrand en mai 1988, aux élections présidentielles où J. Chirac représenta la droite (46 % des voix au deuxième tour), et la victoire socialiste aux législatives de juin, rejetèrent le maire de Paris dans l'opposition.

CHIR ALI (* Kaboul, 1825, † Mazar, 21. II.1879), émir d'Afghanistan (1863/79). Troisième fils de Dost Mohammed, qui le choisit pour successeur, il dut lutter pendant plusieurs années contre ses frères pour imposer son autorité. D'abord en bons termes avec les Anglais, il se brouilla avec eux vers 1872, car il n'avait pas reçu de leur part un soutien suffisant dans le conflit qui l'opposait à la Perse à propos d'un territoire du Seistan. La tension croissante aboutit à la seconde guerre anglo-afghane (1879/81). Chir Ali mourut peu après le début des hostilités, désespéré par les premières défaites de son armée.

CHIRAZ. Ville de l'Iran, dans le Zagros central. Fondée vers 700 par les Arabes, près des ruines de Persépolis, elle fut la brillante capitale du Farsistan, célèbre par ses armuriers et ses émailleurs. Ville natale des poètes Saadi et Hafiz.

CHISLEHURST. Village d'Angleterre (Kent), au S.-E. de Londres. Château construit par William Camden, en 1609; Napoléon III y mourut en 1873.

CHITON. Principal vêtement porté par les anciens Grecs des deux sexes. C'était une sorte de chemise, que l'on portait sous d'autres vêtements ou seule. Il était formé d'une pièce rectangulaire de toile, de lin ou même de peau, généralement cousue à mi-hauteur et retenue aux épaules par des fibules. Le chiton, qui se portait avec ou sans ceinture, s'arrêtait aux genoux dans le costume masculin; pour les femmes, il descendait jusqu'aux pieds et la partie supérieure était souvent rabattue à partir des épaules pour former une sorte de corsage. Les ouvriers, les chasseurs, les guerriers, les gens actifs en général, ne fixaient le chiton que sur l'épaule gauche, afin d'avoir le bras droit entièrement libre : c'était l'*exomis*. A Sparte, les femmes portaient souvent un chiton court, ouvert entièrement sur le côté droit.

CHIUSI. Voir CLUSIUM.

CHLAMYDE. Vêtement de dessus des anciens Grecs, porté sur le chiton (v.). D'origine thessalienne, la chlamyde, utilisée surtout par les voyageurs et les cavaliers, était un rectangle d'étoffe d'environ 2 mètres sur 1 mètre; à chacun de ses quatre angles était fixé un petit poids, destiné à faire tomber l'étoffe et à l'empêcher de s'envoler. Chez les Romains, la chlamyde était également le manteau des cavaliers, des chasseurs et des soldats.

CHLOPICKI Grzegorz Jozef (* Kapoustyn, Volhynie, 24.III.1771, † Cracovie, 30.IX.1854). Général polonais. Après avoir pris part aux campagnes de Napoléon, il revint en Pologne en 1814, ramenant les troupes polonaises qui avaient combattu aux côtés de la France; il fut bien accueilli par l'empereur Alexandre, qui le fit général de division. Lors de l'insurrection polonaise de 1830, il fut cependant choisi par les Polonais comme « dictateur », mais démissionna au bout de six semaines. Sans se faire d'illusions sur l'issue de la révolte, il combattit héroïquement contre les Russes; il fut blessé grièvement à Grochow (févr. 1831). Il se retira ensuite à Cracovie, dans la Pologne autrichienne.

CHITON
porté par une jeune fille.
Stèle funéraire.
Ph. © Staatliches Museum.
Berlin - Archives Photeb

CHMIELNICKI Bogdan (* vers 1595, † Soubotov, 6.VIII.1657). Hetman des Cosaques d'Ukraine. Il servit d'abord dans l'armée polonaise, mais, comme la Pologne essayait de réduire l'indépendance des Cosaques, il organisa le soulèvement de 1648 et fit reconnaître aux Cosaques une indépendance de fait par les *compactata* de Zborow (18 août 1649). Malgré ses victoires, Chmielnicki dut se placer sous la protection des Russes par le traité de 1654.

CHOCOLAT. Depuis un temps immémorial, les peuples de l'Amérique précolombienne utilisaient, comme aliment et en breuvage, la décoction de la graine de cacao légèrement torréfiée et pulvérisée. Au retour de son quatrième voyage, en 1502, Christophe Colomb rapporta en Espagne des amandes de cacao, auxquelles, dès cette époque, on commença à associer du sucre. Un siècle plus tard, l'usage du chocolat, consommé essentiellement en breuvage, commença à se répandre dans le reste de l'Europe. Il fut introduit en France après le mariage de Marie-Thérèse avec Louis XIV. Vers 1671, un débit public de chocolat s'ouvrit à Paris, rue Saint-Honoré, au coin de la rue de l'Arbre-Sec.

● Les armateurs hollandais devinrent les meilleurs transporteurs de cacao (v.) dès la fin du XVIe siècle; c'est un Hollandais, Van Houten, qui mit au point en 1815 la solubilisation (la poudre) du cacao. Un Français, Antoine Brutus Menier, monta en 1824 à Noisiel-sur-Marne la plus grande chocolaterie de l'époque. Mais déjà, près de Vevey, François-Louis Cailler, formé chez un maître chocolatier de Turin, avait ouvert, en 1819, la première fabrique de chocolat suisse. D'autres entreprises vont développer ce qui deviendra une industrie helvétique par excellence : Philippe Suchard à Neuchâtel en 1824, Charles-Amédée Kohler en 1828 à Lausanne; à partir de 1845, des chocolatiers s'installèrent également en Suisse alémanique, Rodolphe Springli, Jean Tobler, Rodolphe Lindt. Daniel Peter et Henri Nestlé inventèrent le chocolat au lait en 1875. Au début du XXe siècle, la société Nestlé (v.), qui avait une vocation essentiellement laitière, commença à s'intéresser au chocolat; elle s'associa en 1929 avec Peter, Cailler et Kohler et finit par devenir une très grande firme multinationale qui achète 10% de la production mondiale de cacao (v.).

CHOCZIM, ville de Bessarabie. Voir KHOTIN.

CHODKIEWICZ Jan Karol (* Wilno?, 1560, † Khotin, 24.IX.1621). Général polonais. Commandant en chef en Livonie (1601), il battit les Suédois à Dorpat et à Kirchholm (sept. 1605). En 1612, il tenta vainement d'atteindre Moscou, puis remporta de brillants succès contre les Turcs (1620/21).

CHOÉPHORE. Dans la Grèce antique, femme qui portait les offrandes aux morts.

CHOISEUL
Étienne François, duc de Ch.
Homme politique français
(1719-1785). Détail de son
portrait peint par Van Loo.
(Musée de Troyes.)
Ph. © Bulloz - Archives Photeb

CHOISEUL-GOUFFIER
Marie-Gabriel, comte de Ch.-G.
Diplomate français (1752-1817).
Gravé d'après Boilly.
Ph. © Bibl. Nat., Paris - Photeb

CHOIN Marie Émilie Joly de (* Bourg-en-Bresse, 2.VIII.1670, † 1732). Dame française. Fille du baron de Choin, gouverneur et grand bailli de Bourg, elle fut introduite à la cour par la princesse de Conti et devint la favorite du Grand Dauphin, fils de Louis XIV. Devenu veuf de Marie-Anne de Bavière en 1690, le Dauphin se remaria secrètement avec Mlle de Choin à une date incertaine (dès 1691, selon Pierre Van Altena; en 1694 ou 1695, selon d'autres auteurs). Mlle de Choin joua ainsi le même rôle auprès du fils que Mme de Maintenon auprès du père. Au témoignage de Saint-Simon, elle ne fut jamais «qu'une grosse camarde brune, qui, avec toute la physionomie d'esprit et aussi de jeu, n'avait l'air que d'une servante». Mais le mémorialiste loue son total désintéressement. Après la mort du Grand Dauphin, elle vécut dans la retraite, pauvre et s'occupant d'œuvres de charité.

CHOISEUL. Famille noble de Champagne, issue des comtes de Langres, remontant à la fin du XIIe s. :

César, duc de Choiseul, comte du Plessis-Praslin (* Paris, 1598, † Paris, 23.XII.1675). Maréchal de France (depuis 1645), il resta fermement loyal à la cour durant la Fronde et remporta sur Turenne, qui commandait alors l'armée espagnole, la victoire de Rethel (déc. 1650). Ministre d'État en 1652, duc en 1665, il participa aux négociations du traité franco-anglais de Douvres (1670).

Gilbert de Choiseul du Plessis-Praslin (* 1613, † Paris, 31.XII.1689). Évêque de Comminges (1644/71) et Tournai (1671/89). Ami des jansénistes, il fut, en 1651, un des onze évêques qui demandèrent au pape Innocent X de ne pas condamner les propositions de Jansénius.

Étienne François, duc de Choiseul (* en Lorraine, 28.VI.1719, † Paris, 8.V.1785). Homme politique français. Fils de François Joseph de Choiseul-Stainville, qui était chambellan du duc de Lorraine, il fut d'abord connu sous le nom de comte de Stainville. Après une brillante carrière militaire qui l'avait porté, dès 1748, au rang de lieutenant général, il acquit une grande fortune par son mariage, en 1750, avec la fille d'un financier. Ayant gagné, en 1752, la protection de Mme de Pompadour grâce à un service personnel, il fut nommé ambassadeur à Rome (1753/57), où il servit les jansénistes, puis à Vienne (1757/58), où il confirma le renversement des alliances de 1756 et l'entente entre la France et l'Autriche, qui devait rester l'idée directrice de sa politique; il fut, avec Bernis, le principal artisan du deuxième traité de Versailles (1er mai 1757). Successeur de Bernis comme secrétaire d'État aux Affaires étrangères à partir de déc. 1758 (et fait duc la même année), il reçut en outre la Guerre (1761) et la Marine (1763) et exerça, en fait, la direction du gouvernement jusqu'en 1770. Au cours de la guerre de Sept Ans, il s'efforça de renforcer la position française par la conclusion d'un pacte de famille entre tous les Bourbons régnant en Europe (1761). Après le désastreux traité de Paris (1763), il prépara la revanche contre l'Angleterre en reconstituant la flotte, en procédant à d'importantes réformes militaires, en dotant l'armée du nouveau matériel d'artillerie de Gribeauval, en renforçant les positions stratégiques françaises en Méditerranée par l'annexion de la Corse (1768). Il s'opposa aux projets ambitieux de la Russie sur la Pologne et exerça une telle influence à l'étranger que le tsar le surnomma «le Cocher de l'Europe». Gallican convaincu, il chercha à se concilier l'opposition parlementaire et janséniste en faisant expulser les jésuites (1764), mais l'affaire La Chalotais provoqua une véritable révolte des parlements. Attaqué par le parti dévot comme par ceux qui lui reprochaient de ruiner les finances par sa politique d'armement, Choiseul fut disgracié en déc. 1770. Il se retira alors dans son magnifique domaine de Chanteloup, où il acheva sa vie fastueuse. Il a laissé des *Mémoires*, édités en 1904.

Marie-Gabriel, comte de Choiseul-Gouffier (* Paris, 27.IX.1752, † Aix-la-Chapelle, 20.VI.1817). Diplomate et archéologue français, il fut l'ami et le protecteur des savants de son temps. Il fit un voyage d'étude en Grèce (*Voyage pittoresque de la Grèce*, 1782). Ambassadeur à Constantinople (1784/92), il rallia ensuite l'émigration et fut ministre d'État sous la Restauration. Membre de l'Académie française (1784).

Charles, duc de Choiseul-Praslin (* Paris, 29.VI.1805, † Paris, 23.VIII.1847). Pair de France, il épousa en 1824 la fille du maréchal Sebastiani, qui lui donna dix enfants. En 1847, il fut accusé de l'assassinat de sa femme, trouvée morte dans leur hôtel, frappée de trente coups de couteau. Arrêté, il s'enferma dans un silence qui semblait l'accabler et s'empoisonna. Le duc, accusant sa femme de perversions sexuelles, lui avait depuis longtemps enlevé l'éducation de ses enfants et avait confié ceux-ci à une gouvernante, Mlle Deluzy-Desportes, qui, sans avoir été sans doute la maîtresse du duc, avait pris dans la maison une position prépondérante.

CHOISY François-Timoléon, abbé de (* Paris, 16.VIII.1644, † Paris, 20.X.1724). Diplomate et écrivain français. Fils du chancelier de Gaston d'Orléans et descendant par sa mère du chancelier de L'Hôpital, il fut pourvu de plusieurs abbayes, devint prieur de Saint-Lô et grand doyen de la cathédrale de Bayeux. Il aimait porter des habits de femme et se faisait appeler *comtesse de Barres*. S'étant rendu à Rome en 1676, il se convertit, fit partie en 1685 de l'ambassade envoyée par Louis XIV auprès du roi de Siam et se fit ordonner prêtre. Il a laissé de nombreux ouvrages, notamment une *His-*

CHOLTITZ
Dietrich von Ch. Général
allemand (1894-1966).

Ph. © Süddeutscher Verlag.
Munich

toire de l'Église, et d'intéressants souvenirs : *Journal du voyage de Siam* (1687) et *Mémoires pour servir à l'histoire de Louis XIV* (1721). Membre de l'Académie française (1687).

CHOISY-LE-ROI. Ville industrielle de la banlieue sud de Paris, sur la Seine. Le château de Choisy-le-Roi, construit de 1680 à 1686 par Jacques Gabriel pour la Grande Mademoiselle, passa au Grand Dauphin et à la princesse de Conti, avant d'être acheté par Louis XV. Il fut démoli à la Révolution.

CHOLA. Dynastie tamoule du sud de l'Inde, qui eut pour berceau la vallée de la Cauvery (région de Tiruchirapalli et de Thaniavur = Tanjore), dans l'actuel État de Madras. Ses origines, inconnues, pourraient remonter au Ier s. de notre ère, mais elle ne joua un rôle important qu'à partir du IXe s. Sous les règnes de Vijayalaya (vers 850/870) et d'Aditya Ier (870/vers 906), les Chola vainquirent les Pallava et les Pandya. Rajaraja Ier (985/1014) s'assura l'hégémonie sur le Dekkan, annexa les îles Laquedives et Maldives et entreprit la conquête de Ceylan, que devait achever son fils, Rajendracola Déva Ier. Dans son expansion vers le nord, ce dernier envahit le Bengale et atteignit le Gange. Dans la seconde moitié du XIe s., les Chola entrèrent en lutte contre les Chaloukya. La dynastie commença à décliner au XIIe s. et disparut en 1279.

CHOLÉRA. Cette maladie infectieuse, certainement endémique en Inde depuis la plus haute antiquité, ne semble avoir atteint l'Europe et l'Afrique qu'au XIXe s. La pandémie de 1823 ne toucha que la Russie. Beaucoup plus grave pour l'Occident fut celle qui, commencée en Inde en 1826, atteignit Moscou dès 1830 et se répandit en Europe et en Amérique du Nord en 1831/32. Elle fit sa première victime à Paris le 26 mars 1832, sévit durant tout le mois d'avril, parut disparaître pour connaître une violente recrudescence à partir de juin. Des personnages célèbres, comme Hegel à Berlin, Casimir Perier, le général Lamarque, à Paris, furent victimes de cette épidémie qui, dans la seule capitale française, fit plus de 18 000 morts. Une récidive, en 1849, provoqua la mort du général Bugeaud, et de Mme Récamier. De nouvelles pandémies atteignirent l'Europe en 1863/66, en 1883/84, en 1892/93 (mort de Tchaïkovski). Cependant, le savant allemand Robert Koch avait découvert, dès 1883, l'agent transmetteur du choléra, un vibrion spécifique, appelé *bacille virgule;* en 1906, fut isolé en Égypte le plus connu des vibrions cholériques, le bacille El Tor. Au XXe s., le choléra ne fit plus que des apparitions limitées en Europe (durant la guerre balkanique de 1913, durant la guerre civile de Russie en 1920, en Espagne en 1970), mais il continue à sévir de façon endémique en Inde et au Bangladesh, où l'on compte en moyenne 200 000 victimes par an.

CHOLET. Ville de France (Maine-et-Loire), au S.-O. d'Angers. Le 17 oct. 1793, s'y déroula la plus sanglante bataille de la guerre de Vendée, qui s'acheva par la victoire des républicains : Bonchamp y fut mortellement blessé.

CHOLTITZ Dietrich von (* château de Wiese, Silésie, 9.XI.1894, † Baden-Baden, 4/5.XI.1966). Général allemand. Commandant d'un régiment aéroporté en 1939, il participa aux campagnes de Pologne, de Hollande et de Belgique. Il prit ensuite une grande part au siège de Sébastopol. Général en févr. 1943, il fut nommé commandant du Grand-Paris en août 1944 et signa sa reddition devant le général Leclerc, le 25 août. La thèse selon laquelle il aurait sauvé Paris en refusant d'exécuter un ordre de destruction de la capitale donné par Hitler a été répandue par quelques journalistes et par l'intéressé lui-même, mais ne repose sur aucun document sérieux. Fait prisonnier par les Français, il fut libéré en 1947 et se retira à Baden-Baden.

CHÔMAGE. Chacune des crises (v.) économiques qui ont jalonné, depuis le XIXe s., l'histoire du capitalisme industriel a été marquée par une poussée plus ou moins forte de chômage, mais ce phénomène existe ausi en dehors des phases de dépression, car ses causes sont très diverses : chômage saisonnier, qui atteint inévitablement, chaque année, certaines branches telles que le bâtiment, l'hôtellerie, l'agriculture; chômage technologique, qui provient du remplacement par des machines nouvelles d'une main-d'œuvre qui doit dès lors trouver une activité compensatrice... Avant la révolution industrielle, alors que l'activité économique restait encore essentiellement tributaire de facteurs régionaux et locaux, on ne pouvait enregistrer des crises de chômage généralisé, mais seulement des perturbations passagères dans certains secteurs. Ainsi, après le traité de commerce franco-britannique de 1786, la concurrence des produits anglais provoqua une vague assez importante de chômage dans l'industrie textile française, à Sedan, à Elbeuf, à Louviers.

Pour les économistes libéraux du XIXe s., le maintien d'un marché du travail libre et concurrentiel devait suffire à éliminer tout chômage prolongé. Cependant, durant toute la seconde moitié du siècle dernier, un pays comme l'Angleterre, qui était alors la première puissance industrielle, connut en permanence un taux de chômage moyen avoisinant 4,9% de la population active. À la veille de la crise de 1929, alors que le monde capitaliste se trouvait en pleine prospérité, de nombreux pays comptaient déjà un nombre élevé de chômeurs; cet encombrement du marché du travail était attribué à un progrès technique trop rapide pour que le mécanisme de compensation puisse continuer à fonctionner comme il l'avait fait pendant tout le siècle précédent et jusqu'à la Première Guerre mondiale. Avec la grande crise commencée en 1929, le chômage prit une ampleur sans précédent. A la fin de 1932, on

CHÔMAGE

1. Chômeurs des docks de
Londres, 1886.
Ph. © Radio Times Hulton
Picture Library - Archives Photeb

2. Chômeurs manifestant
à Paris, 1975.
Ph. © Chr. Druart - Rapho

comptait approximativement 30 millions de chômeurs dans le monde, notamment aux États-Unis (12 millions), en Allemagne (6 millions), en Angleterre (3 millions), en Italie (1 million). Le mécontentement des sans-emploi eut alors des conséquences politiques importantes : il fut un des facteurs principaux de la venue au pouvoir de Hitler en Allemagne, de Roosevelt aux États-Unis. Les États comprirent alors qu'ils devaient intervenir pour lutter contre ce fléau social. L'Allemagne nationale-socialiste entreprit de grands travaux publics, à des fins pacifiques ou guerrières (autoroutes, canalisation et régularisation des cours d'eau, bâtiments, fortifications), qui permirent, dès 1936, de faire tomber le nombre des chômeurs à 1 763 000 et, à partir de 1938, de résorber complètement le chômage. En Angleterre, où le chômage atteignait, vers 1931/32, de 30 à 60% de la population active dans les mines de charbon du sud du pays de Galles et de l'Écosse et dans l'industrie textile du Lancashire, le gouvernement favorisa le déplacement et le reclassement de la main-d'œuvre dans des régions plus favorisées; près de 200 000 travailleurs vinrent s'installer dans la région de Londres et dans le sud-est de l'Angleterre. Le nombre des chômeurs ne représentait plus que 9% de la population active en 1937. Aux États-Unis, l'Emergency Relief Act de mai 1933 créa la Federal Emergency Relief Administration, dotée de 500 millions de dollars et chargée de l'assistance aux chômeurs. Peu après, fut organisée la Public Works Administration, qui, de 1933 à 1942 (date de sa suppression), dépensa 13 milliards de dollars pour la création d'emplois dans les travaux publics. Cependant, le chômage devait persister jusqu'à la Seconde Guerre mondiale. En 1938, on comptait encore 1 500 000 chômeurs en Grande-Bretagne, 400 000 en France, 180 000 en Belgique, plusieurs millions aux États-Unis.

Selon les théoriciens marxistes, le chômage est un mal inséparable du régime capitaliste. Cependant, dans sa célèbre *Théorie générale de l'emploi, de l'intérêt et de la monnaie* (1936), l'économiste anglais Keynes, faisant le bilan de la grande crise mondiale, avait souligné que les pouvoirs publics pouvaient assurer le plein emploi par des interventions sans doute contraires au principe du laissez-faire absolu, mais compatibles avec le régime capitaliste. C'est en s'inspirant largement des théories de Keynes que les gouvernements réussirent, après la Seconde Guerre mondiale, à limiter sérieusement les crises passagères de l'emploi. En 1961, le taux de chômage était de 1,7% en France, de 2,2% en Grande-Bretagne, de 3,7% en Italie, de 1% au Japon, de 0,5% en Allemagne occidentale, de 6,7% aux États-Unis. Cependant, à partir de 1964, le monde occidental connut une poussée à peu près constante de chômage, qui s'accéléra brusquement à partir de 1973 (v. CRISES ÉCONOMIQUES), en particulier dans certains secteurs (automobile, compagnies aériennes, pétrochimie, textile, bâtiment).

A la fin de 1974, on comptait 1 150 000 chômeurs en Allemagne fédérale, 1 020 000 en Italie, 742 000 en Grande-Bretagne, 723 000 en France, 197 000 aux Pays-Bas, etc. Les pourcentages nationaux de chômeurs par rapport à la population active étaient de : 11,8% au Danemark, 8,1% en Irlande, 8% aux États-Unis, 5,7% en Belgique, 5,3% en Italie, 5,2% aux Pays-Bas, 5,1% en Allemagne fédérale, 4,3% en France, 3,3% en Grande-Bretagne (statistiques de la commission de la C.E.E.).

● Dix ans plus tard, ces chiffres avaient très considérablement augmenté, soit : 15,5% en Irlande (196 300), 15,3% en Belgique (625 700), 14,8% aux Pays-Bas (827 600), 12,1% en Italie (2 740 000), 11,9% au Royaume-Uni (3 094 000), 9,7% au Danemark (259 000), 9,5% en France (2 165 000), 8% en Allemagne fédérale (2 147 000) et 1,7% au Luxembourg (2 703). Soit un total de plus de 12 millions de chômeurs pour la C.E.E. Mais un très petit nombre de pays du monde, à l'Est comme à l'Ouest, ont été épargnés par le chômage : la Chine comptait, en 1983, 26 millions de chômeurs. Les statistiques de l'O.C.D.E. (v.) qui groupe 24 États industrialisés, dont le Japon, l'Australie, les États-Unis, montrent qu'à fin 1984 on recensait dans ces pays 34,5 millions de chômeurs, soit 5 millions de plus qu'en 1982, dont 19,5 millions pour les pays européens, encore plus touchés que les pays d'Amérique du Nord — États-Unis et Canada — ou que le Japon. Les chômeurs représentaient 11,5% de la population active (contre 10,75% en 1983 et 9,5% en 1982) et la France en comptait 2 450 000. Pour enrayer ce mouvement, il aurait fallu créer 20 millions d'emplois entre 1984 et 1989, puisque la population active avait augmenté de 18 à 20 millions de personnes pendant cette période. Au début de l'année 1985, alors que la croissance retrouvée de l'économie américaine favorisait le réemploi en masse des travailleurs au chômage, avec une diminution des avantages acquis antérieurement, le gouvernement français était contraint d'adopter de nouvelles formes d'urgence pour endiguer la paupérisation dangereuse des jeunes sans emploi et des chômeurs de longue durée privés d'allocations.

Cependant la relance de la croissance commencée aux États-Unis et en Grande-Bretagne, puis en Allemagne fédérale et au Japon touchait bientôt tous les pays de l'O.C.D.E. et y faisait baisser le chômage. En 1987 et 1988, la croissance de l'emploi était de 1,5 %. Seules l'Irlande et la Nouvelle-Zélande tardaient à suivre cette évolution. Les chômeurs (32 millions en 1983) étaient encore au nombre de 28,5 millions en 1987, et une part importante de la population n'avait pas sa place dans l'activité économique.

Les créations d'emplois dépendaient surtout du secteur des services, où, malgré une qualification souvent plus élevée due à la production, bas salaires et précarité étaient souvent la règle. Les emplois traditionnels (donc masculins) stagnaient ou régressaient au profit des emplois féminins à temps partiel. Malgré cette évolution commune, les situations pouvaient varier profondément selon les pays. États-Unis et Grande-Bretagne profitaient de leur politique de déréglementation qui permettait la création d'emplois précaires et sous-payés. L'Allemagne fédérale bénéficiait de la diminution de sa population active. La France restait handicapée par l'excédent d'arrivées nouvelles sur le marché du travail. Le chômage des jeunes y augmentait (24 % en 1988), de même qu'en Italie (37 %). En 1988, toutes catégories confondues, l'Italie dépassait toujours les 10 % (11,9 %), ainsi que la France (10,3 %).

CHOMIAKOV. Voir Kᴴᴏᴍɪᴀᴋᴏᴠ.

CHOPPER. Outil préhistorique façonné sur galets par l'enlèvement d'un ou plusieurs éclats sur une seule face du galet (les galets présentant des enlèvements sur les deux faces sont dits *chopping-tools* ou bifaces). Les choppers, qui représentent l'état le plus primitif de l'industrie de la pierre taillée, ont été retrouvés en Chine, à Chou-koutien (v.), et en Afrique, à Oldoway (v.).

CHORÉGIE. Dans la Grèce antique, la chorégie était la principale «liturgie» (v.) imposée aux citoyens riches. Les chorèges, désignés dans chaque tribu athénienne à l'occasion des diverses fêtes (dionysies, panathénées, voir ces mots) et concours publics, devaient recruter un chœur, l'habiller et l'exercer, ce qui entraînait des dépenses parfois considérables (jusqu'à 5 000 drachmes). Mais la fonction de chorège était hautement honorifique : le chorège était considéré comme un personnage sacré; il était exempt de service militaire pendant la durée de sa charge; s'il recevait le prix, il avait le droit de faire élever un monument commémorant sa victoire. La chorégie fut abolie à la fin du ɪᴠᵉ s. av. J.-C. et l'État prit désormais la charge d'organiser les chœurs.

CHORÉVÊQUE. A partir du ɪᴠᵉ s., nom donné à des évêques de campagne qui n'avaient qu'une partie des pouvoirs épiscopaux; sans résidence fixe, ils parcouraient les campagnes pour aider les diocésains, dont ils dépendaient étroitement. Déjà nombreux en Asie Mineure, ils apparurent en Occident au début du ᴠᵉ s. et jouèrent un rôle important dans la conversion de la Germanie. Mais ils essayèrent d'étendre leur autorité et furent dès lors combattus par la hiérarchie établie. Ils disparurent en Occident vers le xɪᵉ s., en Orient au xɪɪɪᵉ s.

CHORSABAD. Voir Kʜᴏʀsᴀʙᴀᴅ.

CHOSROÈS Iᵉʳ le Grand, Khosrô surnommé également **Anouchirvan,** *A l'âme immortelle,* roi sassanide de Perse (531/579). Fils et successeur de Kavadh Iᵉʳ, il imposa son autorité en faisant assassiner ses frères et leur descendance mâle. Célébré comme un souverain bon et juste, il acheva de détruire l'hérésie mazdakite (v.), restitua à leurs anciens propriétaires les biens pillés, les femmes enlevées (tout en laissant à celles-ci la liberté de rester avec leurs ravisseurs) et allégea les impôts. Il se montra tolérant envers les chrétiens. Bien qu'ayant signé avec Justinien une paix perpétuelle (533), il mena, sans résultats notables, une longue guerre contre les Byzantins (540/562). Sur les frontières orientales, il détruisit le royaume hephthalite (554) et annexa la Bactriane, mais se trouva ainsi aux prises avec les Turcs, qui allaient se révéler des adversaires dangereux pour l'Empire sassanide. En Arabie, il répondit à l'appel des Yéménites et les aida à chasser les Éthiopiens de leur pays. La guerre ayant repris avec Byzance, Chosroès remporta des victoires en Mésopotamie, en Syrie et en Cappadoce, mais mourut avant d'avoir pu conclure les négociations de paix. Chosroès réorganisa l'administration en divisant son empire en quatre grandes satrapies; il régularisa l'impôt foncier; stimula l'agriculture et le commerce en aménageant des systèmes d'irrigation et des routes. Il fut aussi un bâtisseur et il éleva à Ctésiphon le Taq-é Kesra.

CHOSROÈS II Parviz, c'est-à-dire *le Victorieux,* roi sassanide de Perse (590/628). Petit-fils du précédent et fils d'Ormizd IV, il fut élevé au trône par une révolte des féodaux, durant les troubles provoqués par le soulèvement de Vahram Tchubin. Celui-ci, qui prétendait descendre des Arsacides, se proclama roi sous le nom de Vahram VI, et Chosroès dut aller se placer sous la protection de l'empereur Maurice. Avec l'aide militaire des Byzantins, il réussit à reconquérir son trône (591) et maintint pendant plus de dix ans la paix avec Byzance. En 602, après l'assassinat de Maurice par Phocas, il rouvrit les hostilités contre l'empire d'Orient, sous prétexte de venger Maurice. Ses armées envahirent la Syrie et l'Anatolie, atteignirent la Chalcédoine et le Bosphore et menacèrent directement Constantinople (608). En 614, elles firent la conquête de Jérusalem, qui fut mise au pillage pendant trois jours, puis les Perses pénétrèrent en Égypte et s'emparèrent d'Alexandrie (616). Chosroès II avait ainsi reconstitué l'ancien Empire perse des Achéménides et porté à son apogée la puissance sassanide. Allié des Avars, il vint bloquer Constantinople (626), mais l'Empire byzantin se ressaisit avec Héraclius. Après la victoire des Byzantins à Ninive (628), Chosroès dut fuir Ctésiphon, sa capitale, et fut déposé par son fils Khavad II, qui le fit tuer quelques jours plus tard.

CHOTEK comtesse Sophie (* Stuttgart, 1.III.1868, † Sarajevo, 28.VI.1914). D'une famille noble de Bohême, elle devint en juill. 1900 l'épouse morganatique de François-Ferdinand, héritier du trône d'Autriche-Hongrie, et reçut le titre de princesse de Hohenberg. Elle fut assassinée avec son mari.

CHOSROÈS II
Parviz. Roi sassanide de Perse (590/628). Médaillon d'une coupe en cristal de roche. (Cabinet des Médailles.)
Ph. © Bibl. Nat., Paris - Photeb

CHOU... Voir les noms chinois commançant par *Chou* et ne figurant pas ci-après à TCHOU...

CHOUAN Jean Cottereau, dit Jean (* Saint-Berthevin, Mayenne, 30.X.1757, † près de Laval, 2.II.1794). Chef royaliste français. Ancien faux saunier, il avait reçu le surnom de Jean Chouan parce que, la nuit, il imitait le cri du *chat-huant* pour avertir ses hommes de l'approche des agents de la gabelle. Reconnaissant à Louis XVI de lui avoir accordé une grâce, il proclama ouvertement sa fidélité au roi, peu après le 10 août 1792, alors que les fonctionnaires du gouvernement révolutionnaire tentaient de procéder à un enrôlement militaire à Saint-Ouen-des-Toits, près de Laval. L'année suivante, il fut, avec ses frères Pierre, François et René, l'un des premiers chefs du soulèvement populaire qui prit le nom de *chouannerie* (v.). Il fit sa jonction avec l'armée vendéenne et fut tué au combat, ainsi que son frère François; l'aîné, Pierre, fut fait prisonnier par les Bleus et fut guillotiné à Laval en 1794. Seul René, le cadet, surnommé *Faraud,* survécut à la période révolutionnaire; il mourut en 1846.

CHOUANNERIE. Insurrection paysanne qui, faisant suite à une agitation sporadique dont les premiers signes apparurent dès 1791, se déclencha au printemps 1793 dans le Maine et gagna l'Anjou, la Bretagne, la basse Normandie et une partie de la Touraine. Elle doit son nom à l'un de ses premiers chefs, Jean Chouan (v.). Parallèle à l'insurrection de la Vendée (v.), elle en resta toujours distincte, avec un caractère moins aristocratique et moins organisé. La chouannerie ne s'explique pas seulement par des raisons idéologiques (fidélité à l'Église et au roi), mais aussi, et plus encore, par une opposition populaire au service militaire exigé par la Convention (loi du 24 févr. 1793 sur la levée de 300 000 « volontaires »). Beaucoup de chouans étaient en outre, comme Jean Chouan lui-même, d'anciens contrebandiers, des faux sauniers, que la suppression de la gabelle (v.) avait réduits au chômage. Durant l'hiver 1793/94, les chouans, au nombre de plusieurs dizaines de milliers, se joignirent à l'armée des vendéens, mais, après la défaite de Savenay (déc. 1793) et les expéditions des « colonnes infernales », ils reprirent leur guerre de partisans, qui tourna parfois au brigandage. Aux côtés d'hommes du peuple comme les frères Cottereau, des aristocrates royalistes comme le marquis de La Rouërie, comme les comtes de La Bourdonnaie, de Boulainvilliers et de Silz, comme le chevalier de Magnan, comme le comte Louis de Frotté, participèrent à la chouannerie, ainsi que Georges Cadoudal. Après des trêves éphémères, la chouannerie ne fut définitivement étouffée qu'en 1800. Elle connut un bref renouveau en 1814/15, pendant les Cent-Jours.

CHOU EN-LAI
Homme politique chinois (1898-1976).
Ph. © H. Bureau - Sygma

CHOU EN-LAI, *Zhou Enlai* en pinyin (* Shoa-Xing, Chékiang, 1898, † Pékin, 8.I.1976). Homme politique chinois. D'une famille de petite noblesse originaire du Kiang-sou, il commença ses études universitaires au Japon mais revint en Chine lors des manifestations nationalistes de mai 1919 et se voua dès ce moment à l'action révolutionnaire. Après un bref emprisonnement, il partit pour la France, et séjourna en Europe de 1920 à 1924; il se rallia définitivement au communisme, rencontra Hô Chi Minh, et, sans faire lui-même d'études régulières, il publia un journal estudiantin et s'efforça d'organiser politiquement les étudiants chinois résidant en France, en Allemagne et en Angleterre.

Rentré en Chine à l'époque où les communistes collaboraient étroitement avec le Kouomin-tang de Sun Yat-sen, il fut nommé commissaire politique à l'académie militaire de Whampoa, où il connut Tchang Kaï-chek. En 1926, il servit comme commissaire politique dans la Ire armée de Tchang Kaï-chek. Lorsque celui-ci, en 1927, rompit avec les communistes et procéda à la sanglante purge des éléments révolutionnaires de Chang-hai (avr. 1927), Chou En-lai échappa de justesse au massacre. Élu la même année membre du bureau politique du parti, il prit l'initiative d'une série de révoltes contre le Kouo-ming-tang, qui, toutes, aboutirent à des échecs. A cette époque, la stratégie de Chou En-lai, qui continuait à privilégier l'action du prolétariat ouvrier, s'opposait à celle de Mao Tsé-toung, lequel fondait l'essentiel de l'action révolutionnaire sur les masses paysannes. Les deux hommes s'opposèrent encore, en 1931, sur la meilleure manière de défendre la République soviétique du Kiang-si, soumise aux attaques des forces de Tchang Kaï-chek. Cependant, durant la Longue Marche (v.), lorsque Mao Tsé-toung prit la tête du parti (janv. 1935), Chou En-lai se rallia entièrement à Mao, auquel il voua désormais une fidélité indéfectible. Vice-président du Conseil révolutionnaire militaire, il apparut, dès la période où la capitale communiste était fixée à Yenan, comme le principal responsable de la politique étrangère maoïste, fonction à laquelle l'appelaient ses séjours antérieurs au Japon et en Europe, ainsi que la mission qu'il avait effectuée à Moscou en 1928. Lorsque communistes et nationalistes se rapprochèrent pour faire face à l'agression japonaise, Chou En-lai fut le principal représentant des communistes auprès du gouvernement de Tchang Kaï-chek. A ce titre, il séjourna à Tchoung-king pendant une grande partie de la Seconde Guerre mondiale, ce qui lui permit de nouer ses premiers contacts avec les diplomates et les journalistes occidentaux. Il fit également un séjour à Moscou en 1939/40.

En 1945/46, il mena avec Mao les négociations avec Tchang Kaï-chek et le général américain Marshall en vue de l'établissement d'un gouvernement chinois d'union nationale. Ces pourparlers restèrent sans succès, mais la compétence de Chou En-lai

CHOU-TEH
Maréchal et homme politique
chinois (1886-1976).
Ph. © Keystone

fit une profonde impression sur ses interlocuteurs américains. Après la fin de la guerre civile et la proclamation de la République populaire de Chine, Chou En-lai devint Premier ministre et ministre des Affaires étrangères (oct. 1949). Sa connaissance de l'Occident et son habileté diplomatique rendirent de grands services au régime communiste naissant. En 1954, lors de la conférence de Genève, ses entretiens avec Mendès France contribuèrent de façon décisive à la fin de la première guerre d'Indochine. En 1955, il domina, avec Nehru, la conférence des nations afro-asiatiques à Bandoung. En 1958, il abandonna à son protégé Ch'en Yi le poste de ministre des Affaires étrangères, mais il resta Premier ministre et n'en continua pas moins à diriger toute la politique, aussi bien extérieure qu'intérieure, de la Chine (v. CHINE). Communiste convaincu, entièrement dévoué à sa patrie et à son parti, Chou En-lai n'incarnait pas une tendance idéologique particulière et il n'aspirait pas au pouvoir personnel, ce qui lui permit de poursuivre une ligne de conduite pragmatique qui visait avant tout à maintenir toujours l'équilibre entre les diverses forces rivales au sein de la direction chinoise, de même qu'entre les exigences idéologiques et les impératifs de l'économie. Lors de la révolution culturelle, il fut l'un des rares dirigeants épargnés par les critiques des gardes rouges; il suivit scrupuleusement la politique de Mao mais s'efforça de jouer un rôle modérateur dans les troubles qui suivirent. Il entreprit ensuite la patiente reconstruction des organes du parti et de l'administration, fit avorter les tentatives de Lin Piao (1971) et couronna son œuvre de politique extérieure en amenant les États-Unis à reconnaître le fait communiste chinois, lors de la visite de Nixon à Pékin, en 1972. Se sentant malade, il essaya d'assurer sa succession au pragmatique Teng Hsiao-ping. Cette succession ne fut définitive qu'en 1978 quand Teng Hsiao-ping fut rétabli dans ses fonctions par le Comité central. Voir CHINE.

CHOUETTE. Oiseau consacré à Athéna, la chouette devint le symbole d'Athènes. On a donné le nom de *chouettes* aux monnaies athéniennes, en particulier au tétradrachme frappé à partir du VIe s. av. J.-C., parce que la chouette figurait ordinairement au revers des pièces.

CHOU-KOU-TIEN, *Zhoukoudian* en pinyin. Gisement préhistorique de Chine, à une quarantaine de km au sud-ouest de Pékin. Signalé dès 1921, d'abord prospecté par O. Zdansky de 1921 à 1923, puis par Böhlin, par W.C. Pei et par Teilhard de Chardin, il réunit quinze sites, dont le plus important est une ancienne grotte effondrée. On y découvrit dès 1921 les deux premières dents du *Sinanthropus pekinensis;* par la suite, furent mis au jour les restes plus ou moins complets de 45 squelettes de sinanthropes (v.), associés à une industrie de choppers (v.) de quartz et à une faune variée comportant l'éléphant antique et le *Rhinoce-*

CHOUETTE
Oiseau consacré à Athéna,
peint sur un vase archaïque.
Ph. © Archives photographiques
Archives Photeb

ros tichorhinus. A un niveau supérieur, furent découverts, en 1933, des restes d'*homo sapiens.*

CHOU-TEH, *Zhu De* en pinyin (* Niloung, Sseu-tch'ouan, 18.XII.1886, † Pékin, 6.VII.1976). Maréchal et homme politique chinois. D'une famille paysanne de la Chine du Sud-Ouest, il fut adopté par un oncle, fit des études classiques, et, de 1909 à 1911, il fut l'un des premiers officiers chinois à recevoir une formation militaire moderne à l'académie militaire de Yun-nan. Après avoir participé à la révolution qui mit fin à la dynastie des Mandchous (1911), il fut nommé gouverneur militaire du Yun-nan et fut promu général dès l'âge de trente-trois ans. En 1922, renonçant brusquement aux concubines et à l'opium, il se rallia au mouvement révolutionnaire de Sun Yat-sen puis partit pour l'Europe. Il séjourna en Allemagne, où il reprit ses études aux universités de Berlin et de Göttingen, et se rallia au marxisme. Expulsé d'Allemagne en 1926, en raison de ses activités politiques, il revint en Chine et prit part à la tentative de révolte militaire communiste du 1er août 1927, à Nanchang, dans la province du Kiang-si. En 1928, il rejoignit Mao Tsé-toung et mit dès lors au service des conceptions stratégiques de celui-ci ses compétences de militaire de carrière. Durant la Longue Marche (1934-35), il prit le commandement de la colonne occidentale, qui rallia Yenan par le Tibet et le Sin-kiang, cependant que Mao dirigeait la colonne orientale. Il organisa ensuite la VIIIe armée de marche communiste qui prit part à la lutte contre les Japonais. Commandant en chef de l'armée populaire de libération durant la guerre civile, il triompha des nationalistes en 1949. Très populaire, il conserva dans la République populaire ses fonctions de commandant en chef, fut nommé en 1954 vice-président de la République (ce qui faisait de lui l'éventuel successeur de Mao), et fut fait maréchal en 1955. Cependant, pour avoir critiqué la politique du Grand Bond en avant, il perdit son poste de vice-président dès 1959. Durant la révolution culturelle, il fut dénoncé par les gardes rouges comme un « seigneur de la guerre » et un « carriériste ». Tombé quelque temps en disgrâce, il fut cependant réélu au Politburo en 1969 et au comité permanent du Politburo, l'organe exécutif du parti, en 1973.

CHOUEN TI, *Shundi* en pinyin (* 1320, † 1370), empereur de Chine (1333/68). Dernier souverain de la dynastie mongole de Gengis khan (dynastie des Yuan), il fut renversé par une révolte nationale partie en 1355 des provinces méridionales et dirigée par Tchou Yuan-tchang, qui, devenu empereur sous le nom de T'ai Tsou, fonda la dynastie des Ming (v.). Chassé de Pékin, Chouen ti se retira et mourut en Mongolie.

CHOUISKI. Famille princière russe de la maison de Riourik (ligne de Souzdal). En

1606, les Chouiski jouèrent un rôle décisif dans la chute de l'usurpateur Dimitri, et l'un de ses membres, Vassili Chouiski, devint tsar. Voir VASSILI CHOUISKI.

CHOUVALOV. Famille comtale russe dont la fortune commença avec trois frères favoris de l'impératrice Élisabeth.

Ivan Ivanovitch Chouvalov (* 1737, † 1797), qui collabora à la fondation de l'université de Moscou et de l'académie des beaux-arts de Saint-Pétersbourg (1757);

Alexandre Ivanovitch Chouvalov, qui exerça une influence très puissante comme président de la chancellerie secrète;

Piotr Ivanovitch Chouvalov († 1762), qui fut un des principaux ministres de la tsarine Élisabeth et se signala par l'invention d'un nouvel obusier.

A cette famille appartient **Piotr Andreïevitch Chouvalov** (* Saint-Pétersbourg, 15. VII.1827, † Wartemjagi, près de Saint-Pétersbourg, 22.III.1889), général et diplomate russe. Gouverneur des provinces baltes (1864), il y mena une politique de russification qui rencontra l'opposition des populations. Il fut ensuite directeur de la police secrète (1866/74), puis ambassadeur à Londres (1874/79) : dans ce dernier poste, il contribua au maintien de la paix européenne en conseillant à son gouvernement de renoncer aux clauses du traité de San Stefano (accord Chouvalov-Salisbury, 30 mai 1878). Aux côtés de Gortchakov, Chouvalov représenta la Russie au congrès de Berlin.

CHRAMNE († vers 560). Fils de Clotaire Iᵉʳ, il se révolta par deux fois contre lui, mais fut vaincu et, sur l'ordre de son père, brûlé vif avec sa famille.

CHRÉTIENS DE SAINT-JEAN. Secte chrétienne remontant au Iᵉʳ s. et qui a encore des représentants en Irak. Ils reconnaissent pour chef Jean-Baptiste, renouvellent le baptême tous les ans et nient la divinité du Christ; leurs conceptions religieuses ont été fortement imprégnées de gnosticisme (corporalité de Dieu, création du monde par l'intermédiaire des démons, transmigration des âmes, etc.).

CHRÉTIENS DE SAINT-THOMAS. Chrétiens établis sur la côte de Malabar, en Inde, et qui font remonter leur première évangélisation à l'apôtre Thomas, lequel, selon certaines traditions anciennes, serait venu prêcher le christianisme en Inde. Entraînés dans le nestorianisme, ils furent découverts par les Portugais au XVIᵉ s. et se réunirent presque tous à l'Église romaine à partir de 1599.

CHRÉTIENS ALLEMANDS, *Deutsche Christen.* Tendance de l'Église évangélique allemande, qui fit son apparition vers 1929,

en liaison avec la montée politique du national-socialisme (v.). Les Chrétiens allemands adhéraient dans l'ensemble aux doctrines hitlériennes, quoique leur mouvement comprît des groupes plus ou moins radicaux. Leur but commun était de rassembler tous les protestants allemands dans une seule Église centralisée. Ils exploitaient ainsi au profit des idées nationalistes le désir profond d'unité qui soulevait depuis longtemps le protestantisme germanique. Cette Église unique, ils la voulaient cimentée par une « foi chrétienne conforme à l'esprit de Luther et à la piété allemande » (déclaration de 1932). « L'Allemagne est notre devoir, le Christ est notre force! » proclamait un de leurs manifestes, à la fin de 1933. Selon leurs conceptions — qui mettaient en valeur les déclarations antisémites de Luther et sa doctrine de soumission absolue au pouvoir politique —, l'État national-socialiste constituait « l'achèvement de la Réforme allemande ». Certains Chrétiens allemands allaient plus loin encore : ils prétendaient expurger l'Écriture sainte de ses éléments non « aryens », rejetaient l'Ancien Testament et st. Paul, corrigeaient le Sermon sur la montagne, éliminaient des Évangiles tout ce qui relevait d'une « morale des esclaves ». Aux élections ecclésiastiques de juillet 1933, les Chrétiens allemands obtinrent une large majorité dans l'organisation de l'Église évangélique de la nation allemande, créée au mois de mai précédent. L'un de leurs principaux chefs, Ludwig Müller, fut imposé par le gouvernement hitlérien comme « évêque du Reich ». On estime que le mouvement des Chrétiens allemands ne rassemblait alors qu'environ 3 000 des 17 000 pasteurs allemands, mais son influence était beaucoup plus étendue chez les laïcs. Au congrès du mouvement, qui se tint en novembre 1933 au Sportpalast de Berlin, les extrémistes provoquèrent une scission et constituèrent une organisation dissidente qui prit, en 1938, le nom de Mouvement de l'Église nationale; sa base se trouvait en Thuringe, l'un des fiefs les plus anciens de l'hitlérisme. La devise de ce groupe était : « Un peuple, un Dieu, un Reich, une Église! » Les excès des Chrétiens allemands suscitèrent dès 1934 une résistance grandissante, qui s'exprima principalement dans l'Église confessante (v.). Dirigés par des hommes assez médiocres, les Chrétiens allemands déçurent d'ailleurs les espoirs que Hitler, dans les années 1933-34, avait pu mettre en eux; ils n'en continuèrent pas moins à diriger plus de la moitié des Églises locales d'Allemagne jusqu'à l'effondrement du national-socialisme, en 1945.

CHRÉTIENS PROGRESSISTES. Nom donné, après la Libération, à des catholiques qui, voyant dans le marxisme la vérité politique, se solidarisèrent avec l'action du parti communiste en France et de l'Union soviétique dans le monde. Ils espéraient ainsi, par leur témoignage et leur engagement dans l'action révolutionnaire, arriver à disjoindre le communisme de son athéisme, lequel

CHRISTINE
Reine de Suède (1632/1654). Détail du tableau de Louis-Michel Duménil.
(Musée national du château de Versailles.) La reine est assise à gauche,
écoutant une démonstration de Descartes (à dr.).
Au centre, Élisabeth de Bavière, princesse Palatine (1618-1680),
debout, le père Mersenne. Christine n'attira Descartes
à sa cour qu'en 1649, en frétant spécialement un navire
pour le conduire d'Amsterdam à Stockholm,
alors que le père Mersenne (1588-1648) était déjà mort.
Ces personnages étaient tous très liés entre eux par correspondance,
mais la scène où ils sont peints tous ensemble à la même table est imaginaire.
Descartes (1596-1650) mourut en quelques semaines, des rigueurs de l'hiver suédois.
Ph. H. Josse © Photeb

n'était, à leurs yeux, qu'une conséquence de la solidarité de fait qui existait, depuis le XIXe s., entre l'Église et les classes possédantes. En 1949, fut créée une Union des chrétiens progressistes, mais l'expression théologique la plus intéressante du progressisme chrétien fut donnée par la revue *Jeunesse de l'Église,* du P. Montuclard, dominicain, qui exerça une réelle influence sur certains prêtres-ouvriers (v.).

CHRIST (le). Voir JÉSUS.

CHRIST (ordre du). Ordre religieux et militaire institué en 1318 par Denis Ier, roi de Portugal, pour lutter contre les Maures; il prolongeait l'ordre du Temple.

CHRISTADELPHES ou **FRÈRES DU CHRIST.** Secte fondée aux États-Unis, vers 1840, par le Dr John Thomas, de Brooklyn. Ses adhérents s'efforcent de vivre comme les chrétiens de l'Église primitive; ils attendent la seconde venue du Christ, qui régnera sur le trône de David et restaurera les douze tribus d'Israël.

CHRISTIAN Ier (* 21.V.1426, † Copenhague, 21.V.1481), roi de Danemark (1448/81), de Norvège (1450/81) et de Suède (1457/71). Fondateur de la dynastie d'Oldenbourg au Danemark, il était le fils du comte Dietrich d'Oldenbourg. Élu, après la mort du roi Christophe, roi de Danemark (1448), de Norvège (1450) et de Suède (1457), il fut chassé de ce dernier pays par Sten Sture en 1471. En 1460, il fit passer le Schleswig et le Holstein à la couronne danoise. Sa dynastie régna sur le Danemark jusqu'en 1863.

CHRISTIAN II (* Nyborg, 1.VII.1481, † Kalundborg, 25.I.1559), roi de Danemark et de Norvège (1513/23), et de Suède (1520/23). Fils et successeur du roi Jean, beau-frère de l'empereur Charles Quint, il s'imposa en Suède en faisant mettre à mort les chefs de la résistance nationale («bain de sang de Stockholm», 8 nov. 1520), mais il fut chassé par le soulèvement de Gustave Vasa et fut déposé au Danemark même (1523). Après une tentative pour ressaisir le trône (1532), il fut pris par son successeur, son oncle Frédéric Ier, et mourut en prison.

CHRISTIAN III (* Gottorp, 12.VIII.1503, † Koldinghus, 1.I.1559), roi de Danemark et de Norvège (1534/59). Fils et successeur de Frédéric Ier, il ne fut reconnu qu'après avoir triomphé de la sanglante «querelle des princes» (1534/36), lesquels voulaient rétablir Christian II sur le trône. Il introduisit la Réforme au Danemark (1536). Il eut pour successeur Frédéric II.

CHRISTIAN IV (* Frederiksborg, 12.IV.1577, † Copenhague, 28.II.1648), roi de Danemark et de Norvège (1588/1648). Fils et successeur de Frédéric II. Entré en 1625 dans la guerre de Trente Ans comme chef de la ligue protestante, il fut battu par Tilly à

CHRISTIAN IV
Roi de Danemark et
de Norvège (1588/1648).

Ph. J.L. Charmet © Arch. Photeb

Lutter (1626) et dut signer l'humiliante paix de Lübeck (1629); il mena ensuite une guerre malheureuse contre la Suède (1643/45) et perdit les provinces de Gothie et d'Ösel. Bon administrateur, libéral avec ses sujets et grand bâtisseur, il est resté, malgré ses défaites, un des rois les plus populaires du Danemark. Il eut pour successeur Frédéric III.

CHRISTIAN V (* Flensburg, 15.IV.1626, † Copenhague, 25.VIII.1699), roi de Danemark et de Norvège (1670/99). Petit-fils du précédent et fils de Frédéric III, il s'allia en 1673 avec les Hollandais contre Louis XIV, fit sans succès la guerre à la Suède (1675/79), mais obtint en 1676 le comté d'Oldenbourg. Il donna au Danemark un nouveau Code (1683). Il eut pour successeur Frédéric IV.

CHRISTIAN VI (* Copenhague, 30.XI. 1699, † Hirschholm, 6.VIII.1746), roi de Danemark et de Norvège (1730/46). Fils et successeur de Frédéric IV, piétiste sincère, ami des arts, il régna paisiblement et reconstruisit Copenhague. Il eut pour successeur Frédéric V.

CHRISTIAN VII (* Copenhague, 29.I. 1749, † Rendsburg, 13.III.1808), roi de Danemark et de Norvège (1766/1808). Fils et successeur de Frédéric V, malade et déséquilibré, il abandonna le gouvernement à Struensee, adepte du « despotisme éclairé ». En 1772, Struensee, convaincu de relations coupables avec la jeune reine Caroline Mathilde et de complot contre le roi, fut mis à mort, mais la politique de réformes fut poursuivie par Bernstorff. Dès 1784, Christian VII se trouvant physiquement dans l'incapacité de gouverner, la régence passa à son fils, le futur Frédéric VI.

CHRISTIAN VIII (* Copenhague, 18.IX. 1786, † Copenhague, 20.I.1848), roi de Danemark (1839/48). Neveu du précédent, il essaya vainement, en 1814, de s'opposer à la décision des Alliés qui enlevait la Norvège au Danemark. Appelé au trône à la mort de son cousin Frédéric VI (1839), il gouverna d'une manière absolue au Danemark, mais accorda une Constitution à l'Islande et s'efforça de raffermir les liens du Danemark avec le Schleswig et le Holstein. Il eut pour successeur Frédéric VII.

CHRISTIAN IX (* Gottorp, 8.IV.1818, † Copenhague, 29.I.1906), roi de Danemark (1863/1906). De la branche collatérale de Glücksburg, il fut désigné en 1852 par la conférence de Londres comme successeur de Frédéric VII, mort sans enfants. Sous son règne, le Danemark perdit le Schleswig-Holstein, au cours de la guerre des Duchés (v.) (1864). Très conservateur, Christian IX, aidé de son ministre Estrup, s'efforça longtemps de tenir la gauche éloignée du pouvoir; il ne céda qu'en 1901 devant la majorité parlementaire. A la fin de sa vie, Christian IX put être surnommé « le Beau-père de l'Europe » : il avait en effet marié son fils aîné

CHRISTIAN VIII
Roi de Danemark (1839/1848).

Ph. © Bibl. Nat., Paris - Photeb

à la fille de Charles XV de Suède, une de ses filles à Édouard VII d'Angleterre, une autre à Alexandre III de Russie, tandis qu'un autre de ses fils était devenu roi de Grèce en 1863. Il eut pour successeur sur le trône danois Frédéric VIII.

CHRISTIAN X (* Charlottenlund, 26.IX. 1870, † Amalienborg, 20.IV.1947), roi de Danemark (1912/47). Fils et successeur de Frédéric VIII, son règne fut marqué par l'adoption de la Constitution instituant un véritable régime parlementaire et accordant le droit de vote aux femmes (1915), par le retour au Danemark du Schleswig septentrional (1920), par l'occupation du Danemark par les troupes du Reich (9 avr. 1940) et par la sécession de l'Islande, devenue un État indépendant en 1944.

CHRISTIAN, prince d'Anhalt-Bernburg (* Bernburg, 11.V.1568, † Bernburg, 17.IV. 1630). Général allemand. Gouverneur du haut Palatinat en 1595, il organisa en Allemagne la résistance protestante au catholicisme impérial, prit la tête de l'Union protestante de 1608, et provoqua le soulèvement de la Bohême (1618), qui devait jeter l'Allemagne dans la guerre de Trente Ans. Commandant en chef des armées protestantes, il fut vaincu à la Montagne Blanche (1620) et dut se soumettre à l'empereur (1624).

CHRISTIAN SCIENCE. Voir SCIENCE CHRÉTIENNE.

CHRISTIANIA. De 1624 à 1924, nom de la ville d'OSLO (v.).

CHRISTIANISME. Voir ÉGLISE CATHOLIQUE, ÉGLISE ORTHODOXE, ÉGLISES ORIENTALES, PROTESTANTISME, ANGLICANISME, MÉTHODISME, etc.

CHRISTINE DE FRANCE (* Paris, 1606, † Turin, 1663). Duchesse de Savoie. Fille d'Henri IV et de Marie de Médicis, mariée en 1619 à Victor-Amédée, duc de Savoie, veuve en 1637, elle gouverna énergiquement la Savoie comme régente pendant la minorité de son fils Charles-Emmanuel II; elle pratiqua une politique de rapprochement avec la France mais résista aux ambitions de celle-ci.

CHRISTINE (* Stockholm, 8.XII.1626, † Rome, 19.IV.1689), reine de Suède (1632/54). Dernière princesse de la maison de Vasa, elle était la fille de Gustave-Adolphe et de Marie de Brandebourg. Elle n'avait que six ans lorsqu'elle succéda à son père, qui venait d'être tué à la bataille de Lützen. Durant sa minorité, le gouvernement fut exercé par un conseil de régence dont le chef était le grand chancelier Oxenstierna. Christine reçut une éducation toute virile qui peut expliquer les nombreuses excentricités de sa vie. Elle prit la direction des affaires en 1644 et se fit couronner *roi* de Suède en 1650. Elle voulait gouverner par elle-même, mais sa mésen-

CHRISTLICH-DEMOKRATISCHE UNION (C.D.U.)
Élections législatives du 6 mars 1983. Le siège de l'Union des chrétiens-démocrates, à Bonn, avec une affiche du chancelier Helmut Kohl proclamant : « Travail, paix, avenir, ensemble nous réussirons ». De fait, la coalition de la C.D.U. et des chrétiens-sociaux (C.S.U.) gagna 18 sièges au Bundestag et le chancelier Kohl put former son deuxième gouvernement.
Ph. © Lehr - Sipa Press

tente avec le sage Oxenstierna compliqua sa tâche, alors que la guerre, poursuivie depuis tant d'années, mettait la Suède, victorieuse en Europe, dans une situation financière difficile. C'est sous le règne de Christine que fut signée la paix de Westphalie (1648), qui assura à la Suède la possession des deux rives de la Baltique et fit de ce pays la principale puissance du Nord. Intelligente et érudite, Christine réussit à attirer à sa cour Descartes (1649). Mais les manières très libres de la reine, son goût du luxe, de la musique, des fêtes, choquaient la Suède protestante; de plus, Christine se sentait déjà attirée par le catholicisme. Se voyant incomprise, elle décida d'abdiquer en faveur de son cousin Charles X Gustave (6 juin 1654) et quitta la Suède. Elle voyagea à travers l'Europe, se convertit au catholicisme à Bruxelles, étonna Alexandre VII en faisant son entrée à Rome en grande pompe, à cheval et en costume d'amazone (1655). Elle intrigua avec Mazarin pour enlever aux Espagnols le royaume de Naples, qu'elle envisageait de laisser à un prince français, après sa mort. Ce projet n'aboutit pas, mais c'est au cours de son séjour en France, à Fontainebleau, que Christine fit assassiner son écuyer et amant, Monaldeschi (1657). En 1660, apprenant la mort de Charles X, elle essaya de remonter sur le trône suédois; elle aspira aussi à la couronne de Pologne (1667) et finalement vint se fixer à Rome, où elle prit pour nouvel amant le jeune cardinal Azzolino. Elle continuait à se mêler des grandes affaires de son temps, rêvait de lancer une croisade contre les Turcs, protégeait les peintres, groupait autour d'elle un cénacle de littérateurs qui fondèrent l'académie de l'Arcadie, employait de grands musiciens comme Corelli et Alessandro Scarlatti et rassemblait dans son palais du Riario de belles collections d'art (aujourd'hui conservées au Vatican). Son tombeau se trouve à Saint-Pierre de Rome.

CHRISTLICH - DEMOKRATISCHE UNION (C.D.U.), *Union chrétienne-démocrate.* Parti allemand fondé en 1945 dans les diverses zones d'occupation alliées. Il prenait la suite de l'ancien Centre catholique (v.), mais, à la différence de celui-ci, groupait à la fois des protestants et des catholiques. Aux élections provinciales de 1946-47, la C.D.U. obtint 133 sièges sur 520 en zone soviétique et 459 sièges sur 1 070 dans les zones occidentales. Son programme social, qui prétendait d'abord « dépasser le marxisme et le capitalisme », revint rapidement vers le libéralisme économique, sous l'influence d'Adenauer qui s'affirma, dès 1947-48, comme le principal dirigeant du parti à l'Ouest (à l'Est subsista une C.D.U. ralliée au régime communiste). Après la constitution de la République fédérale, la C.D.U. devint le premier parti de l'Allemagne de l'Ouest aux élections du 14 août 1949; elle recueillit encore par la suite les voix de partis de droite vite disparus (parti allemand, parti des Réfugiés). C'est en Rhénanie-Westphalie, en Bavière (où elle constitue l'Union chrétienne-sociale, C.S.U., sous la direction de Strauss) et en Bade-Wurtemberg qu'elle détient ses positions les plus fortes. Formant une coalition gouvernementale avec le parti libéral (F.D.P.), elle rejeta les sociaux-démocrates dans l'opposition dès 1949 et gouverna sans interruption l'Allemagne fédérale pendant vingt ans avec Adenauer (1949-63), Ludwig Erhard (1963-66) et Kiesinger (1966-69). Cette période fut marquée par l'épanouissement du « miracle économique », par l'intégration de l'Allemagne fédérale dans l'Europe des Six, par l'adhésion au pacte de l'Atlantique Nord et par le réarmement. Aux trois premières élections législatives, la C.D.U. ne cessa d'améliorer ses positions : 31% en 1949, 45,2% en 1953, 50,2% en 1957, mais elle marqua ensuite un certain piétinement : 45,4% en 1961, 47,6% en 1965, 46,1% en 1969. En difficulté avec ses partenaires libéraux, elle dut, en déc. 1966, accepter de former une « grande coalition » avec socialistes et libéraux, puis, abandonnée par ces derniers, elle se trouva rejetée dans l'opposition en oct. 1969.

Son hostilité à l'*Ostpolitik* du chancelier Brandt et aux accords reconnaissant comme frontière orientale la ligne Oder-Neisse et consacrant la division de l'Allemagne en deux États ne trouva qu'un écho limité dans l'opinion allemande, et, aux élections de 1972, la C.D.U.-C.S.U., avec 44,8% des suffrages, fut pour la première fois distancée par les sociaux-démocrates (45,9%). Le mécontentement dû à la crise économique lui permit d'enregistrer de nets progrès aux élections régionales de 1974/75, en particulier à Berlin-Ouest.

Conduite par Helmut Kohl, ministre-président du *Land* de Rhénanie-Palatinat et candidat à la chancellerie fédérale, la C.D.U. aborda la campagne des élections générales de 1976 en lançant le slogan : « La liberté au lieu du socialisme. » Au scrutin du 3 oct. 1976, la C.D.U.-C.S.U. redevint le premier parti allemand en obtenant 48,6% des voix (son meilleur résultat depuis 1957) et 243 sièges au Bundestag. Cependant la coalition socialiste-libérale conservait la majorité (50,5%) et, au lendemain des élections, des divergences sérieuses se faisaient jour entre la ligne intransigeante de la C.S.U. bavaroise de F.-J. Strauss et l'orientation de la C.D.U. de H. Kohl, lequel inclinait vers une tactique plus souple, afin de parvenir un jour à détacher les libéraux des socialistes.

● Le parti réussit en mai 1979 à faire élire un des siens, Karl Carsten, à la présidence de la République, mais la rivalité entre Strauss et Kohl nuisit à sa progression. Strauss parvint à évincer son concurrent de la direction du parti et se porta candidat à la chancellerie lors des élections fédérales du 5 oct. 1980. La démocratie chrétienne y enregistra un des pires résultats de son histoire, ce qui rendit sa chance à Kohl. Assaillie par les difficultés politiques, sociales et diplomatiques, usée par le pouvoir, la coalition social-démocrate et

C.D.U.
Le congrès de 1975, à Mannheim, qui élit H. Kohl candidat aux élections de 1978 à la chancellerie.
Ph. © R. Bossu - Sygma

libérale qui gouvernait depuis 1969 se désunit. Les libéraux, après une « motion de censure constructive » qui mit fin au mandat du chancelier Helmut Schmidt, changèrent d'alliés et permirent à Helmut Kohl de lui succéder, le 1er oct. 1982. Les élections législatives anticipées du 6 mars 1983 confirmèrent la nouvelle majorité (reconduite en 1985). En 1989, la coalition emmenée par H. Kohl était au plus bas de sa popularité. Voir ALLEMAGNE (R.F.A.).

CHRISTMAS (île). Le plus grand atoll du Pacifique (90 km de tour), découvert par Cook le jour de Noël (en angl. *Christmas*) 1777. Il fut inclus en 1919 dans la colonie britannique des îles Gilbert-et-Ellice. La Grande-Bretagne s'en est servi depuis 1950 pour des essais d'explosions nucléaires.
● L'île fait aujourd'hui partie de la république de Kiribati (v.).

CHRISTOPHE ou **CRISTOPHORE** († 906), antipape (903/904). En nov. 903, il détrôna Léon V, dont il était le chapelain, mais fut lui-même détrôné en mai 904 par Sergius III; il mourut en prison.

CHRISTOPHE († 931), empereur d'Orient (921/31). Fils de Romain I er, il fut associé par son père à l'empire avec ses frères. Sa fille, Marie, épousa Pierre de Bulgarie..

CHRISTOPHE I er (* 1219, † Riben, 1259), roi de Danemark (1252/59). Il voulut taxer les biens du clergé et fut sans cesse en lutte avec les évêques de son royaume, surtout avec Jakob Erlandsson de Lund.

CHRISTOPHE II (* 1276, † Nyköping, 1332), roi de Danemark (1320/32). Frère et successeur d'Éric VI Menved, il dut, lors de son élection, accorder une charte qui augmentait les prérogatives de la noblesse et du clergé. Déposé en 1326, il parvint à reconquérir le trône quatre ans plus tard, mais fut déposé de nouveau et tomba dans un mépris général.

CHRISTOPHE III (* 1418, † Nyköping, 1448), roi de Danemark, de Suède et de Norvège (1439-42/48). Prince allemand, fils de Jean de Bavière, il fut, après la déposition de son oncle Éric VII, appelé comme régent pour veiller au maintien de l'union de Kalmar (1439). Élu roi de Danemark en 1439, de Suède en 1440, roi de Norvège en 1442, il accomplit une œuvre importante de législateur, mais fut entièrement sous la tutelle de la Hanse.

CHRISTOPHE Henri (* île de la Grenade, 6.X.1767, † 8.X.1820), roi d'Haïti (1811/20). Esclave noir, il participa à la révolte de 1790, fut nommé général de brigade par Toussaint Louverture, défendit en 1802 Cap-Haïti contre l'expédition française du général Leclerc, puis, de concert avec Pétion, fit assassiner Dessalines et fut proclamé président d'Haïti en 1807. En 1811, malgré l'opposition de Pétion, il se fit proclamer roi et gouverna avec fermeté. Copiant les mœurs européennes, il créa une noblesse, des institutions féodales et un « code Henri », à l'imitation du code Napoléon. Mais en 1820, une insurrection éclata parmi ses sujets, et, se voyant abandonné de tous, il se donna la mort.

CHRONIQUES DE SAINT-DENIS. Histoire officielle du royaume de France, commencée au XIIᵉ s. par Suger, abbé de Saint-Denis et biographe de Louis VI. Cette œuvre, en langue latine, fut complétée à l'abbaye de Saint-Denis au cours des règnes ultérieurs et s'achève, vers 1286, avec les vies de Saint Louis et de Philippe le Hardi, par Guillaume de Nangis. À partir du XIVᵉ s. commença la rédaction d'une nouvelle chronique, en français, qui, s'additionnant avec la traduction des textes latins rédigés antérieurement, finit par composer la série des *Grandes Chroniques de France,* qui va jusqu'à la fin du XVᵉ s.

CHRYSARGYRE. Dans l'Empire romain, à partir du IVᵉ s., impôt des patentes, qui frappait commerçants et artisans. Exigible tous les cinq ans, c'était une taxe très lourde et la peine du fouet était appliquée à ceux qui ne s'en acquittaient pas. Il fut supprimé au début du VIᵉ s.

CHRYSÉLÉPHANTINE (statue). Statue faite d'or et d'ivoire. On a cru longtemps que ce genre d'ouvrage était propre à la Grèce antique, mais on sait aujourd'hui que les Égyptiens, les Hittites, les Phéniciens en réalisèrent. Les plus célèbres statues chryséléphantines furent, en Grèce, l'œuvre de Phidias : l'*Athéna* du Parthénon et le *Zeus* d'Olympie, qui comptait parmi les Sept Merveilles du monde.

CHRYSLER CORPORATION. Société de construction automobile américaine fondée en 1925 par **Walter P. Chrysler** (* 1875, † 1940), qui, ancien président de Buick, créa sa propre entreprise en rachetant l'actif industriel de la Maxwell-Chambers Motor Car Co. En 1928, le rachat de la société Dodge fit de Chrysler un des Trois grands de l'industrie automobile des États-Unis.
● Elle a pris depuis 1958 une participation croissante dans le capital de Simca, firme française établie à Poissy. Mais elle connut à partir de 1968 des difficultés si graves qu'elle dut se dessaisir en 1978 de ses trois filiales française, espagnole, britannique, acquises par Peugeot-Citroën S.A. Ses exercices 1979, 1980, 1981 furent déficitaires (de 4,66, puis de 7,23 et de 2,58 milliards de francs), mais elle retrouva la santé et un bénéfice d'exploitation (de 1,12 milliard de francs) en 1982. Après s'être fait prêter en 1979, 1 200 000 000 dollars, garantis par le gouvernement américain, elle a pu obtenir de ses ouvriers le renoncement à des augmentations de salaire et réduit ses effectifs de 158 000 salariés en 1978 à 87 825 en 1981. Elle a construit, en 1982, 722 418 voitures. Voir AUTOMOBILE.

CHRYSOSTOME saint **Jean.** Voir JEAN CHRYSOSTOME saint.

CHULALONGKORN Phra Maha ou **RAMA V** (* Bangkok, 20.IX.1853, † Bangkok, 23.X.1910), roi de Siam (1868/1910). Il s'efforça de moderniser son pays en adoptant les techniques occidentales, abolit le système féodal et l'esclavage, réforma l'administration, la justice, l'enseignement et l'armée avec l'aide d'Européens, fit construire le premier chemin de fer (1893). Il fut le fondateur de la Thaïlande moderne mais eut beaucoup de mal à maintenir l'indépendance de son pays face aux pressions franco-britanniques : il dut abandonner à la France Battambang et Angkor (1907) et à la Grande-Bretagne la suzeraineté sur les États malais.

CHURCHILL

CHURCHILL
Arabella. Aristocrate anglaise
(1648-1730).
Ph. Jeanbor © Photeb

CHURCHILL. Famille anglaise du Devonshire, d'abord illustrée par le général John Churchill, 1ᵉʳ duc de Marlborough, par sa femme, Sarah Jennings (v. MARLBOROUGH), et par sa sœur, **Arabella Churchill** (* 1648, † 1730), qui fut la maîtresse de Jacques II, auquel elle donna quatre enfants, parmi lesquels le duc de Berwick. Anne, fille du 1ᵉʳ duc de Marlborough, épousa en 1700 Charles Spencer; c'est leur arrière-petit-fils, George Spencer, 5ᵉ duc de Marlborough, qui ajouta à son nom le patronyme de Churchill, lequel fut conservé par tous ses descendants.

Lord Randolph Henry Spencer Churchill (* Blenheim Palace, Woodstock, Oxfordshire, 13.II.1849, † Londres, 24.I.1895). Homme politique anglais. Troisième fils du 7ᵉ duc de Marlborough, il entra aux Communes comme député conservateur de Woodstock en 1874. Dans les années 1880, il dirigea un groupe progressiste du parti conservateur, souvent appelé « quatrième parti », qui voulait maintenir le contact avec les classes laborieuses en poursuivant la politique de réformes sociales de Disraeli. Il combattit avec ardeur Gladstone. Secrétaire pour les Indes dans le premier cabinet

CHURCHILL
Winston. Homme politique
britannique (1874-1965).
Officier de cavalerie en 1894.
Ph. © Black Star - Rapho

Salisbury (1885/86), il assura l'annexion de la haute Birmanie. Il fut quelque temps chancelier de l'Échiquier dans le second cabinet Salisbury (1886).

Son fils, **sir Winston Leonard Spencer Churchill** (* Blenheim Palace, Woodstock, 30.XI.1874, † Londres, 24.I.1965). Homme politique anglais. Élève médiocre, indiscipliné et batailleur au collège de Harrow, il échoua deux fois au concours d'entrée à l'école militaire de Sandhurst, de laquelle il sortit comme officier de cavalerie en 1894. Avide d'action, il partit comme correspondant de guerre à Cuba, durant l'insurrection contre les Espagnols (1895), puis suivit son régiment aux Indes et fut encore correspondant du *Daily Telegraph* lors des opérations du Malakland (1897). Vers la même époque, il écrivit aussi un roman, *Savrola* (1900). Il participa ensuite, avec le 21ᵉ lanciers, à la campagne de Kitchener contre les mahdistes du Soudan. Tenté déjà par une carrière politique, il se présenta comme candidat conservateur à Oldham, mais fut battu. De nouveau correspondant de guerre, pour le *Morning Post,* durant la guerre des Boers (1899/1900), il fut fait prisonnier, mais s'évada, et, à son retour en Angleterre, il fut élu à Oldham (1900).

Jeune député conservateur, il se fit tout de suite remarquer aux Communes par ses discours non conformistes, s'opposa aux thèses protectionnistes de Joseph Chamberlain et, en 1904, passa chez les libéraux. Devenu député de Manchester, il fut sous-secrétaire aux Colonies dans le cabinet de Campbell-Bannerman (1905/08) et se fit l'avocat d'une politique conciliante à l'égard de l'Afrique du Sud. Président du Board of Trade (1908/10), puis secrétaire à l'Intérieur (1910/11) dans le ministère Asquith, Churchill fut un de ceux qui menèrent l'attaque contre la Chambre des lords dans l'affaire du « budget du peuple » (v. PEOPLE'S BUDGET), son radicalisme se manifesta encore dans la défense du Home Rule irlandais. En politique étrangère, il fut d'abord résolument pacifiste et demanda la réduction des budgets militaires. L'incident d'Agadir (1911) fit changer ses idées. Inquiet de la puissance navale croissante de l'Allemagne, il se mit à défendre la nécessité d'une politique énergique, ce qui lui valut d'être nommé premier lord de l'Amirauté (oct. 1911). Il créa aussitôt un état-major naval et se prépara à la guerre, qu'il jugeait inévitable et prochaine. Dès juill. 1914, il ordonna la concentration de la flotte britannique dans ses bases de guerre et il accueillit le début du conflit avec une sorte d'exaltation joyeuse. En 1915, Churchill inspira, malgré l'avis de l'amiral Fisher, l'expédition des Dardanelles. Cette entreprise se termina par un échec, qui le força à quitter le gouvernement (nov. 1915). Après avoir servi quelques mois comme officier sur le front français, il revint siéger aux Communes, et, malgré l'opposition des conservateurs, qui ne lui pardon-

naient pas sa défection passée, il entra dans le cabinet de coalition de Lloyd George comme ministre des Munitions (juill. 1917), puis comme secrétaire à la Guerre et à l'Air (1919/21). Adversaire véhément du bolchevisme russe, il assura une aide alliée aux Russes blancs de l'amiral Koltchak, puis aux Polonais, dans la guerre polono-soviétique de 1920. Cette hostilité résolue au communisme et au socialisme provoqua sa rupture avec les libéraux. Secrétaire aux Colonies en 1921, il quitta le gouvernement l'année suivante et ne revint pas au Parlement après les élections de 1922. Il profita de son inactivité politique pour écrire une histoire de la guerre, *The World Crisis* (1923-31).

Revenu dans le parti conservateur, il fut réélu député en 1924 et participa au cabinet Baldwin comme chancelier de l'Échiquier (1924/29). Présumant des forces économiques de l'Angleterre, il décida le retour à l'étalon-or (1925), mesure vivement critiquée par le grand économiste Keynes et qui se révéla en effet très malheureuse, car elle provoqua la déflation, le chômage et les grandes grèves de 1926. A cette époque, Churchill était surtout obsédé par la menace du communisme (jusqu'en 1934, il proclama à plusieurs reprises sa vive sympathie pour Mussolini et pour le fascisme). Exclu du gouvernement après la défaite des conservateurs en 1929, il allait rester éloigné du pouvoir pendant dix ans et reprit son activité littéraire; il acheva son histoire de la guerre, publia des ouvrages autobiographiques (*My Early Life*, 1930; *Thoughts and Adventures*, 1932) et entreprit une monumentale biographie de son grand ancêtre du XVIIIᵉ s. : *Marlborough, His Life and Times* (1933-38). La montée de Hitler, pour lequel il avait d'abord eu des paroles favorables, commença à l'inquiéter dès 1932. A partir de ce moment, il s'affirma comme le chef de la majorité du parti conservateur hostile à tout compromis à l'égard d'une Allemagne redevenue dangereuse pour l'Angleterre. Exclu des ministères conservateurs de Baldwin et de Chamberlain, presque seul, simple parlementaire, il fut alors « la voix qui crie dans le désert » et accepta le rôle ingrat de Cassandre. Hostile à la politique des sanctions contre l'Italie, car il se rendait compte qu'elle jetait Mussolini dans les bras de Hitler, il plaida vainement, dès l'ouverture de la crise tchèque, pour une action commune de l'Angleterre, de la France et de l'U.R.S.S., condamna en sept. 1938 les accords de Munich (« Nous avons subi une défaite sans avoir eu la guerre »), mais se heurta à l'incompréhension aussi bien des dirigeants conservateurs (sauf Anthony Eden) que de la majorité de l'opinion. Cependant, dès les premiers jours de la Seconde Guerre mondiale, oubliant son amertume, il accepta d'entrer dans le gouvernement Chamberlain comme premier lord de l'Amirauté (5 sept. 1939). Ses plans d'intervention en Norvège furent devancés par l'action de la Kriegsmarine; malgré cet échec, qui rappelait celui des Dardanelles en 1915, la popularité de Churchill ne cessait de

Secrétaire d'État à la Guerre.
28 oct. 1918.
Ph. © Camera Press - Parimage

grandir car il incarnait la volonté de l'Angleterre de lutter jusqu'au bout.

Le 10 mai 1940, lorsque Chamberlain s'effaça au moment où la ruée des panzers commençait dans les plaines de Belgique et de France, c'est avec soulagement que l'opinion vit Churchill prendre la présidence du gouvernement de coalition : « Je n'ai rien à offrir, devait-il annoncer aux Anglais, que du sang, du travail, de la sueur et des larmes. » Lors du désastre français de juin 1940, Churchill songea avant tout à éviter que la marine française ne tombât aux mains des Allemands; c'est pourquoi il offrit au gouvernement Reynaud un projet d'« union franco-britannique », par laquelle la France et la Grande-Bretagne n'eussent plus formé qu'une nation; puis, lorsque le maréchal Pétain eut obtenu l'armistice, il ordonna le bombardement de la flotte française de Mers el-Kébir. Seule comptait alors pour lui la résistance farouche de l'Angleterre, isolée en face d'une Allemagne pratiquement maîtresse du continent. Sans s'adjuger des pouvoirs extraordinaires, sans abolir aucune des libertés fondamentales, c'est par sa seule énergie, par sa présence tranquille au milieu des ruines causées par le « blitz », que Churchill galvanisa la volonté de son peuple. Jamais il n'avait douté que l'Amérique, un jour, entrerait dans le conflit; dès août 1941, il rencontrait Roosevelt à bord du *Potomac* et tous deux mettaient au point la Charte de l'Atlantique. Le 22 juin 1941, quand la Wehrmacht attaqua l'U.R.S.S., le vieil adversaire du communisme qu'était Churchill n'hésita pas à s'allier avec l'Union soviétique pour le salut de son pays; c'est avec le même réalisme, au printemps 1943, qu'il apporta son soutien, en Yougoslavie, aux partisans de Tito. A la différence de Roosevelt, Churchill ne se fit cependant jamais d'illusions sur les véritables buts de guerre de Staline; il eût souhaité maintenir, en face de celui-ci, une unité

absolue des Anglo-Saxons, mais, dès la conférence de Téhéran (nov./déc. 1943), il ne put empêcher le dialogue direct Roosevelt-Staline, qui, à la conférence de Yalta (févr. 1945), devait avoir de graves conséquences pour l'Est européen. Malgré la victoire, Churchill était assez découragé lorsqu'il se rendit, en juill. 1945, à la conférence de Potsdam. C'est au cours de cette conférence qu'il dut céder le pouvoir à Attlee, car les élections venaient de donner une forte majorité aux travaillistes.

Sans songer à invoquer quelque légitimité historique fondée sur les services rendus, il s'inclina devant le verdict populaire. Bien qu'écarté du pouvoir, Churchill allait prendre encore des initiatives spectaculaires : le 5 mars 1946, dans son discours de Fulton, il dénonçait le « rideau de fer » soviétique, lançait l'idée d'une alliance atlantique et préconisait la création d'une force de police internationale; dans un autre discours, à Zurich (19 sept. 1946), il plaidait en faveur de l'unification, puis patronnait l'idée du Conseil de l'Europe et, en 1950, demandait la création d'une armée européenne avec participation allemande. Cependant, c'est essentiellement sur la solidarité avec les États-Unis que Churchill fondait la sécurité de l'Angleterre.

Redevenu Premier ministre, après la victoire des conservateurs, en oct. 1951, il essaya de rétablir l'étroite coopération anglo-américaine des années de guerre; il prit sa retraite en avr. 1955 et céda sa place à Anthony Eden. Il revint alors aux délassements favoris de ses moments d'oisiveté, la peinture (à laquelle il se livrait surtout dans le midi de la France) et la littérature : après ses Mémoires de guerre, *The Second World War* (1948-54), il fit paraître un autre ouvrage important, *A History of the English Speaking Peoples* (1956-58). Prix Nobel de littérature en 1953.

CHYPRE
Dieu cornu. Statue en bronze,
XIIᵉ s. av. J.-C.
(Musée de Chypre, Nicosie.)
Ph. Jeanbor © Archives Photeb

CHVERNIK Nicolas (* Saint-Pétersbourg, 1888, † Moscou, 24.XII.1970). Homme politique soviétique. Fils d'un tailleur, il adhéra au parti bolchevik en 1905, connut la prison et l'exil en Sibérie, avant de prendre part à la révolution de 1917. Directeur de l'intendance de l'armée rouge (1919), membre du comité central (1922), président du Conseil central des syndicats (1930/44), il fut nommé président du Soviet suprême en 1946 et resta ainsi « chef de l'État » jusqu'à la mort de Staline, en 1953. Remplacé alors par Vorochilov et remis à la tête des syndicats, il prit part à la déstalinisation et, en 1957, fut un des plus ardents auxiliaires de Khrouchtchev dans la lutte contre le groupe « anti-parti » de Molotov, Malenkov et Kaganovitch.

CHYPRE. Île de la Méditerranée orientale, capitale *Nicosie*. Habitée au moins dès le VIᵉ

millénaire (site de Khirokitia, entre Nicosie et Limassol), Chypre vit apparaître la céramique à Sotira (près de Limassol), vers −3500. Dans la seconde moitié du IVᵉ millénaire, les habitants d'Érimi (sur la côte sud) vivaient dans des maisons rondes dont les bases étaient construites en pierres sèches; ils ignoraient encore le métal, mais fabriquaient de magnifiques poteries rouges et blanches, avec motifs à décors géométriques. L'exploitation du cuivre commença à Ambélikou, vers −2300/2000, et Chypre allait jouer un rôle très actif dans les relations commerciales de l'âge du bronze, au IIᵉ millénaire av. J.-C. Les « poignards chypriotes » (pointes de lance à soie recourbée) se répandirent dans tout le Moyen-Orient et même en Europe. A partir de 1400, des colons achéens immigrèrent à Chypre; l'île subit également des influences venues de la Crète, de l'Asie Mineure, de la Syrie. Atteinte par les consé-

CHYPRE
Soldat de l'armée chypriote,
au lendemain du coup d'État
contre le président Makarios
(15 juill. 1974).
Ph. © Uri Dan - Gamma

quences des invasions doriennes, elle reprit son essor commercial vers le IXe s. et fut en relation avec Rhodes, qui devint son intermédiaire vers le monde égéen, avec la Phénicie et avec l'Égypte. A la colonisation grecque s'ajouta dès lors une colonisation phénicienne.

Soumise aux Assyriens (vers 709/669 av. J.-C.), puis à l'Égypte (vers 560/525), Chypre dut entrer ensuite dans l'Empire perse; en 480 av. J.-C., elle fournit un contingent important de vaisseaux à la flotte de Xerxès, mais les rois achéménides lui laissèrent toujours une grande autonomie. A la fin du Ve s. avant notre ère, ses villes grecques (Salamine, Paphos, Soli) et phéniciennes (Kition, Amathos, Lapéthos) connaissaient une grande prospérité, mais Grecs et Phéniciens restaient rivaux, et ces derniers apportaient volontiers leur soutien à la Perse contre la Grèce. Le roi Évagoras (410/374) se révolta contre la Perse avec l'aide de l'Athénien Conon, mais il finit assassiné. Englobée dès 333 dans l'empire d'Alexandre, Chypre fut disputée, à l'époque hellénistique, entre les Séleucides et les Ptolémées, jusqu'au moment où Caton s'en empara et en fit une province romaine (58 av. J.-C.).

Après le partage de l'Empire romain (391), Chypre appartint aux empereurs de Byzance jusqu'en 1191. Richard Cœur de Lion la conquit et la donna à un seigneur français, ancien roi de Jérusalem, Guy de Lusignan, qui fonda le royaume de Chypre (1192); ses descendants possédèrent l'île pendant plusieurs siècles. Catherine Cornaro, vénitienne, veuve de Jacques III et héritière des Lusignan, vendit Chypre à Venise en 1489, mais les Turcs s'en emparèrent en 1570, après la défense de Famagouste par Bragadino. Sous la domination turque, l'île tomba dans un état lamentable. Par un accord du 4 juin 1878, Chypre fut placée sous l'administration britannique; elle reçut le statut de colonie de la Couronne en 1925.

Dès les années 1930, un mouvement se développa dans la population grecque en faveur de l'*énosis,* c'est-à-dire du rattachement de l'île à la Grèce. Archevêque grec orthodoxe à partir de 1950, Mgr Makarios III prit la tête de cette lutte, et le colonel grec Grivas, à la tête de l'E.O.K.A. (Organisation nationale de combat chypriote), déclencha la guérilla contre les forces britanniques. L'accord du 19 févr. 1959 accorda à l'île une indépendance qui fut garantie conjointement par l'Angleterre, la Grèce et la Turquie. Comme la communauté grecque était largement majoritaire, il fut convenu que le président du nouvel État serait un Grec chypriote élu par les Grecs, le vice-président un Turc chypriote élu par les Turcs de l'île. Le Parlement et l'administration seraient composés proportionnellement de 70% de Grecs et de 30% de Turcs; la garde nationale serait encadrée par des officiers grecs.

Devenu président après la proclamation officielle de l'indépendance (16 août 1960), Makarios III ne put empêcher la poursuite des affrontements armés entre Grecs et Turcs; en 1964, à la suite d'un bombardement de l'aviation turque, l'O.N.U. dut intervenir et des Casques bleus furent désormais stationnés dans l'île pour prévenir les heurts entre les deux communautés.

La majorité des Chypriotes grecs restait fidèle à l'idée de l'*énosis,* mais Makarios, tout en partageant leurs sentiments, écartait cette solution comme devant aboutir inéluctablement à un partage de l'île. L'importance stratégique de Chypre en Méditerranée orientale entraînait les grandes puissances à des interventions discrètes dans la question chypriote. L'orientation prosoviétique de la politique étrangère de Makarios contribuait à obérer ses relations avec les colonels grecs. Revenu clandestinement à Chypre en 1971, Grivas, l'ancien chef de l'E.O.K.A., y déclenchait une nouvelle campagne d'attentats terroristes en faveur du rattachement à la Grèce. L'autorité de Makarios était en outre menacée par la Garde nationale chypriote, dont l'encadrement était composé d'officiers grecs travaillant à l'*énosis*. Le 15 juill. 1974, la Garde nationale, encouragée par le gouvernement des colonels grecs, fit un coup d'État qui obligea Makarios à prendre la fuite, mais qui provoqua aussi une riposte immédiate de la Turquie, laquelle débarqua des troupes dans l'île (20 juill. 1974), et en moins d'un mois, s'assura le contrôle de toute la partie nord (40 % de l'île) où demeurèrent 150 000 Chypriotes turcs tandis que 200 000 Chypriotes grecs durent chercher refuge dans la partie sud de l'île. Makarios put revenir à Nicosie à la fin de l'année, mais les Chypriotes turcs firent savoir qu'ils ne le reconnaissaient plus que comme chef de la communauté grecque, et, le 13 févr. 1975, ils proclamaient dans leur zone un État autonome, tout en affirmant que leur objectif final était « l'union avec la communauté grecque au sein d'une structure fédérale sur la base de deux zones géographiques ». Le conflit chypriote de 1974 devait avoir de grandes conséquences internationales : l'échec de la tentative d'*énosis* entraîna la chute du régime des colonels en Grèce (24 juill. 1974) et provoqua entre les États-Unis et la Turquie une sérieuse tension, pleine de périls pour le flanc méridional de l'O.T.A.N. Tandis que des conversations gréco-turques se poursuivaient, sans résultat, à Genève, Rauf Denktash était élu, en juin 1976, « président de l'État fédéré turc de Chypre ».

● Une évolution vers un règlement négocié du conflit se dessina en janv. 1977 lorsque Rauf Denktash et Mgr Makarios parvinrent à un accord sur le principe d'un État fédéral bicommunautaire et non-aligné. Interrompues par la mort de Mgr Makarios (3 août 1977), les négociations reprirent en janv. 1978 avec son successeur, Spyros Kyprianou. En juin 1979, elles devaient conclure un premier accord sur les structures d'un État fédéral bicommunautaire. Rien toutefois n'avait abouti dans la réalité, et les pourparlers se poursuivaient tant bien que mal chaque année à Vienne quand, le 15 nov.

1983, Rauf Denktash proclama unilatéralement une « République turque de Chypre du Nord ». Cet acte dans la logique de la partition de 1974 a été aussitôt approuvé par le gouvernement d'Ankara, mais non par le concert des nations. Dès son accession au pouvoir, le nouveau président Georges Vassiliou, élu en 1988 avec les voix communistes, rencontra lui aussi Rauf Denktash.

Contrairement au Nord qui s'enfonçait dans un marasme grandissant, malgré l'annexion de la plus grande partie des richesses de l'île, le Sud connaissait un remarquable essor économique, en partie dû au report des activités financières de Beyrouth, détruite par la guerre civile libanaise.

C.I.A. Sigle de **Central Intelligence Agency,** Agence centrale de renseignements. Service de renseignements des États-Unis, créé en 1947 par le National Security Act. La C.I.A. remonte aux débuts de la guerre froide, alors que les États-Unis, engagés dans un affrontement décisif avec l'U.R.S.S., ne possédaient pas encore un service central de renseignements. Au début des années 70, la C.I.A. n'était qu'une des huit agences de renseignements américaines (la C.I.A., le Service de renseignements de la Défense, l'Agence nationale de sécurité, les services de renseignements de l'Armée, de la Marine et des Forces aériennes, les unités de renseignements du Département d'État, du Trésor, de la Commission pour l'énergie atomique, et enfin le F.B.I.). Dans cet ensemble, qui groupait en 1974 plus de 153 000 agents, avec un budget de plus de 6 milliards de dollars, la C.I.A. n'occupait qu'une place relativement modeste, avec 16 500 agents et un budget de 750 millions de dollars. Fixé par le National Security Act de 1947, le but essentiel de la C.I.A. était de coordonner les activités de renseignements des divers services ministériels et de conseiller le président des États-Unis dans tous les domaines concernant la sécurité nationale. Organe de l'exécutif, la C.I.A. est immédiatement placée sous la direction du Conseil national de sécurité (National Security Council), qui comprend le président des États-Unis, le vice-président, le secrétaire d'État et le secrétaire à la Défense. L'Acte de 1947 précisait que la C.I.A. n'exercerait aucune activité policière ou judiciaire à l'intérieur des États-Unis.

Sous la direction d'Allen W. Dulles, qui avait dirigé les services de renseignements américains en Suisse durant la Seconde Guerre mondiale, la C.I.A. prit un grand développement entre 1953 et 1961. Ses activités, tournées, en principe, uniquement vers l'étranger (au contraire du F.B.I., qui a une mission de sécurité interne), prirent des formes multiples : recherche de renseignements militaires, espionnage et contre-espionnage, par tous les moyens, classiques ou modernes (photographies par satellites ou avions espions); recherche de renseignements politiques ou économiques, afin de permettre à la politique américaine de prévoir l'évolution des problèmes locaux dans le monde entier; enfin tâches de « maintien de la paix », c'est-

à-dire, en fait, de soutien de la politique étrangère américaine et de mise en échec du communisme dans le monde entier. C'est ce dernier aspect de la mission de la C.I.A. qui a prêté le flanc à des critiques, ce service de renseignements n'ayant pas hésité à intervenir à maintes reprises dans la politique intérieure d'États indépendants : en 1954, pour renverser le régime communisant d'Arbenz au Guatemala; en 1961, en organisant le débarquement manqué de la baie des Cochons, à Cuba; en 1965, pour renverser le gouvernement de gauche de Juan Bosch, en république Dominicaine; de 1971 à 1973, en aidant financièrement l'opposition au régime d'Allende au Chili, etc. Aux États-Unis même, le rôle de la C.I.A. a été mis en question dans le cadre de la remise en ordre entreprise par l'Amérique à la suite de l'affaire du Watergate (v.). Une enquête menée par le Sénat révéla que l'Agence, contrairement à son statut de 1947, avait placé sous surveillance quelque 10 000 citoyens américains et qu'elle avait préparé ou envisagé des tentatives d'assassinat contre des personnalités étrangères telles que Fidel Castro, Lumumba, Trujillo, Ngô Dinh Diem, etc., toutefois sans qu'aucune preuve ait pu être apportée qu'elle avait effectivement entrepris de telles actions.

● Dès sa prise de fonctions, le 20 janv. 1977, le président Carter ordonna l'arrêt immédiat de tous les paiements effectués par la C.I.A. à des chefs d'État étrangers et prescrivit une enquête « énergique et exhaustive » sur les activités de l'Agence. Un mois plus tard, un ami personnel du président, l'amiral Turner, fut chargé de réorganiser complètement les services de renseignements américains. Cet « assainissement » n'alla pas sans une baisse spectaculaire de leur efficacité. Ils furent par exemple incapables de prévoir la révolution khomeinyste en Iran et l'invasion de l'Afghanistan par l'U.R.S.S. En mai 1981, le président Reagan nomma à la tête de l'Agence un ancien des services secrets alliés de la Seconde Guerre mondiale, William Casey, avec la mission explicite de rendre à la C.I.A. toute sa puissance. Sous la pression des milieux militaires, des mesures furent prises pour mettre la centrale à l'abri de la curiosité publique. Peu à peu, et malgré la vigilance du Congrès, la C.I.A. a relancé ses activités, en particulier en Amérique centrale. En 1984, elle n'avait cependant pas retrouvé la réputation et l'efficacité dont elle se prévalait dans les années 50 et 60. A la mort de W. Casey, en 1987, William Webster, ancien chef du F.B.I., lui a succédé. L'actuel président des États-Unis, George Bush, fut à la tête de la C.I.A. de 1976 à 1979.

CIALDINI Enrico, duc de Gaète (* Castelvetro, prov. de Modène, 10.VIII.1811 † Livourne, 8.IX.1892). Général italien. Dans l'armée piémontaise à partir de 1843, il combattit en Crimée (1855). Commandant de l'armée piémontaise envoyée dans le royaume des Deux-Siciles à la rencontre des Mille de Garibaldi, il battit les troupes ponti

C.I.A.
Emblème de la
Central Intelligence Agency.

ficales à Castelfidardo (18 sept. 1860), s'empara de la forteresse de Gaète (févr. 1861) et réduisit l'ultime résistance des Bourbons de Naples. Ambassadeur à Paris (1876/82).

CIANO Galeazzo, comte de Cortellazzo (* Livourne, 18.III.1903, † Vérone, 11.I. 1944). Homme politique italien. Fils de l'amiral Costanzo Ciano, qui s'était distingué, au cours de la Première Guerre mondiale, dans l'attaque sous-marine contre la base autrichienne de Pola et avait été un fasciste de la première heure, il entra tout jeune dans la carrière diplomatique, épousa Edda, fille de Mussolini (1930), et devint sous-secrétaire d'État puis ministre de la Presse et de la Propagande (1935/36). Officier aviateur pendant la guerre d'Éthiopie, il fut nommé ministre des Affaires étrangères le 9 juin 1936. Artisan de la politique impérialiste de l'Italie fasciste, il prépara le «Pacte d'acier» (mai 1939), qui consacrait l'*axe* Rome-Berlin; il porta une grande part de responsabilités dans l'attaque de l'Albanie. Dès l'automne 1939, cependant, il se montra inquiet de voir l'Italie entraînée dans la guerre mondiale, qu'il avait vainement cherché à éviter par sa tentative de médiation des 1er-2 sept. 1939. Ses réticences croissantes devant les ambitions de la politique allemande se transformèrent peu à peu en une opposition à son beau-père. Mussolini lui retira les Affaires étrangères (5 févr. 1943) et le nomma ambassadeur au Vatican. A la séance dramatique du Grand Conseil fasciste (25 juill. 1943), Ciano vota la motion qui désavouait Mussolini. Interné par les Allemands, il fut livré par eux à la République sociale (nov. 1943); jugé à Vérone par le tribunal spécial avec d'autres membres du Grand Conseil qui avaient également voté contre Mussolini, il fut condamné à mort (10 janv. 1944) et fusillé, dans le dos, deux jours plus tard. Il a laissé un *Journal politique 1939/1943* (1946), qui est un des documents les plus intéressants sur cette époque, et un recueil de papiers diplomatiques, *Les Archives secrètes du comte Ciano* (1948).

CIANO
Galeazzo. Homme politique italien (1903-1944).
Ph. © A.F.P. Paris - Photeb

● **CIBA GEIGY.** Société helvétique de produits chimiques. La Gesellschaft für Chemische Industrie in Basel CIBA a été fondée en 1884 à Bâle; elle succédait à une entreprise créée par Alexandre Clavel (*1805, † 1873), chimiste d'origine française. En 1918, elle conclut un accord de groupe avec deux autres grandes entreprises bâloises de produits chimiques, J.R. Geigy et Sandoz. La Ciba fonda des sociétés de production de colorants chimiques aux États-Unis, en Grande-Bretagne, en Italie. Après la Seconde Guerre mondiale, le groupe développa ses activités dans les produits pharmaceutiques, ce qui le conduisit à rompre en 1951 la communauté d'intérêts formée en 1918. Mais, en 1970, CIBA et J.R. Geigy AG fusionnèrent pour constituer le 2e groupe industriel helvétique. Ses 120 filiales de production ou de recherche, son effectif de 89 000 personnes font de lui une des plus grandes firmes de la chimie européenne. Son activité englobe la pharmacie (30% des ventes), les produits pour l'agriculture (25%), les matières plastiques et additifs (18%), les colorants et les détergents, le cuir, le papier (15%), les produits pour la maison (5%), les films et le papier photo (3%) et des équipements électroniques (3%). La quasi-totalité des ventes est réalisée à l'exportation.

CICÉRON, Marcus Tullius Cicero (* Arpinum, Latium, 106, † Caieta, Latium, 7.XII.43 av. J.-C.). Orateur et homme politique romain. D'une famille aisée appartenant à l'ordre équestre, il reçut une éducation soignée et suivit les leçons de philosophes grecs, stoïciens et platoniciens, qui enseignaient à Rome. Vers la fin des guerres civiles entre partisans de Marius et de Sylla, en 81, il fit ses débuts au barreau, à l'âge de vingt-cinq ans. L'année suivante, il gagna sa première cause importante en défendant Roscius Amerinus contre Chrysogonus, tout-puissant affranchi de Sylla. Craignant le ressentiment du dictateur, il fit un voyage en Grèce et en Asie Mineure, perfectionna sa connaissance de la rhétorique et, à Rhodes, fréquenta l'école du célèbre Molon. En 77, après la mort de Sylla, il rentra à Rome, et, tout en s'affirmant comme un maître du barreau, à l'appel d'Hortensius et de Cotta, il commença sa carrière politique. Questeur à Lilybée, en Sicile, en 75, il sut se faire aimer de ses administrés et c'est lui que les Siciliens chargèrent, en 70, de mener l'accusation contre Verrès (v.), le propréteur pillard, qu'il força à s'exiler, en prononçant ses *Verrines*. De tempérament modéré et opportuniste, souvent pusillanime, il contribua à faire donner à Pompée des pouvoirs exceptionnels lors de la guerre contre Mithridate (*De imperio Cn. Pompei* ou *De lege manilia,* 66). En 63, durant l'année de son consulat, il étouffa avec énergie la conjuration de Catilina (nov./déc. 63), qui lui donna l'occasion de prononcer ses plus célèbres harangues politiques, les quatre *Catilinaires*.

Il n'allait plus cesser de se vanter de ce haut fait et de se poser en sauveur de la République, mais il s'était irrémédiablement aliéné le parti populaire. «Homme nouveau», Cicéron ne pouvait partager l'intransigeance conservatrice d'un Caton. Sa grande idée politique était de rassembler les deux ordres supérieurs — sénateurs et chevaliers — et tous les gens de bien, les *optimates,* pour défendre la République oligarchique contre les démagogues tels que Clodius et les ambitieux, d'une race plus redoutable encore, comme César. Celui-ci semble avoir fait à Cicéron des avances qui furent alors repoussées. Isolé par son hostilité aux triumvirs et par l'obstination réactionnaire d'une large frange de la classe sénatoriale, Cicéron se trouva réduit à l'impuissance en face de ses ennemis, dont le plus acharné était Clodius, qui ne pardonnait pas à l'orateur de l'avoir démasqué lors de l'affaire des mystères de la Bonne Déesse (v. CLODIUS). Contraint à l'exil par Clodius (58), Cicéron dut abandonner sa

CICÉRON
Homme politique romain
(106-43 av. J.-C.)
(Musée national de Naples.)
Ph. © Alinari - Roger - Viollet
Photeb

belle maison du Palatin, qui fut saccagée, mais on le rappela un an et demi plus tard, et, à son retour, il reçut des Romains un accueil enthousiaste. Pendant quelques années, il se consacra surtout au barreau et à son œuvre littéraire, sans pour autant perdre de vue l'évolution des événements politiques. Dès cette époque, il s'efforça de rapprocher Pompée et le parti oligarchique, mais César prévint sa manœuvre et, resserrant le triumvirat à l'entrevue de Lucques, imposa, en 56, une soumission piteuse à Cicéron, qui dut lui-même demander la prolongation du commandement de César en Gaule dans son discours *De provinciis consularibus*. Après l'assassinat de Clodius, il assuma la défense de son adversaire, Milon (*Pro Milone*, 52). Gouverneur de la Cilicie en qualité de proconsul (51/50), il montra dans ses fonctions une rare intégrité. A son retour, il trouva l'Italie livrée à la guerre civile entre César et Pompée ; avec tout le parti sénatorial, il se rallia à ce dernier, passa en Grèce, mais, aussitôt après le désastre des pompéiens à Pharsale (août 48), il se distança prudemment de ses amis et revint en Italie, pour y répondre aux avances de César qui, le jugeant utile, était tout prêt à lui pardonner. Il obtint ainsi la grâce de plusieurs pompéiens et remercia avec effusion le dictateur dans son *Pro Marcello* (46). Au fond de lui-même, il restait cependant empli d'une rancœur qu'il cherchait à distraire en se consacrant à d'importants travaux littéraires et philosophiques. L'assassinat de César ranima ses espérances ; se posant alors en chef du parti sénatorial, il attaqua violemment Antoine dans ses *Philippiques* (sept. 44/avr. 43). Il commit une maladresse lourde de conséquences en opposant à Antoine le jeune Octave, dont il espérait se servir pour rétablir l'ancien régime. Se jouant du vieux politicien, Octave se rapprocha d'Antoine et forma, avec celui-ci et Lépide, le second triumvirat : les proscriptions commencèrent et Cicéron, sacrifié par Octave à la vindicte d'Antoine, en fut l'une des toutes premières victimes. Sa tête et ses mains furent tranchées et exposées à la tribune aux harangues. On a reproché à Cicéron son manque de caractère, sa vanité extrême, ses nombreuses bévues politiques, mais on ne peut contester ni son honnêteté ni la sincérité de son patriotisme, et moins encore l'ampleur de son intelligence ou de son talent littéraire. Le plus grand des orateurs romains dont les œuvres nous ont été conservées, il fut aussi un philosophe éclectique qui contribua beaucoup à la diffusion de la sagesse grecque à Rome. Ses traités politiques, souvent d'inspiration platonicienne, s'efforcent de dégager l'idéal d'un gouvernement modéré qui combinerait les avantages respectifs de la monarchie, de l'aristocratie et de la démocratie : *De republica* (54-51), qui contient le célèbre *Songe de Scipion; De legibus* (vers 52), sur les lois, l'origine du droit et l'organisation du pouvoir. Sa vaste correspondance constitue un document incomparable sur la vie politique et sur la société

romaine à la fin de la République ; une grande partie de cette correspondance est perdue ; dans son état actuel, elle comprend 864 lettres ; c'est dans les lettres à Atticus, son meilleur ami, que Cicéron s'exprime avec le plus de liberté.

CID, Rodrigo Diaz de Vivar, dit le (* Vivar, près de Burgos, vers 1043, † Valence, 10.VII.1099). Homme de guerre espagnol, mentionné pour la première fois en 1064. Le surnom sous lequel il est resté célèbre rappelle ses victoires sur les Maures et vient de l'arabe *szidi,* seigneur. Sans appartenir à la première noblesse castillane, il était cependant d'une famille ancienne. Il servit d'abord dans l'armée du roi de Castille Sanche II, qu'il aida, par une ruse, à triompher de son frère Alphonse de León. Celui-ci, devenu roi sous le nom d'Alphonse VI après la mort de Sanche, lui donna cependant en mariage une de ses parentes, Chimène (1074), mais, craignant son ambition, il le disgracia en 1081. Le Cid passa alors au service des princes maures de Saragosse, puis revint, en 1087, du côté des Castillans. Personnage ambitieux, sans scrupules et brutal, prêt à se battre aussi bien contre les chrétiens que contre les Maures, il combattit surtout pour son compte personnel. En 1094, il s'empara de Valence, où il réussit à se maintenir jusqu'à sa mort ; après lui, Chimène y résista encore jusqu'en 1102. Le Cid devint rapidement un personnage de légende ; on l'idéalisa pour faire de lui un pur héros de la « Reconquête ». Peu après sa mort parut une biographie en latin, *Gesta Roderici Didaci Campidocti*, et, vers 1150, fut publié l'anonyme *Poema del mio Cid* qui, avec la *Cronica rimada del Cid* (fin XIIIᵉ s.), propagea la légende et inspira les drames de Lope de Vega, de Guillen de Castro et de Corneille.

CI-DEVANT, c'est-à-dire *avant ce temps-ci, précédemment.* Nom donné, sous la Révolution, aux anciens nobles et, par extension, à tous ceux qui étaient attachés au régime monarchique.

CIESZYN. Nom polonais de la ville de TESCHEN (v.).

CIGARE, CIGARETTE. Voir TABAC.

CILICIE. Région de la Turquie d'Asie, au sud-est de l'Anatolie, entre les monts Taurus et la Méditerranée. Elle comprend deux régions contrastant vivement par leur relief : à l'E., une plaine marécageuse, la *Cilicia campestris* des Romains; à l'O., la *Cilicia aspera,* formée par la haute chaîne du Taurus (plus de 3 000 m), qui présente une seule voie de passage importante, les Portes de Cilicie, route séculaire des envahisseurs descendant du plateau d'Anatolie et de l'Occident vers la Syrie. Au cours de la succession des empires de l'Antiquité, la Cilicie conserva toujours une certaine autonomie sous ses divers maîtres. Elle fit partie de l'Empire hittite, mais, dès le IIᵉ millénaire avant notre ère, des colonies grecques s'établirent sur la côte (à l'époque classique, la plus importante était Kélendéris, qui fit partie de la ligue de Délos). Incluse dans l'Empire perse, la Cilicie fut traversée par l'armée d'Alexandre (333 av. J.-C.) et passa ensuite aux Séleucides, qui y fondèrent plusieurs villes. Occupée par les Romains dès 102 av. J.-C., elle resta infestée de pirates jusqu'à l'expédition victorieuse de Pompée (67). Érigée en province (63), elle fut gouvernée par Cicéron en 51/50 av. J.-C. Pays natal de st. Paul (natif de Tarse), évangélisée par l'apôtre lui-même, elle garda toute son importance stratégique à l'époque byzantine. Occupée par les Arabes du VIIe au Xe s., reconquise en 964 par Nicéphore Phocas, elle vit se constituer le royaume de Petite Arménie (XIIe/XIVe s.) — v. ARMÉNIE —, mais les mamelouks d'Égypte s'en emparèrent en 1375. Elle passa ensuite aux Ottomans (1515); les troupes égyptiennes de Méhémet Ali l'occupèrent de 1833 à 1840. En 1919, une partie de la Cilicie fut attribuée à la France, mais celle-ci se heurta à une résistance si vive des populations qu'elle restitua le pays à la Turquie dès 1921.

CIMBRES, *Cimbri*. Peuple germanique installé primitivement dans la *Chersonèse Cimbrique* (Jutland et partie méridionale du Danemark). Chassés de cette région, vers 120 av. J.-C., par un débordement de la Baltique, les Cimbres émigrèrent vers le sud, à la recherche d'un nouvel établissement, en entraînant avec eux les Teutons et les Ambrons. En 113, près de Noreia, en Norique, les Cimbres bousculèrent les Romains, qui furent terrifiés par leur ardeur; ils errèrent quelques années en Gaule et en Espagne, puis cherchèrent de nouveau à pénétrer en Italie, mais furent complètement vaincus par Marius à Verceil (101 av. J.-C.).

CIMETIÈRE. Voir FUNÉRAIRES (usages).

CIMMÉRIENS. Peuple ancien établi, vers la fin du IIe millénaire avant notre ère, dans les pays situés au nord du Caucase et de la mer Noire, ainsi qu'en Roumanie et en Hongrie orientale. Les Cimmériens étaient des Indo-Européens (ou, du moins, soumis à une classe dirigeante indo-européenne). Certains archéologues leurs attribuent les nombreux vestiges de la civilisation du bronze (vers 1200/900 av. J.-C.) découverts entre le Kouban et le bas Danube (trésors de Staromichastovskaïa, de Chtetkovo, de Novogrigorievsk, de Borodine; fonderie de bronze de Nikolaïev, sur le Bug). A une date inconnue, les Cimmériens furent chassés de l'actuelle Ukraine par les Scythes. A travers le Caucase, ils gagnèrent l'Asie Mineure. Vers 714 av. J.-C., ils attaquèrent l'Ourartou (Arménie) et, pendant près d'un siècle, nomadisèrent en se livrant au pillage. Repoussés des frontières de l'Assyrie par Sargon II (705), ils s'emparèrent de Sinope, sur la mer Noire, conquirent la Phrygie (vers 676 ?), vainquirent Gygès et enlevèrent Sardes, capitale de la Lydie (652), avant

d'être repoussés par les Lydiens et les Grecs (vers 637). Après cette date, ils disparaissent de l'histoire.

CIMON (* vers 505?, † Citium, 450 av. J.-C.). Homme politique et général athénien. Fils de Miltiade, il se distingua à Salamine (480), fut nommé stratège de la ligue de Délos, contribua à l'ostracisme de Thémistocle et devint la personnalité la plus en vue de la politique athénienne. Il enleva aux Perses la plus grande partie du littoral de l'Asie Mineure et leur infligea la grave défaite de l'Eurymédon (468). Il eut le mérite d'orienter l'expansion athénienne vers les Détroits et le nord de l'Égée, mais la révolte de Thasos (465-463) atteignit son prestige. Cependant qu'il commandait une armée de secours envoyée à Sparte pour réprimer une révolte des hilotes et des Messéniens, Éphialte menait contre lui à Athènes l'opposition du parti démocratique antilacédémonien. Ostracisé en 461, Cimon revint à Athènes dix ans plus tard, négocia une trêve avec Sparte et alla combattre les Perses à Chypre, où il trouva la mort.

CINCINNATI (Société des). Société patriotique fondée aux États-Unis, en 1783, par des officiers qui avaient combattu dans la guerre d'Indépendance et qui se proposaient pour modèle le vertueux Cincinnatus (v.). Elle compta parmi ses premiers membres Washington, Hamilton, Franklin, Monroe. La société admettant l'hérédité, Franklin y vit le germe d'une future aristocratie, et les statuts furent réformés. C'est en l'honneur de cette société que fut nommée, en 1790, la ville de Cincinnati (Ohio). Un ordre de Cincinnatus fut également fondé en France, sous Louis XVI.

CINCINNATUS Lucius Quinctius (Ve s. av. J.-C.). Héros national romain. Consul, dictateur en 458 et 439, il personnifie l'ancien Romain à la fois paysan, soldat et homme d'État. D'après une tradition légendaire, on serait venu l'enlever à sa charrue en 458 av. J.-C., pour lui conférer la dictature et le charger de délivrer l'armée romaine encerclée par les Éques et les Volsques; vainqueur, il abdiqua au bout de seize jours et reprit ses travaux rustiques, refusant toute récompense.

CINÉAS († après 279 av. J.-C.). Orateur, sophiste et homme politique grec, originaire de Thessalie. Conseiller de Pyrrhos, roi d'Épire, il poussa celui-ci à conclure la paix avec les Romains et se rendit lui-même à Rome (279 av. J.-C.) pour la négocier; mais son ambassade resta sans succès.

CINÉMATOGRAPHE. L'histoire du cinéma, envisagée dans cet article uniquement du point de vue des inventions techniques, commence en 1895, avec le *cinématographe* de Louis Lumière qui, le premier, sut résoudre le double problème de l'analyse et de la synthèse du mouvement.

995

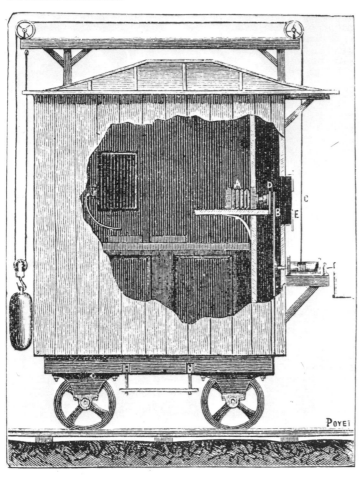

POYET

CINÉMATOGRAPHE

Le chronophotographe. Savant physiologiste, Étienne Marey (1830-1904)
poursuivait obstinément des recherchès sur les animaux en mouvement.
Au même moment, l'Anglais Muybridge,
financé par un excentrique milliardaire américain,
se servait des études de Marey sur les allures du cheval
pour réaliser, d'une manière coûteuse et compliquée,
les premières vues « en mouvement ». Muybridge vint à Paris
démontrer à Marey les avantages
des plaques photographiques au gélatino-bromure.
Marey construisit successivement un « fusil photographique »,
un « chronophotographe à plaque fixe », un « chronophotographe
à plaque mobile » sur roues, ancêtre de la caméra,
réalisé grâce aux pellicules que commercialisait Kodak.
En oct. 1888, l'Académie des sciences eut droit au résultat de ses travaux.

Ph. Jeanbor © Photeb

Les précurseurs

Cette découverte faisait suite cependant à une série d'expériences parfois anciennes : ombres chinoises, chambres noires des dessinateurs de la Renaissance, lanterne magique du P. Kircher (XVIIᵉ s.), etc., et aux recherches scientifiques sur la persistance rétinienne, qui eurent pour pionniers l'abbé Nollet, au XVIIIᵉ s., et, au début du siècle dernier, le Belge Joseph Plateau. Ce professeur à l'université de Gand construisit en 1833 le *phénakistiscope,* cylindre de carton percé de petites fenêtres, à l'intérieur duquel on disposait des images fixes représentant les phases successives d'un mouvement; lorsque le cylindre tournait, le spectateur, en regardant par les fentes, avait l'illusion du mouvement. A la même époque, le Viennois Stampfer mettait au point un appareil analogue. Le dispositif de Plateau, perfectionné en 1834 par W.G. Horner, devint le *zootrope.*

Ces inventions, réalisées dans un dessein purement scientifique, enrichirent immédiatement le monde des jouets, et, dès les années 1830, le dessin animé naissant occupa une place de choix parmi les distractions familiales. En 1851, Duboscq, avec son *stéréofantascope* ou *bioscope,* remplaça par des images photographiques fixes les vues peintes ou dessinées. En 1853, un officier d'artillerie autrichien, Franz von Uchatius, tenta la première projection d'images animées sur un écran. En 1877, Émile Reynaud perfectionnait les appareils de Plateau et de Horner en imaginant le *praxinoscope,* lequel constituait un progrès très important du fait qu'il ne reposait plus sur l'illusion optique mais donnait au dessin animé sa vie propre grâce à un système de miroirs sur lesquels s'animaient les images fixées au bord intérieur du cylindre. Reynaud trouva ensuite le moyen de faire refléter sur un écran l'image mobile de son appareil. En 1892, il ouvrit au musée Grévin, à Paris, son Théâtre optique, pour lequel il dessina des bandes animées sur pellicule dont la projection durait de dix à quinze minutes. Il connut pendant quelques années un vif succès, mais fut ruiné en 1900 par la concurrence du cinématographe et mourut en 1918 dans la misère, après avoir détruit son appareil ainsi que ses bandes, dont il ne reste que des reproductions.

Parallèlement à cette série d'inventions, d'autres chercheurs perfectionnaient la photographie (v.), s'efforçaient de réduire le temps de pose, de capter une image instantanée de la vie et même d'analyser par la photographie les différentes phases du mouvement. En 1874, le savant Janssen réussissait, avec son *revolver astronomique,* à enregistrer les phases successives du passage de la planète Vénus sur le disque du Soleil. Vers la même époque, aux États-Unis, le photographe anglais Edward James Muybridge, commandité par le magnat californien du chemin de fer Leland Stanford, mettait au point un système qui échelonnait 24 appareils photographiques pour photographier les diverses phases du galop d'un cheval

(1872/78). Après cette expérience, qui eut un retentissement mondial, le besoin s'imposait d'un appareil à vitesse rapide, capable d'accomplir à lui seul le même travail que les 24 appareils de Muybridge. Cette invention fut l'œuvre d'un savant français, Étienne Jules Marey, qui étudiait le vol des oiseaux. Il construisit en 1882 un *fusil photographique,* dérivé du revolver de Janssen, et qui, perfectionné, lui permettait, en 1888, d'obtenir, en une seconde, jusqu'à 60 images successives prises à intervalles réguliers. Mais Marey, qui travaillait uniquement à des fins scientifiques, se contentait de l'analyse du mouvement. Il ne fit aucun effort en vue de la synthèse; ses images ne pouvaient être projetées. Capitale cependant pour l'évolution du cinéma, son invention suscita de nombreuses tentatives de perfectionnement : en France, avec Georges Demeny; en Angleterre, avec Le Prince et William Friese-Greene; en Amérique, avec George Eastman et Thomas Edison. Ce dernier mit au point, vers 1888-90, le *kinétoscope,* premier appareil permettant la vision cinématographique à travers un œilleton, mais impropre à la projection.

Le cinématographe de Lumière

Le génie de Louis Lumière fut de combiner, dans son *cinématographe,* l'enregistrement du mouvement de l'image et sa restitution par projection sur un écran. Après avoir donné une première démonstration de son appareil devant la Société d'encouragement à l'industrie nationale (22 mars 1895), Lumière fit la première présentation publique du cinématographe le samedi 28 déc. 1895, à Paris, dans le sous-sol du Grand Café, à l'angle du boulevard des Capucines et de la rue Scribe. Cette première séance de cinéma attira 38 spectateurs, qui assistèrent à la projection du film *Sortie des usines Lumière à Lyon.* L'inventeur lui-même considérait que le cinématographe n'était qu'une «curiosité scientifique» et il ne lui voyait «aucun avenir commercial». Cependant, dès janv. 1896, le public affluait aux séances du Grand Café, qui étaient permanentes, de 10 heures du matin à minuit, et présentaient une dizaine de films qui duraient chacun environ une minute. Il restait à créer le cinéma comme art : ce fut l'œuvre d'un autre Français, Georges Méliès, directeur du théâtre Robert-Houdin, qui, dès 1895, s'était passionné pour l'invention de Lumière et, l'année suivante, réalisait son premier film. Dès les premières années du XXᵉ s., commençait la production de type industriel, avec Charles Pathé. En 1910, on comptait 300 salles de cinéma en France, 10 000 aux États-Unis, 3 000 dans le reste du monde. Le cinéma français, qui avait joui jusqu'à cette date d'une suprématie absolue, se trouvait désormais aux prises avec une concurrence internationale. Dès 1911, les studios de Hollywood sortaient leur premier film.

Perfectionnements ultérieurs

L'histoire du cinéma a été jalonnée par d'importants perfectionnements techniques. Dès l'origine, on songea au cinéma parlant, sous sa forme la plus simple, qui consistait à synchroniser un film avec un enregistrement phonographique de type courant. Gaumont réalisa ainsi, vers 1902, des films consacrés à des acteurs célèbres, tels que Coquelin, Sarah Bernhardt, etc. Mais, dès 1905, Joly conçut un système permettant la transformation des ondes sonores en ondes lumineuses. A partir de 1920, eurent lieu les premières présentations de petits films ou d'extraits de films parlants, mais le public resta indifférent, jusqu'à la sortie, en oct. 1927, du film musical américain *Le Chanteur de jazz,* où la voix d'Al Jolson déclencha la «révolution du parlant», qui fut foudroyante, malgré la résistance de la plupart des maîtres de l'art cinématographique de l'époque. Dès 1930, l'ère du film muet était irrémédiablement révolue.

La couleur avait fait son apparition dès 1906, sous la forme du procédé *Kinemacolor* des Anglais Charles Urban et G. Albert Smith : deux couleurs fondamentales, le rouge et le vert, se superposaient alternativement sur les images projetées deux fois plus vite. Gaumont perfectionna ce procédé par la trichromie, en 1912. Le procédé *Technicolor,* développé aux États-Unis à partir de 1911 par Herbert T. Kalmus, commença sa percée commerciale au début des années 20. D'autres procédés furent mis au point, tels l'*Agfacolor* allemand, le *Gevacolor* belge, le *Ferraniacolor* italien et, plus récent, l'*Eastmancolor* de Kodak (1950). Dès l'époque du muet, on tourna de grands films en couleur (*Le Pirate noir* de Douglas Fairbanks, 1926); cependant, la couleur ne s'imposa définitivement qu'après le triomphe d'*Autant en emporte le vent* (1939).

Au lendemain de la Seconde Guerre mondiale, le cinéma, aux prises avec la concurrence croissante de la télévision, commercialisa de nouvelles inventions : le *Cinérama* (1952) utilise trois projecteurs, trois films et trois écrans pour donner l'illusion du relief; le *Cinémascope* (1953) qui a pour origine l'*Hypergonar* mis au point dès 1927 par Henri Chrétien, permet d'embrasser un champ beaucoup plus étendu que celui des objectifs normaux.

CINEY. Ville de Belgique (Namur), dans le Condroz, au N.-E. de Dinant. Elle est restée célèbre par une des plus violentes guerres privées de l'Europe médiévale, la **guerre de la Vache (1275/78).** Un habitant de Ciney, Rigaud Corbion, s'était fait voler une vache, qu'il retrouva, quatre jours plus tard, exposée en vente sur la place d'Andenne. Le voleur, sur la promesse de reconduire la vache à son propriétaire, se vit garantir l'impunité. Mais Jean de Halloz, bailli du Condroz, ne tint aucun compte de cette garantie et fit pendre le coupable. Le sire de Goesnes et de Jallet, sur les terres duquel vivait le voleur, considéra cette exécution sommaire comme une

CINÉMATOGRAPHE
Une des premières « caméras » :
le « chrono négatif de
précision » Gaumont type II B,
avec entraînement de la pellicule
par came Demeny.
Ph. Jeanbor © Photeb

Plaque signalant
la rue où se trouvaient
le domicile et les usines
des frères Lumière à Lyon.
Ph. © Archives Photeb

atteinte portée à sa juridiction seigneuriale. Il leva une armée qui alla saccager le Condroz. Le conflit prit une ampleur inattendue : tandis que les Liégeois se rangeaient aux côtés des gens de Ciney, les comtes de Namur et de Luxembourg et le duc de Brabant s'alliaient au sire de Goesnes. La guerre dura plus de deux ans et fit 15 000 morts, jusqu'au moment où le roi de France, Philippe III le Hardi, imposa la paix par son arbitrage.

CINNA Lucius Cornelius († Ancône, 84 av. J.-C.). Homme politique romain. L'un des chefs du parti populaire, partisan de Marius, il profita de ses fonctions de consul (87/84) pour essayer de faire rappeler celui-ci d'exil. Ayant échoué, il leva une armée, fit venir Marius d'Afrique et s'empara de Rome, où il entreprit une sanglante épuration des partisans de Sylla, qui menait alors la guerre en Asie. Après la mort de Marius, il maintint sa tyrannie à Rome, mais fut assassiné par ses soldats, alors qu'il voulait conduire la flotte contre Sylla.

CINNA (Ier s.). Personnage mentionné par Sénèque dans son traité *De la clémence* (I, IX) : favori d'Auguste, il conspira cependant contre l'empereur, qui était alors en Gaule; mais Auguste, sur les conseils de sa femme Livie, lui pardonna et lui donna même le consulat. Tacite et Suétone ne mentionnent pas Cinna, que Corneille a choisi comme héros d'une de ses tragédies (1640).

CINQ DYNASTIES (époque des). Période de l'histoire chinoise qui, de 907 à 960 de notre ère, succéda à la chute des T'ang. Cinq dynasties essayèrent successivement d'y rétablir le pouvoir impérial : les Leang postérieurs (907/923), les T'ang postérieurs (923/936), les Tsin postérieurs (936/947), les Han postérieurs (947/950) et les Tcheou postérieurs (951/960). Cette période prit fin à l'avènement de la dynastie des Song (v.).

CINQ-CENTS (Conseil des). Voir CONSEIL DES CINQ-CENTS.

CINQ-MARS, Henri Coiffier de Ruzé d'Effiat, marquis de (* 1620, † Lyon, 12.IX. 1642). Gentilhomme français. Second fils du maréchal d'Effiat, favori de Louis XIII, grand écuyer de France, il conspira contre son ancien protecteur Richelieu, qui s'opposait à ses projets ambitieux, en particulier à son mariage avec la princesse Marie de Gonzague; entraînant à la révolte Gaston d'Orléans, frère du roi, il contribua au traité que ce dernier signa avec l'Espagne contre la France (mars 1642). Après la découverte du complot, il fut condamné à mort et décapité avec son complice, de Thou. Vigny fit de lui le héros de son roman *Cinq-Mars* (1826).

CINQUECENTO. Nom donné en Italie au XVIe s., surtout en évoquant la civilisation artistique.

CINQ-MARS
Henri Coiffier de Ruzé
d'Effiat, marquis de C.-M.
Gentilhomme français (1620-1642).
Ph. © Bibl. Nat., Paris - Photeb

CINQUE PORTS. Groupe de villes maritimes anglaises du Sussex et du Kent, à l'origine au nombre de cinq : Douvres, Hastings, Hythe, Romney et Sandwich, auxquelles s'ajoutèrent par la suite Rye, Seaford et Winchelsea. Pourvues de privilèges importants dès l'époque de Guillaume le Conquérant, ces villes fortifiées eurent pour tâche d'équiper des navires de guerre contre une invasion, jusqu'à la création de la marine nationale anglaise. Elles constituaient une province militaire et administrative à part, gouvernée par le *lord amiral des Cinque Ports* ou *lord Warden :* cette dignité, aujourd'hui toute honorifique, appartient à Winston Churchill.

CINQUIÈME COLONNE. Durant la guerre civile d'Espagne (1936/39), expression employée par les nationalistes pour désigner leurs partisans qui, restés dans Madrid aux mains des républicains, aidaient secrètement les quatre colonnes franquistes assiégeant la capitale. Durant la guerre de 1939/40, la propagande française reprit l'expression pour dénoncer les agents de l'Allemagne accusés de provoquer la panique et la désorganisation de l'arrière.

CINTRA. Voir SINTRA.

C.I.O. Voir CONGRESS OF INDUSTRIAL ORGANIZATIONS.

CIOMPI. A Florence, au XIVe s., nom donné à la classe la plus pauvre des artisans — composée notamment des cardeurs —, qui était privée de tous droits politiques. Conduits par le cardeur Michele di Lando, les *ciompi* se révoltèrent, le 21 juill. 1378, et imposèrent la nomination de leur chef comme gonfalonier. Ils tentèrent de briser le pouvoir oligarchique des corporations *(arti)* en créant trois corporations nouvelles, deux pour les petits artisans et une pour les ouvriers. La résistance de la bourgeoisie amena les *ciompi* les plus radicaux à constituer une sorte de gouvernement révolutionnaire, le comité des *Otto di Santa Maria Novella* (les Huit de Sainte-Marie-Nouvelle), mais Michele di Lando se désolidarisa d'eux, et, dès lors, les notables ne cessèrent plus de regagner du terrain. Deux des corporations nouvelles, celles des *Tintori* et des *Farsettai*, subsistèrent jusqu'en 1382, date à laquelle les vieilles corporations, représentant les intérêts des riches marchands et des banquiers, l'emportèrent définitivement; Michele di Lando fut exilé.

CIPANGU. Île dont parle Marco Polo et qu'il place en face du Cathay; probablement le Japon.

CIPAYES. Soldats indigènes recrutés en Inde dès le début de la pénétration européenne par les compagnies rivales; ils constituèrent ensuite, dans l'armée britannique des Indes, de véritables régiments, encadrés par des officiers métropolitains; leur nombre atteignait 190 000 en 1857. Soumis par leurs chefs à une propagande chrétienne assez maladroite, ils furent encouragés à la rébellion, dans le Bengale, par de nombreux princes indiens qui craignaient, vers 1857, de se voir confisquer leurs terres. La **révolte des Cipayes** prit pour prétexte la distribution aux soldats indigènes de cartouches enduites de graisse de vache, que les soldats — acte révoltant pour un hindou qui a le culte de la vache — devaient mordre pour les décapsuler; la révolte commença à Meerut le 24 avr. 1857, se développa dans toute l'Inde centrale et du Nord, fut marquée par la prise de Delhi (11 mai 1857), d'Allahabad (6 juin 1857) et par le massacre des Européens à Cawnpore. Toutefois, les cipayes de l'armée de Bombay restèrent fidèles. En mars 1858, les Anglais avaient complètement rétabli leur domination sur l'Inde. La mésentente des révoltés fut la principale cause de l'échec de la mutinerie.

A la suite de ces événements, l'Angleterre décida la suppression de la Compagnie des Indes (1858). L'Inde devint une colonie de la Couronne, administrée, à Londres par un ministre spécial, le secrétaire d'État pour l'Inde, assisté d'un Conseil de l'Inde, et à Calcutta par un gouverneur général qui prit le titre de vice-roi et qui devait être aidé d'un Conseil exécutif et d'un Conseil législatif. Pour se concilier les princes, les Anglais décidèrent de ne plus annexer aucun État indigène; un souci de bonne administration inspira la création d'un corps spécial d'administrateurs, l'Indian Civil Service. Le dernier empereur mogol, Bahadour chah, qui avait participé à la rébellion, fut déposé et exilé en Birmanie (1858); moins de vingt ans plus tard, le 1er janv. 1877, Victoria fut proclamée impératrice des Indes.

CIPPE. Petite colonne ou, plus souvent, pilier quadrangulaire, que les anciens Romains élevaient pour borner un champ, pour délimiter l'enceinte d'une ville en cours de fondation, pour marquer les distances sur les routes et, plus fréquemment encore, pour servir de monument funéraire.

CIRCASSIENS. Voir Tcherkesses.

CIRCÉ (mont), monte Circeo. Promontoire de la côte du Latium, en Italie, au sud-ouest de Terracina. On y trouve des grottes qui forment le site le plus important du paléolithique moyen dans le Latium. Dans la grotte Guattari, A. C. Blanc découvrit en 1939 un crâne humain appartenant à un néanderthalien (v.); deux mandibules y furent trouvées en 1950 et 1954. Dans la mythologie classique, ce mont était le domaine de la magicienne Circé. Les Volsques y établirent une forteresse, à laquelle succéda, en 393 av. J.-C., une colonie latine. A la fin de la République romaine et à l'époque impériale, le mont et ses environs devinrent un lieu de villégiature pour les riches Romains; Tibère et Domitien y possédèrent des villas.

CIRCONCISION. Ablation du prépuce, pratique répandue chez des peuples extrêmement divers, du Proche-Orient ancien à l'Amérique précolombienne et à la Polynésie, mais qui resta complètement inconnue des Indo-Européens, des Mongols, des peuples finno-ougriens. Son origine, qui remonte certainement à la plus lointaine antiquité, demeure aussi conjecturale que la signification du rite : substitut pour un sacrifice humain primitif? consécration à la divinité? rite de passage dans le monde des adultes, d'initiation?... La circoncision fut de tout temps en usage dans l'Égypte pharaonique; on la pratiquait sur des enfants d'une dizaine d'années, ou même plus âgés; elle n'était cependant pas obligatoire (le pharaon lui-même n'était pas toujours circoncis), mais les prêtres avaient tous subi cette opération, et, selon une tradition, Pythagore dut s'y soumettre avant de pouvoir étudier dans les temples égyptiens.

Chez les Juifs, la circoncision était la marque de l'alliance entre Dieu et son peuple (Genèse, XVII, 10-14); les étrangers qui voulaient s'incorporer au peuple juif devaient se faire circoncire. Les chrétiens virent dans la circoncision une figure du baptême, mais, contre les judaïsants, il fut décidé, dès le concile de Jérusalem (en 49), que la circoncision ne serait pas imposée aux Gentils convertis à la foi du Christ. Seule entre les Églises chrétiennes, l'Église d'Éthiopie, à la suite d'influences juives, adopta l'usage de la circoncision. Comme tous les israélites, le Christ avait été soumis à la circoncision; cet événement fut commémoré dans la liturgie chrétienne par une fête qui, apparue au VIe s., se répandit d'abord en Gaule mais ne fut acceptée à Rome que vers le IXe s. La circoncision des femmes (ablation du clitoris), ou excision, était, selon Strabon, pratiquée chez les Égyptiens au Ier s. avant notre ère; cette coutume est également en usage dans de nombreux peuples. Bien que le Coran n'en souffle mot, la circoncision — héritage d'un rite de l'Arabie primitive — est pratiquée dans l'islam.

CIRQUE. Enceinte semi-circulaire et de forme allongée, qui, chez les Romains, tenait la même fonction que les hippodromes (v.) chez les Grecs. Bien qu'on y ait présenté exceptionnellement des combats de gladiateurs ou de bêtes, d'habitude réservés à l'amphithéâtre (v.), ces enceintes étaient avant tout destinées aux courses de chevaux et de chars, aux «jeux du cirque» *(circenses)*, qui constituaient la distraction favorite de la foule. Dans les temps primitifs, les courses se déroulaient en plein champ.

D'après la tradition, c'est Tarquin l'Ancien qui, à Rome, commença la construction (en bois) du *Circus maximus,* lequel n'aurait été achevé qu'en 330 av. J.-C.; on édifia ensuite le cirque de Flaminius (221 av. J.-C.) et, à l'époque impériale, les cirques de Caligula, de Salluste, etc. Les cirques avaient la forme oblongue d'un rectangle allongé, terminé à l'une de ses extrémités en demi-cercle, à l'au-

CIRQUE
Sesterce de Trajan (104-111) avec une vue du Circus maximus. A gauche, la loge impériale; au fond, le Palatin; au centre, la « spina », avec l'obélisque et les bornes (« metae ») où tournaient cavaliers ou chars.
Ph. © L. von Matt - Arch. Photeb

CIRQUE
Aurige vainqueur avec
sa palme. Effigie en terre
cuite. (Cabinet des Médailles.)
Ph. © Bibl. Nat., Paris - Photeb

Course de chars à l'hippodrome
de Byzance, au V⁰ s.
Diptyque en ivoire des Lampadii.
(Musée chrétien de Brescia.)
Ph. © Giraudon - Arch. Photeb

tre extrémité par des remises *(carceres)* d'où les chevaux ou les chars attelés s'élançaient pour les courses. La piste était partagée par une sorte d'épine dorsale *(spina)*, ornée de statues des divinités, d'autels, de petits temples; cette *spina* était légèrement oblique par rapport à l'axe de l'édifice, de façon que le champ fût plus large du côté du départ; aux deux extrémités de la *spina* se trouvaient deux bornes *(metae)*, qui étaient recouvertes de bronze doré et autour desquelles tournaient les coureurs.

Le *Circus maximus,* qui avait servi de modèle à tous les autres, s'élevait dans la dépression de la vallée Murcia, entre le Palatin au nord et l'Aventin au sud. Agrandi graduellement par César et par les empereurs, c'était un monument d'une grandeur imposante. A l'époque de César, il pouvait contenir 150 000 spectateurs et, au IV⁰ s., après plusieurs campagnes d'agrandissements, 385 000 (mais, d'après Jérôme Carcopino, 255 000 places assises seulement). A l'extérieur, les murailles présentaient plusieurs étages de portiques superposés, plaqués de marbre, qui rappelaient l'ordonnance du Colisée; à l'intérieur, l'immense *cavea* offrait trois rangs de gradins, le premier rang, dans le bas, garni de sièges de pierre, le deuxième de sièges de bois, le troisième ne comportant, semble-t-il, que des places debout; c'est seulement sous le règne de Claude que furent installés les premiers sièges de pierre, à l'usage des sénateurs; ceux-ci, avec les magistrats en fonction et les vestales, avaient seuls droit à des places réservées; dans le reste du public, qui était admis gratuitement au cirque, les rangs et les sexes étaient mêlés. Le *Circus maximus* avait une *spina* longue de 214 m; le circuit avait une largeur variant entre 87 et 84 m, et une longueur totale de 568 m.

Les courses comportaient obligatoirement sept tours de pistes (donc 3,976 km), ramenés par Domitien à cinq tours (donc 2,84 km). Le nombre des courses données dans une journée passa d'une douzaine sous Auguste à 34 sous Caligula, à 100 sous les Flaviens. Les simples courses de chevaux étaient agrémentées d'acrobaties diverses. Les courses de chars avaient lieu avec des attelages de deux chevaux (biges), de trois (triges), de quatre (quadriges), et même de six, huit, dix chevaux. Les cochers étaient répartis en écuries *(factiones)*, qui souvent s'associaient deux à deux : les Blancs et les Verts, d'une part, les Bleus et les Rouges, d'autre part. Le public suivait ces courses avec une telle passion que, parfois, l'arrivée provoquait de véritables émeutes. Ce fut le cas surtout à Constantinople, où le nom des *factiones* (les Bleus et les Verts) finit par désigner des partis politiques (v. DÈMES). Les cochers, esclaves ou gens de basse condition, devenaient les idoles de la foule et faisaient rapidement fortune; on cite parmi eux Dioclès, qui se retira de la compétition vers 150 après avoir gagné 35 millions de sesterces, et Crescens, qui mourut à vingt-deux ans, riche de 1 600 000 sesterces.

Sur le cirque de Constantinople, voir HIPPODROME.

Le cirque moderne est né en Angleterre au XVIII⁰ s. En 1769, un ancien sous-officier, Philip Astley (* 1742, † 1814), installa un spectacle de ce genre à Londres, près du pont de Westminster. Venu à Paris, Astley construisit en 1783, dans le faubourg du Temple, un amphithéâtre qui fut loué à Antonio Franconi (* 1738, † 1836), noble vénitien qui avait dû s'exiler à la suite d'une affaire de duel. En 1802, Franconi transporta son établissement dans le jardin de l'ancien couvent des Capucines, près de la place Vendôme : ce fut l'origine du Cirque olympique, qui, animé par les fils de Franconi, s'installa en 1817 dans l'amphithéâtre du faubourg du Temple. Incendié en 1826, il rouvrit dès l'année suivante; à partir de 1835, il eut une succursale aux Champs-Élysées (le cirque d'Été, devenu, sous le second Empire, le cirque de l'Impératrice); en 1852, le Cirque olympique ayant été transformé en théâtre lyrique, s'ouvrit le cirque Napoléon (cirque d'Hiver), sur le boulevard des Filles-du-Calvaire. Après 1870, furent encore fondés à Paris les cirques Fernando (futur Medrano), Oller (futur Nouveau-Cirque), Métropole (futur Cirque de Paris), etc. Pendant longtemps, le programme des cirques se composa presque uniquement d'exercices d'équitation. A partir de 1850, une part grandissante fut réservée aux acrobates et à la ménagerie; le grand artisan de ce renouvellement fut l'Américain Barnum (v.).

CIRTA. Voir CONSTANTINE.

CISALPINE (Gaule), *Gallia Cisalpina.* Nom donné par les Romains aux régions occupées par les Gaulois en deçà des Alpes (c'est-à-dire l'Italie septentrionale). Voir GAULE.

CISALPINE (république), Repúbblica cisalpina. République formée le 29 juin 1797 par Bonaparte; elle réunissait les républiques Transpadane (v.) et Cispadane (v.) formées en 1796, et comprenait l'ancienne Lombardie autrichienne avec Mantoue, les provinces vénitiennes de Bergame, de Brescia-et-Crémone, de Vérone et de Rovigo, le duché de Modène, les principautés de Massa et de Carrara, les trois légations de Bologne, de Ferrare et de la Romagne, et une partie du pays des Grisons. Sa capitale était Milan. Reconnue par l'Autriche aux traités de Campoformio et de Lunéville, elle prit, le 25 janv. 1802, le nom de *République italienne,* avec Bonaparte pour président et Melzi pour vice-président. Elle se transforma le 17 mars 1805 en *royaume d'Italie,* avec Napoléon comme roi et Eugène de Beauharnais comme vice-roi. Cet État, qui s'agrandit encore de Venise et du Tyrol italien, subsista jusqu'en 1814.

C.I.S.C. Sigle de Confédération internationale des syndicats chrétiens. Voir CONFÉDÉRATION MONDIALE DU TRAVAIL.

CISKEI. Voir BANTOUSTANS.

C.I.S.L. Voir CONFÉDÉRATION INTERNATIONALE DES SYNDICATS LIBRES.

CISLEITHANIE. Dans l'empire d'Autriche-Hongrie, nom désignant l'Autriche proprement dite, par opposition à la Hongrie, appelée Transleithanie, la rivière Leitha marquant la limite entre les deux pays.

CISNEROS Francisco Ximénez de. Voir XIMÉNEZ DE CISNEROS Francisco.

CISPADANE (Gaule). Autre nom de la Gaule Cisalpine (v.).

CISPADANE (république), Repúbblica cispadana. République organisée par Bonaparte en déc. 1796, après la victoire de Lodi; elle comprenait Modène, Reggio, Ferrare, Bologne et était séparée de la république Transpadane par le Pô (en lat. *Padus*). Englobée en juin 1797 dans la république Cisalpine (v.).

CISTERCIENS. Membres d'un ordre monastique fondé à Cîteaux *(Cistercium)*, près de Dijon, en 1098, par Robert, abbé bénédictin de Molesme, qui, avec une vingtaine de compagnons, voulait revenir à une observance plus stricte que celle qui était pratiquée dans les monastères de l'époque. Obligé par les autorités ecclésiastiques de rentrer à son abbaye de Molesme, Robert laissa Cîteaux sous l'autorité d'Albéric (1099/1109), auquel succéda, comme troisième abbé, Étienne Harding (1109/33). Cîteaux, manquant de vocations, connut des débuts très difficiles et ne prit vraiment son essor qu'avec l'arrivée au monastère (printemps 1112) du jeune st. Bernard, accompagné d'une trentaine de parents et d'amis. Dès lors, l'ordre cistercien essaima rapidement, et, en quelques années, furent fondées les « quatre filles » de Cîteaux : La Ferté-sur-Grosne (1113), Pontigny (1114), Clairvaux et Morimond (1115).

Dans le monde monastique du XIIᵉ s., où l'influence des « moines noirs » de Cluny était prédominante, Cîteaux se distinguait à la fois par sa spiritualité et par son organisation. Au nom d'un retour à la lettre de la règle de Saint-Benoît, les « moines blancs » s'insurgeaient contre la richesse excessive des monastères clunisiens, contre le luxe de leurs églises, contre l'alourdissement de la liturgie et l'abandon du travail manuel, laissé de plus en plus à des serfs. Les cisterciens revenaient à la simplicité et à la pauvreté primitives dans leur vêtement, dans leur nourriture comme dans l'aménagement des églises et l'ordonnance du culte; vivant uniquement du travail manuel, cultivant eux-mêmes leurs terres, ils n'acceptaient ni terres données en bénéfice, ni serfs, ni dîme.

Établis à l'écart des villes, dans des endroits inhospitaliers, ils essayaient de faire revivre l'idéal des anciens Pères du désert.

Les bases de l'observance et de l'organisation cisterciennes furent posées dans trois textes fondamentaux, œuvre de st. Albéric et de st. Étienne Harding : l'*Exordium parvum*, récit de la fondation de Cîteaux, les *Instituta* ou statuts primitifs de Cîteaux et la *Carta caritatis* ou *Charte de charité* (v.) de 1114, sorte de Constitution de l'ordre. Celle-ci, tout en laissant à chaque monastère une assez large autonomie, instituait un système de contrôle reposant d'une part sur la visite annuelle de l'abbé de la maison fondatrice, d'autre part sur le chapitre général annuel, qui réunissait à Cîteaux tous les abbés de l'ordre, pour la fête de l'Exaltation de la Sainte-Croix. Ce double contrôle permettait de maintenir dans toutes les maisons de l'ordre une identité d'observance et donnait aux cisterciens une cohésion sans précédent dans l'histoire monastique.

Un puissant mouvement de ferveur, dû, pour une large part, au rayonnement personnel de st. Bernard, qui avait pris la direction de Clairvaux dès 1115, fit faire au nouvel ordre des progrès très rapides. Dès 1120, les cisterciens s'installaient hors de France, en Italie (1120), en Allemagne (1123), en Angleterre (1129), en Autriche (1130), en Espagne (1132). Le nombre des abbayes cisterciennes passa de 19 en 1119 à 34 à la mort de st. Étienne Harding (1134), à 343 en 1153, date de la mort de st. Bernard. A la fin du XIIᵉ s., auquel on a pu donner le nom de « siècle cistercien », on comptait 525 abbayes, et près de 700 à la fin du XIIIᵉ s. Des congrégations entières, comme celle de Savigny, en 1147, avaient demandé leur admission dans l'ordre.

Les cisterciens jouèrent un rôle important dans la vie de l'Église médiévale. La spiritualité de st. Bernard stimula la piété chrétienne en s'adressant au cœur et à la sensibilité, en répandant la dévotion aux mystères de la vie humaine du Christ, à la Vierge, à st. Joseph. École de sainteté, Cîteaux soutint activement la réforme ecclésiastique inaugurée par les papes du XIᵉ s. Nombre de cisterciens devinrent évêques, cardinaux (l'un d'eux ceignit la tiare, sous le nom d'Eugène III), conseillers ou diplomates au service du Saint-Siège. St. Bernard prêcha la deuxième croisade; il célébra l'ordre naissant des Templiers, et ce furent encore des cisterciens qui organisèrent les ordres militaires de la Reconquête ibérique : ordres de Calatrava, d'Alcantara, d'Aviz. Cette influence grandissante n'allait pas sans éveiller des jalousies, d'autant plus que Cîteaux se posait volontiers en redresseur de torts : de 1120 à 1146, une assez vive querelle opposa cisterciens et clunisiens, les premiers défendant l'ascétisme chrétien dans toute sa rigueur, les seconds — par la voix de Pierre le Vénérable — faisant valoir les droits d'un humanisme tout aussi authentiquement chrétien.

Dans le domaine économique, les cisterciens contribuèrent au grand effort de défriche-

CISTERCIENS
Frère convers en habit de chœur, XVIIᵉ s.
Ph. Jeanbor © Photeb

CITROËN
André. Constructeur
d'automobiles, 1878-1935.
Ph. © Archives Photeb

La tour Eiffel, illuminée par
la publicité Citroën,
pour l'Exposition
des arts décoratifs, 1925.
Ph. © Archives Citroën - Photeb

ment (v.) qui animait l'Europe du XIIᵉ s. Disposant de domaines beaucoup moins étendus et beaucoup moins propices (forêts, régions marécageuses) que les clunisiens, ils les mirent en valeur, pour l'agriculture et surtout pour l'élevage, par un travail systématique dévolu non à des serfs, mais à des religieux laïques, les *frères convers;* ceux-ci œuvraient généralement dans les terres les plus éloignées du monastère, où ils ne revenaient que chaque dimanche, après avoir passé la semaine dans des exploitations agricoles appelées «granges». D'une égale importance fut l'action des cisterciens, artistique surtout dans l'architecture : fidèles à leur idéal de dépouillement, ils construisirent des églises simples et claires, dont la géométrie des masses et la sévérité sont caractéristiques. Ils adoptaient le plus souvent le plan à chevet plat, le déambulatoire à chapelles rayonnantes, mais très simples et de forme rectangulaire; au nom de l'humilité, les règles leur interdisaient la construction de tours; à l'intérieur, le décor était d'une réserve extrême, les vitraux ne devaient même pas être colorés. A partir de 1150, les architectes de l'ordre adoptèrent sans restriction la voûte d'ogives. Dans ce domaine, « la grande importance de l'ordre cistercien vient du fait qu'il a transmis de Bourgogne dans toute l'Europe des conceptions architecturales françaises » (Ernst Adam, *L'Architecture médiévale,* II, p. 34-48, Payot). Après la disparition de l'ancienne église de Cîteaux, les meilleurs spécimens subsistants d'églises cisterciennes se trouvent à Fontenay et à Pontigny (Bourgogne), à Eberbach (Rhénanie), à Maulbronn (Souabe), à Chiaravalle (Lombardie), à Fossanova (Latium).
A partir du XIVᵉ s., l'ordre de Cîteaux connut une décadence profonde, qui peut s'expliquer par diverses raisons : les nouveaux ordres mendiants (dominicains, franciscains) attiraient vers eux les vocations les plus ardentes; accablé par d'innombrables donations, l'ordre devenait trop riche et, à son tour, délaissait le travail manuel; les guerres et l'étendue même de la zone de rayonnement de l'ordre rendaient de plus en plus difficiles les inspections et le chapitre général annuels; enfin, comme les autres ordres, les cisterciens souffrirent beaucoup du déplorable système de la commende (v.). Aux XVIᵉ-XVIIᵉ s., l'ordre connut heureusement deux réformes importantes, celle des feuillants (v.) et celle de la Trappe (v.).

CÎTEAUX. Voir CISTERCIENS.

CITÉ LACUSTRE. Voir PALAFITTE.

CITION, *Kition.* Ancienne ville de l'île de Chypre fondée au XIVᵉ s. av. J.-C. (aujourd'hui Larnaka). Cimon mourut en l'assiégeant (449 av. J.-C.). Ville natale de Zénon, le fondateur de l'école stoïcienne, et du médecin Apollonios.

CITOYEN. La Constitution de 1791 déclara citoyen tout individu né en France

d'un père français, ou d'un étranger fixé en France, ou né à l'étranger d'un père français. Elle fit une distinction entre les *citoyens actifs* (payant une contribution au moins égale à trois journées de travail) et les *citoyens passifs* (ne remplissant pas cette condition). Supprimée en 1792, cette distinction reparut en fait dans les Chartes de 1815 et de 1830 et ne fut définitivement abolie qu'en 1848 (v. CENS). C'est à partir du 10 août 1792 qu'on commença de substituer les mots *citoyen* et *citoyenne* à ceux de *monsieur, madame* et *mademoiselle.* Cet usage s'introduisit à la Convention dès les premières réunions de cette assemblée et il devint un signe de fermes convictions républicaines, sans avoir jamais été prescrit par l'autorité. Disparu dans la société dès l'époque du Consulat, il demeura dans les actes officiels jusqu'à la proclamation de l'Empire, en 1804.

CITROËN André (* Paris 9.II.1878, † Paris, 3.VII.1935). Ingénieur et industriel français. Ancien élève de l'École polytechnique, il fonda en 1915, quai de Javel, à Paris, une usine de munitions, qu'il convertit, dès 1918, en une usine de construction automobile grâce à laquelle il fut le premier à lancer en France une voiture de grande série, la torpédo type A de 10 CV (1919), dont la menuiserie et la carrosserie, jusqu'alors laissées aux soins des artisans, étaient fabriquées par l'usine même. En 1922, il produisit la 5 CV deux places jaune citron, suivie l'année suivante de sa version à trois places, la « Trèfle ». Vinrent ensuite la B-12 (1925), à carrosserie monopièce tout acier, que Citroën fut le premier au monde à adopter, et la B-14 (1926), munie d'un servofrein sur les quatre roues. La production annuelle passa de 10 000 unités en 1921 à 100 000 en 1929, soit 36% de la production française, qui venait alors au deuxième rang dans le monde après celle des États-Unis. Citroën soutenait cette expansion par de fastueuses campagnes publicitaires; il utilisait la tour Eiffel pour en faire la plus grande enseigne lumineuse du monde, il organisait à ses frais l'illumination de la place de la Concorde, il subventionnait les fameuses croisières Citroën : Croisière noire (1924/25) et Croisière jaune (1931/32) – v. ces mots. Après le moteur flottant (1932), l'apparition de la première traction avant (mars 1934) marquait un tournant dans l'histoire de l'automobile. Cette voiture, qui devait être construite pendant plus de vingt-trois ans, avec des moteurs de 7, de 11 et de 15 CV, était remarquable par ses conceptions audacieuses : carrosserie monocoque autoportante, suspension à barres de torsion, roues avant indépendantes, un peu plus tard direction à crémaillère. Cependant, par suite d'une mauvaise gestion financière, Citroën dut déposer son bilan en déc. 1934, et l'un de ses principaux créanciers, Michelin, reprit l'entreprise.
Après la Seconde Guerre mondiale, la production de la firme, tombée à 9 439 véhicules en 1946, remonta rapidement à 100 000 véhicules en 1951, 200 000 en 1957, 300 000 e

1960, plus de 500 000 en 1970. La 2 CV, voiture populaire conçue dès 1936, fut lancée en 1948 et a déjà poursuivi sa carrière sur plus d'un quart de siècle. En 1955, la sortie de la DS-19 (améliorée plus tard en DS-21 et DS-23) fut un grand événement de la technique automobile, du fait de la suspension hydropneumatique dont était équipé ce véhicule. Troisième constructeur français d'automobiles, après Renault et Peugeot, Citroën reprit en 1965 la société Panhard et Levassor et absorba en 1967 la société Berliet, premier constructeur français de poids lourds. En 1973, le nombre des véhicules produits par Citroën et sa filiale Berliet s'élevait à 766 569.

Cependant, la firme se trouva aux prises, dès la fin des années 60, avec de graves difficultés financières. En 1968, Fiat acquit 15 % de Citroën S.A., puis porta sa part, en 1970, à 26,9 %. Mais Citroën voulant avant tout préserver son indépendance, cette association fut rompue en juin 1973, et Michelin racheta les parts de Fiat. En 1974, fut créée une société commune Peugeot-Citroën, le gouvernement français accordant un prêt important pour alléger les difficultés de Citroën.

● Depuis, la firme a suivi en gros le sort du groupe P.S.A. (Peugeot Société anonyme) tout en conservant son identité, sa gamme de production et son réseau de distribution. En 1987, elle a produit 670 000 voitures dont 400 000 ont été exportées, 263 000 immatriculées en France. Mais elle est victime des maux qui frappent ou ont frappé depuis la crise de 1973 l'industrie de l'automobile (v.), en particulier celui des sureffectifs. Elle a abandonné son vaste domaine du quai de Javel à Paris. La grande grève de l'été 1982 lui a coûté 25 000 voitures, l'annulation de 200 millions de francs de commandes. Le gouvernement, en 1984, a dû autoriser le licenciement, après formation professionnelle, de près de 2 000 salariés. En 1987, Citroën figurait au 3ᵉ rang des constructeurs français, et au 12ᵉ mondial dans le domaine du matériel de transport.

CIUDAD BOLÍVAR. Ville du Venezuela, sur l'Orénoque, capitale de l'État de Bolivar. Fondée en 1764 sous le nom de *San Tomàs de la Nueva Guyana,* elle fut bientôt appelée *Angostura* en raison du rétrécissement du fleuve, qui, à hauteur de la ville, arrête la grande navigation. C'est au **congrès d'Angostura (1819)** que Bolivar proclama l'indépendance de la Grande-Colombie et fut nommé président du nouvel État. En 1864, en souvenir de cet événement, la ville prit son nom actuel.

CIUDAD RODRIGO. Ville d'Espagne (prov. de Salamanque), sur l'Agueda, près de la frontière portugaise. Fondée au XIIᵉ s. sur l'emplacement de l'ancienne *Lancia Transcudana,* elle fut très disputée au temps des guerres napoléoniennes, prise par Ney après un long siège (10 juill. 1810) et reprise par Wellington (19 janv. 1812). Le général anglais

fut nommé par les Cortes duc de Ciudad Rodrigo.

ÇIVAÏSME. Mouvement sectaire de l'hindouisme, caractérisé par la vénération de Çiva comme dieu suprême. Çiva, s'il faut le reconnaître dans la figure de yogin retrouvée à Mohenjo-Daro (v.), est le plus ancien des dieux indiens. Dès le Iᵉʳ s. de notre ère, le culte çivaïte rayonnait en Inde méridionale et il mena une lutte ardente contre le bouddhisme et le jaïnisme; Çankara, le plus grand philosophe indien, naquit en milieu çivaïte. Les Xᵉ/XIᵉ s. marquèrent l'âge d'or du çivaïsme, qui fut alors adopté par la plupart des monarques indiens, notamment par la dynastie des Chola, en pays tamoul. Cependant, à partir du XIIIᵉ s., commença le recul du çivaïsme devant le vishnouisme. De nos jours, le çivaïsme a presque entièrement disparu des provinces septentrionales, bien que Bénarès reste la ville sainte de Çiva, mais il se maintient solidement en Inde du Sud. Comme Çiva lui-même, qui représente la totalité de la vie et du mouvement de l'univers, le çivaïsme a des aspects contradictoires, tantôt ouvert aux pures spéculations de l'idéalisme çankarien, tantôt représenté par les pratiques d'ascèse les plus primitives. Parmi les sectes çivaïtes qui s'attachent surtout à l'aspect de Çiva ascète, les principales sont celles des Paçupatas, des Kapalikas et des Gorakhnathis : tous recherchent la délivrance par les méthodes du yoga. Les Lingayats se distinguent par leur intransigeance, refusent tout rapport avec les sectateurs d'autres divinités et vénèrent en Çiva le dieu de la Fécondité, sous le symbole du phallus *(linga).* Le çivaïsme philosophique est surtout représenté par l'école des Agamantins, dont les textes fondamentaux remontent aux VIIᵉ-VIIIᵉ s., et par l'école du Cachemire. Le çivaïsme a enfin trouvé un important prolongement dans le mouvement des Çakta (v.).

CIVIL (Code). Voir CODES.

CIVIL SERVICE. Nom de l'administration publique dans les pays anglo-saxons. Ce terme désigna d'abord le corps des fonctionnaires britanniques aux Indes, l'*Indian Civil Service (I.C.S.),* dont les origines remontent à la fin du XVIIIᵉ s., à l'époque de l'administration de Warren Hastings, mais qui ne fut définitivement organisé qu'après la suppression de la Compagnie des Indes et l'instauration du gouvernement direct de la Couronne (*India Act,* 2 août 1858), à la suite de la révolte des Cipayes (v.). En Angleterre, l'administration se développa plus lentement et d'une manière beaucoup moins centralisée qu'en France, pays modelé par la monarchie absolue (v. ADMINISTRATION). Les créateurs de l'administration anglaise moderne furent, dans les années 1855/60, Stafford Northcote et Charles Trevelyan. C'est seulement avec l'« ordre du conseil » du 4 juin 1870 que le recrutement par concours commença à se généraliser dans tous les

ÇIVAÏSME
Çiva Vinadhera, bronze
de style dravidien,
Inde méridionale, XIᵉ s.
(Musée Guimet, Paris.)
Ph. Jeanbor © Photeb

CLAIRVAUX
Un prisonnier travaillant
au tour, vers 1865.
Ph. Jeanbor © Photeb

CLAPPERTON
Hugh. Voyageur écossais
(1788-1827).
Ph. © Bibl. Nat., Paris - Photeb

départements administratifs, le Foreign Office excepté. Un trait caractéristique de l'administration britannique est l'absence d'un statut unique des fonctionnaires. Aux États-Unis, l'administration, à partir de la victoire de Jackson et des démocrates (1829), fut livrée au *spoils system* (système des dépouilles), qui consistait à distribuer aux membres du parti vainqueur toutes les fonctions publiques fédérales. Une réaction contre ces abus commença à se dessiner après la guerre de Sécession (création d'une Civil Service Commission, 1871); elle aboutit au Pendleton Act de 1883, qui peut être considéré comme le début de l'administration américaine contemporaine. Depuis lors, le système des dépouilles n'a pas complètement disparu, mais de nombreuses lois (notamment les Hatch Acts de 1939 et de 1940) ont contribué à établir une cloison solide entre l'administration et la politique.

CIVILIS Caius Julius (seconde moitié du Iᵉʳ s. apr. J.-C.). Chef batave, de sang royal, il profita de la vacance du trône impérial, entre Vitellius et Vespasien, pour susciter une révolte de son peuple, auquel se joignirent diverses tribus germaniques et une partie de la Gaule. Après avoir vaincu deux légions et obligé Castra Vetera et Mayence à se rendre, il fut vaincu par Q. Petillius Cerialis et traita avec les Romains, qui l'admirent dans leur alliance (70).

CIVISME (certificat de). En France, pendant la Terreur, attestation de bon républicanisme que les comités locaux de « patriotes » décernaient à des personnes que leur qualité passée (prêtre, religieux, noble, etc.) pouvait rendre suspectes.

CIVITAVECCHIA. Ville d'Italie, prov. de Rome, sur la mer Tyrrhénienne. Dans l'Antiquité *Centumcellae,* port important fondé par Trajan. Prise par Totila au VIᵉ s., par les Sarrasins en 812. Puissante forteresse construite sous les papes Jules II et Léon X; les Français l'occupèrent de 1849 à 1870. Stendhal y fut consul de France (1831/41).

CLACTO-ABBEVILLIEN. Terme employé par R. Neuville et A. Ruhlmann pour désigner l'industrie du paléolithique inférieur découverte dans les carrières de Sidi-Abderrahman, près de Casablanca (Maroc); elle correspond à l'acheuléen (v.) ancien.

CLACTONIEN. Nom donné en 1932 par l'abbé Breuil à un type d'industrie préhistorique connu surtout par le gisement anglais de Clacton-on-Sea (Essex), au nord-est de Londres. L'industrie clactonienne apparaît, au paléolithique inférieur, à la fin de l'abbevillien (v.); elle persista pendant toute la durée de l'acheuléen (v.). Elle est caractérisée par des éclats à plan de frappe large et lisse. On a retrouvé des traces du clactonien non seulement en Angleterre (Swanscombe, High Lodge, Warren Hill), mais en France (Saint-Acheul, Abbeville), en Italie, en Égypte, au Sahara, en Afrique du Sud, mais beaucoup de spécialistes se refusent à considérer ce clactonien comme une civilisation indépendante.

CLAIRVAUX. Ville de France (Aube), sur l'Aube. En 1115, avec l'aide du comte Hugues de Troyes, st. Bernard y fonda la célèbre abbaye cistercienne, dont il fut le premier abbé. L'une des « quatre filles de Cîteaux », Clairvaux eut à son tour quelque 80 filiales, disséminées en France, en Italie, en Espagne, en Allemagne et en Angleterre. Depuis la Révolution, les anciens bâtiments conventuels servent de maison de détention : des condamnés pour faits de collaboration y furent internés après 1945.

CLAPPERTON Hugh (* Annan, Dumfriesshire, 18.V.1788, † près de Sokoto, Afrique occidentale, 27.IV.1827). Voyageur écossais. Entré dans la marine britannique en 1805, il entreprit en 1822, avec Denham et Oudney, une expédition de Tripoli vers l'intérieur de l'Afrique, visita le premier les régions du bas Niger, mais mourut de la dysenterie.

CLAQUE. Équipe de spectateurs qui, par conviction ou pour un salaire, s'efforçaient, par leurs applaudissements et leurs manifestations d'enthousiasme, d'influencer le public d'un théâtre et d'assurer ainsi le succès d'une pièce. La claque existait déjà dans les théâtres de la Grèce antique, et la tradition rapporte que Néron, lorsqu'il se produisait lui-même sur la scène, se faisait suivre par une claque de cinq mille jeunes gens. En France, la claque fut organisée au XVIIIᵉ s. par le poète Dorat et le chevalier de La Morlière. Au XIXᵉ s., chaque théâtre parisien possédait sa claque, dirigée par un *chef de claque* qui recevait, en plus d'appointements fixes, des billets qu'il pouvait revendre.

CLARE. Famille anglaise, d'origine normande, issue de Richard Fitzgilbert († vers 1090), qui descendait de Godefroy, comte de Brionne, bâtard de Richard Iᵉʳ, duc de Normandie. Cette famille joua un grand rôle dans l'Angleterre médiévale, en particulier avec Richard de Clare, 7ᵉ comte de Gloucester, mort en 1176 (v. PEMBROKE).

CLARENCE. Titre ducal anglais, conféré pour la première fois en 1362 à **Lionel d'Anvers** (* Anvers, 29.XI.1338, † Alba, Italie, 17.X.1368), troisième fils d'Édouard III; gouverneur d'Irlande (1361/67), il fit adopter le statut de Kilkenny (1366), qui interdisait tout rapport entre Anglais et Irlandais.

Thomas, duc de Clarence (* 29.IX.1389 † Baugé, 22.III.1421), deuxième fils d'Henri IV d'Angleterre, lieutenant d'Irlande (1401/13), fut tué dans la guerre franco-anglaise à la bataille de Baugé, en Anjou.

George, duc de Clarence (* Dublin, 21.X 1449, † Londres, 18.II.1478), fils d'

Richard d'York et frère d'Édouard IV, abandonna celui-ci en 1469 pour passer du côté de son beau-père, Warwick. Réconcilié ensuite avec son frère (1471), il suscita la méfiance de celui-ci en prétendant se remarier avec Marie de Bourgogne, fille de Charles le Téméraire. Suspect d'aspirer au trône, il fut exécuté secrètement à la Tour de Londres; selon la légende, laissé libre de choisir son genre de supplice, il se noya dans un tonneau de vin de Malvoisie. Shakespeare a fait de lui un des principaux personnages de sa tragédie de *Richard III.*

CLARENDON. Ancien château royal d'Angleterre, à l'E. de Salisbury. Henri II y tint un grand conseil de prélats et de barons, auquel il fit approuver les **Constitutions de Clarendon (30 janv. 1164),** qui développaient en seize articles les « vieilles coutumes » permettant d'étendre la juridiction civile à un grand nombre d'affaires ecclésiastiques. Thomas Becket, archevêque de Canterbury, qui avait d'abord accepté ces Constitutions, se rétracta rapidement; il s'ensuivit un grave conflit avec le roi, qui aboutit au meurtre du prélat (1170). Par la suite, Henri II renonça à l'application des Constitutions de Clarendon.

CLARENDON, Edward Hyde, 1er **comte de** (* Dinton, Wiltshire, 18.II.1609, † Rouen, 9.XII.1674). Homme politique anglais. Monarchiste fidèle, il fut chancelier de l'Échiquier (1643/45) sous Charles Ier et suivit en exil le fils de celui-ci, qui, monté sur le trône sous le nom de Charles II, fit de lui son principal ministre et le nomma grand-chancelier d'Angleterre (1660/67), avec les titres de comte de Clarendon et de pair. Le soutien qu'il apporta à la Haute Église et l'appui qu'il donna à la France en politique étrangère le rendirent impopulaire, cependant que la cour le détestait à cause de sa rigide intégrité; disgracié, il fut banni à perpétuité par le Parlement (1667). Retiré à Rouen, il écrivit son *History of the Great Rebellion and Civil Wars in England,* depuis 1641 jusqu'au rétablissement de Charles II (publiée en 1702/04), et son autobiographie. Clarendon avait marié une de ses filles au duc d'York (futur Jacques II).

CLARENDON, George William Frederick Villiers, 4e **comte de** (* Londres, 12.I. 1800, † Londres, 27.VI.1870). Homme politique anglais. Diplomate de carrière (il fut ambassadeur à Madrid), il fut un des grands ministres des Affaires étrangères du XIXe s. (1853/58, 1865/66 et 1868/70). C'est lui qui dirigea la diplomatie britannique durant la guerre de Crimée. Il favorisa l'unité italienne. En 1869/70, il fit de vaines tentatives pour prévenir la guerre franco-allemande.

CLARENDON (Constitutions de). Nom donné aux lois adoptées après la restauration de Charles II, sous le ministère de Clarendon (v.), entre 1661 et 1665, pour renforcer l'Église anglicane en face des presby-

CLARK
Mark. Général américain
(1896-1984).
Ph. © U.S.I.S. - Photeb

tériens et autres dissidents. Charles II essaya de les atténuer par ses Déclarations d'indulgence de 1662 et 1672.

CLARISSES. Ordre franciscain féminin fondé le 18 mars 1212 par ste. Claire d'Assise. Celle-ci, après avoir fait recevoir ses vœux de religion par st. François, s'établit avec ses premières sœurs au couvent de Saint-Damien, près d'Assise, et y vécut sous une règle qui avait été rédigée par st. François et qui fut approuvée définitivement par Innocent IV en 1253.

CLARISSIMES, *clarissimi.* Dans l'Empire romain, à partir de Marc Aurèle, titre attribué aux sénateurs et aux membres de leur famille, puis, sous le Bas-Empire, à de nombreux fonctionnaires qui, par faveur personnelle ou par mesure collective, accédaient à cette dignité, tout en gardant un statut différent de celui des sénateurs. Les clarissimes constituèrent une noblesse héréditaire de plus en plus riche et puissante; ils possédaient d'immenses *latifundia;* la plupart vivaient en province, mais l'empereur choisissait parmi eux ses hauts fonctionnaires : consuls, préfets de la ville, préfets du prétoire, gouverneurs, etc.

CLARK Mark Wayne (* Madison Barracks, New York, 1.IV.1896, Charleston, Caroline du Sud, 17.IV.1984). Général américain. Commandant du 2e corps d'armée américain en automne 1942, il se rendit en sous-marin en Algérie pour y préparer avec des Français le débarquement allié. A la tête de la Ve armée américaine en janv. 1943, il débarqua à Salerne (9 sept. 1943) et prit Naples et Rome. Commandant des forces d'occupation américaines en Autriche (1945), il fut ensuite placé à la tête des forces des Nations unies en Corée (1952/53).

CLARKE Henri Jacques Guillaume, duc de Feltre (* Landrecies, Nord, 17.X.1765, † Neuwiller, Bas-Rhin, 28.X.1818). Maréchal de France, d'origine irlandaise. Chef d'état-major de l'armée du Rhin (1793), il fut bientôt suspendu comme suspect. Rentré en faveur grâce à Bonaparte, il participa en 1800 aux négociations de Lunéville, devint ambassadeur en Toscane (1801), gouverneur de Vienne (1805) et ministre de la Guerre de 1807 à 1814. Pour avoir repoussé le débarquement anglais à Walcheren (1809), il fut fait duc de Feltre. Rallié aux Bourbons en 1814, ministre de la Guerre sous Louis XVIII en 1815, il eut à instituer les cours prévôtales, fut fait maréchal en 1816 et prit sa retraite en 1817. Plutôt qu'un guerrier, Clarke fut un remarquable administrateur.

CLARY. Famille de commerçants marseillais à laquelle appartenaient Désirée Clary qui, après avoir été courtisée par Bonaparte, épousa Bernadotte et devint reine de Suède (v. DÉSIRÉE), et sa sœur, **Marie Julie** (* 1771, † 1845), qui se maria en 1794 à

CLAUDE Ier
Empereur romain (41/54).
Camée en sardoine.
(Cabinet des Médailles.)
Ph. © Bibl. Nat., Paris - Photeb

CLAUDE DE FRANCE
Reine de France
(1499-1524).
(Musée Condé, Chantilly.)
Ph. H. Josse © Photeb

Joseph Bonaparte et devint reine de Naples, puis d'Espagne.

CLASTIDIUM. Ancienne ville de Gaule Cisalpine, auj. *Casteggio,* en Lombardie (province de Pavie). En 222 av. J.-C., C. Marcellus y battit les Insubres, ouvrant ainsi à Rome la colonisation de la plaine du Pô.

CLAUDE Ier, Tiberius Claudius Drusus Nero Germanicus (* Lyon, 1.VIII.10 av. J.-C., † Rome, 13.X.54 de notre ère), empereur romain (41/54). Fils de Drusus, frère de Germanicus, timide et physiquement disgracié, il avait consacré sa vie à l'étude et à des travaux historiques sur les Étrusques et les Carthaginois, lorsque, déjà quinquagénaire, il fut poussé au pouvoir par les prétoriens après le meurtre de son neveu, Caligula, alors qu'il se cachait, dans la crainte d'être lui-même mis à mort (janv. 41). Homme de tradition, il répudia l'absolutisme, collabora avec le sénat, restaura les anciens cultes, célébra les jeux séculaires (47), combattit les superstitions étrangères, expulsa de Rome les astrologues et les Juifs. Ses affranchis, Polybe, Narcisse, Callistus, Pallas, reçurent la direction des principaux secrétariats, et ce cabinet impérial marqua un pas important vers la monarchie bureaucratique. Claude étendit largement le droit de cité romaine en faveur des provinciaux; il fit entrer au sénat les nobles de la Gaule chevelue (48). Son règne vit la conquête de la (Grande-) Bretagne (43-47), l'annexion définitive de la Mauritanie (42), de la Lycie et de la Pamphilie (43), de la Judée (44), de la Thrace (46). Marié quatre fois, Claude fut bafoué par sa troisième femme, Messaline, qu'il fit exécuter (48). Il épousa ensuite sa propre nièce, Agrippine la Jeune; celle-ci, après lui avoir fait adopter et choisir pour successeur Néron, au détriment de Britannicus, empoisonna son mari.

CLAUDE II le Gothique, Marcus Aurelius Claudius Gothicus (* en Dalmatie ou en Illyrie, vers 214, † Sirmium, Pannonie, début 270), empereur romain (268/70). Successeur de Gallien, il fut un juste et bon administrateur, repoussa les Alamans, battit les Goths à Naissus (Nish, en Serbie, 269), mais mourut de la peste durant sa campagne sur le Danube, après deux ans seulement de règne. Il doit à ses victoires son surnom de *Gothicus.*

CLAUDE DE FRANCE (* Romorantin, 1499, † Blois, 1524). Reine de France. Fille de Louis XII, roi de France, et d'Anne de Bretagne, d'abord fiancée au futur Charles Quint, elle épousa en 1514 le futur roi François Ier, auquel elle apporta en dot le duché de Bretagne, les comtés de Blois, de Coucy, de Montfort, d'Étampes, d'Ast et des droits sur le duché de Milan; ce mariage assurait en outre la réunion définitive de la Bretagne à la France. Laide et boiteuse, elle fut délaissée par son mari, mais aimée à cause de ses vertus et de sa piété par le peuple, qui la surnomma *la Bonne Reine.* C'est en souvenir d'elle qu'une variété de prunes a été appelée *reine-claude.*

CLAUDIA (gens). Voir CLAUDIUS.

CLAUDIENNE (Table). Discours dans lequel l'empereur Claude demanda au sénat romain l'accès aux honneurs pour les notables gaulois; la « Table claudienne » fut découverte en 1528 à Lyon.

CLAUDIUS (*gens* **Claudia**). Grande famille romaine, venue, à une époque ancienne, du pays sabin et admise dans le patriciat; elle a donné de nombreux hommes politiques. « Il n'y a pas une période de l'histoire romaine, écrit Ronald Syme dans *La Révolution romaine,* qui ne put montrer un Claudius d'une insupportable arrogance à l'égard des *nobiles,* ses rivaux, ou visant au pouvoir personnel sous le couvert d'une politique libérale. » Cette *gens* comprenait des branches patriciennes — la plus célèbre portait le *cognomen* de Pulcher — et des branches plébéiennes. Voir MARCELLUS.

Appius Claudius Sabinus Regillensis (* Regillum, Sabine, VIe s. av. J.-C.). Considéré comme le fondateur de la *gens* Claudia, il s'établit à Rome vers 504. Consul en 495, il fit appliquer des lois sur les dettes qui provoquèrent la première sécession de la plèbe.

Appius Claudius Sabinus († 449 av. J.-C.), consul en 471 et 451, décemvir de 451 à 449; il se serait servi de cette dernière fonction pour exercer un pouvoir tyrannique, ce qui aurait entraîné la suppression du décemvirat. Voir VIRGINIE.

Appius Claudius Caecus ou **l'Aveugle** (IVe-IIIe s. av. J.-C.). Censeur de 312 à 308, ce patricien ultra-conservateur recourut à la démagogie pour mettre en échec le gouvernement modéré de la noblesse patricio-plébéienne. Il fit entrer au sénat des hommes d'humble naissance, y compris des fils d'affranchis; il substitua la fortune mobilière à la richesse foncière comme principe de répartition dans les comices centuriates, et, aux comices tributes, il répartit les affranchis dans l'ensemble des tribus, rustiques ou urbaines, afin d'en finir avec l'ancien système qui rendait minoritaires les tribus urbaines aux réunions des comices. Cette dernière mesure fut rapportée en 304, mais la nouvelle organisation centuriate subsista. Appius Claudius inaugura une politique de grands travaux : c'est à lui que Rome dut son premier aqueduc (312) et la *via Appia* (310), qui reliait Rome à Capoue. Malgré la réaction qui suivit sa censure, Appius Claudius persista dans son opposition; en 304, son homme de confiance, Cneius Flavius, porta un grave coup à l'aristocratie en publiant les règles de procédure et la liste des fastes, jusqu'alors tenues secrètes, ce qui permettait à l'aristocratie d'exercer son arbitraire dans le domaine de la justice. Consul en 307 et 296, préteur en 295, Appius Claudius devint

CLAY
Henry. Homme politique
américain (1777-1852).
Ph. J.L. Charmet © Arch. Photeb

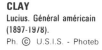

CLAY
Lucius. Général américain
(1897-1978).
Ph. © U.S.I.S. - Photeb

aveugle à la fin de sa vie (d'où son surnom), mais il continua à jouer un rôle important au sénat, et, vers 280, il fit repousser les offres de paix de Pyrrhos présentées par Cinéas. Il fut un des fondateurs de la prose latine, composa un recueil d'aphorismes et un traité de droit, le *De usurpationibus*.

Publius Claudius Pulcher (IIIᵉ s. av. J.-C.), consul en 249, il fut vaincu par les Carthaginois à la bataille navale de Drépane (Trapani), en Sicile. Cette défaite fut attribuée à l'impiété qu'il avait manifestée à l'endroit des augures : comme on lui annonçait, au moment du combat, que les poulets sacrés ne mangeaient pas : « Qu'on les jette à la mer, dit-il, afin qu'ils boivent, s'ils ne veulent pas manger ! »

Publius Clodius Pulcher, dit **Clodius**. Voir CLODIUS.

Clodia, sœur du précédent, célèbre par ses aventures galantes, elle fut la maîtresse du poète Catulle, qui l'a chantée sous le nom de Lesbie.

Livie, après avoir été mariée à Tiberius Claudius Nero, épouse Auguste; les enfants de son premier mariage, Tiberius (futur empereur Tibero) et Drusus, entrèrent dans la famille d'Auguste, la *gens Julia*. Aussi la première dynastie impériale romaine porte-t-elle le nom de *julio-claudienne* (v.).

CLAUSEL Bertrand, comte. Voir CLAUZEL.

CLAUSEWITZ Karl von (* Burg, près de Magdebourg, 1.VI.1780, † Breslau, 16.XI. 1831). Général et théoricien militaire prussien. D'une famille de petite bourgeoisie, il entra en 1792 dans l'armée prussienne, prit part aux campagnes du Rhin (1793/94) et fut promu lieutenant en 1795. En 1801, il entra à l'académie militaire de Berlin. Durant la campagne de 1806, il fut fait prisonnier par les Français à Prenzlau. Libéré en 1808, il devint un des proches collaborateurs de Scharnhorst au ministère de la Guerre et fut un des artisans de la réorganisation de l'armée prussienne. Ardent patriote, il décida, par haine de Napoléon, d'entrer au service de la Russie en 1812, et il eut une part décisive dans les négociations qui aboutirent à la convention de Tauroggen (v.). Après la fin des guerres napoléoniennes, il revint dans l'armée prussienne. En 1818, il fut promu général et directeur de l'École de guerre. Chef d'état-major de l'armée préparée en 1830 pour intervenir contre la révolution polonaise, il mourut l'année suivante du choléra. Ses cours à l'École de guerre et ses diverses études militaires furent réunis dans les *Hinterlassene Werke* (1832-37), dont les trois premiers volumes comprennent le célèbre ouvrage *Vom Kriege (De la guerre)*, qui a placé Clausewitz au premier rang des théoriciens militaires. On peut considérer Clausewitz comme le créateur de la conception de la « guerre totale ». Selon ses propres termes, « la guerre est la continuation de la politique avec l'emploi d'autres moyens »; aussi est-il impossible de séparer la direction purement militaire et la direction politique. Ces idées exercèrent une influence dans tous les pays, mais surtout en Allemagne, où l'unité du commandement militaire et politique, réalisée de fait durant la Première Guerre mondiale, à partir de 1917, par l'équipe Hindenburg-Ludendorff, fut encore plus étroite durant la Seconde Guerre mondiale, où Hitler concentrait entre ses mains tous les pouvoirs. La pensée de Clausewitz inspira également la direction militaire soviétique et les théories des « colonels » de l'armée française d'Algérie vers 1958.

CLAUZEL ou **CLAUSEL Bertrand, comte** (* Mirepoix, Ariège, 12.XII.1772, † Secourieu, Haute-Garonne, 21.IV.1842). Maréchal de France. Enrôlé à dix-neuf ans, il fit les campagnes de la Révolution et de l'Empire, se distingua en Espagne (1810/14), où il couvrit la retraite sur Pampelune. Un des premiers à se rallier à Napoléon aux Cent-Jours, il fut exilé par les Bourbons, mais reprit du service après la révolution de 1830 comme général en chef des troupes de l'Algérie, où il commença l'œuvre de colonisation. Gouverneur général de l'Algérie en 1835, il prit Mascara et Tlemcen, mais échoua devant Constantine et fut remplacé par Damremont (1837).

CLAY Henry (* Hanover County, 12.IV. 1777, † Washington, 29.VI.1852). Homme politique américain. Avocat, il représenta le Kentucky alternativement au Sénat et à la Chambre des représentants, fit partie en 1814 de la commission qui négocia la paix avec la Grande-Bretagne et fut nommé par Adams secrétaire d'État aux Affaires étrangères (1825/29). Candidat à la présidence, il fut battu en 1828 (par Jackson), 1832, 1836 et 1844. Clay joua un important rôle conciliateur entre les États esclavagistes et les États abolitionnistes et réussit par deux fois à éviter le conflit en faisant adopter le compromis du Missouri (1820) et le compromis de 1850 : on l'appela *le Grand Pacificateur*.

CLAY Lucius Dubignon (* Marietta, Georgie, 23.IV.1897, † Chattam, 16.IV. 1978). Général américain. Commandant en chef en Europe et gouverneur en Allemagne de 1947 à 1949, il dirigea les opérations qui brisèrent le blocus soviétique de Berlin. En août 1961, lors de la construction du mur de Berlin, Kennedy l'envoya symboliquement comme son représentant personnel dans l'ancienne capitale allemande; mais sa proposition d'ouvrir par la force des brèches dans le mur ne fut pas retenue à Washington.

CLAYTON John Middleton (* Dagsboro, Delaware, 24.VII.1796, † Dover, Delaware, 9.XI.1856). Homme politique américain. Avocat, sénateur (1827), secrétaire d'État aux Affaires étrangères (1849/50), il conclut avec sir Henry Bulwer, représentant de la Grande-Bretagne, le **traité Clayton-Bulwer** (19 avr. 1850), qui mettait fin aux rivalités anglo-américaines en Amérique centrale, garantissait en cette région la neutralité des communications interocéaniques et interdisait aux États-Unis de construire leur propre canal. Ce traité, très impopulaire chez les Américains, resta en vigueur jusqu'en 1901 et fut abrogé par le traité Hay-Pauncefote (voir HAY).

CLAZOMÈNES, *Klazoménai*. Ancienne ville grecque d'Ionie, en Asie Mineure, sur le golfe de Smyrne. Fondée à l'époque des invasions doriennes par des colons de Cléonaï et de Phlionte, elle fit partie de la Dodécapole ionienne. Elle fonda la colonie d'Abdère, en Thrace. Actif centre commercial, elle était en relations avec l'Égypte et fut une des premières cités ioniennes à battre monnaie. Soumise à Athènes durant le Ve s., elle se révolta en 412 mais passa sous la suzeraineté perse en 387 av. J.-C. Les Romains lui accordèrent des privilèges commerciaux et fiscaux. Ses sarcophages en terre cuite, ornés de motifs géométriques et de scènes de bataille, sont célèbres (VIe-Ve s. av. J.-C.). Patrie du philosophe Anaxagore.

CLÉARQUE († Babylone, 401 av. J.-C.). Général spartiate. Commandant d'une flotte durant la guerre du Péloponnèse, puis condamné à mort à Sparte (403) pour désobéissance, il se fit mercenaire au service de Cyrus le Jeune; après la défaite de Counaxa, il commanda la retraite des Dix Mille, mais fut attiré dans un guet-apens par Tissapherne, satrape d'Artaxerxès, qui le fit décapiter. Xénophon, qui lui succéda à la tête des mercenaires grecs, a laissé un bon portrait de lui dans l'*Anabase*.

CLÉLIE, *Cloelia*. Jeune fille romaine, d'une grande famille patricienne, elle fut livrée en otage au roi étrusque Porsenna (508 av. J.-C.); elle se sauva en traversant le Tibre à la nage, mais les Romains crurent devoir la rendre à Porsenna; celui-ci, ému par son courage, lui rendit la liberté.

CLEMENCEAU Georges (* Mouilleron-en-Pareds, Vendée, 28.IX.1841, † Paris, 24.XI.1929). Homme politique français. D'une famille de bourgeoisie républicaine, il fut d'abord médecin, comme son père, voyagea en Amérique et commença sa carrière politique au lendemain du 4 sept. 1870, comme maire du XVIIIe arrondissement de Paris. Il essaya vainement de s'entremettre entre le gouvernement de Versailles et les communards. Député de Paris en 1876, il devint le chef des radicaux et siégea à l'extrême gauche; son éloquence cinglante fit de lui un « tombeur de ministères », et il contribua notamment à la chute de Gambetta (1882) et de Ferry (1885), dont il dénonçait la politique coloniale au nom du patriotisme de la « revanche » contre l'Alle-

magne. Parrain imprudent du général Boulanger en 1886, il se dressa ensuite contre ses prétentions à la dictature. Cependant, compromis dans le scandale de Panama par ses relations avec Cornelius Herz (qui commanditait *La Justice*, journal de Clemenceau), et accusé par Déroulède d'être un agent de l'Angleterre, il fut battu aux élections de 1893. Écarté du Parlement pendant neuf ans, il semblait un homme fini, mais il fit front à l'adversité avec une obstination qui finit par le sauver. On le méprisait mais on continuait à le craindre et l'affaire Dreyfus lui donna l'occasion de revenir au premier plan : dans son journal *L'Aurore*, il publia en janv. 1898 le retentissant *J'accuse* d'Émile Zola. Grâce à la victoire du dreyfusisme, il fut élu sénateur du Var (1902) et se vit appelé, en 1906, à former un ministère qui fut l'un des plus longs de la IIIe République (25 oct. 1906/20 juill. 1909). Démocrate autoritaire, il mena à son terme la politique de séparation des Églises et de l'État et se montra résolu à briser par la force les mouvements d'agitation sociale (crise viticole du Midi, printemps 1907; incidents sanglants de Draveil-Vigneux et de Villeneuve-Saint-Georges, mai et juill. 1908; grève des postiers, mars 1909). Cette politique suscita de vifs débats à la Chambre, où la virulence incisive de Clemenceau se heurtait à l'éloquence chaleureuse de Jaurès; elle amena la rupture de Clemenceau avec les socialistes, sans concilier au président du Conseil les modérés, hostiles à l'impôt sur le revenu que préconisait son ministre des Finances, Joseph Caillaux. Rentré dans l'opposition, il fonda en 1913 le journal *L'Homme libre*, qu'après le début de la guerre mondiale il rebaptisa, en protestation contre la censure, *L'Homme enchaîné*. Redevenu très populaire en raison de son patriotisme intransigeant et de son action énergique comme président de la commission sénatoriale de l'Armée, il ressuscita durant la guerre la grande tradition jacobine en appelant à tous les sacrifices et à toutes les rigueurs en vue de la victoire. En nov. 1917, au moment le plus critique du conflit, il fut appelé à la tête du gouvernement par Poincaré (qui était pourtant son ennemi personnel). Ayant proclamé : « Je fais la guerre! », il entreprit aussitôt de réprimer les menées défaitistes (arrestation de Caillaux, de Malvy, etc.), et institua une véritable dictature de salut public : en mars 1918, il obtint l'unification du commandement allié entre les mains de Foch. Soutenu par l'opinion, qui le surnommait « le Tigre » et qui bientôt l'appela le « Père la Victoire », il conserva le pouvoir jusqu'au 18 janv. 1920. Il joua un rôle capital dans la conférence de la paix et porta une large part de responsabilité dans les erreurs du traité de Versailles. Le 18 janv. 1920, il fut battu à la présidence de la République par Deschanel, qui obtint 734 voix contre 56 à Clemenceau. Il s'isola alors dans une orgueilleuse retraite, fit de grands voyages aux États-Unis (1922), en Égypte, aux Indes, et consacra ses dernières années à la littérature : *Démosthène* (1926), *Claude*

CLEMENCEAU
Georges. Homme politique français (1841-1929). Photo Nadar.
Ph. © Arch. Phot. Paris - Photeb

Monet (1929), *Grandeur et misère d'une victoire* (1930). Rééd. de ses *Discours de guerre* (1968). En 1918, il avait été élu par acclamation membre de l'Académie française.

CLÉMENT Iᵉʳ saint, pape (89/97 ou, d'après la chronologie d'Eusèbe, 92/101). Troisième successeur de st. Pierre, d'après le témoignage de st. Irénée. Vraisemblablement disciple des apôtres, il aurait, selon Tertullien, été ordonné par st. Pierre lui-même. Son identification avec le consul Flavius Clemens — ce qui ferait de lui le cousin de Domitien — est improbable. Mort martyr, selon une tradition remontant au IVᵉ s. On a de st. Clément une célèbre *Épître aux Corinthiens* (vers 96), qui est l'un des plus anciens témoignages sur la prééminence romaine. Un grand nombre d'œuvres lui furent attribuées à tort, notamment : l'homélie dite *IIᵉ Epitre de Clément aux Corinthiens;* deux *Lettres aux Vierges;* cinq *Lettres décrétales;* enfin les *Clémentines,* comprenant vingt homélies, et les *Recognitions,* qui sont une sorte de roman de la vie de st. Clément de Rome.

CLÉMENT II, Suidger de Saxe († Pesaro, 9.X.1047), pape (1046/47). Évêque de Bamberg, il fut élu au concile de Sutri grâce à l'empereur Henri III, qu'il couronna le jour même de son intronisation (Noël 1046). Il tenta de réformer l'Église et réunit à Rome un synode contre la simonie.

CLÉMENT III, antipape contre Grégoire VII. Voir GUIBERT DE RAVENNE.

CLÉMENT III, Paolo Scolari († Rome, 20.III.1191), pape (1187/91). Romain de naissance, évêque de Palestrina et cardinal, il organisa la 3ᵉ croisade pour sauver la Terre-sainte menacée par Saladin.

CLÉMENT IV, Guy Faucoi Le Gros (* Saint-Gilles, Gard, vers 1200, † Viterbe, 29.XI.1268), pape (1265/68). Il fut d'abord soldat, puis jurisconsulte et conseiller de Louis IX. Entré dans les ordres après la mort de sa femme, prêtre (1255), évêque du Puy (1257), archevêque de Narbonne (1259), il eut dans cette dernière fonction à combattre les hérétiques et rédigea ses *Quaestiones,* importantes pour l'histoire de l'Inquisition. Cardinal archevêque de Sabine (1261), élu pape à Pérouse le 5 févr. 1265, il se fit le chef des guelfes en Italie, lutta contre Manfred, soutint Charles d'Anjou, frère de Louis IX, qu'il couronna roi de Sicile (1266), mais il s'opposa ensuite à sa tyrannie. D'esprit centralisateur, il lutta contre le népotisme et s'efforça de soustraire l'épiscopat à l'influence des rois et des seigneurs.

CLÉMENT V, Bertrand de Got (* Villandraud, Gironde, 1264, † Roquemaure, Gard, 20.IV.1314), pape (1305/14). D'une famille noble d'Aquitaine, archevêque de Bordeaux en 1299, élu à Pérouse le 5 juin 1305, grâce à l'appui de Philippe le Bel.

CLÉMENT V
Bertrand de Got. Pape
(1305/1314). Détail
d'une fresque : allégorie
de la religion catholique.
(Chapelle des Espagnols de Santa
Maria Novella, Florence.)
Ph. © Alinari - Photeb

Après avoir mené une vie errante, il se fixa enfin à Avignon (1309). Malgré les pressions du roi de France, il réussit à éviter un procès posthume à son prédécesseur Boniface VIII, mais eut la faiblesse de céder dans l'affaire des templiers, dont l'ordre fut supprimé par le concile de Vienne (bulle *ad Providam* du 3 avr. 1312). On a de Clément V des Constitutions, dites *Clémentines,* qui font partie du droit canonique.

CLÉMENT VI, Pierre Roger (* château de Maumont, près de Limoges, 1291, † Avignon, 6.XII.1352), pape (1342/52). D'abord bénédictin, puis archevêque de Sens, de Rouen et cardinal (1338), il fut le quatrième pape d'Avignon. Fastueux et dépensier, il acheta Avignon et développa dangereusement la fiscalité pontificale, mais montra beaucoup d'intelligence politique dans ses débats avec Édouard II d'Angleterre, au sujet des investitures, et avec l'empereur Louis de Bavière, à la place duquel il fit élire Charles de Luxembourg. Il réussit de même à venir à bout de la révolution de Cola di Rienzo à Rome. Théologien de valeur, il obtint la soumission de Guillaume d'Occam. Il fixa le jubilé tous les cinquante ans. Il défendit les ordres mendiants contre les attaques des séculiers. Lors de la Peste noire, il accorda sa protection aux Juifs, que les populations rendaient responsables de l'épidémie. On a publié des recueils de ses lettres (1901 et *sq.,* par E. Deprez; 1924 et *sq.,* par dom U. Berlière).

CLÉMENT VII, Robert de Genève (* 1342, † 1394), antipape (1378/94). Archevêque de Cambrai (1368) et cardinal (1371) il fut élu en sept. 1378 par treize cardinaux opposés à Urbain VI. Il s'installa à Avignon et fut reconnu par la France et par ses alliés, la Castille, le Portugal, l'Écosse, tandis que l'Angleterre, le Saint Empire et la Flandre donnaient leur appui à Urbain VI. Ce fut le début du Grand Schisme d'Occident, qui devait durer de 1378 à 1417.

CLÉMENT VII, Giulio de' Medici (* Florence, 26.V.1478, † Rome, 25.IX. 1534), pape (1523/34). Cousin de Léon X, archevêque de Florence (1513), élu le 18 nov. 1523, il forma avec François Iᵉʳ, les princes d'Italie et le roi d'Angleterre la Sainte Ligue, unie contre Charles Quint. Celui-ci se livra au terrible sac de Rome (mai 1527) et garda le pape prisonnier pendant sept mois au château Saint-Ange. Clément VII se rapprocha ensuite de l'empereur, qu'il couronna à Bologne, en 1530; en récompense, Charles Quint l'aida à rétablir sa famille à Florence. Clément VII refusa de reconnaître le divorce d'Henri VIII d'Angleterre, ce qui amena le schisme anglican.

CLÉMENT VIII, antipape. Voir MUÑOZ Gil Sanchez.

CLÉMENT VIII, Ippolito Aldobrandini (* Fano, 24.II.1536, † Rome, 5.III.1605),

CLÉMENT IX
Giulio Rospigliosi.
Pape (1667/1669).
Gravure de Bonnart, 1667.
Ph. Jeanbor © Photeb

CLÉMENT XIV
Vincenzo Ganganelli.
Pape (1769/1774).
Marbre de Christopher
Hervetson. (Musée Victoria
et Albert, Londres.)
Ph. © du musée - Arch. Photeb

pape (1592/1605). Cardinal en 1585, élu pape le 30 janv. 1592, pieux, savant et actif, il approuva la conversion d'Henri IV, leva les sanctions qui le frappaient et contribua beaucoup à la paix de Vervins (1598). Entouré d'hommes éminents, tels que Bellarmin, Baronius, Du Perron, il donna une édition améliorée de la *Vulgate* (1592) et institua la congrégation *De auxiliis* (1597) pour résoudre la querelle sur la grâce entre molinistes et thomistes. Il appuya les efforts de st. Philippe Neri et de st. François de Sales.

CLÉMENT IX, Giulio Rospigliosi (* Pistoia, 28.I.1600, † Rome, 9.XII.1669), pape (1667/69). Secrétaire d'État très influent sous Alexandre VII, cardinal (1657), élu le 20 juin 1667, il essaya vainement de susciter une croisade européenne contre les Turcs. Il accorda aux jansénistes la paix dite *clémentine* (v.) (1668).

CLÉMENT X, Emilio Altieri (* Rome, 13.VII.1590, † Rome, 22.VII.1676), pape (1670/76). Élu le 29 avr. 1670, à quatre-vingts ans, il abandonna, en raison de son grand âge, une partie du gouvernement au cardinal Antonio Paluzzi; il fut en querelle avec Louis XIV au sujet de la régale; il prononça de nombreuses canonisations (Pierre d'Alcantara, François de Borgia, Rose de Lima, Gaétan de Thienne, etc.).

CLÉMENT XI, Giovanni Francesco Albani (* Urbino, 22.VII.1649, † Rome, 19.III.1721), pape (1700/21). Cardinal en 1690, élu le 23 nov. 1700, il se montra favorable à Louis XIV dans la guerre de la Succession d'Espagne; il protesta contre l'élévation de la Prusse en royaume (1713) et eut de vifs démêlés avec Victor-Amédée, devenu roi de Sicile (1713/18). Pape instruit et zélé, il prononça de nouvelles condamnations du jansénisme par la bulle *Vineam Domini* (1705) et la célèbre constitution *Unigenitus* (contre le P. Quesnel, 1713).

CLÉMENT XII, Lorenzo Corsini (* Florence, 7.IV.1652, † Rome, 6.II.1740), pape (1730/40). Cardinal en 1706, élu le 12 juill. 1730, il favorisa les missions, envoya les capucins au Tibet et soutint l'empereur contre les Turcs. Il condamna la franc-maçonnerie (1738).

CLÉMENT XIII, Carlo Della Torre Rezzonico (* Venise, 7.III.1693, † Rome, 2.II.1769), pape (1758/69). Cardinal-diacre (1737), évêque de Padoue (1743), élu le 6 juill. 1758, il défendit les jésuites contre Pombal et les Bourbons et confirma leur ordre (1765).

CLÉMENT XIV, Vincenzo Ganganelli (* Santo Arcangelo, près de Rimini, 31.X. 1705, † Rome, 22.IX.1774), pape (1769/74). D'abord franciscain, cardinal en 1759, élu (18 mai 1769) après un conclave de trois mois. Son pontificat fut marqué par la suppression de l'ordre des Jésuites (bref *Dominus ac redemptor noster,* 21 juill. 1773).

CLÉMENT Jacques (* Serbonnes, Ardennes, 1567, † Saint-Cloud, 1.VIII.1589). Dominicain français. Ligueur fanatique, il assassina Henri III, qu'il accusait de pactiser avec les huguenots, et fut lui-même massacré sur-le-champ. Son acte trouva de nombreux défenseurs dans le parti catholique, notamment le pape Sixte Quint; on en attribua, sans preuves, l'inspiration aux jésuites.

CLÉMENT DE RIS Dominique, comte (* Paris, 1.II.1750, † château de Beauvais, près d'Azay-sur-Cher, Indre-et-Loire, 22. X.1827). Homme politique français. D'abord avocat, il fut nommé en 1792 membre du directoire départemental de l'Indre-et-Loire, fit partie du comité qui réorganisa l'instruction publique en France et, en 1800, devint sénateur. Enlevé à cette époque par un parti de chouans, il ne recouvra sa liberté qu'après dix-neuf jours de captivité (cette aventure inspira Balzac dans son roman *Une ténébreuse affaire*). Sous l'Empire, il devint questeur du Sénat et fut nommé pair de France en 1814. Épuré au début de la Restauration, il revint à la Chambre des pairs dès 1819.

CLÉMENTINE (paix). Compromis intervenu en 1668 dans la querelle du jansénisme (v.), sur l'initiative de Lionne, et accepté par le pape Clément IX, nouvellement élu. Les quatre évêques qui avaient refusé de signer le formulaire (v.) n'étaient pas inquiétés, mais ils condamnaient les Cinq Propositions en gardant le silence sur le point de savoir si elles se trouvaient ou non contenues dans l'*Augustinus* de Jansénius (ce qui revenait à accepter la distinction janséniste du droit et du fait). Cette « paix de l'Église » dura jusqu'en 1679.

CLEMENTIS Vladimir (* Tisovec, Slovaquie, 1902, † Prague, 3.XII.1952). Homme politique slovaque. Député communiste (1935), membre du gouvernement tchécoslovaque en exil à Londres pendant la Seconde Guerre mondiale, puis ministre des Affaires étrangères (1948/50), il fut accusé de « titisme » en même temps que Slansky et, comme ce dernier, condamné à mort et pendu.

CLÉOMBROTE Ier, roi de Sparte (480/ 479). Tuteur de son neveu Plistarque dont le père, Léonidas, avait péri aux Thermopyles, il commanda l'infanterie grecque au début de la seconde guerre médique. Père de Pausanias, le futur vainqueur de la bataille de Platées.

CLÉOMBROTE II, roi de Sparte (380/ 371). Il mena la guerre contre Thèbes et périt à la bataille de Leuctres.

CLÉOMBROTE III, roi de Sparte (242/ 240). Il prit la place de son beau-père,

Léonidas II, qui le renversa à son tour au bout de deux ans.

CLÉOMÈNE Iᵉʳ, roi de Sparte (vers 520/489 av. J.-C.). Fils et successeur d'Anaxandridas, il affirma la prééminence spartiate en Grèce par plusieurs interventions dans la politique athénienne, mais fut souvent freiné par le second roi, Démarate. En 510, il aida les Alcméonides à mettre fin à la tyrannie des Pisistratides en renversant Hippias, mais il se retourna ensuite contre Clisthène et mena vainement contre lui deux campagnes en faveur de l'oligarchie athénienne (507 et 506). En 499, il refusa de secourir Aristagoras de Milet contre les Perses, mais il renforça la puissance de Sparte en infligeant à Argos la défaite de Sépéia (494). Frappé de démence, il se serait donné la mort.

CLÉOMÈNE II, roi de Sparte (370/309 av. J.-C.). Fils de Cléombrote II, il eut un long règne paisible.

CLÉOMÈNE III, roi de Sparte (235/222 av. J.-C.). Fils de Léonidas III, il reprit les projets d'Agis et s'efforça de rendre à Sparte sa grandeur passée. Pour assurer son prestige, il chercha des succès à l'extérieur et attaqua dès 229 la ligue Achéenne, qu'il vainquit en Arcadie, à Mégalopolis (automne 227). Il entreprit ensuite à Sparte des réformes révolutionnaires : il fit exécuter les éphores en charge et supprima l'éphorat; il prononça le bannissement contre quatre-vingts citoyens récalcitrants et annonça à l'assemblée le rétablissement des lois de Lycurgue. Il procéda à un nouveau partage des terres, et affranchit 4 000 périèques, qui devinrent citoyens de plein droit; même le frugal repas commun, institué par Lycurgue, fut remis en vigueur. Soutenu par l'enthousiasme de ses concitoyens, Cléomène procéda enfin à la réorganisation de l'armée, sur le modèle macédonien. Après avoir vainement cherché par des négociations à s'assurer le contrôle de la ligue Achéenne (227/225), il reprit la lutte, s'empara d'Argos, puis de Corinthe (223), mais, devant l'intervention des Macédoniens, il dut abandonner ses conquêtes, fut vaincu par Antigone Doson à Sellasie (222) et dut s'enfuir en Égypte, où Ptolémée Philopator le fit jeter en prison; il s'y donna la mort en 219. Sa chute marqua la ruine définitive de Sparte. Plutarque a écrit sa *Vie*.

CLÉON († Amphipolis, 422 av. J.-C.). Homme politique athénien. Corroyeur de son état, plein d'audace, doué d'une voix retentissante, il acquit un grand ascendant sur le peuple et se fit, contre Périclès et Nicias, le chef des démocrates extrémistes, mais il ne fut pas la brute ridicule qu'a représentée Aristophane dans *Les Chevaliers*. Animé par un patriotisme « jacobin », il voulut donner à la guerre du Péloponnèse une impulsion plus vive et remporta un grand succès à Sphactérie (425), ce qui lui permit d'imposer à Athènes la politique de la guerre à outrance. Nommé stratège, il remporta quelques avantages, mais Athènes fut écrasée à Délion (424) et Cléon lui-même fut vaincu et tué à Amphipolis; son adversaire spartiate, Brasidas, périt aussi dans le combat.

CLÉOPÂTRE († 308 av. J.-C.). Sœur d'Alexandre le Grand, elle épousa en 336 Alexandre, roi d'Épire. Devenue veuve, elle fut recherchée en mariage, après la mort de son frère, par plusieurs généraux macédoniens qui voulaient, grâce à elle, s'assurer des droits au trône. Elle préférait Perdiccas mais, après la mort de celui-ci, allait épouser Ptolémée Lagos, roi d'Égypte, quand Antigone la fit mettre à mort.

CLÉOPÂTRE Théa († vers 120 av. J.-C.). Reine de Syrie, fille de Ptolémée VI Philométor, roi d'Égypte. Elle épousa d'abord l'usurpateur Alexandre Bala (vers 149), puis Démétrios Nicator. Celui-ci ayant été fait prisonnier par les Parthes et ayant épousé, durant sa captivité, la princesse parthe Rodogune, Cléopâtre offrit sa main et sa couronne à Antiochos VII, Sidétès, frère de Démétrios. Son premier mari étant rentré dans ses États, elle feignit de se réconcilier avec lui, mais elle ne tarda pas à s'en défaire pour régner seule. Plus tard, elle fit poignarder Séleucos, l'aîné des fils qu'elle avait eus de Démétrios, et qui, devenu majeur, s'était fait proclamer roi sans la consulter. Ce meurtre ayant soulevé le peuple, Cléopâtre l'apaisa en couronnant Antiochos VIII Gryphos, son deuxième fils. Bientôt elle chercha aussi à se défaire de celui-ci; mais Antiochos était sur ses gardes et l'obligea à boire le poison qu'elle avait préparé pour lui. C'est cette Cléopâtre qui a fourni à Corneille le sujet de sa tragédie *Rodogune*.

CLÉOPÂTRE VII (* Alexandrie, 69 † Alexandrie, 30 av. J.-C.), reine d'Égypte (51/30 av. J.-C.). Fille de Ptolémée XII, Aulète, elle épousa, selon la coutume des Lagides, son propre frère, Ptolémée XIII, avec lequel elle régna à partir de 51. Chassée du trône peu après par Pothin, conseiller de son mari, elle fut rétablie en 46 par César, dont elle devint la maîtresse. Ptolémée XIII étant mort au cours de la lutte contre les Romains, elle se remaria en 47 avec son frère cadet, Ptolémée XIV, qui ne fut qu'un fantoche alors que la reine se servait de ses amours avec César pour tenter de rétablir, avec l'aide des Romains, la suprématie de l'Égypte des Lagides en Méditerranée orientale. Elle eut de César un fils, le jeune Césarion (ou Ptolémée XV). Après la mort du dictateur, elle rencontra, en 41, Antoine, qui, à son tour, tomba amoureux d'elle. Manœuvrant plus aisément qu'avec César, Cléopâtre réussit à entraîner Antoine vers le rêve d'un grand empire oriental, et, un moment, leurs projets communs parurent menacer l'hégémonie romaine sur la Méditerranée. Octave les battit tous deux à Actium (31 av. J.-C.). Cléopâtre, qui portait la principale responsabilité de cette défaite, car sa flotte

CLÉOPÂTRE
Reine d'Égypte (51/30 av. J.-C.).
Monnaie syrienne d'argent,
frappée à Antioche.
(Cabinet des Médailles.)
Ph. © Bibl. Nat., Paris - Photeb

CLEPSYDRE

La clepsydre royale de Karnak. (Musée du Caire.) Elle date
de la fin de la XVIIIᵉ dynastie, règne d'Aménophis III (v. 1391/1353 av. J.-C.),
et a été trouvée dans une cachette du temple de ce pharaon.
Ce vase d'albâtre était rempli d'eau au coucher du soleil,
et le liquide s'écoulait graduellement par un petit orifice savamment agencé.
La paroi interne est divisée en douze parties correspondant
aux douze heures de la nuit, étalonnées suivant les douze mois de l'année.
Lorsque l'eau atteignait le niveau de la première marque
du mois concerné, la deuxième heure de la nuit commençait.
La paroi externe représente Aménophis dans diverses scènes d'adoration
et d'offrandes aux dieux, les génies des constellations
et des quatre mois de l'inondation du Nil. Ce décor a été copié par Ramsès II
(v. 1290/1223) pour le plafond astronomique de son temple jubilaire de Thèbes.

Exposition Ramsès II, Grand Palais, 1976.
Ph. Fathy, Le Caire © Ass. franç. d'Action artistique - Photeb

avait abandonné celle d'Antoine, revint à Alexandrie et, après le suicide d'Antoine, tenta d'user de ses charmes pour obtenir la clémence d'Octave. Celui-ci se montrant inflexible et s'apprêtant à emmener avec lui la reine d'Égypte pour qu'elle figurât dans son triomphe à Rome, Cléopâtre se donna la mort, à trente-six ans, en se faisant mordre au bras par un aspic. Avec cette princesse, dont la légende romanesque s'est emparée mais qui fut, avant tout, une femme politique ambitieuse et habile, finirent la dynastie des Lagides et l'indépendance de l'Égypte. Cléopâtre a inspiré de nombreux écrivains, entre autres Shakespeare, Benserade, La Calprenède, Bernard Shaw.

CLÉOPHON († 404 av. J.-C.). Homme politique athénien. Il succéda à Cléon à la tête des démocrates radicaux et bellicistes, lutta vigoureusement contre Alcibiade et poussa ses compatriotes à refuser toutes les offres de paix de Sparte, après la victoire athénienne de Cyzique (410) et la bataille des îles Arginuses (406). Ce « jusqu'auboutisme » conduisit Athènes à sa perte et Cléophon fut condamné à mort par les oligarques en 404.

CLEPSYDRE. Dans l'Antiquité, instrument qui mesurait le temps par l'écoulement d'une certaine quantité d'eau ou d'huile. La clepsydre aurait été inventée en Égypte, au XVIᵉ s. av. J.-C. Elle fut perfectionnée par les Grecs, notamment par Ctésibios d'Alexandrie, et introduite à Rome, en 158 avant notre ère, par Scipio Nasica. Dans son traité d'*Architecture* (IX, 9), Vitruve donne la description d'une clepsydre : l'eau qui s'écoulait par un trou percé dans un vase faisait élever un morceau de liège auquel était attachée une règle dentelée et des roues qui s'engrenaient l'une dans l'autre; ces roues faisaient remuer de petites figures, ou jetaient des pierres, ou faisaient sonner des trompettes. La clepsydre était utilisée surtout dans les réunions publiques et les audiences judiciaires, pour mesurer le temps de parole des orateurs.

CLERFAYT ou **CLAIRFAIT, Joseph de Croix, comte de** (* Bruille, Hainaut, 14. X.1733, † Vienne, 21.VII.1798). Feld-maréchal autrichien. Il se distingua dans la guerre de Sept Ans et contre les Turcs, pénétra en Champagne avec Brunswick en 1792, fit une savante retraite après la bataille de Jemmapes, battit les Français à Neerwinden (18 mars 1793), s'empara du Quesnoy, mais fut battu à Wattignies et dut repasser le Rhin. En 1795, il força successivement trois armées françaises à se retirer devant lui et délivra Mayence assiégée.

CLERGÉ. Le rôle du clergé dans les civilisations païennes est examiné à l'article PRÊTRES, et c'est uniquement de l'évolution du clergé chrétien qu'on traitera ici.

CLERGÉ
Prêtre en orant. Détail
d'un panneau en marbre
provenant d'une catacombe,
IIIe s. (Vatican.)
Ph. © L. von Matt - Arch. Photeb

Des origines à l'époque carolingienne

Dans l'Église de Jérusalem, les Douze occupaient une place à part, et, dès la fin du Ier s., apparaît dans toutes les communautés chrétiennes une distinction déjà très nette entre les *klêrikoi,* voués particulièrement à l'« héritage », au « partage » du Seigneur, et les *laikoi* (de *laos,* peuple). Dans les Églises qu'ils fondaient, les apôtres (v.) constituaient un collège d'« anciens », de *presbutéroi,* chargés des fonctions du culte et de l'administration. Les termes d'*épiscopes* (surveillants) et de *presbytres* (anciens), d'abord à peu près équivalents, commencèrent à se différencier à partir du début du IIe s. L'évêque, à l'origine itinérant, devint le chef stable d'une communauté : tels nous apparaissent des personnages comme Ignace d'Antioche, Papias d'Hiérapolis, Méliton de Sardes, etc. Dès le début de l'Église, avaient été créés également des *diacres* (v.), auxquels on adjoignit bientôt d'autres ministres inférieurs : *sous-diacres, lecteurs, acolytes, portiers.* Vers la fin des persécutions, alors que le christianisme commençait à progresser au-delà des centres urbains, apparut un nouvel élément de la hiérarchie ecclésiastique, le *chorévêque* (v.) ou évêque des campagnes.

Après Constantin, lorsque l'Église put s'organiser au grand jour, le clergé commença à constituer une catégorie à part dans la société. L'*évêque* (v.), élu par le peuple mais établi ensuite à vie dans son diocèse, exerçait désormais un pouvoir monarchique incontesté. A certains points de vue, il devint un fonctionnaire de l'État car les empereurs des IVe/Ve s. lui accordèrent des pouvoirs juridictionnels (un plaideur, au IVe s., pouvait demander à être jugé non par les tribunaux civils mais par l'évêque) et même politiques (il était fréquent qu'un évêque remplît la fonction de *defensor civitatis* ou de *defensor plebis* (v. DEFENSOR). Pour faire face à ses charges très diverses, l'évêque disposait de nombreux auxiliaires : l'*archidiacre,* sorte de vicaire général qui commandait à tout le clergé et finit, en maints endroits, par devenir un véritable rival de l'évêque; l'*apocrisiaire,* qui s'occupait des rapports de diocèse; l'*archiprêtre,* qui remplaçait l'évêque absent dans l'exercice de ses fonctions sacerdotales; les *syncelles,* secrétaires particuliers; l'*économe,* chargé de la gestion financière du diocèse; les *défensores,* qui menaient les procès ecclésiastiques, etc. Au sommet de tout l'épiscopat s'affirmait le pouvoir de l'évêque de Rome, dont la suprématie sur les patriarches de Constantinople, d'Alexandrie et d'Antioche fut reconnue en 381, au concile de Constantinople (v. PAPAUTÉ). La multiplication des églises de campagne entraînait celle des prêtres, qui, choisis et ordonnés par l'évêque, avaient la charge spirituelle d'une paroisse; le célibat (v.) ne leur était pas encore imposé. Les diacres se cantonnaient de plus en plus dans un rôle de gestion des biens et d'administration. Les moines (v.), qui restèrent pendant longtemps des laïcs, ne faisaient pas partie juridiquement du clergé.

Après les invasions (v.), le clergé, dans l'effondrement des anciennes autorités civiles, fut amené à étendre considérablement son influence politique et économique. En Gaule, l'appui des évêques ne contribua pas peu au succès de Clovis. Les Mérovingiens accordèrent à l'épiscopat une large place dans le gouvernement et choisirent parmi ses membres les principaux cadres de l'État. En revanche, les rois s'ingérèrent de plus en plus souvent dans l'élection des évêques, dans la tenue des conciles, dans les affaires purement ecclésiastiques. Cette interpénétration de l'Église et de l'État était favorisée par le fait que le clergé était devenu, grâce à l'abondance des donations royales et privées, le plus grand propriétaire de l'époque barbare. Cette situation allait se prolonger pendant plus de mille ans, jusqu'à la révolution de 1789. A ses biens considérables le clergé ajoutait d'importants privilèges : exemption d'impôts, immunité (v.), droits fiscaux qui allaient prendre la forme de la dîme (v.), etc. Mais on ne doit pas oublier que les biens du clergé devaient « fournir non seulement le budget du culte, mais l'assistance publique et le service des pauvres, l'instruction publique et aussi presque tout le budget des travaux publics » (Fustel de Coulanges). Malgré les confiscations opérées par Charles Martel, les biens ecclésiastiques s'accrurent encore à l'époque carolingienne, ce qui constituait une grande tentation pour les pouvoirs séculiers. Dès le IXe s., on assiste à une usurpation des biens du clergé par de nombreux seigneurs laïcs, lesquels, non contents de s'approprier une partie des bénéfices ecclésiastiques, devaient bientôt s'immiscer dans la vie de l'Église, dans les nominations aux cures, aux abbayes, aux sièges épiscopaux : ce fut une des principales causes de la grave crise morale que traversa le clergé aux Xe/XIe s., jusqu'à l'énergique redressement accompli par la réforme grégorienne (v.).

Le clergé au Moyen Age

L'idéal carolingien de l'étroite union des pouvoirs spirituel et temporel aboutit, dans l'effacement rapide du pouvoir royal comme du pouvoir pontifical à la fin du IXe s., à livrer l'Église à l'emprise du milieu féodal. Évêques et abbés prirent place dans la hiérarchie féodale et se comportèrent souvent beaucoup plus en seigneurs qu'en prélats. Dans nombre de cités, l'évêque partageait avec le comte la seigneurie de la ville; parfois, comme à Reims, à Beauvais, à Noyon, à Langres, l'évêque était devenu duc ou comte. Les grandes familles disposaient arbitrairement de l'évêché ou des abbayes de leur terre. Dans le haut comme dans le bas clergé régnaient la simonie (v.) et le nicolaïsme (v.). L'indépendance du clergé à l'égard des puissances temporelles fut l'enjeu principal de la longue querelle des Investitures (v.), qui, au concordat de Worms (v.) (1122), se termina

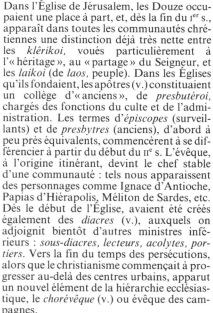

par la victoire de la papauté. Au XIIᵉ s., l'Église reconquit ainsi la liberté de son recrutement et le contrôle de sa hiérarchie, sans pour autant que prît fin l'imbrication du spirituel et du temporel, caractéristique de ce que Maritain a appelé un type de « chrétienté sacrale », appelé à subsister bien au-delà du Moyen Age.

La position du clergé dans la société médiévale était, à tous égards, prédominante. Les clercs, beaucoup plus nombreux que ne l'exigeait le service des fidèles, possédaient leurs propres tribunaux, les officialités (v.), et, en vertu du privilège de clergie (v.), ne relevaient pas des tribunaux laïcs. Exempts d'impôts et de service militaire, protégés contre les violences par la menace de l'ex-communication (v.), ils assumaient, en dehors de leurs fonctions spirituelles, un rôle social inestimable car le clergé, et lui seul, avait la charge de l'assistance publique, des hôpitaux, des asiles, de la visite des malades, des secours aux pauvres et aux vieillards, du soin des lépreux, de même qu'il assumait le monopole de l'enseignement, depuis les écoles élémentaires épiscopales ou monastiques jusqu'aux universités (v. ÉDUCATION, UNIVERSITÉS). Ses biens, alimentés essentiellement, comme à l'époque franque, par la générosité des fidèles, étaient consolidés par la bonne gestion des domaines ecclésiastiques et par les revenus réguliers de la dîme. Cependant, dès le XIIIᵉ s., les pouvoirs civils avaient réussi à grever le patrimoine du clergé par divers moyens : droit d'amortissement à payer sur les aliénations faites au profit de l'Église, régale (v.) et décimes (v.). Après la réforme grégorienne, les rois et les grands ne purent plus imposer leur candidat dans les nominations ecclésiastiques, mais, de plus en plus, l'influence pontificale s'exerça dans les élections des évêques, lesquelles n'étaient plus, comme dans le passé, l'affaire de tout le peuple, mais du seul chapitre cathédral. Dans la société extrêmement hiérarchisée qui était celle du Moyen Age, une des forces de l'Église fut d'assurer, par le système électif, un renouvellement constant des élites dirigeantes. Nombreux furent les hommes du peuple qui parvinrent aux plus hautes charges ecclésiastiques, y compris à celle du souverain pontificat.

De la fin du Moyen Age à nos jours

A partir du XIVᵉ s., l'affirmation des grands États monarchiques commença à restreindre le rôle et les privilèges du clergé, d'autant plus aisément que le relâchement moral, la cupidité et les abus de nombreux clercs, ainsi que la fiscalité pontificale, suscitaient dans la plupart des pays d'Europe des vagues d'anti-cléricalisme populaire qui annonçaient la Réforme. En France, la pragmatique sanction de Bourges (v.) (1438) et le concordat de Bologne (v.) (1516) permirent au roi d'exercer désormais un contrôle étroit sur les nominations épiscopales. Dès l'époque de Philippe le Bel, les légistes laïcs, relayés

bientôt par le parlement, commencèrent une longue guerre contre la juridiction ecclésiastique, laquelle fut considérablement restreinte par l'appel comme d'abus (v.). Le privilège de clergie fut également limité à des cas particuliers. A partir du XVIᵉ s., l'Église, obligée de rechercher l'appui du pouvoir royal contre les protestants, ne put se dérober à un impôt régulier, sous la forme des décimes (v.) et du don gratuit (v.).

La Réforme protestante (v.) prit dans toute l'Europe un aspect nettement anticlérical. Luther n'admettait pas que le clergé exerçât la direction dans l'Église, et les ministres, à ses yeux, avaient pour seule tâche de prêcher la parole de Dieu. Effrayé par les excès des anabaptistes (v.) et par la guerre des Paysans (v.), le réformateur allemand renonça à donner au luthéranisme une structure presbytéro-synodale, et c'est aux princes qu'il confia finalement l'organisation et la direction des Églises locales; il laissa subsister, avec les évêques, une certaine forme de hiérarchie ecclésiastique. Les pouvoirs de celle-ci furent également confirmés dans l'anglicanisme (v.). Calvin renversa au contraire radicalement l'ancienne organisation du clergé. En invoquant l'exemple de l'Église primitive, il instaura dans l'Église réformée un régime démocratique en laissant chaque communauté s'organiser librement sous l'autorité limitée de conseils ou consistoires composés de pasteurs et de laïcs élus, les « anciens ». Voir PROTESTANTISME.

En face de ce radicalisme protestant, le concile de Trente (v.), par des canons disciplinaires très sévères, prépara la réforme intellectuelle et morale du clergé, qui devait s'épanouir dans l'Europe restée catholique à la fin du XVIᵉ et au début du XVIIᵉ s. Les évêques furent astreints à la résidence personnelle dans leur diocèse, qu'ils devaient visiter au moins tous les deux ans. Le renouveau du clergé fut également marqué par la création des séminaires (v.) et par l'activité intense de congrégations telles que l'Oratoire (v.), avec Bérulle, les lazaristes (v.), avec Vincent de Paul, Saint-Sulpice (v.), avec M. Olier.

Jusqu'à la fin de l'Ancien Régime, le clergé de France constitua un des trois grands ordres de la nation, et de beaucoup le mieux organisé. Il tenait, tous les dix ans (chaque année dont le millésime se terminait par le chiffre 5), une Assemblée générale qui délibérait sur toutes les grandes affaires intéressant l'Église gallicane, adressait au roi des vœux et des doléances, examinait les demandes financières du roi, votait les subsides et choisissait les moyens pour les financer, désignait le personnel chargé de lever les taxes, élisait les agents généraux du clergé, qui constituaient en fait les représentants permanents de l'ordre auprès du roi. Tous les dix ans également (chaque année dont le millésime se terminait par 0), se réunissait une Petite Assemblée du clergé dont le rôle était d'examiner, dans le domaine fiscal et comptable, les affaires courantes entre deux Assemblées générales. Grâce à cette organisation, le clergé de France, malgré les

CLERGÉ
Prêtre prêchant
en chaire, XVᵉ s.
Ph. © Bibl. Nat., Paris - Photeb

progrès de l'absolutisme, put maintenir un dialogue avec le pouvoir royal, mener avec lui, en tant que corps, des négociations souvent longues et âpres, et n'accorder au souverain aucun subside qui n'ait été discuté et consenti.

En 1789, le clergé demeurait aussi, en France, le plus riche des ordres privilégiés, avec un revenu dont l'estimation varie de 150 à 300 millions de livres et une propriété foncière qui représentait un cinquième de l'ensemble du territoire national. Mais il y avait des différences considérables entre le sort du haut clergé et la condition du bas clergé. Les évêques et les prélats, qui, au XVIIIe s., étaient choisis exclusivement parmi les nobles, résidaient de plus en plus à Versailles et jouissaient d'une situation brillante; certains d'entre eux, comme les archevêques de Strasbourg et de Cambrai, ou comme l'abbé de Cluny, avaient un revenu annuel évalué entre 200 000 et 400 000 livres, alors que la plus grande partie du clergé subalterne était réduite, par les curés décimateurs (v.), à la « portion congrue » (v.), avec un revenu oscillant entre 300 et 700 livres par an. Aussi une grande partie du bas clergé partageait-elle les griefs des paysans contre le régime des privilèges. Représentée en nombre aux États généraux de 1789 — 208 curés pour 47 évêques et 12 chanoines —, elle se rallia vite aux idées révolutionnaires, rejoignit le tiers état et apporta ses voix à la sécularisation des biens ecclésiastiques décidée par l'Assemblée constituante le 2 nov. 1789.

Dépouillé désormais de son patrimoine, le clergé de France ne constituait plus un corps, un « ordre » de la nation. Au cours du XIXe s., le mouvement de laïcisation moderne allait le ramener de plus en plus exclusivement à ses fonctions spirituelles. Fonctionnarisé par le concordat de 1801 (v.), il allait être réduit à la pauvreté mais libéré de la tutelle de l'État par la séparation des Églises et de l'État en 1904 (v. SÉPARATION). La démocratisation du recrutement clérical s'accéléra à partir de cette date.

Le clerc a cessé, socialement, d'être un personnage à part, et, après le concile Vatican II, un courant s'est manifesté en faveur d'une « décléricalisation » de l'Église catholique et d'une responsabilité plus grande des laïcs. Au prêtre-ouvrier (v.) des lendemains de la Seconde Guerre mondiale certains voudraient substituer un nouveau type de prêtre, engagé pleinement, comme les autres hommes, dans l'activité économique, vivant de son travail, éventuellement chargé d'une famille, tout en exerçant un ministère spirituel. Voir ÉGLISE CATHOLIQUE.

CLERGÉ (sécularisation des biens du). Mesure décidée en France par l'Assemblée constituante, sur une motion Le Chapelier, le 2 nov. 1789, après que Talleyrand, évêque d'Autun, eut proposé aux députés de remettre les biens du clergé à la disposition de la nation. En compensation, l'État assurait un traitement annuel de 1 200 livres au moins par curé. Pour transformer la fortune foncière ecclésiastique en argent liquide,

CLERGÉ
Ecclésiastiques
du XVIIIe s.
Ph. © Coll. Viollet - Photeb

on décida de créer 400 millions de bons à intérêt, les assignats (v.), qui pouvaient être échangés contre des biens ecclésiastiques sécularisés devenus biens nationaux (v.).

CLERGIE (privilège de). Dans l'ancienne France, de même que dans toutes les nations chrétiennes, droit des clercs à n'être jugés que par des cours d'Église. Sauf le cas de flagrant délit, un clerc devait être toujours jugé par l'officialité (v.), au civil pour toutes les affaires ne concernant pas directement les questions féodales, et au criminel sans exception. Lorsqu'un clerc était poursuivi par un juge séculier, il demandait immédiatement à être remis à son évêque; non seulement on ne pouvait lui contester ce droit, mais encore il n'avait pas la possibilité lui-même d'y renoncer, car le privilège de clergie n'était pas une faveur mais la reconnaissance de la discipline ecclésiastique. Les officialités ne prononçant pas de condamnation à mort, conformément au principe selon lequel l'Église ne peut faire verser de sang (*Ecclesia abhorret sanguinum*), le clerc coupable avait toujours la vie sauve. Cependant, dès la fin du XIIIe s., on dut restreindre le privilège de clergie, car de nombreux criminels se faisaient tonsurer uniquement par mesure de précaution, pour pouvoir invoquer la qualité de clerc et se soustraire aux tribunaux laïcs. Seuls les clercs non mariés et exerçant une fonction ecclésiastique jouirent désormais du privilège dans sa plénitude; en outre, pour les crimes les plus graves, le clerc était dégradé *ipso facto* et livré au bras séculier.

CLÉRICALISME. Terme par lequel on désigne une tendance du clergé à sortir de ses attributions proprement spirituelles pour intervenir dans le domaine politique. Les rois de France, qui prétendaient tirer leur pouvoir directement de Dieu, affirmèrent très tôt leur indépendance à l'égard de l'Église (v. ABSOLUTISME, GALLICANISME). Dès l'époque de Philippe le Bel, au début du XIVe s., ils repoussèrent toutes les prétentions théocratiques du Saint-Siège. Cependant, chaque fois que le pouvoir royal fut ébranlé en France, on vit des prêtres se laisser égarer par les passions politiques et prêcher, au nom de l'Évangile, des doctrines subversives. Des exemples typiques de cléricalisme furent donnés, pendant les guerres de Religion, par la Ligue (v.) et par les théoriciens du tyrannicide, qui encouragèrent les attentats de Jacques Clément et de Ravaillac.

Après la révolution de 1789, l'Église ayant été, comme la monarchie, éprouvée par la Terreur, le clergé du XIXe s., dans sa grande majorité, réclama l'appui officiel de l'État pour lutter contre les doctrines libérales, qui menaçaient également l'autorité politique et l'autorité religieuse. Abandonnant la tradition laïque de leurs ancêtres, Louis XVIII et surtout Charles X, au nom de l'union du Trône et de l'Autel, laissèrent le zèle imprudent des cléricaux, en particulier de la Congrégation (v.), compromettre la restauration monarchique. Des catholiques

CLÉRICALISME
« Le mât de Cocagne », 1815.
Caricature du début de la
Restauration, évoquant l'alliance
du Trône et de l'Autel
dans la course aux privilèges.
Ph. © Bibl. Nat., Paris - Photeb

comme Lamennais s'effrayaient, de leur côté, de voir l'Église, pour obtenir l'appui du pouvoir, retourner à ses erreurs gallicanes. Après la révolution de 1830, Lamennais et son groupe fondèrent le journal *L'Avenir* (v.), qui demandait aux catholiques de se désolidariser radicalement des pouvoirs politiques et les appelait à ne réclamer de l'État que la liberté.

Une nouvelle vague de cléricalisme commença en 1848/49, lorsque les chefs du parti catholique, effrayés par la poussée du socialisme et par les journées de juin 1848, se firent les ardents défenseurs de l'ordre et de la propriété. Sous le second Empire, l'ultramontanisme (v.) les amena à faire pression sur Napoléon III pour sauvegarder le pouvoir temporel du pape en Italie. Après la défaite de 1870 et la Commune, le cléricalisme s'épanouit sous le régime de l'« Ordre moral » (v.) institué par Mac-Mahon et Broglie. Le clergé s'efforçait de répandre dans le pays un esprit de pénitence, en présentant les malheurs de la guerre franco-allemande comme le châtiment céleste des égarements révolutionnaires de la France depuis 1789. Aux élections décisives de 1876, les évêques multiplièrent les pressions sur les fidèles pour faire élire les candidats du pouvoir et mettre en échec les républicains. Cette attitude ne contribua pas peu à la poussée d'anticléricalisme (v.) qui marqua le début de la IIIᵉ République. Dès 1877, Gambetta proclamait à la tribune de la Chambre : « Le cléricalisme, voilà l'ennemi ! » (v.). Pendant l'affaire Dreyfus, de nombreux prêtres (en particulier les assomptionnistes de *La Croix*, v.) s'engagèrent avec une virulence extrême dans les campagnes antirépublicaines, antisémites et antimaçonniques de la droite nationaliste. Cette nouvelle fièvre provoqua l'expulsion des congrégations (v.) et la séparation des Églises et de l'État (v.), aboutissement de la politique de laïcité (v.) menée par le régime républicain de Jules Ferry.

A partir des années 20, la hiérarchie ecclésiastique française adopta une attitude plus circonspecte. Le cléricalisme ne pouvait désormais que décroître, puisque l'Église était séparée de l'État. Cependant, de 1940 à 1944, la quasi-totalité de l'épiscopat français apporta bruyamment son appui au régime du maréchal Pétain. Le rôle important joué, sous la IVᵉ République, par le M.R.P. (v. Mouvement républicain populaire) fut dénoncé, dans certains milieux de gauche, comme une manifestation de cléricalisme. Au nom de la défense de l'« école libre », les évêques ne manquaient pas en effet, lors des élections, d'orienter, au moins d'une manière générale, les suffrages des catholiques. Cependant, le M.R.P. fut beaucoup moins lié à la hiérarchie catholique que ne le furent, en Allemagne, la C.D.U., et surtout, en Italie, la Democrazia cristiana (v.). A ce cléricalisme de droite, hérité du siècle dernier, semble se substituer, depuis le concile Vatican II (v.), un cléricalisme de gauche, qui ne cherche plus appui et influence auprès de l'État mais auprès de partis politiques,

syndicats, organisations révolutionnaires, auxquels certains prêtres attribuent un rôle animateur dans la société de l'avenir.

Le cléricalisme est un phénomène qui s'est manifesté à diverses époques dans de nombreux pays. En Espagne, il a été favorisé par le caractère catholique accentué de la monarchie, à l'époque de la Reconquête (v.) et au temps des Habsbourg. L'Inquisition (v.) ne disparut dans la péninsule Ibérique qu'au XVIIIᵉ s. Alors que les libéraux sympathisaient avec le régime de Joseph Bonaparte, le clergé joua un rôle de premier plan dans la résistance contre les armées napoléoniennes. Au siècle dernier, les éléments les plus traditionalistes de l'Église espagnole appuyèrent le carlisme (v.). Les violentes persécutions antireligieuses qui marquèrent la IIᵉ République, particulièrement en 1936, rallièrent la quasi-totalité de l'Église d'Espagne à la « croisade » du général Franco, laquelle fut d'ailleurs approuvée par le pape Pie XI. Dans ses débuts, le régime franquiste vit se dérouler une lutte d'influence entre la Phalange (v.) et les milieux cléricaux, lesquels finirent par l'emporter. Au cours des années 60, le rôle grandissant des hommes de l'Opus Dei (v.) put apparaître comme une nouvelle phase du cléricalisme espagnol, mais, d'autre part, sous l'influence des doctrines de Vatican II, une partie importante du clergé manifestait son souci de prendre ses distances à l'égard de Franco.

En Italie, le Risorgimento (v.), dont les ambitions nationales condamnaient la survie des États pontificaux, prit un caractère anticlérical. En exécution du *non expedit* (v.) de Pie IX, les catholiques italiens se trouvèrent, pendant près d'un demi-siècle, volontairement exclus de la politique italienne. Après la Première Guerre mondiale, la démocratie chrétienne naquit en Italie sous la forme du parti populaire (v.), mais celui-ci, trop faible, fut bientôt abandonné par le Saint-Siège, qui préféra rechercher un accord avec Mussolini. Après 1945, l'influence de l'Église, par l'intermédiaire de la Democrazia cristiana (v.), devint prédominante dans la politique italienne; elle a perdu toutefois de son importance à partir de l'évolution qui s'est manifestée depuis Jean XXIII.

CLÉRICALISME, VOILA L'ENNEMI! (Le). Mot lancé en 1863 par le républicain Peyrat et repris, le 4 mai 1877, à la Chambre des députés, par Gambetta, qui protestait contre une intervention politique de Mgr Ladoue, évêque de Nevers.

CLERICIS LAICOS. Bulle publiée le 25 févr. 1296 par Boniface VIII pour protéger le clergé français et le clergé anglais des exactions du pouvoir temporel; elle interdisait, sous peine d'excommunication, toute perception de taxes sur le clergé sans l'autorisation du Saint-Siège. La véhémence de cette bulle contribua à déclencher le conflit entre la papauté d'une part, Philippe le Bel et Édouard Iᵉʳ d'Angleterre d'autre part.

CLERMONT-FERRAND
Le pape Urbain II prêchant
la croisade, en présence du roi
Philippe Ier, 1095. Détail
d'une miniature des
« Chroniques de Saint Denis »,
par J. Fouquet, XVe s.
Ph. © Bibl. Nat., Paris - Photeb

CLEVELAND
Barbara Villiers, duchesse
de C. Dame anglaise (1641-1709).
(National Portrait Gallery,
Londres.)
Ph. © du musée - Photeb

CLERMONT. Ville de France (Oise). Brûlée par les Anglais en 1415, reprise encore par eux en 1434. Le comté de Clermont, qui datait de 1054, avait été donné en 1269 par Louis IX (v.) à son fils Robert, chef de la maison de Bourbon; il appartint aux descendants de celui-ci jusqu'à sa confiscation par François Ier en 1524; il fut joint ensuite à l'apanage de la branche de Bourbon-Condé.

CLERMONT (collège de). Voir Louis-le-Grand (lycée).

CLERMONT, Robert de France, comte de (* 1256, † 7.II.1318). Sixième fils de Saint Louis, il épousa, en 1272, Béatrix, héritière de Bourbon, et devint ainsi le chef de la maison de Bourbon, qui régna sur la France à partir d'Henri IV.

CLERMONT-FERRAND. Ville de France, chef-lieu du département du Puy-de-Dôme. D'abord appelée *Némossos,* elle devint, après Gergovie, la capitale des Arvernes, puis fut considérablement agrandie par Auguste, qui lui donna le nom d'*Augustonemetum.* Détruite par les Wisigoths en 474, par Pépin le Bref en 761, par les Normands en 916, elle se releva, prit le nom du château qui la défendait *(Clarus Mons)* et devint la capitale de l'Auvergne. Au cours du Moyen Age, sept conciles se tinrent à Clermont, notamment celui de 1095, où le pape Urbain II prêcha la 1re croisade. En 1633, Clermont fut réuni à la ville voisine (2 km) de Montferrand et prit dès lors son nom actuel. Louis XIV y tint les *Grands Jours* d'Auvergne en 1665. Clermont-Ferrand, qui vit naître Blaise Pascal, conserve de son passé l'église Notre-Dame-du-Port (XIIe s.), bel exemple de style roman auvergnat, la cathédrale gothique Notre-Dame (XIIIe s.) et de nombreux hôtels des XVIe, XVIIe et XVIIIe s. Depuis l'Antiquité étape sur le « chemin français » de Paris en Espagne ou en Provence, la ville est devenue, au XIXe s., un centre industriel actif par l'introduction, vers 1830, de l'industrie du caoutchouc, laquelle prit un essor inattendu, grâce aux frères Michelin, au début de l'ère de la bicyclette et de l'automobile.

CLERMONT-TONNERRE. Famille noble remontant à Sibaud, seigneur de Clermont en Dauphiné (début XIIe s.), qui défendit le pape Calixte II contre l'antipape Maurice Burdin (Grégoire VIII). Ses descendants acquirent le comté de Tonnerre par le mariage de Bernardin de Clermont, vicomte de Tallart, avec Anne de Husson, héritière du comté de Tonnerre (1496); le comté fut érigé en duché par Charles IX en 1571.

CLÉROUQUIE. Dans la Grèce antique, et surtout dans l'histoire athénienne, colonies (v.) militaires établies en pays conquis comme des avant-postes contre des ennemis dangereux; elles étaient soumises à la métropole et leurs membres restaient citoyens de leur ville originelle, à la différence de ce qui se passait dans les comptoirs et les colonies commerciales privées. Des clérouquies furent créées au VIe et au Ve s. dans certaines îles de la mer Égée et de la côte de Thrace pour tenir en échec certains membres récalcitrants de la Confédération athénienne.

CLÉRY, Jean-Baptiste Hanet, dit (* Les Jardies, près de Paris, 1759, † Hitzing, Autriche, 1809). Valet de chambre du Dauphin, il demanda, en 1792, à servir Louis XVI au Temple et témoigna au roi prisonnier un dévouement admirable. Son *Journal* et ses *Mémoires* sont apocryphes.

CLET saint. Voir Anaclet.

CLEVELAND Barbara Villiers, duchesse de (* Westminster, 1641, † Chiswick, 9.X. 1709). Dame anglaise. Elle fut, de 1660 à 1674, la maîtresse de Charles II, dont elle eut trois enfants. Convertie au catholicisme en 1663, elle contribua à orienter le roi vers l'alliance française.

CLEVELAND. Ville des États-Unis (Ohio). Fondée en 1796 par Moses Cleveland, elle ne comptait encore que 6 000 habitants en 1840, mais l'arrivée du chemin de fer (1851), l'essor de l'industrie de l'acier et du pétrole précipitèrent son développement dans la seconde moitié du XIXe s. L'évêché de Cleveland fut établi en 1847.

CLEVELAND (Stephen) Grover (* Caldwell, New Jersey, 18.III.1837, † Princeton, New Jersey, 24.VI.1908). Homme politique américain. Avocat, maire de Buffalo (1881/82), gouverneur de l'État de New York (1883/85), il mena une lutte énergique contre la corruption dans l'administration et fut élu président des États-Unis avec le soutien des démocrates (1885/89). A la Maison-Blanche, il poursuivit sa politique réformiste et indépendante; mais son action pour l'abaissement des tarifs douaniers et la protection qu'il accorda à des fonctionnaires républicains contribuèrent à lui faire perdre un grand nombre de ses partisans, et il fut battu par Harrison en 1889. Redevenu président (1893/97), il s'opposa aux démocrates radicaux, particulièrement sur les problèmes monétaires; au printemps 1894, il n'hésita pas à engager les troupes fédérales pour briser la grande grève des employés des chemins de fer à Pullman (Chicago). Il refusa de se représenter en 1897 et devint en 1899 professeur de science politique à l'université de Princeton.

CLÈVES, *Kleve.* Ville d'Allemagne occidentale (Rhénanie-Westphalie), sur le Rhin. Elle fut le chef-lieu d'un comté, uni en 1368 au comté de La Marck et érigé en 1417 en duché. En 1511, le duc Jean III de Clèves-et-La-Marck réunit par mariage les duchés de Berg et de Juliers, le comté de Ravensberg et d'autres domaines. Sa fille, Anne, devint la quatrième épouse d'Henri VIII d'Angleterre. L'extinction de la ligne mâle, en 1609,

CLÈVES
Armoiries du duché, 1581.
Ph. Jeanbor © Photeb

provoqua des querelles de succession très compliquées. Les traités de Düsseldorf (1614) et de Dorsten (1666) confirmèrent à Sigismond, Électeur de Brandebourg, qui avait épousé Anne, nièce du dernier duc, presque tout le duché de Clèves avec La Marck et Ravensberg; le reste échut au comté palatin de Neuburg. En 1794, la France conquit le duché, qui fit partie du département de la Roër. Il fut rendu à la Prusse en 1814.

CLÈVES Anne de. Voir ANNE DE CLÈVES.

CLÈVES Marie de. Voir MARIE DE CLÈVES.

CLICHIENS. Partisans du rétablissement de la royauté qui formèrent, en 1794, après le 9-Thermidor, un club dont les réunions se tenaient rue de Clichy à Paris. Ses principaux membres étaient Pichegru, Royer-Collard, Camille Jordan; ils furent éliminés par le Directoire après le coup d'État du 18-Fructidor.

CLICHY. Ville de la banlieue N.-O. de Paris (Hauts-de-Seine). A l'époque barbare, elle s'appelait *Clippiacum* et fut une résidence des souverains mérovingiens, entre autres Dagobert. Plusieurs conciles régionaux s'y tinrent au VIIe s. Vincent de Paul en fut curé en 1612/13. Le 30 mars 1814, la garde nationale, commandée par le maréchal Moncey, opposa à la barrière de Clichy une héroïque résistance aux Alliés.

CLIENT. Dans l'ancienne Rome, le client était un homme qui, étranger par le sang à une *gens* (v.), se liait à elle par un contrat impliquant des obligations réciproques : le *patronus* devait aide et protection au client, lequel portait le nom de la *gens* de son patron, devait à celui-ci obéissance, respect, service militaire. Dans les procès, le patron garantissait la défense de son client. Les clients étaient soit des plébéiens pauvres, soit des affranchis, soit encore des étrangers (car le contrat de clientèle, *hospitium,* était, à l'origine, le seul moyen pour un étranger de résider à Rome). Aux clients pauvres, le patron donnait des vivres et de l'argent; aux autres, il assurait des appuis politiques, judiciaires, etc. La clientèle était héréditaire, et le client ne pouvait se dégager de ce lien. Ainsi se formait une «sorte de féodalité» (J. Ellul).

CLIPPER. Voiliers très rapides construits aux États-Unis, dans les années 1830/60, par des armateurs de Baltimore tels que Isaac McKim, qui lança en 1833 le *Ann McKim,* considéré comme le premier clipper. Ces navires, qui pouvaient atteindre près de 20 nœuds, furent employés sur les lignes de l'Atlantique (de Liverpool à New York en quinze jours), mais aussi de New York à San Francisco, de San Francisco en Chine et en Australie. Le développement de la marine à vapeur mit fin à l'ère des clippers.

CLISSON Olivier de (* en Bretagne, 1336, † château de Josselin, Morbihan, 23.IV. 1407). Homme de guerre français. Fils d'Olivier III de Clisson, que Philippe VI avait fait exécuter pour intelligences avec l'Angleterre, il servit d'abord du côté anglais, puis passa, en 1370, au service de la France et devint le frère d'armes de Du Guesclin, auquel il succéda comme connétable (1380). Il contribua notamment à la victoire de West-Rozebeke sur les Flamands (1382). Très influent au début du règne de Charles VI, il fut disgracié après la démence du roi (1392) et se retira en Bretagne. Homme de guerre d'une particulière cruauté, il avait été surnommé «le Boucher».

CLISTHÈNE, Kleisthenès (* vers 600, † 570 av. J.-C.). Tyran de Sicyone. De la dynastie d'Orthagoras, il fit avec succès la guerre contre Argos et intervint énergiquement en faveur de Delphes lors de la première guerre sacrée (586). A l'intérieur, il affermit son autorité en s'appuyant sur les classes populaires contre l'aristocratie dorienne et porta à son apogée la puissance économique de Sicyone. Il mourut sans héritier mâle, ce qui entraîna le déclin rapide de Sicyone; sa fille unique épousa l'Athénien Mégaclès, de la famille des Alcméonides.

CLISTHÈNE (seconde moitié du VIe s. av. J.-C.). Homme politique athénien. Fils de Mégaclès, chef de la famille des Alcméonides, il était, par sa mère, le petit-fils du précédent. Il renversa Hippias (510 av. J.-C.) et rendit ainsi possible le retour des Alcméonides, qui avaient été exilés par les Pisistratides. S'étant mis à la tête du parti démocratique, il fut d'abord vaincu (508) par la réaction aristocratique que menait Isagoras et que soutenait Cléomène, roi de Sparte. Revenu peu après au pouvoir grâce à un soulèvement populaire, il accomplit, tout en proclamant son respect pour la Constitution de Solon, une transformation profonde de la vie politique et sociale d'Athènes. Ses réformes permirent la naissance de la démocratie athénienne. Il sapa les bases de la puissance sociale de l'aristocratie et élargit le cadre de la cité en divisant l'Attique en plus d'une centaine de circonscriptions territoriales, les «dèmes» (v.), où il admit de nombreux métèques et affranchis; aux quatre tribus (v.) anciennes furent substituées dix tribus nouvelles, formées chacune de trois «trittyes» (v.) non contiguës et prises dans les trois districts de l'Attique (la Ville, la Côte, l'Intérieur), afin de neutraliser les influences locales. Il fit de la boulè (v.), tirée au sort à raison de 50 membres par tribu, le principal organe politique. Il aurait également institué l'ostracisme (v.).

CLITOS le Noir (IVe s. av. J.-C.). Frère de lait et compagnon d'armes d'Alexandre le Grand, il sauva la vie à ce dernier lors du passage du Granique (334). Au cours d'un festin, Alexandre, échauffé par le vin et furieux d'entendre Clitos mettre les exploits de son

CLIVE
Robert. Général anglais
(1725-1774). (National
Portrait Gallery, Londres.)
Ph. © du musée - Photeb

père Philippe au-dessus des siens, le tua de sa propre main (328). Revenu à lui, le conquérant pleura Clitos et lui fit faire de magnifiques funérailles.

CLIVE Robert, baron Clive de Plassey (* Styche, Irlande, 29.IX.1725, † Londres, 22.XI.1774). Général anglais. Fondateur de la puissance britannique en Inde, il entra en 1743 au service de la Compagnie des Indes, s'empara d'Arcot (1750), de Calcutta (1755), chassa les Français des ports du Gange et remporta sur Surajah Dowlah une victoire décisive à Plassey (23 juin 1757). Il força tous les chefs du Bengale, du Bihar et de l'Orissa à reconnaître la domination anglaise. Créé baron (1762) et chevalier du Bain (1764), Clive quitta l'Inde en 1767 et, malgré tous ses services, se vit en 1773 accusé de concussion. La Chambre des communes le déclara innocent, mais affecté de cette accusation il se donna la mort.

CLOACA MAXIMA. Dans la Rome antique, système d'égouts aménagé entre le Palatin, le Capitole et le Tibre, au VIᵉ s., par Tarquin selon la tradition; dans son état actuel, il remonte à la fin de l'époque républicaine. Durant la République, la surveillance de ces égouts était une des charges des censeurs; sous l'Empire, des fonctionnaires spécialisés, appelés *curatores cloacorum urbis,* leur furent affectés. Le Cloaca maxima était placé sous la protection d'une divinité spéciale, la Vénus Cloacina.

CLODIA (* vers 94 av. J.-C.). Dame romaine. Sœur du tribun Publis Clodius, elle fut l'infidèle maîtresse du poète Catulle, qui l'a chantée sous le nom de *Lesbie.* Abandonnée à son tour par le jeune Caelius, elle l'accusa d'avoir voulu l'empoisonner mais Caelius, défendu par Cicéron, fut acquitté.

CLODION, dit le Chevelu († vers 447). Chef d'une tribu franque, il combattit tantôt contre les Romains, tantôt comme leur allié, fut vaincu par Aetius en 430 ou 431, mais prit Tournai et Cambrai et se rendit maître de l'Artois et d'une partie de la Picardie. En 430, il avait reçu de l'empereur d'Occident, Valentinien III, le titre de légat. Il serait l'ancêtre des Mérovingiens.

CLODIUS Publius, Publius Claudius Pulcher, dit (* vers 93, † Bovillae, janv. 52 av. J.-C.). Homme politique romain. Issu de la célèbre *gens* Claudia (v. CLAUDIUS), ce patricien dévoyé incarnait, comme Catilina, les appétits violents et sans scrupules d'une partie de la jeunesse aristocratique à la fin de la République. Ayant compromis la femme de César au cours des mystères de la Bonne Déesse (62), il fut jugé mais obtint l'acquittement, en dépit des efforts de Cicéron, qu'il poursuivit désormais de sa haine. Ayant modifié l'orthographe de son nom, il se fit adopter par une famille plébéienne (59) pour être élu tribun de la plèbe. En 58, il régna ainsi sur Rome; il séduisit le peuple en faisant

décider la gratuité des distributions de vivres, enleva au sénat la possibilité de dissoudre les comices sous prétexte de mauvais augures et fit bannir Cicéron pour avoir ordonné sans jugement l'exécution des complices de Catilina. Il travailla ensuite pour César et constitua des bandes armées qui répandirent la terreur dans la capitale. Il fut tué par les nervis de son adversaire, Milon.

CLODOALD. Voir CLOUD.

CLODOMIR (* vers 495, † Vézeronce, Isère, 25.VI.524). Deuxième fils de Clovis et de Clotilde, roi d'Orléans en 511, il s'unit à ses frères contre les Burgondes, captura et mit à mort le roi Sigismond, mais fut vaincu et tué par le frère de celui-ci, le roi Gondemar. Il laissait trois enfants : les deux premiers, Gontaire et Théobald, furent massacrés en 533 par leurs oncles, Childebert et Clotaire; le troisième, le futur st. Cloud, parvint à se sauver.

CLOÎTRE SAINT-MERRY (rue du). Rue de Paris où se déroulèrent, les 5/6 juin 1832, les derniers combats de l'insurrection républicaine déclenchée à l'occasion des funérailles du général Lamarque, député de l'opposition. Victor Hugo a évoqué la résistance acharnée des insurgés, qui périrent presque tous, dans *Les Misérables.*

CLONMACNOISE. L'un des premiers centres du christianisme en Irlande, sur la rive gauche du Shannon. Son abbaye, fondée en 548 par st. Ciaran, fut longtemps un brillant foyer intellectuel.

CLONTARF. Ancienne ville d'Irlande, aujourd'hui faubourg N.-E. de Dublin. Les Irlandais, commandés par Brian Boru, y écrasèrent les Vikings le 23 avr. 1014 et sauvèrent ainsi leur indépendance.

CLOOTS, Jean-Baptiste du Val-de-Grâce, baron de Cloots, dit **Anacharsis** (* Gnadenthal, près de Clèves, 24.VI.1755, † Paris, 24.III.1794). Homme politique français d'origine allemande. Noble prussien, d'une riche famille, il adhéra avec exaltation aux principes de 1789, se mit en tête de réformer les peuples et les États sur le modèle de la démocratie grecque et prit le titre d'*Orateur du genre humain.* Jacobin extrémiste, il fut élu député de l'Oise à la Convention et devint un des protagonistes de la campagne de déchristianisation. Robespierre le fit guillotiner avec les hébertistes.

CLOS DE GALÉES. Nom du premier arsenal naval français, qui fut installé à Rouen, sous Philippe le Bel, en mars 1294. Il dota la France, avec l'aide d'une main-d'œuvre étrangère, surtout génoise, de sa première marine royale et permanente. Il fut incendié par les Anglais en 1419, pendant la guerre de Cent Ans.

CLOSTERCAMP. Voir KLOSTERCAMP.

CLOTAIRE Iᵉʳ
Roi mérovingien (511/561).
Monnaie d'argent.
(Cabinet des Médailles.)
Ph. © Bibl. Nat., Paris - Photeb

CLOTAIRE II
Roi de Neustrie (584/629).
Tiers de sou d'or mérovingien.
(Cabinet des Médailles.)
Ph. © Bibl. Nat., Paris - Photeb

CLOSTERSEVEN. Voir KLOSTER ZEVEN.

CLOTAIRE Iᵉʳ (* vers 497, † Compiègne, 561), roi de Neustrie (511/61). Fils de Clovis, il devint, à la mort de son père, roi de Soissons ou de Neustrie (511), s'entendit en 532 avec son frère, Childebert Iᵉʳ, pour se débarrasser de ses neveux, fils de Clodomir, héritiers du royaume d'Orléans, et conquit avec ses frères, Thierry Iᵉʳ et Childebert Iᵉʳ, la Thuringe et la Bourgogne (531 et 534). Après la mort de Thierry et de Childebert, il réunit les parts de ses frères à la sienne et rétablit momentanément (558/561) l'unité du royaume franc; celui-ci, à sa mort, fut de nouveau divisé entre ses fils.

CLOTAIRE II (* 584, † Paris, 4.I.629), roi de Neustrie (584/629). Petit-fils du précédent, fils de Chilpéric Iᵉʳ, il devint roi de Neustrie à l'âge de quatre mois et sa mère, Frédégonde, exerça la régence jusqu'en 597; elle défendit son royaume contre Childebert II, roi d'Austrasie. En 613, après la mort de Thierry II, il s'empara de l'Austrasie, fit périr Brunehaut et devint roi de tous les Francs. Son règne, heureux et prospère, fut marqué par l'émergence de l'aristocratie terrienne, qui exigea de Clotaire II, en 614, la promesse de ne nommer que des comtes du pays. Père de Dagobert Iᵉʳ.

CLOTAIRE III (* 652? † 673?), roi de Neustrie (657/673). A la mort de son père Clovis II, il reçut la Neustrie et la Bourgogne (657) et régna sous la tutelle de sa mère, Bathilde, et du maire du palais Ebroïn, lequel finit par usurper toute l'autorité.

CLOTAIRE IV († 719). Mérovingien d'ascendance inconnue, il fut mis sur le trône d'Austrasie en 717 par Charles Martel, contre Chilpéric II.

CLOTILDE sainte (* vers 475, † Tours, 3.VI.548). Reine des Francs. Princesse burgonde catholique, élevée à la mort de son père Chilpéric par son oncle Gundobad, mariée en 493 à Clovis, roi des Francs, elle contribua beaucoup à la conversion de son mari. Après la mort de celui-ci, elle vécut des heures tragiques, vit son fils Clodomir tué par les Bourguignons et ses deux autres fils, Clotaire et Childebert, se concerter pour assassiner les enfants de Clodomir. Elle se retira près du tombeau de saint Martin de Tours et se consacra à la piété.

CLÔTURE. Voir ENCLOSURES et OPENFIELD.

CLOUD ou **CLODOALD** saint († vers 560). Fils de Clodomir et petit-fils de Clovis et de Clotilde, il échappa au massacre de ses frères par Childebert et Clotaire, ses oncles. Il vécut en ermite à Novientum, aujourd'hui Saint-Cloud, près de Paris, où se localisa son culte.

CLOVIS Iᵉʳ (* vers 466, † Paris, 27.XI. 511), roi des Francs (481/511). Successeur de son père Childéric Iᵉʳ à l'âge de quinze ans, il reçut en héritage un petit royaume resserré entre la mer au N., l'Escaut à l'E., les diocèses de Thérouane et de Boulogne à l'O. et le diocèse de Cambrai au S., mais il ne tarda pas à l'étendre en imposant son pouvoir, par la diplomatie ou par la force, aux chefs saliens et ripuaires. En 486, il défit Syagrius, dernier représentant de l'autorité romaine en Gaule, établit sa capitale à Soissons et occupa toute la Gaule jusqu'à la Loire. Il repoussa les Alamans à la bataille dite de Tolbiac (496?). Marié dès 493 à une princesse burgonde catholique, Clotilde, Clovis eut l'avantage de bénéficier de l'appui des évêques. Alors que les rois burgondes et wisigoths, plus romanisés que lui, étaient acquis à l'hérésie arienne, Clovis était encore païen, et, en adhérant à l'orthodoxie, il pouvait rallier à lui la masse des fidèles gallo-romains. Sous l'influence des évêques Avit et Rémi, ainsi que de son épouse chrétienne Clotilde, Clovis se fit baptiser à Reims, avec plusieurs milliers de ses guerriers (Noël 496?), devenant ainsi, aux yeux des catholiques, le seul légitime des rois barbares. « Votre foi est notre victoire! » put lui écrire st. Avit, qui était pourtant évêque de Vienne (Dauphiné), au pays des Burgondes. Inquiets de ses ambitions, les souverains ariens, avec l'appui de Théodoric, formèrent une sorte de ligue contre Clovis, mais celui-ci imposa un tribut aux Burgondes (500), puis vainquit et tua le roi wisigoth Alaric II à Vouillé (507) et conquit toute l'Aquitaine. Théodoric l'empêcha de s'avancer jusqu'à la Méditerranée (508), mais son pouvoir fut en quelque sorte consacré par l'empereur Anastase, qui lui décerna les titres de consul et de patrice. Clovis, le plus grand des Mérovingiens (v.), avait fondé le royaume franc qui s'étendait désormais du Rhin aux Pyrénées; mais à sa mort, selon la coutume germanique des partages successoraux, ses États furent démembrés entre ses quatre fils, Thierry, Childebert, Clodomir et Clotaire.

CLOVIS II (* 635, † 657). Fils de Dagobert Iᵉʳ, roi de Neustrie et de Bourgogne (639), puis d'Austrasie (656).

CLOVIS III (* 682, † 695). Petit-fils du précédent, il succéda à son père Thierry III comme roi d'Austrasie (691) et mourut peu après, à l'âge de treize ans.

CLOVIS. Ville des États-Unis (Nouveau-Mexique). On a retrouvé dans sa région des pointes de pierre taillée à cannelures, dites « pointes de Clovis », de 5 à 11 cm de longueur, attribuées à une culture de chasseurs répandue, vers 9000 avant notre ère, du Canada à l'Amérique du Sud.

CLUBS. Les clubs anglais ont une très longue histoire puisque le premier d'entre eux, le *Court de Bone Compaignie,* remonte au règne d'Henri IV, à la fin du XIVᵉ s. Le développement précoce du régime représentatif outre-Manche favorisa, au XVIIᵉ et surtout au XVIIIᵉ s., la floraison des clubs politiques. L'un des plus anciens fut le *White's* (1693), qui resta une forteresse des tories; ceux-ci se réunissaient également à l'*October* (1710). Mais les whigs eurent à leur tour leur club avec le *Brooks's* créé en 1764. Deux autres clubs politiques importants s'ouvrirent au XIXᵉ s. : le *Carlton Club* (1831), conservateur, et le *Reform Club* (1834), libéral, suivis par de nombreux autres. Les clubs littéraires se multiplièrent également à partir du XVIIIᵉ s., sous l'impulsion de Swift, qui créa en 1714 le *Scriblerus Club* (lequel compta parmi ses membres Bolingbroke, Pope, John Gay), et du Dr Johnson, qui fut à l'origine de l'*Ivy Lane Club* (1749) et du *Literary Club* (1764), bientôt connu simplement comme *The Club;* au siècle suivant, l'*Athenaeum* (1823) reçut l'adhésion de Walter Scott et de nombreux écrivains en renom. Cependant se multipliaient les clubs professionnels, qui réunissaient des officiers, des commerçants, des banquiers, des propriétaires terriens, etc. Parmi les clubs sportifs, dont l'origine remonte à l'époque des Tudors, citons le *Sons of the Thames* (XVIIIᵉ s.), le *Thames Rowing Club* (1860), le *Marylebone Cricket Club* ou *M.C.C.* (1787) ainsi que les clubs ouverts aux sportifs de toutes catégories, tels le *Sports Club* (1893) et l'*United Sports* (1903). En 1883, fut fondé le premier club féminin, l'*Alexandria,* suivi par le *Ladies' Empire* (1902), le *London Lyceum* (1904), etc.

Les clubs de France

Sur le continent, les clubs n'eurent jamais un rôle aussi considérable qu'en Angleterre, si ce n'est à deux époques de l'histoire française; en 1789 et en 1848. L'anglomanie du XVIIIᵉ s. avait suscité dès 1724 la fondation à Paris du *club de l'Entresol* (v.). Dans l'effervescence des idées qui annonça la Révolution, on vit s'ouvrir des clubs politiques tels que le *club des Américains* (1785) ou la *Société des amis des Noirs* (1788).
L'Assemblée constituante ayant établi une complète liberté de réunion et d'expression, les clubs, qui précédèrent les partis politiques, devinrent, en 1789-90, le rendez-vous des parlementaires et de l'élite de la bourgeoisie révolutionnaire. Les plus influents furent le *club des Jacobins* (v.) ou *Société des amis de la Constitution,* le *club des Cordeliers* (v.) ou *Société des amis des droits de l'homme et du citoyen,* le *club des Feuillants* (v.), fondé un peu plus tard par la dissidence modérée des Jacobins.
La révolution de 1848 provoqua une nouvelle floraison des clubs; en quelques semaines s'ouvrirent quelque 450 clubs, de toutes tendances : *club lycée des Prolétaires, club des Travailleurs libres, club de la Sorbonne, club du Peuple, club de la Révolution* (Barbès), *Société républicaine centrale* (Blanqui), *Société fraternelle centrale* (Cabet), *club de la rue de Montesquieu* (Raspail). La plupart fermèrent après les journées

de juin 1848. Après leur quasi-disparition sous la IIIᵉ République, des clubs politiques se sont reformés en France vers la fin des années 1950, notamment dans les milieux de gauche (*club Jean-Moulin, club des Jacobins, Objectif 72,* etc.).

Les clubs mondains

Les principaux clubs mondains français sont : — le *Jockey-Club,* fondé en 1836 par une centaine de membres de la Société d'encouragement pour l'amélioration des races de chevaux en France. Il fut établi successivement rue Drouot, rue Gramont (1857), rue Scribe (1863) et, à partir de 1924, rue Rabelais. Ce club, qui compte un peu plus d'un millier de membres, est le plus fermé de Paris; tout candidat, présenté par deux parrains, doit obtenir un minimum de cent voix, un vote défavorable annulant six votes favorables. Le roi Farouk d'Égypte aurait été du nombre des refusés célèbres; — l'*Automobile Club,* fondé en 1894 sur le modèle du Jockey par le baron de Zuylen, le marquis de Dion et le journaliste Paul Moyan; il s'installa en 1897 dans l'hôtel Pastoret, place de la Concorde. Il est surtout fréquenté par la grande bourgeoisie industrielle, boursière et commerçante; — le *Cercle interallié,* fondé en 1917 par le général Foch pour les militaires alliés; il devint, dans l'entre-deux-guerres, un rendez-vous de diplomates. Mais il faut souligner que la vie du club n'a jamais tenu en France un aussi grand rôle qu'outre-Manche.

CLUNY (abbaye de). Célèbre abbaye bénédictine qui s'élevait dans la vallée de la Grosne, au N.-O. de Mâcon. Son fondateur fut Guillaume le Pieux, comte d'Auvergne et duc d'Aquitaine, qui, par la charte du 11 sept. 909, précisa qu'elle devait être libre de toute autorité civile ou religieuse et ne dépendre que de Rome. Par cette clause, Cluny échappa, dès l'origine, à l'intrusion des séculiers qui provoquait la grande détresse des autres monastères de cette époque. Confié par son fondateur à Bernon, abbé de Baume-les-Messieurs, Cluny, placé sous la règle bénédictine réformée par st. Benoît d'Aniane, eut la bonne fortune de voir se succéder à sa tête, pendant un siècle et demi, une série de grands abbés qui ont compté parmi les plus fortes personnalités de l'Église médiévale : st. Odon (927/942), st. Mayeul (948/994), st. Odilon (994/1049), st. Hugues (1049/1109) et Pierre le Vénérable (1122/56). L'observance clunisienne avait pour originalité de donner une primauté absolue à la liturgie, à l'office divin, à la prière. Cluny, dont le rôle intellectuel demeura assez restreint, fut essentiellement un foyer de vie contemplative, dont le rayonnement devait rapidement s'exercer dans toute l'Europe en apportant une aide inestimable à l'œuvre de redressement du clergé menée à cette époque par le Saint-Siège, avec Grégoire VII et ses successeurs.

CLUNY
Le pape Urbain II consacrant le maître-autel de l'abbaye. Détail d'une miniature du « Recueil historique concernant Cluny et Saint-Martin-des-Champs », XIIᵉ s.
Ph. © Bibl. Nat., Paris - Photeb

CLUBS

Séance du « Club démocratique » en 1848. Un orateur parle à la tribune, les auditeurs du premier plan paraissent ne pas l'entendre ou rester indifférents à ce qu'il dit. Il est vrai que Paris comptait alors plusieurs centaines de clubs. A propos de la « Société centrale républicaine », où la présidence de Blanqui terrorisait les bourgeois parisiens, un contemporain assure : « Bien souvent, ceux qui, surmontant leur terreur instinctive, se hasardèrent à pénétrer dans ce lieu dangereux furent étonnés du bon ordre et de la tranquillité relative observés par un auditoire aussi disparate. »

Ph. © Bibl. Nat., Paris - Photeb

L'abbaye de Cluny fut le centre de la réforme monastique en Occident et groupa dans sa mouvance jusqu'à 1 400 maisons, peuplées de 10 000 moines. Cet « empire de Cluny » peut se définir, au point de vue de l'organisation, comme « une vaste union constituée par une abbaye souveraine entourée d'une vingtaine d'abbayes (les unes entièrement soumises au chef d'ordre, les autres gardant une certaine autonomie) et de prieurés en nombre plus élevé. Tous ces monastères sont épaulés par leurs maisons dépendantes, qu'ils dirigent ou contrôlent immédiatement. Le lien réel commun est l'autorité de l'abbé de Cluny et la communauté d'observance » (Patrice Cousin, *Précis d'histoire monastique*, Bloud et Gay, 1956, p. 239). Parmi les abbayes clunisiennes les plus célèbres, on trouve d'abord les « cinq filles de Cluny » : La Charité-sur-Loire, Souvigny, Sauxillanges, Saint-Martin-des-Champs, Lewes en Angleterre, puis des abbayes comme Moissac, Saint-Martial de Limoges, Saint-Germain d'Auxerre, Saint-Bertin, Saint-Gilles, Vézelay, etc.

Cluny joua également un rôle important dans l'évolution artistique. Son abbatiale (1088-1250), chef-d'œuvre de l'art roman, fut la plus grande église de la chrétienté jusqu'à la construction de la nouvelle basilique Saint-Pierre de Rome, au XVIe s. Cependant, l'afflux des richesses amena dès la fin du XIIe s. la décadence de l'« ordre » clunisien et suscita la réforme de Cîteaux. Au XVIIe s., Cluny resta en dehors des renouveaux monastiques qui s'épanouirent dans la congrégation de Saint-Vanne et la congrégation de Saint-Maur. La Révolution entraîna sa ruine définitive et la magnifique abbatiale fut presque totalement démolie.

CLUNY (hôtel et **musée de).** Hôtel parisien construit aux XIVe/XVe s., en style gothique, par les abbés de Cluny. Depuis 1844, musée consacré au Moyen Age et à la Renaissance.

CLUSERET Gustave Paul (* Paris, 13.I. 1823, † La Crau, Var, 23.VIII.1900). Homme politique français. Il combattit en Sicile dans les rangs des garibaldiens, fut général chez les nordistes durant la guerre de Sécession, puis organisa des soulèvements révolutionnaires à Marseille et à Lyon en sept. 1870. Rallié à la Commune, qui fit de lui son ministre de la Guerre (avr./mai 1871), il dut s'enfuir en Amérique, fut condamné à mort par contumace, puis amnistié en 1880. Rentré en France, il milita dans le boulangisme, puis dans le socialisme. Auteur de *Mémoires* (1887).

CLUSIUM. Ancienne ville d'Italie, sur le site de l'actuelle *Chiusi,* en Toscane (prov. de Sienne). Son origine remontait à l'époque villanovienne (VIIIe s.). D'abord appelée *Chamars,* elle devint la *Clevsia* étrusque et connut son apogée à la fin du VIe s., lorsque son roi Porsenna tenta de rétablir la domination étrusque à Rome, après la révolution de 509. De ce passé témoignent les nécropoles qui s'étendent tout autour de Chiusi. Les plus anciennes, qui vont depuis l'époque villanovienne jusque vers 500 av. J.-C., sont constituées par l'enterrement archaïque de l'urne cinéraire, qui est souvent un canope (v.) à tête humaine et rappelant vaguement les formes corporelles. Des VIIe/Ve s. av. J.-C. datent les tombes à chambres décorées de peintures murales, qui représentent des banquets, des courses de chars, des jeux funèbres et constituent de précieux documents sur la vie étrusque (tombes du Singe et Casuccini). Dès le début du IVe s., Clusium tomba sous l'hégémonie de Rome, qu'elle aida contre les Gaulois en 391 et contre Hannibal en 205 av. J.-C. Sylla y installa une colonie militaire. A l'époque impériale, la cité gardait encore une grande activité agricole.

CNÉMIDES. Voir Armure.

CNIDE. Ancienne ville grecque d'Asie Mineure, sur la côte de Carie, au N. de l'île de Rhodes. Fondée peut-être par des Spartiates, elle fut soumise par les Perses vers 545 av. J.-C. Après la bataille de Mycale (479), elle se joignit à la ligue de Délos (v.) mais se révolta contre Athènes en 412. Cnide, qui possédait un temple d'Aphrodite où se trouvait la célèbre statue de la déesse par Praxitèle, jouit des privilèges d'une ville libre dans l'Empire romain, mais elle avait déjà perdu toute importance au début de l'époque byzantine.

CNOSSOS. Ancienne ville de Crète, près de la côte N. de l'île, qui fut le principal centre de la civilisation minoenne (v. Crète). Son site, découvert dès 1878, fut exploré par l'archéologue anglais Arthur Evans à partir de 1899. Il fut occupé dès le néolithique, mais c'est à l'époque du minoen moyen (vers 2000/1700 av. J.-C.) que Cnossos commença à prendre dans l'île une position prédominante, qu'elle partagea d'abord avec Phaistos (au S.). Alors commença à s'élever, sur la colline dominant la vallée du Kairatos, le palais de Cnossos qui, détruit par des tremblements de terre vers 1700 et vers 1600, chaque fois reconstruit et constamment agrandi, ne fut abandonné qu'après l'invasion dorienne (vers 1000 av. J.-C.). Il connut ses heures les plus brillantes au minoen récent (vers 1700/1400), lorsqu'il était la résidence des souverains connus sous le nom, encore énigmatique, de Minos.
Le palais comprenait alors plus de 1 300 pièces (environ 800 d'entre elles ont été reconnues), formant un ensemble d'une complexité extraordinaire, dont la distribution s'élevait, à certains endroits, sur quatre et cinq étages. On y trouvait des salles d'audience, des chambres à coucher, des bureaux, des cours, des terrasses, des magasins, des lieux réservés aux cérémonies religieuses. Les murs, éclairés à l'intérieur par des « puits de lumière », s'ornaient de fresques dont les sujets, inspirés de la nature et de la vie quotidienne, étaient traités avec une

CNOSSOS
Femme de la cour du roi
Minos. Détail d'une fresque
provenant du palais.
(Musée d'Héraklion.)
Ph. © Coll. Viollet - Arch. Photeb

COALITION (guerres de)

« Visite rendue par l'empereur d'Autriche au général des Français (Napoléon)
qui, le priant d'entrer dans son bivouac, lui dit :

« Je vous reçois dans le seul palais que j'habite depuis deux mois »;
l'empereur lui répondit : « Vous tirez si bon parti
» de cette habitation qu'elle doit vous plaire. »

La troisième coalition, dont on voit ici le dénouement, le 4 déc. 1805,
deux jours après Austerlitz, avait groupé l'Angleterre,
la Russie, l'Autriche, Naples et la Suède contre la France.
La paix de Presbourg allait être signée le 26 du même mois.

Ph. Jeanbor © Photeb

COALITION (guerres de)

vive et joyeuse sensibilité, avec des couleurs d'une fraîcheur et d'une pureté admirables. Parmi ces fresques, qui ont été reconstituées parfois avec quelque excès, on citera le *Ramasseur de crocus* (musée de Candie), le *Prince aux fleurs de lis* (*id.*), la *Parisienne* (*id.*), les *Dauphins* (*id.*). Des canalisations assuraient l'adduction d'eau vers des installations sanitaires et des bassins lustraux destinés à certains rites religieux; mais il ne faut pas exagérer le confort dont jouissaient, à ce point de vue, les habitants du palais, car il n'existait pas d'autre source d'eau sur la colline que l'eau de pluie qui pouvait être recueillie durant une brève période de l'année. Dans l'aile O. du palais se trouvait la salle du Trône, où subsiste encore le « trône de Minos », en gypse alabastrin. Situé légèrement à l'extérieur de l'enceinte du palais, un théâtre en plein air était utilisé vraisemblablement pour certaines cérémonies de caractère cultuel, des danses sacrées, des tauromachies.

La complexité du palais de Cnossos donna naissance, chez les Grecs, à la légende du Labyrinthe où un monstre à corps d'homme et à tête de taureau, le Minotaure, né des amours de Pasiphaé, l'épouse de Minos, et d'un taureau, dévorait les jeunes gens et les jeunes filles envoyés chaque année en tribut par les Athéniens; Thésée, ayant pu sortir du Labyrinthe grâce au fil que lui avait remis Ariane, fille de Minos, tua le Minotaure et affranchit ainsi Athènes de ce sanglant tribut. Autour du palais s'étendait une ville qui, vers le milieu du II⁰ millénaire avant notre ère, pouvait compter entre 80 000 et 100 000 habitants. Plusieurs demeures ont été fouillées.

C.N.P.F. Voir CONSEIL NATIONAL DU PATRONAT FRANÇAIS.

C.N.T. Confédération nationale du travail (espagnole). Voir SYNDICALISME.

COALITION (guerres de). Nom donné aux guerres menées de 1792 à 1815 par les puissances européennes coalisées contre la France de la Révolution et de l'Empire :

Première coalition. Préparée par la déclaration de Pillnitz (v.) (27 août 1791), elle se forma en mai 1792 entre l'Autriche et la Prusse, quelques semaines après la déclaration de guerre lancée par l'Assemblée législative à l'empereur (20 avr. 1792). Elle rallia ensuite l'Angleterre et la Hollande, auxquelles la Convention déclara la guerre le 1ᵉʳ févr. 1793, puis l'Espagne (7 mars 1793), le Portugal, les Deux-Siciles, la Sardaigne, les États pontificaux. La guerre de la première coalition, marquée d'abord par les victoires françaises de Valmy (v.) (20 sept. 1792) et de Jemmapes (v.) (6 nov. 1792), puis par une série de revers des armées de la Révolution (avr./sept. 1793), tourna à l'avantage de la France à la suite des réformes militaires de Carnot (v.) et des divisions entre les coalisés, l'Angleterre et l'Espagne rivalisant aux colonies, cepen-

dant que la Prusse se souciait plus du partage de la Pologne que de la lutte contre la France. L'invasion étrangère définitivement repoussée par les victoires de Houchard à Hondschoote (v.) (8 sept. 1793) et de Jourdan à Wattignies (v.) (15-16 oct. 1793), les armées de la Convention conquièrent la Belgique et la Hollande après une nouvelle victoire de Jourdan à Fleurus (v.) (26 juin 1794). La coalition ne tarda pas à se dissoudre : la Prusse s'en retira en signant le traité de Bâle (v.) (5 avr. 1795), puis la Hollande, par le traité de La Haye (v.) (16 mai 1795), puis l'Espagne, par le second traité de Bâle (v.) (22 juill. 1795).

L'Autriche, qui restait l'ennemi principal de la France sur le continent, fut chassée de Lombardie et de Vénétie par la campagne d'Italie (v.) de Bonaparte (avr. 1796/févr. 1797) et, après les préliminaires de Leoben (v.) (18 avr. 1797), signa le traité de Campoformio (v.) (18 oct. 1797). L'Angleterre poursuivait désormais seule la lutte contre la France. Cette guerre avait valu à la France la possession de la Belgique, avec la frontière du Rhin, ainsi que la Savoie et le comté de Nice. La plus grande partie de l'Italie du Nord passait également dans l'orbite de la France, qui y créa des États satellites, la république Ligurienne (v.) et la république Cisalpine (v.), l'Autriche, en compensation, s'agrandissant de la Vénétie.

Deuxième coalition. Formée à l'instigation de l'Angleterre de sept. 1798 à mars 1799, elle comprenait, outre l'Angleterre, la Russie, la Turquie, l'Autriche, les Deux-Siciles, quelques princes allemands et la Suède. Elle commença par des revers français — perte de l'Italie, à la suite de l'invasion de Souvarov (août 1799) —, mais la victoire de Masséna à Zurich (v.) (25-26 sept. 1799) et la capitulation du corps expéditionnaire anglo-russe à Alkmaar, en Hollande (18 oct. 1799), inaugurèrent un redressement qui s'accentua après que Bonaparte fut rentré d'Égypte. Ayant fait passer à ses troupes le col du Grand-Saint-Bernard (v.) (mai 1800), Bonaparte occupa la Lombardie et remporta en Piémont la victoire de Marengo (v.) (14 juin 1800); quelques mois plus tard, en Allemagne, Moreau portait aux Autrichiens le coup décisif par sa victoire de Hohenlinden (v.) (3 déc. 1800). Par le traité de Lunéville (v.) (9 févr. 1801), l'Autriche reconnut toute la rive gauche du Rhin à la France et lui abandonna la quasi-totalité de l'Italie, à l'exception de Venise. Le roi de Naples se retira à son tour de la coalition (paix de Florence, 18 mars 1801). La Russie, inquiète de l'hégémonie maritime et commerciale de l'Angleterre, termina les hostilités par le traité de Paris (v.) (8 oct. 1801).

L'Angleterre elle-même, épuisée par une lutte sans résultats, dut signer le traité d'Amiens (v.) (25 mars 1802), par lequel elle restituait à la France toutes ses colonies (mais se gardait bien de reconnaître les conquêtes françaises sur le continent).

Troisième coalition. La paix avec l'Angleterre fut rompue pratiquement dès mai 1803. Les envahissements pacifiques de Bonaparte en Allemagne – recès (v.) impérial de 1803 –, en Suisse – Acte de médiation (v.) de 1803 – et en Italie – création du royaume d'Italie (v.), en mai 1805 – ne pouvaient laisser les grandes puissances indifférentes. La troisième coalition, constituée en juill./août 1805, groupa l'Angleterre, la Russie, l'Autriche, Naples et la Suède. Renonçant à ses projets d'invasion de l'Angleterre, que la défaite navale de Trafalgar (v.) (21 oct. 1805) rendit définitivement impossibles, Napoléon Ier marcha vers l'Allemagne du Sud, contraignit l'armée autrichienne de Mack à capituler dans Ulm (v.) (20 oct. 1805), marcha sur Vienne (occupée sans résistance le 15 nov.) et remporta sur les Austro-Russes la victoire décisive d'Austerlitz (v.) (2 déc. 1805). La Prusse, qui allait se joindre aux coalisés, se hâta de signer le traité de Schönbrunn (v.) (15 déc. 1805).
L'Autriche se vit imposer le traité de Presbourg (v.) (26 déc. 1805), qui la rejetait complètement hors d'Allemagne et hors d'Italie et permit à Napoléon de réorganiser le monde germanique par la création de la Confédération du Rhin (v.). Mais l'Angleterre et la Russie poursuivaient la guerre.

Quatrième coalition. Elle fut formée en oct. 1806 par l'Angleterre, la Russie et la Prusse, cette dernière ne pouvant accepter la réorganisation de l'Allemagne par Napoléon. La guerre qui suivit se déroula en deux phases : la campagne de Saxe, qui, après les victoires françaises d'Iéna (v.) et d'Auerstaedt (v.) (14 oct. 1806), se termina par l'écrasement de l'armée prussienne et l'entrée des Français à Berlin (27 oct. 1806) – la campagne de Pologne, dirigée contre les Russes, qui résistèrent à Eylau (v.) (8 févr. 1807), mais subirent une défaite décisive à Friedland (v.) (14 juin 1807).
La guerre se termina sur le continent par le traité de Tilsit (v.) (8 juill. 1807), qui démembrait la Prusse et, par des accords secrets, posait les bases d'une alliance entre Napoléon et le tsar Alexandre.

Cinquième coalition. L'Angleterre, qui restait seule en guerre après Tilsit, profita des premiers échecs français durant la guerre d'Espagne (v.) pour amener l'Autriche à rouvrir le conflit sur le continent (avr. 1809). Cette coalition anglo-autrichienne fut rapidement disloquée par les victoires napoléoniennes qui marquèrent la campagne de 1809 : Eckmühl (v.) (22 avr.) et Wagram (5-6 juill.).
La paix de Vienne (v.) (14 oct. 1809) enleva des territoires considérables à l'Autriche, qui, peu après, offrit l'archiduchesse Marie-Louise en mariage à Napoléon.

Sixième coalition. Elle fut conclue, en févr.mars 1813, après l'issue désastreuse de la campagne de Russie (v.), entre les Russes et les Prussiens, auxquels se joignirent la Suède, l'Autriche (août 1813), les souverains allemands et, bien entendu, l'Angleterre. Malgré ses premières victoires de Lützen (v.) (2 mai 1813), de Bautzen (v.) (20-21 mai), de Dresde (v.) (26-27 août), Napoléon, qui avait à faire face à des forces deux fois supérieures aux siennes, fut écrasé à la bataille de Leipzig (v.) (16-18 oct.) et dut évacuer l'Allemagne. Dès janv. 1814, commença la campagne de France (v.), au cours de laquelle, par une série de victoires, l'Empereur fit la preuve éclatante de son génie militaire toujours intact, sans parvenir toutefois à contenir le flot des envahisseurs. Après la capitulation de Paris (30 mars 1814), Napoléon signa son abdication à Fontainebleau (v.) (6 avr.) et partit pour l'île d'Elbe. La France, par le traité de Paris (v.) (30 mai 1814), était ramenée à ses frontières de 1792.

Septième coalition. Dès l'annonce du retour de l'île d'Elbe, elle réunit les mêmes puissances que la précédente et remporta sur Napoléon la victoire définitive de Waterloo (v.) (18 juin 1815).

Outre les renvois indiqués au cours de l'article, voir LÉGISLATIVE (Assemblée), CONVENTION, DIRECTOIRE, CONSULAT, NAPOLÉON Ier.

COBBETT William (* Farnham, Surrey, 9.III.1763, † Guildford, 18.VI.1835). Homme politique et journaliste anglais. Authentique paysan, fils d'un petit fermier et petit-fils d'un ouvrier agricole, il passa huit ans dans l'armée anglaise en Amérique (1783/91) et, à sa libération, n'hésita pas à intenter une action judiciaire contre des officiers de son régiment coupables de concussion, ce qui l'obligea à fuir l'Angleterre et à se réfugier aux États-Unis (1792/1800). C'est là qu'il fit ses débuts de publiciste, en attaquant violemment la Révolution française et ses sympathisants américains. Rentré à Londres, il fonda en 1802 le *Weekly Political Register,* qui, d'abord tory et antijacobin, évolua, à partir de 1806, vers le radicalisme. Sensible aux misères engendrées dans les classes populaires par la poursuite de la guerre contre Napoléon, Cobbett éleva sa voix puissante et solitaire en faveur des travailleurs. Sa virulence lui valut de nombreuses amendes, un séjour en prison (1810/12) et un nouvel exil en Amérique (1817/19). Mais son audience ne cessait de grandir. Dans les années 1820, il devint le principal porte-parole de la grande campagne pour la réforme électorale, qui devait porter ses fruits en 1832. En publiant une *Grammar of the English Language* (1818), il apporta une contribution importante à l'éducation populaire; ses *Chevauchées campagnardes (Rural Rides,* 1830) aidèrent l'opinion à prendre conscience des difficultés de la paysannerie. Après plusieurs échecs, il fut élu membre des Communes en 1832.

COBDEN Richard (* Dunford Farm, près de Midhurst, Sussex, 3.VI.1804, † Londres,

COBLENCE
« Monseigneur en Pierrot,
faisant des lazzis ».
Détail d'une caricature
contre les émigrés :
« La Foire de Coblence
ou les Grands Fantoches
français », 1791.
Ph. © Bibl. Nat., Paris - Photeb

COCARDE
Emblème patriotique
de septembre 1870.
Ph. © Bibl. Nat., Paris - Photeb

2.IV.1865). Économiste anglais. Issu d'une famille nombreuse très pauvre, berger dans son enfance, puis employé de magasin à Londres et commis voyageur, il remédia par des voyages à travers toute l'Europe et aux États-Unis aux lacunes de son éducation première. Ayant réussi à trouver des capitaux, il créa en 1828 une manufacture de toiles peintes à Sabden, dans le Lancashire, et fit rapidement fortune. A partir de 1838, avec un groupe d'industriels et d'économistes de Manchester, il se voua entièrement à la cause du libre-échange contre la vieille Angleterre des grands propriétaires terriens qui, après 1815, avaient réussi à imposer des lois protectionnistes maintenant les céréales au plus haut prix (v. CORN LAWS). Dès 1840, Cobden s'affirma comme le principal animateur de l'Anti-Corn Laws League (Ligue contre les lois sur les blés), et il organisa une grande campagne qui devait aboutir, six ans plus tard, à l'abolition des lois protectionnistes par le ministère Peel.
Membre des Communes (1841/57), Cobden, après ce premier succès, resta le champion du libre-échangisme, dont il espérait non seulement le pain à bon marché pour les travailleurs, les matières premières mieux accessibles et des marchés plus étendus pour les industriels, mais encore un rapprochement entre toutes les nations. Adversaire de la guerre de Crimée et de la politique impérialiste de Palmerston, il prêcha le désarmement et le règlement des conflits internationaux par l'arbitrage. Par la suite, il négocia avec Napoléon III le traité de commerce franco-anglais de 1860, qui constitua la première victoire du libre-échangisme en France.

COBENZL Ludwig, comte de (* Bruxelles, 21.XI.1753, † Vienne, 22.II.1809). Diplomate autrichien. Ambassadeur d'Autriche à la cour de Saint-Pétersbourg (1779/1800), il négocia les deux derniers partages de la Pologne et conclut en 1795 un traité d'alliance avec l'Angleterre et la Russie. Son gouvernement le chargea de négocier le traité de Campoformio (1797); il signa la paix de Lunéville (1801) et fut ministre des Affaires étrangères de 1801 à 1805; dans une époque malheureuse pour son pays, il se révéla un habile diplomate.

COBLENCE, *Koblenz*. Ville d'Allemagne occidentale (Rhénanie-Palatinat), au confluent du Rhin et de la Moselle. Elle a pour origine un camp romain fondé par Drusus dès 9 av. J.-C. Après avoir été une résidence des empereurs carolingiens, elle appartint à partir de 1018 aux archevêques-Électeurs de Trèves. Au début de la Révolution, Coblence fut le rendez-vous des émigrés, qui y formèrent l'armée de Condé. Prise par les Français en 1794, elle devint le chef-lieu du département de Rhin-et-Moselle. Attribuée en 1815 à la Prusse, qui en fit une puissante forteresse, elle fut occupée par les Américains de 1919 à 1923, par les Français de 1923 à 1929; par les Français

après 1945. Détruite à 85% pendant la Seconde Guerre mondiale, elle se releva rapidement.

COBOURG, *Coburg*. Ville d'Allemagne (Bavière), en haute Franconie. Mentionnée dès 1056, elle fut, au Moyen Age, une importante forteresse sur la route reliant l'Allemagne du Sud à Hambourg. En 1485, la ligne Ernestine de Cobourg y fixa sa résidence. Luther y demeura en 1530, durant la diète d'Augsbourg. Cobourg fut assiégée en 1632 par Wallenstein. Elle devint (1735/1826) capitale du duché de Saxe-Cobourg-Saalfeld puis du duché de Saxe-Cobourg-Gotha (1826/1918). Elle vit en 1922 la première réunion de masse du parti national-socialiste. Pour la principauté de Cobourg, voir SAXE-COBOURG.

COBOURG, Frédéric Josias, prince de Saxe-C. Voir SAXE-COBOURG Frédéric Josias, prince de.

COBOURG (Pitt et). Voir PITT ET COBOURG.

COCARDE. Insigne de couleur porté à la coiffure et qui distingue les partis, les nations, etc. L'usage de la cocarde chez les militaires date, en France, de la fin du XVIIe s.; sous la monarchie, elle était blanche, sauf pour les gendarmes du roi, qui la portaient noire. Après la prise de la Bastille, La Fayette fit attribuer à la garde nationale la cocarde tricolore, qui fut disposée jusqu'en 1814 dans l'ordre : bleu au centre, rouge et blanc. L'ordre actuel des couleurs : bleu, blanc et rouge au centre, date de 1830. Voir DRAPEAU.

COCHEREL. Ville de France (Eure), à l'E. d'Évreux. Du Guesclin y battit, le 13 mai 1364, les Anglo-Navarrais commandés par le captal de Buch, lieutenant de Charles le Mauvais. En 1685, Robert Le Prévôt procéda, à Cocherel, à une exploration de sépulture mégalithique, que l'on peut considérer comme le début de l'exploration préhistorique en France.

COCHIN, *Kochchiband*. Ville de l'Inde, dans le Kérala, port important sur la côte de Malabar. Visitée par Cabral dès 1500, elle fut le premier comptoir européen en Inde (établi en 1502 par Vasco de Gama, lequel mourut à Cochin en 1524). Centre de la mission de st. François-Xavier (1530). Albuquerque y construisit un fort en 1503. En 1663, les Hollandais en évincèrent les Portugais. L'État de Cochin, soumis par Haïder Ali en 1776, fut remis à l'Angleterre par Tippou sahib en 1795.

COCHINCHINE. Région méridionale de l'Indochine, bornée au N. par le Cambodge, au N.-E. par l'Annam. La Cochinchine, qui correspond aux plaines du bas Mékong, est une des premières régions du monde pour la production de riz. Elle fut conquise par la dynastie annamite des Nguyên, qui régnait à

CODE

Napoléon, en manteau de cour, montre le Code à l'impératrice.
Les insignes de la souveraineté impériale
sont adossés au pilier portant le buste de Charlemagne.
Gravure de propagande. Un contemporain s'exclamait:
« Enfin il était achevé, ce grand ouvrage
dont nos jurisconsultes et nos hommes d'État rêvaient le projet
comme une belle chimère impossible à réaliser!
Et en effet, il n'avait pas fallu moins qu'une révolution complète
dans les personnes et dans les choses pour que la France,
désormais parvenue à l'unité territoriale,
pût se mettre en possession de l'unité législative. »
J.L. Charmet © Photeb

Huê, vers la fin du XVIIe s. et le début du XVIIIe s. (occupation de Saïgon, jusqu'alors au Cambodge, en 1698). Après que la révolte des pirates Tay-son eut renversé à Huê la monarchie des Nguyên (1770/86), un héritier de cette dynastie, Nguyên Anh, se réfugia en Cochinchine, y établit son autorité (1789) et, avec l'aide d'un missionnaire français, Mgr Pigneau de Béhaine, reprit aux rebelles l'Annam et le Tonkin (1801/02), reconstituant l'empire des Nguyên, dont fit de nouveau partie la Cochinchine. Cependant, le despotisme des souverains de Huê et la corruption de l'administration provoquèrent des mouvements d'agitation en Cochinchine, notamment la révolte de Le Van Khoi (1833). Les missionnaires français, qui continuaient l'œuvre d'évangélisation, se heurtaient aux persécutions des empereurs annamites et firent appel à leur gouvernement : Saïgon fut occupé dès 1859 par l'amiral Rigault de Genouilly, et le reste de la Cochinchine de 1862 à 1867. Devenue une colonie française, la Cochinchine fut réoccupée par les troupes de Leclerc dès sept. 1945. Au cours des premières négociations avec la France, Hô Chi Minh et le Viêt-minh mirent comme condition essentielle d'un accord l'union de la Cochinchine et du Viêtnam (v.); la constitution d'une Cochinchine autonome, favorisée par Thierry d'Argenlieu, fut une des principales causes de la rupture qui aboutit, en 1946, à la première guerre d'Indochine. Intégrée en 1949 avec l'Annam et le Tonkin dans l'État viêtnamien de Bao-Daï, la Cochinchine fait partie depuis 1954 de la république du Viêt-nam.

COCHISE. Ville des États-Unis (Arizona). Elle a donné son nom à une culture préhistorique de chasseurs de petit gibier et de collecteurs de végétaux, dont l'industrie est caractérisée par la taille grossière d'outils de pierre en forme de choppers (vers 7000-500 à 300 av. J.-C.).

COCHONS (baie des), Bahía de Cochinos. Baie de la côte méridionale de l'île de Cuba, à l'O. de la ville de Cienfuegos. Le 16 avr. 1961, 1 600 exilés cubains anticastristes, qui avaient été entraînés militairement en Floride, en Louisiane et au Guatemala, y tentèrent un débarquement. Cette opération, menée avec l'accord du président Kennedy et sous la protection de la marine américaine, aboutit à un échec et ne contribua pas peu à envenimer les rapports entre Cuba et les États-Unis.

COCKERILL John (* Haslingden, Lancastre, 3.VIII.1790 † Varsovie, 19.VI.1840). Industriel belge. D'origine anglaise il fonda en 1817, à Seraing, près de Liège, une des plus vastes usines d'Europe pour la construction de machines à vapeur. Avec l'appui du roi de Hollande, il produisit, en 1829, le premier bateau à vapeur pour la navigation sur le Rhin; il fut aussi un des premiers industriels à fabriquer des locomotives. Mais il se trouva en partie ruiné en 1839, par la suspension des paiements de la Banque de Belgique.

COCONNAT ou **COCONAS Annibal, comte de** (* en Italie, vers 1535, † Vincennes, 30.IV.1574). Piémontais, favori du duc d'Alençon, il entra avec La Mole dans un complot qui avait pour but de placer ce prince sur le trône, au préjudice d'Henri III; découvert, il fut exécuté avec son ami. Alexandre Dumas l'a mis en scène dans son roman *La Reine Margot*.

CODES. Voir au nom des divers codes : HAMMOURABI (code d'), THÉODOSIEN (code), JUSTINIEN (code), etc. Voir aussi DOUZE TABLES (loi des), DROIT ROMAIN, DROIT FRANÇAIS, DROITS ÉTRANGERS, LOIS BARBARES.

CODE CIVIL. Code de lois régissant uniformément le droit civil en France, élaboré sur l'ordre de Napoléon Bonaparte de 1800 à 1804. Bien que la monarchie, respectueuse des traditions et privilèges des diverses communautés qui constituaient la nation, n'ait pas su imposer l'unité de législation, le Code civil est le résultat d'un lent processus d'unification du droit, commencé dès le XVIe s., et dont l'ordonnance de Villers-Cotterêts (v.) (1539), les grandes ordonnances de Colbert (v.) et, sous Louis XV, les ordonnances de d'Aguesseau (v.) marquent les principales étapes. Les bouleversements apportés par la Révolution allaient permettre d'achever cette œuvre. Dès le 5 oct. 1790, l'Assemblée constituante décida la rédaction d'un code de lois unique pour toute la France, et plusieurs projets furent rédigés en 1793, 1794 et 1796. Mais c'est seulement sous l'impulsion de Bonaparte que ce travail devait être entrepris sérieusement et mené à bien dans le délai très court de quatre années. Un arrêté du 24 thermidor an VIII (11 août 1800) nomma une commission préparatoire de quatre membres (Bigot de Préameneu, Portalis, Tronchet et Malleville), chargée d'étudier les projets antérieurs et de déposer, dans un délai de trois mois, une série de projets de lois qui devaient constituer les grandes divisions ou « titres » du futur code. Les nouveaux projets furent étudiés, complétés, remaniés par le Tribunal de cassation et tous les tribunaux d'appel, puis soumis à la commission de Législation du Conseil d'État (v.), enfin au Tribunat (v.), où ils rencontrèrent une assez vive opposition, dont les mobiles étaient d'ailleurs politiques. Trente-six lois furent successivement promulguées de mars à mai 1803 et de janv. à mars 1804. Puis, l'œuvre achevée, la loi du 30 ventôse an XII (21 mars 1804) réunit toutes ces lois en un seul corps qui, sous le titre de *Code civil des Français,* comprenait 2 281 articles.

Le Code civil, qui constitue un des éléments les plus importants de l'œuvre napoléonienne, était avant tout une œuvre de synthèse, remarquable par son éclectisme, sa modération et son équilibre. Il constituait une transaction entre le droit coutumier et le droit écrit de l'ancienne France, mais il incorporait également à la législation française les principes issus de la philosophie révolutionnaire et l'esprit d'autorité dans lequel le Premier consul entreprenait la reconstruction du pays. Le Code civil manifestait l'uniformisation et la laïcisation du droit, ce qui avait une portée révolutionnaire dans l'Europe du début du XIXe s.; il consacrait la liberté individuelle, l'égalité devant la loi, l'abolition des privilèges personnels, le partage égal des successions, la fin du régime féodal. Renouant avec le droit romain, il organisait la famille sur la base de la puissance paternelle. Reflet fidèle de l'état d'esprit de la bourgeoisie triomphante, il garantissait un droit de propriété quasi illimité et proclamait la liberté du travail, mais en déniant aux ouvriers le droit de grève ou de coalition.

Le Code civil (appelé *Code Napoléon* dans la réédition de 1807) allait devenir le meilleur véhicule des principes de 1789 à travers l'Europe. Il fut appliqué dans tous les pays où s'exerçait la domination française (et a subsisté jusqu'à nos jours en Belgique et au Luxembourg). Au cours du XIXe s., il servit de modèle aux codes hollandais, roumain et italien (1865), portugais (1867), espagnol (1889), et à la législation de plusieurs pays latino-américains. Dans ces pays et en France, à partir des années 1880, il a subi d'importantes modifications (v. DROIT FRANÇAIS).

CODE DE COMMERCE. Code français qui régit le droit commercial. Élaboré sur l'ordre de Bonaparte à partir de 1801 et promulgué en 1807, il s'inspirait largement de l'ordonnance de Colbert concernant le commerce terrestre (1673). Les transformations économiques du XIXe s. provoquèrent le vieillissement rapide de ce code, qui, complété par de nombreuses lois, est en cours de refonte complète depuis 1947.

CODE D'INSTRUCTION CRIMINELLE. Code français élaboré à partir de 1802 et promulgué par Napoléon Ier en 1808. Il centralisait la justice répressive, rétablissait le secret de l'instruction, créait des cours d'assises pourvues d'un jury et instituait un nouveau magistrat, le juge d'instruction. L'article 10 de ce code donnait aux préfets des pouvoirs étendus de police judiciaire, y compris la possibilité d'effectuer perquisitions et arrestations. Refondu et remanié à partir de 1957, ce code est devenu le Code de procédure pénale.

CODE PÉNAL. Code français promulgué par Napoléon Ier en févr. 1810. Il se substituait au code adopté par l'Assemblée constituante le 25 sept. 1791 et, par rapport à lui, réagissait dans le sens d'une sévérité accrue. La peine de mort était maintenue et appliquée non seulement au meurtrier, mais à l'incendiaire et au faux-monnayeur. Les peines perpétuelles étaient rétablies. Les peines de police pouvaient aller jusqu'à un emprisonnement de cinq jours; les peines correctionnelles jusqu'à un emprisonnement de cinq ans. Mais le code de 1810 marquait aussi un progrès par rapport à celui de 1791 en abandonnant le principe de la fixité des peines; désormais il était prévu pour chaque peine un minimum et un maximum, entre lesquels le juge avait une latitude de décision. Du fait de la Seconde Guerre mondiale, la révision générale du Code pénal, décidée en 1938, ne put avoir lieu. L'idée fut reprise sous la Ve République, et, en nov. 1974, fut constituée une Commission de révision.

● L'étude de cette réforme est d'abord une entreprise de modernisation. On réprimera davantage la délinquance économique et financière; la responsabilité des personnes morales sera instituée. On clarifiera aussi l'amas de textes pénaux qui, depuis 1810, ont vu le jour à la faveur des lois les plus diverses; on rendra aux tribunaux le monopole de la sanction pénale et l'on adaptera celle-ci à la personnalité du délinquant. Ainsi des tribunaux de l'application des peines auront à décider, à la place de l'administration, des libérations conditionnelles et des permissions de sortir. Le 9 oct. 1981, l'Assemblée nationale abolit la peine de mort par 369 voix contre 113 et 5 abstentions.

CODREANU Corneliu Zelea (* Iasi, 13. IX.1899, † dans la forêt de Jilava, 30.XI. 1938). Homme politique roumain. D'origine polono-ukrainienne et allemande, avocat, il fonda dès 1923 une ligue nationaliste, chrétienne et antisémite, à laquelle il donna, en 1927, le nom de Légion de l'archange Michel. Ce fut l'embryon de la Garde de fer, mouvement fasciste fondé en 1931, qui aligna sa doctrine sur celles de l'Italie mussolinienne et de l'Allemagne hitlérienne et recourut à l'action terroriste. Aux élections de 1937, les partisans de Codreanu obtinrent un succès appréciable (16% des suffrages). Après l'institution de la dictature royale par Charles II, le ministre de l'Intérieur, Calinescu, fit arrêter Codreanu (mai 1938). Celui-ci, condamné à dix ans de prison, fut assassiné par la police, avec treize de ses camarades, lors de leur transfert d'une prison à une autre.

CODRINGTON sir Edward (* Dodington, Gloucestershire, 27.IV.1770, † Londres, 28.IV.1851). Amiral anglais. Il commandait la flotte anglo-franco-russe qui remporta sur la flotte turque la victoire de Navarin (20 oct. 1827).

CODROS. Dernier roi légendaire d'Athènes, fils de Mélanthe. Selon la tradition, ayant appris de l'oracle que, durant la guerre entre les Doriens et les Athéniens, la victoire resterait à celui des deux peuples dont le chef serait tué dans le combat, il se jeta hardiment au premier rang de la mêlée. Les Athéniens, jugeant que personne n'était digne de lui succéder, abolirent la royauté.

CODY William Frederick, dit **Buffalo Bill** (* Scott-County, Iowa, 26.II.1846, † Den-

CODY
William, dit Buffalo Bill. Pionnier américain (1846-1917).
Ph. Jeanbor © Photeb

ver, 10.I.1917). Pionnier américain. Après avoir pris part sans succès à la ruée vers l'or, il fut éclaireur chez les nordistes durant la guerre de Sécession et conquit sa célébrité dans les années 1868/76, lors des combats menés par le général Custer contre les Sioux et les Cheyennes. En 1876, au cours d'un duel, il tua le chef cheyenne Main-Jaune, et il le scalpa. Ses exploits furent popularisés par de nombreux romans, et Buffalo Bill fit fortune en se produisant dans des tournées aux États-Unis et en Europe.

COEHOORN Menno, baron de (* Lettinga-State, Frise, 1641, † La Haye, 17.III. 1704). Remarquable ingénieur militaire, surnommé *le Vauban hollandais,* il s'éleva peu à peu au grade de lieutenant général et servit remarquablement son pays dans les guerres contre Louis XIV. Il se distingua notamment en 1692, contre Vauban lui-même, dans la défense de Namur et s'empara d'un grand nombre de places durant la guerre de la Succession d'Espagne; il inventa les mortiers « à la Coehoorn », qu'un seul homme pouvait manœuvrer. Il exposa ses idées sur l'art des fortifications dans son traité *Nieuwe Vestingbouw* (1685).

CŒLÉSYRIE. Dans l'Antiquité, après la conquête macédonienne, nom donné à la Thalébène, région située entre le Liban et l'Anti-Liban. Plus tard, cette dénomination fut étendue à toute la région comprise entre la mer et l'Euphrate, et même à la Phénicie et à la Palestine.

COELIUS ou **CAELIUS (mont).** Dans l'Antiquité, nom de la plus étendue des sept collines de Rome. Le quartier qui s'y trouvait fut entièrement reconstruit après un terrible incendie, en l'an 27 de notre ère; le Coelius se couvrit alors de palais et de demeures luxueuses. C'est aujourd'hui le quartier de Saint-Jean-de-Latran.

COEN Jan Pieterszoon (* Hoorn, 8.I. 1587, † Batavia, 21.IX.1629). Administrateur colonial hollandais. Gouverneur général des Indes orientales néerlandaises (1617), il fonda définitivement la puissance hollandaise dans l'Asie du Sud-Est en employant contre les États locaux les méthodes les plus cruelles, notamment à Banda (1621). Il détruisit l'ancienne cité de Djakarta, à la place de laquelle il fonda Batavia (1619). Il mourut dans cette ville alors qu'elle était assiégée par le sultan de Mataram.

COËTQUIDAN. Camp militaire de Bretagne, au S.-O. de Rennes. C'est là qu'est installée, depuis 1946, l'École spéciale militaire, laquelle était établie, jusqu'en 1940, à Saint-Cyr.

CŒUR Jacques (* Bourges, vers 1395, † Chio, 25.XI.1456). Homme d'affaires français. Fils d'un gros marchand pelletier de Bourges, il fut compromis tout jeune avec un faux-monnayeur mais réussit à se tirer de

CŒUR
Jacques. Homme d'affaires français (1395-1456). Écoutant la sentence le condamnant, 19 mai 1453. (Coll. Gaignières.)
Ph. © Bibl. Nat., Paris - Photeb

ce mauvais pas. Il se remit dans les affaires et rendit de nombreux services à la cour de Charles VII à Bourges. Dès 1432, il s'était lancé dans le commerce avec les pays du Levant. Établissant la base de ses entreprises à Montpellier, il se rendit en Syrie, à Damas, noua des relations régulières avec les ports espagnols, avec Gênes et Florence, et installa des agents à Avignon, Lyon, Limoges, Rouen, Paris et Bruges. Il menait de front toutes sortes d'entreprises : banque, change, mines, épices, draps, métaux précieux, et fit même la traite des belles Circassiennes. Nommé maître des monnaies (1436), puis argentier du roi (1439), il entra en 1442 au Conseil du roi et fut anobli. Il était en outre commissaire auprès des états du Languedoc (1441) et visiteur général des gabelles pour le Languedoc (1447). Jacques Cœur était devenu en fait le ministre des Finances de Charles VII et c'est lui qui présida à l'assainissement monétaire réalisé par les ordonnances de 1435 et 1451. Charles VII lui confia plusieurs importantes missions diplomatiques. Protégé par Agnès Sorel, Jacques Cœur, comme Fouquet plus tard, ne connut plus de limites à ses ambitions. Il avait pris pour devise : *A vaillans cuers, riens impossible*. Il possédait de grands domaines dans le Berry, en Bourbonnais et en Beaujolais, de somptueux hôtels à Bourges (où subsiste encore l'hôtel Jacques-Cœur, édifié vers 1443-53) et à Montpellier, et ses navires sillonnaient la Méditerranée. Créancier du roi, il avait aussi de nombreux débiteurs à la cour. Une cabale se forma contre lui. Accusé à tort d'avoir empoisonné Agnès Sorel, il fut accusé de malversations. Arrêté en juill. 1451, il passa trois ans en prison, se vit condamner à une énorme amende et eut ses biens confisqués. Grâce à son neveu, l'amiral Jean de Villages, il réussit à s'évader et trouva refuge auprès du pape. Il alla mourir à Chio en commandant une expédition montée contre les Turcs par Calixte III. Sa mémoire fut réhabilitée par Louis XI, qui restitua une partie de ses biens à sa famille. Dans la France blessée de la fin de la guerre de Cent Ans, Jacques Cœur avait contribué plus que quiconque à redonner un puissant essor au commerce français.

COEXISTENCE PACIFIQUE.
Formule lancée par Khrouchtchev au XXᵉ congrès du parti communiste de l'Union soviétique, le 14 févr. 1956, pour définir l'orientation de la politique étrangère de l'U.R.S.S. à l'égard des États capitalistes. Khrouchtchev prenait soin de préciser que cette coexistence pacifique n'était nullement une renonciation au triomphe mondial du communisme : « Mais les guerres ne sont pas inévitables, ne sont pas fatales... Dans la mesure où nous sommes convaincus que le système socialiste prouvera sa supériorité sur le système capitaliste dans la compétition économique et pacifique et y remportera la victoire, nous n'avons pas et ne pouvons avoir aucun intérêt à la course aux armements. » La Chine populaire manifesta rapidement son opposi-

tion à cette doctrine de la coexistence pacifique : ce fut une des causes du conflit idéologique qui allait éclater entre Moscou et Pékin. Voir aussi DÉSARMEMENT, GUERRE FROIDE.

COFFINHAL-DUBAIL **Jean-Baptiste** (* Vicen-Carladais, près d'Aurillac, 7.II.1754, † Paris, 6.VIII.1794). Homme politique français. Ancien médecin devenu magistrat et procureur au Châtelet, il devint un partisan passionné de la Révolution et fut nommé, le 17 août 1792, président du Tribunal révolutionnaire. A ce titre, il porte une grande responsabilité dans la Terreur; c'est lui qui aurait dit, à propos de Lavoisier qu'il envoya à l'échafaud : « La République n'a pas besoin de savants. » Le 9-Thermidor entraîna sa chute et il fut guillotiné huit jours après Robespierre.

COGESTION, *Mitbestimmung*. Système de participation des travailleurs à la gestion des entreprises institué en Allemagne fédérale par le gouvernement démocrate-chrétien d'Adenauer en 1951. A l'origine, la cogestion s'appliquait uniquement aux entreprises sidérurgiques et aux charbonnages employant plus de 1 000 personnes. Dans ces entreprises, étaient créés des conseils de contrôle de 11 membres, dont 5 représentants du patronat et 5 représentants des syndicats, le 11ᵉ membre étant choisi par les dix premiers. Dès 1952, le système fut étendu à d'autres entreprises, mais avec une représentation minoritaire des syndicats. La cogestion paritaire, qui eût donné un poids égal aux représentants des travailleurs et à ceux du capital, fut proposée en 1974 par le chancelier socialiste Schmidt; mais ce dernier, obligé de compter avec ses alliés libéraux de la coalition gouvernementale, dut finalement renoncer à une partie de cette réforme (parité dans les conseils de contrôle, mais, en cas de conflit, prépondérance des actionnaires); la loi qui résulta de ce compromis entra officiellement en vigueur le 1ᵉʳ juill. 1976.

COGNAC. Ville de France (Charente), sur la Charente. Après avoir fait partie de la Saintonge, puis de l'Angoumois, Cognac appartint aux Anglais depuis le XIIᵉ s. jusqu'à 1377. François Iᵉʳ y naquit, y résida souvent et y signa le traité de la Sainte-Ligue (1526), – v. article suivant. Sous la Réforme, la ville devint ardemment calviniste et fut accordée aux protestants (1570) comme place de sûreté. Condé l'assiégea en vain durant la Fronde (1651).
Productrice de vins dès l'époque romaine, la région de Cognac fut amenée par les nécessités commerciales, au début du XVIIᵉ s., à concentrer son activité vers la fabrication d'une eau-de-vie pure de tout mélange, obtenue par une méthode de distillation dite « par brouillis et repasses ». Dès le XVIIIᵉ s. le cognac avait conquis une importante clientèle, non seulement en France mais dans les Pays-Bas et en Angleterre. La région produisant les cognacs les plus estimés est la

COGNAC
Armoiries de la ville, 1664.
Ph. Jeanbor © Photeb

Grande Champagne, dont les 7 500 ha de vignes s'étendent au S. et au S.-E. de la ville de Cognac.

● Mais la totalité des vins de Cognac est produite sur plus de 100 000 ha; 39 000 exploitations ont distillé 6 400 000 hectolitres en 1982, au lieu de 4 800 000 en 1981. L'extension des superficies, l'augmentation notable des rendements ont provoqué une surproduction et ont conduit à l'arrachage des vignes. Le chiffre total des ventes (env. 4 milliards de francs) est constitué pour 85% par les exportations.

COGNAC (ligue de). Alliance conclue à Cognac, le 22 mai 1526, entre François Ier, le pape Clément VII, Milan, Florence et Venise, contre Charles Quint. Elle amena la guerre de 1526-29, qui se termina par la paix de Cambrai.

COGNATIO. Voir AGNATIO.

COHORTES. Dans l'armée romaine, partie d'une légion comprenant environ 600 hommes. Il y avait généralement dix cohortes dans une légion.
La garde prétorienne, organisée par Auguste en 2 av. J.-C., comprenait neuf **cohortes prétoriennes,** qui, d'abord réparties entre Rome et les diverses résidences impériales en Italie, furent réunies à Rome par Tibère et logées dans une caserne spéciale. Chaque cohorte comprenait 1 000 hommes, fantassins et cavaliers. Recrutés uniquement parmi les Italiens, ces soldats jouissaient de nombreux privilèges dus à la faveur impériale et touchaient une solde triple de celle des autres légionnaires. Lors des vacances du trône, ils jouèrent souvent un rôle décisif et assurèrent notamment le trône à Claude et à Néron.

COIGNY François Franquetot, duc de (* château de Coigny, Manche, 16.III.1670, † 18.XII.1759). Maréchal de France. Avec le maréchal de Broglie, il gagna sur les Impériaux, en 1734, les batailles de Parme et de Guastalla. Il reçut en 1741 le bâton de maréchal.

Henri de Coigny (* 1737, † 1821), petit-fils du précédent, officier distingué, fit partie de la société intime de Marie-Antoinette, émigra, et ne rentra en France qu'en 1814. Louis XVIII le nomma maréchal de France et gouverneur des Invalides.

Sa nièce, **Aimée Franquetot de Coigny** (* Paris, 12.X.1769, † Paris, 17.I.1820), épousa en 1784 le duc de Fleury, dont elle se sépara en 1792; son mari ayant émigré, elle en profita pour divorcer (mai 1793), mais fut internée comme suspecte à la maison Saint-Lazare en mars 1794; c'est dans cette prison qu'elle rencontra André Chénier. Le poète la célébra dans son ode *La Jeune Captive*. Un des détenus, le sieur Mouret de Montrond, une sorte d'aventurier, qui s'était épris d'elle, réussit à prix d'argent à faire rayer leurs noms de la liste des victimes; ils sortirent de

COHORTES
Prétorien. Détail d'un bas-relief du musée du Louvre.
Ph. H. Josse © Photeb

prison environ deux mois avant le 9-Thermidor et s'épousèrent. Aimée de Coigny eut ensuite plusieurs aventures sentimentales assez malheureuses; en 1814, elle réussit à convaincre Talleyrand de se rallier à la monarchie (d'où le surnom de « Mademoiselle Monk » que lui a donné Charles Maurras). En 1818, elle fit paraître un roman, *Alvare,* dont il n'existe plus que quelques exemplaires

COÏMBRE, *Coimbra.* Ville du Portugal, capitale historique de la province de Beira. Déjà importante à l'époque romaine (elle s'appelait alors *Coninbriga* ou *Conimbrica* et s'élevait sur un site au S.-O. de son emplacement actuel), son développement ne fut ralenti ni par la conquête des Goths ni par celle des Maures. Prise en 1064 par le roi Ferdinand Ier de Castille, Coïmbre fut, jusqu'au XIIIe s., la résidence de plusieurs rois de Portugal, qui y firent construire la belle cathédrale du XIIe s. Ils y transférèrent de Lisbonne, en 1306, une université bientôt célèbre, qui resta la seule du Portugal jusqu'à la fondation de la nouvelle université de Lisbonne (1911). La ville souffrit beaucoup du tremblement de terre qui détruisit Lisbonne en 1755.

COIRE, *Chur.* Ville de Suisse, capitale du canton des Grisons. Son origine remonte à l'âge du bronze. Importante base militaire romaine *(Curia Rhaetorum),* elle eut un évêché dès le Ve s., suffragant de Mayence en 843 et dont la juridiction s'étendait, au Moyen Age, sur les Grisons, le Liechtenstein, ainsi que sur une partie du Vorarlberg. Seigneurs temporels, les évêques devinrent princes du Saint Empire (1170), mais, au XVe s., la bourgeoisie s'émancipa de leur tutelle et Coire devint ville libre impériale (1464). Chef-lieu du canton des Grisons depuis 1920.

COKE Thomas William. Voir AGRICULTURE (les débuts de la révolution industrielle en Angleterre).

COLA DI RIENZO. Voir RIENZO.

COLBERT Jean-Baptiste (* Reims, 29. VIII.1619, † Paris, 6.IX.1683). Homme politique français. Fils d'un marchand drapier qui n'avait pas fait de très bonnes affaires, il commença sa carrière comme petit commis dans les bureaux de la Guerre, sous Le Tellier. Conseiller d'État en 1649, il devint « domestique » de Mazarin, dont il tint les comptes et géra les biens personnels. Devenu l'homme de confiance du cardinal, il lui rendit de grands services et fut son agent à Paris lorsque Mazarin, durant les troubles de la Fronde, dut s'exiler. Tout en se montrant un serviteur zélé, Colbert n'oubliait pas ses propres intérêts; en faisant les affaires du cardinal, il faisait les siennes et s'enrichit, un peu vite, car il était peu scrupuleux sur les moyens à employer pour parvenir. Mais c'était un travailleur acharné, épris d'ordre et de méthode, un homme de cabinet, aux

COLBERT
Jean-Baptiste. Homme politique français (1619-1683). Portrait peint par Cl. Lefebvre. (Musée nat. du château de Versailles.)

dossiers bien tenus, un fonctionnaire sérieux, incontestablement dévoué à l'État. Autant que son ambition de redonner à la France des finances saines, c'est la jalousie féroce qu'il éprouvait à l'égard de Fouquet, grand seigneur mondain et fastueux, qui le poussa, dès oct. 1659, à adresser à Louis XIV un terrible réquisitoire contre la gestion du surintendant. Dès ce moment, Colbert faisait acte de candidature à la succession de Fouquet. Mazarin, peu avant de mourir (1661), le recommanda spécialement au jeune roi. Nommé intendant des Finances (1661), Colbert continua de constituer patiemment, sans bruit, un lourd dossier concernant les malversations de Fouquet; il éclaira, harcela le roi en secret, et ce long travail de sape aboutit enfin à la chute du surintendant (sept. 1661). Surintendant des Bâtiments et Manufactures (1664), il reçut l'année suivante la charge de contrôleur général des Finances (1665), qui ne lui donnait pas tous les pouvoirs de Fouquet car Louis XIV, décidé à régner personnellement, se réservait l'ordonnancement des dépenses. Colbert sut rester à son rang de petit bourgeois anobli, en donnant au monarque l'illusion d'être le seul maître. C'était un froid bureaucrate, « capable de perfidies noires, de violences, de bassesses » (Lavisse). La cour le détestait, mais il ignorait la cour. Sa fidélité inconditionnelle lui valut d'être comblé de faveurs et de titres : avec ses premières fonctions, il cumula encore les postes de secrétaire d'État à la Maison du roi (1668) et à la Marine (1669); il profita de la vieillesse de Séguier pour empiéter sur le législatif et sur le judiciaire; il devint seigneur et marquis de Seignelay et, avec une fatuité drôle, il s'essayait à dire « mes sujets », « mes vassaux », « ma rivière ». Il plaça ses frères, ses filles (qui devinrent duchesse de Chevreuse, de Beauvilliers et de Mortemart), ses fils (l'un alla à la Marine, l'autre à l'archevêché de Rouen), son beau-frère, son neveu, ses cousins... Du gouvernement, ne lui échappaient que les Affaires étrangères (à Lionne) et la Guerre (à Le Tellier). Pendant longtemps d'ailleurs, une âpre lutte pour les places et les honneurs opposa le clan Colbert et le clan Le Tellier. Mais si l'homme n'éveille guère la sympathie — surtout en contraste avec sa victime, le séduisant Fouquet —, la grandeur du ministre est indéniable. Pendant près de vingt-cinq ans, Colbert porta la responsabilité de toute la vie économique et financière de la France. Il fut un des plus grands ministres de la monarchie, le principal artisan de la puissance de Louis XIV. Son action réformatrice s'exerça dans les domaines les plus divers, financier, économique, commercial, maritime, intellectuel, avec le souci constant de la richesse et de la gloire du roi, c'est-à-dire de l'État. « Nous ne sommes pas en un règne de petites choses », disait-il dès 1664. Dans la politique de grandeur où l'ambition de Louis XIV engageait la France, faire face à des guerres et à une diplomatie également coûteuses, sans parler du grand train de la cour de Versailles, était une tâche

COLBERT
Détail d'une gravure : Colbert présentant une note au roi.
« Nil sine te », Rien sans toi.

accablante pour un ministre des Finances. Dédaigneux de l'« intendance », Louis XIV n'hésitait pas à anticiper largement sur les recettes, et Colbert ne réussit pas à éliminer le déficit qui reparut dès la guerre de Hollande (1672), pour ne plus disparaître. Dès sa venue aux affaires, Colbert avait cependant pris des mesures draconiennes pour faire rendre gorge aux puissances d'argent. La chambre de justice de 1662 réussit à obtenir quelques restitutions des fermiers de l'État. Mais les besoins militaires obligèrent bientôt Colbert à recourir aux expédients, comme l'avaient fait ses prédécesseurs; il fallut fonder une Caisse des emprunts (1674), créer et vendre des offices, augmenter les impôts indirects. Pourtant, Colbert s'était attaqué à un des aspects essentiels du problème financier, la réforme du système fiscal. En raison de la diversité de l'ancienne France, encore hérissée de privilèges et de libertés, la fiscalité était d'une confusion et d'une variété extrêmes. Pour assurer un meilleur rendement de la taille, impôt roturier, Colbert entreprit la chasse aux faux nobles et aux fausses exemptions fiscales; en 1680, il créa la Ferme générale, qui fut chargée de lever toutes les autres contributions; la comptabilité publique fut ordonnée et simplifiée. Mais ces mesures n'eussent pu produire tout leur effet que si elles se fussent inscrites dans le cadre d'une rationalisation générale de l'administration. Colbert s'irritait de la variété des régimes administratifs du royaume; c'est dans le dessein d'y mettre un terme qu'il développa le pouvoir des intendants, qui, d'abord simples enquêteurs et administrateurs, devinrent à partir de 1680 des administrateurs fixes, et qu'il poussa Louis XIV à l'œuvre de codification de la justice, réalisée par les grandes ordonnances qui se succédèrent de 1667 à 1685 (notamment l'*Ordonnance civile* d'avr. 1667, l'*Ordonnance criminelle* de 1670 et l'*Ordonnance du commerce* de 1673).
C'est à l'économie, condition de la santé financière et de la puissance politique de l'État, que Colbert s'est surtout attaché. Son gouvernement marque l'apogée du mercantilisme (v.) français, auquel on a justement donné le nom de colbertisme. En fait, Colbert fut moins un théoricien que le réalisateur des idées exprimées avant lui en France par Montchrétien et Laffemas. Comme tous les spécialistes européens de son temps, il était convaincu que la richesse d'un État réside essentiellement dans la quantité de numéraire qu'il possède; il croyait également que la quantité disponible de métaux précieux est fixe et que le volume du commerce mondial est stable. « Il est certain, écrit-il, que pour augmenter les cent cinquante millions qui roulent dans le public, de vingt, trente, soixante millions, il faut bien qu'on le prenne aux États voisins. » Dès lors, le commerce n'est rien d'autre qu'une guerre d'argent, « une guerre perpétuelle et paisible d'esprit et d'industrie entre toutes les nations ». Puisqu'une nation ne peut s'enrichir qu'en ruinant les autres pays, il faut assurer une plus-value des exportations sur les importa-

tions, vendre beaucoup, acheter peu, afin de constituer en France une grande réserve de métaux précieux. Le procédé le plus simple consistait évidemment à frapper de lourds droits de douane les produits concurrents étrangers et à abaisser les droits sur les produits nationaux. L'État de Colbert fut résolument protectionniste : le tarif douanier de 1664 fut aggravé par le tarif de 1667, qui prohibait pratiquement les produits hollandais et anglais (mais il fallut y renoncer après 1678). Cet État se montrait également dirigiste, il intervenait sans cesse et prétendait réglementer toute la vie économique. « Il faut réduire toutes les professions de vos sujets à celles qui peuvent être utiles », écrivait Colbert à Louis XIV. Pour vendre à bon compte, Colbert imposa une politique de bas salaires, mais, comme il fallait permettre à la main-d'œuvre de vivre, l'État sacrifia pratiquement l'agriculture en fixant au plus bas possible les prix agricoles (les paysans se virent accorder, en compensation, une protection contre les excès du fisc).

L'aspect positif du colbertisme, c'est le puissant encouragement donné à l'industrie, c'est une politique d'investissement menée par l'État pour susciter dans tout le pays des entreprises nouvelles, des « manufactures », qui permirent d'accroître rapidement le volume des exportations. Colbert sut comprendre que la France, ne disposant pas, comme l'Espagne, des mines d'or et d'argent de l'Amérique, ne pouvait s'enrichir que par une puissante expansion industrielle et commerciale. La grande industrie naquit en France avec Colbert, mais sous l'orientation et le contrôle de l'État, qui lui imposa des règlements minutieux. Fortes du privilège royal, les manufactures bénéficièrent du monopole d'une fabrication, et de la protection d'« inspecteurs des manufactures » chargés de réprimer les fraudes. Certaines manufactures étaient dirigées par l'État (Gobelins, Beauvais), d'autres simplement encouragées et privilégiées; leur installation fut facile et rapide car, la plupart du temps, la manufacture faisait travailler une foule de petits ateliers dispersés. Pour améliorer le commerce intérieur, Colbert créa des routes, des voies d'eau (canaux des Deux-Mers, d'Orléans), mais son premier souci était le grand commerce d'exportation. Il accomplit un effort immense dans le domaine de la marine, estimant que « la prospérité de la marine marchande est le meilleur critérium de la prospérité du commerce extérieur ». On agrandit et aménagea les ports de Brest, Cherbourg, Rochefort, Toulon. Colbert institua un conseil des constructions navales et organisa une puissante flotte de guerre pour protéger les lignes commerciales et les comptoirs lointains; en 1668 fut inauguré l'inscription maritime, pour le recrutement des équipages de la marine parmi les populations des régions côtières. Sur le modèle des sociétés anglaises et hollandaises, on créa des compagnies de commerce monopolistes et privilégiées (Compagnie des Indes orientales, 1664; Compagnie des Indes occidentales,

1664; Compagnie du Nord, 1669; Compagnie du Levant, 1670). Enfin le colbertisme poussait à l'expansion coloniale, mais, dans ce domaine, Colbert se heurta à une incurable indifférence du public français pour les terres lointaines. En résumé, le colbertisme constitua un effort sans précédent pour émanciper l'économie française du cadre désuet des diversités régionales et locales, et des corporations en voie de sclérose; il fut à l'origine de la prospérité durable de villes comme Amiens, Aubusson, Saint-Étienne, Elbeuf. Mais il a eu aussi son revers : l'agriculture trop sacrifiée; les fabriques bientôt sclérosées par les règlements qui les avaient, à l'origine, stimulées; les méfaits du dirigisme, qui identifiait trop le bien de la nation à la puissance de l'État; et surtout ce protectionnisme outrancier qui, en se donnant ouvertement comme objectif la ruine des autres nations, fut le grand générateur des guerres incessantes du règne de Louis XIV.

Cette même passion d'ordre, d'unité et de réglementation rationnelle, Colbert, en sa qualité de surintendant des Bâtiments, Arts et Manufactures, la manifesta lorsqu'il entreprit d'organiser pour le service de l'État la vie artistique et intellectuelle. Grand dispensateur du mécénat royal, il fonda l'Académie des inscriptions et belles-lettres (1663), l'Académie des sciences (1666), l'Académie de France à Rome (1666); il réorganisa les académies de peinture et de sculpture (1664), de musique (1669), d'architecture (1671); on lui doit également l'observatoire de Paris. Il trouva en Le Brun l'agent d'un académisme artistique orienté vers la louange du Roi-Soleil. Ses *Lettres, Instructions et Mémoires* ont été publiés par P. Clément (1861).

Son fils, **Jean-Baptiste Colbert, marquis de Seignelay.** Voir SEIGNELAY.

Son neveu, **Jean-Baptiste Colbert, marquis de Torcy.** Voir TORCY.

Charles Colbert, marquis de Croissy, frère du grand Colbert. Voir CROISSY.

COLCHIDE, *Kolkhis.* Contrée de l'Asie ancienne, entre le Caucase et le Pont-Euxin (mer Noire), formée par la vallée du Phasis (aujourd'hui le Rion). Réputée chez les Grecs comme un pays d'une richesse fabuleuse, en raison de ses mines de fer et d'or, la Colchide était également célèbre par l'expédition que Jason y aurait faite, à la recherche de la Toison d'or. Au VIIᵉ s. av. J.-C., les Milésiens y fondèrent des colonies, dont la principale était *Dioscourias* (plus tard *Sébastopolis,* auj. *Soukhoumi*). La Colchide, après avoir connu la suzeraineté perse et la domination de Mithridate VI, roi du Pont, fut réunie sous Trajan à la province romaine du Pont, puis passa aux Byzantins, avant d'être conquise par les Géorgiens à la fin du VIIIᵉ s.

COLEONI. Voir COLLEONI.

COLIGNY
Gaspard de C. Homme politique
français (1519-1572).

Ph. © Bibl. Nat., Paris
Archives Photeb

COLLABORATION
Jacques Doriot, chef du parti
populaire français, au cours
d'un meeting en 1942.

Ph. A. Zucca © Tallandier

COLIGNY Gaspard de Châtillon, sire de (* Châtillon-sur-Loing, Loiret, 16.II.1519, † Paris, 24.VIII.1572). Amiral de France et homme politique français. Fils du maréchal Gaspard de Coligny, il fut élevé dans la religion catholique et jouit d'abord d'une grande faveur à la cour : nommé en 1547, par Henri II, colonel général de l'infanterie, amiral de France en 1552, il devint en 1555 gouverneur de la Picardie. Il contribua notamment à la victoire de Renty et défendit Saint-Quentin contre les Espagnols (1557). Après la mort d'Henri II, il fut touché par les idées nouvelles et, sous l'influence de son frère, il se rallia à la Réforme (vers 1558). A l'assemblée des notables de 1560, il présenta une requête au roi pour obtenir des temples, la suppression des peines portées contre les protestants et la convocation d'un concile national. Après le début de la guerre civile (1562), Coligny fut, avec Condé, le principal chef militaire des huguenots, mais il ne cessa de rechercher la négociation. Réconcilié avec la cour en 1563, il ne reprit les armes qu'en 1567. Vaincu à Jarnac et à Moncontour (1569), il sut rendre confiance à son parti, ravagea la Guyenne et le Languedoc puis remonta vers la Bourgogne et obtint la paix avantageuse de Saint-Germain (août 1570). Revenu à la cour en oct. 1571, il fut traité avec les plus grands honneurs, et, au scandale des catholiques, il devint le conseiller le plus écouté de Charles IX. Pour réconcilier les Français, il commença, de concert avec le roi, à dresser les plans d'une guerre nationale contre les Espagnols, dans les Flandres. Mais Coligny manqua de mesure, et le mariage d'Henri de Navarre avec Marguerite de Valois irrita profondément l'opinion. Le 22 août 1572, alors qu'il sortait du Louvre, Coligny fut blessé d'un coup d'arquebuse tiré par le catholique Maurevel et, deux jours plus tard, il fut l'une des premières victimes de la Saint-Barthélemy. Son cadavre fut jeté par la fenêtre, puis pendu au gibet de Montfaucon, et un arrêt du Parlement (abrogé en 1599) déclara Coligny coupable de haute trahison.

Sa fille, **Louise de Coligny** (* Châtillon-sur-Loing, 1555, † Fontainebleau, 1620), mariée en 1571 à Charles de Téligny, perdit dans la même nuit de la Saint-Barthélemy son père et son mari. En 1583, elle se remaria avec Guillaume le Taciturne, prince d'Orange, qui fut également assassiné, sous ses yeux, l'année suivante.

Odet de Coligny, dit **le cardinal de Châtillon** (* Châtillon-sur-Loing, 1517, † Hampton Court, Angleterre, 1571), frère de l'amiral, fut fait cardinal en 1534. Converti au protestantisme en 1561, il fut excommunié, dépouillé de ses dignités et se réfugia en Angleterre, où il mourut empoisonné par son valet de chambre. Sa correspondance a été publiée par Marlet (1884-85).

François Coligny d'Andelot (* Châtillon-sur-Loing, 1521, † Saintes, 1569), frère du précédent et de l'amiral de Coligny, parti-

cipa à la défense de Saint-Quentin, puis passa à la Réforme et se distingua aux batailles de Dreux (1562) et de Jarnac (1569).

COLISÉE ou **amphithéâtre Flavien.** Amphithéâtre construit par les empereurs Vespasien et Titus, de la dynastie des Flaviens, achevé vers 80. C'est le plus imposant édifice de l'époque romaine. Il doit son nom (*Colosseum*) à la grande statue de Néron qui se dressait à côté. Haut de 48,50 m, avec un grand axe de 188 m, un petit axe de 156 m, un périmètre de 524 m, il avait quatre-vingts rangs de gradins et pouvait contenir près de 90 000 spectateurs. C'est dans le Colisée que se livraient notamment les combats de gladiateurs. Le monument resta presque entièrement intact jusqu'à l'époque de Charlemagne; la première destruction importante semble avoir été opérée par Robert Guiscard (1084), et c'est au Moyen Age, surtout au xve s., qu'on commença à utiliser systématiquement les matériaux du Colisée pour la construction de nouveaux palais romains. Au xviie s., Benoît XIV mit l'édifice sous la protection de la religion en le consacrant aux martyrs – quoiqu'il ne semble pas que des chrétiens y aient jamais subi le martyre.

COLLABORATION. Nom donné à la politique d'entente et de rapprochement avec l'Allemagne nationale-socialiste qui fut poursuivie de 1940 à 1945 par divers gouvernements et mouvements politiques de l'Europe occupée.

La collaboration en France

Formulée officiellement par le maréchal Pétain dans son message du 11 oct. 1940, la collaboration, qui n'était, pour les dirigeants de l'État français, qu'une manœuvre politique imposée par les circonstances, fut défendue à Paris comme une volonté d'engagement total, à la fois politique, idéologique et bientôt militaire, dans l'« Europe nouvelle » dirigée par l'Allemagne hitlérienne. Parmi les chefs de la collaboration parisienne, quatre groupes peuvent être distingués : *a)* d'anciens partisans de l'Europe briandiste, depuis toujours acquis au rapprochement avec l'Allemagne, comme J. Luchaire, G. Suarez, F. de Brinon, Drieu La Rochelle; *b)* des hommes de gauche, attirés par la formule de socialisme autoritaire préconisée par le national-socialisme, comme M. Déat; *c)* des intellectuels d'extrême droite, souvent anciens militants de l'Action française passés au fascisme après 1934 et durant la guerre d'Espagne, comme R. Brasillach, L. Rebatet, P. A. Cousteau; *e)* des chefs politiques ambitionnant personnellement le pouvoir, comme J. Doriot, M. Bucard, E. Deloncle. Les principaux journaux politiques de la collaboration furent : *Aujourd'hui* (G. Suarez), *Les Nouveaux Temps* (J. Luchaire), *Le Cri du peuple* (Doriot), *L'Œuvre* (Déat), les hebdomadaires *Je suis partout* (Brasillach,

Rebatet) et *La Gerbe* (A. de Châteaubriant), auxquels il faut ajouter les journaux de grande information, qui, paraissant sous le contrôle de l'occupant, diffusaient les thèmes de la propagande allemande : *Paris-Soir, Le Matin, Le Petit Parisien.* La collaboration se manifesta également dans des organisations politiques : le Rassemblement national populaire (R.N.P.) de Marcel Déat, le Parti populaire français (P.P.F.) de Jacques Doriot, le Mouvement social révolutionnaire (M.S.R.) d'Eugène Deloncle, etc. Dès le début de la guerre germano-soviétique fut décidée (juill. 1941) la création d'une Légion des volontaires français contre le bolchevisme (L.V.F.), qui devait aller combattre sur le front de l'Est et reçut un message d'encouragement de Pétain.

A partir de 1943, se constituèrent également des unités françaises de Waffen S.S., dont les éléments devaient participer aux derniers combats de Berlin, en mai 1945. L'activité de la Résistance s'intensifiant sur le territoire même de la France, fut créée la Milice française (janv. 1943), sous le commandement de Joseph Darnand; en liaison avec les troupes allemandes, elle participa, en particulier dans le Vercors, à la répression des maquis, tandis que certains policiers français collaboraient avec la Gestapo et le Sicherheits-Dienst (S.D.). Pierre Laval, en qui les collaborationnistes parisiens avaient mis leurs espoirs en 1940/42, leur devint suspect après son retour au pouvoir, mais, sous la pression allemande, il dut faire entrer dans son gouvernement des partisans déclarés du national-socialisme, comme Bonnard, Brinon, Darnand, Déat. En août 1944, la plupart des chefs politiques et des journalistes de la collaboration se réfugièrent en Allemagne et formèrent à Sigmaringen une Commission gouvernementale française. Arrêtés lors de l'effondrement allemand, au printemps 1945, ils furent jugés et souvent exécutés. Voir ÉPURATION et les divers noms de personnages et de mouvements cités.

Dans les autres pays

La collaboration fut un phénomène commun à la plupart des pays occupés par l'Allemagne hitlérienne.

En **Belgique,** les Allemands reçurent le double appui d'une partie du mouvement flamingant, représenté par le *Vlaamsch National Verbond* (V.N.V.) de Staf de Clercq, et du rexisme (v.) wallon de Léon Degrelle (v.), lequel rêvait à une reconstitution de la Lotharingie ou de l'État bourguignon du XVᵉ s. au sein de l'« Europe nouvelle ». La presse collaborationniste belge fut illustrée principalement par Paul Colin et par le journal *Cassandre.* Des unités S.S. flamande et wallone combattirent sur le front de l'Est, avec Degrelle. A la fin de la guerre, celui-ci réussit à se réfugier en Espagne et fut condamné à mort par contumace.

Aux **Pays-Bas,** existait dès avant la guerre un mouvement ouvertement national-socia- liste, le N.S.B. de l'ingénieur Anton Mussert, qui, aux élections provinciales de 1935, avait rassemblé jusqu'à 8% des électeurs. Après 1940, sous l'autorité du commissaire du Reich, Seyss-Inquart, les hommes du N.S.B. furent placés aux postes clés de l'administration néerlandaise sous contrôle allemand. En juill. 1941, tous les anciens partis politiques furent supprimés, et, en déc. 1941, le N.S.B. fut reconnu comme parti unique. Le 13 déc. 1942, Mussert devint « Führer » du peuple néerlandais, et le N.S.B. fut désormais organiquement associé à l'administration du pays. La division S.S. néerlandaise Westland combattit, elle aussi, sur le front de l'Est. Mussert devait être exécuté après la Libération.

En **Norvège,** l'ancien officier et ministre de la Défense Vidkun Quisling (v.), qui avait fondé, dans les années 30, un rassemblement fasciste, le *Nasjonal Samling,* se rendit à Berlin durant l'hiver 1939/40 et aida les Allemands à préparer l'invasion de son pays. Le commissaire allemand Terboven fit du Nasjonal Samling le parti unique norvégien, et, en févr. 1942, Quisling devint président du Conseil. La division S.S. Norge combattit sur le front de Russie. Quisling devait être exécuté après la Libération.

Les conditions particulières dans lesquelles s'était effectuée, en avr. 1940, l'occupation du **Danemark** (v.) amenèrent les Allemands à respecter pendant un certain temps le fonctionnement de la monarchie constitutionnelle et parlementaire dans ce pays. En nov. 1940, le parti nazi danois, dirigé par Frits Clausen, tenta vainement un coup d'État, et, même après que la Wehrmacht eut pris directement le contrôle du pays, en août 1943, il n'accéda jamais au gouvernement. Mais ses militants constituèrent les rangs de l'unité S.S. Nordland ou participèrent avec les Allemands à la lutte contre la Résistance.

Après l'effondrement de la Yougoslavie, au printemps 1941, la **Croatie** fut proclamée indépendante sous la direction d'un gouvernement collaborationniste dirigé par Ante Pavelic (v.), chef des oustachis (v.).

En **Hongrie,** le régime de l'amiral Horthy (v.), allié militairement à l'Allemagne contre la Russie dès juin 1941, réussit pendant trois ans à conserver son indépendance dans les affaires intérieures. En mars 1944, Horthy fut contraint d'accepter un gouvernement collaborationniste, dirigé par Döme Sztojay, mais, après l'arrestation de Horthy et sa déportation en Allemagne (oct. 1944), c'est le chef fasciste Ferenc Szalasi, chef des Croix fléchées, qui prit le pouvoir; il gouverna en étroite union avec les Allemands jusqu'à ce que le pays fût submergé par l'avance de l'armée rouge, en févr. 1945.

En **U.R.S.S.,** les Allemands, considérant que les terres de l'Est occupées étaient vouées à une pure et simple colonisation germanique, n'essayèrent pas de constituer des gouvernements collaborationnistes locaux. Ils reçurent cependant l'appui de nationalistes baltes et ukrainiens, de populations telles que les Kalmouks, les Tatars de la Crimée, les

COLLABORATION
Soldat de la « Légion Flandres » prêtant serment.

Tcherkesses (que Staline punit ensuite de la déportation), et même de Soviétiques prisonniers de guerre, qui s'enrôlèrent dans l'« armée de libération russe » du général Vlassov (v.).

COLLARD (loi). Loi belge sur l'orientation de l'instruction publique, votée le 1er avr. 1955 sur la proposition du ministre socialiste Léo Collard. Elle créait un enseignement de l'État à tous les degrés, en imposant à chaque commune d'avoir au moins une école gardienne et une école primaire, où les parents pourraient choisir pour leurs enfants l'enseignement de la morale et de la religion, et dans lesquelles au moins la moitié des instituteurs seraient des diplômés officiels; en outre, les subventions ne seraient accordées aux écoles privées (catholiques) que si elles répondaient à des besoins économiques et sociaux réels. Cette loi rencontra une vive opposition de la part de l'archevêque de Malines, Van Roey, et des organisations catholiques, groupées dans un Comité national de défense des libertés démocratiques. Après une longue agitation, le parti social chrétien, revenu au pouvoir en 1958, amena les socialistes à signer un pacte scolaire (v.), valable pour douze ans.

COLLÈGES. A Rome, dans l'Antiquité, les *collegia* étaient des associations groupant les membres d'une même profession artisanale autour d'un culte commun. Ces collèges possédaient des biens en commun et une caisse commune qui leur permettaient d'assumer une fonction sociale et mutualiste : distribution de secours, constitution de retraites, prise en charge des frais funéraires pour leurs membres.
Selon la tradition, les premiers *collegia* auraient été fondés, au nombre de huit (tanneurs, forgerons, potiers, etc.), par le roi Numa. A la fin de la République, ils commencèrent à jouer un rôle politique occulte, et l'on essaya à plusieurs reprises, mais vainement, de les supprimer. A l'époque impériale, c'est souvent sous la forme de ces collèges que les cultes orientaux s'organisèrent à Rome. A partir du IVe s., les autorités favorisèrent l'institution des collèges, afin de donner aux professions un cadre rigoureux. Les collèges devinrent alors des organismes semi-publics; ils détenaient le monopole de la profession qu'ils représentaient et édictaient des statuts qui étaient sanctionnés par l'État et avaient force de loi. Sous cette dernière forme, les collèges antiques apparaissent très proches des futures corporations (v.) du Moyen Age.

COLLÈGE DE FRANCE. Établissement d'enseignement fondé à Paris en 1530 par François Ier, sur les conseils de Guillaume Budé. Ses premières chaires furent consacrées au grec, à l'hébreu et au latin, d'où son nom originel de *Collège des trois langues*. L'Université, en lançant contre les premiers professeurs une redoutable accusation d'hérésie, essaya de faire interdire cet

COLLÈGES
Élève du lycée impérial sous le premier Empire.
Ph. © Bibl. Nat., Paris - Photeb

établissement qui était indépendant d'elle, mais le roi protégea énergiquement sa fondation, qui, à partir de 1545, s'enrichit de chaires nouvelles consacrées aux sciences, à la médecine, au droit, à la littérature, etc. Le collège devint alors le *Collège royal*. Sous Henri II, les cours se donnaient, aux collèges de Tréguier, de Cambrai ou des Trois-Évêques. C'est au début du règne de Louis XIII que le collège s'établit à son emplacement actuel, près de la Sorbonne; le bâtiment fut reconstruit par Chalgrin en 1774 et agrandi sous Louis-Philippe. Devenu *Collège national* sous la Révolution, *Collège impérial* sous Napoléon, le collège prit son nom actuel sous la Restauration. Les cours, ouverts à tous, sont confiés à des maîtres éminents des diverses branches du savoir, universitaires ou non, qui choisissent euxmêmes le sujet qu'ils entendent traiter; les cours ne sont sanctionnés par aucun examen. Parmi les maîtres les plus célèbres qui enseignèrent au Collège de France, citons Budé, Turnèbe, Ramus, Gassendi, Daubenton, Corvisart, Daunou, Cuvier, Ampère, Michelet, Renan, Bergson, Paul Valéry, Merleau-Ponty.

COLLÈGE DES QUATRE NATIONS. Voir QUATRE NATIONS (collège des).

COLLEONI Bartolomeo (* château de Solza, près de Bergame, 1400, † château de Malpaga, nov. 1475). Condottiere italien. D'abord au service de Naples, sous Gattamelata et Francesco Sforza, il passa en 1442 à Philippe Marie Visconti, duc de Milan, mais celui-ci, le soupçonnant de trahison, le fit enfermer à Monza en 1446. Libéré un an plus tard, à la mort du duc, il commanda l'armée de Milan et contribua beaucoup à la paix de Lodi (1454). Il entra alors au service de Venise, devint capitaine général de la République et resta fidèle à celle-ci, malgré les offres tentantes qui lui furent faites par Louis XI et par Charles le Téméraire. A la fin de sa vie, le pape Paul II lui donna le commandement d'une croisade contre les Turcs, mais cette expédition fut ajournée. Il laissa à sa mort 100 000 ducats à Venise, qui lui fit élever une statue équestre par Verrocchio et Leopardi (sur la piazza San Giovanni e Paolo).

COLLIER (affaire du). Célèbre affaire d'escroquerie qui remua profondément l'opinion dans les dernières années de l'Ancien Régime et qui, par l'importance des personnalités mises en cause, contribua à jeter un discrédit supplémentaire sur la cour et sur la monarchie. L'affaire fut montée par une aventurière, la comtesse de La Motte (qui descendait d'un bâtard d'Henri II), aidée par Cagliostro. Sachant que le cardinal de Rohan, archevêque de Strasbourg et grand aumônier de France, désolé de ses mauvaises relations avec la cour, était prêt à tous les sacrifices pour se réconcilier avec Marie-Antoinette (dont il était peut-être amoureux), la comtesse de La Motte lui fit croire qu'il pourrait conquérir les bonnes grâces de la reine en lui offrant un collier de diamants de 1 600 000 livres qui était en la possession des joailliers Boehmer et Bassange. Ce collier avait déjà été proposé vainement à Louis XV pour la Du Barry, et à Louis XVI pour la reine. Poussé par Cagliostro, le cardinal accepta l'affaire. On lui présenta de fausses lettres de Marie-Antoinette et on lui ménagea, dans un bosquet de Versailles, une entrevue nocturne avec une fille de chambre qu'il prit pour la reine. Le cardinal acheta le collier à crédit et le remit à un prétendu officier de la reine, qui n'était qu'un amant de la comtesse de La Motte. Celle-ci défit le collier et le vendit en détail à Londres. Mais le cardinal n'ayant pu faire face à une échéance, les joailliers s'adressèrent directement à la reine, et tout se découvrit. Au lieu de conserver le secret sur cette affaire, Louis XVI fit arrêter sur-le-champ le cardinal de Rohan et ses « complices » (août 1785). Le baron de Breteuil, ennemi personnel de Rohan, voulut que celui-ci eût un procès éclatant, devant le parlement. L'instruction et le procès eurent en effet un énorme retentissement, mais qui se retourna contre lui et les souverains. Rohan, qui, dans toute cette affaire, n'avait d'ailleurs été que dupe, prit figure de martyr. Marie-Antoinette, qui était complètement innocente, fut salie dans sa vie privée et dénoncée une fois de plus pour son luxe dispendieux. Le jugement, rendu le 31 mai 1786, relaxa le cardinal de Rohan (que Louis XVI priva cependant de toutes ses charges et exila à l'abbaye de La Chaise-Dieu); Cagliostro fut banni du royaume; la comtesse de La Motte condamnée à être flagellée, marquée et enfermée pour la vie à la Salpêtrière (d'où elle s'évada peu après).

COLLINES DE ROME. Voir ROME.

COLLINGWOOD, Cuthbert Collingwood, baron (* Newcastle-upon-Tyne, 26. IX.1748, † Minorque, 7.III.1810). Amiral anglais. Il prit part aux blocus de Toulon et de Brest et à la bataille du cap Saint-Vincent (1797). En 1804, il enferma dans le port de Cadix l'amiral de Villeneuve et contribua d'une manière décisive à la victoire de Trafalgar (1805), où il remplaça Nelson tombé au combat. Il fut ensuite commandant de la flotte britannique en Méditerranée et occupa les îles Ioniennes (1809).

COLLINS Michael (* Clonakilty, Cork, 16.X.1890, † Bealna-Blath, près de Cork, 22.VIII.1922). Homme politique irlandais. Fils d'un agriculteur, d'abord fonctionnaire britannique, il rejoignit en 1909 le mouvement Sinn Fein, dont il devint un des chefs les plus actifs. Après avoir pris part à la révolte de Pâques 1916 à Dublin, il fut élu député de Cork en 1918 et fit partie du petit groupe des Sinn Feiners qui proclamèrent la République. Ministre de l'Intérieur puis des Finances, il joua surtout un rôle important comme organisateur des services secrets de l'I.R.A. (armée républicaine irlandaise) et

COLLOT D'HERBOIS
Jean-Marie. Homme politique français (1749-1796). Gravure de F. de Bonneville. (Musée de Montreuil.)
Ph. Jeanbor © Photeb

fit subir de nombreux échecs aux Anglais. Réaliste et dépourvu de sectarisme, il signa le traité de Londres (déc. 1921) et essaya de faire accepter à ses compatriotes le nouvel État libre d'Irlande, dont il devint Premier ministre provisoire (janv. 1922). Mais il se heurta aux extrémistes, qui voulaient le rattachement de l'Irlande du Nord, et fut assassiné au cours d'une tournée d'inspection des troupes irlandaises chargées du maintien de l'ordre.

COLLOQUES. Voir les principaux colloques ou conférences religieuses conciliatrices de l'époque de la Réforme et des guerres de Religion aux noms des villes où ces réunions se tinrent : POISSY, MARBURG, etc.

COLLOT D'HERBOIS Jean-Marie (* Paris, 19.VI.1749, en Guyane, 8.I.1796). Homme politique français. D'abord comédien ambulant, il s'enthousiasma pour la Révolution, publia l'*Almanach du Père Gérard,* qui le fit connaître, et devint un redoutable orateur de clubs. Il fut un des responsables de la journée du 10-Août et des massacres de sept. 1792. Député à la Convention, membre du Comité de salut public (1793), il réprima avec une énergie sauvage l'insurrection de Lyon (fin 1793). Adversaire de Robespierre au 9-Thermidor, il fut accusé à son tour et déporté en Guyane. Il avait composé une quinzaine de pièces, comédies ou drames, qui furent représentées avant ou pendant la Révolution.

COLMAR. Ville de France, chef-lieu du département du Haut-Rhin. Dans l'Antiquité *Argentuaria,* elle n'était encore à l'époque franque qu'une villa royale, mais son développement urbain était déjà avancé en 1220, sous l'empereur Frédéric II. Au XIVe s., elle figure comme ville d'Empire, puis comme capitale de la Haute-Alsace. Prise par les Suédois en 1632, durant la guerre de Trente Ans, elle fut annexée en 1673 par Louis XIV et perdit ses libertés de ville impériale; le traité de Ryswick en confirma la possession à la France (1697) et elle devint la résidence du Conseil souverain de l'Alsace. Annexée à l'Allemagne de 1871 à 1918 et de 1940 à 1944. Marché du vin, Colmar est devenue depuis la dernière guerre un centre industriel actif. Son musée d'Unterlinden, installé dans l'ancien couvent des Dominicains (XIIIe/XVe s.), possède un ensemble d'œuvres de Schongauer et de son école et le célèbre *autel d'Issenheim* de Grünewald.

Poche de Colmar. Nom donné au saillant constitué dans le front allié par les forces allemandes accrochées à la porte de Bourgogne et aux Vosges, pendant l'hiver 1944/45. Cette poche fut réduite au cours d'une offensive menée du 20 janv. au 7 févr. 1945 par la VIIe armée américaine et la Ire armée française; cette dernière enleva Colmar le 2 févr. 1945.

COLOGNE

Le Rhin, la cathédrale et le quartier alentour
dévasté par les bombardements de 1943-44. La cathédrale,
commencée en 1248, est restée inachevée jusqu'au 15 octobre 1880,
date de sa consécration, à laquelle Guillaume Ier assista.
Ce ne sont pas les tours, hautes de 160 m, mais la position clef de la ville
sur la rive gauche du Rhin et ses quatre ponts qui ont déclenché les raids aériens.
Le gros œuvre de la cathédrale — qui jouxte la gare —
fut épargné, mais 70% des immeubles de la ville furent gravement atteints.
Ph. © Keystone

COLOGNE, *Köln.* Ville d'Allemagne (Rhénanie-Westphalie), sur la rive gauche du Rhin. Camp romain fondé en 38 av. J.-C. près d'un établissement des Ubiens, elle prit son essor en 50 de notre ère, lorsque l'empereur Claude, à la demande de son épouse Agrippine, qui était native de la ville, lui donna le statut de colonie romaine, sous le nom de *Colonia Claudia Ara Agrippinensis.* Capitale de la province de Germanie inférieure, elle devint un centre commercial actif et vit se développer dès le milieu du IIe s. une grande industrie de la verrerie. Les traces de la ville romaine ont été reconnues dans le quartier de la cathédrale. Évêché mentionné dès 313, Cologne fut submergée par les Francs au début du Ve s. et devint la capitale des Francs Ripuaires. En 785, l'évêché fut élevé par Charlemagne au rang d'archevêché. Sous l'épiscopat de Bruno Ier (953/ 965), frère de l'empereur Othon le Grand, Cologne fut déclarée ville libre et impériale (957), sous l'autorité de ses évêques, qui devinrent Électeurs en 1357. Parmi les prélats qui se succédèrent au Moyen Age sur le siège de Cologne, plusieurs jouèrent un rôle de premier plan dans les affaires ecclésiastiques et temporelles, entre autres st. Annon (1056/75), Rainald von Dassel (1159/67); Philippe Ier von Heinsberg (1167/91). Mais au combat de Worringen (1288), la ville conquit sa liberté sur le pouvoir des évêques; jusqu'au XVe s., elle allait jouer un rôle considérable dans la ligue hanséatique et faire un commerce actif avec les pays du Nord.

La ville de Cologne ne faisait pas partie de l'électorat, dont la capitale se trouvait à Bonn. En 1388, fut fondée l'université de Cologne (supprimée en 1797, rétablie en 1919). La belle cathédrale gothique, commencée en 1248, ne fut achevée qu'au XIXe s. L'archevêque Hermann von Wied tenta vers 1540 d'introduire la Réforme à Cologne, mais sans succès; une nouvelle tentative, faite par l'archevêque Gebard Truchsess von Waldburg, qui, ayant adhéré au protestantisme, s'était marié avec Agnes von Mansfeld, fut également brisée par la résistance des puissances catholiques au terme de la *guerre de Cologne* (1582/84). A partir de cette époque et jusqu'en 1761, l'électorat de Cologne resta dans la famille bavaroise des Wittelsbach. Le dernier Électeur, Maximilian Franz Xavier († 1801), frère de Marie-Antoinette, était en même temps duc de Bavière. Cologne fut prise par les Français en 1794; de 1801 à 1814, elle constitua un chef-lieu d'arrondissement du département français de la Roër. La ville et l'ensemble de l'ancien électorat furent attribués à la Prusse en 1815. L'archevêché fut rétabli en 1821; de 1837 à 1842, l'archevêque Droste zu Vischering s'opposa au gouvernement prussien sur la question des mariages mixtes. De 1920 à 1933, Cologne eut pour bourgmestre Konrad Adenauer. Occupée de 1918 à 1926 par les Anglais, la ville souffrit considérablement des bombardements alliés durant la Seconde Guerre mondiale; elle fut prise par la Ire armée américaine le 5 mars 1945.

COLOMB
Christophe. Navigateur d'origine génoise (v. 1446/51-1506). (Portrait du musée de Pegli, près de Gênes.)
Ph. G. Tomsich © Photeb

Armoiries de C. Colomb. « Livre des privilèges ». (Archivo de Indias, Séville.)
Ph. © Mas - Photeb

● Cologne comptait 976 000 habitants en 1982.

COLOMB Christophe, Cristobal Colón (* Gênes ou Savone?, vers 1446/51, † Valladolid, 21.V.1506). Célèbre navigateur, découvreur du Nouveau Monde. Ses origines demeurent mystérieuses; fils d'un tisserand établi dans l'État de Gênes, il n'était peut-être pas italien, car il écrivit toujours en espagnol, même dans ses notes personnelles, même dans sa correspondance avec ses frères ou avec des Italiens. On a émis l'hypothèse qu'il appartenait à une famille juive espagnole établie à Gênes.

Christophe Colomb aurait navigué dès l'âge de quatorze ans et, en 1476, c'est du côté portugais qu'il prit part, au cap Saint-Vincent, à une bataille navale contre les Génois. Établi à partir de cette date au Portugal, il aurait fait un voyage dans les mers du Nord et en Islande, et un autre en Guinée. Dès cette époque, il semble avoir conjecturé qu'il était possible d'atteindre les Indes par la voie de l'Atlantique, à l'ouest de l'Europe, et il fut renforcé dans cette conviction par les théories du Florentin Toscanelli et de Pierre d'Ailly. Il est probable également qu'il lut *Le Livre des merveilles* de Marco Polo. Il songea dès lors à une expédition et fit ses premières offres au roi de Portugal, qui les refusa (1484). Il se rendit alors en Espagne, mais ce ne fut qu'après huit années d'attente, de déceptions, de dures démarches, qu'il obtint enfin, en oct. 1492, l'accord d'Isabelle la Catholique. A cette date, il avait déjà constitué son équipe avec les frères Martin Alonso et Francisco Martin Pinzón, armateurs à Palos.

C'est de ce port d'Andalousie que tous trois partirent, le 3 août 1492, avec les caravelles la *Santa Maria,* la *Niña* et la *Pinta.* Après plus de deux mois de navigation, Colomb aborda, le 12 oct. 1492, à l'île Guanahani, dans l'archipel des Bahamas, à laquelle il donna le nom de San Salvador et qu'il crut être une partie de Cipangu (le Japon). Il découvrit ensuite Cuba (27 oct. 1492) et Haïti (6 déc. 1492). Le 16 janv. 1493, il prit la route du retour et arriva à Lisbonne le 4 mars suivant. Il fut reçu avec enthousiasme par les Souverains Catholiques et se vit honoré par de grandes faveurs.

Pour sa deuxième expédition, Colomb fut placé à la tête d'une flotte de dix-sept navires. Parti de Cadix le 25 sept. 1493, il découvrit, au mois de novembre, Marie-Galante et la Guadeloupe, puis Porto Rico, la Jamaïque, la côte sud-ouest de Cuba. Ce voyage fut marqué par les premières batailles entre Espagnols et indigènes. Colomb, qui avait été rejoint par son frère Bartolomé, expédia en Espagne 500 prisonniers indiens; cependant, ses capacités de gouverneur laissant à désirer, les Rois Catholiques envoyèrent à Haïti, en mission d'enquête, Juan de Agualdo, et Colomb en ressentit une profonde humiliation. Il décida de rentrer en Espagne, laissant comme gouverneur son frère Bartolomé, et revint à Cadix en juin 1496. Reparti

de Sanlucar le 30 mai 1498, avec six vaisseaux emportant 200 colons, il découvrit Trinidad (28 juill. 1498) et, le 1er août, aperçut enfin la côte du continent, au delta de l'Orénoque. Toujours persuadé qu'il se trouvait en Chine ou au Japon, il ne prit pas garde à cette découverte et se hâta de gagner Haïti, où une partie des Espagnols était en révolte contre Bartolomé Colón. Tandis que Christophe et son frère essayaient de rétablir leur autorité et faisaient pendre des insurgés, les souverains d'Espagne, avertis des événements, jugèrent que Colomb n'était décidément pas à la mesure de la situation et nommèrent gouverneur Francisco de Bobadilla (mai 1499). Arrivé à Haïti en août 1500, Bobadilla dut user de la force pour faire reconnaître ses pleins pouvoirs par les frères Colomb. Mis aux fers, Christophe Colomb fut ramené à Cadix (nov. 1500). Les Rois Catholiques le firent aussitôt relâcher mais s'en tinrent à leur résolution de ne pas lui rendre le gouvernement des terres découvertes. Ils lui fournirent cependant les moyens pour une quatrième expédition (mai 1502/nov. 1504), au cours de laquelle il explora les rivages de l'Amérique centrale, du Honduras au golfe de Darién. Rentré en Espagne quelques semaines avant la mort de la reine Isabelle, il fut ensuite négligé par Ferdinand d'Aragon. Il mourut sans s'être jamais douté qu'il avait découvert un continent inconnu. Après son enterrement à Valladolid, ses restes furent transférés à Saint-Domingue (1536), puis à La Havane (1795); lorsque l'Espagne eut perdu Cuba (1898), ils furent ramenés à Séville, dans la cathédrale.

Son frère, **Barthélemy Colomb, Bartolomé Colón** (* Gênes?, vers 1461, † Saint-Domingue, 1514), vint le rejoindre en 1494 aux Antilles et devint son principal lieutenant. Il fonda la ville de Saint-Domingue (1496).

Diego Colomb ou **Colón** (* île de Porto Santo, vers 1480, † Puebla de Montalban, 24.II.1526). Fils aîné de Christophe Colomb, il devint en 1509 gouverneur de Saint-Domingue et amiral des Indes; mais il eut d'incessants conflits avec ses administrés et avec le gouvernement espagnol.

COLOMBAN saint (* dans le Leinster, Irlande, vers 540, † Bobbio, 23.XI.615). Missionnaire irlandais. Formé à l'abbaye de Bangor, il partit pour le continent vers 575, débarqua en Armorique et vint fonder à Luxeuil (vers 590) une abbaye qui devint un foyer de renouveau monastique en Gaule. Expulsé (610) à cause de ses critiques véhémentes sur les mœurs de Thierry d'Austrasie et amené jusqu'à Nantes pour être renvoyé en Irlande, il échappa à ses gardes, et, tout en fondant sur sa route de nombreux monastères, il traversa la France du Nord, la Belgique, atteignit le Rhin, qu'il descendit jusqu'en Suisse, où il évangélisa les Alamans et les Suèves. De nouveau persécuté, il fut accueilli en Italie par Agilulf, roi des Lombards, qui lui permit de fonder une nouvelle abbaye sur la Trebbie, à Bobbio, où il mourut. Caractère énergique, violent et austère, st. Colomban résume l'expansion extraordinaire du monachisme irlandais sur le continent aux VIᵉ/VIIᵉ s. Sa règle, empreinte d'une grande sévérité, fut peu à peu supplantée par la règle bénédictine.

COLOMBIE, *Republica de Colombia.* État de l'Amérique du Sud, le seul de ce continent baigné à la fois par l'océan Atlantique et l'océan Pacifique; capitale *Bogotá.* Le territoire actuel de la Colombie connut, à une date encore imprécise, une civilisation mégalithique découverte en 1941 par Paul Rivet. A l'arrivée des Espagnols, le principal foyer de civilisation était celui des Chibchas (v.), dans les hauts plateaux orientaux. La côte atlantique fut explorée pour la première fois en 1499 par Hojeda et Vespucci. Dès 1510, la colonisation espagnole commença dans l'isthme de Panamá, et, après 1525, furent fondés, en Colombie même, les premiers établissements de Santa Marta et de Cartagena. De 1536 à 1539, Jiménez de Quesada remonta le rio Magdalena, franchit la Cordillère orientale, soumit les royaumes chibchas de la région de Bogotá et fonda, le 6 août 1538, la *Cité de Nouvelle-Grenade* (d'après le nom de sa ville natale). Cette contrée devint la vice-royauté de Nouvelle-Grenade qui englobait, outre la plus grande partie de la Colombie actuelle, le Venezuela et l'Équateur. Elle n'intéressait guère les Espagnols que pour ses richesses aurifères et l'exploitation agricole restait très déficiente. C'est en 1810 que commença le soulèvement de la population créole; il se heurta à une violente réaction des Espagnols et l'indépendance ne fut définitivement acquise que neuf ans plus tard, par la victoire de Bolívar à Boyacá (7 août 1819). Au congrès d'Angostura (déc. 1819) fut fondée la république de *Grande-Colombie,* qui comprenait également le Venezuela, l'Équateur et le Panamá. Cette union ne devait pas survivre à Bolívar et, en 1830, le Venezuela et l'Équateur se constituèrent en États séparés. Durant tout le XIXᵉ s., la vie politique colombienne fut troublée par de sanglantes guerres civiles entre conservateurs (centralistes) et libéraux (fédéralistes). Ce furent d'abord les libéraux qui l'emportèrent, et le ur principal chef, Tomás Cipriano de Mosquera, imposa en 1863 la Constitution fédérale des États-Unis de Colombie. Mais en 1886, les conservateurs, avec Rafael Nuñez, revinrent au pouvoir (ils devaient y rester jusqu'en 1930). Une nouvelle Constitution centraliste fut adoptée dès 1886 et la république fédérale devint une république unitaire. A la suite de l'échec des négociations engagées avec la Colombie en vue de la création du canal de Panamá, les États-Unis fomentèrent en 1903 une révolte des Panaméens, qui proclamèrent leur indépendance; la question de Panamá ne fut définitivement résolue qu'en 1914, la Colombie reconnaissant l'indépendance panaméenne contre une indem-

COLOMBIE
Le chargement des sacs de café pour l'exportation.
Ph. © Diego Goldberg - Sygma

nité de 25 millions de dollars versée par les États-Unis.

A la suite de la crise économique de 1929, les libéraux revinrent au pouvoir, et ils s'y maintinrent jusqu'en 1946. Les conservateurs venaient de reconquérir la présidence, avec Ospina Perez, lorsque, au printemps 1948, l'assassinat d'un chef libéral de gauche, Jorge Gaitán, provoqua à Bogotá une émeute dont l'ampleur et la violence inquiétèrent aussi bien les libéraux modérés que la droite. Le conservateur extrémiste Laureano Gómez (1950/53) adopta une politique de force, prononça la dissolution du Congrès et de la Cour suprême, et engagea contre les « bandoleros », qui tenaient les campagnes, une véritable guerre civile (plus de 200 000 victimes). L'excès de la répression provoqua le coup d'État du général Rojas Pinilla (1953/58) et amena les deux grands partis traditionnels, conservateurs et libéraux, à mettre fin à leurs querelles. Une nouvelle Constitution, massivement approuvée par référendum le 1ᵉʳ déc. 1957, stipula que chacun des deux partis serait au pouvoir à tour de rôle pendant quatre ans, que les sièges du Parlement, les portefeuilles ministériels, les hauts postes administratifs seraient, jusqu'en 1968, partagés par moitié. En vertu de ce système, se succédèrent les présidents Alberto Lleras Camargo (libéral, 1958/62), Guillermo León Valencia (conservateur, 1962/66), Carlos Lleras Restrepo (libéral, 1966/70) et Misael Pastrana Borrero (conservateur, 1970/74).

Bien que jouissant depuis près d'un demi-siècle d'une stabilité politique assez rare en Amérique latine, la Colombie vit néanmoins se développer, à partir de 1968, des activités de guérilla menées par les Forces armées révolutionnaires communistes (F.A.R.C.) et par l'Armée nationale de libération (A.N.L.). Troisième pays d'Amérique latine (après le Brésil et l'Argentine) pour la population (28,5 millions d'habitants en 1982), mais pays encore sous-développé en dépit de ses immenses ressources naturelles, la Colombie connaissait, dans les années 1973/74, un taux de croissance de plus de 7%; en revanche, elle souffrait d'une inflation dont le taux atteignait 25% en 1973 et plus de 30% en 1974. Deuxième producteur mondial de café (41% des exportations en 1972), elle cherchait à diversifier ses activités économiques. Le système dit du « Front national », impliquant le partage des responsabilités entre conservateurs et libéraux, ne fut pas remis en question par les élections d'avr. 1974, mais celles-ci prirent une importante signification politique du fait de la victoire écrasante des libéraux, qui obtinrent la majorité absolue aux deux Chambres du Congrès et dont le candidat, Alfonso López Michelsen, devint président de la République avec 56% des voix. Il promettait une distribution plus équitable de la terre dans un pays où 72% des sols cultivables appartenaient encore à 6% seulement des propriétaires.

● En réalité, durant l'exercice de son mandat, il protégea les gros exportateurs de café,

n'hésitant pas à réprimer sévèrement l'agitation sociale. De 1975 à 1978, le Brésil fit de si mauvaises récoltes de café que la Colombie en devint le premier exportateur mondial, mais l'afflux des devises provoqua une poussée d'inflation génératrice de nouvelles tensions. Les émeutes ouvrières de sept. 1977 firent 18 morts et plus de 100 blessés. Le 4 juin 1978, c'est un libéral, Julio Cesar Turbay Ayala, qui fut élu président avec 100 000 voix de plus que le candidat conservateur mais avec 62,4% d'abstentions. L'état d'insurrection, endémique depuis 25 ans, se poursuivit. En 1979, le M 19 (mouvement de guérilla urbaine) s'empara de 5 000 armes de l'armée, les Forces armées révolutionnaires de la Colombie (F.A.R.C.) tuèrent quelque 400 paysans. Le comble parut atteint en févr. 1980 quand 25 guérilleros du M 19 capturèrent 14 ambassadeurs lors d'une réception à Bogotá. Le gouvernement n'en offrit pas moins en mars 1981 une loi d'amnistie à laquelle ne se rallièrent que 380 guérilleros sur un total évalué à 6 000, à cause de son caractère trop limitatif. Le conservateur social chrétien Belisario Betancour Cuartas, élu le 30 mai 1982 et qui succéda le 7 août à J.C. Turbay Ayala, leva l'état de siège qui durait depuis 34 ans et réussit à rallier une partie des guérilleros par une nouvelle amnistie. Il se rapprocha aussi du Mexique plutôt que des États-Unis et nationalisa la Banque d'État afin de contrôler les circuits financiers clandestins qui proviennent de la marijuana dont la Colombie est elle-même le premier producteur mondial, et de la cocaïne. Le commerce de la drogue rapporte chaque année deux fois plus que le principal produit officiel d'exportation, le café. Cette tentative d'apaisement rencontra l'opposition des militaires d'extrême droite, considérant toute négociation comme une victoire communiste et qui encouragèrent encore plus la terreur des groupes paramilitaires. L'échec du président Betancour fut sanctionné par le massacre, en nov. 1985, d'un commando du M 19 et de ses otages. Le nouveau président, libéral, élu en 1986, Virgilio Barco, n'avait plus aucun pouvoir; les exécutions politiques de civils se comptaient par centaines. En 1987 les guérillas se regroupaient dans une « Coordination Simón Bolívar ».
Outre le café et la drogue, la Colombie exportait aussi du cacao, et tirait d'un sous-sol très riche du pétrole et de l'or.

COLOMBIE BRITANNIQUE, *British Columbia.* Province de l'O. du Canada, capitale *Victoria.* C'est dans le cadre des tentatives faites pour découvrir le passage du Nord-Ouest que les côtes de l'actuelle Colombie britannique furent découvertes par l'Espagnol Juan Perez en 1774, et par les Anglais Cook (1778) et Vancouver (1792/94). Dès 1790, par la convention de Nootka, les Espagnols avaient cédé aux Anglais leurs droits sur cette région. C'est Alexander Mackenzie, venu du N. du Mexique, qui atteignit le premier la côte par la voie

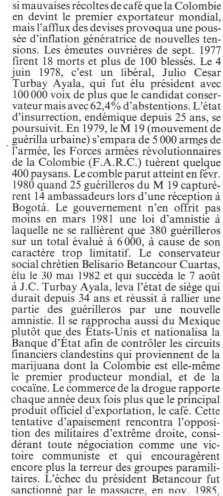

terrestre (1793). Des comptoirs furent établis par la Compagnie du Nord-Ouest et par la Compagnie de la baie d'Hudson. Deux colonies de la couronne britannique furent fondées sous les noms d'«île de Vancouver» (1849) et, pour les territoires continentaux, de « Colombie britannique » (1858). Réunies en 1866, ces colonies devinrent une province canadienne en 1871.

COLOMBIÈRE (La). Abri-sous-roche situé sur le territoire de la commune de Poncin, dans l'Ain. On y a retrouvé des vestiges d'industrie appartenant au magdalénien.

COLOMBO. Capitale du Sri Lanka (Ceylan), grand centre commercial sur l'océan Indien. Depuis 1517 siège de la puissance portugaise dans l'île, la ville fut dévastée par Rajah Singh en 1586, prise par les Hollandais en 1656, puis par les Anglais en 1796. Devenue capitale en 1948, après l'indépendance, Colombo comptait près de 600 000 habitants en 1981.

COLOMBO (plan de). Nom donné à une organisation internationale pour le développement économique de l'Asie du Sud et du Sud-Est, intéressant les pays suivants : Afghanistan, Australie, Bangladesh, Bhoutan, Birmanie, Canada, Corée du Sud, Fidji, Grande-Bretagne, Inde, Indonésie, Iran, Japon, Kampuchea (Cambodge), Laos, Malaisie, Maldives, Népal, Papouasie-Nouvelle-Guinée, Nouvelle-Zélande, Pakistan, Philippines, Singapour, Sri Lanka (Ceylan), Thaïlande et États-Unis. Établi en janv. 1950, le plan de Colombo fut, à l'origine, une initiative de divers pays du Commonwealth. L'apport financier devait être fourni par les pays les plus riches du Commonwealth, par la Banque internationale pour la reconstruction et le développement, par l'Export-Import Bank. A un premier groupe de pays donateurs constitué par l'Australie, le Canada, la Grande-Bretagne et la Nouvelle-Zélande, se joignirent par la suite le Japon et les États-Unis. Dès 1967, l'aide totale fournie aux États asiatiques par le plan de Colombo atteignait 22,65 milliards de dollars. Elle était essentiellement consacrée à la mise en culture de terres en friche, à l'irrigation, à la construction de routes, à la production d'énergie électrique.

COLONAT. Forme de servage qui se répandit dans le monde romain sous le Bas-Empire. Ses origines sont assez mal connues. Dès le IIe s. de notre ère, dans les grands domaines impériaux, des parcelles de terre furent concédées à des cultivateurs, des *colons* libres, qui payaient une redevance et qui, sans y être obligés, pouvaient rester de père en fils dans la partie du domaine qui leur avait été accordée. Au IIIe s., on appela également *colons* des Barbares qui avaient été transportés sur les domaines impériaux. Le colonat proprement dit n'apparaît qu'au début du IVe s., lorsque le gouvernement impérial commença à s'inquiéter de l'aban-

don de terres jadis fertiles. Dès 332, un décret interdit au colon de quitter sa terre, et, à partir de 393, tout colon est fixé à son lieu d'origine; le colonat devient ainsi une condition sociale héréditaire. Tout en restant un homme libre, jouissant de la puissance paternelle et du droit de faire un testament, le colon voit son sort se rapprocher de celui de l'esclave, puisqu'il est lié à sa terre, et que ses enfants le sont aussi; il doit au maître du domaine une redevance (en général un dixième des récoltes) et des corvées; il n'a pas le droit de changer le mode de culture de la terre. En revanche, le maître ne peut séparer le colon de sa terre, ni vendre la terre sans le colon. Dès la fin du IVe s., le système du colonat s'étendait à tout l'Empire, aux domaines impériaux comme aux grands domaines privés, mais il semble avoir pris beaucoup plus d'importance en Occident qu'en Orient, où subsistèrent de nombreuses petites et moyennes propriétés. Du rapprochement puis de la fusion entre les colons et les esclaves chasés (v.) allait naître, entre les VIIIe et XIe s., le servage (v.) médiéval.

COLONEL. Dans les diverses armées, officier supérieur commandant un régiment. Ce titre, apparu au XVIe s., semble d'origine espagnole (*cabo de colunela,* chef de colonne). En France, sous Louis XII, il était associé à celui de capitaine et désignait les chefs des bandes dont se composait l'infanterie. Les commandants de régiment, créés par Henri II, portèrent d'abord le titre de *mestre de camp.* Mais François Ier avait créé en 1544 une charge de *colonel général de l'infanterie,* dont le titulaire exerçait le commandement suprême de cette arme; une charge analogue de *colonel général de la cavalerie* fut créée sous Charles IX; elles furent supprimées par Louis XIV, respectivement en 1662 et 1675. C'est à partir de cette époque que le titre de colonel fut donné aux commandants de régiment, qui étaient en même temps, comme dans tous les autres pays, propriétaires de leur corps. Comme la charge de colonel était vénale, elle pouvait être achetée pour un jeune homme qui n'avait aucun état de service, même pour un nouveau-né *(colonel à la bavette);* le commandement effectif du régiment était exercé par un lieutenant-colonel. Les abus de ce système ne disparurent qu'à la suite des réformes de 1762 et de 1776.

COLONIA. Nom de nombreuses villes romaines, où avaient été installées des colonies : *Colonia Claudia Ara Agrippinensium* (Cologne); *Colonia Claudia Ptolemais* (en Phénicie); *Colonia Nemausensis* (Nîmes); *Colonia Ulpia Noviomagus* (Spire); *Colonia Julia Bonna* (Bonn); *Colonia Julia Equestris* (Nyon, en Suisse); *Colonia Augusta Rauracorum* (Augst, près de Bâle), entre autres.

COLONIAL (pacte). Voir EXCLUSIF.

COLONIALES (troupes). Les premières troupes coloniales de l'armée française furent constituées par la monarchie, dès le XVIIe s. La création du corps de l'artillerie de marine (1692) fut suivie, en 1772, par celle de l'infanterie de marine. Durant la guerre franco-anglaise en Inde, Dupleix, à partir de 1730, constitua des unités indigènes, les *cipahis.* C'est à partir de la conquête de l'Algérie que la France, à mesure que se développait son expansion coloniale, commença à former de nombreuses unités composées d'autochtones encadrés par des officiers européens : spahis algériens (1834), tirailleurs algériens (1837), tirailleurs sénégalais (1857), spahis et tirailleurs tunisiens, tirailleurs annamites, spahis sénégalais, unités malgaches, somalies, tonkinoises, cambodgiennes, etc. Même au Maroc, qui n'était cependant qu'un protectorat récent, furent constitués, dès avant la Première Guerre mondiale, des régiments de tirailleurs et de spahis marocains. Inquiet de l'infériorité numérique de la France en face de l'Allemagne, Mangin, dans son livre *La Force noire* (1910), préconisa l'emploi massif, en temps de guerre, des troupes coloniales. En 1912, la conscription indigène fut instituée en Algérie. De 1914 à 1918, près de 300 000 soldats des possessions d'outre-mer furent jetés par le commandement français dans la bataille, généralement dans les secteurs les plus difficiles, et 115 000 d'entre eux y trouvèrent la mort. Il en fut de même dans la Seconde Guerre mondiale, au cours de laquelle furent engagés 180 000 tirailleurs sénégalais, et pendant la première guerre d'Indochine, à laquelle prirent part des Sénégalais, des Marocains, des Algériens. Cette mobilisation des troupes coloniales devait être dénoncée par l'Allemagne comme un signe de la décadence de la France, qui ne pouvait plus compter sur ses seuls enfants pour assurer sa défense; en 1923, l'occupation de la Ruhr (v.) par des unités coloniales françaises fut largement exploitée par la propagande nationaliste d'outre-Rhin. D'autre part, la large participation des Africains à l'effort de guerre allié, de 1939 à 1945, contribua au développement du nationalisme autochtone. Les unités nord-africaines engagées dans la guerre d'Indochine furent souvent atteintes par la propagande anticolonialiste du Viêt-minh (v.), et il apparut bientôt comme une criante contradiction que la France pût réclamer le sang de ses fils de couleur tout en continuant à refuser à ceux-ci les pleins droits de la citoyenneté française.

L'Angleterre, comme la France, leva des soldats dans ses possessions d'Afrique, mais l'essentiel de ses troupes coloniales était constitué par la puissante *armée des Indes.* Celle-ci eut pour origine les contingents de cipayes levés dès le XVIIIe s. par la Compagnie des Indes. Au milieu du XIXe s., les troupes de la Compagnie avaient un effectif d'environ 190 000 hommes, répartis en trois « armées de présidence » (Bombay, Madras et Bengale). A la suite de la révolte des Cipayes (v.), ces troupes de la Compagnie passèrent sous l'autorité directe de la Couronne. Réorganisée en 1895 et, par Kitchener, en 1902, l'armée des Indes comp-

COLONIALES
(troupes)
Insigne de compagnie méhariste du Sud tunisien. (Service historique de l'armée de terre, section Symbolique.)
Ph. Jeanbor © Photeb

tait, au début du XXᵉ s., 220 000 officiers et soldats, dont 145 000 autochtones; tous les officiers étaient britanniques. En outre, le vice-roi avait le contrôle de 400 000 hommes dépendant des princes indiens. Durant la Première Guerre mondiale, les Anglais recrutèrent en Inde 1 300 000 hommes, dont 106 000 trouvèrent la mort sur les champs de bataille de France et d'Orient. A partir de 1918, les Indiens purent devenir officiers, et, en 1945, tous les cadres de l'armée des Indes étaient déjà autochtones. Forte de 200 000 hommes en 1939, cette armée atteignit, par engagements volontaires, un effectif de plus de 2 millions d'hommes au cours de la guerre de 1939/45.

COLONIES

COLONIES
Buste en bronze, IVᵉ s. av. J.-C. (British Museum.) Il a été trouvé à Cyrène, comptoir grec fondé en Afrique du Nord vers 630 av. J.-C., et qui fut le principal centre commercial du littoral après Carthage.
Ph. © du musée - Arch. Photeb

COLONIES. Dès le IIᵉ millénaire avant notre ère, les Phéniciens (v.) et surtout la ville de Tyr (v.), écartés de la mer Égée et de l'accès à la Caspienne par les Crétois d'abord puis par les Grecs d'Ionie, menèrent leur expansion commerciale en Méditerranée occidentale.

La colonisation phénicienne et grecque

Dès le XIIᵉ s. av. J.-C., ils avaient franchi le détroit de Gibraltar et fondé en Andalousie Gadès (auj. Cadix). Leurs établissements à Malte, en Sardaigne (Tharros, Sulci, Karalis), sur la côte méditerranéenne de l'Espagne (Lucentum, Abdère, Malaca, Kaine), sur la côte africaine (Utique, dès 1100), furent avant tout des comptoirs et l'on ne saurait parler d'un empire colonial phénicien. Carthage elle-même n'était, au départ, qu'un comptoir tyrien, mais la seconde fondation de la ville, que la légende d'Élissa-Didon fixe à la fin du IXᵉ s. av. J.-C., pourrait être due à une émigration d'origine politique, à la suite de troubles survenus à Tyr.

Le grand mouvement de colonisation grecque qui se développa aux VIIIᵉ/VIᵉ s. avant notre ère est un phénomène tout à fait distinct des migrations vers les côtes d'Asie Mineure, consécutives à l'invasion dorienne (XIIᵉ/XIᵉ s.). Des causes diverses poussèrent des milliers de Grecs à quitter leurs cités et aller s'établir sur tout le pourtour de la Méditerranée, «comme des grenouilles autour d'une mare», selon le mot de Platon, et même plus loin encore, sur les rives du Pont-Euxin (la mer Noire). Il semble d'abord que la Grèce archaïque ait souffert d'une certaine surpopulation, du fait de l'exiguïté et de la pauvreté des terres, des moyens encore primitifs de culture et, surtout, de l'accaparement des meilleurs sols par de grands propriétaires fonciers, qui réduisait le reste de la population à une pénurie extrême. Dans sa première phase (de 750 à 650 environ). la colonisation grecque fut donc non pas commerciale mais agraire; elle se porta à la recherche de terres riches, en Campanie, en Sicile, en Chalcidique. Vers le milieu du VIIᵉ s., elle changea de caractère, et les impératifs commerciaux passèrent de plus en plus au premier plan, avec le développement d'une classe d'artisans et de négociants voués aux activités mercantiles lointaines. Mais il faut noter également le rôle de l'émigration politique, consécutive aux conflits qui secouaient les régimes aristocratiques; l'influence de l'oracle de Delphes (v.), qui favorisa constamment l'essor colonisateur et constitua une sorte d'office central de renseignements sur les terres à prospecter; et tenir compte enfin de l'esprit aventureux, infiniment curieux des Grecs, qui trouvait un puissant stimulant dans les récits légendaires de l'expédition des Argonautes ou de *L'Odyssée*.

L'expansion se fit d'abord vers l'Ouest. Ce furent les Eubéens de Chalcis qui, dès 750, s'installèrent en Campanie, à Cumes, sur la baie de Naples. Dès la seconde moitié du VIIIᵉ s., ils entreprirent aussi la colonisation de la côte orientale de la Sicile, où ils fondèrent Zanclè, Naxos, Catane. Les Corinthiens fondèrent Syracuse, en 734. Les Doriens du Péloponnèse s'établirent à Mégara Hyblaea et à Sélinonte, tandis que les Rhodiens créaient Géla puis Acragas (Agrigente). Dès la fin du VIIIᵉ s., les Achéens du Péloponnèse avaient fondé, à l'extrémité de la péninsule italienne, Sybaris et Crotone, qui, avec Tarente, où s'étaient établis les Lacédémoniens, devaient devenir les villes les plus florissantes de la «Grande-Grèce» (v.). En Méditerranée occidentale, la colonisation grecque devait se heurter aux Carthaginois et aux Étrusques; cependant, les Ioniens de Phocée fondèrent Massalia (Marseille), vers 600 av. J.-C., et les Massaliotes créèrent à leur tour leurs propres colonies dans le delta du Rhône (Arles), sur la Côte d'Azur (Antibes, Nice), sur la côte languedocienne (Agde) et même au-delà des Pyrénées (Ampurias).

De la Macédoine à la Crimée

En Méditerranée orientale et vers le Nord-Est, les Eubéens encore furent les pionniers de l'expansion coloniale. Si actifs furent ceux de Chalcis que le promontoire méridional de la Macédoine devait prendre d'eux le nom

1047

COLONIES

Expédition navale assyrienne pour ramener des grumes de cèdre.
Bas-relief de Khorsabad. (Musée du Louvre, Paris.)
Un grand nombre d'entreprises coloniales n'ont pas eu d'autre origine :
se procurer des matières premières introuvables
ailleurs que dans des pays lointains. Dans la Mésopotamie,
pauvre en matériaux de construction — à l'exception de la brique d'argile —
les grumes de cèdre pouvaient seules donner les grandes poutres
nécessaires aux temples et aux palais.
Coupées sur les pentes du Liban, elles étaient amenées
par flottage le long du littoral phénicien,
puis acheminées par terre, à grand-peine, jusqu'à la boucle de l'Euphrate,
où on les mettait à flotter. Les Phéniciens, de leur côté,
allaient loin à l'ouest chercher étain, fer ou ivoire.
Ph. © Archives Photeb

de Chalcidique (fin VIIIe/début VIIe s.). Plus tard, à l'époque de Périclès, les Athéniens fondèrent Amphipolis, à l'embouchure du Strymon. A l'E. de ce fleuve côtier, les Pariens colonisèrent Thasos, cependant que les Ioniens d'Asie Mineure s'établissaient sur la côte thrace, à Abdère, à Maronéia, à Ainos. La région des Détroits et la Propontide (mer de Mara), d'une importance capitale pour les relations commerciales du monde grec avec l'Ukraine et le Caucase, furent l'enjeu d'une vive compétition. Dès le milieu du VIIe s., les Lesbiens fondèrent Sestos, dans la Chersonèse de Thrace, et les Milésiens Abydos, en Troade, puis Cyzique, sur les rives de la Propontide. Les Mégariens s'assurèrent le contrôle du Bosphore par la fondation de Chalcédoine et de Byzance. Dès la fin du VIIIe s., des reconnaissances avaient été faites dans la mer Noire, mais la colonisation ne se développa vraiment qu'à partir de 650 environ. Elle fut conduite par les Mégariens de Byzance, qui fondèrent Héraclée du Pont, laquelle créa à son tour Mésembria (en Bulgarie) et Chersonésos (en Crimée) — et surtout par les Milésiens, qui s'établirent à Sinope et à Trébizonde au S., à Istros, à Tyras, à Olbia, près du delta danubien et de l'embouchure du Dniepr, à Panticapée et Théodosia, en Crimée, à l'entrée de la mer d'Azov. Pendant ce temps, d'autres Grecs nouaient d'étroites relations commerciales avec l'Égypte (Naucratis). Même la Libye désertique devait attirer des colons grecs, Doriens venus de la petite île de Théra, dans les Cyclades, qui fondèrent la colonie de Cyrène (voir les articles consacrés aux divers lieux cités).

Le plus souvent, les colons grecs, trop peu nombreux pour songer à une occupation de l'arrière-pays, se contentaient d'annexer, par la violence ou par un traité avec les peuples autochtones, un territoire assez restreint sur le littoral, d'où leurs entreprises commerciales pouvaient rayonner vers l'intérieur. Hors de la Grèce proprement dite, s'était constituée ainsi, à la fin du VIe s., date à laquelle s'arrête le mouvement de colonisation, une Grèce nouvelle, s'étendant de la Russie méridionale à l'Espagne, morcelée en une foule de cités autonomes unies cependant par la parenté de race et de langue, par l'identité des croyances, par la communauté des intérêts. D'abord spontanée et privée, la colonisation s'organisa dès le début du VIIe s. pour devenir une entreprise publique. Ce fut désormais la cité elle-même qui prit la décision de fonder une colonie, qui recruta les émigrants (volontaires ou parfois même désignés par tirage au sort), qui leur donna un chef, l'*oikiste,* auquel étaient adjoints des prêtres, des ingénieurs, des architectes, des agronomes. Les colons emportaient avec eux le feu sacré destiné au foyer de la cité nouvelle, qui créait entre la colonie et sa fondatrice un lien religieux que rien ne pouvait plus rompre. En revanche, sur le plan politique ou économique, nulle subordination de la colonie à l'égard de sa cité mère. Une colonie grecque constituait un État authentique-

COLLIER DE LA REINE : petits et grands rôles, 1785

I

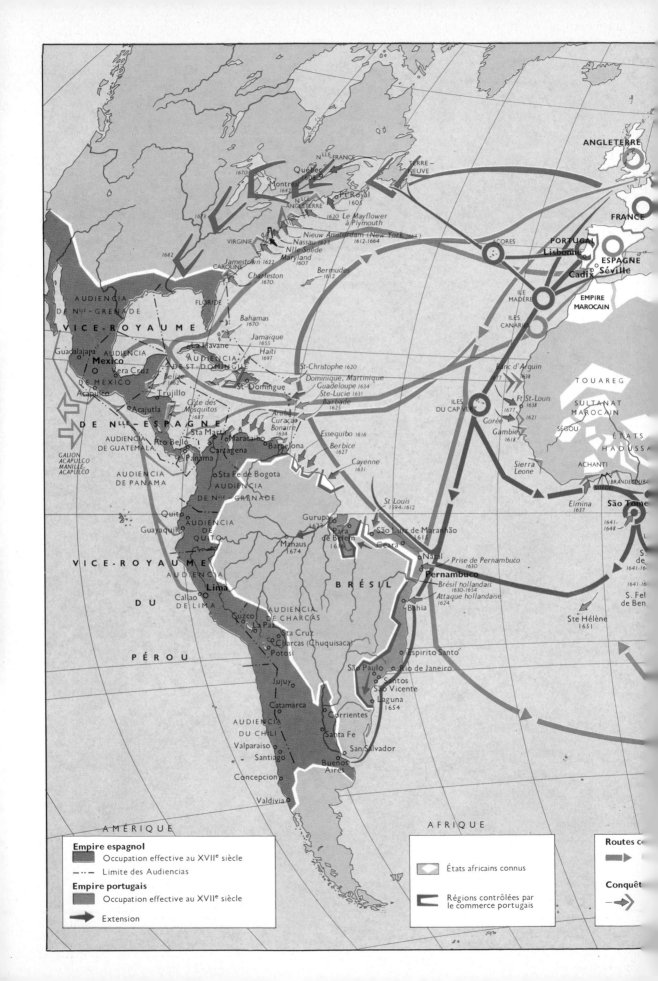

ANGLETERRE

FRANCE

PORTUGAL
Lisbonne
ESPAGNE
Cadix   Séville

EMPIRE
MAROCAIN

Açores

ILE
MADÈRE

ILES
CANARIES

Banc d'Arguin
1677   1638

Ft St-Louis
1638
1677   1621

ILES
DU CAP VERT

Gorée
1677

Gambie
1618

TOUAREG

SULTANAT
MAROCAIN

SÉGOU

ÉTATS
HAOUSSA

Sierra
Leone

ACHANTI

BRANDEBOUR
SUEDE

Elmina
1637

São Tomé

1641-
1648

S.
de
1641-16

1641-16
S. Fel
de Ben

Ste Hélène
1651

NLLE FRANCE
Québec
1608
Montréal
1642
NLLE
ANGLETERRE
Pt Royal
1605
TERRE-
NEUVE

1670

1623

1682

VIRGINIE

1620 *Le Mayflower
à Plymouth*
Nieuw Amsterdam (New York 1664)
Nassau   1612-1664
1623
NLLe-Suède
Jamestown 1622   Maryland
CAROLINE   1607
Charleston
1670

Bermudes
1612

AUDIENCIA
DE NLLE-GRENADE

VICE-ROYAUME

Guadalajara
AUDIENCIA
Mexico
Vera Cruz
DE MEXICO
Acapulco
Trujillo
Acajutla
Belize
1662

FLORIDE

Bahamas
1670

Jamaïque
1655

La Havane
Haïti
1697

AUDIENCIA
DE ST-DOMINGUE

St-Domingue

St-Christophe 1620

*Dominique, Martinique
Guadeloupe 1634
Ste-Lucie 1631*
Barbade
1625

DE NLLE-ESPAGNE

Côte des
Mosquitos
1687

Sta Marta
Rio Bello
Cartagena
AUDIENCIA
DE GUATEMALA

GALION
ACAPULCO
MANILLE-
ACAPULCO

AUDIENCIA
DE PANAMA

Panama

Aruba
Curaçao
Bonaire
1634

Maracaibo
Barcelona

Sta Fe de Bogota
AUDIENCIA
DE NLLE-GRENADE

Essequibo 1616

Berbice
1627

Cayenne
1631

Quito
AUDIENCIA
DE
QUITO
Guayaquil

Gurupá
1673
Para
de Belem
1616
Manaus
1674

St Louis
1594-1612

São Luiz de Maranhão
1615
Ceará

VICE-ROYAUME

AUDIENCIA
DE LIMA
Lima
Callao
Cuzco
La Paz
AUDIENCIA
DE CHARCAS
Sta Cruz
Charcas (Chuquisaca)
Potosi

DU

BRÉSIL

Natal

*Prise de Pernambuco
1630*
Pernambuco
*Brésil hollandais
1630-1654
Attaque hollandaise
1624*

Bahia

PÉROU

Jujuy

Catamarca

AUDIENCIA
DU CHILI
Valparaiso
Santiago
Concepcion

Valdivia

Corrientes

Santa Fe

San Salvador
Buenos
Aires

Espirito Santo

São Paulo   Rio de Janeiro
Santos
São Vicente
Laguna
1654

AMÉRIQUE

AFRIQUE

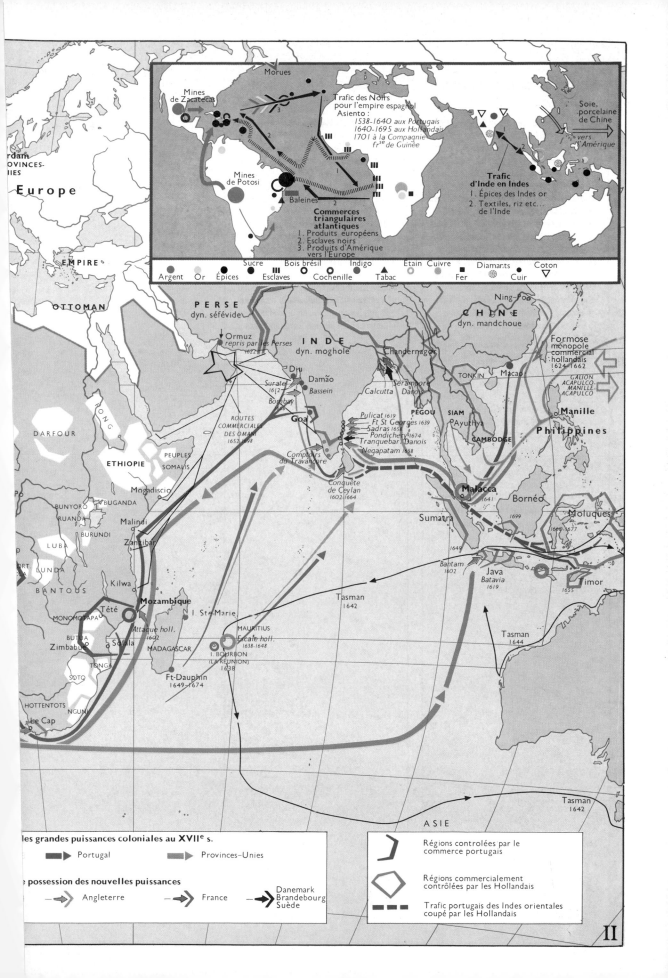

Morues

Mines
de Zacatecas

Trafic des Noirs
pour l'empire espagnol
Asiento :
1538-1640 aux Portugais
1640-1695 aux Hollandais
1701 à la Compagnie
fr^se de Guinée

Soie,
porcelaine
de Chine

vers
l'Amérique

Mines
de Potosi

Baleines

Commerces
triangulaires
atlantiques
1. Produits européens
2. Esclaves noirs
3. Produits d'Amérique
vers l'Europe

Trafic
d'Inde en Indes
1. Épices des Indes or
2. Textiles, riz etc...
de l'Inde

Sucre   Bois brésil   Indigo   Étain Cuivre   Diamants   Coton

Argent   Or   Épices   Esclaves   Cochenille   Tabac   Fer   Cuir

rdam
OVINCES-
NIES

Europe

EMPIRE

OTTOMAN

PERSE
dyn. séfévide

INDE
dyn. moghole

CHINE
dyn. mandchoue

Ning-Poo

DARFOUR

Ormuz
repris par les Perses
1622

Diu
Surate   Damão
1612   Bassein
Bombay

ROUTES
COMMERCIALES
DES OMANI
1652-1698

Goa

Chandernagor

Calcutta

Sérampore
Danois

Pulicat 1619
Ft St Georges 1639
Sadras 1658
Pondichery 1674
Tranquebar Danois
Negapatam 1658

TONKIN   Macao

Formose
monopole
commercial
hollandais
1624-1662

GALION
ACAPULCO-
MANILLE
ACAPULCO

PÉGOU

SIAM
Ayuthya

Manille

Philippines

ETHIOPIE

PEUPLES
SOMALIS

Mogadiscio

Comptoirs
du Travancore

Conquête
de Ceylan
1602-1664

CAMBODGE

Malacca
1641

Bornéo

1699

Moluques
1669-1677

BUNYORO
RUANDA
BUGANDA
BURUNDI

LUBA

Malindi

Zanzibar

Sumatra

Bantam
1602

1649

Java
Batavia
1619

Timor
1655

Tasman
1642

LUNDA

Kilwa

BANTOUS

MONOMOTAPA

Tété

Mozambique

I. Ste-Marie

Tasman
1644

BUTUA
Zimbabwe

Sofala

MADAGASCAR

Attaque holl.
1602

MAURITIUS
Escale holl.
1638-1648

I. BOURBON
(LA RÉUNION)
1638

TONGA

Ft-Dauphin
1649-1674

SOTO

HOTTENTOTS
NGUNI

Le Cap

Tasman
1642

ASIE

les grandes puissances coloniales au XVIIe s.

➤ Portugal   ➤ Provinces-Unies

e possession des nouvelles puissances

➤ Angleterre   ➤ France   ➤ Danemark
Brandebourg
Suède

Régions contrôlées par le
commerce portugais

Régions commercialement
contrôlées par les Hollandais

Trafic portugais des Indes orientales
coupé par les Hollandais

II

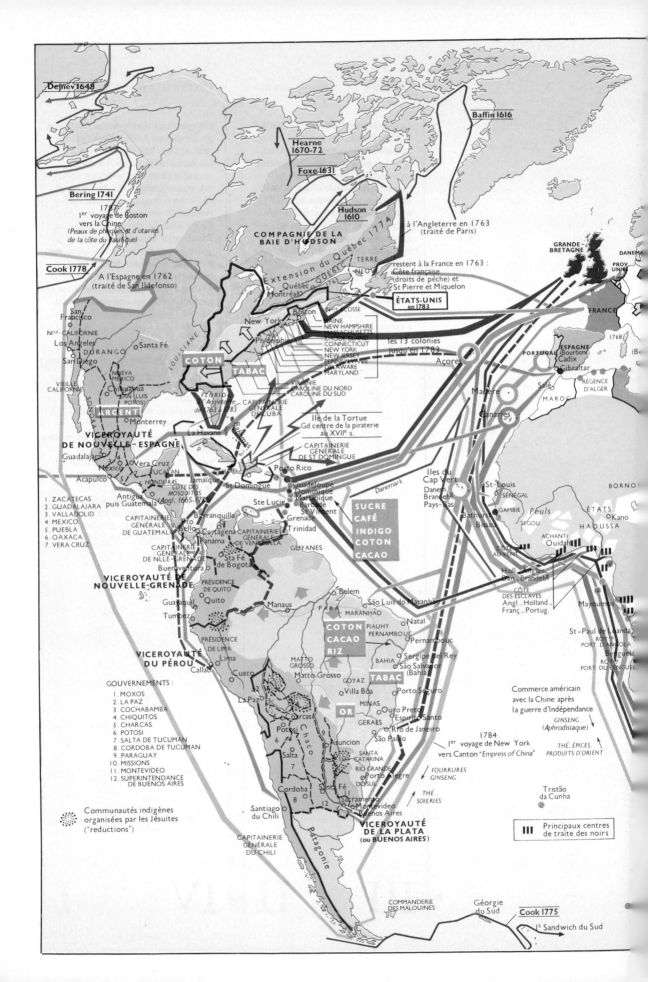

Dejnev 1648

Baffin 1616

Hearne
1670-72

Foxe 1631

Bering 1741

Hudson
1610

1787
1er voyage de Boston
vers la Chine
(Peaux de phoques et d'otaries
de la côte du Pacifique)

à l'Angleterre en 1763
(traité de Paris)

Cook 1778

COMPAGNIE DE LA
BAIE D'HUDSON

GRANDE-
BRETAGNE

DANEM.

PROV.
UNIES

A l'Espagne en 1762
(traité de San Ildefonso)

Extension du Québec 1774

TERRE
NEUVE

restent à la France en 1763 :
Côte française
(droits de pêche) et
St Pierre et Miquelon

FRANCE

San
Francisco

Nlle. CALIFORNIE

Los Angeles

San Diego

VIEILLE
CALIFORNIE

DURANGO

Santa Fé

NUEVA
MEXICO

SAN LUIS
POTOSI

Chihuahua

ARGENT

Monterrey

VICEROYAUTÉ
DE NOUVELLE-ESPAGNE

Guadalajara

Vera Cruz

Mexico

TUCATAN

Acapulco

HONDURAS

Antigua
puis Guatemala

CAPITAINERIE
GÉNÉRALE
DE GUATEMALA

1. ZACATECAS
2. GUADALAJARA
3. VALLADOLID
4. MEXICO
5. PUEBLA
6. OAXACA
7. VERA CRUZ

Québec
Montréal

QUÉBEC
1763

Nlle ÉCOSSE

New York

Boston

Philadelphie

MAINE
NEW HAMPSHIRE
MASSACHUSETTS
RHODE ISLAND
CONNECTICUT
NEW YORK
NEW JERSEY
PENSYLVANIE
DELAWARE
MARYLAND

Les 13 colonies
jusqu'en 1783

ÉTATS-UNIS
en 1783

LOUISIANE

COTON

TABAC

FLORIDE
à l'Angleterre
de 1763 à 1783

VIRGINIE
CAROLINE DU NORD
CAROLINE DU SUD

CAPITAINERIE
GÉNÉRALE
DE CUBA

La Havane

Bahamas

Ile de la Tortue
Gd centre de la piraterie
au XVIIe s.

CÔTE DES
MOSQUITOS
Angl. 1665-1786

Jamaïque

Haïti

St Domingue

Porto Rico

Guadeloupe

Martinique

St Vincent

Ste Lucie

Barbade

Grenade

Trinidad

CAPITAINERIE
GÉNÉRALE
DE ST DOMINGUE

Açores

PORTUGAL

ESPAGNE
(Bourbon)

Cadix

Gibraltar

Salé

MAROC

RÉGENCE
D'ALGER

Madère

Canaries

Iles du
Cap Vert

St-Louis

SÉNÉGAL

SEGOU

Bathurst

Bissau

GAMBIE

Danem.
Brandeb
Pays-Bas

Péuls

HAOUSSA

ÉTATS

Kano

BORNO

SUCRE
CAFÉ
INDIGO
COTON
CACAO

Danemark

ACHANTI

Ouidah

CÔTE
AU VENT

CÔTE
DES ESCLAVES
Angl., Holland.,
Franç., Portug.

Holl., Anglais,
Dan., Brandeb

Mayoumba

St-Paul de Loanda

ROY.
PORT. D'ANGOLA

Benguela

ROY.
PORT. DU BENGUEL

CAPITAINERIE
GÉNÉRALE
DE VENEZUELA

Barranquilla

Porto
Bello

Cartagena

Panama

GUYANES

CAPITAINERIE
GÉNÉRALE
DE NLLE-GRENADE

Buenaventura

Sta Fé
de Bogota

VICEROYAUTÉ
DE
NOUVELLE-GRENADE

PRÉSIDENCE
DE QUITO

Quito

Guayaquil

Tumbez

PRÉSIDENCE
DE LIMA

Lima

Callao

VICEROYAUTÉ
DU PÉROU

Cuzco

La Paz

Charcas

Potosi

Charcas

Belem

Manaus

PARA

MARANHÃO

São Luis do Maranhão

Natal

PIAUHY

PERNAMBOUC

Pernambouc

Sergipe del Rey

São Salvador
(Bahia)

BAHIA

COTON
CACAO
RIZ

TABAC

OR

MATTO
GROSSO

Matto Grosso

GOYAZ

Villa Bôa

Porto Seguro

MINAS
GERAES

Ouro Preto

Espirito Santo

Rio de Janeiro

São Paulo

Commerce américain
avec la Chine après
la guerre d'Indépendance

GINSENG
(Aphrodisiaque)

THÉ, ÉPICES,
PRODUITS D'ORIENT

1784
1er voyage de New York
vers Canton "Empress of China"

FOURRURES
GINSENG

THÉ
SOIERIES

Tristão
da Cunha

GOUVERNEMENTS :
1. MOXOS
2. LA PAZ
3. COCHABAMBA
4. CHIQUITOS
5. CHARCAS
6. POTOSI
7. SALTA DE TUCUMAN
8. CORDOBA DE TUCUMAN
9. PARAGUAY
10. MISSIONS
11. MONTEVIDEO
12. SUPERINTENDANCE
DE BUENOS AIRES

Asuncion

Salta

Cordoba

Santiago
du Chili

CAPITAINERIE
GÉNÉRALE
DU CHILI

SANTA
CATARINA

RIO GRANDE
DO SUL

Porto Alegre

Sacramento

Montevideo

Buenos Aires

VICEROYAUTÉ
DE LA PLATA
(ou BUENOS AIRES)

Chaco

Patagonie

Communautés indigènes
organisées par les Jésuites
("reductions")

COMMANDERIE
DES MALOUINES

Géorgie
du Sud

Cook 1775

Is Sandwich du Sud

III Principaux centres
de traite des noirs

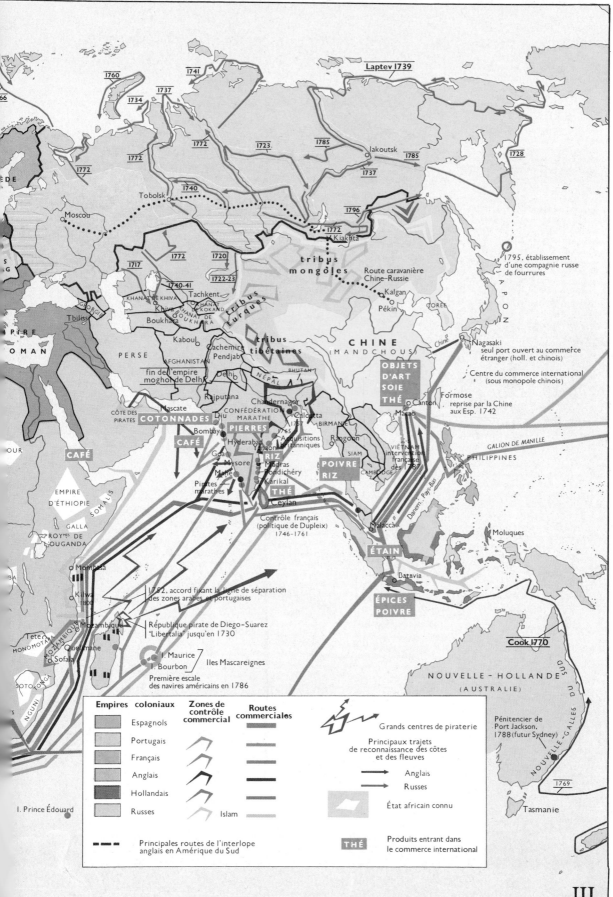

Laptev 1739

1760 1741 1737
1734 1737
1772
1772
1723 1785
1772 1737 Iakoutsk 1785
1772 1796 1728
Tobolsk 1740
Moscou
1772 1720 Kiakhta
1717 1722-23
1740-41 Tachkent
KHANAT DE KHIVA tribus turques
Khiva KHANAT DE KOKAND tribus mongôles Route caravanière Chine-Russie
Boukhara BOUKHARA
Kaboul Kalgan
Cachemire tribus tibétaines Pékin
PERSE Pendjab CHINE
AFGHANISTAN (MANDCHOUS)
fin de l'empire moghol de Delhi Delhi NÉPAL
Tbilissi BHUTAN
GEORGIE
EMPIRE OMAN Rajputana
Mascate Chandernagor OBJETS D'ART SOIE THÉ
CÔTE DES PIRATES CONFÉDÉRATION MARATHE Calcutta Canton
COTONNADES Diu 1757 Macao Formose reprise par la Chine aux Esp. 1742
CAFÉ PIERRES 1765 BIRMANIE
Bombay Acquisitions britanniques Rangoon GALION DE MANILLE
Hyderabad Yanaon SIAM PHILIPPINES
CAFÉ Goa Madras VIÊTNAM intervention française des 1787
Mysore RIZ Pondichéry POIVRE RIZ CAMBODGE
Mahé Karikal
EMPIRE D'ÉTHIOPIE Pirates marathes THÉ
Ceylan Malacca
GALLA Contrôle français (politique de Dupleix) 1746-1761
SOMALIS
ROYmes DE BOUGANDA ÉTAIN
Mombasa
Kilwa 1800 Batavia
1752, accord fixant la ligne de séparation des zones arabes et portugaises
République pirate de Diego-Suarez "Libertalia" jusqu'en 1730 ÉPICES POIVRE
Tete Mozambique I. Maurice Iles Mascareignes
MONOMOTAPA I. Bourbon Cook 1770
Quelimane Première escale des navires américains en 1786
Sofala NOUVELLE - HOLLANDE (AUSTRALIE)
SOTO TONGA
NGUNI 1769
Pénitencier de Port Jackson, 1788 (futur Sydney)
I. Prince Édouard Tasmanie

1795, établissement d'une compagnie russe de fourrures

seul port ouvert au commerce étranger (holl. et chinois)

Centre du commerce international (sous monopole chinois)

Nagasaki

JAPON

CORÉE

Danois, Pays-Bas

Moluques

NOUVELLE-GALLES DU SUD

Empires coloniaux
Espagnols
Portugais
Français
Anglais
Hollandais
Russes

Zones de contrôle commercial

Islam

Routes commerciales

Grands centres de piraterie

Principaux trajets de reconnaissance des côtes et des fleuves
Anglais
Russes

État africain connu

- - - Principales routes de l'interlope anglais en Amérique du Sud

THÉ Produits entrant dans le commerce international

III

COLONIES : où les Blancs gagnent, XIXᵉ s.

COLONIES
Le phare de Messine avec la statue de Neptune, une galère arborant une aigle légionnaire. Denier en argent de Sextus Pompée. La ville, d'abord colonie grecque, fut disputée ensuite entre Carthaginois et Romains. (Cabinet des Médailles.)
- Ph. © Bibl. Nat., Paris - Photeb

ment indépendant; en dehors de certaines marques de respect et de déférence, elle n'était tenue ni de soutenir sa métropole dans une guerre ni même de lui accorder une préférence commerciale. Pourtant, les rapports économiques restaient généralement étroits, et privilégiés dans les deux sens : c'est à la métropole que les colons s'adressaient d'habitude pour acheter les produits manufacturés dont ils avaient besoin, c'est à elle qu'ils destinaient en premier lieu leurs exportations de céréales, de denrées alimentaires, de matières premières. Peu à peu, les colonies se mirent à fabriquer elles-mêmes non seulement les objets d'usage courant, mais aussi des articles de luxe, qui firent la renommée des ateliers de Syracuse, de Tarente, des colonies milésiennes du Pont-Euxin.

Dans tout le monde grec, la colonisation provoqua un puissant essor du commerce (v.) et de l'artisanat. En Grèce proprement dite, elle déclencha un processus révolutionnaire qui devait amener, presque partout, la ruine des anciennes institutions aristocratiques. En face des propriétaires fonciers, se constitua une classe moyenne de marchands et d'armateurs, qui, ne cessant de s'enrichir grâce aux activités coloniales, exigèrent de ne plus être exclus des responsabilités politiques. Les villes qui maintinrent, à l'époque classique, les institutions les plus conservatrices furent celles qui avaient le moins participé à l'aventure coloniale, par exemple Sparte. Dans les colonies, notamment dans la Grande-Grèce, furent expérimentées de nouvelles formules politiques, où s'affirmait la suprématie des classes bourgeoises et populaires. Enfin la colonisation s'accompagna de multiples échanges culturels, elle fit pénétrer l'hellénisme en Italie, en Macédoine, en Thrace, dans des régions encore plus lointaines comme la vallée du Rhône, la Scythie et le Caucase. Avec les conquêtes d'Alexandre s'ouvrit une nouvelle phase de cette expansion : les villes grecques fondées en Asie et en Égypte par le souverain macédonien et par ses successeurs, les Séleucides et les Lagides, constituèrent à la fois des bases militaires, des marchés commerciaux et des foyers de culture. Voir HELLÉNISTIQUE, civilisation.

La colonisation à Rome

Rome, puissance surtout continentale, n'a pas mené systématiquement une politique coloniale, mais, pour consolider sa puissance dans les territoires annexés, elle créa des colonies militaires qui, secondairement, devenaient des colonies agricoles et des colonies de peuplement sur lesquelles s'installaient les prolétaires ou des vétérans.

A la différence des colonies grecques, où l'initiative privée, du moins à l'origine, joua un rôle important, ces colonies naquirent toutes de l'initiative de l'État. Il faut distinguer entre elles :

a) Les *colonies romaines,* qui étaient essentiellement des garnisons fortifiées en pays

récemment conquis. Elles ne comptaient, au début, qu'environ 300 hommes, mais leur effectif grandit bientôt jusqu'à 6 000 hommes. Elles se multiplièrent à partir du IIIᵉ s. av. J.-C.; on en dénombre au total plus de deux cents. Tout en jouissant d'une certaine autonomie administrative, les colons gardaient l'intégralité de leurs droits de citoyens romains; la colonie constituait une sorte de Rome en miniature, avec son sénat, ses comices, ses magistrats (*duoviri* ou *praetores*). Ces colonies romaines formaient « un réseau de surveillance et de stabilisation des fédérations » (J. Ellul); elles étaient, dit Cicéron, « les boulevards de l'Empire »;

b) Les *colonies latines,* qui furent fondées à partir du Vᵉ s. par la ligue Latine (v.). A l'origine, elles étaient composées pour moitié de Romains, pour moitié de Latins; mais, à partir de la fin du IVᵉ s., leur composition devint plus mêlée, les prolétaires y formant généralement l'élément le plus important. La plupart des colonies agricoles appartenaient à ce type. Les colonies latines bénéficiaient d'une large autonomie, mais leurs membres ne possédaient qu'une partie des droits du citoyen romain. Dès le IIIᵉ s. avant notre ère, Rome commença à créer aussi des colonies de peuplement dans les régions maritimes, en Sicile, en Sardaigne, puis en Afrique. Il s'agissait de donner des terres et du travail aux prolétaires, tout en éloignant de Rome des éléments susceptibles d'y provoquer des troubles. Mais les tentatives de colonisation de Caius Gracchus, notamment à Carthage, se révélèrent un échec. A partir de Sylla, de nombreuses colonies furent créées pour les vétérans. César et Auguste reprirent avec succès la colonisation de l'Afrique, c'est-à-dire des territoires recouvrant aujourd'hui la Tunisie et l'Algérie orientale. Beaucoup de villes situées en dehors de l'Italie ont eu pour origine des colonies romaines, entre autres Aix-en-Provence, Arles, Narbonne, Cordoue, Cologne, York, etc.

Colonisation agricole et commerciale au Moyen Age

L'effondrement de l'Empire romain fut suivi par un demi-millénaire (Vᵉ/Xᵉ s.) de repliement de l'économie européenne dans un cadre domanial et autarcique qui excluait toute idée de colonisation. A partir de l'an mille environ, les progrès de la technique agricole, la reprise du commerce international en Méditerranée et dans la mer du Nord, l'essor démographique contribuèrent, avec l'intention chrétienne d'apostolat, à lancer à nouveau les Européens sur les mers ou vers les terres incultes des pays de l'Est. En Europe occidentale même, la grande entreprise des défrichements (v.) revêtit un caractère colonial.

L'expansion de l'Allemagne vers l'Est fut un des faits majeurs des XIIᵉ et XIIIᵉ s. L'initiative n'en revint pas aux empereurs, qui songeaient surtout à satisfaire leurs ambitions italiennes, mais à de grands féodaux des marches orientales, tels Albert l'Ours et Henri le Lion. Le germanisme déborda alors la ligne de l'Elbe, sur laquelle il avait été confiné à la fin du XIᵉ s. Successivement furent fondées les nouvelles marches de Brandebourg, de Mecklembourg, de Poméranie, de Prusse, de Lusace. Dès la première moitié du XIIIᵉ s., l'effort des princes étant désormais relayé par l'ordre Teutonique (v.), la colonisation allemande avait pénétré très profondément dans les pays slaves. De la Vistule à l'Oder s'étalait un cordon de villes nouvellement créées par les Allemands ou germanisées, telles que Elbing, Marienwerder, Kulm, Thorn, Crossen, Sagan, Breslau, Brieg, Oppeln, etc. Sauf dans la région à l'E. de la basse Vistule, où se déroula une véritable conquête et où les Prussiens résistèrent farouchement aux Teutoniques, cette expansion du germanisme fut partout pacifique et n'entraîna ni extermination ni expulsion des populations slaves. Souvent les princes slaves eux-mêmes appelaient les colons allemands, pour promouvoir la mise en valeur économique de leurs États.

Toutes les classes de la société germanique participèrent à ce mouvement, les princes, les prélats, les ordres religieux, les chevaliers, les marchands et les artisans des villes, les paysans. A côté des princes et des monastères, des sortes de sociétés « capitalistes » acquièrent de vastes concessions sur les terres de l'Est. Ces concessionnaires recouraient à de véritables entrepreneurs de colonisation, les *locatores,* qui se chargeaient de recruter les immigrants, d'assurer leur voyage et leur installation immédiate, de construire les nouveaux villages avec les maisons, les moulins et autres installations nécessaires. De véritables campagnes publicitaires furent organisées dans toute l'Allemagne. Des conditions particulièrement avantageuses étaient consenties aux futurs colons : octroi de lots de terre identiques pour tous (soit 24 ha, tenure franconienne, soit 16,8 ha, tenure flamande), exemption de toutes redevances pour les premières années, garantie de la transmission héréditaire des biens et du droit d'héritage. L'extension systématique de l'assolement triennal (v. AGRICULTURE) et l'emploi d'un outillage abondant permirent l'essor, sur des terres jusqu'alors en friche, d'une florissante économie coloniale dont la production était surtout orientée vers les céréales destinées aux grands marchés de l'Europe occidentale. Une étroite interdépendance unissait le village et la ville coloniale, qui était à la fois un point d'appui fortifié, un marché, un centre d'évangélisation et de culture. Ces cités, avec leurs rues en damier, avaient une physionomie profondément différente des villes de l'Europe de l'Ouest. Mais elles jouissaient par privilège du droit allemand, dont la forme la plus répandue (jusqu'à Kiev et à Smolensk) fut la coutume de Magdebourg (v.). Les terres d'Espagne reconquises sur les Maures constituèrent, au Moyen Age, une autre zone de colonisation agricole de grande envergure.

COLONIES
Borne d'explorateurs portugais, à Java, 1526.
Ph. © Loic - Fotogram - Archives Photeb

Bien que certains comptoirs de la Hanse (v.) aient constitué de véritables concessions extraterritoriales en pays étranger — par exemple à Novgorod (le Peterhof), à Bergen (le « quai allemand »), à Londres (le Steelyard) —, c'est surtout en Méditerranée et en Orient que l'expansion des grandes villes maritimes donna lieu à une véritable colonisation commerciale. Dès le XIᵉ s., les Amalfitains avaient installé un établissement permanent à Constantinople. A la suite du traité conclu par Alexis Comnène en 1082, ils furent supplantés par les Vénitiens, qui, possédant déjà des points d'appui à Corinthe et dans l'île d'Eubée, obtinrent alors la franchise dans tous les ports de l'empire d'Orient et, à Constantinople, un quartier situé sur la Corne d'Or, en face de l'embarcadère pour Galata. Dès 1111, les Pisans obtenaient à leur tour un quartier à Constantinople, et les Génois eurent le leur en 1155. A la faveur des croisades, les Italiens se rendirent maîtres de tout le commerce du Levant. La colonisation économique ne tarda pas à ouvrir la voie à la colonisation politique.

En 1204, les Vénitiens, détournant au profit de leurs intérêts commerciaux la 4ᵉ croisade, provoquèrent l'effondrement de l'Empire byzantin. Ils constituèrent ainsi un véritable empire colonial qui comprenait, outre les îles et les ports (Zara, Raguse, Durazzo) de la Dalmatie et de l'Albanie, Corfou et Céphalonie (dans les îles Ioniennes), la Crète, l'Eubée, les Cyclades, Lemnos. Dans la seconde moitié du XIIIᵉ s. et au XIVᵉ s., les Génois s'assurèrent l'hégémonie dans la mer Noire en créant des comptoirs-colonies en Crimée (Caffa, Sudak, Yalta, Balaklava, Kherson), à l'embouchure du Dniestr (Moncastro) et sur la côte septentrionale de l'Asie Mineure (Amastris, Sinope). Cet Empire génois ne survécut pas à la prise de Constantinople par les Turcs (1453), mais les Vénitiens devaient se maintenir en Crète et dans le Péloponnèse (ou Morée) jusqu'à la fin du XVIIᵉ s., en Dalmatie jusqu'à la ruine de la République des doges, en 1797.

Premiers empires coloniaux modernes (XVIᵉ/XVIIIᵉ s.)

A la suite des grandes découvertes maritimes de la fin du XVᵉ s. (v. DÉCOUVERTE DU MONDE), la colonisation allait devenir, pour plus de quatre siècles, une des réalités fondamentales de la politique et de l'économie européennes. Les deux découvertes essentielles furent celle de l'Amérique par Christophe Colomb (1492) et celle de la route maritime des Indes par Vasco de Gama (1498). Dans l'expansion européenne outre-mer, les préoccupations matérielles semblent n'avoir joué, au début, qu'un rôle secondaire. Sans doute l'Europe souffrait-elle d'une pénurie de métaux précieux (or et argent), d'autant plus sensible que les charges des États ne cessaient de s'accroître depuis le déclin du système féodal; sans doute aussi la prise de Constantinople par les Turcs (1453) annonçait-

COLONIES
Le vice-roi du Mexique. Détail
d'un mns. mexicain du XVIᵉ s.
Ph. © Bibl. Nat., Paris - Photeb

elle la fermeture prochaine de l'ancienne route des épices (v.), mais la crise en ce secteur ne commença à se faire sentir qu'*après* les découvertes maritimes, lorsque l'Égypte et l'entrée de la mer Rouge furent tombées aux mains des Ottomans (1517).

Beaucoup plus importants dans l'incitation aux découvertes et, par suite, à la colonisation furent la curiosité scientifique (influence du *Livre des merveilles* de Marco Polo, progrès de la géographie et de la cartographie, travaux de l'équipe d'Henri le Navigateur), l'esprit d'aventure de nombreux nobles espagnols que la fin de la « Reconquête » (v.) laissait sans emploi, la soif de puissance et de prestige des grands monarques, enfin les motifs religieux (poursuite de la lutte contre l'islam en terre d'Afrique et d'Asie; recherche d'un contact avec des communautés chrétiennes isolées, comme celle du légendaire Prêtre-Jean; désir d'évangéliser des peuples inconnus). On ne saurait sous-estimer le rôle considérable que le prosélytisme religieux joua dans la première colonisation, au moins jusque vers le milieu du XVIIᵉ s.

Les premières puissances coloniales de l'Europe des Temps modernes furent le Portugal et l'Espagne. Dès mai 1493, un arbitrage du pape Alexandre VI leur attribua toutes les terres « trouvées ou à trouver, reconnues ou à reconnaître » en départageant les possessions respectives des deux pays par une ligne de démarcation située à 100 lieues à l'O. des Açores : la zone située à l'O. de ce « méridien d'Alexandre VI » était attribuée à l'Espagne, la zone orientale aux Portugais. Au traité de Tordesillas (v.) (1494), ces derniers firent reporter la ligne à 370 lieues plus à l'O. (ce qui leur permit plus tard d'établir leur souveraineté sur le Brésil, dont l'existence fut peut-être connue dès 1494); au traité de Saragosse (1520), la ligne fut prolongée à travers le Pacifique.

Mais ce partage du monde entre les deux seules nations ibériques ne devait pas durer longtemps. Les Français et les Anglais dès le XVIᵉ s., les Hollandais au début du XVIIᵉ s. entrèrent à leur tour dans la compétition, et c'est ainsi que l'ère des âpres rivalités coloniales commença :

a) Les **Portugais,** maîtres dès 1500 de la plupart des îles de l'Atlantique, voulurent aussi dominer seuls les routes maritimes de l'océan Indien. Les bases de leur puissance en Asie furent jetées entre 1505 et 1515 par les deux premiers vice-rois des Indes, Almeida et Albuquerque. Après avoir jalonné de comptoirs la côte orientale de l'Afrique, les Portugais s'emparèrent de Goa (1510) et de Malacca (1511); ils fermèrent aux Arabes l'accès de l'océan Indien par l'occupation de l'île de Socotra (à l'entrée de la mer Rouge) et d'Ormuz (à l'entrée du golfe Persique); ils pénétrèrent dans la mer de Chine et prirent pied à Java, dans les îles de la Sonde, au Japon (1542), enfin à Macao, près de Canton (1557). Dès 1500, Cabral avait atteint le Brésil, qui devait rester une colonie portugaise jusqu'au XIXᵉ s.

En Afrique occidentale, la pénétration portugaise en Guinée et en Angola remontait aux dernières années du XVᵉ s. Mais l'occupation du Portugal par les Espagnols (1580/1640) entraîna la ruine de l'Empire portugais de l'océan Indien, lequel, au cours de la première moitié du XVIIᵉ s., passa presque entièrement aux mains des Hollandais. Dès lors, le Portugal consacra l'essentiel de son effort colonial à la mise en valeur du Brésil et (à partir du XIXᵉ s.) de ses possessions d'Afrique;

b) Les **Espagnols,** jusqu'à la mort de Christophe Colomb (1506), avaient limité leur colonisation aux Antilles (Saint-Domingue, Cuba, Porto Rico, Jamaïque). En 1509, ils commencèrent leur installation durable sur le continent, dans la région de Panama. Amerigo Vespucci fit la preuve que Colomb avait découvert non pas l'Inde, la Chine ou le Japon, comme on l'avait cru d'abord, mais un nouveau continent (v. AMÉRIQUE). Cortez mena la conquête du Mexique (1518/22), et, à partir de ce pays, la domination espagnole s'étendit sur toute l'Amérique centrale (vers 1522/46) puis vers le Nord, jusqu'à la Floride (expédition d'Ulloa, 1535/39) et à la Californie (1598). En Amérique du Sud, Pizarre détruisit l'empire des Incas et annexa le Pérou (1531/36), Valdivia et Mendoza firent la conquête du Chili (1541/61), les premiers établissements espagnols du Río de La Plata furent fondés par Mendoza en 1535.

En dehors de l'Amérique, les Espagnols cherchèrent sans succès à s'établir en Afrique du Nord (prise d'Oran, 1509; de Tripoli, 1510; de Tunis, 1535); ils s'emparèrent en revanche des Philippines (1570) et proclamèrent leur souveraineté sur les archipels des Mariannes et des Carolines, dans l'océan Pacifique;

c) Les **Français** se tournèrent vers l'Amérique du Nord dès 1524, lorsque François Iᵉʳ patronna l'expédition de Verrazzano. Les voyages de Cartier (1534/41) furent marqués par une première tentative, infructueuse, de colonisation du Canada. Durant la seconde moitié du XVIᵉ s., des groupes de protestants français tentèrent de s'établir sur le continent américain; mais la colonie de Villegagnon, sur la baie de Rio de Janeiro (1555), fut détruite par les Portugais; celle de Jean Ribaut et René de Laudonnière, en Caroline, fut massacrée par les Espagnols (1564). Dès le début du XVIIᵉ s., un nouvel effort de colonisation, avec Pontgravé, Chauvin et de Monts, s'affirma à l'embouchure du Saint-Laurent, où Québec fut fondé par Champlain (1608). Des colons étaient arrivés en Guyane dès 1604. Dans les Antilles, les Français occupèrent Saint-Christophe (1625), la Guadeloupe, la Dominique et la Martinique (1635), la partie occidentale de Saint-Domingue (1659/97). Avant la fin du XVIIᵉ s., la domination française en Amérique du Nord s'étendit sur toute la région des Grands Lacs et sur la vallée du Mississippi (v. AMÉRIQUE, CANADA); en 1699, Pierre d'Iberville fonda la colonie de la Louisiane. La France s'installa également en Afrique, à Saint-Louis du Sénégal (1659); dès 1642, fut

Monnaie de Louis XIV en argent, frappée pour le Canada, 1670.
Ph. © Bibl. Nat., Paris - Photeb

COLONIES

fondé l'établissement de Fort-Dauphin, à Madagascar, sur la route des Indes; la création des comptoirs de Pondichéry (1674) et de Chandernagor (1686) marqua les débuts de l'Inde française (v.);

d) Malgré la découverte de Terre-Neuve, dès 1497, par John Cabot, marin d'origine italienne au service d'Henri VII, les **Anglais** ne commencèrent à s'intéresser à l'expansion coloniale que sous le règne d'Élisabeth Ire, après que Drake eut accompli son voyage autour du monde (1577/81). Ils fondèrent successivement des colonies à Terre-Neuve (1583), en Virginie (Walter Raleigh, 1584), aux Bermudes (1609).

En 1620, les « Pères Pèlerins », amenés par le *Mayflower*, fondèrent la colonie de Plymouth, noyau de la Nouvelle-Angleterre (v. ÉTATS-UNIS). En 1632, la colonie du Maryland naquit à son tour. En luttant âprement contre les Espagnols, les Anglais parvinrent à s'établir aux Antilles, à la Barbade (1625), à Nevis (1628), à Antigua et à Montserrat (1632), à la Jamaïque (1655). En 1664, ils enlevèrent aux Hollandais La Nouvelle-Amsterdam, qui devint New York. William Penn fonda la colonie de Pennsylvanie en 1681.

Aux Indes, les Anglais se fixaient à Madras dès 1639, à Bombay en 1661, enfin à Calcutta en 1698;

e) Les **Hollandais** constituèrent leur empire asiatique au début du XVIIe s., aux dépens des Portugais, qu'ils expulsèrent de Java (fondation de Batavia, 1619), de Ceylan (1640), de Malacca (1641), des Moluques et des Célèbes. Désormais maîtres de l'Indonésie, ils assurèrent la sécurité de leur route des Indes en prenant possession de l'escale persane de Bender Abbas (1623) et en fondant, à la pointe méridionale de l'Afrique, la colonie du Cap (1652). En Amérique, ils firent leur apparition dès 1614 à l'embouchure de l'Hudson, où ils devaient fonder la Nouvelle-Hollande, qui eut pour capitale La Nouvelle-Amsterdam (New York). A partir de 1624, ils colonisèrent aussi la côte nord-est du Brésil, mais, en 1654, ils en étaient chassés par les Portugais, et, dix ans plus tard, la Nouvelle-Hollande passait aux Anglais. Les Hollandais ne gardèrent finalement en Amérique que Surinam et, aux Antilles, Curaçao et quelques îles enlevées aux Espagnols. Il faut également mentionner les tentatives de colonisation suédoise dans le Delaware (1638/55) et l'établissement brandebourgeois de Gross Friedrichsburg, dans le golfe de Guinée (fondé en 1681, vendu aux Hollandais en 1717).

Dès la fin du XVIIe s., l'Angleterre, grâce à sa suprématie navale, s'affirma de plus en plus comme la première puissance coloniale. Au traité d'Utrecht (1713), la France dut lui abandonner Terre-Neuve et l'Acadie (Nouvelle-Écosse, Nouveau-Brunswick), ainsi que le commerce des fourrures dans les territoires de la baie d'Hudson. Le renouveau colonial français en Amérique du Nord et la grande politique indienne de Dupleix furent brisés, au terme de la guerre de Sept Ans,

par le traité de Paris (1763) : l'Angleterre pouvait désormais étendre sa mainmise sur les Indes, où la France ne gardait que cinq comptoirs. Elle annexait le Canada, et les Français, qui abandonnaient en outre la Louisiane aux Espagnols, ne conservaient en Amérique que Saint-Pierre-et-Miquelon, Haïti, la Guadeloupe et la Martinique.

Caractéristiques essentielles des systèmes coloniaux (XVIe/XVIIIe s.)

Bien que chaque peuple européen ait profondément marqué de son génie propre son effort colonisateur, on peut essayer de dégager quelques traits communs dans les divers systèmes qui furent en vigueur jusqu'aux bouleversements de la fin du XVIIIe s.

Certains « empires » ne furent qu'un réseau d'entrepôts et comptoirs protégés par des fortins. En Inde, en Insulinde, en Chine, ni les Portugais ni les Hollandais ne pouvaient songer, du fait de leur infériorité numérique et de l'état d'avancement des civilisations autochtones, à entreprendre une conquête territoriale de l'intérieur du pays. Contre Almeida, le premier vice-roi portugais des Indes, qui estimait suffisante la maîtrise de la mer, Albuquerque avait fait approuver par Lisbonne sa politique d'implantation territoriale, mais celle-ci resta limitée à des points d'appui côtiers. Après avoir chassé les Portugais, les Hollandais adoptèrent la même attitude. Obéissant à des préoccupations exclusivement commerciales, ils n'essayèrent pas de créer en Indonésie des colonies de peuplement, de mettre les îles en valeur, de faire rayonner leur civilisation. La Compagnie des Indes se contenta d'établir sur place un réseau d'agents qui contrôlaient les autorités autochtones, percevaient des indigènes des prestations en nature, mais, en cas de nécessité, n'hésitaient pas à intervenir avec une extrême brutalité pour rétablir l'ordre (massacre de l'île de Lintor, dans les Banda, 1621).

En Amérique, au contraire, se créèrent rapidement de vastes colonies de peuplement. Les Espagnols et les Portugais favorisèrent l'immigration en provenance de la métropole, à l'exclusion très stricte des étrangers, des hérétiques, des Juifs et des morisques. La colonisation espagnole fut essentiellement œuvre de Castillans, et les Aragonais n'y prirent, pour ainsi dire, aucune part. Dès les années 1570/80, on comptait en Amérique environ 160 000 Espagnols et 25 000 Portugais. Les unions entre Blancs et Indiens donnèrent rapidement naissance à une nombreuse population de *métis*, auxquels les importations d'esclaves africains ajoutèrent des *mulâtres* (nés de Blancs et de Noirs) et des *zambos* (sang-mêlé de Noirs et d'Indiens). Les Blancs nés dans la colonie étaient appelés *créoles* (v.). La population blanche augmenta moins par l'immigration européenne, qui était assez faible (environ un mil-

lier d'immigrants par an, en moyenne, aux XVIᵉ et XVIIᵉ s.) que par une forte croissance démographique due aux conditions de vie très favorables de l'élite dominante. Vers la fin de la période coloniale, au début du XIXᵉ s., la population de l'Amérique espagnole se répartissait ainsi : 3,2 millions de Blancs, 5,3 millions de métis, 7,5 millions d'Indiens, 800 000 Noirs. Le Brésil comptait, à la même époque, 800 000 Blancs, 600 000 métis, 260 000 Indiens, 1 900 000 Noirs.

La **population indienne** avait terriblement souffert dans les lendemains de la conquête, en dépit des directives chrétiennes et humanitaires données dès 1503 par les Rois Catholiques. Abasourdis par l'effondrement brutal de toutes leurs traditions culturelles, soumis à l'exploitation de colons érigés en féodaux à la tête d'*encomiendas,* les Indiens furent décimés par les corvées excessives, par le travail forcé, par la mine, plus encore peut-être par les nouvelles maladies qu'apportaient les Européens. Dans les Antilles, la population indigène disparut totalement. Dans le Mexique central, au cours du quart de siècle qui suivit la conquête, la population indienne tomba de 25 millions à 6 300 000 en 1548; cinquante ans plus tard, elle dépassait à peine un million. Cette mortalité effroyable suscita les protestations d'un Bartolomé de Las Casas (v.), elle émut bien d'autres prédicateurs et théologiens, l'opinion publique métropolitaine, les Cortes, les souverains d'Espagne. Pour protéger les Indiens, Ferdinand le Catholique promulgua en 1512 les *Lois de Burgos.* Par les *Lois nouvelles* de 1542, Charles Quint ordonna de réprimer les abus, interdit de « réduire un Indien en esclavage sous aucun prétexte, même de guerre », de soumettre les Indiens à un travail « qui mettrait en danger leur existence ou leur santé »; les fonctionnaires et les prélats qui avaient reçu des Indiens pour les faire travailler sur leurs terres devaient les libérer; à l'avenir, aucune concession d'Indiens ne devait plus être accordée à personne et, à la mort de leurs maîtres actuels, les Indiens reviendraient à la Couronne. Mais les colons résistèrent obstinément à l'application de ces lois, comme à celles promulguées encore par Philippe II en 1573. Ce n'est guère avant le XVIIᵉ s. qu'on commença à comprendre vraiment que « sans Indiens, les Indes n'existent pas » et que les Indiens bénéficièrent enfin d'une législation effectivement protectrice : pause au milieu de la journée de travail, repos dominical, deux jours par semaine pour cultiver leurs propres terres, interdiction de soumettre les femmes à des travaux masculins, etc. Aussi bien s'était-on aperçu que la main-d'œuvre indienne était de qualité médiocre, inapte au travail de force, comme celui de la mine. Dès 1518, on avait imaginé de remplacer les indigènes par des Noirs amenés d'Afrique. La mise en valeur des colonies allait entraîner l'organisation de la traite (v. ce mot et AFRIQUE), la déportation en Amérique, du XVIᵉ s. au début du XIXᵉ s., de quelque 12 millions d'esclaves, qui

COLONIES
Armoiries des États colonisés
par l'Espagne au XVIIᵉ s. :
Grande Inde, Petite Inde.
Ph. Jeanbor © Photeb

furent employés dans les plantations ou les mines du Brésil, de l'Empire espagnol, des Antilles françaises, des colonies britanniques de Virginie, de Caroline, de Georgie.
Alors que le Canada français souffrit en permanence d'une crise de sous-peuplement européen (moins de 2 000 colons en 1660, 16 000 en 1700, 34 000 en 1730), les Anglais surent créer en Amérique du Nord de véritables colonies de peuplement, où une forte croissance démographique locale renforçait encore la puissance du mouvement d'immigration : quelque 250 000 colons dès le début du XVIIIᵉ s., plus de 1 600 000 en 1763. Cette supériorité numérique fut une des principales causes de la victoire anglaise dans les guerres coloniales du XVIIIᵉ s.

L'administration en Amérique latine

Dans les possessions portugaises et espagnoles, **l'administration coloniale** fut prise en charge par l'État métropolitain. Dès 1505, le roi de Portugal créa un *Estado da India,* dont les principaux centres, Diu, Malacca, Goa, relevaient directement de la métropole. Le gouverneur, qui portait le titre de vice-roi, était nommé pour trois ans et rarement renouvelé dans ses fonctions. Au Brésil, les cadres d'une administration imitée de celle de la métropole furent mis en place à partir de 1530 environ, avec des *corregidores* à l'échelon local, des capitaines généraux à la tête des provinces, un gouvernement général (à partir de 1549) et un vice-roi (à partir de 1640). Les capitaines généraux étaient nommés directement par la Couronne et ne relevaient que pour une part de l'autorité du vice-roi; en de nombreuses affaires, ils recevaient leurs instructions de Lisbonne, avec qui ils correspondaient sans intermédiaire. Cependant, un développement économique rapide et la constitution d'une élite sociale de créoles et de métis, qui avait fait la preuve de son loyalisme en prenant l'initiative de l'expulsion des Hollandais (1653/54), permirent bientôt au Brésil d'accéder à une certaine autonomie, du moins au niveau municipal, où les *senados da camera* jouissaient de responsabilités étendues.
Dans le domaine espagnol, l'incompétence administrative de Christophe Colomb amena très tôt les Rois Catholiques à imposer leur gouvernement direct au Nouveau Monde. Dès 1499, ils nommèrent Bobadilla gouverneur d'Española (Saint-Domingue), où un tribunal de trois juges royaux fut institué en 1511. Charles Quint prit en 1521 le titre de « roi des Indes et des terres fermes de la mer Océane ». En 1524, fut créé en métropole l'organe central de l'administration coloniale, le Conseil des Indes (*Consejo de Indias*). A partir de 1526/27, le gouvernement royal mit en place dans chaque province des *audiencias,* cours de justice dont les magistrats exerçaient également des pouvoirs exécutifs. Mais l'esprit d'indépendance des conquistadores rendit cette mesure insuffisante, et, en 1535, le premier vice-roi de la

Nouvelle-Espagne, Antonio de Mendoza, s'installait à Mexico. Par la suite, furent créées les vice-royautés du Pérou (1542), de la Nouvelle-Grenade (1717) et de La Plata (1776).

Les vice-rois, représentants directs du roi d'Espagne, possédaient de larges pouvoirs civils et militaires, et même certains pouvoirs ecclésiastiques. Les *audiencias* étaient des circonscriptions judiciaires, mais également administratives; leur ressort était très étendu (*audiencias* de Saint-Domingue ou des Antilles, 1526; de la Nouvelle-Espagne, 1527; du Guatemala, 1542; de la Nouvelle-Galice, 1548; de la Nouvelle-Grenade, 1549; de Charcas ou du Haut-Pérou, 1556; de Quito, 1563; de Buenos Aires, 1783; de Caracas, 1786; de Cuzco, 1789, et, en dehors de l'Amérique, *audiencia* des Philippines, 1583/93). Certaines *audiencias*, comme celles de Saint-Domingue, du Guatemala, de la Nouvelle-Grenade, furent traditionnellement confiées à des militaires, les capitaines généraux, qui étaient pratiquement indépendants du vice-roi et relevaient directement de la Couronne; d'autres capitaineries générales furent organisées plus tard au Venezuela (1773), à Cuba (1777), au Chili (1778). Les circonscriptions administratives inférieures étaient les *gobiernos*, les *corregimientos* et les *alcadias mayores*, mais, à la fin du XVIIIᵉ s., sous le règne de Charles III, elles furent remplacées dans tout l'Empire espagnol par un système d'intendances. L'administration fiscale était également placée sous les ordres directs de la Couronne, qui percevait le cinquième *(quinto)* de tous les produits du sous-sol, des droits de douane *(almojarifzgo)*, des droits sur les ventes *(alcabala)*, un tribut sur les Indiens, etc.

Au début de la colonisation, fut transposé en Amérique espagnole un système féodal de type castillan. Les conquistadores de haut rang reçurent de vastes apanages. A leurs compagnons on attribua des sortes de seigneuries, les *encomiendas*, sur la population indienne. Dans son esprit originel, cette organisation devait être l'instrument de la politique d'assimilation culturelle et religieuse conçue par les rois d'Espagne. L'*encomendero* était chargé d'âmes; s'il avait le droit d'exiger le tribut et des corvées, il devait aussi veiller à l'éducation chrétienne des Indiens. En fait, le système de l'*encomienda* fut rapidement détourné de son but initial et les nouveaux seigneurs soumirent la population autochtone à une exploitation systématique; le gouvernement royal réagit contre ces abus et, dès la fin du XVIᵉ s., les attributions des *encomenderos* avaient été considérablement réduites. L'ensemble de la législation coloniale fut rassemblée, en 1680, dans la *Recopilación de Leyes de las Indias*.

Le système des compagnies à charte

Le système hispano-portugais de l'administration directe se révélant très coûteux (car, aux meilleurs moments, l'Amérique ne fournit jamais plus qu'un quart environ des ressources totales de la couronne espagnole),

Anglais, Hollandais, Français recoururent plus volontiers à la formule des **compagnies à charte** qui, moyennant l'octroi de grands privilèges commerciaux, parfois d'un monopole absolu, assuraient, à l'aide de fonds privés, l'établissement, le peuplement et la mise en valeur d'une colonie. Telles furent la Compagnie anglaise des Indes orientales (1600), la Compagnie hollandaise des Indes orientales (1602), la Compagnie hollandaise des Indes occidentales (1621), et, pour la France, la Compagnie des Cent-Associés (1627), la Compagnie française des Indes orientales (1664), la Compagnie française des Indes occidentales (1664), la Compagnie française des Indes (1719) (v. les articles consacrés à chacune de ces compagnies à Cent-Associés, Indes, Indes occidentales, Indes orientales). La plus florissante de toutes fut, au XVIIᵉ s., la Compagnie hollandaise des Indes orientales. Au siècle suivant, la Compagnie anglaise des Indes orientales, réorganisée en 1709, s'engagea dans la conquête territoriale de tout le subcontinent indien, qu'elle devait gouverner jusqu'à la révolte des Cipayes (1858).

En France, les diverses compagnies coloniales se heurtèrent à d'invariables difficultés : scepticisme des milieux financiers et de l'opinion publique, capitaux et fonds de roulement insuffisants. Constatant l'échec de la compagnie des Cent-Associés, Louis XIV dut décider en 1663 l'incorporation du Canada ou Nouvelle-France au domaine royal. Sous ce nouveau statut, la Nouvelle-France fut aussi étroitement contrôlée par la métropole que l'étaient les colonies espagnoles. Le contraste était frappant avec les colonies anglaises d'Amérique du Nord, qui, sous la présidence d'un gouverneur venu d'Angleterre et représentant le roi, administraient elles-mêmes la plus grande partie de leurs affaires. Peuplées en grande partie par des dissidents religieux qui avaient quitté l'Angleterre parce qu'ils refusaient de se plier à l'épiscopalisme anglican, ces colonies furent l'école de la future démocratie américaine. Non seulement les gouverneurs avaient pour conseillers des Américains, mais chaque colonie possédait une assemblée représentative, élue au suffrage censitaire, qui proposait les lois, votait les impôts, exerçait en somme le même rôle dans la colonie que le Parlement en Angleterre.

La politique économique et commerciale

La politique économique et commerciale dans toutes les colonies fut marquée par la doctrine universellement admise jusqu'au XVIIIᵉ s., celle du mercantilisme (v.). Comme le dira encore Montesquieu (*Esprit des lois,* livre XXI, c. 21) : « On a établi que la métropole pouvait seule négocier avec les colonies, et cela avec grande raison, parce que le but de l'établissement a été l'extension du commerce, non la fondation d'une ville ou d'un nouvel empire. »

COLONIES

Avers et revers d'une médaille frappée sous Louis XIV en 1665 pour la création de la « Colonia Madagascarica », relais vers les Indes occidentales. « Bœuf bison » devant un ébénier.

Ph. © Hôtel de la Monnaie, Paris
Photeb

Aussi bien Espagnols et Portugais qu'Anglais, Français et Hollandais sont fermement convaincus que les colonies sont faites pour enrichir la métropole. Elles sont donc pour chaque nation un domaine réservé, d'où l'étranger, qui ne peut être qu'un concurrent, un rival, doit être écarté par les moyens les plus rigoureux. Cette doctrine trouvera son expression dans le système de l'*exclusif* (v.), appelé encore *pacte colonial*. L'économie coloniale doit être absolument complémentaire de celle de la métropole : d'une part, la colonie ne peut vendre et acheter qu'à la métropole (et, presque toujours, le trafic est réservé aux navires nationaux, parfois même à ceux de tel ou tel port national) — d'autre part, la colonie ne doit fournir que les produits alimentaires et les matières premières qui manquent à la métropole et se voit interdire la production de tous les objets fabriqués que peut lui fournir la métropole.

Si les Portugais étaient partis vers l'Inde en quête d'épices (on a pu décrire leur installation sur les rives de l'océan Indien comme une véritable « croisade de marchands de poivre, de gingembre et de cannelle »), c'est la convoitise de l'or et des métaux précieux qui poussait en avant les conquistadores, à la recherche du légendaire El Dorado. Au début, il fallut se contenter des bijoux troqués avec les Indiens, des trésors saisis chez les Aztèques, obtenus en rançon de l'Inca ou pillés à Cuzco. C'est seulement en 1545/46 que furent découverts les gisements d'argent de Zacatecas, au Mexique, du Potosi au Pérou, puis, au XVIIIe s., les mines d'or et de diamants du Brésil. Mais, en dehors des métaux précieux (qui ne se trouvaient que dans les possessions hispano-portugaises), l'Europe attendait des colonies les produits tropicaux (sucre, tabac, indigo, coton, rhum) ou septentrionaux (fourrures du Canada et des territoires de la baie d'Hudson). A partir du XVIIe s., les grandes plantations de canne à sucre et de tabac, travaillées par la main-d'œuvre des esclaves noirs, devint la base économique des colonies de peuplement en Amérique.

En Espagne, dès 1503, l'organisation monopoliste de l'économie coloniale avait été placée sous la direction suprême de la *Casa de Contratación*, établie à Séville et plus tard à Cadix; elle canalisait tout le commerce d'outre-mer et percevait la part du roi, le *quinto*. C'était à la fois un ministère du Commerce, une cour de justice, un bureau central d'achats, un organisme fiscal et douanier, qui comportait en outre un service océanographique et une école de navigation. En plus du *quinto*, le roi d'Espagne prélevait sur toutes marchandises des droits de douane, qui se montaient, dès 1566, à 15% dans le sens Europe-Amérique et à 17,5% dans le sens Amérique-Europe. Le contrôle mercantiliste, établi dès les découvertes, se resserra encore sous Philippe II : les colons qui trafiquaient sans autorisation avec les étrangers risquaient la peine de mort, tout comme les étrangers qui prenaient part dans une affaire coloniale espagnole; ceux qui importaient de

l'or en contrebande pouvaient être envoyés aux galères ou en exil. La guerre navale à peu près permanente et les attaques des corsaires amenèrent les Espagnols, dès 1543 pour la Nouvelle-Espagne, en 1561 pour le Pérou, à établir le système des flottes convoyées. Chaque année, les métaux précieux du Pérou, transportés de Callao à Panamá par la flotte du Pacifique, puis par caravane de mulets à travers l'isthme de Panamá, étaient chargés dans les galions qui rejoignaient à La Havane la *flota* venue du Mexique. Les deux flottes faisaient alors route ensemble, avec une puissante escorte, vers Séville ou, à partir de 1574, vers Cadix, qui finit par supplanter complètement Séville au début du XVIIIe s. Depuis l'isthme de Panamá jusqu'à Séville, le voyage demandait entre 106 et 173 jours. Les attaques anglaises, françaises et hollandaises causèrent, au total, relativement peu de dommages à ce trafic, et l'on estime que, de 1503 à 1660, 181 tonnes d'or et 17 000 tonnes d'argent furent ainsi acheminées d'Amérique en Espagne.

Le système de l'exclusif fut tout aussi rigoureusement appliqué dans les Antilles françaises et dans les colonies britanniques. Dès 1624, l'Angleterre avait interdit le transport du tabac de Virginie sur des navires étrangers. A partir de 1660, l'Angleterre se réserva les principaux produits tropicaux, sucre, tabac, coton, indigo, les marchands étrangers n'eurent plus le droit de s'installer ni celui de trafiquer dans les possessions anglaises et bientôt toutes les marchandises étrangères destinées aux colonies durent transiter par la métropole. Le gouvernement de Londres interdisait aux colons tout commerce avec les colonies espagnoles et françaises. Au XVIIIe s., il leur défendit même, pour favoriser l'industrie métropolitaine, de fabriquer aucun produit métallurgique. Les Antilles françaises vécurent sous un régime analogue entre 1684 et 1748; des taxes très lourdes entravèrent le raffinage du sucre, qu'entendait se réserver la métropole. Ni pavillon, ni commerce, ni négociants étrangers n'étaient tolérés dans les îles. Mais ce régime ne put être maintenu durant les guerres de la Succession d'Autriche et de Sept Ans, au cours desquelles la Guadeloupe et la Martinique, totalement coupées de la métropole, et même occupées par les Anglais, s'habituèrent à commercer avec les pays étrangers et avec les colonies voisines. Après le retour de la paix, le gouvernement français dut ouvrir ses colonies à de nombreux produits vivriers étrangers (1784), mais cette mesure souleva de violentes protestations chez les commerçants métropolitains.

En butte à l'opposition doctrinale des physiocrates (v.), le système de l'exclusif vacillait dans tous les empires coloniaux à la fin du XVIIIe s. Pour l'Espagne, il n'était plus qu'une orgueilleuse façade qui couvrait depuis longtemps une réalité lamentable : dès 1690, on constate en effet que les Hollandais, les Anglais, les Italiens, les Français se sont emparés de la plus grande partie du commerce national grâce à des prête-noms

COLONIES
Noir coupant des cannes à sucre aux Antilles, XVIIIe s.
Ph. © Bibl. Nat., Paris - Photeb

COLONIES
Mulâtre libre du Mexique.
Gravure, 1805.
Ph. M. Didier © Photeb

espagnols. Au traité d'Utrecht (1713), l'Angleterre avait obtenu le contrat de l'*asiento* (v.), c'est-à-dire l'exclusivité de la traite destinée aux colonies espagnoles, ainsi que le droit d'envoyer chaque année dans un des ports de l'Amérique espagnole un « vaisseau de permission » chargé de marchandises. Le monopole portugais avait été également brisé au profit des Anglais par le traité Methuen (1703), qui ouvrit le Brésil aux produits manufacturés britanniques. Mais l'exclusif anglais était lui-même menacé par le puissant développement industriel de ses colonies américaines du Centre et du Nord. Néanmoins, le vieux système subsistait officiellement partout, et il suscitait chez les colons un mécontentement croissant qui n'allait pas peu contribuer à la révolte des colonies britanniques et espagnoles contre leurs métropoles.

La politique religieuse et culturelle

La politique religieuse et culturelle fut marquée, au départ, d'un caractère évangélisateur dont la sincérité et la générosité sont incontestables. Les missionnaires furent appuyés par les gouvernements métropolitains, mais ils se heurtèrent aux intérêts des marchands et des colons; dans les pays de vieille civilisation, comme en Inde, leur échec est également attribuable à la maladresse de leurs méthodes, à la rivalité des ordres religieux (dominicains et capucins contre jésuites), à la destruction de leurs missions par les Hollandais protestants. En Afrique, les Portugais convertirent le roi du Congo au christianisme dès 1491; il est vrai qu'il apostasia quatre ans plus tard, mais son fils, chrétien, donna à la capitale du royaume le nom de São Salvador et son petit-fils fut sacré évêque à Rome. En 1555, des franciscains portugais rédigèrent le premier catéchisme en langue congolaise. Depuis lors, les missions portugaises continuèrent sans interruption leur travail en Angola, mais les méthodes des marchands et l'activité des trafiquants d'esclaves ne favorisaient guère l'évangélisation.

En Amérique hispano-portugaise s'établit une étroite union de l'Église et de l'autorité coloniale. Par les bulles *Inter caetera* (1493), *Eximiae devotionis* (1501), *Universalis Ecclesiae* (1508), le Saint-Siège confia aux rois d'Espagne et de Portugal la christianisation des territoires découverts et l'organisation de l'Église en Amérique. Les Indiens trouvèrent des défenseurs chez des théologiens et des prédicateurs comme Francisco de Vitoria et Bartolomé de Las Casas. A la suite des conquérants et des colons, arrivèrent des missionnaires de tous ordres, franciscains, dominicains, augustins, jésuites. Des milliers d'églises furent rapidement construites, souvent à l'emplacement d'anciens sanctuaires païens. A la fin de la période coloniale, l'Amérique espagnole comptait 7 archevêchés et quelque 35 diocè-

ses. Un archevêché du Brésil, avec siège à Bahia, fut créé par Innocent XI en 1676. L'Inquisition fut introduite dans les possessions espagnoles (1569), mais non au Brésil. L'Église devint une puissance économique considérable, mais elle exerça une action culturelle et sociale très importante; des universités furent créées à Mexico (1551), à Lima (1551), à Saint-Domingue (1558). Dans leurs « réductions » (v.) du Paraguay, les jésuites écrivirent une des grandes pages de l'histoire des missions (v.), et leur expulsion (1767) marqua le début du déclin de la vie catholique en Amérique latine. En trois siècles cependant s'était accomplie une authentique acclimatation du catholicisme, qui s'exprima dans de grandes figures mystiques, telles sœur Juana de la Cruz et ste. Rose de Lima, et dans la floraison d'un art baroque original.

Au Canada, les premiers missionnaires jésuites arrivèrent en 1611. L'apostolat auprès des Hurons et des Iroquois fut marqué par des sacrifices héroïques tels que celui de st. Jean de Brébeuf et de ses compagnons. Le premier évêché canadien fut créé en 1674 à Québec et eut pour titulaire Mgr de Montmorency-Laval (v.). Toute la vie canadienne française devait conserver de cette période une profonde empreinte cléricale, qui s'est maintenue jusqu'au milieu du xxe s. Les colonies britanniques de la Nouvelle-Angleterre prirent également un caractère religieux accusé : elles furent peuplées en majorité de puritains qui, plutôt que de composer avec l'épiscopalisme, avaient préféré s'expatrier. Ceux-ci créèrent des communautés où la foi régissait non seulement la vie privée mais aussi la vie publique, où l'État était étroitement uni à l'Église, où l'intolérance sévissait de manière fréquente (chasse aux sorcières), où l'organisation presbytérienne favorisait cependant la naissance d'institutions démocratiques.

Déclin des anciens empires et nouvelle expansion coloniale (1763/1870)

Au traité de Paris (1763), l'opinion publique française, qui ne s'est jamais beaucoup intéressée à l'expansion coloniale, accepte sans grande émotion la perte de l'Inde et du Canada. Les théories des économistes en faveur de la liberté du commerce et le mythe du « bon sauvage » répandu par les philosophes militent contre l'ancien système colonial fondé sur l'*exclusif* et sur l'esclavage. Celui-ci est aboli par la Convention en 1794. Bonaparte le rétablit (1802), mais il ne peut réduire la révolte des Noirs de Haïti, qui proclament leur indépendance. La Louisiane, rétrocédée par l'Espagne en 1800, mais jugée indéfendable contre les attaques anglaises, est finalement vendue aux États-Unis en 1803 pour une somme de 80 millions de francs. Au premier traité de Paris (1814), l'Angleterre rend à la France ses colonies occupées pendant les guerres napoléoniennes, à l'exception de Tobago, de Sainte-

COLONIES

Médaillon en l'honneur de
l'abolition de l'esclavage. (Musée
de l'Histoire vivante, Montreuil.)

Lucie et de l'île de France (Maurice). De son premier empire colonial la France ne conserve donc que la Guyane, les îles américaines de Saint-Pierre-et-Miquelon, de la Guadeloupe et de la Martinique, les comptoirs africains d'Arguin et de Saint-Louis-du-Sénégal, et, dans l'océan Indien, l'île de la Réunion et les cinq comptoirs de l'Inde.

Victorieuse de la France, l'Angleterre n'avait pu empêcher ses anciennes colonies d'Amérique du Nord de conquérir leur indépendance (1776/83) (v. ÉTATS-UNIS), mais elle gardait la maîtrise absolue des mers, et sa lutte très dure contre Napoléon lui avait fait sentir à quel point elle était tributaire de ses positions coloniales et commerciales dans les autres continents. Établie dès 1787 en Sierra Leone, dès 1788 en Australie (Nouvelle-Galles du Sud), maîtresse de la Méditerranée grâce à la possession de Gibraltar (enlevé à l'Espagne dès 1704), elle se fit attribuer définitivement, aux traités de 1814/15, de nombreux territoires qu'elle avait occupés pendant les guerres napoléoniennes : Malte, une partie de la Guyane et des Antilles françaises ou espagnoles; la colonie du Cap et l'île de Ceylan, enlevées aux Hollandais. Elle était désormais la première puissance coloniale du monde, car l'Empire espagnol d'Amérique était en train de s'effondrer à la suite de révoltes qui se succédaient depuis 1810 et qui aboutirent, en 1824, à l'indépendance de tous les États latino-américains, le Brésil s'étant lui aussi séparé de la métropole portugaise en 1822 (v. AMÉRIQUE). Les possessions espagnoles d'outre-mer se trouvaient donc réduites essentiellement à Porto Rico, à Cuba et aux Philippines. Les Hollandais avaient, en 1815, récupéré l'Indonésie, mais il leur fallait faire face à de graves problèmes politiques et économiques créés par la politique malthusienne et oppressive de l'ancienne Compagnie des Indes, qui avait dû être dissoute dès 1798.

De 1815 à 1870, l'Angleterre continua à étendre ses possessions, mais elle travailla surtout à consolider son empire colonial, en s'engageant dans de profondes transformations internes. Elle acheva la conquête territoriale de l'Inde (v.), mais la révolte des Cipayes (v.) entraîna la suppression de la vieille Compagnie des Indes (1858). L'Inde devint une colonie de la Couronne, désormais administrée à Londres par un ministre spécial et, sur place, par un vice-roi disposant d'un corps de fonctionnaires d'élite, le Civil Service (v.). L'Inde constituant désormais la plus grande et la plus riche de leurs possessions, les Anglais s'efforcèrent d'assurer la sécurité de ses frontières : ils occupèrent la Basse-Birmanie avec le port de Rangoon (1826, 1852), le Cachemire (1846), mais leurs tentatives sur l'Afghanistan aboutirent à un échec (1842). Pour assurer la sécurité de la route des Indes et surveiller le débouché de la mer Rouge, ils s'installèrent à Aden (1839). La pénétration vers la Chine et l'Extrême-Orient, amorcée dès 1788 par l'occupation de Penang, noyau des futurs Straits Settlements (v.), fut poursuivie par la

mainmise sur Malacca et Singapour (1819) et sur Hongkong (1841). D'abord utilisée comme colonie pénitentiaire, l'Australie se peupla aussi, mais très lentement, d'immigrants libres; après la Nouvelle-Galles du Sud, furent créées les colonies du Queensland (1823), de l'Australie-Occidentale (1829), de Victoria (1835), de l'Australie-Méridionale (1836); la grande ruée vers l'or des années 1850 déclencha une croissance foudroyante de la population australienne. L'île de Tasmanie, d'abord dépendante de la Nouvelle-Galles du Sud, avait été également érigée en colonie en 1825. La Nouvelle-Zélande, sur laquelle les Français avaient des visées, fut occupée en 1840. En Afrique, l'Angleterre s'installait en Côte-de-l'Or (1821) et annexait le Natal (1843).

Jusque vers 1840, la politique coloniale de Londres resta fidèle aux anciennes méthodes d'exploitation qui avaient pourtant suscité la révolte des colons d'Amérique : pas de liberté de commerce ni de liberté d'industrie pour les colonies, conçues sous l'angle exclusif d'une complémentarité de la métropole. Cependant les idées libérales progressaient en Angleterre, en même temps que les préoccupations humanitaires, qui, exposées avec ardeur par des hommes comme Wilberforce, obtenaient dès 1807 l'abolition de la traite et, en 1834, celle de l'esclavage. En 1825, les colonies anglaises d'Amérique furent ouvertes partiellement au commerce étranger. En 1833, la liberté complète de commerce fut accordée à tous les sujets anglais de l'Inde. La politique libre-échangiste triompha enfin en 1846/49, et plus aucune restriction ne vint entraver le trafic des colonies. A cette évolution dans les rapports commerciaux correspondait une crise politique que l'Angleterre sut résoudre avec le pragmatisme libéral qui devait inspirer jusqu'au XXᵉ s. toutes ses grandes décisions impériales. Alors qu'un puissant courant d'immigration s'amorçait de la métropole vers des pays comme le Canada et l'Australie, il était impossible de maintenir plus longtemps l'ancien régime de sujétion, qui restait applicable en revanche dans des colonies peu peuplées. Dès 1848, le Canada se vit accorder un gouvernement représentatif, et, de 1850 à 1860, les colonies d'Australie, de Nouvelle-Zélande, d'Afrique du Sud, reçurent des institutions parlementaires analogues. Une étape nouvelle et décisive fut franchie en 1867 avec la création du dominion canadien. A une politique strictement coloniale l'Angleterre allait substituer l'union de plus en plus libre entre de grands peuples rapprochés par la communauté de langue et de civilisation, par l'orgueil du nom britannique, par les intérêts commerciaux et par une commune allégeance à la Couronne : le Commonwealth (v.) était en train de naître.

Après les traités de 1815, la France, contrainte à la prudence sur le continent européen, pouvait trouver dans l'expansion outre-mer un exutoire pour satisfaire ses rêves de gloire et d'aventure. La Restauration fut marquée par des explorations har-

COLONIES

dies (René Caillié à Tombouctou, 1828) et par une réorganisation de la marine qui permit d'entreprendre l'expédition d'Alger (juin 1830). La conquête de l'Algérie (v.) (1830/47) ne fut cependant pas la conséquence d'une politique coloniale à vues lointaines. Charles X, aux prises avec une opposition libérale de plus en plus hardie, cherchait à consolider son trône par un succès de prestige. Louis-Philippe, soucieux de maintenir la paix en Europe contre les excités qui rêvaient aux gloires de la Révolution et de l'Empire, exploita la possibilité de détourner vers l'Algérie des énergies trop belliqueuses, mais il crut d'abord qu'on pourrait se contenter d'une occupation restreinte, limitée à quelques points de la côte. La résistance d'Abd el-Kader entraîna, à partir de 1840, sous la direction de Bugeaud, la conquête systématique de l'intérieur. Dès lors, l'occupation militaire fut consolidée par l'installation de colons civils, dont le nombre dépassait déjà 100 000 en 1847. La période de la monarchie de Juillet fut marquée également par l'installation de quelques comptoirs sur le golfe de Guinée, par l'établissement de la France à Mayotte et à Nossi-Bé, dans l'océan Indien, et à Tahiti. L'abolition de l'esclavage, décidée dès 1845 comme une mesure progressive, fut réalisée par la IIe République en 1848.

Napoléon III poursuivit avec énergie la politique d'expansion outre-mer, pour maintenir le prestige français, pour propager le christianisme (influence de l'impératrice et souci de donner satisfaction à l'opinion catholique) et pour assurer à l'industrie métropolitaine des approvisionnements en matières premières et des débouchés pour les produits. Plus décisive encore que celle de l'empereur fut l'action des ministres de la Marine chargés des colonies, en particulier de Chasseloup-Laubat (ministre en 1851 et de 1860 à 1867). Mais beaucoup de réalisations coloniales n'auraient pas vu le jour sans l'initiative d'officiers et d'administrateurs qui surent dépasser le cadre de leur mission initiale, comme le fit notamment Faidherbe au Sénégal. En Algérie, Napoléon III songea à une application originale du principe des nationalités par la création d'un « royaume arabe ». En Afrique occidentale, Faidherbe mena de 1854 à 1865 la conquête du Sénégal; il posa les bases de l'administration indirecte en concluant des accords avec les chefs indigènes; il marqua son intérêt pour les cultures autochtones et pour l'islam, mais il créa aussi des écoles françaises et mit sur pied les premières troupes noires; Dakar fut fondée en 1857. En Extrême-Orient, où la France, dès le règne de Louis XVI, avait manifesté une présence active en Annam (v. Viêt-nam), la protection des missions catholiques fournit le prétexte de l'intervention de 1858 qui amena l'occupation de Tourane et de Saïgon (1859) et la cession d'une partie (1862) puis de la totalité (1867) de la Cochinchine. Dans le même temps, le roi du Cambodge, inquiet des ambitions siamoises, reconnaissait le protectorat de la France (1863). L'achat d'Obock (1862) inaugura la colonisation de la côte des Somalis. Dans l'océan Pacifique, la Nouvelle-Calédonie avait été annexée dès 1853.

La grande époque de l'impérialisme colonial (1870/1919)

Le dernier quart du XIXe s. et les premières années du XXe s. virent l'achèvement du partage de la Terre entre les grandes puissances du monde occidental (principalement l'Angleterre, la France, l'Allemagne, la Russie, les États-Unis). Le Japon fut le seul peuple d'origine non européenne à participer à ce mouvement d'une puissance irrésistible qu'on appela l'impérialisme (v.). On constate que les pays impérialistes sont aussi les pays industriellement les plus avancés. L'impérialisme de la fin du siècle dernier s'inscrit dans la logique même de l'expansion capitaliste. Dans son livre *Imperialism, A Study*, paru en 1902, l'Anglais J. A. Hobson soulignait cet aspect économique. Il définissait l'impérialisme comme « l'effort des grands maîtres de l'industrie pour faciliter l'écoulement de leur excédent de richesses, en cherchant à vendre ou à placer à l'étranger les marchandises ou les capitaux que le marché intérieur ne peut absorber ». Cette nécessité devint d'autant plus pressante qu'à la suite de la crise économique (v.) de 1872/73 les grands pays, à commencer par les États-Unis et l'Allemagne, évoluèrent vers le protectionnisme (v.). A partir de 1873, l'Angleterre constata avec inquiétude que ses exportations enregistraient une nette régression. Les grandes puissances industrielles furent donc séduites par l'idée de se constituer de vastes domaines plus ou moins autarciques, où la production métropolitaine trouverait les matières premières qui lui étaient nécessaires et des débouchés pour ses produits fabriqués qui ne parvenaient plus à s'écouler sur le marché intérieur ni sur les marchés étrangers habituels.

Mais d'autres facteurs ont également contribué au développement de l'impérialisme colonial :

a) *Le nationalisme*. La conquête de terres nouvelles, la colonisation, est, pour un pays, le moyen d'affirmer son prestige de grande nation, sans mettre en péril la paix européenne. En entreprenant une œuvre de longue haleine comme la mise en valeur d'une colonie, un peuple fait la démonstration de sa vitalité tendue vers l'avenir, résolue à sacrifier l'intérêt immédiat à l'intérêt éloigné. Il donne un témoignage de la foi qui l'anime dans ses valeurs de civilisation. Comme le dira Jules Ferry, « les nations, au temps où nous sommes, ne sont grandes que par l'activité qu'elles développent... Rayonner sans agir, sans se mêler aux affaires du monde (...), c'est abdiquer, et, dans un temps plus court que vous ne pouvez le croire, c'est descendre du premier rang au troisième ou au quatrième ». (Discours à la Chambre des députés, 28 juill. 1885.) De plus, la colonisation répond à des exigences stratégiques, au

développement considérable de toutes les marines de guerre, qui ne peuvent se passer de bases et de centres de ravitaillement. Dans le cas particulier de la France, l'aventure coloniale a aussi pour but d'effacer les humiliations de 1870/71, alors que la revanche, la reconquête de l'Alsace et de la Lorraine, apparaît encore impossible;

b) *La surpopulation métropolitaine.* Entre 1800 et 1914, la population européenne passe de 180 millions à près de 430, et cependant, durant la même période, l'Europe envoie outre-mer quelque 55 millions d'émigrants. Le mouvement affecte particulièrement les pays à forte croissance démographique, comme l'Angleterre et l'Allemagne, et ceux, comme l'Italie, où le développement industriel est encore trop faible pour fournir assez de travail sur place à la main-d'œuvre nationale. Dès la fin du XIXe s., les Allemands se sentent à l'étroit dans leur vieil habitat; mais ils émigreront plus volontiers en Amérique du Nord, au Brésil et en Argentine que dans leurs colonies africaines. L'Italie, au contraire, envisagera essentiellement son expansion coloniale sous l'angle du peuplement. Comme le soulignait, à la veille de la conquête de la Libye (1911), le doctrinaire nationaliste Corradini : « L'émigration signifie du travail italien abandonné à soi-même de par le monde; la conquête des colonies signifie au contraire que le travail italien est accompagné dans le monde par les autres forces de la nation italienne et par la nation elle-même. » En France, pays à faible natalité, cette préoccupation ne joue presque aucun rôle, sauf en Algérie, qui accueille après la défaite de 1871 de nombreux réfugiés des départements d'Alsace-Lorraine;

c) *L'idéal humanitaire.* La réaction anticolonialiste contemporaine sous-estime à tort son importance, sa sincérité, sa générosité. L'homme blanc d'avant 1914 n'a pas encore été amené à douter de lui-même par les tueries des deux grandes guerres mondiales. Stupéfié des progrès considérables qu'il a accomplis depuis le début de la révolution industrielle, comment ne croirait-il pas à la supériorité absolue de ses valeurs et à sa mission pédagogique envers le reste de l'humanité ? Teinté d'évangélisme protestant en Angleterre, le colonialisme sera en France une des grandes idées laïques, une vocation à apporter partout dans le monde les lumières de la raison, les bienfaits de l'enseignement, de l'hygiène et de la science. Il appartient au colonisateur européen, dit É. Clémentel, de « réveiller les races de leur torpeur séculaire »; un collaborateur de la revue anglaise *Nineteenth Century* proclame dans des termes analogues, en avr. 1897 : « A nous — à nous et non aux autres — un certain devoir précis a été assigné. Porter la lumière et la civilisation dans les endroits les plus sombres du monde; éveiller l'âme de l'Asie et de l'Afrique aux idées morales de l'Europe; donner à des millions d'hommes, qui autrement ne connaîtraient ni la paix ni la sécurité, ces conditions premières du progrès

humain. » Et Karl Marx, lui aussi, voit dans le colonialisme européen un phénomène de progrès : « La véritable question, écrit-il en 1853 dans un article du *New York Times,* la voici : l'humanité peut-elle satisfaire à sa destination sans une révolution fondamentale dans l'état social de l'Asie? Si elle ne le peut, alors l'Angleterre, quels qu'aient été ses crimes, a été, en réalisant cette révolution, l'instrument inconscient de l'histoire. »

L'impérialisme colonial, après avoir atteint son apogée à la suite de la conférence de Berlin (v.) (1884/85), qui entérina par avance le partage de l'Afrique entre les puissances européennes, devait s'atténuer après 1900, les territoires vacants devenant plus rares. Il prit d'ailleurs des formes plus ou moins caractérisées : colonisation avec administration directe (la France en Algérie) ou indirecte (l'Angleterre dans les États princiers de l'Inde); protectorat (la France en Tunisie et au Maroc; l'Angleterre en Arabie méridionale, en Malaisie); tutelle économique et financière (c'est le cas de l'Empire ottoman, de l'Empire chinois, des États de la zone des Caraïbes).

L'Empire colonial français

Son édification, jusque vers 1890, est surtout le fait d'initiatives individuelles d'hommes politiques (Gambetta, Jules Ferry), de commerçants, de missionnaires, d'officiers de marine ou de l'armée de terre. L'opinion publique, obsédée par l'idée de la revanche, ne s'intéresse guère aux expéditions lointaines; elle s'émeut avec excès d'échecs locaux comme celui de Lang-son (1885) et se montre profondément injuste à l'égard de Ferry, auquel l'épithète de « Tonkinois » restera attachée comme une marque infamante. Dans des milieux politiques, la colonisation est d'abord combattue par ceux qui lui reprochent de condamner le pays à la passivité sur le continent européen et de rendre impossible une alliance avec l'Angleterre (Clemenceau). Cependant, parvenus au pouvoir, les radicaux reprendront à leur compte la politique coloniale. Mais celle-ci est alors dénoncée par Jaurès et les socialistes, qui y voient une forme d'exploitation et s'inquiètent de la possibilité d'un affrontement avec l'Allemagne, notamment au Maroc.

A partir de 1890, un courant « coloniste » marque des progrès dans l'opinion, qui s'enfièvre lors de la crise franco-anglaise de Fachoda (1898/99) et commence à apprécier l'arrivée sur les marchés des produits coloniaux vendus à bas prix. Mangin rattache habilement l'expansion coloniale à la préparation de la revanche en lançant l'idée d'une « force noire » qui, en temps de guerre, viendrait compenser l'infériorité numérique de la France par rapport à l'Allemagne (v. COLONIALES, troupes). Bientôt Péguy, dans *Victor-Marie, comte Hugo* (1910), célébrera dans l'officier d'Afrique Ernest Psichari le soldat colonial et pacificateur qui fait « la

COLONIES
Tenues de campagne du corps expéditionnaire français au Tonkin, 1883.

paix à coups de sabre, la seule qui tienne, la seule qui dure, la seule enfin qui soit digne ». Dans les années 1930, à la suite de l'Exposition coloniale, la France métropolitaine se tourne de plus en plus vers l'« Empire », dont la puissance humaine et économique semble capable de rétablir l'équilibre des forces dangereusement menacé par la renaissance de l'Allemagne. En 1940, c'est en s'appuyant sur les ressources de l'Empire que de Gaulle peut affirmer que la France, même si son territoire métropolitain est presque entièrement envahi par la Wehrmacht, n'a cependant perdu « qu'une bataille » et qu'elle est encore capable, grâce à ses possessions africaines et asiatiques, de contribuer à l'effort de guerre allié et de prendre part à la victoire finale.

L'Empire colonial français créé par la IIIe République fut essentiellement africain. Après l'établissement du protectorat sur la Tunisie (1881), l'expansion au Maghreb visa le Sahara algérien (massacre de la mission Flatters, 1881; mission Foureau-Lamy, 1900; organisation de la région des Oasis en quatre Territoires du Sud, 1902). Dès 1902, la France prit pied au Maroc, fit reconnaître sa position privilégiée dans ce pays par la conférence d'Algésiras (1906) et, en 1912, imposa son protectorat au sultan. Gagnant l'alliance des seigneurs féodaux, Lyautey mena jusqu'après la Première Guerre mondiale la pacification du Maroc.

En Afrique noire, Brazza avait posé les bases de la colonie du Congo entre 1875 et 1880. A partir du Sénégal, la conquête du Soudan occidental fut entreprise en direction du Niger vers 1880. Archinard détruisit l'empire d'Ahmadou (1888/93) et Tombouctou fut occupé en 1893. La colonisation progressait aussi le long des côtes guinéennes et en Côte-d'Ivoire. La défaite de Béhanzin (1894) permit l'annexion du Dahomey. Après la capture de Samory (1898), la jonction fut réalisée entre les postes du Niger et les colonies guinéennes. Le gouvernement général de l'Afrique-Occidentale française, dont les origines remontent à 1895, s'accrut de la Haute-Volta puis de la Mauritanie, mais cette dernière colonie ne fut que très lentement et toujours imparfaitement pacifiée. Annexé après la défaite de Rabah (1900), le Tchad fut groupé avec le Congo, le Gabon et l'Oubangui-Chari dans un gouvernement général de l'Afrique-Équatoriale française (1910). Progressant dans le sens Ouest-Est, la colonisation française tenta d'englober également la région du Haut-Nil, mais, sur les ordres de Paris, qui voulait éviter une guerre avec l'Angleterre, la mission Marchand dut se retirer de Fachoda, où elle avait été rejointe par Kitchener (1899). La fondation du port de Djibouti (1888) donna à la France une position solide au débouché de la mer Rouge et du commerce éthiopien. Dans l'océan Indien, la grande île de Madagascar fut soumise et annexée par Gallieni en 1896. En dehors de l'Afrique, la France porta surtout son effort sur l'Indochine. Francis Garnier s'empara d'Hanoï dès 1873, l'Annam accepta le protectorat français (1883), mais le Tonkin ne put être annexé qu'après une guerre contre la Chine (1883/85). Le Laos fut occupé au cours des années suivantes. Dès 1887 fut constituée une Union indochinoise qui devint, en 1897, le Gouvernement général de l'Indochine. Dans l'océan Pacifique, les îles de la Société (1880) et l'archipel des Tuamotu (1881) vinrent s'ajouter à la Nouvelle-Calédonie; en outre, un condominium franco-britannique sur les Nouvelles-Hébrides fut institué en 1906. Après la Première Guerre mondiale, la France reçut en mandat de la S.D.N. d'anciennes colonies allemandes (Cameroun et Togo dans sa plus grande partie) ainsi que les pays du Levant (Syrie, Liban) qui avaient fait partie de l'Empire ottoman.

L'administration de ces territoires offrait une grande diversité. Les *vieilles colonies* (Antilles, Guyane, Réunion), dont les habitants étaient tous citoyens français, avaient des députés au Parlement français. L'Algérie, découpée en départements, avait également des représentants au Parlement, mais ils n'étaient élus que par les citoyens français (les Juifs avaient obtenu ce statut dès 1870, mais non les Arabes). Dans les colonies acquises au XIXe s., les autochtones n'avaient pas de droits politiques; le régime de l'administration directe tendait à prévaloir même dans les pays de protectorat, notamment en Cochinchine, en Annam et en Tunisie. En 1894, avait été créé un ministère des Colonies, mais l'Algérie, considérée comme territoire français métropolitain, dépendait du ministère de l'Intérieur, et la Tunisie et le Maroc du ministère des Affaires étrangères. Économiquement, les colonies restaient encore, à la veille de la Seconde Guerre mondiale, étroitement dépendantes de la métropole, qui leur demandait des matières premières pour ses industries ou des produits alimentaires qui lui manquaient, et leur vendait en retour ses produits fabriqués. Essentiellement complémentaire, l'agriculture coloniale restait très peu diversifiée. L'effort systématique d'équipement industriel ne commença qu'après 1945. Cependant, le trafic entre la métropole et les colonies ne cessait de s'accroître, passant de 13% du commerce extérieur total français en 1913 à 28% en 1938. La colonisation eut le mérite d'introduire l'Afrique dans le circuit des échanges internationaux. Ses conséquences sociales furent encore plus considérables : détribalisation, urbanisation, bouleversement des structures et des mœurs traditionnelles, mais aussi disparition totale de l'esclavage et des sacrifices humains, amélioration de la santé publique, diffusion de l'enseignement, surtout au niveau primaire (v. AFRIQUE).

L'Empire colonial britannique

Le courant impérialiste se heurta longtemps en Angleterre à l'opposition des libéraux (Gladstone), qui ne voyaient dans l'acquisition de nouvelles colonies qu'une source d'embarras et de difficultés avec les autres

COLONIES
Le général Gallieni graciant des chefs rebelles à Madagascar. Détail d'une gravure de L. Sabattier, 1897.
Ph. © Archives Photeb

COLONIES
Cipaye, v. 1830. Soldat indien
de l'armée britannique.
Ph. J.L. Charmet © Photeb

puissances, alors que la seule expansion commerciale, selon eux, suffisait à assurer la suprématie britannique dans le monde. Ainsi Gladstone, dès son retour au pouvoir, en 1880, arrêta l'armée engagée dans la conquête de l'Afghanistan, reconnut l'autonomie du Transvaal et, en 1885, laissa Gordon succomber à Khartoum devant les forces du Mahdi, ce qui entraîna d'ailleurs la chute du cabinet. C'est Disraeli, Premier ministre de 1874 à 1880, qui fut le champion de la politique impérialiste, laquelle resta un des articles du programme conservateur avant de devenir, vers 1885/90, une véritable mystique populaire qui finit par gagner les libéraux les plus avancés, tels Joseph Chamberlain, qui, secrétaire aux Colonies de 1895 à 1903, s'affirma « le missionnaire de l'Empire ». Aussi l'Angleterre avait-elle, dès le début de cette période, des responsabilités si étendues que ses dirigeants, quelles que fussent leurs convictions personnelles, ne pouvaient plus négliger les intérêts nationaux dans aucun continent. C'est Disraeli qui acheta en 1875 les actions égyptiennes du canal de Suez et qui fit proclamer la reine Victoria impératrice des Indes (1877); mais c'est son adversaire, le libéral Gladstone, qui dut prendre, en 1882, la responsabilité de l'occupation de l'Égypte par les troupes britanniques.

Entre 1884 et 1902, les possessions britanniques dans le monde s'accrurent de quelque 6,5 millions de km², et, au début du xxᵉ s., elles comprenaient un quart de toutes les terres émergées et plus du quart de la population mondiale. Tandis que Rudyard Kipling célébrait le « fardeau de l'homme blanc », c'est-à-dire sa mission d'apporter aux peuples arriérés les bienfaits de la civilisation, achats, pressions diplomatiques ou guerres, protectorats ou annexions pures et simples faisaient passer sous le drapeau de l'Union Jack le Béloutchistan (1876), Chypre (1878), l'Égypte (1882), le Somaliland (1884), le Bechuanaland (1885), la Birmanie (1886), les Rhodésies et le Nyassaland (1888/91), le Kenya et Zanzibar (1887/90), l'Ouganda (1890/95), la Côte-de-l'Or (1896), le Soudan anglo-égyptien (1899), le Nigeria (1900) et, à la suite de la guerre des Boers (1899/1902), l'Orange et le Transvaal. Les Anglais avaient fait reculer la France à Fachoda (1899), ils avaient empêché les Portugais de joindre leurs colonies africaines de l'Atlantique et de l'océan Indien, mais Cecil Rhodes, qui, par ses initiatives hardies et souvent brutales, avait été le vrai fondateur de la puissance britannique en Afrique australe, n'avait cependant pu réaliser son grand rêve : la jonction du Cap au Caire. Entre le Kenya et les Rhodésies s'interposait en effet l'Afrique-Orientale allemande. C'est seulement en 1919 que celle-ci, sous le nom de Tanganyika, fut absorbée à son tour dans l'Empire britannique, en même temps que les autres anciennes colonies allemandes du Sud-Ouest africain, du Togo et du Cameroun (partagés avec la France), des îles du Pacifique (Carolines, Mariannes, Marshall); l'Angleterre recevait

en outre une part importante des dépouilles de l'Empire ottoman, avec les mandats sur la Palestine, la Transjordanie et l'Irak.

Cette extension considérable s'accompagna d'une profonde transformation dans les structures de l'Empire. Après le Canada, l'Australie (1901), la Nouvelle-Zélande (1907), l'Afrique du Sud (1910) devinrent des dominions. En Inde, le développement du mouvement national (fondation du Congrès, 1885) amena les autorités coloniales, dès 1892, à donner une plus grande part de responsabilités politiques aux autochtones. Le reste de l'Empire britannique était constitué par des colonies de la Couronne, où l'autorité appartenait au gouverneur, nommé par Londres; les unes étaient des colonies d'exploitation (Afrique tropicale, Ceylan, Antilles), où un petit nombre d'Anglais formaient l'encadrement administratif et dirigeaient la mise en valeur du pays; les autres étaient des bases navales, des comptoirs, des centres économiques et financiers, comme Hongkong, Singapour, Aden, Chypre, Malte et Gibraltar.

Dès les années qui précédèrent la Première Guerre mondiale, les dominions s'affirmaient de plus en plus comme des États autonomes, dont les liens avec la métropole paraissaient néanmoins indestructibles du fait de l'importance des investissements britanniques et des échanges commerciaux, comme du sentiment très vif de la communauté d'origine, d'institutions politiques, de culture et du loyalisme à l'égard d'un même souverain. De 1914 à 1918, l'Empire apporta une contribution considérable à l'effort de guerre; les troupes canadiennes et les Anzacs (Australiens et Néo-Zélandais) prirent une part importante aux combats sur le front français et aux Dardanelles et dans le Proche-Orient. Les dominions achevèrent ainsi de se placer sur un pied de complète égalité avec la métropole. Admis à signer séparément les traités de paix, ils entrèrent à titre individuel dans la S.D.N. Les bases définitives du Commonwealth (v.) furent posées par les conférences impériales de 1926 et de 1930. Le statut de Westminster (v.) (1931) supprima les dernières restrictions aux pouvoirs législatifs et politiques des dominions. Cependant, la crise économique de 1929 contribuait à resserrer leurs liens commerciaux avec la Grande-Bretagne (accords d'Ottawa, juill./août 1932).

Allemagne, Italie, Russie, puissances coloniales

L'**Allemagne** n'entra que tardivement dans la compétition coloniale, et du fait d'initiatives privées, alors que Bismarck redoutait les entreprises outre-mer, estimant que l'Allemagne n'avait pas une flotte suffisante pour protéger ses colonies ni une bureaucratie assez souple pour les administrer. Dès 1882, cependant, avait été créée une Ligue coloniale. En 1883, un négociant de Brême, Lüderitz, jeta les bases du Sud-Ouest africain allemand et, l'année suivante, Karl Peters achetait, pour le compte de la Deutsch Ostafrikanische Gesellschaft, les premiers territoires de l'Afrique-Orientale allemande. La même année, Nachtigal établissait le protectorat allemand sur le Cameroun et le Togo. Dans le Pacifique, l'acquisition de la terre de l'Empereur-Guillaume, en Nouvelle-Guinée (1884), fut suivie par une installation aux îles Marshall (1885) et par l'achat aux Espagnols des îles Carolines et Marianes (1899). Dès 1897, les Allemands avaient en outre occupé le port chinois de Kiao-tcheou (Tsing-tao), où l'Empire mandchou leur accorda un bail de 99 ans. Mais la valeur économique de toutes ces possessions était médiocre. Les initiatives spectaculaires de Guillaume II au Maroc (visite à Tanger, 1905; envoi de la canonnière *Panther* à Agadir, 1911) n'aboutirent finalement qu'à l'abandon du Maroc à la France contre la cession à l'Allemagne d'une partie du Congo français. Au traité de Versailles (1919), l'Allemagne perdit toutes ses colonies. Hitler se désintéressa du problème colonial, considérant que l'Est européen et l'U.R.S.S. constituaient le véritable espace d'une expansion du germanisme.

L'**Italie** accueillit avec un vif mécontentement l'établissement du protectorat français sur la Tunisie (1881), pays dans lequel étaient déjà installés quelque 20 000 colons italiens. Partisan de l'entente avec les Empires centraux (Triplice) et, par conséquent, opposé aux menées de l'irrédentisme, Crispi, malgré l'échec subi à Dogali (1887), crut pouvoir profiter des difficultés intérieures de l'Éthiopie pour imposer le protectorat italien à ce pays (traité d'Ucciali, 1889). Deux colonies italiennes furent constituées en Afrique orientale, l'une, l'Érythrée, sur les bords de la mer Rouge, l'autre, la Somalie italienne, riveraine de l'océan Indien. Mais la tentative de pénétration en Éthiopie aboutit au désastre d'Adoua (1896), qui entraîna la chute de Crispi. Par le traité d'Addis-Abeba (26 oct. 1896), l'Italie renonça à toute politique d'expansion coloniale en Abyssinie. Elle se retourna alors vers la Méditerranée et, par les accords secrets de 1900 et 1902, obtint de la France que la Libye, alors sous la domination turque, lui fût reconnue comme zone d'influence. La guerre italo-turque (1911/12) permit l'annexion de la Libye et du Dodécanèse, mais il fallut encore vingt ans de luttes pour briser la résistance opiniâtre des Sénoussis de Libye. Sous le régime fasciste, les Italiens réalisèrent la conquête de l'Éthiopie (1935/36), laquelle déchaîna l'indignation suspecte des deux plus grandes puissances coloniales du monde, la France et l'Angleterre, qui demandèrent à la S.D.N. de voter des sanctions (v.). L'Éthiopie fut réunie avec l'Érythrée et la Somalie dans l'Afrique-Orientale italienne. Celle-ci fut conquise par les Franco-Britanniques en 1941, et la Libye, après avoir été le théâtre de nombreuses batailles où s'illustra l'Afrikakorps de Rommel, fut perdue à son

tour en 1943. Par le traité de Paris (1947), l'Italie renonça à toutes ses colonies, mais elle fut chargée, jusqu'en 1950, d'administrer au nom de l'O.N.U. la Somalie, promise à l'indépendance (effective en 1960).

La **Russie**, qui avait entrepris dès la fin du XVIe s. la colonisation de la Sibérie, parvint au Pacifique par l'annexion de la province de l'Amour et de la province maritime (1858/60) et fonda le port de Vladivostok. Simultanément, elle menait la conquête du Turkestan et de l'Asie centrale (1853/85), ce qui suscitait une âpre rivalité anglo-russe en Afghanistan. Les Russes avaient vendu l'Alaska aux États-Unis en 1867, mais ils acquirent l'île de Sakhaline (1875). Durant les dernières années du XIXe s., l'impérialisme russe exerça une formidable pression en Extrême-Orient : occupation de Port-Arthur (1898) et de la Mandchourie (1900), mais cet élan fut brisé par les Japonais durant la guerre de 1904/05 à l'issue de laquelle la Russie dut abandonner la Mandchourie, le Leao-tong et le sud de Sakhaline.

Le **Japon** enleva Formose à la Chine (1895), annexa la Corée (1905/10) et, en 1919, obtint les anciennes possessions allemandes de Tsing-Tao, des Carolines, des îles Marshall et des Marianes.

Les **Espagnols** perdirent les derniers vestiges de leur premier empire colonial à la suite de la guerre hispano-américaine de 1898 : Cuba devint indépendant; Porto Rico, les Philippines et Guam furent cédés aux États-Unis; les Carolines et les Marianes vendues à l'Allemagne. Cependant, depuis le milieu du XIXe s., l'Espagne avait entrepris un nouvel effort colonial en direction du Maroc, où elle possédait, depuis les XVe/XVIe s., les présides de Melilla et de Ceuta. Après avoir obtenu la cession par le sultan du territoire de l'Ifni (1860), elle commença en 1884 l'occupation du littoral du Rio de Oro. En 1912, elle fit reconnaître par la France ses deux zones d'influence, au Rio de Oro et dans le Rif (Nord marocain). Cette dernière région resta longtemps en état d'insurrection (défaite espagnole d'Anoual, 1921) et ne fut pacifiée qu'à la suite d'une coopération militaire avec les troupes françaises, en 1926 (v. RIF, guerre du). En 1936, le Maroc espagnol servit de base au soulèvement du général Franco.

Les **Portugais**, à la suite des explorations de Serpa Pinto (1877/79), tentèrent de constituer un vaste empire en Afrique australe en joignant leurs colonies de l'Angola et du Mozambique, mais ils durent renoncer à ce projet devant un ultimatum de l'Angleterre (janv. 1890).

La fin des empires coloniaux

La Seconde Guerre mondiale vit l'effondrement français de 1940 et les victoires initiales du Japon qui, en 1941/42, occupa toutes les possessions britanniques, américaines, néerlandaises et françaises en Asie orientale

COLONIES
Durant les troubles antifrançais de 1955 à Kenifra, Maroc, un manifestant brandit un portrait du sultan Ben Youssef.
Ph. F. Pagès © Paris-Match
Photeb

et porta un coup décisif au prestige des puissances colonisatrices. La propagande menée par les Alliés contre l'hitlérisme renversait d'ailleurs cette notion de supériorité de la race blanche qui avait été un des piliers de la colonisation à la fin du siècle dernier. Comme durant le premier conflit mondial, Français et Anglais durent faire largement appel, de 1939 à 1945, à leurs troupes de couleur, mais des mouvements nationalistes s'affirmaient maintenant en Inde, en Indochine, en Indonésie, en Algérie. Le réveil des nations asiatiques et arabes était d'ailleurs un fait déjà ancien. La période de l'entre-deux-guerres avait été marquée par une série d'événements annonciateurs : campagnes de Gandhi en Inde britannique; fondation du parti national indonésien par Soukarno dans les Indes néerlandaises (1927); troubles en Indochine française (1930/31); triomphe électoral du Wafd en Égypte (1924) et évacuation de ce pays par les troupes britanniques (1936); création du premier mouvement anticolonialiste algérien par Messali Hadj (1927), etc. Enfin, dès 1920, l'influence du communisme commença à se répandre dans de nombreuses colonies.

La « décolonisation » s'affirme donc, dès 1945, comme un des problèmes majeurs de l'après-guerre. En Indochine française, dès l'évacuation japonaise, le Viêt-minh proclame l'indépendance du Viêt-nam; Soukarno fait de même pour l'Indonésie; le 8 mai 1945, à Sétif, les fêtes de la Victoire dégénèrent en émeutes nationalistes algériennes, suivies par une répression sévère. En 1946, les États-Unis reconnaissent l'indépendance des Philippines, mais, dans les vieilles nations coloniales, la soudaineté et la brutalité des révoltes locales surprennent aussi bien l'opinion publique que les gouvernements. Ceux-ci n'envisageaient encore, comme le général de Gaulle à Brazzaville (janv. 1944), que la création d'assemblées locales et une politique plus ou moins large d'assimilation des indigènes.

Grâce aux structures du Commonwealth, l'Angleterre parvient à liquider sans conflits très graves l'ancien système colonial. Dès 1947, l'empire des Indes disparaît pour donner naissance à trois États nouveaux, l'Inde, le Pakistan et Ceylan (Sri Lanka), qui font leur entrée dans le Commonwealth. La Birmanie, en revanche, choisit la sécession complète en 1948. Au Kenya, les Anglais doivent faire face à la révolte des Mau-Mau, mais l'Afrique britannique entre à son tour dans la voie de la décolonisation à partir de 1956/57 (indépendance du Soudan anglo-égyptien et du Ghana). Une tentative de regroupement multiracial dans le cadre d'une Fédération de l'Afrique centrale (1953/63) doit être finalement abandonnée. Dans la décennie 1960/70, la quasi-totalité des anciennes possessions britanniques accèdent à l'indépendance mais, pour la plupart, demeurent au sein du Commonwealth. En Rhodésie du Sud, un gouvernement blanc proclame unilatéralement l'indépendance en 1965 et, malgré les condamnations de

l'O.N.U. et les efforts du gouvernement de Londres, continue de refuser les droits politiques à la plus grande partie de la population noire.

En France, les problèmes de la décolonisation furent compliqués par divers facteurs : permanence d'une tradition « jacobine » qui tendait à l'assimilation; sensibilité d'une opinion publique et surtout d'une armée encore traumatisées par le souvenir de la défaite de 1940; interférence entre certains mouvements d'émancipation nationale et la menace communiste contre le « monde libre »; faiblesse institutionnelle des gouvernements de la IVᵉ République; exploitation des difficultés coloniales par les diverses factions politiques métropolitaines. La Constitution de 1946, tout en acceptant le principe de l'autonomie administrative et en garantissant l'accès des autochtones à tous les emplois, restait d'inspiration colonisatrice car elle proclamait la volonté de la France de « *conduire* les peuples dont elle (avait) pris la charge » et qui étaient désormais rassemblés dans l'Union française (v.). Incapable d'imposer les décisions décolonisatrices aux colons et aux groupes de pression métropolitains qui les soutenaient et de donner à ses soldats les moyens de vaincre, la IVᵉ République s'enlisa dans les longues guerres d'Indochine (1946/54) et d'Algérie (1954/62), exerça une répression sanglante à Madagascar (1947) et, en 1956, n'accorda l'indépendance à la Tunisie et au Maroc qu'après des années d'agitation et de terrorisme. La loi-cadre Defferre (1956) accorda aux territoires d'Afrique noire une plus grande autonomie administrative, supprima le système du double collège et instaura le suffrage universel pour les élections aux assemblées territoriales. Mais en Algérie, assimilée à un territoire métropolitain, la présence d'un million de colons hostiles à toute évolution rendait la crise pratiquement insoluble.

La IVᵉ République étant morte de son incapacité à régler le problème colonial (crise du 13 mai 1958), le général de Gaulle s'engagea résolument vers l'indépendance des colonies d'Afrique noire, qu'il essaya de regrouper dans la Communauté (v.). Celle-ci n'eut qu'une existence éphémère et, dès 1960, tous les nouveaux États avaient accédé à une pleine souveraineté, tout en maintenant une étroite coopération économique, financière et culturelle avec la métropole. L'Algérie devint à son tour indépendante, à la suite des accords d'Évian (1962). Subsistent de l'Empire français plusieurs petits territoires où existent des mouvements indépendantistes parfois influents.

La plupart des empires coloniaux de moindre importance se sont également disloqués depuis 1945. Après quatre ans de combats, les Pays-Bas durent reconnaître la souveraineté de l'Indonésie (1949), mais ils conservent encore Surinam (Guyane hollandaise) et les Antilles néerlandaises (Curaçao, Aruba, Bonaire). La Belgique accorda son indépendance au Congo en 1961 (devenu, en 1971, le Zaïre). L'Espagne a rétrocédé au Maroc l'enclave d'Ifni; en 1975, l'ancien

COLONIES
Un Ghanéen vêtu d'une tunique « printed in Commonwealth », décorée du portrait de la reine Élisabeth II, 1960.
Ph. © M. Riboud - Magnum

Sahara espagnol fut partagé entre le Maroc et la Mauritanie; l'Espagne conserve les présides de Melilla et de Ceuta ainsi que les Canaries qui font partie intégrante du territoire métropolitain; l'ancienne Guinée espagnole (Rio Muni et Fernando Po) est devenue indépendante en 1968 sous le nom de Guinée équatoriale. Seul le Portugal continua à défendre avec acharnement ses colonies, en y consacrant une part très importante de son budget national; mais Goa lui fut enlevé par l'Inde en 1961; en Angola, au Mozambique, en Guinée, des combats se poursuivirent jusqu'à la révolution portugaise d'avr. 1974; comme la IVe République en France, le régime fondé par Salazar périt

de l'échec de sa politique coloniale; la junte militaire maîtresse du pouvoir à Lisbonne accorda l'indépendance à toutes les colonies portugaises en 1974/75. Mais si les anciennes formes politiques de colonisation ont disparu presque partout, les pays du tiers monde n'en sont pas moins restés plus ou moins tributaires de leur ancienne métropole ou, à défaut, des États-Unis ou de l'U.R.S.S., particulièrement depuis la crise de 1973 qui a ralenti les échanges économiques internationaux, ou accru le prix de l'énergie, et considérablement augmenté leur dette extérieure dont le service ampute d'autant un niveau de vie déjà très bas.

COLONIES
A Luanda, Angola, le jour de l'Indépendance, 10 nov. 1975, un adhérent du M.P.L.A. (Mouvement populaire de libération de l'Angola).
Ph. © J.P. Laffont - Sygma

COLONNA. Famille romaine, qui tire son nom du château de Colonna, situé au S.-E. de Rome (détruit en 1296). Mentionnée pour la première fois en 1047, cette famille, qui adhéra le plus souvent au parti gibelin et s'opposa longtemps aux Orsini, joua jusqu'au XVIe s. un rôle de premier plan dans l'histoire de Rome et de l'Église, à laquelle elle donna un pape, Martin V (Oddone Colonna). Nous citerons parmi ses principaux membres :

Egidio Colonna ou **Aegidius Romanus** ou **Gilles de Rome** (* Rome, vers 1245, † Avignon, 22.XII.1316). Célèbre canoniste et théologien.

Giacomo Colonna († Avignon, 1318), créé cardinal par Nicolas III (1278), et ses neveux, en particulier le sénateur **Sciarra Colonna** († 1329) et le cardinal **Pietro Colonna,** combattirent l'élection de Boniface VIII, qui les assiégea dans Palestrina, les dépouilla de tous leurs biens et les força à se réfugier en France (1298), où ils apportèrent leur aide à Philippe le Bel dans sa lutte contre le pape. En 1303, Sciarra Colonna s'associa avec Guillaume de Nogaret pour aller enlever Boniface VIII, et c'est lui qui, à Anagni, aurait souffleté le pontife de son gantelet de fer. Le cardinal Giacomo Colonna fut réintégré dans ses dignités en 1305 par le pape Clément V, à la demande de Philippe le Bel.

Stefano Colonna († vers 1348), frère de Sciarra, créé comte de Romagne en 1290 par Nicolas IV, se tint en dehors du complot contre le pape et se rattacha au parti guelfe, qu'avait combattu sa famille; il en fut le chef à Rome jusqu'en 1347, époque à laquelle il fut chassé de cette ville par Rienzi. Ses fils, le cardinal **Giovanni Colonna** et l'évêque **Giacomo Colonna,** furent les protecteurs de Pétrarque.

Oddone Colonna fut pape sous le nom de MARTIN V (v.).

Son petit-neveu, **Prospero Colonna** († 1523), s'illustra dans la guerre contre Charles VIII, roi de France, qui avait envahi le royaume de Naples (1495). Entré au service du duc de Milan, il fut battu et fait prisonnier par les Français à Villafranca, en Piémont (1515), mais prit sa revanche à La Bicoque et s'empara de Gênes (1522).

Vittoria Colonna, marquise de Pescara (* Marino, vers 1492, † Rome, 25.II.1547). Poétesse italienne, fille de Fabrizio Colonna, grand connétable de Naples, elle épousa Ferrante di Avalos, marquis de Pescara, général de Charles Quint. Après la mort de son mari (1525), accablée de douleur, elle vécut complètement retirée, dans la piété. Elle fut liée avec de nombreux artisans de la réforme catholique, notamment Ochino, général des Capucins, et les cardinaux Bembo, Contarini, Pole, et voua une grande amitié à Michel-Ange. Célébrée par tous ses contemporains à cause de ses vertus (on la surnomma «la Divine»), elle écrivit des poèmes où sa piété chrétienne et son amour conjugal se mêlent aux thèmes de l'humanisme (*Rime della Vittoria Colonna,* publiées à partir de 1536).

COLONNADE DU LOUVRE. Voir LOUVRE.

COLONNE (Cinquième). Voir CINQUIÈME COLONNE.

COLONNE INFERNALE. Surnom donné, en 1793, à une division d'avant-garde de l'armée française des Pyrénées-Orientales; elle était commandée par La Tour d'Auvergne et se composait de tous les grenadiers de l'armée, au nombre de 8 000 hommes. Elle fut dissoute lors de la paix avec l'Espagne, en 1795.
— Surnom donné par les vendéens aux détachements républicains du général Turreau de Garambouville, qui, en 1794, se livrèrent à une destruction systématique des régions insurgées de l'Ouest, brûlant les bois,

COLONNES TRIOMPHALES

Page ci-contre :
la colonne Trajane, à Rome.
Sur cette partie de la colonne,
on voit le corps du génie
à l'œuvre dans la campagne
que l'empereur Trajan
mena en 101-102
contre les Daces,
dans les Balkans.
Cette bande « dessinée »
— ou plutôt sculptée —
jadis coloriée,
de 200 m de long,
met en jeu près de 2 500
personnages, donnant
le spectacle
d'une armée laborieuse
et disciplinée,
toujours en union
avec son empereur
(de taille légèrement
plus élevée), qui s'adresse
fréquemment à elle.
Si l'on numérote de un
à quatre, en partant
du bas, chacune des volutes,
on identifie
les scènes suivantes :
1. Devant une ville,
fortifiée et ornée
de temples, le dieu Danube
contemple le départ
des légionnaires en campagne.
Ceux-ci traversent
sur le pont de bateaux
construit par le grand
architecte Apollodore
de Damas.
2. A g., Trajan harangue
des soldats qui
arborent leurs enseignes.
A dr., travaux de
fortification : les soldats
du génie font la chaîne.
3. Halte devant une ville.
Passage d'éléments
de cavalerie
sur un pont de bois.
4. Trajan (à dr.) harangue
de nouveau ses troupes
et des auxiliaires barbares.
Au centre, en haut :
un homme demi-nu
(le dieu du fleuve?)
contient une chute d'eau.

les haies, les villages, confisquant les moissons et les troupeaux, exécutant sommairement tous les prisonniers. Cette répression aveugle n'ayant donné aucun résultat, Turreau fut rappelé et la Convention adopta une attitude plus conciliatrice qui aboutit à la soumission de Charette et de Stofflet (févr.-mai 1795).

COLONNES MOBILES. Unités légères organisées par Bugeaud en 1841, durant la conquête de l'Algérie. Chargées d'une mission de pacification, elles se livrèrent, en fait, à la razzia et à la dévastation systématique des régions insoumises.

COLONNES D'HERCULE. Nom donné dans l'Antiquité aux deux caps montagneux flanquant le détroit de Gibraltar, le mont Abyla (en Afrique) et le mont Calpé (en Espagne). Selon la légende, ils ne formaient, à l'origine, qu'une seule montagne, qu'Hercule sépara pour faire communiquer la Méditerranée et l'Océan.

COLONNES TRIOMPHALES. Colonnes élevées par les Romains en l'honneur des grands hommes ou pour perpétuer le souvenir d'un événement glorieux. Le retour à l'antique inspira la construction de monuments analogues dans l'Europe moderne, à partir du XVIIe s.
Dans l'Antiquité. A Rome, les premières colonnes furent élevées dès l'époque royale, ainsi la *colonne Horatia*, érigée sous le règne de Tullius Hostilius, à l'extrémité du Forum, vers le mont Capitolin, pour recevoir le trophée remporté par Horace sur les Curiaces. Sous la République, la *colonne Moenia*, sur le Forum, près de la basilique Porcia, commémora les victoires de C. Moenius pendant les guerres du Latium; c'est là que siégeaient les triumvirs capitaux qui jugeaient les délits de la plèbe. En souvenir de la première victoire navale remportée par les Romains, sous Duilius Nepos, contre les Carthaginois (260 av. J.-C.), fut érigée la première *colonne rostrale*, ornée des rostres ou éperons des navires ennemis (v.); quatre autres colonnes rostrales furent érigées, également sur le Forum, par Auguste pour commémorer sa victoire d'Actium.
La *colonne Trajane* fut élevée en 113 de notre ère, dans le forum de Trajan, pour célébrer les victoires de l'empereur sur les Daces; elle subsiste aujourd'hui. D'une hauteur totale de 42 m, toute en marbre blanc, elle est ornée d'une frise de bas-reliefs en spirale qui racontent les guerres daciques. La statue de Trajan qui la surmontait à l'origine fut remplacée en 1587 par une statue de st. Pierre.
La *colonne Antonine*, érigée en souvenir d'Antonin le Pieux, était en granit rose monolithe; elle reposait sur un piédestal cubique de marbre blanc orné de bas-reliefs dont l'un représente l'Apothéose d'Antonin et de Faustine (Vatican).
La *colonne de Marc Aurèle*, appelée parfois à tort *colonne Antonine*, subsiste sur la piazza Colonna. Elle fut érigée par le sénat vers 193, au milieu du forum d'Antonin, en

l'honneur de Marc Aurèle, pour célébrer ses victoires sur les Marcomans. Toute en marbre blanc, elle a été inspirée par la colonne Trajane et, comme celle-ci, elle porte un long bas-relief en spirale représentant des scènes militaires. En 1589, une statue de st. Paul remplaça la statue de l'empereur, depuis longtemps détruite.
La *colonne de Phocas*, en l'honneur de l'empereur Phocas, fut élevée en 608 par Smaragde, exarque d'Italie, dans le Forum, près de l'arc de Septime Sévère.
En dehors de Rome, il faut citer la *colonne dite de Pompée*, érigée à Alexandrie en l'honneur de Dioclétien, et, à Constantinople, la *colonne Théodosienne* ou *d'Arcadius*, érigée par Théodose II en l'honneur d'Arcadius, et la *colonne de Constantin Porphyrogénète* (VIe s.).
Parmi les **colonnes modernes,** mentionnons d'abord le *Monument de Londres*, colonne élevée en 1671 par sir Christopher Wren en commémoration du grand incendie de 1666; la colonne du château de *Blenheim* (Angleterre), en l'honneur de Marlborough; la *colonne d'Alexandre*, à Leningrad, près du palais d'Hiver, élevée de 1830 à 1832, à la mémoire du tsar Alexandre Ier, sur un piédestal de bronze fait avec les canons pris aux Turcs en 1829; la *colonne de la Grande Armée*, conçue par l'architecte Éloi Labarre. Commencée en nov. 1804, pour commémorer le camp de Boulogne (v.) et la tentative d'invasion de l'Angleterre, elle n'était pas achevée à la chute de l'Empire. La Restauration continua les travaux, mais décida que le monument rappellerait le retour en France des Bourbons; la colonne ne fut terminée que sous Louis-Philippe et reprit sa destination première.
La *colonne Vendôme*, au milieu de la place Vendôme, à Paris, fut inaugurée en 1810, à l'emplacement où se trouvait, avant la Révolution, une statue équestre de Louis XIV due à Girardon et détruite en 1793. Dédiée à la Grande Armée, elle était entourée d'un revêtement de bronze obtenu par la fonte de 1 200 canons pris à l'ennemi au cours de la campagne de 1805, dont les faits d'armes étaient rappelés sur une frise de bas-reliefs en spirale. La statue de Napoléon Ier en empereur romain, œuvre de Chaudet, qui la surmontait, fut abattue par la Restauration en 1814. Louis-Philippe la remplaça, en 1833, par une nouvelle statue de Napoléon, avec la redingote et le petit chapeau, laquelle fit place, en 1864, à une nouvelle statue de l'Empereur en costume romain. Le 12 avr. 1871, la Commune de Paris décida la démolition de la colonne Vendôme, « monument de barbarie, symbole de force brutale et de fausse gloire, affirmation du militarisme, négation du droit international, insulte permanente des vainqueurs aux vaincus, attentat perpétuel à l'un des trois grands principes de la République française, la Fraternité ». La démolition, qui avait été réclamée par le peintre Courbet, eut lieu le 16 mai. Mac-Mahon décida le rétablissement de la

COLOSSES

Pages ci-avant :

à gauche, détail du Bouddha couché de Polonnaruwa, Ceylan. Cette grande statue de pierre, longue de 13,80 m, représente le Bouddha dans le sommeil de la mort ou plutôt du parinirvana. Contemporaine du portail royal de la cathédrale de Chartres, elle n'est pas un des moindres ornements du Gal Vihara, sanctuaire de pierre réalisé sous le règne de Parakramabahu (1153/1186). En matière de colossal, le premier rang allait à une autre grande statue de Bouddha couché, faite de moellons recouverts de plâtre, qui mesurait 304 m de long. Seuls quelques vestiges en subsistent. Il est vrai qu'elle date des VIe-IIIe s. av. J.-C.

Ph. © Georg Gerster - Rapho

A droite : la statue de la Liberté, à New York. L'historien É. Laboulaye, fondateur en 1875 de l'Union franco-américaine, avait l'idée, depuis la fin de la guerre de Sécession, d'offrir aux New-Yorkais une statue géante commémorant l'alliance franco-américaine de la guerre d'Indépendance (1778/1781). Eiffel aida le sculpteur français Bartholdi à calculer les dimensions d'un squelette de fer haut de 50 m, qui allait être entièrement recouvert de cuivre repoussé. Cette réalisation, qui nécessita 300 feuilles de cuivre, pesant 80 tonnes, fut confiée à un atelier parisien de « chaudronnerie artistique ». L'inauguration eut lieu le 28 oct. 1886.

Ph. © J.P. Laffont Sygma

colonne en 1873 et Courbet fut condamné à payer les frais de reconstitution de l'ouvrage.

La *colonne du Palmier* ou *du Châtelet*, sur la place du Châtelet, à Paris, fut construite en 1808 pour célébrer quinze grandes batailles gagnées par Napoléon Ier.

La *colonne de Juillet*, sur la place de la Bastille, à Paris, fut érigée de 1833 à 1840, en commémoration de la révolution de juill. 1830. Sur le fût furent gravés les noms des 504 combattants de cette révolution tués pendant la lutte. Elle fut surmontée du génie de la Liberté, œuvre en bronze doré de Dumont.

COLOPHON. Ancienne ville grecque d'Ionie, au N.-O. d'Éphèse. Florissante aux VIIIe/VIIe s., fondatrice de Smyrne, elle commença à décliner après l'attaque du roi de Lydie, Gygès (vers 665). Sous Lysimaque, la population de Colophon fut déportée à Éphèse (299 av. J.-C.); elle revint peu après s'installer dans la ville, mais celle-ci fut bientôt définitivement supplantée par Notion. Patrie du poète Mimnerme et du philosophe Xénophane.

COLORADO. État du S.-O. des États-Unis, capitale *Denver*. D'abord occupée par les Indiens Pueblos, cette région fut visitée dès le XVIe s. par quelques voyageurs espagnols, mais ce fut seulement en 1706 que Juan de Ulibarri en prit possession au nom de l'Espagne. La région située au N. de la rivière Arkansas fut acquise par les États-Unis en même temps que la Louisiane (1803); le reste de l'actuel État provient de territoires enlevés au Mexique (1848) et au Texas (1850). La découverte de l'or (1858) provoqua une vague croissante d'immigration, qui se ralentit ensuite durant la guerre de Sécession. Érigé en territoire en 1861, le Colorado devint le 38e État de l'Union en 1876, juste cent ans après la signature de la Déclaration d'indépendance (d'où son surnom d'*État du Centenaire*). Son économie est fondée aujourd'hui principalement sur ses ressources minérales (charbon, pétrole, uranium).

● L'État, en 1987, comptait 3,3 millions d'habitants, dont 89 % de Blancs et 3,5 % de Noirs. Sa population était urbanisée à 80,6 %.

COLOSSE. Le goût des statues de taille géante fut très répandu chez les Anciens. En Égypte, le sphinx (v.) de Gizèh (v.), élevé au XXVIIe s. av. J.-C., mesurait 20 m de haut et 73 m de long; la largeur du visage est de 4,15 m, l'oreille a 1,37 m, la bouche 2,32 m, le nez devait avoir une longueur de 1,70 m. Parmi les autres colosses égyptiens, il faut citer la statue de Ramsès II, dans le Ramesseum, qui avait quelque 17 m de hauteur, et les statues colossales d'Aménophis III, à l'entrée de son temple funéraire à Thèbes (v. MEMNON).

Chez les Grecs, le colosse le plus célèbre était celui de Rhodes, statue d'Apollon en bronze, œuvre de Charès, disciple de Lysippe (vers 280 av. J.-C.). Cette statue était haute de 27 m selon certains témoignages, de 36 m

selon d'autres. Elle fut renversée par un tremblement de terre vers 224 av. J.-C. Les Romains élevèrent aussi de nombreux colosses, et Pline mentionne un gigantesque *Mercure* exécuté chez les Arvernes, en Gaule, par le Grec Zénodore. En Asie abondent les statues colossales du Bouddha; l'une des plus célèbres est le Daibutsu en bronze de Kamakura, au Japon (1252). A l'époque moderne, mentionnons *La Liberté éclairant le monde* (1878) du sculpteur français Bartholdi, située à l'entrée du port de New York (46 m de haut, sur un piédestal de 47 m).

COLOSSES. Ville ancienne de Phrygie, sur le Lycus, puissante sous l'Empire perse, déchue au début de notre ère. Elle eut dès le Ier s. une Église chrétienne, surtout formée de Gentils convertis, à laquelle st. Paul adressa une épître durant sa captivité. Investie par les Seldjoukides (1070), elle fut reprise par les Byzantins, avant de passer définitivement sous l'influence turque (1294).

COLT Samuel (* Hartford, Connecticut, 19.VII.1814, † Hartford, 10.I.1862). Inventeur américain du pistolet à barillet automatique, dit *revolver* (1835).

COLUMBIA (district de). District fédéral des États-Unis, sur les deux rives du Potomac, formé par des territoires cédés en 1791 par la Virginie et le Maryland. Il comprend la ville de Washington, capitale des États-Unis. Les habitants du district de Columbia sont directement administrés par le Congrès (où ils ne sont pas représentés). Jusqu'en 1961, ils ne participaient pas à l'élection du président et du vice-président des États-Unis. L'adoption du 23e amendement à la Constitution leur a donné ce droit (v. WASHINGTON). Le district a une majorité noire à 70 %.

COLUMBIA (université). Université américaine située à New York, dans le quartier de Manhattan. Elle a pour origine le King's College, fondé en 1754; c'est en 1896 qu'elle a pris le nom d'université Columbia. Le général Eisenhower en fut président de 1948 à 1953.

COMANA. Ancienne ville d'Asie Mineure, en Cappadoce, sur le Saros. Elle était célèbre par le culte orgiastique de la déesse Ma-Enyo, dont le temple, au début de notre ère, était desservi par quelque 6 000 personnes. Colonie romaine sous Caracalla.

COMANCHES (Indiens). Tribu indienne de l'Amérique du Nord, d'abord établie sur les rives de la Yellowstone, mais qui fut repoussée au XVIIIe s., par d'autres Indiens, vers le Texas. Nomades guerriers, redoutables adversaires des Blancs, les Comanches ne furent définitivement soumis qu'en 1875; ils sont aujourd'hui installés dans une réserve de l'Oklahoma.

COMBAT
Illustration pour la première page
du dernier numéro, le
30 août 1974, sous le titre
« Silence, on coule ».
Ph. © René Saint-Paul - Photeb

COMBARELLES (les). Grotte située à proximité des Eyzies (Dordogne). On y découvrit en 1901 des centaines de gravures pariétales représentant des chevaux, des bisons, des mammouths, des rennes, des ours, etc., datant du magdalénien moyen et récent (vers 12000/10000 av. J.-C.).

COMBAT. Important mouvement de la Résistance française durant la Seconde Guerre mondiale. Il se recruta surtout parmi les cadres techniques, officiers, ingénieurs, industriels, fonctionnaires, et compta parmi ses membres H. Frenay, G. Bidault, C. Bourdet, F. de Menthon, P. H. Teitgen. Entré en contact avec de Gaulle en 1942, il se groupa en 1943 avec les mouvements Franc-Tireur et Libération Sud, pour former le Mouvement uni de Résistance (M.U.R.).

COMBAT. Journal quotidien de Paris, créé clandestinement à Lyon, durant la Résistance, en déc. 1941. Dirigé par Georges Bidault, puis par Claude Bourdet, c'est le 21 août 1944, pendant les combats de la Libération, qu'il parut au grand jour à Paris, avec la devise : « De la Résistance à la Révolution ». Il connut sa période la plus brillante de 1944 à 1947, sous la rédaction en chef d'Albert Camus, qui y accueillit des écrivains tels que Malraux, Sartre, Bernanos, Mounier.
Racheté par Henri Smadja, il eut encore pour animateurs successifs Claude Bourdet, Louis Pauwels, Roger Stéphane, etc. Devenu essentiellement un journal de tribunes libres, où voisinaient des rédacteurs d'opinions souvent très opposées, il connut une existence matérielle de plus en plus précaire jusqu'à sa disparition, le 30 août 1974, peu après la mort d'Henri Smadja.

COMBAT JUDICIAIRE. Voir ORDALIE.

COMBATTANTS (anciens). Voir ANCIENS COMBATTANTS.

COMBE CAPELLE. Site préhistorique de la vallée de la Couze, près de Montferrand (Dordogne). On y découvrit en 1909 le squelette d'un homme paré de coquilles marines, apparenté à la race de Cro-Magnon (v.) mais caractérisé par certains archéologues comme l'*Homme périgordien* ou l'*Homme aurignacien*.

COMBES Émile (* Roquecourbe, Tarn, 6.IX.1835, † Pons, Charente-Maritime, 25. V.1921). Homme politique français. Il se destina d'abord à la prêtrise et fut reçu docteur en théologie avec une thèse sur st. Thomas d'Aquin (1860). Ayant perdu la foi, mais demeuré spiritualiste, il entreprit ses études de médecine et s'installa médecin à Pons, en 1866. Engagé dans la politique, il devint un des chefs du radicalisme, fut président du Sénat (1894/95), ministre de l'Instruction publique (1895/96) et succéda à Waldeck-Rousseau comme président du Conseil de mai 1902 à janv. 1905. Toute sa politique se résuma dans un anticléricalisme intransigeant : dépassant les intentions de Waldeck-Rousseau, il appliqua sans nuances la loi sur les congrégations du 17 juill. 1901, supprima en quelques jours plus de 2 500 écoles religieuses et fit voter la loi du 7 juill. 1904 interdisant l'enseignement à tous les congréganistes. Cette politique entraîna la rupture du gouvernement républicain avec le Saint-Siège et orienta Combes vers la séparation de l'Église et de l'État (v. SÉPARATION), alors que, personnellement, il eût sans doute préféré se servir du concordat pour contrôler l'Église par l'État. Obligé de démissionner à la suite du scandale de l'« affaire des Fiches » provoqué par les agissements de son ministre de la Guerre, le général André, Combes avait du moins fondé d'une manière durable le principe de la laïcité de l'État républicain en France.

COMBOURG. Ville de France (Ille-et-Vilaine), au S.-E. de Saint-Malo. Vieux château des XIVe/XVe s., où Chateaubriand naquit et où il passa une partie de son enfance.

CÔME, *Como.* Ville d'Italie, en Lombardie, sur le lac de Côme. Établissement insubre *(Comum),* elle devint, à partir de 89 av. J.-C., une florissante colonie romaine qui servit d'avant-poste face aux peuples encore barbares des Alpes. Commune libre gibeline (XIe/XIIe s.), elle fut détruite par les Milanais en 1127, passa aux Visconti en 1335 puis redevint indépendante (1408/50), avant de revenir à Milan. Patrie des deux Pline, d'Innocent XI, de Volta.

COMECON. Nom sous lequel est connu en Occident (d'après la traduction anglaise : *Council for Mutual Economic Assistance*) le **Conseil d'aide économique mutuelle,** organisation économique constituée le 25 janv. 1949 par l'U.R.S.S., la Bulgarie, la Hongrie, la Pologne, la Roumanie, la Tchécoslovaquie, auxquelles se joignirent : en févr. 1950, l'Albanie (qui s'en retira en 1961) ; en sept. 1950, la République démocratique allemande ; en juin 1962, la Mongolie ; en juill. 1972, Cuba ; en 1978, le Viêt-nam. La Yougoslavie, admise en qualité d'observateur en 1955, devint un État associé au Comecon en 1964. La Chine, la Corée du Nord et le Viêtnam du Nord, également admis comme observateurs en 1956, cessèrent dans les années 60, à la suite du conflit idéologique soviéto-chinois, de participer aux réunions. Le Comecon, dont le secrétaire est un Soviétique et dont le Comité exécutif comprend un représentant au moins de chaque pays membre, a son siège à Moscou. Il fut conçu, à son origine, comme une réplique communiste à l'O.E.C.E. occidentale (v. EUROPÉENNES, Institutions), mais, au début des années 70, il n'avait pas encore réussi à susciter à l'Est un véritable esprit communautaire, sur une base d'égalité entre ses membres, et tous ses mécanismes essentiels continuaient d'être contrôlés par Moscou. D'importants progrès économiques ont cependant été réali-

COMBES
Émile. Homme politique français
(1835-1921).
Ph. © Bibl. Nat., Paris - Photeb

sés : en 1969, après vingt années d'existence, la part du Comecon dans la production industrielle mondiale était passée de 17 à 31 %. Jusqu'à la mort de Staline (1953), le rôle du Comecon était resté assez limité; il consistait avant tout à enregistrer les accords bilatéraux conclus entre les États membres, qui continuaient à se développer sur une base très autarcique. A partir de 1954, le Comecon s'efforça de promouvoir la coordination et la spécialisation de chaque pays membre, au nom du principe de la « division socialiste du travail ». En juill. 1971, lors de la XXVᵉ session du Conseil, qui se tint à Bucarest, fut adopté un programme à long terme dont l'objectif était « l'intégration socialiste économique des pays membres du Comecon ». Mais cet objectif se heurtait à la grande disparité des niveaux de vie dans les pays membres (la République démocratique allemande accusant une avance qui ne cessait de s'accroître), au nationalisme des États (particulièrement vif en Roumanie, qui, au cours des années 60, a développé indépendamment son commerce avec l'Ouest), à l'insuffisance des crédits et de la circulation des capitaux, aux nombreux défauts constatés dans le mécanisme de la spécialisation (les États chargés d'assurer la production de telle ou telle machine pour l'ensemble de la communauté ne parvenaient pas à faire face à la demande). Les échanges entre le Comecon et l'Europe occidentale ont rapidement augmenté, passant de 1,7 milliard de dollars en 1958 à 6,8 milliards en 1970. En 1972, Brejnev proposait la reconnaissance du Marché commun par les pays de l'Est, à condition que les pays de l'Europe occidentale reconnussent le Comecon et, en oct. 1974, il demandait officiellement à la Communauté économique européenne l'établissement de relations directes entre les deux organisations.

● La crise est venue compliquer le fonctionnement du Comecon. L'intégration des économies des pays socialistes paraît toujours aussi difficile. Elle suppose en effet une décentralisation que les Soviétiques ne sont pas près d'accepter : ils ont préféré créer un réseau de relations bilatérales avec chacun des pays du bloc et se placer ainsi au centre d'un dispositif qu'ils peuvent contrôler étroitement. Roumains, Hongrois, Polonais préféreraient une intégration plurilatérale. Au demeurant, les échanges bilatéraux restent régis par le troc, alors que l'intégration suppose des dénominateurs communs, c'est-à-dire des prix comparatifs fondés sur les coûts, le principe de l'offre et de la demande, une monnaie convertible, et non pas sur des bases artificielles administratives. Les pays de l'Est européen sont d'autre part dépendants de leurs échanges avec l'Ouest pour éteindre la dette qu'ils avaient contractée. Chacun d'eux préfère obtenir des devises fortes en vendant à l'Ouest plutôt que d'exporter à moindre prix vers un membre du Comecon. Ainsi fait l'U.R.S.S. pour son gaz (v.) et son pétrole. Les membres du Comecon, de leur côté, exportent vers l'U.R.S.S. des produits de moindre qualité, mal vendables à l'Ouest, ou demandent un paiement partiel en devises fortes pour compenser la part de la technologie ou des matériaux occidentaux nécessaires à la production d'un article exporté. Après trente ans de gel diplomatique, les pays de l'Est admirent enfin, en mai 1988, l'appartenance économique de Berlin-Ouest à la C.E.E. Ce préalable une fois levé, Comecon et C.E.E. se reconnurent réciproquement en juin. A cette date, les échanges entre les deux blocs économiques regroupant respectivement 410 et 320 millions d'individus étaient extrêmement réduits (300 milliards de F., soit moins qu'entre la C.E.E. et la Suisse). Le Comecon dont le taux de productivité était de 50 % inférieur à celui de son nouveau partenaire escomptait compenser par un afflux de capitaux occidentaux investis dans son économie, une nouvelle et redoutable concurrence.

COMÉDIE-FRANÇAISE. Société des comédiens-français, constituée le 21 oct. 1680, sur l'ordre de Louis XIV, par la réunion de l'ancienne troupe de Molière et de la troupe de l'hôtel de Bourgogne (v.).

Origines de la Comédie-Française

Vers le milieu du XVIIᵉ s. existaient à Paris deux grandes troupes théâtrales permanentes. La plus ancienne et la plus importante était celle des *Comédiens français ordinaires du Roi* ou *Comédiens du Roi* ou *Grands Comédiens.* Elle était issue de la troupe d'abord ambulante de Valleran-Lecomte qui, en 1599, racheta aux Confrères de la Passion (v.) leur monopole des représentations et leur salle de l'hôtel de Bourgogne, située à l'angle de la rue Mauconseil et de la rue Française, dans le quartier des Halles, près de Saint-Eustache. Cette troupe, dont Hardy fut longtemps le poète attitré, ne se fixa définitivement à Paris qu'en 1628, et elle fut autorisée par Louis XIII à prendre le nom de *troupe royale;* c'est à elle qu'on faisait appel pour donner des représentations à la cour. Elle compta parmi ses acteurs Bellerose, Montfleury, la Champmeslé, Baron. C'est à l'hôtel de Bourgogne que furent jouées la plupart des tragédies de Corneille et de Racine.

Le *théâtre du Marais,* fondé en 1600, un an seulement après la troupe de l'hôtel de Bourgogne, s'installa d'abord à l'hôtel d'Argent, près de la place de Grève, puis en 1634 au jeu de paume du Marais, rue Vieille-du-Temple. Sous la direction de Mondory, elle devint une dangereuse rivale pour l'hôtel de Bourgogne et donna les premières pièces de Corneille, *Le Cid, Horace, Cinna.* Malgré la protection de Richelieu, le Marais ne put cependant supplanter les Comédiens du Roi; il se fit une spécialité des pièces à machines, mais, dès 1660, sa situation était considérée comme désespérée. En 1673, le théâtre ferma ses portes et sa troupe fut annexée par celle de Molière. La *troupe de Molière,* fondée en 1643 sous le nom d'Illustre-Théâtre, joua à Paris et

COMÉDIE-FRANÇAISE
Molière en habit de Sganarelle.
Ph. © Bibl. Nat., Paris - Photeb

COMÉDIE-FRANÇAISE
1. Talma dans le rôle de
Leicester, de « Marie Stuart ».
2. Mlle Mars dans le rôle de
doña Sol, d'« Hernani ».

Ph. © Bibl. Nat., Paris - Photeb

1644, puis, de 1645 à 1658, courut les provinces et ne revint dans la capitale qu'en juill. 1658. Devenue la *troupe de Monsieur* (frère du roi), elle plut aussi au jeune Louis XIV et reçut l'autorisation de jouer alternativement avec les Italiens, d'abord dans la salle du Petit-Bourbon, entre l'ancien Louvre et Saint-Germain-l'Auxerrois, puis, en 1660, dans la belle salle du Palais-Royal, où elle resta jusqu'à la mort de Molière. Le 15 août 1665, elle devint *troupe du Roi* et reçut 6 000 livres de pension. Les comédiens étaient d'abord sur un pied d'égalité complète et leur part se montait à environ 3 500 livres par an. L'organisation de la troupe et des représentations nous est connue par le registre de La Grange, tenu de 1659 à 1685. Après la mort de Molière, la troupe connut des moments difficiles car la plupart des pièces avaient été publiées et, d'après la législation de l'époque, elles étaient tombées dans le domaine public. Il fallut abandonner la salle du Palais-Royal, qui passa à Lully. La troupe alla jouer rue des Fossés-de-Nesle (auj. rue Mazarine), en face de la rue Guénégaud. Regroupée sous la direction d'Armande Béjart, veuve de Molière, et de La Grange, elle se renforça d'une partie de la troupe du Marais (1673). Réunie en 1680 avec celle de l'hôtel de Bourgogne, elle devint, en face des Italiens, la seule troupe à jouer des pièces françaises et prit le nom de Comédie-Française.

Histoire et organisation de la Comédie-Française

Forcés en 1687 d'abandonner la rue Mazarine, les comédiens-français firent construire dans un jeu de paume de la rue des Fossés-Saint-Germain (aujourd'hui rue de l'Ancienne-Comédie) une salle qui leur coûta 200 000 livres et dans laquelle ils restèrent jusqu'en 1770. Au cours du XVIIIe s., détenant le privilège de représenter la tragédie et la grande comédie, ce qui leur valut le surnom de « Romains », ils représentèrent toutes les tragédies de Crébillon et de Voltaire, les comédies de Dancourt, de Regnard, de Destouches, de Lesage, mais ils ne pouvaient juguler la concurrence des théâtres de la Foire (auxquels Regnard donna de nombreuses œuvres) et du Théâtre-Italien (qui représenta presque toutes les comédies de Marivaux), et les tensions avec ces deux troupes demeurèrent vives. Cette période fut illustrée par de grands acteurs comme Adrienne Lecouvreur, Lekain, Mlles Clairon, Saint-Val, Mme Vestris.
En 1771, la Comédie-Française s'installa au théâtre des Tuileries, où devait siéger plus tard la Convention, puis, en 1782, s'établit dans une vaste salle construite pour elle au faubourg Saint-Germain, qui, rebâtie, est devenue l'Odéon (v.). En 1784, la troupe donna avec un grand succès *Le Mariage de Figaro*, de Beaumarchais. Sous l'Ancien Régime, le théâtre était étroitement contrôlé par quatre gentilshommes de la chambre,

qui, lors de la réorganisation de 1680, avaient été chargés de recruter les acteurs et de décider quelles pièces seraient jouées; souvent même, ils intervenaient dans la distribution des rôles. Les bases de la rétribution des comédiens avaient été fixées par l'acte royal de 1680, qui répartissait 21 parts 1/4 entre 27 comédiens; le principe originel de l'égalité des gains avait été abandonné dans la troupe de Molière dès 1673, et des différences s'établirent en fonction de l'ancienneté, d'où des partages en quarts, en huitièmes et même en seizièmes de parts. Dès les débuts de la Comédie-Française, les « sociétaires » durent s'adjoindre des acteurs extérieurs, dits « acteurs aux appointements », et qu'on appela plus tard « pensionnaires ».
Durant la Révolution, la troupe se divisa pour des raisons politiques. Après la représentation, le 4 nov. 1789, de *Charles IX ou l'École des rois*, pièce « engagée » de M.-J. Chénier dont Danton pouvait dire : « Si *Figaro* a tué la noblesse, *Charles IX* tuera la royauté », Talma prit la tête des comédiens « patriotes » en prétendant imposer au Théâtre-Français les œuvres les plus agressives. Mais il se heurta à une forte résistance. Entraînant alors avec lui Dugazon, Grandmesnil, Mmes Vestris, Desgarcins, Simon, il abandonna la salle du faubourg Saint-Germain pour le théâtre du Palais-Royal, qui débuta le 27 avr. 1791, sous le nom de Théâtre-Français de la rue de Richelieu, changé bientôt en celui de théâtre de la République. En sept. 1793, l'ancienne société fut dissoute et la plupart des acteurs arrêtés. La Comédie-Française ne se reconstitua qu'en 1804, dans la salle du Palais-Royal, qu'elle occupe encore aujourd'hui. Par le décret de Moscou (15 oct. 1812), Napoléon Ier lui donna une sorte de charte organique qui a subsisté dans ses éléments essentiels. En 1816, une autre troupe subventionnée s'installa dans l'ancienne salle du faubourg Saint-Germain (les deux théâtres, celui de la salle Richelieu et celui de la salle de l'Odéon, devaient être réunis en 1945, mais de nouveau dissociés en 1959). Bien qu'elle eût représenté *Hernani* (25 févr. 1830) et *Les Burgraves* (1843), de Victor Hugo, la Comédie-Française resta, au XIXe s., un bastion de la tradition classique, que défendirent Rachel, Mounet-Sully, Albert Lambert, Mme Segond-Weber, Julia Bartet.
Durant la première moitié du XXe s., les goûts de son public restèrent très conservateurs mais Jean-Louis Vaudoyer, qui fut administrateur de 1941 à 1944, ouvrit une période de renouveau en montant *La Reine morte*, de Montherlant, et *Le Soulier de satin*, de Claudel. Depuis lors, la Comédie-Française, tout en restant fidèle à sa mission de maintenir vivant l'héritage théâtral, n'a cessé de s'efforcer de rajeunir son répertoire. A la fin des années 60, les représentations se répartissaient approximativement de la manière suivante : 60% de comédies classiques, 10% de tragédies, 11% de pièces d'auteurs du XIXe s., 14% de pièces d'auteurs français contemporains, 4% de théâtre étranger.

La Société des comédiens-français comprend une trentaine de sociétaires, recrutés par cooptation après avoir fait un stage d'au moins un an en qualité de pensionnaires; ceux-ci, engagés par des contrats annuels renouvelables, sont également une trentaine; en outre, une dizaine d'élèves du Conservatoire sont admis chaque année à la Comédie-Française, en qualité de stagiaires. A la tête de la « Maison de Molière » se trouve un administrateur, nommé pour six ans par décret du ministre des Affaires culturelles. Il préside le comité d'administration, composé de six sociétaires membres titulaires et de deux sociétaires membres suppléants, avec lequel il fixe les programmes, distribue les rôles, choisit les metteurs en scène, engage les pensionnaires. L'assemblée générale, composée de tous les sociétaires et présidée par l'administrateur, statue sur les nominations de sociétaires, fixe le budget, arrête les comptes. Les pièces nouvelles sont choisies par un comité de lecture, composé de sociétaires et d'hommes de lettres.

● En 1982 et 1983, la Comédie-Française a donné 686 représentations, dont 86 en province.

COMICES, *comitia*. Nom des principales assemblées électives et législatives du peuple romain, ainsi nommées du lieu primitif de leur réunion, devant la demeure royale (*comitium*).

Les **comices curiates** *(comitia curiata)*, les seuls existant à l'époque royale, réunissaient les 30 curies patriciennes. Ils étaient présidés par le roi, assisté des pontifes. Le vote s'y effectuait par curie. Les pouvoirs de cette assemblée ont été exagérés par la tradition légendaire. En fait, les comices curiates n'avaient ni le pouvoir législatif ni un pouvoir électoral. Ils donnaient leur assentiment à des actes proposés par le roi (par exemple la paix ou la guerre, les traités). Leur rôle s'exerçait surtout dans le domaine de l'organisation de la *gens* : ils devaient donner leur approbation pour les actes d'adoption, d'expulsion d'une *gens*, pour les testaments, pour les mariages hors de la *gens*. Enfin, ils avaient un pouvoir judiciaire pour juger les crimes d'État. Sous la République, les patriciens conservèrent la prépondérance dans les comices curiates, mais ces assemblées perdirent presque toute leur importance. Toutefois, il leur appartenait de conférer l'*imperium* aux magistrats élus par les comices centuriates *(lex curiata de imperio)*.

Les **comices centuriates** *(comitia centuriata)* apparurent après la nouvelle répartition censitaire du peuple romain en centuries, attribuée par la tradition à Servius Tullius, mais qui n'est sans doute pas antérieure au milieu du v⁰ s. av. J.-C. Cette répartition du peuple en centuries, d'abord militaire, prit ensuite une valeur politique. Dès 427 au moins, les comices centuriates étaient appelés à donner leur assentiment aux déclarations de guerre *(lex de bello indicendo)*. Bientôt ils eurent à connaître des traités, des alliances, des fondations de colonies. Dès la fin du v⁰ s., les comices centuriates élirent les magistrats supérieurs (censeurs, consuls, préteurs). Comme la division du peuple par centuries était fondée sur la richesse, les comices centuriates n'étaient pas une véritable assemblée démocratique. A l'origine, c'est la propriété terrienne qui servit de base à la division du corps social, qui formait un ensemble de 5 classes divisé en 193 centuries. La première classe comprenait tous ceux qui possédaient plus de 5 ha (80 centuries); pour faire partie de la deuxième classe, il fallait posséder 3 ha 3/4 (20 centuries); pour la troisième classe, 2 ha 1/2 (20 centuries); pour la quatrième classe, 1 ha 1/4 (20 centuries); pour la cinquième classe, 1/2 ha (30 centuries). Il y avait en outre 18 centuries de chevaliers, agrégées à la 1ʳᵉ classe, et 5 centuries de prolétaires, hors-classe. Dans chaque classe, on divisait les centuries en deux groupes : les *juniores* (hommes âgés de moins de quarante-six ans) et les *seniores* (âgés de plus de quarante-six ans). En examinant cette répartition on constate que, sur 193 centuries, la 1ʳᵉ classe, la plus riche, avec ses 80 centuries plus 18 centuries de chevaliers, avait automatiquement la majorité. Ainsi, les comices centuriates étaient dominés, à l'origine, par le riche patriciat foncier. Sous la pression populaire, le système évolua peu à peu jusqu'à la réforme démocratique intervenue vers 220 env. av. J.-C. Chacune des cinq classes reçut le même nombre de centuries et de voix (70); seule la 1ʳᵉ classe comprenait, en plus, les 18 centuries de chevaliers; d'autre part subsistaient les cinq centuries de prolétaires hors-classe. Il y eut donc en tout 373 centuries. La première classe, n'ayant plus que 88 voix, perdait la majorité. Cependant, comme on procédait au vote par ordre des classes, les premières classes décidaient en fait du vote et les dernières classes ne votaient pratiquement jamais; cela changea lorsque Caius Gracchus, à la fin du II⁰ s. av. J.-C., fit adopter la *lex Sempronia de comitiis,* qui décidait que l'ordre de vote des centuries serait désormais fixé par tirage au sort (cette réforme avait une grande importance, car le vote de la première centurie, censé être inspiré par les dieux, entraînait toujours le vote des suivantes).

Les **comices tributes** *(comitia tributa)* furent sans doute établis après l'institution des tribuns de la plèbe, vers 449 av. J.-C. Le peuple était appelé à y voter par tribus, de sorte que les riches n'y avaient pas, comme dans les comices centuriates, la prépondérance (mais c'est seulement en 312 que les non-propriétaires purent y participer; d'autre part, la répartition en tribus était également vicieuse, car il y avait seulement quatre tribus urbaines — dans lesquelles tous les pauvres étaient inscrits — et trente et une tribus rurales, où les riches qui possédaient des domaines à la campagne avaient la majorité). Les comices tributes étaient chargés, à l'origine, d'élire les tribuns de la plèbe et les édiles plébéiens. Mais l'influence de ces assemblées ne cessa de grandir et elles devinrent le véritable organe de la souveraineté populaire. Les comices tributes élisaient également les édiles curules, les questeurs et une partie des tribuns militaires; ils adoptaient les plébiscites; à partir de la *lex Hortensia* (287 av. J.-C.), ce sont eux qui votèrent la plupart des lois.

Sous l'Empire, les divers comices perdirent rapidement toute importance. Si Auguste continua à les réunir, Tibère transféra leurs attributions électorales au sénat; dès la fin du Ier s. de notre ère, les comices se virent également ôter leurs pouvoirs législatifs et ne tardèrent pas à disparaître.

COMITADJIS. Nom des membres des comités de l'*Organisation révolutionnaire intérieure macédonienne, O.R.I.M. (Vatrechna Makédonska Révolutsiona Organisatsia, V.M.R.O.)* qui menèrent une lutte clandestine contre la domination turque en Macédoine de 1893 à 1912. En suscitant des désordres qui devaient provoquer à leur tour des répressions de la part des autorités ottomanes, les comitadjis se proposaient d'éveiller l'inquiétude chez les grandes puissances et d'amener celles-ci à pacifier la Macédoine en donnant satisfaction aux revendications d'indépendance. Les comitadjis inaugurèrent les méthodes d'action terroriste qui devaient être reprises par la Résistance (v.) durant la Seconde Guerre mondiale, par le Viêt-minh en Indochine, le F.L.N. en Algérie, etc. Ils constituèrent des maquis extrêmement mobiles, qui s'appuyaient sur la population chrétienne, et ils créèrent un pouvoir occulte qui doublait le pouvoir officiel, levait des impôts, abattait les «collaborateurs», diffusait ses mots d'ordre par une presse clandestine. L'organisation était dirigée par un comité central qui siégeait à Salonique.

En avr. 1903, l'O.R.I.M réalisa des opérations terroristes de grande envergure à Salonique (destruction de la Banque ottomane), puis, au mois d'août suivant, elle déclencha une véritable insurrection dans les vilayets de Monastir et d'Andrinople; mais ce mouvement fut écrasé avec une particulière sauvagerie par les Turcs. Après avoir noué des liens avec certains dirigeants Jeunes-Turcs (v.), vers 1908, elle n'obtint pas d'eux une réponse satisfaisante à ses revendications et reprit ses activités terroristes. La répression turque contribua à provoquer la première guerre balkanique (v.), en 1912. Les comitadjis, qui avaient toujours été soutenus par la Bulgarie, furent déçus de voir la Macédoine partagée presque entièrement entre la Serbie et la Grèce. Ils continuèrent cependant à entretenir une agitation jusque dans les années 1930. Mais l'organisation fut surtout puissante en Bulgarie même, au lendemain de la Première Guerre mondiale; en 1923, elle provoqua la chute de Stambouliski, qui avait cherché un rapprochement bulgaro-yougoslave.

COMITÉ CENTRAL DE LA GARDE NATIONALE. Organisme élu le 3 mars 1871 par les délégués d'arrondissement de la garde nationale parisienne, représentant plus de 200 bataillons. Déniant toute autorité au général d'Aurelle de Paladines, que le gouvernement venait de nommer commandant en chef de la garde nationale, ce comité s'empara du pouvoir dans la capitale le 18 mars, s'installa à l'Hôtel de Ville et organisa les élections du 26 mars, desquelles sortit la Commune (v.).

COMITÉ DES FORGES. Important cartel créé en 1864 par les maîtres de forges français. Après avoir joué sous la IIIe République un rôle occulte très important, dans les domaines économique et politique, surtout entre 1918 et 1939, il fut supprimé par le gouvernement de Vichy en 1940.

COMITÉ FRANÇAIS DE LIBÉRATION NATIONALE (C.F.L.N.). Créé le 3 juin 1943 à Alger, il réalisait la fusion des gouvernements français d'Alger (Giraud) et de Londres (de Gaulle). Il fut d'abord placé sous la double présidence des généraux de Gaulle et Giraud, mais ce dernier fut peu à peu éliminé par de Gaulle et démissionna de ses fonctions de coprésident (oct. 1943). De Gaulle, assumant désormais toute la direction politique, procéda à une épuration (exécution de Pucheu, 20 mars 1944) et voulut donner à son gouvernement une allure démocratique en y incorporant des personnalités parlementaires (dont deux communistes, nov. 1943) et en créant à Alger une Assemblée consultative provisoire. Par l'intermédiaire du Conseil national de la Résistance, il s'efforça d'imposer l'autorité du C.F.L.N. à toute la Résistance intérieure en France. Le 3 juin 1944, le C.F.L.N. prit le nom de Gouvernement provisoire de la République française.

COMITÉ DE LIBÉRATION NATIONALE, Comitato di Liberazione Nazionale (C.L.N.). Organisation réunissant, à la fin de la Seconde Guerre mondiale, les divers partis antifascistes italiens : communistes, socialistes, démocrates-chrétiens, libéraux, parti d'action et parti démocratique du travail. Créé à Rome le 27 juill. 1943, le C.L.N. sortit de la clandestinité après la prise de Rome par les Alliés (4 juin 1944) et constitua, sous la présidence de Bonomi, le «gouvernement des six partis». Dans l'Italie du Nord, soumise au régime de la République sociale mussolinienne et à l'occupation allemande, ce gouvernement Bonomi délégua officiellement les pouvoirs, le 26 déc. 1944, au C.L.N.A.I. (C.L.N. Alta Italia), lequel dirigea la lutte des partisans et créa des républiques provisoires en diverses régions contrôlées par ces derniers. En juin 1945, Ferruccio Parri, du parti d'action, forma le dernier gouvernement du C.L.N., mais les démocrates-chrétiens et les libéraux provoquèrent la rupture de cette coalition issue de la Résistance antifasciste (déc. 1945).

COMITÉ DE SALUT PUBLIC. Principal organe du gouvernement révolutionnaire créé par la Convention (v.) le 6 avr. 1793. Succédant à un Comité de défense

COMITÉS DE SURVEILLANCE
Citoyen apportant son certificat de civisme au « Comité de l'an deuxième », janv. 1794.
Ph. © Bibl. Nat., Paris - Photeb

COMMAGÈNE
Prince du royaume de C. Bas-relief de Nimrud Dagh. (Staatliches Museum, Berlin.)
Ph. © du musée - Arch. Photeb

générale qui existait depuis janv. 1793 mais s'était révélé inefficace, il était « chargé de surveiller et d'accélérer l'action de l'administration »; celle-ci restait confiée aux ministres du Conseil exécutif provisoire, mais le Comité de salut public recevait le pouvoir de suspendre leurs arrêtés lorsqu'il les jugerait contraires à l'intérêt national; il était autorisé à prendre directement, en cas d'urgence, « des mesures de défense générale, intérieure et extérieure », et ses arrêtés devaient être « exécutés sans délai par le Conseil exécutif provisoire »; il pouvait même décerner des mandats d'amener ou d'arrêt contre tous les agents d'exécution du gouvernement.

Le Comité de salut public fut d'abord composé de neuf membres, puis de quatorze, puis, à partir de sept. 1793 de douze membres. Il était renouvelé chaque mois en totalité, mais ses membres, choisis par la Convention, étaient rééligibles. Dans le premier comité, prédominait la tendance montagnarde modérée de Danton, mais celui-ci en fut éliminé le 10 juill. 1793. Robespierre y entra le 27 juill., puis Carnot et Prieur (de la Côte-d'Or) (14 août), puis Billaud-Varenne et Collot d'Herbois (6 sept.). De sept. 1793 à juill. 1794, les mêmes conventionnels, à l'exception d'un seul (Hérault de Séchelles, guillotiné avec Danton en avr. 1794), furent constamment réélus. Ce fut la période du Grand Comité de salut public, qui exerça sur le pays un véritable gouvernement dictatorial.

Le Comité n'avait ni président ni secrétaire, et ses membres, qui se réunissaient chaque jour, assumaient une responsabilité collective de tous les actes; cependant, une sorte de division du travail s'institua entre ses membres, avec Carnot et Prieur (de la Côte-d'Or), chargés de l'armée et des fabrications de guerre, Jean Bon Saint-André de la marine, Robert Lindet du ravitaillement, Barère de la diplomatie et des rapports avec la Convention, la politique générale appartenant à Robespierre assisté de Saint-Just, Couthon, Collot d'Herbois, Billaud-Varenne. Après l'élimination des hébertistes et des dantonistes, le Comité se débarrassa des ministres, qui furent remplacés par douze commissions exécutives (1er avr. 1794). Passant par-dessus tous les intermédiaires hiérarchiques, le Comité, par l'intermédiaire de ses agents envoyés dans les provinces et aux armées munis de pleins pouvoirs, étendit son contrôle sur tous les organes civils et militaires de l'État. Son autorité reposa essentiellement sur l'intimidation et la terreur, car même les membres de la Convention étaient exposés à une menace de mise hors la loi.

Pour sauver la Révolution menacée à l'extérieur et à l'intérieur, le Comité de salut public établit un gouvernement centralisé et policier comme aucun pays du monde n'en avait connu encore. Sa perte fut provoquée par les dissensions internes qui, à partir de juin 1794, opposèrent la majorité de ses membres, conduits par Billaud-Varenne,

Collot d'Herbois et Carnot, à Robespierre et à ses amis, contre lesquels le Comité de sûreté générale (v.) accumulait les accusations. Après le 9-Thermidor (v.), le Comité de salut public vit ses pouvoirs limités à peu près exclusivement aux affaires militaires. Il ne disparut qu'avec la Convention elle-même, en oct. 1795.

COMITÉS DE SALUT PUBLIC. Organismes constitués dans chacune des principales villes d'Algérie après le putsch du 13 mai 1958, sur les encouragements du haut commandement militaire, afin d'encadrer la population pour le maintien de l'Algérie dans la France. A l'origine, ces comités étaient composés de civils et de militaires, mais ces derniers durent s'en retirer, sur l'ordre du général de Gaulle, en oct. 1958. Les Comités de salut public se transformèrent alors en organisations politiques et constituèrent les cadres de la future O.A.S.

COMITÉ DE SÛRETÉ GÉNÉRALE. Organisme créé par la Convention (v.) le 2 oct. 1792. Prolongement du Comité des recherches de l'Assemblée constituante et du Comité de surveillance de la Législative, il avait dans ses attributions « tout ce qui est relatif aux personnes et à la police générale et intérieure ». Il était composé de douze membres, élus chaque mois par la Convention et rééligibles, parmi lesquels figurèrent Vadier, Amar, Le Bas et le peintre David. Véritable « ministère de la Terreur », ce comité recherchait les suspects, contrôlait les arrestations, envoyait les inculpés devant le Tribunal révolutionnaire (v.) et pouvait exercer sa pression sur l'ensemble du personnel politique. Au printemps 1794, la majorité de ses membres s'affirma hostile à Robespierre et travailla dès lors à la chute de celui-ci. Le Comité de sûreté générale subsista jusqu'à la fin de la Convention, en oct. 1795.

COMITÉS DE SURVEILLANCE ou **COMITÉS RÉVOLUTIONNAIRES.** Organismes créés par la Convention en mars 1793 afin de surveiller, dans chaque commune, les étrangers et de délivrer des certificats de civisme, de dresser la liste des suspects, de les interroger et de procéder à leur arrestation. Au nombre de plus de 20 000 dans toute la France, ils furent les indispensables instruments de la Terreur. Ils furent supprimés après le 9-Thermidor.

COMITIUM. Dans la Rome antique, espace consacré, situé au N. du Forum, où se réunissaient les comices curiates et tributes (v. COMICES) jusqu'au IIe s. av. J.-C. Le comitium constitua jusqu'à cette époque le centre de la vie politique car c'est là que se trouvait la tribune aux harangues, ornée des rostres (v.). A partir du milieu du IIe s., les réunions se tinrent au Forum.

COMMAGÈNE. Région du N. de la Syrie; conquise par les Assyriens au IXe s. av. J.-C., elle formait, au Ier s. avant notre ère, un État indépendant gouverné par des princes de la maison des Séleucides, avec Samosate pour capitale. Son roi Antiochos Ier, après s'être soumis aux Romains en 69 av. J.-C., prit parti pour Mithridate contre Pompée puis revint à celui-ci, dont il fut l'allié durant la guerre civile. Annexé à l'Empire romain sous Tibère (17 apr. J.-C.), le royaume de Commagène fut rétabli par Caligula en 38, puis définitivement incorporé à la province de Syrie en 72. Sous Domitien, la Commagène forma une province et prit le nom d'*Euphratésie*.

COMMANDO. Dans les États boers de l'Afrique du Sud, à la fin du XIXe s., nom donné à des unités de milice territoriale chargées d'assurer la sécurité des Blancs contre les populations autochtones; ces commandos prirent par la suite une part importante à la guérilla contre les Anglais durant la guerre des Boers (v.).
Durant la Seconde Guerre mondiale, les Allemands donnèrent le nom de *Kommando* à de petits détachements de prisonniers de guerre ou de déportés politiques qui étaient affectés à des travaux en dehors de leur camp d'origine.
En Angleterre, les *commandos*, créés dès 1940 à la demande de Churchill sous la direction du colonel Dudley Clarke, étaient de petites troupes de soldats d'élite, ayant subi un entraînement spécial, chargés de missions périlleuses et quasi désespérées sur des objectifs précis, en particulier des points côtiers. Les commandos, qui avaient comme signe distinctif le béret vert, accomplirent leur premier raid à Dieppe, en août 1942. Des unités de commandos furent constituées à partir de 1943 dans l'armée française et furent intégrées en 1945 dans les bataillons de choc. En Allemagne, existait dès 1939 le bataillon de choc « Brandebourg », dont les effectifs grandirent peu à peu jusqu'à devenir, au début de 1943, une véritable division. A cette époque, les services de l'Abwehr (v.) constituèrent une nouvelle unité, le « Corps d'entraîne-ment spécial Oranienburg », dont la direction fut confiée à Otto Skorzeny; celui-ci réussit une des opérations les plus spectaculaires réalisées par un commando, la délivrance du Duce, prisonnier au Gran Sasso d'Italia (12 sept. 1943). Depuis 1945, les commandos ont joué un rôle important dans les guerres d'Indochine, de Corée et dans les conflits israélo-arabes.

COMMEDIANTE! TRAGEDIANTE! c'est-à-dire *Comédien! Tragédien!* Paroles apocryphes prêtées par les royalistes au pape Pie VII, lors de ses discussions de Fontainebleau avec Napoléon Ier à propos du concordat de 1813.

COMMENDATIO. A l'époque mérovingienne, acte par lequel un homme libre se « recommandait » auprès d'un grand, auquel il promettait service et fidélité, en échange de sa protection. La *commendatio* constitua une première forme de la vassalité. Voir VASSAL.

COMMENDE. Dépôt d'un bien ecclésiastique (abbaye, prieuré, etc.) à un clerc ou à un séculier, qui percevait les revenus de ce bénéfice mais confiait le pouvoir spirituel à un délégué appelé *prieur claustral*. L'institution de la commende a caractérisé la vie monastique en Europe du XVe au XVIIIe s. Son développement fut beaucoup favorisé par les besoins d'argent des papes d'Avignon et par la nécessité où ils se trouvaient, durant le Grand Schisme (1378/1414), de s'assurer des partisans. La commende, que le concile de Trente lui-même n'osa pas supprimer, fut la principale cause de la décadence de la vie monastique : elle enrichissait des intrus (souvent des séculiers) au détriment des abbayes et livraient celles-ci à des abbés *commendataires* qui favorisaient l'introduction de l'esprit mondain dans les cloîtres. Dans la France de 1789, sur 1 150 abbayes d'hommes, il y en avait 850 en commende.

COMMANDO
Insigne de commando instructeur.
Ph. © E.C.P. Armées - Photeb

COMMERCE

COMMERCE. L'échange d'un bien contre un autre bien a dû commencer dès les stades les plus primitifs de la civilisation, et l'existence du commerce est bien antérieure à celle d'une classe spécialisée de commerçants. Cependant l'Europe néolithique, dès le IVe millénaire, pratiquait des échanges lointains dont l'ampleur dépassait largement les opérations de troc individuel et supposait une véritable organisation commerciale. Les outils de silex danois d'Ertebøll étaient exportés vers la Norvège et l'Allemagne du Nord; le grès quartzite de Tirlemont, dans le Brabant, faisait l'objet d'échanges dans un rayon de 200 km; le commerce du silex jaune du Grand-Pressigny, en Touraine, donnait lieu, dans toute l'Europe occidentale, à la constitution de véritables stocks; l'obsidienne de Sicile s'exportait sur les rives de la Méditerranée occidentale, etc.
Pendant longtemps, le commerce devait être avant tout un commerce extérieur et un commerce de luxe. Les échanges à l'intérieur de la tribu ne constituaient pas vraiment un commerce, mais la tribu, qui formait un tout se suffisant à lui-même dans la vie courante, s'adressait à une autre tribu pour échanger son surplus contre les biens *rares* qui lui faisaient défaut. L'or, l'étain, l'ambre tinrent ainsi la première place dans le commerce de

l'Europe préhistorique; en Orient, les échanges portaient de même sur des métaux précieux, des parfums, des épices, des pierres, des soieries, des étoffes de pourpre ou des armes de prix. C'est seulement pendant des périodes assez brèves de l'histoire, et au sommet du développement d'une civilisation — dans l'Athènes du vᵉ s., dans la Rome impériale, dans le monde industriel contemporain —, que le commerce a porté non seulement sur les produits rares, les matières premières indispensables, les objets de luxe, mais également sur les biens de consommation courante, à usage populaire.

De l'Égypte à Carthage

En **Égypte,** les structures étatiques de l'économie ne favorisèrent guère les activités commerciales. Toutefois, dès l'Ancien Empire, Byblos était le grand marché d'échanges des produits fabriqués égyptiens; les pharaons entretenaient des relations maritimes avec les pays riverains de la mer Rouge et un commerce caravanier mettait l'Égypte en rapport avec les peuples de l'Asie antérieure; mais l'Égypte pharaonique ne vit jamais se développer de classe commerçante, et les échanges extérieurs étaient pratiquement un monopole d'État. En **Mésopotamie,** au contraire, marchands et banquiers jouaient un rôle prépondérant dans la vie économique. Dès le milieu du IIIᵉ millénaire, les Sumériens faisaient un commerce extrêmement actif avec les régions situées au-delà du golfe Persique, jusqu'à Pamir. Le commerce mésopotamien atteignit son apogée sous la Iʳᵉ dynastie de Babylone, au temps d'Hammourabi (XVIIIᵉ s. av. J.-C.). Babylone devint alors vraiment le centre de tout le trafic oriental; ses artisans avaient besoin de matières premières lointaines, ivoires et pierres précieuses de l'Inde, étain du Caucase, cuivre de Chypre et d'Arménie. Le Code d'Hammourabi contient de nombreuses clauses sur le droit des contrats et constitue, en quelque sorte, le plus ancien des codes de commerce. Les Empires hittite et assyrien, avec leurs réglementations autoritaires, entraînèrent un net ralentissement de l'activité commerciale; l'économie assyrienne fut fondée essentiellement sur la guerre et le pillage. Mais un vif renouveau du commerce oriental s'affirma à partir du vIᵉ s. avant notre ère, dans l'Empire néo-babylonien puis dans l'Empire perse, où une grande route caravanière, la « route royale », reliait l'Iran et la Mésopotamie à la mer Égée, par l'Asie Mineure.
Dès le IIIᵉ millénaire, les **Crétois** et les Égéens des Cyclades furent les pionniers du grand commerce maritime. Ils nouèrent des relations d'affaires avec l'Égypte, le Liban, Chypre, l'Afrique du Nord; le pharaon les autorisa à ouvrir un comptoir dans l'île de Pharos, près du site de la future Alexandrie. Lorsque la civilisation crétoise commença à

COMMERCE
Poids en pierre décoré d'un poulpe, provenant de Cnossos. (Musée d'Hérakléion.) Il assurait le contrôle royal du « talent », lingot de bronze servant de monnaie d'échange.
V. 1600 av. J.-C.
Ph. © Hassia - Photeb

sombrer, vers 1400 av. J.-C., l'hégémonie commerciale en Méditerranée passa aux **Phéniciens.** Ceux-ci, de leurs ports de Byblos, de Sidon, de Tyr, se lancèrent dans des expéditions beaucoup plus audacieuses encore que celles des Crétois : ils parvinrent jusqu'aux confins occidentaux de la Méditerranée et, au-delà des Colonnes d'Hercule (détroit de Gibraltar), ils pénétrèrent dans l'Atlantique, établirent des comptoirs en Andalousie, au Maroc, accomplirent peut-être, vers 600, à la demande du pharaon Néchao, la première circumnavigation de l'Afrique. Les villes phéniciennes furent avant tout des cités commerciales, auxquelles Venise seule peut être comparée dans les siècles ultérieurs. Cette volonté de puissance exclusivement mercantile devait survivre, jusqu'au IIᵉ s. avant notre ère, à **Carthage,** dont la politique a été ainsi définie par Gsell : « soit par la force, soit par des traités, soit par des colonies, ouvrir aux Carthaginois des marchés; leur en réserver l'exploitation dans les contrées d'où il était possible d'écarter toute concurrence; dans celles où ce monopole ne pouvait pas être établi, régler les transactions par des pactes stipulant des avantages réciproques; assurer contre les pirates la liberté de navigation, l'existence des cités et des comptoirs maritimes ». Mais l'histoire de Carthage enseigne aussi la fragilité d'un État purement commercial, sans forte implantation territoriale, sans idéal dépassant l'accumulation des richesses matérielles et contraint de faire reposer sa défense sur la combativité douteuse de mercenaires.

Les Grecs et les Romains

A la différence des Phéniciens et des Carthaginois, les **Grecs** se servirent de leurs entreprises commerciales pour répandre leurs idées, leurs dieux, leur mode de vie. Avec eux, le commerce devint un instrument remarquable de civilisation. La vocation mercantile des Grecs est assez tardive. La Grèce archaïque repose sur une économie terrienne, domaniale. La première colonisation grecque eut avant tout pour but la recherche de terres à cultiver (V. COLONIES). Mais, à partir du VIIᵉ s., les buts commerciaux deviennent déterminants dans l'expansion hellénique. Toutes les cités voient s'affirmer une classe de marchands et d'artisans qui ébranlent le pouvoir des anciennes aristocraties foncières. Le commerce grec peut être qualifié de commerce mondial, car il étend son réseau sur tout le monde connu à cette époque. On le voit se développer, à partir de ce grand carrefour de marchandises et d'idées qu'est devenue la mer Égée, selon trois directions : l'une vers le N.-E. et la mer Noire, la route du blé d'Ukraine, des métaux précieux de la Colchide et du Caucase, du poisson séché de Crimée; la deuxième vers l'Orient, l'Égypte et la Mésopotamie, d'où les navires helléniques, portant jusqu'à 250 tonnes de marchandises, amènent du blé,

COMMERCE
Porteur d'amphore chargeant
un navire, détail d'une mosaïque
de la place des Corporations,
Ostie, Iᵉʳ s.
Ph. © Alinari - Giraudon - Photeb

Transport de vin sur la
Moselle, détail d'un bas-relief
gallo-romain. (Landesmuseum,
Trèves.)
Ph. © J. Roubier - Photeb

des tapis, des étoffes précieuses; la troisième route, vers la Méditerranée occidentale, sera longtemps barrée, au-delà de l'Italie du Sud (la « Grande-Grèce ») et de la Sicile, par la redoutable concurrence phénicienne et carthaginoise; dès 600, cependant, les Phocéens ont pris pied sur la côte provençale, et, par la vallée du Rhône (comme par celle du Danube), les produits grecs s'acheminent vers l'Europe occidentale et centrale, domaine celte. La limite N. de la zone où ont été retrouvés des objets de provenance hellénique passe par le Lot-et-Garonne, le Finistère, la Hollande, la Hesse, le Danemark. Au IVᵉ s. av. J.-C., les conquêtes d'Alexandre ouvrent aux commerçants grecs les profondeurs de l'Asie, jusqu'aux confins de l'Inde et de la Chine. Alexandrie, la grande cité hellénistique d'Égypte, va supplanter Athènes comme métropole commerciale.

C'est aux Grecs enfin que revient le mérite d'avoir généralisé dans tout le monde ancien l'emploi de l'instrument privilégié des échanges, la monnaie (v.), apparue vers 650 chez les Grecs d'Asie ou chez les Lydiens.

Les **Romains,** qui ne connurent la monnaie qu'au IIIᵉ s. avant notre ère, ont toujours montré un certain mépris à l'égard des commerçants, et cependant, en bâtissant leur empire territorial, en unifiant le monde antique sous les mêmes institutions, le même droit, la même langue, en créant des routes dont la sécurité était garantie par une armée incomparable, ils établirent les conditions nécessaires au plus bel épanouissement du commerce antique. A la différence d'Athènes, Rome ne produisait presque rien, et il n'y avait pas véritablement d'échanges entre la capitale et le reste du monde romain. Toute la vie commerciale de l'Empire romain devait toujours conserver l'empreinte initiale de la conquête, Rome n'équilibrant sa balance des comptes que grâce aux tributs et aux impôts qu'elle prélevait dans les provinces. L'afflux des biens de toutes sortes qui parvenaient au port d'Ostie entraînait des conséquences maintes fois dénoncées par les moralistes latins : la ruine de l'activité italienne, la désertion des campagnes, la disparition de cette classe de petits paysans qui avaient fait la grandeur romaine, l'incitation à l'oisiveté pour une plèbe qui se laissait désormais nourrir par le monde entier. Au IIᵉ s. de notre ère, l'Empire romain étendit ses relations commerciales jusqu'à l'Inde et à la Chine, mais on ne doit pas cependant exagérer l'importance des échanges euro-asiatiques. Le coût du transport était si élevé que ce commerce mondial ne pouvait concerner que quelques marchandises très rares, la soie, les pierres précieuses, les épices, les parfums. La soie était vendue à Rome exactement sur la base de son poids en or. En fait, la plupart des courants commerciaux de l'Empire romain ne dépassaient pas le bassin de la Méditerranée. Comme les voies romaines répondaient d'abord à des nécessités administratives et militaires, la plupart des transports continuèrent à se faire par la voie de mer, plus économique et plus rapide.

La mer Rouge, la mer Noire connaissaient un trafic intense. Mais les Romains, pas plus que les Grecs (l'expédition de Pythéas est exceptionnelle), ne songèrent à aventurer régulièrement des cargaisons sur le redoutable océan Atlantique. Après la conquête de la (Grande-)Bretagne, c'est par l'intermédiaire de la Gaule que se développèrent les échanges entre la nouvelle province et le reste de l'Empire. La conquête romaine avait favorisé la prospérité commerciale d'Alexandrie, de Rhodes, comme elle avait suscité une renaissance de Délos. En Italie, Pouzzoles, d'abord le plus important des entrepôts, devait être supplanté par Ostie, dont les bassins furent sans cesse agrandis par les empereurs.

L'État romain imposait aux commerçants de nombreuses obligations et prélevait sur les marchandises des droits de douane variables selon les régions, mais généralement importants. Le grand problème à résoudre, lorsque tous les citoyens de l'Empire eurent acquis l'égalité et la citoyenneté et cessèrent, par conséquent, d'être considérés comme des vaincus soumis à une exploitation souvent excessive, fut le déficit de la balance commerciale romaine. Dans les trois premiers siècles de notre ère, les deux tiers du stock d'argent et les quatre cinquièmes du stock d'or accumulés à Rome s'écoulèrent vers l'Orient, fournisseur des marchandises. Aussi, du fait de la raréfaction de la monnaie, le grand commerce entre en crise dès le IIᵉ s. et tend de plus en plus à se réduire aux objets de luxe. « Sans l'intervention de l'État, l'unité commerciale du monde méditerranéen se fût peut-être rompue dès cette époque et l'économie industrielle se serait alors repliée sur les grands domaines. » (Georges Lefranc.)

De Byzance aux marchands italiens

Mais l'étatisme du Bas-Empire, qui se manifesta par des mesures énergiques de blocage des prix (édit du *maximum* promulgué par Dioclétien en 301), contribua finalement au déclin du commerce antique. Dès le IVᵉ s., on commença à revenir au système du troc, aux recouvrements et aux paiements en nature. Cette crise, qui affectait surtout l'Occident, est antérieure aux invasions germaniques, longtemps considérées à tort comme une rupture décisive dans l'histoire économique. A la suite des travaux d'Henri Pirenne, on estime aujourd'hui que le grand commerce méditerranéen continua après l'arrivée des Barbares en Occident; c'est à l'irruption de l'islam, dès 640 en Syrie et en Égypte, à la fin du VIIᵉ s. et au début du VIIIᵉ s. en Afrique du Nord et en Espagne, qu'on attribue aujourd'hui l'interruption du trafic entre l'Orient et l'Occident. Pendant plus de deux siècles, l'Europe occidentale allait se replier sur une économie domaniale (v. AGRICULTURE, CAROLINGIENS) : le grand domaine laïque ou ecclésiastique vécut sur lui-même, assurant seul tous les besoins nécessaires à la subsistance et à l'entretien de ses membres; le commerce extérieur et même le commerce intérieur furent réduits presque à rien.

Mais on se gardera de n'envisager les faits que du point de vue de l'Occident en oubliant que l'Orient, en cette fin du Iᵉʳ millénaire de notre ère, continuait à connaître des échanges très actifs, plus étendus même qu'aux beaux temps de la splendeur romaine. Malgré l'étatisme impérial, **Byzance** continuait à dominer toute la vie économique dans les régions de l'Égée, de la mer Noire, de l'Asie Mineure; les foires de Constantinople et de Thessalonique restaient des marchés internationaux; malgré la poussée musulmane, le commerce avec l'Asie, notamment celui de la soie, se poursuivait par les routes terrestres de l'Anatolie et du Turkestan; même avec l'Italie des relations subsistaient, par la route de l'Adriatique et par l'intermédiaire de Venise. Chez les **Arabes**, la religion musulmane ne montra jamais à l'égard des activités commerciales les préjugés du christianisme. Nombre de termes de la langue commerciale sont d'origine arabe (tarif, trafic, bazar, etc.). Le commerce arabe, vraiment mondial, s'étendait de l'Espagne à l'Extrême-Orient; ses caravanes reliaient le Maghreb et l'Égypte à l'Afrique noire, Bagdad à la Perse et au Turkestan; ses navires sillonnaient la Méditerranée, la mer Rouge, l'océan Indien, abordaient aux côtes de l'Afrique orientale et de Madagascar, visitaient régulièrement les ports de l'Inde et de Java, pénétraient dès la fin du VIIIᵉ s. dans la mer de Chine.

En Europe septentrionale, les **Normands** organisaient aussi un grand commerce. Vers le N.-O., ils atteignirent successivement l'Islande, le Groenland et, au début du XIᵉ s., l'Amérique du Nord, avec laquelle ils entretinrent des relations régulières au moins jusqu'à la fin du XIIᵉ s., peut-être jusqu'au XIVᵉ s. Vers l'E., les Vikings, sous le nom de Varègues, s'assurèrent dès le IXᵉ s. une position dominante chez les Slaves, où ils fondèrent les premiers États russes. Par la route du Dniepr, ils établirent des relations commerciales entre la Scandinavie et l'Empire byzantin; par la route de la Volga, ils acheminaient vers l'Europe les marchandises de l'Asie centrale.

La **renaissance du commerce occidental**, à partir du XIᵉ s., fut liée à l'essor des villes, et il est difficile de savoir si c'est le développement urbain qui a favorisé celui du commerce, ou si, au contraire, c'est l'expansion commerciale qui a provoqué le renouveau des villes (v. ce mot). Les transports terrestres exigeant une longue reconstruction, la sécurité des routes étant, pour longtemps encore, très précaire, la reprise du trafic maritime fut plus rapide et plus spectaculaire. En Italie, où la civilisation urbaine avait moins souffert que dans le reste de l'Occident, où le commerce naissant de Venise et celui d'Amalfi avaient profité de la protection de Byzance, on vit se constituer de florissantes républiques marchandes, d'abord

COMMERCE
A Malabar, Inde, chargement de poivre et de cannelle à destination de l'Europe via Aden et Alexandrie. Détail d'une miniature du « Livre des merveilles », de Marco Polo, XVᵉ s.
Ph. © Bibl. Nat., Paris - Photeb

Amalfi, Salerne, Bari, puis Pise, laquelle, à la fin du XIᵉ s., s'assura une prépondérance qui devait bientôt lui être enlevée par Gênes et par Venise. « Pendant cette première période de la vie économique de l'Italie, note M. Laffon-Montels (*Les Étapes du capitalisme*, p. 97), nous rencontrons un événement de la plus haute importance, la première poussée de l'Occident vers l'Orient qui, jusqu'alors, avait toujours donné l'impulsion au cours des âges. » Les ports italiens s'enrichirent considérablement grâce aux croisades, car leurs flottes assurèrent le transport des armées franques vers la Terre sainte. En 1204, Venise, détournant la 4ᵉ croisade, réussit à abattre Constantinople, devenue sa rivale, et s'assura la maîtrise de tout le commerce égéen.

Dès avant cette date, où l'expansionnisme commercial de l'Occident porta un coup fatal à l'empire d'Orient, les souverains byzantins avaient dû accorder concessions et privilèges aux marchands italiens. Les Génois établirent des comptoirs commerciaux sur tous les rivages de la mer Noire (v. COLONIES). En Orient, comme le remarque Barnes *(History of Western Civilization)*, « bien plus importantes que les conflits militaires furent les relations pacifiques entre chrétiens et musulmans pendant une période de deux siècles, en Palestine, en Syrie, en Asie Mineure. Les échanges commerciaux et culturels furent poursuivis pendant les longs intervalles de paix qui séparaient les guerres. Les croisés et leurs associés, les marchands italiens, apprirent à connaître la civilisation et la vie économique de l'islam ». Ce commerce avec l'Orient portait essentiellement sur les produits de luxe : épices, parfums, médicaments, colorants, soies et étoffes précieuses, perles, bois exotiques, qui se transformèrent peu à peu en objets de nécessité pour les classes supérieures de la société européenne.

Les Flamands et la Hanse

L'activité commerciale des villes italiennes ne se limitait pas à la zone méditerranéenne. D'autres centres d'échange étaient apparus dans l'Europe septentrionale, notamment en Flandre et en Allemagne. **Bruges et les autres cités flamandes** vivaient essentiellement de l'importation des laines anglaises et de l'exportation des draps, qui devaient jouer « dans le mouvement commercial du nord de l'Europe le rôle rempli par les épices dans les échanges méditerranéens » (M. Boulet). La Flandre exportait aussi de la toile, de la dentelle, des tapisseries; elle assurait le trafic des vins d'Aquitaine, du poisson de la Baltique, des bois scandinaves. Des convois réguliers, qui contournaient l'Espagne par le détroit de Gibraltar, reliaient Venise à Bruges. En Allemagne, la **Hanse** (v.) supplanta complètement les Scandinaves dans toutes les relations avec la Baltique et la Russie. Véritable État commercial capable de faire respecter militairement sa suprématie sur les mers, elle

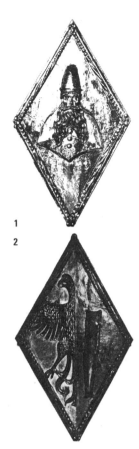

1

2

possédait ses plus importants comptoirs à Bergen (Norvège), à Londres et à Novgorod. A la différence du commerce méditerranéen, ce commerce septentrional portait sur des objets de consommation courante et de première nécessité : de Russie, les flottes de la Hanse acheminaient le blé, les céréales, les peaux, les cuirs, les fourrures, le suif, les bois de construction; d'Angleterre, les laines, les produits fabriqués; de Norvège, les poissons; de France et de Flandre, les vins, le sel, les draps, etc. Pour ces transports lourds, les hanséates durent construire des navires de types nouveaux, les «kogges», atteignant jusqu'à 2 000 tonnes.

Si le commerce maritime conservait la primauté, le **commerce terrestre** n'en jouait pas moins un rôle grandissant, malgré le mauvais état des routes, la menace des brigands et des seigneurs pillards, les péages multipliés par le système féodal (soixante-dix de Roanne à Nantes, treize de Mayence à Cologne, etc.). Les deux grandes artères de l'Europe médiévale étaient celles qui menaient d'Italie vers les Flandres, l'une par le Rhône et la Saône jusqu'à la Seine et à la Meuse, l'autre par les cols des Alpes et la vallée du Rhin. Dans ce commerce terrestre, les foires (v.) jouèrent un rôle essentiel car elles constituaient des rendez-vous périodiques où les négociants de tous les pays savaient qu'ils pouvaient se rencontrer à date fixe et trouver un choix immense de marchandises. Jusqu'à la fin du XIIIᵉ s., les foires de Champagne, situées à un carrefour d'accès facile tant par voie de terre que par voie fluviale, furent le plus grand marché d'échanges de l'Europe occidentale. Elles déclinèrent, après l'annexion de la Champagne au domaine royal, sous le poids de la fiscalité capétienne. D'une façon générale, le commerce médiéval souffre d'un état d'esprit imputable au christianisme, qui ne lui est pas favorable. Les réglementations, destinées à assurer la qualité de la marchandise, à protéger le consommateur, à empêcher la spéculation, finissaient par être préjudiciables à l'activité économique. A partir du XIVᵉ s., les grands États monarchiques tentèrent de faire du commerce un instrument de leur politique; ainsi les rois de France, pour atteindre l'Angleterre, auraient voulu prohiber l'importation des laines anglaises en Flandre, mesure évidemment ruineuse pour les Flamands, et qui fut une des principales causes de la guerre de Cent Ans.

Premier essor du commerce mondial

On ne peut attribuer aux seuls impératifs commerciaux les grandes découvertes maritimes des XVᵉ/XVIᵉ s. car l'esprit d'aventure, la curiosité scientifique, l'idée chrétienne d'apostolat furent aussi des facteurs non négligeables. Quand la route traditionnelle du commerce des épices, à travers la mer Rouge, fut coupée par l'installation des Ottomans en Égypte (1517), les Portugais étaient déjà établis en Inde. La constitution des premiers empires coloniaux n'en fut pas moins un événement décisif dans l'histoire du commerce. Des produits considérés jusqu'alors comme des articles de luxe devinrent de consommation courante, et l'importance croissante de la demande lança l'économie européenne dans une fièvre d'expansion qui, après bientôt un demi-millénaire, n'a pas encore touché son terme. Pour la première fois dans l'histoire, le commerce devint mondial, au sens propre du terme, mais ses bénéficiaires en furent quelques nations privilégiées représentant la domination de l'homme blanc sur le reste de l'univers. Ce commerce portait non seulement sur des biens matériels — épices, soie, diamants, thé de l'Inde et de la Chine, métaux précieux d'Amérique, sucre des Antilles — mais aussi sur des hommes. Jusqu'au XIXᵉ s., la traite (v.) des Noirs devait constituer un aspect important du trafic européen. Les grandes découvertes entraînèrent aussi un déplacement des grands axes internationaux : la Méditerranée perdit le rôle central qu'elle avait détenu dès la plus haute antiquité. La suprématie commerciale passa des villes italiennes, provençales, espagnoles aux grands ports ouverts sur les voyages lointains dans l'Atlantique et l'océan Indien : Cadix, Lisbonne, Londres, Anvers, Amsterdam, plus tard Bordeaux, Le Havre, Hambourg. Mais ni la situation géographique ni l'audace dans la découverte ne suffirent, à elles seules, à fonder durablement la puissance commerciale d'une nation. Pour avoir adopté des systèmes étatiques voués à la sclérose, le Portugal et l'Espagne se virent, dès le XVIIᵉ s., supplantés par des pays comme l'Angleterre et les Pays-Bas, où l'initiative privée put s'épanouir pleinement dans les formules plus souples de compagnies à parts ou par actions (v. COMPAGNIES DE COMMERCE ET DE NAVIGATION). Les Hollandais devaient porter ce système à la perfection avec leurs Compagnies des Indes orientales et des Indes occidentales; pendant toute la première moitié du XVIIᵉ s., ils méritèrent vraiment leur surnom de «rouliers des mers». Mais les Anglais, qui ne s'étaient guère distingués jusqu'alors dans le domaine commercial et qui, au Moyen Age, abandonnaient le transport de leurs marchandises aux Flamands et à la Hanse germanique, les Anglais allaient s'assurer le premier rang parce que leur régime politique était favorable au développement de la liberté et de l'initiative individuelle, parce que leur aristocratie, à la différence de celles du continent, se lança très tôt et hardiment dans les activités mercantiles, parce qu'ils se dotèrent d'une organisation financière à la mesure de leurs ambitions et aussi parce qu'ils surent tirer la leçon des expériences et des échecs de leurs prédécesseurs.

Mais, dans ce premier essor du commerce mondial, l'Angleterre, pas plus que les autres pays européens, ne sépare entreprise privée et intervention de l'État. Les XVIIᵉ et XVIIIᵉ s. placent le commerce comme la colonisation sous le signe du **mercantilisme** (v.). Cette doctrine conçoit le commerce comme une

1084

COMMERCE

Ci-dessus : déchargement dans un dock de New York.
A 8 km de l'océan, c'est l'un des tout premiers ports du monde,
que choisirent successivement Français,
Hollandais et Anglais. Favorisant aujourd'hui le trafic d'une région
de 16 millions d'habitants, il draine 40% du commerce extérieur
des États-Unis. Ses bassins, qui couvrent 50 km^2 en eau profonde,
accueillent 25 000 navires par an grâce à 1 630 quais.
Ph. © U.S.I.S. - Photeb

Page ci-contre : la grue à « moteur humain » du port de Bruges (XVe s.).
Miniature d'un manuscrit de la bibliothèque de l'État de Bavière,
Munich. Ayant pris place à l'intérieur d'une roue,
des hommes la font tourner au moyen de leurs pieds,
actionnant ainsi un engin d'élévation, lui-même monté sur pivot orientable.
C'est l'application du principe selon lequel
une petite force, appliquée à la circonférence extérieure,
se transforme en une grande énergie à la proximité de l'axe.
Application qui n'est pas neuve : des bas-reliefs
romains des premiers siècles montrent de semblables engins.
Ph. © de la bibliothèque - Photeb

véritable guerre, dans laquelle une nation ne peut s'enrichir qu'au détriment d'une autre. Dès lors, tous les rapports commerciaux sont conçus dans un esprit très étroit d'égoïsme national : l'objet principal du commerce et de la colonisation étant, dans la perspective mercantiliste, l'accumulation du stock le plus important possible de métaux précieux, l'État doit s'efforcer constamment d'augmenter ses exportations en limitant le plus possible ses importations. Les produits des colonies sont exclusivement réservés à la métropole, qui interdit à ses colonies de conclure librement des traités de commerce, qui réduit l'économie coloniale à la production de matières premières et se réserve le privilège de fournir à la colonie les produits fabriqués qui lui sont nécessaires; le transport des marchandises est, de même, réservé exclusivement aux navires nationaux (v. COLONIES). L'agriculture et l'industrie nationales sont stimulées par l'État (création de manufactures, v.), les marchandises étrangères sont frappées de droits de douane très élevés, ou tout simplement d'interdiction. Ainsi l'Angleterre porte un coup très dur au commerce hollandais par son Acte de navigation (v.) de 1651; ainsi Colbert contribue au déclenchement de la guerre de Hollande (v.) par son tarif de 1667 qui prohibe presque entièrement dans le royaume de France les produits hollandais. Ainsi le commerce intérieur est-il négligé puisque, selon le mercantilisme, il n'enrichit pas. Tous les échanges, toute la vie économique se trouvent subordonnés à l'obtention d'une balance commerciale favorable.

Libre-échangisme
et protectionnisme

La plupart des guerres des XVIIᵉ et XVIIIᵉ s. ont par suite des raisons commerciales. Seule la force des armes est capable de briser les barrières protectionnistes : en 1713, à la fin de la guerre de la Succession d'Espagne, les Anglais pratiquent ainsi une première brèche dans le système espagnol de l'exclusif. Puisque les colonies sont fermées à l'étranger, la seule solution est de conquérir les colonies de l'adversaire : le premier Empire colonial français passe aux mains de l'Angleterre en 1763, de même que l'Empire portugais d'Indonésie avait été annexé par les Hollandais au début du XVIIᵉ s., de même que Britanniques et Américains favoriseront l'indépendance des anciennes colonies espagnoles d'Amérique au début du XIXᵉ s. A l'exception de l'Angleterre, ces grands États, qui se livraient une guerre commerciale acharnée, laissaient subsister à l'intérieur toutes sortes d'entraves qui gênaient considérablement les échanges. Au XVIIIᵉ s. encore, la France était partagée en plusieurs systèmes de douanes (v.) et les 350 États allemands éaient séparés les uns des autres par des barrières douanières; une multitude de péages et de droits d'octroi freinait ainsi toute circulation des marchandises.

A partir de 1750, la réaction intellectuelle s'affirme à la fois contre le mercantilisme et contre les vestiges du particularisme féodal. Les doctrinaires du despotisme éclairé rêvent d'un État unifié et centralisé, où la loi s'appliquerait la même partout, sur les biens comme sur les hommes. Les physiocrates (v.) lancent la formule : «Laissez faire, laissez passer». L'Angleterre, qui, au XVIIᵉ s., soutenait contre les Hollandais le principe de la «mer fermée», est entrée désormais dans la révolution industrielle, et son nouveau souci est d'ouvrir le monde à ses produits fabriqués; elle subit en outre la pression de ses colons, qui réclament le droit de se doter d'une industrie propre et de commercer à leur guise. Sans doute le cabinet de Londres oppose-t-il lui-même une forte résistance aux idées nouvelles; il en coûtera à l'Angleterre la perte de ses colonies d'Amérique du Nord, devenues indépendantes en 1783. Cependant, en 1786, un **premier pas vers le libre-échangisme** (v.) est accompli avec le traité de commerce franco-anglais, qui fait bénéficier les vins français importés par l'Angleterre des mêmes tarifs que les vins portugais (avantagés par le traité Methuen de 1703), cependant que les tissus de coton et laine anglais ne sont plus taxés en France qu'à 12% et certains outils et objets de fer à 10% seulement. Les échanges franco-britanniques triplent en l'espace de trois ans, mais certains milieux d'affaires français s'insurgent et annoncent une ruine de l'industrie nationale. Le commerce intérieur entre, lui aussi, dans une phase de libéralisation, avec les édits de Turgot sur la liberté du commerce des grains (1774/75), mais la mesure est aussi mal comprise (v. FARINES, guerre des). L'abolition des barrières douanières intérieures, ainsi que des innombrables péages, est réalisée d'un coup en France par l'Assemblée constituante, en 1790.
Les guerres de la Révolution et de l'Empire entraînent un retour au protectionnisme. Avec le Blocus continental (v.), Napoléon Iᵉʳ essaie de créer une Europe autarcique, idée que reprendront un siècle plus tard les théoriciens nationaux-socialistes. Après 1815, les grands propriétaires fonciers et les gros industriels imposent en France un régime de la franchise limitée, et, jusqu'au second Empire, ils feront échouer tous les projets d'union douanière avec la Belgique, l'Allemagne du Sud, le Piémont, etc. En Angleterre, au contraire, les industriels qui veulent conquérir des marchés extérieurs s'unissent aux classes populaires qui souffrent de la vie chère contre l'aristocratie foncière qui essaie, par une politique protectionniste, de maintenir au plus haut le prix du blé, qui constitue alors la base de l'alimentation des masses ouvrières et paysannes. A la suite des campagnes de Cobden et de la Ligue contre les lois sur les blés (v. CORN-LAWS), le libre-échangisme finit par triompher en Angleterre en 1846/49. De nouvelles révisions des tarifs douaniers eurent lieu en 1853 et en 1860, et, à partir de cette date, l'Angleterre se fit, pour plus d'un demi-siècle, le champion du libre-échan-

COMMERCE
Emblème des marchands de
Florence.
Ph. © Alinari - Giraudon - Arch.
Photeb

Mesureur de grains du port
de Paris, XVIᵉ s.
Ph. © Bibl. Nat., Paris - Photeb

gisme. En Allemagne, l'unification douanière fut réalisée par le Zollverein (v.), mais le libre-échangisme avait ici contre lui l'autorité d'esprits remarquables tels que Fichte, auteur de *L'État commercial fermé* (1800), et Friedrich List, qui formula la théorie la plus achevée du protectionnisme (v.) dans son *Système national d'économie politique* (1841). En France, c'est contre la majorité de l'opinion que Napoléon III, conseillé par l'ancien saint-simonien Michel Chevalier, appuyé par Richard Cobden, signa avec l'Angleterre le traité libre-échangiste de 1860, lequel fut suivi, en l'espace de quelques années, d'accords analogues avec la plupart des autres États d'Europe occidentale.

La révolution industrielle déclencha un essor prodigieux des échanges internationaux, dont le volume global passa, de 1870 à 1913, de 58 milliards à plus de 200 milliards de francs. Ce fut le résultat de facteurs multiples : accroissement énorme des produits fabriqués; rapidité accrue des transports (chemins de fer, navigation à vapeur — le tonnage de la marine mondiale passe de 6,7 millions en 1840 à 43 millions en 1913); conquête coloniale et mise en valeur de toutes les terres du globe; développement du crédit national et international (en 1913, le montant des capitaux anglais placés à l'étranger s'élève à 90 milliards de francs, celui des capitaux français à 45 milliards); stabilité monétaire fondée sur l'or, monnaie internationale; élévation progressive du niveau de vie, qui multiplie le nombre des consommateurs. En 1890, au cours d'un déjeuner offert par le millionnaire Carnegie aux membres d'un congrès panaméricain, on faisait remarquer que les produits du monde entier avaient contribué au menu servi aux invités. Ce qui était un luxe tout à fait exceptionnel est devenu aujourd'hui une possibilité offerte à la clientèle populaire des supermarchés.

COMMERCE
« Marchand banquier parisien négociant dans les pays étrangers », 1688.
Ph. © Bibl. Nat., Paris - Photeb

La révolution des méthodes de vente

Les méthodes commerciales ont accompli, en effet, leurs révolutions successives. Au XVIIIe s., le commerce restait encore, comme au Moyen Age, au stade périodique; les centres d'échanges restaient les marchés hebdomadaires, les foires annuelles ou semestrielles; le commerce ambulant jouait un rôle important, mais les boutiques, au sens moderne du mot, étaient encore très rares. Différente de l'échoppe artisanale, où un fabricant vendait ses propres produits, la boutique, tenue par un simple commerçant, fit son apparition dans la première moitié du XIXe s. En 1852, Boucicaut, avec le Bon Marché, lance en France la formule du grand magasin (v.), adoptée en Angleterre, en Allemagne, aux États-Unis, etc. Sa position reste incontestée jusqu'à la Première Guerre mondiale, bien que, dès les années 1840, Bonnerot, puis Potin aient inauguré le système des magasins à succursales multiples (1 792 succursales en France en 1906, 20 503 en 1931); les magasins à prix unique font leur

apparition aux États-Unis vers 1880, les formules de vente par correspondance en France vers 1910; enfin, le grand mouvement des coopératives (v.) remonte au milieu du siècle dernier. Après 1945, l'Europe adopte des systèmes de ventes déjà éprouvés dans l'entre-deux-guerres aux États-Unis : magasins de libre-service, distributeurs automatiques, « discount houses » (vendant avec une marge bénéficiaire réduite), et, surtout, supermarchés (v.), drainant une clientèle croissante au détriment du petit commerce d'alimentation, lequel semble désormais voué à une disparition prochaine.

Après l'apogée du libre-échangisme, c'est-à-dire au cours des années 1860/80, qui virent une expansion remarquable du commerce européen, une violente réaction protectionniste se manifesta dans la plupart des pays : aux États-Unis, qui voulurent protéger la croissance de leur industrie contre la concurrence britannique (tarifs McKinley de 1890), en Allemagne et en France, où la pression protectionniste fut surtout le fait des agriculteurs, dont les intérêts étaient menacés par les exportations massives des pays neufs producteurs de céréales, États-Unis, Canada, Russie (tarif protectionniste allemand de 1879; tarif français de 1892). L'Angleterre, malgré l'ardente campagne déclenchée en 1903 par Joseph Chamberlain, resta fidèle au libre-échangisme, bien que ses métallurgistes fussent de plus en plus inquiets de la concurrence allemande. Cependant, le retour quasi général au protectionnisme avait orienté les divers États vers de nouvelles entreprises coloniales, dont les actions individuelles ou publiques, diplomatiques ou militaires, ayant pour but de s'assurer, dans le monde entier, des zones d'influence et d'intérêt : cet impérialisme (v.), après avoir abouti à un partage du monde sous-développé, devait inéluctablement engendrer une grande guerre entre les puissances européennes. La tragédie de 1914, éclatant dans un monde où les échanges atteignaient une ampleur sans précédent, fit la preuve que les liens commerciaux ne suffisaient nullement à garantir une paix durable. L'Angleterre, dont l'Allemagne était le deuxième client et le deuxième fournisseur, n'hésita cependant pas à bouleverser toutes les bases de son commerce extérieur en entrant dans le conflit. Elle restait encore la première puissance commerciale du monde, mais, dans les premières années du XXe s., l'Allemagne l'avait presque rattrapée pour les exportations de produits manufacturés, et si, de 1880 à 1913, le commerce britannique avait atteint un accroissement d'environ 100%, l'accroissement du commerce des États-Unis s'élevait à 189%, celui du commerce allemand à 266%.

Au lendemain de la Première Guerre mondiale, tous les pays manifestèrent le souci de rétablir les liens commerciaux rompus, et le troisième des fameux Quatorze Points (v.) de Wilson prévoyait « la suppression aussi complète que possible des barrières économiques et l'établissement de conditions d'éga-

COMMERCE

lité commerciale parmi toutes les nations ». En fait, l'Europe sortie des traités de 1919/20 se hérissa de protections funestes, l'Angleterre dut protéger, dès 1921, certaines de ses industries clés, elle souffrit du retour à l'étalon-or (1925), qui fit monter le coût de ses exportations et de ses transports, et, dans ce climat assez orageux, la grande crise économique de 1929 (v. CRISES ÉCONOMIQUES) vint renverser tout le système commercial échafaudé depuis le XIXᵉ s. A la loi américaine Smoot-Hawley (1930), qui augmentait les tarifs sur de nombreux produits de 40% en moyenne, la Grande-Bretagne répondit par une révision déchirante de sa politique : l'abandon du libre-échangisme. En 1932, la Conférence impériale d'Ottawa institua des préférences impériales entre les membres du Commonwealth (v.). Entre 1931 et 1933, tous les pays adoptèrent des mesures analogues de protectionnisme tarifaire, auxquelles s'ajouta un protectionnisme administratif, qui paralysaient les échanges en contingentant, c'est-à-dire en limitant quantitativement les importations et parfois même les exportations. La France, en particulier, fit un grand usage du contingentement. L'Italie et surtout l'Allemagne instituèrent des régimes tendant à l'autarcie. Le commerce mondial, qui se trouvait ainsi paralysé par les interventions des États, voyait son volume diminuer d'un tiers, sa valeur de deux tiers, et, malgré la reprise, à partir de 1933, son niveau ne représentait plus, en 1937, que les trois quarts du niveau de 1925.

Depuis 1945

Durant la Seconde Guerre mondiale, alors que les théoriciens allemands de l'espace vital concevaient le monde de l'avenir comme divisé en grands espaces continentaux fermés entièrement sur eux-mêmes mais sans barrières douanières à l'intérieur, les Alliés anglo-saxons affirmaient, dès la Charte de l'Atlantique (août 1941), leur volonté de rompre avec les errements de l'entre-deux-guerres et de revenir à la liberté des échanges commerciaux. Ce problème fit l'objet des accords de Bretton Woods (v.) (juill. 1944), qui aboutirent à la création du Fonds monétaire international (v.) et de la Banque mondiale. En 1947, fut conclu le G.A.T.T. (v.), accord international en vue d'une réduction des tarifs douaniers (v. aussi KENNEDY ROUND). L'aide américaine du plan Marshall (v.) contribua à rapprocher les États de l'Europe occidentale, qui, suivant la voie ouverte par la constitution du Benelux (v.), entreprirent de supprimer leurs barrières douanières et d'élaborer une politique commerciale commune dans le cadre de la C.E.C.A. puis du Marché commun, auquel l'Angleterre, qui avait pris la tête d'une Association européenne de libre-échange, a fini par donner son adhésion (v. EUROPÉEN-

NES, Institutions). A l'Est, le Comecon (v.) se constituait autour de l'U.R.S.S.

A partir des années 50, le commerce mondial entra dans une nouvelle phase de croissance, d'une ampleur sans précédent. La valeur des exportations mondiales passa de 23,5 milliards de dollars en 1938 à 210 milliards de dollars en 1970. Mais l'Angleterre, à la suite de la guerre, se trouva définitivement supplantée par les États-Unis. Ceux-ci, au cours des années 60, ont vu grandir la concurrence redoutable de l'Europe des Six et du Japon. Dès 1969, l'Allemagne de l'Ouest dépassait les États-Unis pour les exportations de biens manufacturés, et, en 1970, les exportations de l'Europe des Six représentaient plus du double de celles des États-Unis (88,68 milliards de dollars contre 43,22 milliards). Tout aussi remarquable était la croissance du commerce japonais, dont les exportations de biens manufacturés étaient passées de 5,1 milliards de dollars en 1955 à 12,8 milliards en 1971. Au début de 1973, la France, qui n'était encore qu'au cinquième rang en 1971, devenait le troisième exportateur mondial, derrière les États-Unis et l'Allemagne fédérale, et précédant de peu le Japon. Ses échanges se faisaient principalement avec l'Allemagne fédérale (21%).

● A partir de 1973, un grand nombre de pays se sont endettés pour faire face à l'accroissement des prix du pétrole. Pour rembourser ces emprunts, ils ont dû consommer moins et exporter davantage. Le volume des échanges mondiaux qui n'avait cessé de croître (sauf en 1975) diminuait au début des années 1980. En 1980, déjà, 21 des 24 pays de l'O.C.D.E. avaient une balance des paiements négative. Aussi devaient-ils s'orienter vers une baisse de la consommation. Cette période de crise, amorcée par une baisse de la productivité (de 3 % dans les années 1960, à moins de 1 % de 1973 à 1985), fut d'abord celle de la chute des profits et limita le volume des échanges à mesure que montait le cours du dollar de 1980 à 1985. La baisse progressive de la monnaie américaine, dès la fin de 1985, relança le commerce international : croissance de 3,5 % en volume en 1986, 5,5 % en 1987, 8,5 % en 1988. Toutefois la croissance en valeur des exportations était très inégalement répartie selon le type d'économie, soutenue dans les pays capitalistes, en régression dans les pays à système planifié (l'U.R.S.S., par exemple, exportait de plus en plus de matières premières, pétrole surtout, pour un revenu de plus en plus faible). Mais la part des cours mondiaux des matières premières, dont la chute avait pesé, au tournant de la décennie, sur les pays dont les échanges restaient de type colonial (tiers monde et pays de l'Est), diminuait en valeur dans les échanges internationaux, les produits manufacturés enregistrant la plus forte hausse. L'augmentation des échanges (10 %) des pays en voie de développement les plus endettés, n'en était que plus remarquable.

COMMINGES
Armoiries du comté, 1664.
Ph. Jeanbor © Photeb

COMMINGES. Ancien pays et comté de la France du Sud-Ouest, qui comprenait le diocèse de Saint-Bertrand-de-Comminges et s'étendait dans la Garonne toulousaine, en couvrant approximativement les actuels arrondissements de Muret et de Saint-Gaudens. Sa capitale était Muret, où siégeaient les états de Comminges. Les comtes s'éteignirent en 1453 et le Comminges fut réuni à la Couronne en janv. 1454.

COMMISSAIRES DÉPARTIS. Inspecteurs que le roi de France, à partir des XVe-XVIe s., envoya dans les provinces pour surveiller les gouverneurs et pour veiller à l'exécution de ses ordres, en particulier des édits de pacification promulgués dans les temps de troubles. Au début du XVIIe s., leur fonction se confondit avec celle des «intendants de justice à la suite des armées»: ainsi naquirent les intendants (v.), qui portaient le titre exact d'«intendant de justice, police et finances, commissaire départi en telle généralité pour l'exécution des ordres du roi».

COMMISSAIRES DES GUERRES. Sous l'Ancien Régime, officiers qui étaient à la fois des inspecteurs des finances et des intendants militaires, et qui avaient la charge de contrôler toute l'administration militaire, de pourvoir aux vivres, aux équipements et aux approvisionnements de toutes sortes. En 1817, ils furent remplacés par le corps de l'Intendance (v.).

COMMISSAIRES DU PEUPLE. Titre porté par les ministres soviétiques de 1917 à 1946. Le premier Conseil des commissaires du peuple fut formé sous la présidence de Lénine, le 8 nov. 1917. Depuis mars 1946, ce Conseil, qui est l'organe administratif et exécutif supérieur, responsable devant le Soviet suprême et, entre deux sessions, devant le Présidium du Soviet suprême, porte le nom de Conseil des ministres de l'Union.

COMMISSION DES DOUZE. Voir DOUZE (Commission des).

COMMISSION EXÉCUTIVE. Organisme gouvernemental nommé le 10 mai 1848 par l'Assemblée nationale constituante pour remplacer le gouvernement provisoire installé lors de la révolution de Février. Composée d'Arago, Garnier-Pagès, Marie, Lamartine et Ledru-Rollin, elle s'effaça, après les journées des 23/26 juin 1848, devant le général Cavaignac, qui conserva le pouvoir exécutif.

COMMISSION DU LUXEMBOURG ou **COMMISSION DU GOUVERNEMENT POUR LES TRAVAILLEURS.** Créée le 28 févr. 1848 par le gouvernement provisoire de la IIe République, à la suite d'une manifestation populaire qui avait réclamé l'établissement d'un ministère du Travail et du Progrès, cette commission, qui siégea au palais du Luxembourg sous la présidence de Louis Blanc et la vice-présidence de l'ouvrier Albert, était chargée «d'aviser à garantir au peuple les fruits légitimes de son travail». Véritable «Parlement du travail», elle comprit bientôt 230 délégués patronaux ainsi que 700 représentants des ouvriers, et des économistes de toutes tendances. Dès le 2 mars 1848, elle fit décréter que la journée de travail était limitée à 10 heures à Paris et à 11 heures en province. Elle prononça certains arbitrages dans les conflits du travail et mit fin à des grèves comme celle des boulangers; elle aida également à la formation de coopératives ouvrières. Cependant la Commission n'était qu'un organe consultatif; elle n'eut pas les pouvoirs de mettre en œuvre l'expérience des «ateliers sociaux» qui avaient été projetés par Louis Blanc (v. ATELIERS NATIONAUX). Cette commission fut dissoute après l'échec de la journée révolutionnaire du 15 mai 1848.

COMMISSIONS MIXTES. Tribunaux spéciaux institués au lendemain du coup d'État de Louis-Napoléon, par la circulaire du 3 févr. 1852. Composées du préfet, du général commandant la division et du procureur général, les Commissions mixtes devaient juger tout individu suspect d'atteinte à la sécurité du nouveau régime : du 8 au 29 févr. 1852, elles prononcèrent plus de 40 000 condamnations, souvent même sans faire comparaître les accusés, sur de simples rapports de police, à des peines allant de la mise sous surveillance jusqu'à la déportation à Cayenne ou en Algérie.

COMMITTIMUS (lettres de). Lettres par lesquelles le roi de France avait le pouvoir de faire évoquer une affaire devant telle juridiction de son choix; par exemple, il faisait juger habituellement les procès impliquant ses commensaux par les Requêtes de l'Hôtel (v.) ou les Requêtes du Palais (v.). Ces lettres, qui commençaient par le mot *committimus* (en latin : «Nous commettons...»), constituaient une des applications de la «justice retenue» (v. JUSTICE).

COMMODE, Lucius Ælius Aurelius Commodus (* Lanuvium, 31.VIII.161, † Rome, 31.XII.192), empereur romain (180/92). Fils de Marc Aurèle, il fut associé à l'empire par son père en 176, après la révolte d'Avidius Cassius en Orient. Cette décision mécontenta les sénateurs, qui eussent souhaité que Marc Aurèle choisît son successeur dans leurs rangs. Son père mort (mars 180), Commode se hâta de conclure la paix sur le Danube et son règne ne fut pas troublé par d'autres guerres. Ses relations avec le sénat s'envenimèrent encore lorsqu'on le vit choisir pour ministres un Bithynien et un Phrygien. Dans l'aristocratie, de nombreux complots se formèrent contre l'empereur, qui dut y répondre par des exécutions. En Gaule et en Espagne, se déclencha la *guerre des déserteurs*. Les historiens, qui se sont fait l'écho des haines sénatoriales, ont chargé

COMMODE
Empereur romain (180/192).
Ph. G. Tomsich © Photeb

Commode de tous les vices; il aurait mis à mort une de ses sœurs, Lucilla, et sa femme, Crispina; d'une taille et d'une force extraordinaires, il se serait livré à une débauche effrénée; on a rapporté qu'il aimait s'habiller en Hercule et se produire au cirque comme gladiateur. Victime d'une conspiration de palais, il fut empoisonné par sa maîtresse, Marcia; mais il réussit à rejeter le poison et Marcia le fit alors étrangler.

COMMON PRAYER (Book of), *Livre de la prière commune.* Livre contenant la liturgie autorisée dans l'Église d'Angleterre après le schisme d'Henri VIII. Le premier *Book of Common Prayer,* publié sous le règne d'Edouard VI en 1549, ne comportait que des innovations très modérées par rapport à l'ancienne liturgie catholique, et il fut vivement critiqué par des réformateurs étrangers, l'Allemand Martin Bucer et l'Italien Vermigli (Pierre Martyr). A la lumière de leurs critiques, un *Second Book of Common Prayer,* plus nettement protestant, fut publié en 1552, mais le règne de Marie Tudor (1553/58) reporta le début de son application à l'avènement d'Élisabeth Iʳᵉ. Cette nouvelle édition fut cependant attaquée par les puritains (v.), mais elle fut reprise, avec quelques additions mineures, dans le *Book of Common Prayer* de 1662 (dit *Livre de Durham*), qui est resté jusqu'à nos jours la base de la liturgie de l'Église d'Angleterre. La réforme projetée en 1927 échoua devant l'opposition des Communes.

COMMONWEALTH. Dans la langue des théoriciens politiques anglais du XVIIᵉ s., par exemple chez Hobbes et Locke, terme employé dans un sens analogue à celui du mot *respublica* chez les Romains.

Commonwealth d'Angleterre (XVIIᵉ s.)

Nom donné au gouvernement républicain qui fut celui de la Grande-Bretagne depuis l'exécution de Charles Iᵉʳ (30 janv. 1649) jusqu'à la restauration des Stuarts (mai 1660). Après la mort du roi, le Commonwealth fut d'abord entre les mains du « Parlement croupion » (v.), qui se rendit rapidement impopulaire par ses mesures d'oppression puritaine. Pendant ce temps, les victoires de Cromwell établissaient l'autorité de la République sur l'Irlande (1649/52) et détruisaient les dernières forces royalistes à Worcester (sept. 1651). Une mesure protectionniste comme l'Acte de navigation de 1651, puis la guerre contre les Hollandais (1652) assurèrent au nouveau régime l'appui de la classe commerçante. En avr. 1653, le Conseil de l'armée procéda à la dissolution du Parlement croupion et le Commonwealth passa sous la dictature militaire de Cromwell, qui reçut le titre de lord-protecteur (« Instrument of Government », déc. 1653). Le rôle du Parlement était strictement limité au domaine législatif et au vote des subsides extraordinaires. La prétention des parlementaires à des pouvoirs plus étendus obligea Cromwell à procéder à plusieurs dissolutions.

En mars 1657, l'Humble Pétition et Avis (v.), qui suscita les réserves d'une partie de l'armée, offrit à Cromwell le titre de roi (qu'il refusa), lui donna le droit de choisir son successeur et rétablit un Parlement à deux Chambres. Cromwell mourut (sept. 1658) en ayant établi un régime beaucoup plus autoritaire que la monarchie abolie, mais sans avoir pu donner au pays des institutions durables. Son fils, qui lui succéda, dut démissionner dès mai 1659 et le général Monk rappela les Stuarts.

Commonwealth d'Australie

Nom adopté en 1901 par la fédération des anciennes colonies britanniques d'Australie. Voir AUSTRALIE.

Commonwealth of Nations

Ensemble des États librement unis, avec leurs dépendances, dans une commune allégeance à la couronne britannique. Au début du XIXᵉ s., l'Angleterre n'avait pas encore tiré les leçons de la révolte de ses colonies d'Amérique, devenues indépendantes en 1783 sous le nom d'États-Unis d'Amérique (v.), et son Empire colonial restait soumis à l'ancien système de l'exclusif (v.), qui privait les colonies de toute liberté de commerce et d'industrie, l'entreprise coloniale étant toujours considérée comme une source complémentaire de revenus pour la métropole (v. COLONIES). Cependant, dès les années 1820, se dessina une évolution vers une politique coloniale entièrement nouvelle. Dans le domaine économique, sous l'influence des idées d'Adam Smith et du libéralisme (v.), toutes les restrictions commerciales et industrielles dont souffraient les colonies britanniques furent abolies progressivement entre 1824 et 1849. Sur le plan politique, le Canada, à la suite de la rébellion de 1837 et de la mission de lord Durham (1838/39), obtint en 1848 d'être gouverné par un ministère parlementaire choisi par le gouverneur dans la majorité du Parlement canadien. Cette réforme fut confirmée par l'acte de 1867, qui donna naissance au *dominion* du Canada. Ce nouveau système de gouvernement responsable allait s'étendre progressivement à toutes les colonies anglaises de peuplement européen, l'Australie et la Nouvelle-Zélande, puis l'Afrique du Sud. Pour dissuader ses colons de devenir totalement indépendants, comme l'avaient fait les Américains à la fin du XVIIIᵉ s., le Royaume-Uni leur offrait la possibilité, tout en restant unis avec la Couronne, de mettre en place des régimes démocratiques et parlementaires leur donnant la responsabilité réelle de leurs affaires.

Dès la fin du XIXᵉ s., commença ainsi à se substituer à l'idée d'Empire britannique celle d'une fédération groupant des peuples librement unis par une communauté de langue, de civilisation et d'intérêts économiques. A partir de 1887, date du premier jubilé de la

COMMONWEALTH
Les Premiers ministres du Commonwealth à la conférence du 8 juill. 1964.
On reconnaît, autour de la table, Abdul Rahman (Malaisie),
Kwame Nkrumah (Ghana), Mme Bandaranaike (Sri Lanka),
Lester Pearson (Canada), Jomo Kenyatta (Kenya),
Mohammed Ayoub khan (Pakistan), Alexander Douglas Home (Grande-Bretagne).
C'est l'époque où le Commonwealth s'augmente
de pays de l'Empire devenus indépendants :
Kenya, déc. 1963; Malawi, juill. 1964; Malte, sept. 1964; Zambie, oct. 1964.
Mais la question de la Rhodésie du Sud — qui fera sécession en 1965 —
pèse sur l'équilibre et la cohésion du Commonwealth.
Ph. © P.A. Reuter - Agip

reine Victoria, se réunirent des conférences coloniales (1887, 1897, 1902, 1907, 1911), qui prirent, en 1907, le nom de conférences impériales. Mais les efforts de coordination se heurtèrent longtemps aux tendances autonomes des dominions. Les propositions d'union douanière faites par Joseph Chamberlain furent refusées, et, en 1907, les dominions firent reconnaître leur droit de négocier librement tous les traités commerciaux, le rôle du représentant de la Couronne se limitant à celui d'un simple observateur. Dans le domaine militaire, nombre d'hommes politiques coloniaux, comme le Canadien Henri Bourassa, craignaient de voir leur pays entraîné dans une guerre générale décidée par le seul Parlement britannique.

La fidélité de 1914-1918

De 1914 à 1918, en dépit de quelques résistances en Afrique du Sud et chez les Canadiens français, tous les dominions montrèrent une fidélité héroïque à l'Angleterre. Le terme de *Commonwealth of Nations,* employé dè 1884 par lord Rosebery, fut alors remis en honneur par le général sud-africain Smuts, qui siégeait dans le cabinet de guerre, transformé en 1917 en « cabinet impérial de guerre ». Lors de la conférence impériale de 1917, une résolution demanda que les dominions fussent reconnus comme « des nations autonomes du Commonwealth impérial ». A cette époque, n'existaient encore que cinq dominions : le Canada (1867), l'Australie (1901), la Nouvelle-Zélande (1907), l'Union sud-africaine (1910) et Terre-Neuve (1917). Ces pays signèrent séparément les traités de paix de 1919/20, comme des puissances souveraines, et ils entrèrent à la S.D.N. C'est dans le traité anglo-irlandais de 1921, qui reconnaissait l'existence d'un nouveau dominion, l'État libre d'Irlande, que le terme de Commonwealth fut employé pour la première fois dans un document officiel. La conférence impériale de 1923 reconnut aux dominions le droit de signer tout traité selon leurs convenances, pourvu que les autres dominions fussent avertis et que leurs intérêts fussent respectés. La conférence de 1926 proclama que « la Grande-Bretagne et les dominions étaient des communautés autonomes au sein de l'Empire britannique, égales dans leur statut, nullement subordonnées les unes aux autres dans aucun domaine de leurs affaires intérieures ou extérieures, bien qu'unies dans une allégeance commune envers la Couronne et librement associées comme membres du Commonwealth britannique des nations ». Le statut de Westminster (v.) (1931) supprima toutes les restrictions qui limitaient encore le pouvoir législatif des dominions (jusqu'alors, les lois anglaises étaient automatiquement applicables dans les dominions). La crise économique de 1929 amena la Grande-Bretagne et ses dominions à resserrer leurs liens; l'Angleterre étant contrainte d'abandonner le libre-échange, les accords d'Ottawa (juill./août 1932) accordèrent la franchise aux exportations de céréales et de viande congelée en provenance des dominions, en échange de privilèges pour les produits manufacturés anglais.

En 1939, tous les États du Commonwealth, à l'exception de l'Irlande, décidèrent souverainement d'entrer en guerre contre l'Allemagne, aux côtés du Royaume-Uni. Au lendemain de la Seconde Guerre mondiale, alors que l'éveil du tiers monde mettait en question tous les empires coloniaux, l'Angleterre, à la différence de la France ou des Pays-Bas, possédait un cadre déjà éprouvé dans lequel la décolonisation allait pouvoir s'effectuer sans conflits trop dramatiques. L'entrée dans le Commonwealth de l'Union indienne, du Pakistan et de Ceylan (1947) inaugura cette nouvelle période au cours de laquelle la quasi-totalité des anciennes colonies britanniques devinrent des États indépendants tout en conservant certains liens avec Londres. Tandis que l'Irlande en 1949 et la République sud-africaine en 1961 quittaient le Commonwealth, celui-ci admettait successivement : l'Inde, le Pakistan et Ceylan (1947), le Ghana (1957), le Nigeria et Chypre (1960), la Sierra Leone et la Tanzanie (1961), Trinidad et Tobago, la Jamaïque, l'Ouganda et les Samoa occidentales (1962), le Kenya et la Malaysia (1963), Malte, le Malawi et la Zambie (1964), la Gambie et Singapour (1965), la Barbade, la Guyane, le Lesotho et le Botswana (1966), l'île Maurice et le Swaziland (1968), Tonga et Fidji (1970), le Bangladesh (1972), les Bahamas (1973), Grenade (1974), la Papouasie - Nouvelle-Guinée (1975), les Seychelles (1976), la Dominique, les îles Salomon et Ellice (1977), Sainte-Lucie, Saint-Vincent, les îles Kiribati (1979), le Vanuatu (1980), le Zimbabwe (1980), Antigua, Bélize (1981), les Maldives (1982), Saint-Kitts et Nevis (1983). Au total 47 États indépendants, auxquels s'ajoutent quelques petites colonies insulaires telles Sainte-Hélène ou les Falkland.

Élargissement et évolution

Cet élargissement ne s'était pas effectué sans que l'esprit originel de l'organisation en fût profondément modifié. Les liens avec la couronne britannique se relâchèrent dès 1949, lorsque l'Inde fut autorisée à se constituer en république, exemple suivi par le Pakistan, le Ghana, le Nigeria, Chypre, la Sierra Leone, la Tanzanie, l'Ouganda, le Kenya, le Malawi, la Zambie, le Botswana, la Gambie. Au début des années 70, seuls les dominions de peuplement britannique et les États les moins importants du Commonwealth avaient encore comme chef de l'État un gouverneur général représentant la reine d'Angleterre.

Les États membres du Commonwealth diffèrent profondément par les races, les langues, les institutions, les aspirations. Certains États asiatiques et africains, tels Sri Lanka (Ceylan) ou la Tanzanie, semblent s'orienter dans des voies de type socialiste. Nombre d'autres, comme l'Ouganda ou le Malawi, ont des régimes dictatoriaux qui constituent un reniement de la tradition parlementaire britannique. Le Commonwealth n'a pu résoudre les conflits opposant l'Inde au Pakistan, et l'intransigeance des États africains noirs provoqua le départ de la République sud-africaine. D'autre part, certains États « britanniques » tels que l'Australie et la Nouvelle-Zélande apparurent, dès 1950, beaucoup plus liés aux États-Unis qu'à l'Angleterre. Au point de vue économique, l'entrée du Royaume-Uni dans le Marché commun a inquiété de nombreux États du Commonwealth.

● Le contrôle de ces États est lâche, comme l'a prouvé l'intervention des troupes américaines à la Grenade (v.), en 1983, qui s'effectua sans l'approbation du gouvernement de Londres.

COMMUNAUTÉ FRANÇAISE. Ensemble créé par le titre XII de la Constitution française de 1958. Il devait comprendre la France, ses départements et territoires d'outre-mer, ainsi que ses anciennes colonies, lesquelles accédaient à l'autonomie au sein de la Communauté, avec la garantie d'une aide de la France, en répondant positivement au référendum du 28 sept. 1958 (ce que toutes firent, à l'exception de la Guinée, qui choisit son indépendance immédiate et n'appartint jamais à la Communauté). Chacun des États membres de la Communauté (la France et les États autonomes d'Afrique) avait son pouvoir exécutif et son pouvoir législatif. La politique étrangère, la défense, la monnaie, la politique économique et financière, le contrôle de la justice, l'enseignement supérieur, constituant le domaine des compétences communes, relevant de l'exécutif de la Communauté, composé du président de la Communauté (le président de la République française), des ministres conseillers et d'un Conseil exécutif comprenant les Premiers ministres et les ministres chargés des affaires communes — et du législatif de la Communauté (le Sénat de la Communauté, formé de délégués désignés par les Assemblées française et africaines). La Cour arbitrale de la Communauté représentait le pouvoir judiciaire. Dès la fin de 1959, il apparut que les nouveaux États africains aspiraient à une pleine indépendance, tout en maintenant la coopération avec la France. Le 4 juin 1960, une loi constitutionnelle amenda le titre XII de la Constitution de 1958 afin de permettre l'accession à l'indépendance d'États continuant néanmoins à appartenir à la Communauté. Dès la fin de 1960, tous les États africains étaient devenus indépendants; six d'entre eux demandèrent à rester dans la Communauté (la République centrafricaine, le Congo-Brazzaville, le Gabon, la République malgache, le Sénégal et le Tchad), mais, dès cette époque, les véritables liens entre la France et les États francophones d'Afrique reposèrent sur des accords bilatéraux de coopération.

COMMUNAUTÉS EUROPÉENNES. Voir EUROPÉENNES (Institutions).

COMMUNE

COMMUNE. Au Moyen Age, nom donné aux villes qui avaient acquis leur autonomie politique, judiciaire, fiscale et économique. Le mouvement communal a joué un rôle important dans l'évolution de la société européenne du XIᵉ au XIVᵉ s.

Les premières communes en France

La vie urbaine, florissante dans la Gaule romaine, connut une éclipse à peu près totale à partir du VIᵉ s., avec la prédominance d'une économie de caractère domanial (V. AGRICULTURE). Au Xᵉ s., les villes n'ont plus d'organisation municipale; elles ont été intégrées au système féodal; leurs habitants, tout comme les paysans, sont soumis à des seigneurs laïques ou ecclésiastiques; souvent même, une cité est partagée entre plusieurs seigneuries. A Paris, par exemple, le roi, l'évêque et le chapitre se partagent l'île de la Cité; sur les deux rives de la Seine, les abbayes de Saint-Germain-des-Prés, de Sainte-Geneviève, de Saint-Marcel et de Saint-Martin-des-Champs possèdent chacune un bourg distinct. Le mouvement communal, dont les premiers signes se manifestent dès la fin du Xᵉ s., est une conséquence du réveil des villes, qui semble avoir eu des causes diverses : renaissance du commerce international, qui avait été interrompu par les invasions arabes (Pirenne); afflux des ruraux vers des « noyaux pré-urbains » constitués par d'anciennes villes romaines ou des châteaux fortifiés (Ganshof); initiatives des seigneurs féodaux (A. Verhulst) (v. VILLES). Selon C. Petit-Dutaillis (*Les Communes françaises,* 1947), la commune proprement dite naquit du désir des bourgeois de mettre fin à l'insécurité, à la violence, aux menaces de pillage et d'assassinat que les luttes féodales faisaient peser sur les cités. Pour s'assurer une sorte d'oasis de paix au milieu d'un monde farouche, les bourgeois furent amenés à constituer une association, une *communio,* qui était aussi une *conjuratio,* car tous ses membres étaient liés par serment. « Sans association par serment, il n'y avait pas de commune, et cette association suffisait pour qu'il y ait commune. Commune a exactement le même sens que serment commun. » *(Op. cit.)* Conforme aux traditions germaniques, ce serment communal différait cependant profondément du serment féodal en ce qu'il n'était pas prêté à un supérieur par un inférieur recherchant protection; c'était un serment entre égaux, qui consacrait l'égalité des membres de la *communio.* Dès l'origine s'affirme ainsi un trait distinctif de la commune; celle-ci ne s'identifie pas à la ville, car tous ses habitants n'en font pas partie; les nobles, les clercs, les officiers seigneuriaux pourront résider dans la ville, mais ils ne font pas partie de la commune, ils n'ont pas de droits politiques; souvent même, il faudra être propriétaire dans la ville et avoir satisfait à un stage probatoire pour pouvoir entrer par serment dans la commune.

Forte de son unité, la *communio* parvenait à obtenir du seigneur, soit en pure coutume, soit par l'octroi d'une charte (v.), des privilèges plus ou moins étendus et un statut particulier. En certains endroits, notamment dans le Nord-Ouest et dans les villes dépendant de seigneurs ecclésiastiques, les libertés communales ne purent être obtenues que de vive force, par de véritables soulèvements de la population. Ce fut le cas à Cambrai, en 1076, à Laon, en 1111. Cette dernière ville, qui dépendait de l'évêque Gaudri, était, au début du XIIᵉ s., un véritable coupe-gorge où sévissaient les vols et les brigandages, où il était impossible d'aller dans les rues pendant la nuit sans risquer d'être dépouillé ou tué. Profitant d'une absence de l'évêque, les gens de la ville formèrent une commune. Gaudri, à son retour, refusa d'abord de la reconnaître, mais les bourgeois lui remirent une grosse somme et il parut s'apaiser. Le roi Louis VI confirma la commune, mais l'évêque revint bientôt sur ses promesses. Artisans et commerçants de Laon répliquèrent en déclenchant la grève générale; la population tout entière prit les armes, et Gaudri, découvert dans la cave de son palais épiscopal, caché dans un tonneau, fut massacré. Louis VI tira des bourgeois une vengeance exemplaire et abolit la commune (1113); le mouvement communal à Laon n'en fut pas cependant arrêté définitivement, et il finit par triompher, seize ans plus tard.

Concessions accordées aux villes

Ces violences ne furent sans doute que des exceptions, mais il apparaît bien que l'affranchissement des villes ne fut pas accepté sans résistance par le monde féodal, et le chroniqueur Guibert de Nogent, à la fois noble et abbé, pouvait s'écrier : « Commune, nom nouveau, nom détestable! » La plupart des seigneurs ne consentirent à renoncer à leurs droits qu'à prix d'argent, et les chartes furent payées par les bourgeois soit au comptant, soit par un cens substantiel. Mais certains seigneurs surent également comprendre les avantages qu'ils pouvaient trouver en favorisant sur leur domaine l'éclosion d'une ville appelée à devenir un centre commercial; ils accordaient alors de leur plein gré les libertés communales; de même lorsqu'ils fondaient des « villes neuves » pour attirer des habitants dans des régions de défrichement (v.). Selon l'importance des concessions obtenues par les villes, on distingue deux grand

COMMUNE
Beffroi de Berck (Pas-de-Calais).
Ph. © Giraudon - Photeb

COMMUNE
Sceau de Saint-Omer,
représentant le conseil
communal.

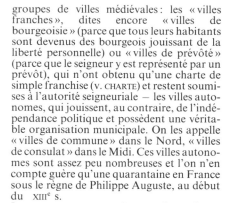

groupes de villes médiévales : les « villes franches », dites encore « villes de bourgeoisie » (parce que tous leurs habitants sont devenus des bourgeois jouissant de la liberté personnelle) ou « villes de prévôté » (parce que le seigneur y est représenté par un prévôt), qui n'ont obtenu qu'une charte de simple franchise (v. CHARTE) et restent soumises à l'autorité seigneuriale — les villes autonomes, qui jouissent, au contraire, de l'indépendance politique et possèdent une véritable organisation municipale. On les appelle « villes de commune » dans le Nord, « villes de consulat » dans le Midi. Ces villes autonomes sont assez peu nombreuses et l'on n'en compte guère qu'une quarantaine en France sous le règne de Philippe Auguste, au début du XIIIᵉ s.

La commune est maîtresse chez elle et n'admet l'ingérence d'aucun officier seigneurial. Elle a le droit de ban, qui lui permet d'édicter des règlements municipaux; elle a son donjon (le beffroi), son armée (la milice bourgeoise), ses tribunaux, ses fourches patibulaires, ses impôts, sa monnaie, son sceau. Elle constitue une véritable « seigneurie collective », une « vassale collective » d'un seigneur ou du roi; elle peut avoir ses propres vassaux, qui lui font hommage. Elle est administrée par un maire, par un collège d'*échevins,* de *pairs,* de *jurés,* en principe élus par l'assemblée générale des bourgeois ayant prêté le serment communal *(communiae jurati),* en fait souvent recrutés par cooptation. On trouve ce type de statut communal dans des cités comme Abbeville, Amiens, Arras, Saint-Quentin, Noyon, Soissons, Laon, Auxerre, etc. La plupart des communes sont gouvernées par des aristocraties bourgeoises et, dès le XIIIᵉ s., elles seront souvent secouées par de vives tensions sociales.

Les villes à consulat du Languedoc et de la Provence (Toulouse, Montpellier, Nîmes, Avignon, Arles, Marseille, Nice, etc.) ont généralement gagné leurs libertés sans difficultés, par un accord amiable entre les bourgeois et les seigneurs, ces derniers participant à l'administration municipale; celle-ci est assurée collégialement par des *consuls* ou *capitouls,* élus en règle générale pour un an et choisis de manière à équilibrer les diverses composantes sociales de la population.

En France, le mouvement communal, qui connut une croissance continue jusqu'au XIIIᵉ s., commença à décliner dès le XIVᵉ s., menacé à l'intérieur par l'éveil du petit peuple, qui s'insurgeait contre les oligarchies bourgeoises, et, à l'extérieur, par le pouvoir royal, qui, après s'être servi des communes pour affaiblir les féodaux, les réduisit d'autant plus facilement à la sujétion que la plupart des communes connaissaient de grandes difficultés financières. Voir VILLES.

Les communes flamandes

Les deux terres d'élection du mouvement communal dans l'Europe médiévale furent la Flandre et l'Italie. En Flandre, dès le Xᵉ s., après la fin des raids scandinaves, les relations commerciales s'intensifièrent, par la mer du Nord et la Baltique, avec l'Angleterre, l'Allemagne et la Scandinavie. Les impératifs commerciaux furent le moteur déterminant de l'émancipation des communes. Négociants et artisans, pour protéger leurs routes et leurs marchés, exigèrent des comtes des libertés et des franchises. Généralement, les grands féodaux belges accordèrent ces privilèges sans grande résistance car ils avaient besoin de l'argent et de l'appui militaire de leurs villes pour leurs nombreuses guerres, soit à l'occasion d'une succession, soit lors d'une croisade. Une première étape dans l'émancipation communale était la reconnaissance du droit des villes de choisir elles-mêmes leurs magistrats, les échevins; au début, ils restaient nominalement désignés par le comte, mais en fait ils avaient été choisis par la ville, et celle-ci, pour mieux les contrôler, imposa leur nomination annuelle (en 1209 à Ypres, en 1212 à Gand, en 1241 à Bruges). A leurs pouvoirs judiciaires primitifs les échevins ajoutèrent des pouvoirs exécutifs, usurpés aux baillis des comtes, et ils s'assuraient ainsi le gouvernement réel de la commune. Comme en France, les libertés communales flamandes étaient consignées dans des chartes : la plus ancienne est celle accordée à Huy en 1066 par le prince-évêque de Liège Théoduin. Une charte célèbre par la netteté avec laquelle s'y trouvaient définis les principes de la liberté individuelle fut celle accordée à la ville de Liège en 1196 par l'évêque Albert de Cuyck.

Les principales communes flamandes furent Gand, Bruges, Lille, Douai et Ypres. Elles agissaient comme de véritables États indépendants, conclurent même des traités avec des puissances étrangères, comme l'Angleterre, la France, le comté de Hollande. Si les communes flamandes n'eurent jamais de grands territoires, comme les communes italiennes, elles obtinrent cependant des droits de suzeraineté sur leur campagne. Dans toutes ces communes, les patriciens, les *ditiores* (les plus riches), les *boni homines,* parvinrent rapidement à confisquer le pouvoir, se partageant les charges par rotation, rendant seuls la justice dans les échevinages, accablant les métiers pour s'enrichir davantage, tandis que montait la révolte des artisans pauvres. Contre les patriciens, ceux-ci firent appel au comte, ils prirent pour cri de ralliement le cri du comte, ils furent les *Klauwaerts* (« hommes des griffes », par allusion au lion des armes comtales de Flandre). C'est ainsi qu'éclata la révolte de Bruges de mai 1302. Pour maintenir leur pouvoir contre le peuple et le comte, les patriciens se tournèrent vers le roi de France, Philippe le Bel, qui, bien que vaincu à Courtrai (« bataille des Éperons d'or », 11 juill. 1302), réussit à imposer à la Flandre la paix d'Athis (1305). Le mouvement communal atteignit son apogée à Gand à l'époque de Jacob Van Artevelde (1338/45), qui sut, à l'époque de la guerre de Cent Ans, maintenir contre le comte français Louis de Nevers l'indépendance flamande, laquelle avait besoin des laines anglaises pour survivre économi-

Sceau de Bruges (Flandre-Occidentale, Belgique), 1275.

quement. En ce même XIVᵉ s., les communes du Brabant-Limbourg surent imposer à la duchesse Jeanne et à son mari, Wenceslas de Luxembourg, la charte de la *Joyeuse Entrée* (1356). Mais avec l'avènement de la maison de Bourgogne commença le déclin des communes de Flandre, qui connurent leur dernier sursaut lors de la révolte de Gand contre Charles Quint (1539).

Les communes italiennes

Elles durent leur essor incomparable avant tout à l'activité du commerce méditerranéen, qui, durant tout le Moyen Age comme pendant l'Antiquité, resta le seul grand commerce extérieur de l'Europe. Malgré la domination arabe en Méditerranée orientale et dans l'Afrique du Nord, l'Italie n'avait jamais rompu ses relations économiques avec Byzance. Au Xᵉ s., le monopole du commerce avec l'Orient était entre les mains de Venise, Amalfi, Bari. Dès le XIᵉ s., avant même la 1ʳᵉ croisade, Gênes et Pise, souvent pillées par les pirates sarrasins, engageaient courageusement la lutte contre les navigateurs musulmans en Méditerranée occidentale. Le mouvement des croisades allait faire la fortune des ports italiens, qui se chargèrent du transport des armées vers la Terre sainte et commencèrent à établir des comptoirs sur les côtes du Levant. Ce renouveau du grand commerce oriental favorisait également les villes non maritimes, Florence, Pise, Milan, Côme, situées sur les grandes routes vers l'Europe centrale. D'autre part, le mouvement municipal italien bénéficiait de conditions politiques particulières. Malgré les invasions barbares, nombre de grandes villes de l'Antiquité survivaient; dans l'insécurité, les paysans étaient venus se réfugier à l'abri de leurs murs, préférant parcourir chaque jour des distances assez longues pour aller travailler leurs terres; beaucoup de seigneurs féodaux même, à la différence de ceux de France ou d'Allemagne, étaient attirés à l'intérieur des villes, où ils se groupaient, dans l'enceinte même, en une *consorteria* aux tours fortifiées; enfin la lutte entre le pape et l'empereur fut une des causes essentielles de l'essor des communes. « Le peuple italien, pourra écrire Carducci, au milieu du vacarme de l'Europe, s'avance sans bruit, reprend aux évêques des villes leurs droits, aux rois leurs privilèges..., et, s'interposant entre les deux rivaux, le pape et l'empereur, les toise en disant : "Je suis là, moi aussi!" » Comme dans tout le reste de l'Europe, la commune italienne s'appuie essentiellement sur le commerce, l'industrie, le travail. Cependant, l'attirance exercée dès le Xᵉ s. en Italie par la civilisation urbaine facilite l'alliance des nobles avec les commerçants et les artisans contre les évêques, et les nobles, les *boni homines,* eurent à l'origine un rôle de premier plan dans l'émancipation communale. Le mouvement se fit graduellement : si Milan se révolte contre son archevêque dès 1035, c'est seulement en 1097 qu'apparaît la première trace de l'existence de *consuls,* qui

COMMUNE
Palais des « Priori » (1205-1257) à Volterra (Toscane, Italie).
Ph. © Anderson - Giraudon Photeb

seront, comme en Provence, les premiers magistrats des communes italiennes. On trouve des consuls à Pise vers 1084, à Arezzo en 1098, à Bologne en 1123, à Sienne en 1125, à Florence vers 1138. Ces consuls, dont le nombre varie généralement entre 5 et 20, sont assistés d'une assemblée restreinte de « sénateurs » ou de « sages », représentant les nobles, les propriétaires terriens, les riches marchands, et d'une institution typiquement italienne, une assemblée de tous les citoyens, l'*arengo.* Très tôt, ces républiques furent la proie des luttes sociales : quand les artisans eurent étendu leur pouvoir, ce furent les prolétaires, les *ciompi,* qui entrèrent en scène. D'autre part, la direction plurale des consuls se révéla vite incommode dans le domaine de la politique étrangère, des relations diplomatiques, de la guerre.

Aussi, dès la fin du XIIᵉ s., on voit les communes recourir à un arbitre considéré comme étant au-dessus des factions et dont le prestige puisse s'exercer sur l'étranger : c'est le *podesta,* personnage qui va dominer la vie communale pendant toute la première moitié du XIIIᵉ s. Sous son autorité, la classe dirigeante reste composée essentiellement des nobles et des riches marchands, mais, en face, le peuple des petits artisans et des non-possédants commence à s'organiser politiquement et militairement, à se donner lui aussi un chef, le *capitano del popolo.* Aux luttes sociales internes, aux querelles des familles dirigeantes qui se partageaient entre guelfes et gibelins, s'ajoutaient, plus furieuses encore, les rivalités des républiques entre elles. La commune italienne ne voit pas plus loin que son clocher, elle vit sous le signe du « campanilisme ».

Venise et Gênes luttent âprement pour l'hégémonie maritime en Orient; Florence et Milan vivent de leur commerce avec l'Europe centrale et la Flandre; au contraire, les républiques maritimes sont tournées vers l'Afrique et l'Asie. Aucune unité, aucune alliance durable – à la différence de ce qui se passait en Flandre – ne put naître entre les communes italiennes. Dans un étonnant climat de guerres perpétuelles, les libertés communales finissent par sombrer. Le peuple se donne à des tyrans, des *signori,* qui s'imposent par la force des armes : c'est Ezzelino da Romano à Vérone et à Padoue (1237), Pelavicino à Brescia, les Della Torre et les Visconti à Milan, Castruccio Castracani à Lucques, les Este à Ferrare, enfin, au XVᵉ s., les Médicis à Florence. Seule Venise, où les patriciens avaient définitivement soumis les forces populaires, réussit à maintenir en vigueur jusqu'à la fin du XVIIIᵉ s. ses institutions républicaines.

En Allemagne, en Angleterre et en Espagne

En **Allemagne,** le mouvement communal se développa à partir de la fin du XIᵉ s., contre les princes ecclésiastiques, à la faveur du conflit des Investitures (v.), qui opposait l'empereur à l'Église. Les bourgeois se soule-

COMMERCE :
marché de prince
et marché
du peuple

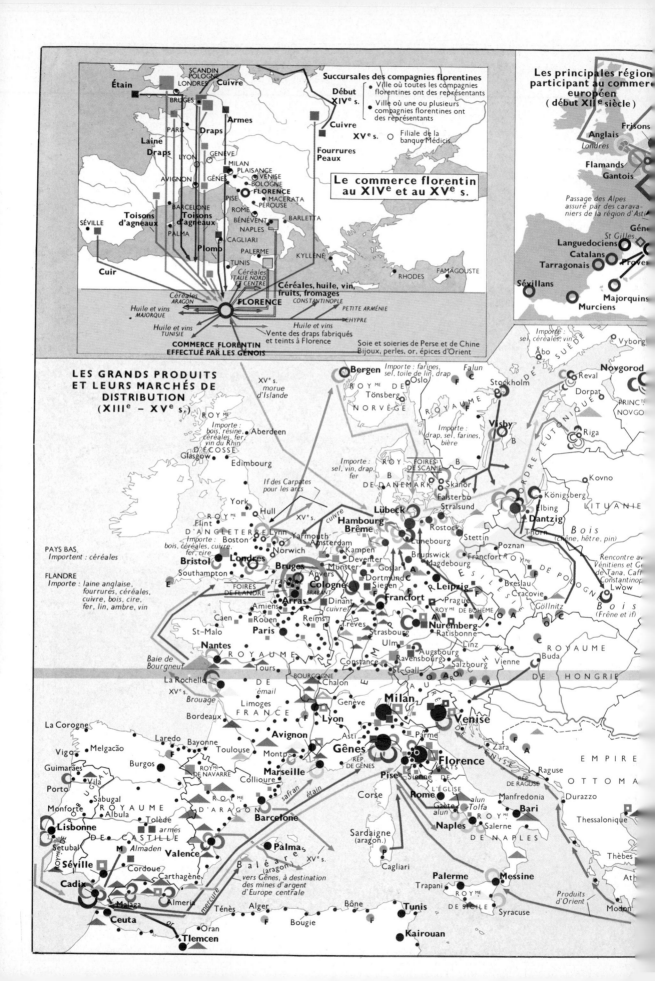

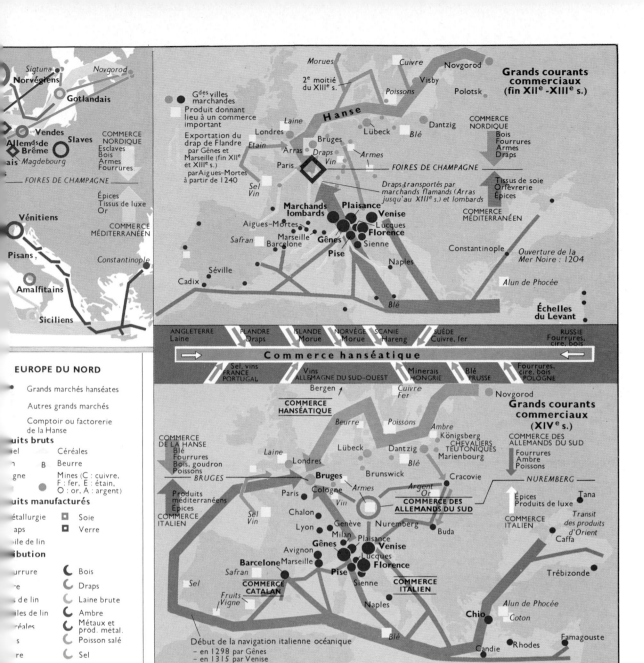
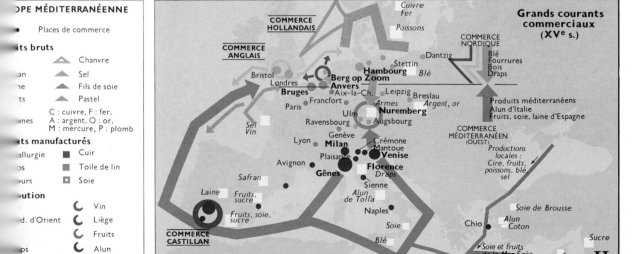

COMMERCE

En haut :
la pesée du sylphion.
Cette scène décore une coupe datant
du VIe s. av. J.-C., originaire de Laconie.
(Cabinet des Médailles, Paris.)
Les botanistes n'ont pas réussi à identifier
cette plante sauvage de la steppe
subdésertique d'Afrique du Nord,
et dont l'active Cyrène
avait fait son emblème monétaire.
Les indigènes l'apportaient en tribut
au roi du pays, qui l'exportait aussi bien
comme plante médicinale
(à cause de son suc) que comme condiment.
Ainsi Arcésilas II, assis sous un auvent
de toile, surveille l'emballage,
la pesée, le stockage en magasin
des précieux tubercules. La balance
que nous voyons ici, avec ses deux plateaux,
son fléau et son système d'accrochage,
révèle une technique bien au point et qui
ne changera plus pendant des siècles.
Ph. © Bibl. Nat., Paris - Photeb

En bas :
un marché en Hollande, au XVIe s.
Détail d'une peinture de Pieter Aertsen
(Alte Pinakothek, Munich).
Légumes, fruits, fromages, œufs, pains...,
il était nécessaire qu'à des jours
déterminés les habitants des campagnes
vinssent apporter à la ville
le surplus des produits alimentaires
que l'agriculture et l'élevage leur avaient
fournis, et s'approvisionner en produits
manufacturés : tissus, outils, etc.
Sans compter qu'ils étaient friands
de poissons séchés ou fumés, de vins,
d'huile, qu'ils ne pouvaient pas toujours
produire eux-mêmes.
Le colportage suffisait à la circulation
des produits non périssables,
et les grandes foires offraient à date fixe
et massivement des produits rares, venus
de tout le continent; mais les marchés
locaux offraient les productions
de l'artisanat rural et remédiaient
à la difficulté de conserver ou de faire
voyager loin et longtemps
les produits alimentaires frais, si difficiles
à entreposer. Les halles, qui abritaient
des intempéries marchands et producteurs,
permettaient aussi aux autorités
de surveiller la qualité, le poids, les prix.
Ph. © Bildarchiv Preussischer
Kulturbesitz, Berlin

COMMERCE

Cartes :
le commerce européen du XIIe au XVe s.

I

II

COMMERCE

**Calendrier illustré célébrant
« la liberté du commerce maritime »,**
1782. (Bibl. Nat., Paris.)
Dans les médaillons : Louis XVI; Charles III,
« roi d'Espagne et des Indes »;
le comte de Guichen, lieutenant général
des armées navales de France; don Barcelo,
commandant de l'armée navale espagnole.
En bas : allégories, coq et lion
terrassant des léopards.
Au centre : les deux flottes, faisant
le siège de Gibraltar.
La possession du « Rocher », verrou
stratégique et commercial de la Méditerranée
occidentale, a été depuis 1704 l'objet
de nombreuses tentatives militaires
et diplomatiques espagnoles. L'Angleterre
avait pris prétexte, en 1780,
du soulèvement de ses colonies
d'Amérique du Nord pour s'arroger le droit
de faire la police des mers. Ses vaisseaux
empêchaient la marine des neutres
de commercer librement. La plupart
des cours d'Europe formèrent contre elle
une ligue de Neutralité armée.
La France y joua un rôle important :
son action s'exerça aux Antilles et en Inde,
où l'amiral de Grasse et le bailli
de Suffren remportèrent des succès;
tandis qu'à Gibraltar
le siège dura vainement plusieurs années.
Le traité de Versailles mit
fin à la guerre en 1783, mais la rivalité
commerciale franco-anglaise sur mer
devait se poursuivre au-delà du XVIIIe s.
Ph. J.L. Charmet © Photeb

COMMUNE

Grenade-sur-Garonne. Un jour de 1290,
cette « bastide » est sortie de terre
toute neuve, d'un seul coup,
comme beaucoup de ses pareilles.
Vingt ans plus tôt, Philippe le Hardi
a recueilli ici l'héritage des comtes
de Toulouse (1270-71). Rois de France,
rois d'Angleterre, seigneurs locaux
lui ont déjà montré la voie. Ces créations
ont des buts politique, économique
et militaire. Elles animent la contrée,
la pacifient, la gardent, la rendent vivable.
Pour aller plus vite, on utilise un plan
en échiquier, carré ou rectangulaire,
avec des rues à angle droit. Ainsi le comte
de Toulouse a créé Montauban en 1144.
Alphonse de Poitiers a fondé,
de 1253 à 1270, Villeneuve-sur-Lot,
Villefranche-du-Périgord, Castillonnès,
Villeréal; en Guyenne, le roi d'Angleterre
a fondé Beaumont-de-Périgord, Monpazier;
Philippe le Hardi a créé Domme.
Les habitants bénéficient, en échange
de leur fidélité, d'un certain nombre
de garanties : ils peuvent disposer
de leurs biens, marier librement
leurs filles; le bayle (bailli) rend la justice
et perçoit les impôts au nom du roi,
mais ce sont des Conseils, élus
par les habitants, qui administrent la cité.
Ph. © Vue aérienne Alain Perceval (T)

COMMUNE

En haut :
le châtiment des coupables.
Double page du recueil
des « Coutumes de la ville de Toulouse »,
1296. (Ms de la Bibl. Nat., Paris.)
Ces coutumes furent approuvées par
les rois de France et restèrent en vigueur
jusqu'à la promulgation du Code civil.
Les libertés municipales avaient,
à Toulouse, une très ancienne origine.
L'institution des magistrats municipaux,
ou « capitouls », était dotée de nombreux
privilèges tels que l'anoblissement
pour tout bourgeois siégeant au Capitole.
Ph. Jeanbor © Archives Photeb

En bas :
le chapitre des élections.
Frontispice des lois communales de Pise,
1300-1308. (Archives de l'État, Pise.)
La ville, très tôt constituée en république,
fut une des premières puissances
maritimes et commerciales de l'Italie,
du Xe au XIIIe s. Elle eut des comptoirs
dans toute la Méditerranée.
Elle publia un code de commerce,
fonda une université.
Elle posséda la Corse de 1077
à 1347, la Sardaigne de 1022 à 1290.
Ph. Gustavo Tomsich © Photeb

III ▶ IV ▶ V

COMMERCE : « laissez passer », XVIIIᵉ s.

COMMUNE : liberté sous condition, XIIIe s.

IV

COMMUNE : des règles pour vivre, XIIIe-XIVe s.

COMMUNE
Sceau de Sandwich, Angleterre, XIIIᵉ s. La ville était un des « Cinque Ports », dotés de privilèges dès l'époque de Guillaume le Conquérant.

Ph. © Arch. Nat., Paris - Photeb

Sceau d'Elbing, 1399, en polonais Elblag. Ville fondée par les chevaliers Teutoniques, elle reçut sa charte en 1246, et devint ville marchande de la Ligue hanséatique.

Ph. © Bildarchiv Preussischer Kulturbesitz

vèrent contre les évêques à Worms (1073), Mayence (1077), Spire (1101, 1111), Cologne (1074, 1106, 1112). Le mouvement reçut une aide puissante des seigneurs laïques, qui contribuèrent à l'expansion économique par des fondations de communes telles que Fribourg-en-Brisgau (fondée en 1120 par Berthold III de Zähringen) ou Lübeck (fondée en 1158 par Henri le Lion, qui y attira des commerçants westphaliens et y établit le siège de l'évêché d'Oldenburg). Sur les terres à l'E. de l'Elbe, les communes jouèrent un rôle important dans les grandes entreprises de la colonisation (v.). Les empereurs accordèrent leur protection directe à de nombreuses communes, en les érigeant en « villes libres impériales » (v. VILLES IMPÉRIALES). Contrairement à ce qui se passa en France, les souverains allemands ne surent pas contenir à leur profit le mouvement communal, qui, après la mort de Frédéric II de Hohenstaufen, en 1250, contribua à aggraver le démembrement de l'Empire. Si les bourgeois des villes voulaient avoir l'empereur pour maître, c'était, au fond, pour n'avoir aucun maître, car ils connaissaient la faiblesse profonde du pouvoir impérial. Contrairement aux thèses soutenues par les historiens libéraux de l'époque bismarckienne, la bourgeoisie urbaine ne fut nullement le représentant de l'idée impériale et unitaire, en face du particularisme des princes.

Les villes, qui constituaient de véritables républiques souveraines, dont les magistrats portaient souvent le nom de consuls (notamment en Rhénanie, en Souabe, en Saxe), ne songeaient en fait qu'à leurs affaires. Pour assurer leur sécurité, elles comptaient non sur l'empereur mais sur les alliances, les ligues qu'elles formèrent entre elles, dès la première moitié du XIIIᵉ s. La ligue Rhénane constituée en 1254, sous l'impulsion de Mayence et de Worms, rassembla plus de 70 villes, parmi lesquelles Aix-la-Chapelle, Lübeck, Ratisbonne et Zurich. La Hanse (v.) devint une véritable puissance européenne. La ligue Souabe, fondée par Ulm en 1376, battit le duc Ulrich de Wurtemberg à Reutlingen (1377) et s'allia à la nouvelle ligue du Rhin, fondée en 1381.

Cette lutte dégénéra en une grande guerre qui opposa les villes aux princes de l'Allemagne du Sud; les villes furent finalement vaincues

dans deux batailles décisives : à Döffingen, par Eberhard II de Wurtemberg, et à Worms, par le comte palatin Rupprecht II (1388). Le déclin des villes allemandes se poursuivit au xvᵉ s. et la plupart d'entre elles furent peu à peu absorbées dans les territoires princiers. Même celles qui réussirent à préserver leur indépendance et qui siégeaient à la Diète impériale ne parvinrent jamais à acquérir une parfaite égalité de droits avec les princes.

En **Angleterre,** les communes prirent le nom de *boroughs.* C'est seulement au xiiiᵉ s., à la suite de la crise du pouvoir monarchique qui marqua le règne de Jean sans Terre, que certaines villes acquirent une autonomie politique comparable à celle des communes du continent. Dès 1265, les villes envoyèrent des représentants au Parlement convoqué par Simon de Montfort, et ce système se généralisa par la suite. A partir du xviᵉ s., les *boroughs* perdirent rapidement leurs anciens privilèges, mais ils devinrent des circonscriptions électorales. A la fin du xviiᵉ s., les quatre cinquièmes des membres de la Chambre des communes étaient élus par quelque 200 boroughs. Mais ceux-ci commençaient à ne plus correspondre à la répartition de la population (v. BOURGS POURRIS); la réforme de 1832 réorganisa complètement la base territoriale du système parlementaire britannique.

En **Espagne,** à l'époque de la Reconquête (v.), les communautés rurales ou urbaines qui s'installaient sur les terres enlevées aux musulmans obtinrent aisément du pouvoir royal des privilèges, ou *fueros* (v.), que le système féodal, qui se développa par la suite, ne put réduire. De là un « cantonalisme » et un « municipalisme » qui devaient demeurer, jusqu'à nos jours, des traits typiques de la vie politique espagnole. Dans le royaume d'Aragon s'étaient constituées dès le xiiᵉ s. de puissantes républiques maritimes bourgeoises, qui rivalisèrent avec celles d'Italie (Barcelone, Tarragone, Valence...). Comme en Allemagne, les communes formèrent des ligues ou « fraternités » *(hermandades),* qui fréquemment mirent en difficulté le pouvoir royal. Dès les xiiᵉ/xiiiᵉ s., toutes les communes espagnoles étaient représentées aux Cortes (v.).

COMMUNE DE PARIS (1789/95). Administration révolutionnaire établie à Paris à la suite de l'émeute du 14 juill. 1789. Elle se substitua à l'administration régulière du Bureau de ville et tint comme lui ses séances à l'Hôtel de Ville. Le 16 juill. 1789, elle désigna comme maire Bailly. Devenue un organisme régulier en vertu de la loi du 21 mai 1790, elle se divisa en 48 sections. Elle avait à sa tête le maire et 16 administrateurs assistés d'un conseil municipal de 32

membres et d'un conseil général de 96 membres, que présidaient le procureur-syndic de la Commune et deux substituts. Après le remplacement de Bailly par Pétion (nov. 1791), la Commune eut pour maires successifs Chambon, Pache et enfin Fleuriot-Lescot, qui conserva son poste jusqu'au 9-Thermidor. Chaumette devint procureur, avec Hébert et Réal pour substituts. Transformée en *Commune insurrectionnelle* depuis le 10 août 1792, la Commune de

Paris était passée entièrement aux mains des Jacobins. Elle se posa comme le représentant, non pas seulement de la capitale, mais de la France tout entière, où elle envoyait des commissaires qui créaient, à côté des municipalités, des comités de surveillance. La Commune fit peser sur la Convention tout le poids de la dictature populaire : elle organisa les massacres de sept. 1792, imposa la proscription des Girondins (mai 1793), la loi du maximum, l'institution de la Terreur, la fermeture des églises. Mais à partir de sept. 1793, le Comité de salut public réussit à la supplanter. Au 9-Thermidor, la Commune restait toute dévouée à Robespierre, mais la Convention mit ses membres hors la loi, et, après la chute de Robespierre, 93 d'entre eux furent guillotinés. La Constitution de l'an III substitua à la Commune douze municipalités distinctes pour empêcher que la centralisation du pouvoir ne permît de nouveau une dictature populaire parisienne.

COMMUNE DE PARIS (1871). Gouvernement insurrectionnel qui exerça l'autorité à Paris pendant soixante-douze jours, du 18 mars au 28 mai 1871.

Les origines de la Commune

Dernière révolution du XIXe s. et première tentative d'un gouvernement de la classe ouvrière, d'une dictature du prolétariat, la Commune a eu des causes lointaines et des causes immédiates. Elle fut l'aboutissement d'une tradition révolutionnaire déjà presque séculaire : le développement économique qui marqua le second Empire s'accompagna d'une croissance numérique de la classe ouvrière (en 1866, Paris comptait 442 000 ouvriers sur 1 850 000 habitants) et du développement d'un mouvement ouvrier dirigé par des ouvriers. L'année 1864 avait été marquée par la reconnaissance du droit de grève (v.), par le manifeste des Soixante (v.) et par la création, à Londres, de la Ire Internationale (v.). Les grèves se multiplièrent dans les dernières années du règne de Napoléon III, et les nouveaux chefs socialistes, Varlin, Malon, utilisèrent la loi de 1868 sur la liberté de réunion pour mener dans toutes les grandes villes, et surtout dans la capitale, une active propagande sur des thèmes tels que « l'expropriation de toutes les compagnies financières et l'appropriation par la nation, pour les transformer en services publics, de la banque, des canaux, chemins de fer, roulage, assurances, mines » (Programme électoral socialiste de 1869). A côté de ces socialistes internationalistes, les blanquistes se préparaient pour le moment favorable à une insurrection et à la prise du pouvoir par une minorité agissante qui entraînerait ensuite le peuple dans la révolution.
La Commune ne fut donc pas un mouvement accidentel, mais ses origines immédiates doivent être cherchées dans les épreuves et les déceptions que connurent les Parisiens au cours du terrible hiver 1870/71. Investie par les Prussiens dès le 18 sept.

1870, la capitale avait répondu avec héroïsme aux déclarations intransigeantes et belliqueuses du gouvernement de la Défense nationale, qui se proclamait résolu à ne céder « ni un pouce de notre territoire ni une pierre de nos forteresses ». En évoquant les soldats de l'an II et le mythe de la levée en masse, on avait convaincu les Parisiens que la victoire était encore possible. Dès lors, avec les souffrances du siège, le manque de ravitaillement et de combustible, l'arrêt du travail (la plupart des hommes n'avaient pour vivre que leur solde de gardes nationaux, 1,50 fr par jour), avec le bombardement de la ville par les Prussiens (à partir de janv. 1871), une véritable psychose de trahison se répandit dans la population, qui réclamait des actions militaires vigoureuses et, dès oct. 1870, l'élection d'une Commune. Le 31 oct., à la nouvelle de la capitulation de Metz et de la perte du fort du Bourget, certains bataillons de gardes nationaux avaient déjà tenté de renverser le gouvernement provisoire. Une nouvelle tentative insurrectionnelle eut lieu le 22 janv. 1871, après l'échec de la sortie de Buzenval. Après la signature de l'armistice (28 janv.), l'élection (8 févr.) d'une Assemblée nationale fortement conservatrice et favorable à la paix acheva d'isoler les Parisiens du reste de la France. L'exaspération de la capitale atteignit son comble lorsque, le 1er mars, les Prussiens défilèrent à Paris (Thiers avait dû consentir à cette humiliation pour conserver Belfort à la France). A l'inspiration socialiste devait se mêler ainsi dans la Commune la réaction de désespoir et de colère patriotique de ce peuple français qui ne reconnaît pas volontiers ses défaites et s'efforce habituellement de les imputer à la trahison des généraux, des hommes politiques, des élites sociales.

Naissance, constitution et œuvre

Dès les premiers jours de mars 1871, l'opposition fut manifeste entre l'Assemblée nationale, qui siégeait encore à Bordeaux, et les Parisiens, armés au sein de la garde nationale (v.), dont les effectifs atteignaient près de 200 000 hommes. Tandis que la Garde se mobilisait, passait sous le contrôle d'un Comité central (v.) élu (3 mars), puis, le 15 mars, se constituait en Fédération républicaine (v. FÉDÉRÉS), la majorité royaliste et « rurale » de l'Assemblée multipliait les mesures vexatoires à l'égard de la population de la capitale (3/10 mars) : suppression de la solde de la garde nationale; suspension du moratoire des effets de commerce et des loyers; transfert de l'Assemblée non à Paris mais à Versailles. Le 18 mars, Thiers, chef du gouvernement provisoire, décida de désarmer la garde nationale, qui disposait, à Montmartre et à Belleville, de plus de 200 canons mis à l'abri avant l'entrée des Prussiens dans la capitale. Mais les soldats chargés de cette opération furent entourés par les gardes nationaux et la foule, avec laquelle la troupe commença à fraterniser; en quelques heures, l'insurrection se propagea dans tout

COMMUNE DE PARIS
Ancien « mobile », des « Types
de la Commune » de Bertall.
Ph. J.L. Charmet © Photeb

le centre et l'est de Paris; les généraux Lecomte et Clément Thomas furent massacrés. Refusant toute négociation, Thiers décida d'évacuer la capitale, abandonnée dès lors aux insurgés. Cette mesure se justifiait par le souci d'éviter que le gouvernement ne se trouvât, comme en 1848, prisonnier de la capitale; mais elle créait une situation sans issue autre que violente.

Resté maître de Paris, le Comité central de la garde nationale prépara l'élection d'un Conseil communal. Celle-ci eut lieu le 26 mars, avec 229 167 votants sur un total de 485 569 électeurs, soit plus de 50% d'abstentions (mais on peut estimer qu'une centaine de milliers de Parisiens avaient déjà fui la capitale depuis la journée du 18). Ce Conseil fut mis en place à l'Hôtel de Ville, le 28 mars, sous le nom de Commune de Paris, et le Comité central lui transmit aussitôt ses pouvoirs. Assemblée municipale, la Commune se considérait de plus comme le gouvernement du pays, et elle constitua aussitôt neuf commissions (Finances, Armée, Justice, Sûreté générale, Subsistances, Travail-Industrie et Échange, Relations extérieures, Services publics, Enseignement), dont la liaison était assurée par une Commission exécutive.

Le Conseil de la Commune devait, théoriquement, réunir 90 membres, mais cet effectif ne fut jamais atteint du fait des candidatures multiples, de la démission quasi immédiate d'une vingtaine de députés modérés, de l'absence de Blanqui (élu par deux arrondissements mais emprisonné en province sur l'ordre de Thiers), etc. Les quelque 70 membres restants étaient très divers par leurs origines sociales comme par leurs tendances politiques. Ils comprenaient 25 ouvriers, soit plus d'un tiers du Conseil — proportion sans précédent dans aucune assemblée politique — 12 artisans, 4 employés, 6 commerçants et un groupe important d'intellectuels et de membres des professions libérales (3 avocats, 3 médecins, 1 pharmacien, 1 vétérinaire, 1 ingénieur, 1 architecte, 2 peintres, 12 journalistes). Ouvriers et artisans d'une part, petite bourgeoisie d'autre part constituaient les deux principales forces sociales de la Commune. Au point de vue politique, le Conseil se partagea bientôt en deux groupes. La *majorité* comprenait : une vingtaine de Jacobins, héritiers de la tradition de 1848 (Delescluze, Félix Pyat, Gambon, Jules Miot, Paschal Grousset); de 25 à 30 « radicaux » ou « révolutionnaires indépendants », attachés surtout à l'autonomie municipale de Paris et partisans d'une République démocratique et sociale (Arthur Arnould, Amouroux, J.-B. Clément, Rastoul, Bergeret); et une dizaine d'activistes blanquistes, qui voulaient que la Commune devînt « l'organisation insurrectionnelle permanente du prolétariat » (Charbon, Eudes, Ferré, Mortier, Rigault, avec les « dissidents » comme Protot, Ranvier, Tridon, Trinquet). En face, la *minorité,* composée principalement d'ouvriers, membres de l'Internationale, comprenait surtout des

proudhoniens, des hommes préoccupés avant tout de réformes sociales et parfois influencés par le marxisme (Frankel, Benoît Malon, Varlin) et des indépendants comme Jules Vallès et le peintre Courbet. Du fait de ces multiples tendances, la Commune n'eut jamais de doctrine politique précise. La plupart de ses membres restaient attachés à une conception très romantique de la révolution. Obsédés par les souvenirs de 1793, certains d'entre eux pensaient que la Commune devait exercer sur la France entière une dictature révolutionnaire; d'autres, fidèles aux idées de Proudhon, appelaient les communes provinciales à s'associer à Paris en une libre fédération.

La Commune de Paris s'appuyait sur une minorité révolutionnaire qui mobilisait tout au plus 60 000 personnes, où l'élément ouvrier et artisan prédominait à 80%; la garde nationale fédérée, qui formait l'armée de la Commune, ne comporta jamais plus de 30 000 combattants, bien qu'elle comptât officiellement quelque 200 000 hommes. L'immense majorité de la population parisienne resta donc en dehors de la Commune, et cela en dépit de l'intense activité de propagande déployée par une multitude de clubs (clubs de la Révolution, des Amis du peuple, des Prolétaires, de la Marseillaise, etc.) et de journaux (plus de 70 titres créés de mars à mai 1871). Les principaux organes de cette presse de la Commune (qui avait elle-même son *Journal officiel*) furent : *Le Réveil* de Delescluze, *Le Cri du peuple* de Vallès, *Le Mot d'ordre,* de Rochefort, *Le Vengeur,* de Félix Pyat, *Le Tribun du peuple,* de Lissagaray, *Le Père Duchesne,* de Vermersch.

Absorbée dès le début du mois d'avril par les opérations militaires contre les versaillais, la Commune n'accomplit que des réformes limitées. Certaines mesures furent symboliques : l'adoption du drapeau rouge (28 mars) et du calendrier révolutionnaire, la démolition de la colonne Vendôme (16 mai) et de la maison de Thiers. Dans le domaine politique, furent décrétées la séparation de l'Église et de l'État, la laïcisation des écoles religieuses, l'école gratuite et obligatoire, la gratuité de la justice, l'élection des juges et des hauts fonctionnaires, la suppression de l'armée permanente (remplacée par le peuple en armes), la suppression de toute distinction entre enfants légitimes et enfants naturels, comme entre femmes mariées et concubines. Parmi les mesures économiques et sociales, citons : la prorogation des échéances, la remise des loyers, la réquisition des ateliers abandonnés, la réorganisation du Mont-de-Piété, la création de boucheries municipales, la suppression du système des amendes patronales, la suppression du travail de nuit dans les boulangeries, l'interdiction de tout cumul de traitements. La Commune s'orienta aussi vers l'émancipation complète des femmes, qui jouèrent un grand rôle dans cette période révolutionnaire (Louise Michel, Andrée Léo, Nathalie Lemel, Paule Minck, Élisabeth Dmitrieff, Anna Jaclard, etc.). Mais, en beaucoup d'au-

COMMUNE DE PARIS
Les prisonniers à Versailles,
juin 1871. Détail d'une gravure :
« L'Appel ».

Ph. Jeanbor © Photeb

« Grâce! » Dessin d'André Gill,
en faveur des communards
incarcérés, 1871.

Ph. © Institut Maurice-Thorez
Photeb

tres domaines, la Commune montra d'étranges timidités; elle maintint inchangée la durée de la journée de travail, conserva les anciens impôts, ne procéda à aucune nationalisation des entreprises privées, ne prit même pas le contrôle de la Banque de France.

L'écrasement de la Commune

Insurrection dressée contre une Assemblée qui venait d'être élue au suffrage universel et qui représentait, sinon les exactes opinions politiques, du moins la profonde volonté de paix du pays, la Commune resta incomprise de la grande majorité des Français. Pour les provinciaux, elle évoquait surtout les mauvais souvenirs de la dictature parisienne de 1793/94. Sans doute, en mars/avr. 1871, des mouvements communalistes éclatèrent-ils à Lyon, à Saint-Étienne, au Creusot, à Limoges, à Narbonne, à Toulouse, mais ils furent rapidement écrasés. La plus puissante de ces insurrections de province fut celle de Marseille (23 mars/4 avr.). Le 19 avr. 1871, la Commune lança une *Déclaration au peuple français* qui s'inspirait des idées fédéralistes de la minorité et demandait « l'autonomie absolue de la Commune étendue à toutes les localités de la France... (n'ayant) pour limites que le droit d'autonomie égal pour toutes les autres communes adhérentes au contrat dont l'association doit assurer l'unité française ». Mais cette proclamation ne rencontra guère d'écho, pas plus que l'Appel aux travailleurs des campagnes du 28 avril. Le gouvernement de Thiers dénonçait l'insurrection parisienne comme celle de la plus vile canaille et constituait, pour la réduire, une armée de paysans fanatisés. L'arrestation des otages (5 avr.), parmi lesquels se trouvait Mgr Darboy, archevêque de Paris, suscita une indignation générale. Tous les grands écrivains français de l'époque se montrèrent hostiles à la Commune, y compris ceux-là mêmes qui montraient le plus de sympathie pour les idées républicaines et sociales, tels Victor Hugo, George Sand, Émile Zola, Anatole France.
Les combats contre les troupes régulières de Versailles commencèrent le 2 avr., à Courbevoie. Alors que la Commune ne réussit à mobiliser que de 20 à 30 000 combattants, Thiers, qui avait obtenu de Bismarck la libération anticipée de 60 000 prisonniers, disposa rapidement d'une armée de 130 000 hommes, dont le commandement fut confié à Mac-Mahon. Le 3 avr., la Commune tenta une marche sur Versailles en trois colonnes, par Rueil, Meudon et Châtillon : ce fut un échec complet. Tandis que la direction militaire passait successivement à Cluseret (4 avr.), à Rossel (1er mai), enfin, le 10 mai, à Delescluze, tandis que la création d'un Comité de salut public (1er mai) creusait le fossé entre majorité et minorité du Conseil de la Commune, les versaillais resserraient leur pression au S.-O. de la capitale, s'emparaient des forts de Vanves (9 mai) et d'Issy (14 mai) et, le dimanche 21 mai, pénétraient

dans Paris par les portes du Point-du-Jour et de Saint-Cloud. Pendant toute une semaine (21/28 mai), la « semaine sanglante », l'armée refoula peu à peu les forces de la Commune vers l'E. de la capitale. « L'heure de la guerre révolutionnaire a sonné, proclamait Delescluze le 22 mai. Le peuple ne connaît rien aux manœuvres savantes. Mais quand il a un fusil à la main, du pavé sous les pieds, il ne craint pas les stratégistes de l'école monarchiste. » Mais, dès ce soir-là, les versaillais avaient atteint les gares Saint-Lazare et Montparnasse. Le 24, ils s'emparaient de l'Hôtel de Ville et du Panthéon. Le 25, ils étaient maîtres de toute la rive gauche, et Delescluze trouvait la mort sur la barricade de la place du Château-d'Eau. Le 26, le quartier de la Bastille était occupé par l'armée, et l'ultime résistance des communards se concentrait dans une partie du XXe arrondissement (Belleville) et dans un quadrilatère du XIe. La lutte fut menée avec un acharnement extrême et s'accompagna de part et d'autre d'atrocités. Aux fusillades des versaillais, les communards répondirent par le massacres des otages (16 et 24 mai : Mgr Darboy, quinze autres prêtres et religieux, le président Bonjean, une quarantaine de gendarmes et de policiers); le 23 mai, ils incendièrent de nombreux monuments, les Tuileries, la Cour des comptes, le Conseil d'État, le palais de la Légion d'honneur, le ministère des Finances. Les ultimes combats eurent lieu le 28 mai, au Père-Lachaise; la dernière barricade, rue Ramponneau, tomba vers 14 h.
La répression fut impitoyable. Au cours des combats, les versaillais avaient multiplié les exécutions sommaires, et l'on estime généralement à 20 000 le nombre des communards qui trouvèrent la mort au cours de la « semaine sanglante ». Le gouvernement procéda à plus de 38 000 arrestations. Les conseils de guerre, qui siégèrent à partir d'août 1871, prononcèrent relativement peu de condamnations à mort — une centaine, dont 23 suivies d'exécution —, mais 410 personnes furent condamnées aux travaux forcés, 7 500 à la déportation (dont 3 859 envoyées en Nouvelle-Calédonie), 4 600 à l'emprisonnement à temps et 322 au bannissement; enfin 56 enfants furent placés dans des maisons de correction. Les lois d'amnistie de 1879 et 1880 permirent aux survivants, déportés ou exilés, de rentrer en France, et tous les prisonniers furent libérés. Mais la répression avait décapité pour longtemps le mouvement révolutionnaire français.
Karl Marx, qui avait souhaité en 1870 la victoire des Prussiens sur la France (lettre à Engels, 20 juill. 1870) et qui, jusqu'au 18 mars 1871, avait multiplié les conseils de prudence aux révolutionnaires parisiens, manifesta ensuite une solidarité assez discrète avec la Commune, salua enfin en elle une phase essentielle du mouvement révolutionnaire dans son *Adresse du Conseil général de l'Association internationale des travailleurs* (30 mai 1871), connue sous le nom de *La Guerre civile en France*. Pour Marx, la

COMMUNES POPULAIRES

Des citoyens érigent des poteaux sommairement équipés
pour l'électrification de leur commune. Fin 1958,
la quasi-totalité de la population rurale chinoise
avait été regroupée dans des unités de 20 000 à 25 000 habitants,
propriétaires des biens de production, et devait collaborer
à des campagnes spectaculaires : multiplication des petits barrages
en terre pour l'irrigation, 13 000 créations de « bas fourneaux »
pour augmenter la production de fonte et d'acier.
Les résultats de cette industrialisation hâtive furent médiocres et inégaux;
le « Grand Bond en avant » devra être suivi d'une période de « rajustement ».
Ph. © Marc Riboud - Magnum

Commune fut « la première révolution dans laquelle la classe ouvrière était ouvertement reconnue comme la seule qui fût encore capable d'initiative sociale, même par la grande masse de la classe moyenne de Paris ». Intégrée ainsi au patrimoine marxiste, la Commune n'en constitue pas moins également un mythe cristallisateur pour des révolutionnaires anarchisants, qui y trouvent des thèmes que la crise française de mai 1968 a remis au premier plan : autonomie communale, association fédérative, conseils ouvriers, égalité des droits de l'homme et de la femme, remplacement des armées régulières par le peuple en armes.

COMMUNES (Chambre des). Chambre des représentants, élus au suffrage universel, du peuple du Royaume-Uni; elle constitue, avec la Chambre des lords (v. LORDS) le Parlement britannique. On peut fixer l'origine de la Chambre des communes à la seconde moitié du XIIIᵉ s., lorsque les rois anglais commencèrent à faire entrer dans leur conseil, à côté des prélats et des barons, des représentants de la petite noblesse et des *boroughs* (v. COMMUNE). Il en fut ainsi, sous le règne d'Henri III, au Parlement convoqué en 1625 par Simon de Montfort. A partir du « Parlement modèle » convoqué par Édouard Iᵉʳ en 1295, il fut admis que deux représentants de la petite noblesse de chaque comté et deux représentants des « bourgs » participeraient désormais aux Parlements. Au cours du XIVᵉ s., le Parlement se sépara du Conseil du roi, issu de l'ancienne *curia regis*, et, d'autre part, les *Commons*, représentants élus des communautés, commencèrent à tenir leur délibérations séparément des Lords, d'abord dans le réfectoire, puis dans la salle du chapitre de l'abbaye de Westminster. Ils siégeaient sous la présidence d'un *speaker* (dont la fonction remonte au moins à 1377). Lorsqu'elles se réunissaient avec les Lords en présence du roi, c'est par la voix de ce *speaker*, qui avait seul le droit de prendre la parole, que les Communes exprimaient leur point de vue. Dès la fin du XIVᵉ s., les Communes prirent l'initiative sur les Lords en matière financière. Au XVIIᵉ s., elle menèrent la lutte contre l'absolutisme de Charles Iᵉʳ, et le Long Parlement (v.) décida en 1641 qu'il ne pouvait être dissous que par lui-même. A partir de 1679, le roi dut se contenter d'enregistrer la désignation du *speaker* par les Communes, sans pouvoir imposer désormais un candidat de son choix.
Dès la fin du XVIIᵉ s., les Communes avaient fait reconnaître, tacitement mais définitivement, leur primauté dans le Parlement; elles pouvaient refuser toute mesure fiscale votée par les Lords. En 1694, l'Acte de triennalité prescrivit que les élections aux Communes, jusqu'alors laissées à l'arbitraire du roi, auraient lieu désormais tous les trois ans. Vers la fin du règne de Charles II, lors des discussions relatives à l'exclusion du duc d'York (futur Jacques II), apparurent les partis whig et tory (v. ces mots). Au cours du XVIIIᵉ s., les pouvoirs des Communes s'éten-

dirent, et, bien que les ministres fussent toujours nommés par le roi, qui pouvait, théoriquement, les renvoyer à sa guise, il devint de plus en plus difficile à un cabinet ministériel de se maintenir au pouvoir contre l'opposition de la majorité des Communes : l'Angleterre évoluait vers le régime parlementaire (V. DÉMOCRATIE et PARLEMENTARISME). Cependant, les Communes ne représentaient pas exactement le peuple anglais, d'une part parce que le droit de vote était réservé à une petite minorité de bourgeois et de propriétaires aisés, d'autre part parce que le découpage des circonscriptions *(boroughs)*, établi peu à peu au Moyen Age et arrêté à l'époque d'Elisabeth Iʳᵉ, correspondait de moins en moins à la répartition réelle de la population, surtout lorsque la révolution industrielle naissante déclencha un mouvement de concentration urbaine. Dans certaines circonscriptions dépeuplées, l'influence politique de l'aristocratie foncière était prédominante; les grands seigneurs disposaient à peu près à leur gré du vote des électeurs ou bien achetaient les votes. Ce système ne disparut qu'après la réforme électorale de 1832, qui fit disparaître les « bourgs pourris » (v.). Le corps électoral fut peu à peu élargi par les réformes de 1832, de 1867, de 1884, de 1918 (droit de vote pour les femmes âgées de trente ans et plus), de 1928 (droit de vote pour les femmes âgées de vingt et un ans et plus), de 1969 (droit de vote pour tous à partir de dix-huit ans). L'électorat ne représentait encore que 4,4 % de la population adulte en 1831, 7 % en 1832, 16 % en 1868. Le suffrage universel masculin ne fut acquis qu'en 1918. En même temps, le rôle des Communes dans le Parlement grandissait du fait d'une réduction progressive des pouvoirs de la Chambre des lords, qui perdit son droit de veto absolu en 1911; les Lords gardaient toutefois le droit de s'opposer pendant un délai de deux ans à une mesure votée par les Communes (ce délai fut réduit à un an en 1949). La Chambre des communes, élue au scrutin majoritaire à un seul tour pour 5 ans, compte 635 membres : Angleterre 516, Écosse 71, pays de Galles 36, Irlande du Nord 12.

COMMUNES POPULAIRES. En Chine populaire, unité de base à la fois agricole, industrielle, culturelle, militaire, regroupant, en général, de 4 à 5 000 familles — mais certaines près de 10 000 —, dans le cadre d'une réorganisation collectiviste. L'expérience des communes populaires, qui se substituèrent aux coopératives de production, commença en août 1958. Voir CHINE.

COMMUNISME

COMMUNISME
Thomas Campanella (1568-1639), dominicain italien, doctrinaire de l'idée communiste.
Ph. © Archives Photeb

COMMUNISME. Système social dans lequel les richesses, en particulier les moyens de production, seraient la propriété commune de tous les hommes.

Le communisme avant Marx

Au sens général, le communisme est une des plus vieilles idéologies de l'humanité, et il fut mis en pratique, plus ou moins complètement, dans de nombreuses civilisations primitives. Il a inspiré au cours des âges maints inventeurs d'utopies. Au IVᵉ s. avant notre ère, dans *La République,* Platon propose un communisme aristocratique, réservé à l'élite des citoyens, aux chefs et aux guerriers, qui ne doivent pas être détournés du service de l'État par des affaires d'argent et de négoce. Ils vivront donc entretenus par la classe inférieure des travailleurs manuels, auxquels est dédaigneusement concédée la propriété privée, et par les esclaves. Ils ne posséderont rien en propre, vivront ensemble et, comme les guerriers au camp, prendront leurs repas en commun. A la communauté des biens Platon ajoute même la communauté des femmes et des enfants; ceux-ci, dès leur naissance, seront enlevés à leurs parents, qui ne les connaîtront plus, et seront éduqués par l'État. Mais Platon, après avoir dressé dans *La République* le plan de la cité idéale, étudie dans *Les Lois* l'organisation de la cité possible et il abandonne alors le communisme, en proposant de distribuer à chaque famille un lot de terre identique, inaliénable. Fondé sur des considérations religieuses et sur le détachement des biens terrestres exigé pour se vouer entièrement à Dieu, le communisme fut pratiqué par la secte juive des esséniens (v.), puis par les premiers chrétiens de Jérusalem, et il resta longtemps un idéal de l'Église primitive. Au IIIᵉ s. encore, st. Cyprien, évêque de Carthage, déclarait que « tout possédant a le devoir de partager ses biens avec tous les membres de la communauté ». Le renoncement à toute propriété individuelle fut un trait commun des monachismes chrétien, bouddhique, musulman.

Liées à des conceptions millénaristes sur l'instauration prochaine du Royaume de Dieu, des tendances communistes se manifestèrent dans les révoltes paysannes de l'Angleterre du XIVᵉ s. et dans les mouvements anabaptistes allemands du XVIᵉ s. Mais le communisme devait aussi trouver des théoriciens de valeur avec les utopistes de la Renaissance. Dans l'*Utopie* (1516), Thomas More décrit une société socialiste imaginaire où le régime de la communauté des biens

COMMUNISME

« L'Internationale » piétinant
monopoles et privilèges. Gravure
allégorique, début XXᵉ s.
Ph. J.L. Charmet © Photeb

n'est plus réservé à une petite élite, comme chez Platon ou dans les expériences monastiques, mais étendu à tous les citoyens. Dans l'île bienheureuse d'Utopie, le travail est obligatoire, mais sa durée est limitée à six heures par jour; la division du travail est supprimée car chaque individu s'adonne alternativement, par périodes de deux ans, tantôt à l'agriculture, tantôt à un métier urbain de son choix. Les maisons, dont les portes n'ont pas de serrure, changent d'occupants par tirage au sort tous les dix ans. La grande tâche du gouvernement est de planifier la production et d'adapter l'offre à la demande. Les denrées sont réparties dans des greniers publics, où chaque père de famille vient chercher, sans avoir à le payer, tout ce dont il a besoin, sans demander plus que le nécessaire car l'abolition de la propriété individuelle a fait disparaître le goût du luxe. Lorsqu'il y a excédent de production, l'État diminue la durée du travail ou oriente la population vers de grands travaux publics. Chez Thomas More comme chez le dominicain italien Campanella, auteur de *La Cité du Soleil* (1623), l'idée communiste s'appuie à la fois sur le christianisme et sur une foi optimiste en la bonté de la nature. Quand l'humanité, annonce Campanella, aura retrouvé son état primitif et divin, elle se laissera guider uniquement par l'amour; toute recherche d'un profit ou d'un bien-être personnel disparaîtra (Campanella va encore plus loin que More, en supprimant non seulement la propriété privée mais aussi la famille).

Au XVIIᵉ et au XVIIIᵉ s., apparaissent divers courants de pensée communistes, qu'on peut ramener à une double inspiration : tantôt moralisante et chrétienne, comme chez Winstanley, représentant extrémiste des niveleurs (v.) puritains, auteur de la *Law of Freedom* (*La Loi de la liberté*, 1652), ou chez l'abbé de Mably, qui, dans ses *Doutes proposés aux philosophes* (1768), attaque avec ardeur la propriété privée de la terre, tout en jugeant son abolition désormais impossible; tantôt naturiste, liée au mythe du « bon sauvage » et du retour à un état de nature primitif, comme chez Morelly, auteur du *Code de la Nature* (1755). Un des communistes les plus radicaux de l'époque des Lumières est le curé Meslier, qui s'affirme en outre matérialiste, partisan du divorce et adversaire de la religion « fruit de l'ignorance des masses ». A la fin de la Révolution française, sous le Directoire, la conspiration des Égaux (v.), menée par Gracchus Babeuf (1796), constitue la première apparition d'un communisme révolutionnaire, égalitaire, autoritaire, centralisateur, fondé sur l'action d'une minorité insurrectionnelle. Mais Babeuf reste en son temps un solitaire; l'idéologie communiste n'a joué aucun rôle important durant cette période, et les mesures sociales les plus audacieuses votées par la Convention — les décrets de Ventôse (v.) — n'allèrent pas au-delà du principe d'une distribution aux indigents des biens des suspects.

A l'époque romantique, Charles Fourier ne peut être rangé parmi les précurseurs du communisme, car il prévoit dans son pha-

lanstère le maintien de classes et une répartition des profits proportionnelle à l'apport de chacun.

Robert Owen, en revanche, tenta une malheureuse expérience de communisme agraire à New Harmony, dans l'Indiana (1825). Cabet échoua également dans ses tentatives au Texas et en Illinois. Son *Voyage en Icarie* (1840) est une utopie communiste où se mêlent les influences de Platon, de Thomas More, de l'owenisme et du christianisme. Le communisme « est la réalisation la plus complète et la seule parfaite de la Démocratie », « les communistes actuels sont les disciples, les imitateurs et les continuateurs de Jésus-Christ ».

Le marxisme

L'histoire du communisme moderne commence avec la publication du *Manifeste du parti communiste* de Karl Marx et Friedrich Engels, en 1848. Marx employait le mot *communisme* comme un synonyme de *socialisme*, et cette identification a été maintenue par les théoriciens communistes du monde entier. Le socialisme de Marx se donnait comme un socialisme scientifique, par opposition au socialisme utopique de ses prédécesseurs. En effet, alors que ceux-ci fondaient leurs aspirations sociales sur des considérations religieuses, morales ou humanitaires, le marxisme se présentait comme une interprétation scientifique de l'histoire et de l'évolution économique, qui, en partant de l'explication des faits passés et contemporains, prétendait annoncer l'état de la société future. La pierre angulaire du marxisme est le matérialisme historique, qui explique l'évolution des idées et des institutions par celle des moyens de production et d'échange. Les forces productives, essentiellement l'état de la technique, constituent l'« infrastructure » de l'Histoire : lorsque ces forces changent, la « superstructure », c'est-à-dire les rapports juridiques et politiques, l'art, la science, les idées philosophiques et religieuses, se modifie inéluctablement.

Héritier de la philosophie idéaliste allemande du début du XIXᵉ s., Marx a trouvé chez Hegel l'idée d'une rationalité et d'un sens de l'Histoire se développant selon un processus dialectique d'opposition et de dépassement des contraires; il a repris cette idée à son compte, mais en faisant du progrès des forces matérielles le moteur de la dialectique et en pénétrant le rationalisme hégélien d'une sorte de prophétisme millénariste où se retrouve, temporalisée, la longue attente messianique d'Israël. Déterministe, le marxisme n'en est pas pour autant un « mécanisme »; il reconnaît la valeur de l'action humaine, qui, si elle ne saurait en changer le sens, peut et doit hâter la marche de l'Histoire.

Contemporain de la période anarchique et sauvage du capitalisme, et partageant au fond, comme l'a montré Galbraith, le pessimisme économique d'un Malthus ou d'un Ricardo, Marx put croire que le système

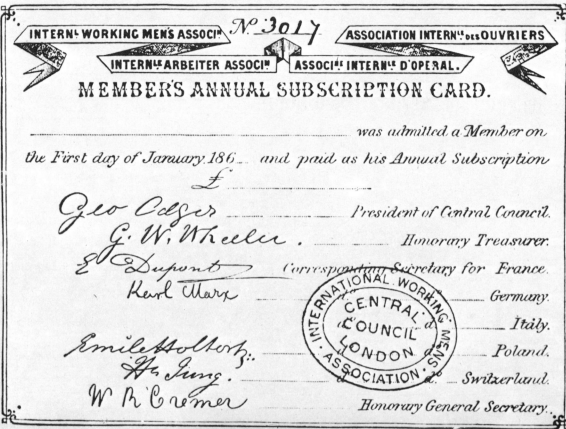

INTERN'L WORKING MEN'S ASSOC'N   N° 3017   ASSOCIATION INTERN'LE DES OUVRIERS

INTERN'LE ARBEITER ASSOC'N   ASSOC'NE INTERN'LE D'OPERAI.

MEMBER'S ANNUAL SUBSCRIPTION CARD.

_____ was admitted a Member on

the First day of January. 186__ and paid as his Annual Subscription

£ _____

Geo Odger _____ President of Central Council.

G. W. Wheeler. _____ Honorary Treasurer.

E. Dupont _____ Corresponding Secretary for France.

Karl Marx _____ Germany.

_____ Italy.

Emile Holtorp: _____ Poland.

H. Jung. _____ Switzerland.

W. R. Cremer _____

_____ Honorary General Secretary.

COMMUNISME

Fanion du « Schlosserfachverein »
Berne, 1888-1897, avec l'inscription
en allemand « Prolétaires de tous les pays,
unissez-vous! » La « Ligue des justes »,
créée par des émigrés allemands
à Paris, et dissoute en 1839,
avait repris en juin 1847 assez de force
pour tenir un congrès à Londres.
Sa devise « Tous les hommes sont frères »
ne plaisait pas à Marx.
« Il existe une multitude d'hommes,
disait-il, dont je ne tiens guère
à être le frère. » Sur sa demande
— il était à Bruxelles —, Engels proposa
et fit adopter la devise « Prolétaires
de tous les pays, unissez-vous! »
En novembre, un nouveau congrès londonien,
avec Marx, transforma la « Ligue des justes »
en « Ligue des communistes ».
Ph. J.L. Charmet © Photeb

Proletarier aller Länder Vereiniget Euch!

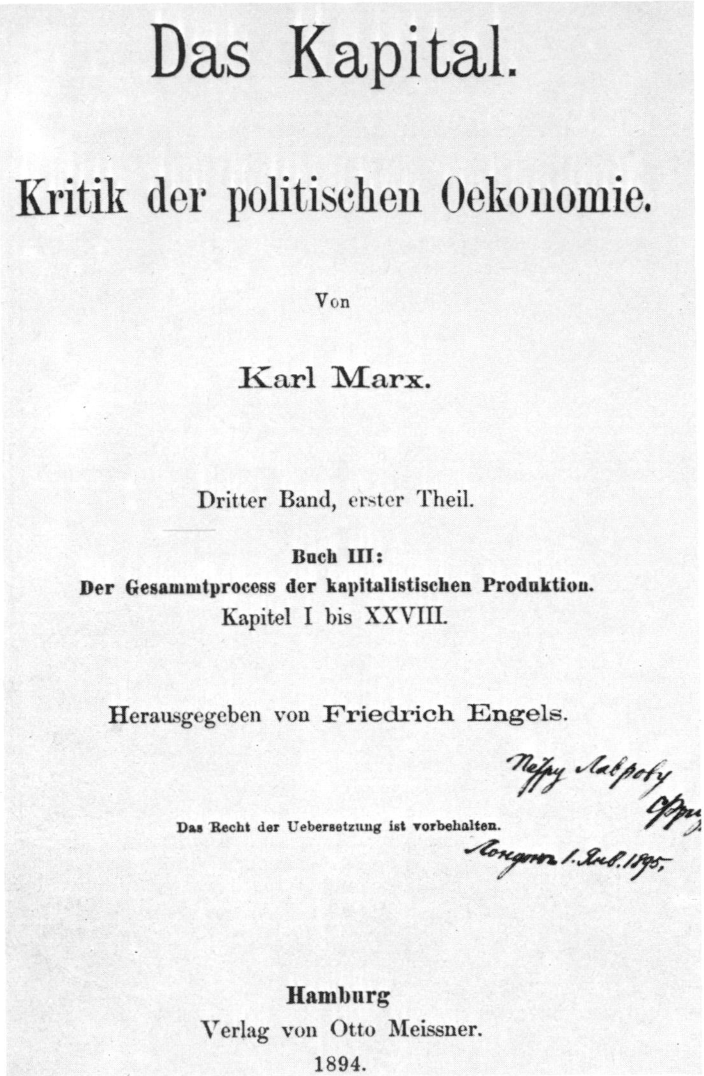

Das Kapital.

Kritik der politischen Oekonomie.

Von

Karl Marx.

Dritter Band, erster Theil.

Buch III:
Der Gesammtprocess der kapitalistischen Produktion.
Kapitel I bis XXVIII.

Herausgegeben von Friedrich Engels.

Das Recht der Uebersetzung ist vorbehalten.

Hamburg
Verlag von Otto Meissner.
1894.

COMMUNISME

Page de titre du « Capital », de Karl Marx, édité à Hambourg
par Otto Meissner, 1894. C'est la date de la publication du tome III,
posthume, par Engels, alors que Marx est décédé depuis le 14 mars 1883,
et que le tome II, posthume aussi, date de 1885.
La rédaction et l'édition de cette œuvre difficile à lire
n'ont pas été simples. Marx commença à rédiger en 1863
son projet, qui sommeillait depuis plusieurs années déjà.
Deux ans plus tard, le 31 juill. 1865, il annonçait
qu'il lui restait encore trois chapitres (du tome I) à écrire;
le 7 juill. 1866, qu'il espérait « en finir avant la fin août ».
Mais c'est seulement le 23 mars 1867
qu'il demanda à Engels de lui fournir l'argent pour le voyage
de Londres à Hambourg, où se trouvait l'éditeur Meissner.
Ph. © A.P.N.

capitaliste était condamné à brève échéance du fait de ses contradictions internes et de la pression extérieure des prolétaires dépouillés par lui. Il montra le capitalisme vivant dans un état de crise latente dû à une sous-consommation ouvrière constante, et soumis de plus à des crises périodiques provoquées par son caractère irrationnel : désordre de la production et des marchés — dynamisme anarchique suscitant d'incessants progrès techniques qui déprécient les anciens outillages avant leur usure normale — crises de surproduction dues tout ensemble à l'effort des entrepreneurs pour pallier la baisse tendancielle du profit, à la ruine des classes moyennes éliminées par les grandes entreprises, à la paupérisation des travailleurs (que Marx explique en soutenant que les progrès techniques ne peuvent être financés qu'aux dépens du capital variable destiné aux salaires).

Marx a repris également une thèse d'Engels selon laquelle, du fait de la concentration croissante en de grandes sociétés anonymes, le capitalisme marcherait de lui-même vers la socialisation et la prise de contrôle des moyens de production par la collectivité expropriant les actionnaires. Cette « catastrophe finale », il appartient au prolétariat ouvrier de la précipiter par son action. Le capitalisme, en effet, a donné une acuité extrême à la lutte des classes; son extension effrénée grossit sans cesse les rangs du prolétariat en même temps qu'elle enlève à celui-ci les moyens mêmes d'existence qui pourraient lui permettre de subsister comme classe dans la société actuelle. Totalement dépouillé, réduit à rien, le prolétariat ne peut être que l'agent d'une révolution totale : « Les prolétaires, dit le *Manifeste du parti communiste*, n'ont rien à sauvegarder qui leur appartienne. Tous les mouvements historiques ont été jusqu'ici accomplis par des minorités au profit de minorités. Le mouvement prolétarien est le mouvement de l'immense majorité au profit de l'immense majorité. »

Sur la forme de la future société communiste, Marx est toujours resté assez vague. Il se voulait « scientifique », craignait de donner dans l'utopie et refusait de « donner des recettes pour les gargotes de l'avenir ». Il présentait le communisme comme « le retour de l'homme à lui-même en tant qu'homme social, c'est-à-dire l'homme humain, retour complet, conscient, avec le maintien de toute la richesse du développement antérieur », comme « la véritable fin de la querelle de l'homme avec la nature et entre l'homme et l'homme..., entre l'existence et l'essence, entre l'objectivation et l'affirmation de soi, entre la liberté et la nécessité, entre l'individu et l'espèce ». La disparition de la propriété privée, en supprimant l'aliénation fondamentale, entraînera aussi la fin des autres aliénations, « l'abandon de la religion, de la famille, de l'État ». Ce sera la fin de la division du travail : à l'individu morcelé de la société capitaliste succédera « l'individu intégral qui saura tenir tête aux exigences les plus diversifiées du travail et donner, dans des fonctions alternées, un libre essor à la diversité de ses fonctions naturelles ou acquises » (on retrouve ici un des thèmes de l'*Utopie* de Thomas More).

Marx envisage d'une manière positive la disparition de l'État car, « les antagonismes de classes une fois disparus..., toute la production étant concentrée dans les mains des individus associés, le pouvoir public perd son caractère politique ». Au point de vue économique, Marx affirme que les « instruments de production » seront désormais propriété collective, de même que le capital, « appartiennent à tous les membres de la communauté »; néanmoins il ne semble pas avoir envisagé la mise en commun des produits, des objets de consommation. L'essentiel, pour lui, était l'abolition de la « propriété bourgeoise », c'est-à-dire du « pouvoir d'assujettir, en se l'appropriant, le travail d'autrui ». Il envisage la « phase supérieure du communisme » comme une société de l'abondance, où « le travail ne sera pas seulement un moyen de vivre mais deviendra lui-même le premier besoin vital », où, avec le développement multiforme des compétences individuelles, les forces productives s'accroîtront sans cesse, et où « toutes les sources de la richesse collective jailliront avec abondance ».

Le marxisme apportait à la classe ouvrière un messianisme optimiste se présentant comme une conception scientifique de l'histoire et de la société. Grâce à lui, le prolétariat, qui se trouvait exclu des valeurs de la civilisation bourgeoise, pouvait se sentir de nouveau en étroite communion avec le monde vivant, et il se voyait promu, du fait même de sa déréliction présente, au rôle de moteur humain privilégié de l'évolution. Par un renversement de toutes les valeurs, n'étant rien, il devenait tout. Comme le note Thierry Maulnier, « le marxisme donnait au prolétariat cette possibilité intellectuelle magnifique de déclarer secondaires, dérivées, et en quelque sorte parasitaires, toutes les formes de la vie sociale dont il était exclu, et de déclarer seule primordiale, seule créatrice, susceptible par conséquent de substituer aux valeurs secondaires de la société bourgeoise des valeurs secondaires nouvelles, la seule forme de la vie sociale à laquelle le prolétariat participât ». Ainsi s'explique l'influence immense que la doctrine marxiste devait exercer sur tout le mouvement ouvrier mondial. Cependant, comme elle restait ambiguë sur bien des points — la fin de l'histoire, le délai de la conversion de l'humanité au communisme, les formes du passage à la société communiste (la thèse d'une « dictature provisoire du prolétariat » était affirmée dès 1852, mais peu explicitement), le rôle, les structures, la stratégie du parti politique chargé de guider le prolétariat (faut-il ou non passer un compromis avec la démocratie bourgeoise?) — et comme elle apparut rapidement à certains partiellement démentie par des transformations du régime capitaliste et de la société bourgeoise que Marx n'avait évidemment pas pu prévoir, de nombreuses interprétations contradictoires

du marxisme se firent jour dès la fin du XIXᵉ s. et au cours du XXᵉ s. C'est ainsi qu'apparurent successivement (v. SOCIALISME) : le « réformisme » d'Eduard Bernstein, qui voulait que la classe ouvrière poursuivît l'amélioration immédiate de son sort par une action syndicale et politique dans le cadre du régime existant; le syndicalisme révolutionnaire de Georges Sorel, qui faisait du syndicat, mobilisé par le mythe de la grève générale, l'agent essentiel de la révolution sociale et la cellule de base de la société future; le néo-socialisme d'Henri de Man, qui soulignait, comme Max Weber, l'influence des facteurs idéaux et moraux; et surtout le socialisme démocratique et parlementaire des partis sociaux-démocrates des grands pays occidentaux, qui poursuivaient la conquête du pouvoir par les voies démocratiques légales et abandonnaient souvent des aspects essentiels de la doctrine de Marx (par exemple l'idée de la lutte des classes).

De Marx à Lénine

Cette « décomposition du marxisme », pour reprendre le mot de Sorel, était en germe dans l'échec de la Iʳᵉ Internationale (v.), fondée en 1864, qui se rompit à la suite de l'opposition entre les marxistes et les anarchistes de Bakounine (congrès de La Haye, 1872). La IIᵉ Internationale (1889) fut une fédération aux liens très souples de partis socialistes réformistes et parlementaires. Événement que Marx n'avait nullement prévu, c'est dans la moins industrialisée des grandes puissances mondiales, la Russie tsariste, qu'allait s'épanouir le marxisme révolutionnaire.

En 1883, l'émigré Plekhanov fondait à Genève, avec Vera Zassoulitch et Axelrod, le premier mouvement marxiste russe, le groupe de l'Émancipation du travail (v.); il affirmait qu'on ne pouvait compter, comme le faisaient les populistes (v.), sur une révolution purement paysanne et que la force principale du mouvement révolutionnaire en Russie serait la classe ouvrière en voie de développement. Après la naissance du parti social-démocrate russe (congrès de Minsk, 1898), des tendances divergentes se firent rapidement jour dans ce mouvement. Certains, les « économistes » (Strouve, Prokopovitch), niaient la nécessité d'une lutte *politique* de la classe ouvrière; leurs thèses se rapprochaient du « trade-unionisme » anglais et du syndicalisme révolutionnaire de type français. Un second groupe, le plus important (il fut toutefois mis temporairement en minorité au congrès de Bruxelles, 1903), estimait que la révolution libérale bourgeoise devait nécessairement précéder, en Russie, la révolution prolétarienne socialiste, et que le parti devait donc s'allier provisoirement avec les partis libéraux, en jouant le jeu de la démocratie. Le groupe révolutionnaire (Lénine, Plekhanov), qui s'exprimait dans le journal l'*Iskra,* fondé en 1900, fit prévaloir ses vues au congrès de Bruxelles et prit dès lors le nom de *bolchevik* (majoritaire), alors que ses adversaires, qui représentaient en fait la majorité du parti, devenaient les *mencheviks* (minoritaires).

Le bolchevisme, dont Lénine fut le chef et le doctrinaire, apparaît essentiellement comme une adaptation du marxisme aux nécessités particulières de la lutte révolutionnaire en Russie. L'apport de Lénine à la pensée communiste peut être résumé en quatre points : *a*) Lénine met l'accent sur l'aspect volontariste de la révolution, laquelle n'a rien de spontané, doit être minutieusement préparée, comme une guerre, et réclame la mobilisation constante du parti, « avant-garde du prolétariat ». Contrairement aux mencheviks, qui concevaient un grand parti largement ouvert à des sympathisants modérés, reposant sur la démocratie interne et admettant la pluralité des tendances, Lénine, sans pour autant céder au romantisme de la « minorité agissante », veut constituer un parti de « révolutionnaires professionnels », rigidement centraliste et discipliné, rompu à toutes les méthodes de lutte, formé de théoriciens (rôle des intellectuels, que contestaient au contraire les socialistes « ouvriéristes ») et d'hommes d'action, armé d'une résolution de fer mais défiant à l'égard de tout « aventurisme », de tout « gauchisme » et dépourvu d'illusions sur l'action spontanée des masses;

b) Raisonnant par rapport à un pays retardataire au point de vue industriel, comme la Russie, Lénine affirme la nécessité d'une alliance entre la classe ouvrière et les masses paysannes, qui avaient été plutôt négligées par Marx et Engels;

c) Théoricien de l'impérialisme, il énonce que la formation et la compétition des monopoles capitalistes doivent engendrer des guerres impérialistes entre puissances capitalistes et des révoltes des colonies et semi-colonies européennes. Ces menaces extérieures sont devenues plus graves pour la survie du système capitaliste que les « contradictions internes » définies par Marx et Engels. Elles modifient profondément la géographie mondiale de la révolution : le développement économique de chaque pays étant inégal, la révolution n'éclatera pas partout à la fois; son déclenchement, même dans un pays industriellement arriéré, rompra la « chaîne du capitalisme mondial » à son « maillon le plus faible » et la révolution s'étendra ensuite aux pays industrialisés. Ainsi non seulement la Russie mais les nations colonisées d'Asie ont un rôle capital à jouer (« la route de l'Europe passe par Chang-hai et Calcutta », dira Lénine en 1920). Toutefois, Lénine et ses compagnons de 1917 n'envisageaient nullement l'hypothèse de la révolution dans un seul pays; ils étaient convaincus que la révolution russe serait l'étincelle de la révolution, décisive celle-là, des grands pays industriels, en particulier de l'Allemagne;

d) Lénine développe l'idée de la dictature du prolétariat, que Marx avait lancée sans trop l'approfondir. Tout en se donnant pour fin ultime l'établissement d'une société communiste sans classes, dans laquelle l'État, devenu inutile, dépérirait, le bolchevisme souligne l'importance de la période de transition nécessaire pour empêcher une réaction contre-révolutionnaire des forces bourgeoises et pour éliminer les vestiges du capitalisme. Cette dictature du prolétariat implique le maintien et même le renforcement de l'État, devenu l'organe de la classe prolétarienne et menant aux ennemis de classe, à l'intérieur comme à l'extérieur, une guerre impitoyable. La dictature du prolétariat sera exercée par le parti communiste, organe éprouvé de la volonté réelle des travailleurs.

La période léninienne (1917/24)

Maître du pouvoir à la suite de la « révolution d'Octobre » (nov. 1917), le parti bolchevik prit le nom de « parti communiste (bolchevik) de Russie » (congrès de Petrograd, mars 1918). Il institua la dictature du prolétariat sous la forme du régime des soviets (voir le détail à UNION DES RÉPUBLIQUES SOCIALISTES SOVIÉTIQUES). Le « communisme de guerre » (v.) et sa tentative d'abolir la monnaie pour la remplacer par un système d'échange en nature fondé sur des « bons du travail » se révélèrent rapidement catastrophiques. Dès l'été 1921, Lénine dut inaugurer la N.E.P. (v.), qui marquait un retour partiel à l'économie privée et souleva l'opposition de certains dirigeants du parti, Trotski, Kamenev, Zinoviev. Mais les communistes russes, voyant le désarroi du monde d'après-guerre, vivaient encore à cette époque dans l'espoir d'une rapide extension mondiale de la révolution. Dès le 24 janv. 1919, Trotski avait lancé un appel aux socialistes de gauche de tous les pays en leur demandant d'envoyer des représentants au congrès qui se tint à Moscou en mars 1919 et qui vit la naissance de la IIIᵉ Internationale (v.). Les débuts de cette organisation, qui devait devenir célèbre sous le nom de Komintern, furent assez médiocres : en mars 1919, dix-neuf délégations étrangères seulement se retrouvèrent à Moscou, venues surtout des pays d'Europe centrale et orientale, mais aucun des grands partis socialistes européens ne se fit représenter. La présidence du Komintern fut confiée à Zinoviev. Au deuxième congrès de l'organisation (Petrograd, juill. 1920), les progrès étaient très nets : des partis communistes s'étaient déjà formés en Allemagne, en Autriche, en Bulgarie, aux Pays-Bas, en Finlande, aux États-Unis, et, au cours des mois suivants, d'autres allaient naître en France (congrès de Tours, déc. 1920), en Italie, en Espagne, en Chine, etc. (v. COMMUNISTES, partis). Le caractère autoritaire et centralisateur du bolchevisme imposa tout de suite son empreinte au communisme mondial : les fameuses « Vingt et Une Conditions » (v.) de Zinoviev obligèrent les partis nationaux à « se conformer au programme et aux directives de la IIIᵉ Internationale », à accepter « l'organisation la plus centralisée » et « une discipline de fer confinant à la discipline militaire ».

Mais les années 1919/20 avaient vu s'effondrer les espoirs d'une révolution mondiale

COMMUNISME
Insigne de la Garde rouge, 1917.

Редакция газеты „Искра"

В. И. Ленин.

Г. В. Плеханов.

Что дѣлать?

Набоѣвшіе вопросы нашего движенія

Н. ЛЕНИНА.

„...роль передового борца может выполнить только партия, руководимая передовой теорией".
В. И. Ленин

Ю. О. Мартов.

В. И. Засулич.

П. Б. Аксельрод.

А. П. Потресов.

РОССІЙСКАЯ СОЦІАЛЬ-ДЕМОКРАТИЧЕСКАЯ РАБОЧАЯ ПАРТІЯ

ИСКРА

„Изъ искры возгорится пламя!"
Отвѣтъ декабристовъ Пушкину

ДЕКАБРЬ 1900 ГОДА

№ 1.

№ 1.

НАСУЩНЫЯ ЗАДАЧИ НАШЕГО ДВИЖЕНІЯ

COMMUNISME
Premier numéro de l'« Iskra » (« L'Étincelle »). Il a pour épigraphe
un vers du poète décembriste Odoevski : « De l'étincelle jaillira la flamme. »
Le premier numéro de l'« Iskra », journal clandestin
des marxistes révolutionnaires, parut le 21 déc. 1900,
à Leipzig. Ce journal créé par Lénine joua un grand rôle
dans la préparation idéologique et l'organisation
d'un parti prolétarien révolutionnaire de type nouveau.
Sur la photo, les membres de la rédaction du journal : V. Oulianov (Lénine),
G. Plekhanov, Y. Martov, Vera Zassoulitch, P. Akselrod,
A. Potressov, Nadejda Kroupskaïa, épouse de Lénine.
Ph. © A.P.N.

1109

dans l'immédiat : les mouvements communistes avaient été écrasés en Allemagne (« semaine sanglante » de Berlin, janv. 1919) et en Hongrie (chute du régime de Béla Kun, août 1919). Dans tous les autres pays d'Europe, le communisme était contenu et les partis sociaux-démocrates gardaient derrière eux la grande majorité de la classe ouvrière. Tout en tournant leurs espoirs vers l'Asie, et en particulier la Chine (alliance avec le Kouo-min-tang), les dirigeants russes durent faire face, avant même la mort de Lénine, au problème imprévu de l'édification du socialisme dans un seul pays, un pays entouré désormais par l'hostilité générale des autres nations.

Le résultat de cette situation fut la prolongation indéfinie de la période autoritaire de la dictature du prolétariat et de la direction étatiste. Lénine, tout en tolérant la discussion au sein du bureau politique, avait instauré la terreur systématique à l'égard des contre-révolutionnaires et interdit l'expression des tendances à l'intérieur du parti. A sa mort, les cadres de la dictature stalinienne étaient déjà en place.

COMMUNISME
Médaille soviétique du travail.
Ph. Jeanbor © Photeb

La période stalinienne de 1924 à 1941

Contre Trotski, resté fidèle au mythe de la révolution mondiale, Staline se fit l'artisan inflexible mais prudent de la construction du socialisme dans un seul pays. Malgré les remous provoqués par le trotskisme, les partis communistes étrangers apportèrent leur soutien à Staline et Trotski fut définitivement éliminé en 1927. S'appuyant sur la police, chassant peu à peu des postes clés les membres de la « vieille garde » bolchevique, Staline parvint à monopoliser à son profit l'appareil du parti. Il dressa les chefs communistes les uns contre les autres, s'appuyant contre Trotski sur les éléments modérés (Boukharine, Rykov), puis se retournant contre ces alliés dès 1929. Le mouvement s'accentua encore après l'assassinat de Kirov (1934) : ce fut le début des grandes purges (v. Moscou, procès de), qui firent disparaître les chefs les plus prestigieux du communisme, Zinoviev et Kamenev en 1936, le maréchal Toukhatchevski en 1937, Rykov et Boukharine en 1938. Réfugié au Mexique, Trotski fut assassiné par un agent stalinien en 1940.

Le stalinisme fut ainsi le premier en date des régimes totalitaires qui devaient marquer l'histoire européenne des années 1930/50. Trotski avait prévu que la limitation du socialisme à un seul pays conduirait nécessairement, du fait de l'isolement de ce pays au sein d'un monde capitaliste hostile, d'abord à une reconstitution en U.R.S.S. de l'appareil d'un État bureaucratique et militaire, puis à la domestication des partis communistes étrangers au service des intérêts de l'Union soviétique, enfin à un véritable impérialisme militaire. Mais il faut souligner que Staline n'a fait qu'accentuer une orientation que Lénine avait dû prendre dès le début des années 20. Dès l'époque léninienne, la thèse

du dépérissement de l'État avait été en fait abandonnée pour celle de la consolidation de l'État socialiste, lequel avait dû défendre son existence contre l'intervention de troupes alliées qui soutenaient les Blancs. Dans le rapport des forces mondiales, Staline ne pouvait que suivre la même ligne : il eut le courage d'admettre que, contrairement aux prévisions de Marx et des bolcheviks de 1917, la révolution avait échoué dans les pays industriellement avancés et que l'U.R.S.S., portant seule les espoirs du communisme mondial, avait dès lors une double mission : se renforcer et se défendre, afin de préserver les résultats de la révolution; entreprendre la construction de son propre socialisme, afin de fournir un exemple aux prolétariats étrangers. Toute autre option, notamment celle de Trotski, eût abouti au désarmement de l'U.R.S.S. et, sans nul doute, à la liquidation de l'expérience communiste dès les années 30.

Cette politique, imposée par les circonstances, bouleversait les schémas théoriques du marxisme-léninisme. Le fer de lance de la révolution n'était plus un parti prolétarien, mais un État national, héritier de traditions séculaires, marqué par les qualités et les défauts d'un peuple particulier, poursuivant, comme tout autre État, un effort diplomatique, économique, militaire, défini par sa situation géopolitique dans le monde. La phase de la dictature du prolétariat étant désormais prolongée d'une manière indéfinie, jusqu'à l'effondrement hypothétique du monde capitaliste, la cause du communisme mondial s'identifiait désormais à celle de l'État soviétique, qui mobilisait à son service exclusif le messianisme marxiste, de même que la Russie des tsars, jadis, s'était voulue le phare du christianisme orthodoxe, la « troisième Rome », appelée, dans les rêves d'un Dostoïevski, à régénérer l'Occident décadent.

Le stalinisme devait être caractérisé par un développement démesuré de l'étatisme. Dès 1928, Staline imposa un régime de planification (v.) centralisée qui mobilisa toutes les énergies de la nation socialiste sur un objectif unique, le développement des biens de production, et notamment de l'industrie lourde, au détriment de tous les secteurs non prioritaires (agriculture, commerce, services, logement, transport des passagers, etc.). Le régime soviétique devint un système d'industrialisation à outrance, qui, loin de les abolir ou de les atténuer, porta à un degré encore jamais atteint dans l'histoire les « aliénations » que le communisme de Marx prétendait faire disparaître : division du travail, dualité villes-campagnes, primat absolu de la productivité; le droit de grève, la liberté du travail, pour lesquels les socialistes du XIXe s. avaient tant combattu, furent supprimés. De l'économie, la mobilisation sur un objectif unique s'étendit à tous les autres aspects de la vie politique, sociale, intellectuelle.

L'État planificateur engendra en tout domaine une prolifération monstrueuse de la bureaucratie, qui est restée jusqu'à nos

jours une des marques les plus caractéristiques des régimes communistes. Dans le parti comme dans l'État, le pouvoir s'exerça rigoureusement de haut en bas; tout débat fut exclu, au nom du centralisme démocratique, et l'unanimité devint la règle. Toute tendance susceptible de détourner ou de diminuer l'effort concentré vers l'objectif prioritaire unique fut impitoyablement éliminée comme contre-révolutionnaire. Lénine avait dissous l'Assemblée constituante, écrasé les socialistes révolutionnaires, créé la police politique qui porta successivement les noms de Tchéka (v.), de Guépéou (v.) et de N.K.V.D. (v.). Sous Staline, l'industrialisation fut payée de la liquidation des koulaks (v.), de l'instauration d'un système concentrationnaire (v. CONCENTRATION, camps de), de l'anéantissement de la génération des chefs bolcheviks de 1917, de la mise au pas des intellectuels et des artistes, tenus de se conformer à la ligne idéologique et aux canons du « réalisme socialiste » définis par le parti.

Mais le stalinisme ne s'appuya pas sur la seule contrainte; il suscita un immense enthousiasme dans la population en persuadant les citoyens soviétiques de l'identité entre socialisme et industrialisation : creuser des canaux, édifier des barrages, mettre en marche des centrales électriques, implanter des installations industrielles, c'était désormais poursuivre l'œuvre de la révolution et changer le monde. L'exaltation de la patrie socialiste devait conduire rapidement à la renaissance du patriotisme russe et, avec l'agression hitlérienne de 1941, à une évocation des pages de gloire de l'ère impériale et à un retour aux uniformes, à la discipline militaire traditionnels. Dès les années 30, un culte de la personnalité se développa autour de Staline, vénéré comme ne l'avait jamais été aucun tsar.

Malgré l'établissement de relations diplomatiques avec les pays capitalistes (avec l'Allemagne : traité de Rapallo, 1922; avec le Royaume-Uni et la France : 1924), la politique extérieure stalinienne restait fondée sur la perspective d'un inévitable affrontement entre l'U.R.S.S. et le reste du monde. Les partis communistes étrangers durent se plier au mot d'ordre fondamental : soutien inconditionnel et défense de l'Union soviétique (VIe congrès du Komintern, juill./sept. 1928). Dès le début des années 30, tous les dirigeants des grands partis communistes furent des hommes formés à la discipline du stalinisme, qui suivaient sans hésitation la ligne définie par Moscou et qui, selon l'expression de Bernard Féron, « se considéraient un peu comme les préfets du parti de l'Union soviétique — patrie du socialisme — en terre infidèle ».

Le refus de toute collaboration avec les sociaux-démocrates affaiblit les forces de gauche en de nombreux pays — notamment en Allemagne, où le parti communiste était plus nombreux que dans tout autre pays capitaliste (v. COMMUNISTES, partis). Pendant longtemps, l'U.R.S.S. crut pouvoir exploiter

sans risques les contradictions du monde capitaliste : ainsi, face aux puissances victorieuses de Versailles, elle s'était rapprochée de l'Allemagne à Rapallo (1922) et avait permis à la Reichswehr de tourner les stipulations des traités de paix en entraînant ses spécialistes sur des terrains militaires soviétiques. Devant la montée des fascismes, Staline comprit les dangers d'une telle politique et l'arrivée au pouvoir de Hitler comme l'affirmation de l'impérialisme japonais en Mandchourie et en Chine amenèrent un important revirement de la stratégie mondiale du communisme. Alors que la direction de l'État se renforçait encore en U.R.S.S., où Staline déclenchait les « grandes purges », les années 35/39 furent placées, dans les autres pays, sous le signe du front populaire (v.).

En France et en Espagne notamment, les communistes se firent les champions de l'union de toutes les forces populaires et démocratiques contre le fascisme; Maurice Thorez inaugura la politique de la « main tendue » aux catholiques; le parti, qui avait mené des campagnes antimilitaristes extrêmement violentes dans les années 20, appuya soudain l'effort de défense nationale. En Chine, Mao Tsé-toung se réconcilia avec le Kouo-min-tang de Tchang Kaï-chek pour constituer un front commun contre l'invasion japonaise. Mais la méfiance des dirigeants occidentaux ne permit pas à ce nouveau style communiste de se concrétiser dans des accords internationaux de défense mutuelle contre les ambitions de Hitler (dès 1935, cependant, Pierre Laval avait conclu un pacte franco-soviétique). Les procès de Moscou (v.) soulevèrent dans le monde entier une vague de réprobation et jetèrent le trouble même parmi les compagnons de route des communistes.

Tenu à l'écart de la conférence de Munich (v.) (sept. 1938), Staline put craindre que l'Angleterre et la France n'essayassent de détourner l'expansionnisme hitlérien vers les terres de l'Est. Peu de temps après l'entrée de Hitler à Prague, il fit ses premières avances diplomatiques à l'Allemagne (démarche de l'ambassadeur Merekalov auprès de Weizsäcker, 17 avr. 1939), et, par un nouveau revirement, sans doute le plus inattendu de l'histoire du communisme, il conclut avec Ribbentrop le pacte germano-soviétique du 23 août 1939. Quoiqu'elle fût mise à rude épreuve, la solidarité des partis communistes étrangers avec Moscou joua cependant presque sans réserves. L'événement donnait la preuve que le stalinisme avait réduit le communisme international à un simple rôle d'auxiliaire discipliné des intérêts particuliers de l'U.R.S.S. Au cours des deux premières années de la guerre, tandis que l'Union soviétique livrait à l'Allemagne des matières premières essentielles, la propagande communiste s'abstint d'attaquer la politique hitlérienne, réservant ses traits à la « guerre impérialiste » menée par les démocraties occidentales.

COMMUNISME

COMMUNISME

Staline sous son portrait, à la tribune des chefs communistes internationaux célébrant le 70ᵉ anniversaire de Staline.

Ph. © Keystone

Portrait de Staline arboré dans un défilé à Bucarest, Roumanie, 1953.

Ph. © U.S.I.S. Photeh

De la guerre contre Hitler à la mort de Staline (1941/53)

Le 22 juin 1941, la Wehrmacht, déclenchant l'opération Barberousse, se ruait à l'assaut de l'Union soviétique, dont les régions européennes les plus riches furent rapidement envahies. Tandis que Staline, ayant reçu dès août 1941 le soutien des États-Unis au titre de la loi prêt-bail (v.), réhabilitait en U.R.S.S. toutes les valeurs patriotiques traditionnelles et le sens d'une continuité avec le passé de la Russie tsariste (arrêt de la propagande antireligieuse, apologie d'Ivan le Terrible dans le film d'Eisenstein, abandon de *L'Internationale* pour un hymne propre à la patrie soviétique, propagande de guerre non seulement contre le fascisme mais contre l'ennemi *allemand*), dans tous les pays d'Europe occupés par Hitler, les communistes, avec leur esprit habituel de discipline et de sacrifice, se portaient au premier rang de la Résistance (v.), dont ils furent souvent l'élément le plus actif et le plus résolu.

En France, ils constituèrent les cadres des Francs-Tireurs et Partisans (v.), et des dizaines de milliers de leurs militants furent fusillés ou déportés. En Italie, ils jouèrent également un rôle majeur dans la guerre de partisans, en 1944/45. En Yougoslavie, le chef communiste Broz (Tito) mit sur pied une véritable armée, dont la détermination farouche contrastait avec l'attitude parfois ambiguë des Tchetniks du colonel Mihaïlovitch (aussi le mouvement de Tito fut-il reconnu dès 1943 par Churchill comme l'expression authentique de la Résistance yougoslave).

Le courage et l'organisation des communistes impressionnèrent profondément les autres combattants des mouvements de résistance et ce fut au cours de ces années de guerre que le parti, en Europe orientale, en Italie, en France, conquit des millions de sympathisants. Tout en menant la lutte contre l'occupant, les communistes préparaient évidemment les bases d'une éventuelle prise du pouvoir à la fin des hostilités, à la faveur de la période de misère et d'anarchie qui devait suivre l'effondrement de la domination allemande en Europe. C'est dans ce dessein qu'ils suscitaient des « fronts nationaux » ou des « fronts patriotiques », rassemblant des hommes de gauche, des syndicalistes, des patriotes sans appartenance politique, mais dont la direction était noyautée par des militants sûrs.

Mais, en dépit de la dissolution officielle du Komintern (22 mai 1943) — concession accordée aux Alliés occidentaux —, ce fut encore Staline, et non les partis communistes nationaux, qui décida de l'opportunité de la prise du pouvoir dans chaque pays. C'est ainsi qu'en 1945 les chances révolutionnaires qui se présentaient en Europe occidentale, notamment en France et en Italie, furent délibérément sacrifiées à la sécurité de l'Union soviétique. Celle-ci, qui sortait saignée et ruinée de la guerre, ne pouvait se permettre de défier les Occidentaux et de

courir le risque d'une guerre avec les États-Unis, qui possédaient alors le monopole de l'arme atomique. Staline se contenta donc — au mépris des accords de Yalta (v.) — de transformer les pays de l'Europe de l'Est occupés par l'armée rouge en un véritable glacis soviétique. En Europe occidentale, au contraire, les partis communistes se contentèrent de poursuivre leur action politique et syndicale sur le plan de la légalité démocratique, en acceptant même, ce qu'ils n'avaient jamais fait jusqu'alors, la collaboration gouvernementale avec les partis « bourgeois ». Peut-être les dirigeants du communisme mondial envisageaient-ils alors que l'Europe de l'Ouest allait connaître une longue crise économique qui serait favorable, ultérieurement, au succès des partis communistes. En 1947, le lancement du plan Marshall (v.) ruina cet espoir et amena la fin de la collaboration des communistes avec les autres partis.

Tandis que le monde entrait dans la guerre froide (v.), le premier souci de Staline fut, plus que jamais, de consolider le bloc soviétique. Des régimes de démocratie populaire furent imposés à tous les pays de l'Est, séparés désormais du reste du monde par un « rideau de fer » (v.). Dès sept. 1947, une nouvelle centrale internationale fut fondée sous le nom de Kominform (v. INTERNATIONALE). Dans tous les pays, l'appareil de la propagande communiste fut mobilisé contre les États-Unis. L'affrontement des blocs fut présenté comme une nouvelle phase de la révolution mondiale. Après l'arrivée au pouvoir de Mao Tsé-toung en Chine (1949), le communisme parut atteindre son apogée : le système soviétique constituait « un ensemble multinational fortement structuré, de tendance autarcique » (F. Perroux), qui englobait près d'un milliard d'hommes et dont l'influence, à la faveur des troubles de la décolonisation, se répandait rapidement en Asie et en Afrique. La guerre froide provoqua partout un retour à la ligne la plus dure du stalinisme. Le chef communiste bulgare Dimitrov pouvait ainsi déclarer, en déc. 1948 : « Il ne faut pas oublier, en dépit du fait qu'une Internationale communiste n'existe pas, que tous les partis communistes du monde forment un seul front communiste, sous la direction du parti communiste le plus brillant et le plus expérimenté, le parti de Lénine et de Staline. »

Ce fut pourtant à l'heure même de cet apogée que les premières fissures se produisirent dans le bloc en apparence monolithique du stalinisme. Seul parmi les dirigeants communistes de l'Europe de l'Est à avoir été porté au pouvoir par les forces mêmes de la résistance nationale, et non grâce à l'appui des armées soviétiques, le Yougoslave Tito rompit avec l'U.R.S.S. dès le mois de juin 1948 : le titisme constitua la première manifestation de la survivance des nationalismes au sein du monde socialiste. Malgré l'élimination physique ou politique des titistes des démocraties populaires (Rajk, Slansky, Gomulka), le stalinisme ne réussit pas à faire rentrer dans l'obédience une Yougoslavie qui resta au contraire un exemple dangereux pour ses voisines de l'Europe centrale et balkanique.

A l'Ouest, sous l'impulsion américaine, l'Europe se relevait de ses ruines avec une rapidité inattendue et, dès 1950, entrait dans une nouvelle phase d'expansion capitaliste entraînant une hausse générale du niveau de vie, alors que l'économie des pays de l'Est restait concentrée sur l'objectif prioritaire des biens de production, au détriment des biens de consommation les plus élémentaires. Les États-Unis, qui avaient mis en échec l'expansion communiste à Berlin (blocus de 1948/49) et en Corée (1950/53), encerclaient le bloc soviétique d'un réseau de bases et d'alliances militaires (O.T.A.N.).

Réalité et limites de la déstalinisation

En janvier 1953, l'annonce d'un «complot des blouses blanches» semblait préparer une nouvelle vague de purges comme l'U.R.S.S. en avait connu en 1935/38, mais Staline mourut le 5 mars 1953. Sa disparition fut un tournant capital dans l'histoire du communisme. L'élimination de Beria (juill. 1953), qui symbolisait la toute-puissance de la police, fut un des signes que l'appareil du parti reprenait en main la direction de l'U.R.S.S.; des changements se manifestèrent également dans les démocraties populaires (effacement du stalinien Rakosi en Hongrie, dès 1953) et dans les relations soviéto-occidentales (armistice en Corée, juill. 1953). Premier secrétaire du parti dès sept. 1953, Khrouchtchev chassa du pouvoir le «groupe antiparti» (Molotov, Malenkov) en juin 1957 et devint le numéro un de l'U.R.S.S. Bien que Khrouchtchev soit bientôt devenu l'objet d'un «culte de la personnalité» qui rappelait quelque peu l'époque stalinienne, il ne posséda jamais les pouvoirs de Staline. Au XXᵉ congrès du parti communiste soviétique (14/25 févr. 1956), Khrouchtchev lança le thème de la coexistence pacifique (v.) en politique étrangère, et, dans la nuit du 24 au 25 févr., il donna lecture de son fameux rapport secret, qui dénonçait avec force détails les erreurs et les «crimes» de Staline, les méfaits de sa police politique, l'élimination de l'élite communiste au cours des grandes purges, les erreurs stratégiques de Staline avant et après le déclenchement de l'agression hitlérienne de 1941, etc.

Ce «rapport Khrouchtchev» marqua le début d'un grand ébranlement en U.R.S.S., dans les pays satellites et dans les partis communistes du monde entier. Non sans certaines résistances locales — notamment dans les P.C. chinois et français (ce dernier avait été le plus stalinien de tous les partis occidentaux) —, le communisme soviétique et international eut alors le courage d'entreprendre un examen de conscience, une autocritique qui remettait en question trente ans de son histoire et faisait vaciller le mythe longtemps répandu de la disparition des contradictions dans une société socialiste. La déstalinisa-

tion fit disparaître ou atténua un certain nombre de techniques de gouvernement qui avaient fini par constituer la norme communiste au temps de Staline : «1° le centralisme administratif excessif; 2° le principe strict de direction personnelle; 3° le contrôle exercé simultanément par plusieurs appareils bureaucratiques concurrents; 4° l'investissement prioritaire dans les industries lourdes, au détriment des industries légères et de l'agriculture; 5° l'enrégimentement strict des intellectuels; 6° la terreur de masse la plus arbitraire.» (Jeremy R. Azrael, dans *Change in Communist Systems,* colloque de 1968, Stanford University.) Le principe de la direction collégiale fut réellement mis en pratique en Union soviétique; les directeurs d'entreprise, les administrateurs aux niveaux intermédiaires, les organismes régionaux et locaux du parti obtinrent une certaine autonomie; les experts et les intellectuels furent encouragés à formuler des critiques «constructives»; des investissements importants furent transférés de l'industrie lourde aux secteurs considérés jusqu'alors comme secondaires, et qu'on avait sacrifiés; les thèses de Kantorovitch et de Liberman, commentées publiquement dès 1962, mirent à l'ordre du jour la réforme de l'économie socialiste dans le sens d'une plus grande responsabilité des entreprises, d'une certaine liberté des échanges, d'un rôle plus important accordé au profit, sans que soit pour autant remise en cause la propriété étatique des moyens de production. La répression policière a cessé d'être massive et aveugle, mais elle continue à s'exercer, surtout à l'encontre des intellectuels, qui peuvent être empêchés de publier leurs livres (Soljénitsyne), ou condamnés au travail forcé, ou confinés dans des asiles psychiatriques, etc. La déstalinisation entraîna des changements dans les rapports de Moscou avec les démocraties populaires, avec la Chine et avec les partis communistes nationaux. En oct. 1956, Khrouchtchev et les dirigeants soviétiques, venus en groupe à Varsovie, consentirent au retour au pouvoir de Gomulka qui, tout en montrant sa résolution de pratiquer une politique plus libérale et plus nationale, entendait rester fidèle à l'alliance soviétique. En Hongrie, au contraire, Imre Nagy fut dépassé par la révolution de Budapest, que les chars soviétiques vinrent écraser (oct./ nov. 1956). Budapest montrait que la recherche de «voies diverses vers le socialisme» ne pouvait en aucun cas signifier pour les hommes du Kremlin une rupture des liens imposés depuis 1945 aux pays de l'Europe orientale. Cependant, l'ancienne direction stalinienne ne fut pas restaurée en Hongrie, et János Kádár s'efforça, comme Gomulka en Pologne, de réaliser dans le calme les mutations nécessaires. La déstalinisation se poursuivit avec prudence dans les autres démocraties populaires, mais ses effets psychologiques furent pour un temps annulés dans l'opinion des pays occidentaux, où les partis communistes se retrouvèrent isolés et en proie à des crises

COMMUNISME

Un char soviétique opérant sur la place Wenceslas, à Prague,
le 21 août 1968. Cette prise de vue, dont la mauvaise qualité
s'explique aisément, a été réalisée au cœur de la capitale.
C'est Leonide Brejnev, soutenu par le Comité central
du parti communiste de l'U.R.S.S., qui a décidé,
la veille, cette intervention.
Les armées soviétique, polonaise, allemande (R.D.A.) et bulgare
ont pénétré en Tchécoslovaquie dans la nuit. La période de troubles
durera jusqu'en août 1969. Sur cette même place, Jan Palach
se suicidera le 16 janv. 1969, par le feu, en signe de protestation.
Ph. © U.S.I.S. - Photeb

(nombreuses démissions d'intellectuels dans
le P.C. français). Cependant, les nouveaux
dirigeants soviétiques, désireux de se
rapprocher de Tito, avaient décidé la dissolution du Kominform (avr. 1956), et, dès la
même année, le chef communiste italien
Togliatti osait mettre en question la prééminence absolue de Moscou en développant la
thèse du polycentrisme. Les Roumains, tout
en conservant à l'intérieur un régime très
proche du stalinisme, devaient mettre à
profit la déstalinisation pour affirmer, avec
une hardiesse croissante, le principe de la
souveraineté nationale.
La conséquence la plus grave de cette évolution devait être la rupture idéologique entre
Moscou et Pékin. A la conférence communiste de Moscou, en nov. 1957, Mao Tsé-
toung avait proclamé que le camp socialiste
ne pouvait avoir qu'une tête, l'Union
soviétique, ce qui était une façon détournée
de condamner les thèses sur le polycentrisme et les « voies diverses vers le
socialisme ». En fait, les Chinois s'inquiétaient de la nouvelle politique moscovite
non seulement par opposition doctrinale au
révisionnisme, mais aussi par crainte de se
trouver isolés, du fait de l'apaisement de la
guerre froide et de la nouvelle coexistence
pacifique entre Soviétiques et Américains.
La conférence communiste de nov. 1960
finit par adopter une longue déclaration qui
essayait de rassembler les thèses contradictoires des Soviétiques et des Chinois, mais
elle fut marquée par le départ spectaculaire
du dirigeant albanais Enver Hodja, qui avait
défendu avec véhémence les thèses chinoises. Le 14 juin 1963, la publication par
Pékin des « 25 points de Mao Tsé-toung »
montra que les conceptions des deux plus
grands partis communistes étaient désormais inconciliables : les Chinois rejetaient l'idée que « la contradiction entre
le prolétariat et la bourgeoisie puisse être
résolue sans révolution prolétarienne »
(point 5); proclamaient que, « pour un parti
marxiste-léniniste, tomber dans le créti-
nisme légaliste et parlementaire, confiner la
lutte aux limites permises par la bourgeoisie, c'est récuser la dictature du prolétariat »
(point 10); justifiaient le recours à la guerre,
« continuation de la politique par d'autres
moyens » (point 14); revendiquaient pour la
Chine et les autres pays communistes le
droit à l'indépendance doctrinale, puisque
« certains s'ingèrent dans les affaires d'autres pays frères qu'ils veulent forcer à changer de direction en vue de leur imposer leur
propre ligne erronée » (point 20).
Affirmant ne pas craindre le risque d'une
guerre nucléaire (déclaration de Mao
publiée en sept. 1963), la Chine des années
60, malgré les échecs rencontrés par le Grand
Bond en avant et par l'expérience des
« communes populaires » (v. Chine), entendait poursuivre sans compromis la réalisation du communisme. Contre l'U.R.S.S. et
son « chauvinisme de grande puissance »,
elle faisait appel aux pauvres du monde
entier, et surtout au prolétariat misérable des
pays sous-développés, à cette paysannerie

d'Asie et d'Afrique qui, dans la pensée de Mao, devait être la classe révolutionnaire par excellence, comme la paysannerie chinoise l'avait été depuis l'époque de la Longue Marche. Alors que l'Union soviétique et les démocraties populaires européennes corrigeaient leur politique en fonction de la rationalité économique, Mao Tsé-toung n'hésitait pas, pour sauver le dynamisme idéologique de la Chine nouvelle, à mettre en question le parti lui-même, à renverser son appareil par le déclenchement de la révolution culturelle (1966/68). Cette ligne chinoise n'exclut pas d'ailleurs un réalisme digne des disciples de Staline : la Chine s'est dotée d'une force de frappe nucléaire et, au début de la décennie 70, poursuivait activement son équipement en fusées balistiques. Elle développait son commerce avec l'Occident, recevait le président Nixon à Pékin (févr. 1972) et normalisait ses relations avec le Japon.

Préoccupée par la puissance chinoise, l'Union soviétique poursuivit sa politique de coexistence avec les États-Unis (notamment dans le cadre privilégié des négociations S.A.L.T. concernant la limitation des armements stratégiques) et s'efforça d'assurer sa sécurité en Europe, soit par des accords qui semblaient consacrer l'apaisement de la guerre froide, soit par un resserrement de ses liens avec les démocraties populaires. C'est pourquoi elle ne put tolérer, en 1968, que l'expérience Dubcek à Prague risquât de servir d'exemple dans les autres pays de l'Est (v. TCHÉCOSLOVAQUIE). L'invasion de la Tchécoslovaquie par l'U.R.S.S. et ses alliés du pacte de Varsovie — à l'exception de la Roumanie — suscita de vives réactions dans le mouvement communiste. L'intervention soviétique fut condamnée par les gouvernements chinois, albanais, yougoslave, roumain, et, pour la première fois dans leur histoire, des partis communistes occidentaux — entre autres, ceux de France et d'Italie — se désolidarisèrent plus ou moins nettement de Moscou. Les dirigeants du Kremlin se justifièrent en formulant une doctrine de la « souveraineté limitée », selon laquelle les États communistes ont à répondre de leur action non seulement devant leur propre classe ouvrière, mais aussi devant la classe ouvrière internationale, ce qui autoriserait les États frères à intervenir pour sauvegarder le socialisme dans un pays où il serait menacé par une « contre-révolution ».

Malgré cette crise, les Soviétiques purent réunir à Moscou, en juin 1969, le sommet communiste en préparation depuis 1962. Cinq pays communistes (la Chine, la Corée du Nord, le Viêt-nam du Nord, l'Albanie et la Yougoslavie) n'étaient pas représentés à cette conférence et le parti cubain n'y avait délégué qu'un observateur. Les Soviétiques avaient dû renoncer à exiger aucune excommunication de Chinois; les problèmes les plus brûlants, ceux de la Chine et de la Tchécoslovaquie, ne furent d'ailleurs pas discutés. La conférence n'en eut pas moins son importance car, dans sa déclaration finale, elle admit, au moins implicitement, la thèse du

polycentrisme défendue naguère par Togliatti : désormais, Moscou reconnaissait qu'il n'existe pas, « à notre époque », de « centre dirigeant du mouvement communiste international » et que chaque parti « élabore en toute indépendance sa politique, définit la direction, les formes et les méthodes de sa lutte, détermine sa voie — pacifique ou non, selon les circonstances — de passage au socialisme, ainsi que les formes et les méthodes de construction du socialisme dans son pays ».

Les années 1970/75 ne devaient pas être marquées par des changements majeurs dans le communisme international. Aucun apaisement ne se manifesta dans la tension sino-soviétique, et la Chine populaire consolida sa position intérieure et internationale, par la réorganisation des organismes du gouvernement et du parti, par son admission à l'O.N.U. et au Conseil de sécurité (1971), par le développement de ses liens diplomatiques et économiques avec l'Occident; développant leur politique antisoviétique, les dirigeants chinois appelèrent l'Europe occidentale à s'unir et à s'armer pour empêcher toute agression de l'U.R.S.S. L'effondrement des régimes proaméricains dans la péninsule indochinoise (1975) marqua de nouveaux progrès de la pénétration communiste en Asie, mais elle laissait Soviétiques et Chinois seuls face à face et rivaux sur ce continent. En Amérique latine, le communisme subissait un grave échec avec la chute du régime d'Allende au Chili (1973) et renonçait officiellement à la stratégie de la guérilla (1975). Face à l'Occident en proie à une récession entraînant une instabilité politique grandissante, l'U.R.S.S. et le bloc des États socialistes de l'Est européen montraient une remarquable stabilité politique mais connaissaient aussi, surtout en Pologne, les phénomènes d'inflation. Les procès intentés à des juifs sionistes, l'internement d'intellectuels contestataires dans des asiles psychiatriques, l'expulsion de Soljénitsyne (1974) et ses révélations, largement diffusées en Occident, sur l'univers concentrationnaire du Goulag manifestaient la persistance des tensions sous l'immobilité de l'ordre communiste.

En janv. 1974, les partis communistes de l'Europe occidentale, à leur réunion de Bruxelles, se prononçaient pour de larges alliances avec les forces de gauche, mais ils réalisaient très diversement ce programme : alors que les communistes britanniques consacraient surtout leurs efforts à la pénétration dans les postes responsables des Trade Unions, les communistes français, inquiets des progrès du parti socialiste, provoquaient des tensions dans l'union de la gauche après l'échec de Mitterrand aux élections présidentielles de mai 1974; les communistes italiens, au contraire, préconisaient, sous la forme du « compromis historique », une large alliance gouvernementale avec les démocrates-chrétiens. Au Portugal, après le putsch militaire du 25 avr. 1974, les communistes prenaient rapidement une place prépondérante dans le régime révolutionnaire, monopolisant la direction des syndicats et les moyens d'information, et ne cachant pas leur opposition à la démocratie parlementaire « bourgeoise » défendue par les socialistes; mais ils se heurtaient à une puissante opposition, surtout dans le N. du pays, et, aux élections d'avr. 1976, ils n'obtenaient que 15% des voix; les socialistes, formant un gouvernement homogène, les écartaient du pouvoir en juill. 1976. L'attitude dure des communistes portugais, approuvée par les communistes français, était au contraire condamnée par leurs camarades italiens. En contraste avec les Portugais, les communistes espagnols adoptaient une ligne politique souple et se prononçaient pour une large union de tous les partis démocratiques.

Malgré les efforts de Moscou, la tendance au polycentrisme s'accentuait ainsi en Europe occidentale. Tandis que l'Italien Berlinguer n'hésitait pas à déclarer, au printemps 1976, que l'alliance de l'O.T.A.N. pourrait éventuellement préserver d'une intervention soviétique une expérience communiste originale en Italie, le P.C. français renonçait officiellement au dogme de la dictature du prolétariat. Réunie avec beaucoup de difficultés à la fin de juin 1976, la Conférence des partis communistes européens de Berlin consacrait le polycentrisme en déclarant que tous les partis « développeront leur coopération et leur solidarité internationalistes, fraternelles et volontaires, sur la base des grandes idées de Marx, Engels et Lénine, tout en préser-

vant strictement l'égalité et l'indépendance souveraine de chaque parti, la non-ingérence dans les affaires intérieures, tout en respectant le libre choix de différentes voies dans la lutte pour des transformations sociales progressistes et pour le socialisme ».

Cette évolution est-elle susceptible d'assurer aux partis communistes de l'Europe occidentale des progrès spectaculaires? Malgré ses difficultés économiques, cette région du monde restait relativement peu perméable à la pénétration communiste. Le seul P.C. occidental en constante ascension depuis la fin de la Seconde Guerre mondiale était celui d'Italie, qui recueillait 19% des suffrages aux élections générales de 1946, 27,2% à celles de 1972 et plus de 30% de 1976 à 1984. En revanche, le P.C. français était tombé de 28,6 % en 1946 à 11,3 % en 1988, le nouveau parti socialiste de F. Mitterrand l'ayant supplanté comme premier parti de la gauche. En Finlande, en Islande, au Portugal, les communistes formaient de 15 à 20 % de l'électorat. Partout ailleurs en Europe, leur pourcentage était inférieur à 10%, et leur influence politique était négligeable en Allemagne fédérale, en Autriche, en Grande-Bretagne, dans les pays scandinaves, en Belgique, aux Pays-Bas, en Irlande.

● Depuis l'accession au pouvoir de M. Gorbatchev en U.R.S.S. et la « démaoïsation » en Chine, les dogmes communistes perdaient de leur crédibilité aux yeux mêmes de ceux qui s'y référaient encore.

COMMUNISTES (partis)
Gabriel Péri, journaliste
et député (1902-1941), parlant
à un meeting.
Ph. © Archives de « l'Humanité »
Photeb

COMMUNISTES (partis). En 1976, on comptait environ 65 millions de membres des partis communistes dans le monde, les partis numériquement les plus puissants étant, dans l'ordre : ceux de Chine (28 millions), de l'U.R.S.S. (15 millions), de Roumanie (2,5 millions), de Pologne (2,3 millions), de la République démocratique allemande (2 millions), d'Italie (1,7 million), de Corée du Nord (1,6 million), de Tchécoslovaquie (1,3 million), du Nord-Viêt-nam (1,2 million), de Yougoslavie (1 million).

Union soviétique

Le parti communiste de l'Union soviétique est issu du parti social-démocrate fondé au congrès de Minsk en mars 1898. A la suite du congrès de Bruxelles-Londres (juill./août 1903), ce parti se divisa en deux tendances, celle des bolcheviks (v.), conduits par Lénine, et celle des mencheviks (v.). A son VIIᵉ congrès (6/8 mars 1918), le parti ouvrier social-démocrate bolchevik de Russie décida de changer son nom en celui de parti communiste (bolchevik) de Russie. En 1924, il devint le parti communiste (bolchevik) de l'Union soviétique, et, en 1952, il abandonna l'épithète de « bolchevik ». Depuis la révolution d'oct. 1917, c'est lui qui détient le monopole du pouvoir en U.R.S.S. et son histoire

se confond avec celle de ce pays (v. UNION DES RÉPUBLIQUES SOCIALISTES SOVIÉTIQUES et COMMUNISME). Il comptait 240 000 membres en juill. 1917, 1 588 852 en mars 1939, 6 millions en oct. 1952 et atteignait 14 millions en 1971. Le parti tient, en principe, un congrès tous les quatre ans. Le congrès élit le Comité central, mais la direction du parti est exercée en fait par un bureau politique (appelé Présidium de 1952 à 1966) et par un secrétariat. Le poste de secrétaire général du P.C.U.S., responsabilité politique suprême, fut occupé par Staline de 1922 à 1953; Krouchtchev prit ensuite le titre de premier secrétaire du parti (1953/64); Brejnev lui succéda de 1964 à 1982, puis Youri Andropov de nov. 1982 à févr. 1984, Constantin Tchernenko du 13 févr. 1984 au 10 mars 1985, Mikhaïl Gorbatchev à partir du 11 mars 1985.

France

Le parti communiste français naquit le 29 déc. 1920 au congrès socialiste S.F.I.O. de Tours (v.), où la majorité se prononça pour l'adhésion à la IIIᵉ Internationale (Komintern) et constitua la S.F.I.C. (Section française de l'Internationale communiste); la minorité fit scission et continua la S.F.I.O. (v. SOCIALISME). Le parti communiste garda le contrôle de l'ancien organe de Jaurès, *l'Humanité* (v.). La scission de l'ancien parti socialiste entraîna celle de la Confédération générale du travail (v.), et, en 1922, les communistes créèrent une nouvelle centrale syndicale, la C.G.T.U. Après L.-O. Frossard (1920/23) et Albert Treint (1923/24), le secrétariat général passa à Pierre Sémard (1924/29), qui entreprit la « bolchevisation » du parti. Après une brève période de secrétariat collectif, avec Barbé, Célor, Frachon et Thorez (1929/30), Maurice Thorez devint secrétaire général en oct. 1930; il devait conserver ce poste jusqu'en mai 1964.

Dans sa première période, jusqu'en 1932, la S.F.I.C. voulut être un parti révolutionnaire, prêt à recourir à tous les moyens, légaux ou illégaux, pour renverser le pouvoir de la bourgeoisie. Violemment antimilitariste et internationaliste, il fit campagne pour l'annulation du traité de Versailles, contre l'occupation de la Ruhr (1923) et contre la guerre du Rif (1925). Ses positions extrêmes firent rapidement diminuer ses effectifs, qui tombèrent de 131 000 adhérents en 1921 à 52 000 en 1923. Mais le parti attirait des intellectuels (adhésion des surréalistes, avec Aragon, en 1927) et comptait de nombreux sympathisants chez les instituteurs. Les communistes luttaient sans ménagement contre les socialistes et se trouvaient complètement isolés au sein de la gauche française. En avr. 1927, le ministre radical de l'Intérieur, Albert Sarraut, lançait le slogan : « Le communisme, voilà l'ennemi! »

Les principaux chefs du parti furent poursuivis et momentanément arrêtés (1929). La chute des effectifs se poursuivant, le parti n'avait plus que 29 000 adhérents en 1931. Le nombre de ses députés tomba de 26 en 1924 à 12 en 1928 et à 11 en 1932 (à ces dernières élections, les voix communistes ne représentaient que 8,4 %). Cette période fut également marquée par de nombreux départs ou exclusions (L.-O. Frossard en 1923, Boris Souvarine en 1924, Barbé et Célor en 1931, Doriot en 1934).

Thorez fut le grand artisan du redressement du parti, qu'il aligna rigoureusement sur la ligne définie par Moscou. Dès le début des années 30, le parti communiste français se distingua entre tous par sa fidélité à Staline. Suivant les directives du Komintern, il amorça, dès la fin de 1932, un rapprochement avec les socialistes, mais cette nouvelle politique ne se concrétisa qu'après l'émeute du 6-Février et la réaction des forces de gauche qu'elle provoqua. Après de laborieuses négociations, le P.C. et la S.F.I.O. signèrent un pacte d'unité d'action (27 juill. 1934), et, au mois d'octobre suivant, Thorez lança l'idée d'un Front populaire (v.), élargi aux radicaux. La conclusion par Laval du pacte franco-soviétique (1935) contribua à réintégrer dans la vie politique française les communistes, qui, désormais, se firent les champions de la défense nationale et d'une sorte d'union sacrée des forces démocratiques contre la menace hitlérienne. En avr. 1936, Thorez inaugurait la politique de la

« main tendue » aux catholiques.

Marquées par la victoire du Front populaire, les élections d'avr./mai 1936 virent une spectaculaire remontée du parti communiste, qui obtint 72 sièges et 15,3 % des suffrages. Lorsque Léon Blum forma son ministère, les communistes adoptèrent une politique de soutien sans participation. Maurice Thorez contribua à mettre fin aux grands mouvements de grève, qui risquaient de paralyser le pays, mais le parti attaqua vivement l'attitude de non-intervention adoptée par Blum lors de la guerre civile d'Espagne; dès le 5 déc. 1936, ses députés s'abstinrent d'un vote de confiance sur la politique extérieure du gouvernement. Cependant, au nom de la lutte contre le fascisme, les communistes continuèrent à soutenir les gouvernements successifs du Front populaire, jusqu'à la rupture provoquée par Daladier et les radicaux (5 déc. 1938). Le parti communiste français approuva le pacte germano-soviétique du 23 août 1939, ce qui permit au gouvernement Daladier de dissoudre ses organisations (sept. 1939); plusieurs de ses dirigeants furent arrêtés, tandis que son secrétaire général, Maurice Thorez, désertait (oct. 1939) pour rejoindre l'U.R.S.S. Au début de l'occupation allemande, le parti communiste eut une attitude pour le moins ambiguë et certains de ses dirigeants essayèrent même de faire reparaître à Paris *l'Humanité*. Cependant, Gabriel Péri, l'un des membres du comité central, fut arrêté dès mai 1941 pour diffusion de journaux clandestins (il devait être fusillé par les Allemands en décembre) et, après l'attaque allemande contre l'U.R.S.S. (22 juin 1941), les cadres et les militants communistes se mirent à l'avant-garde de la Résistance intérieure.

Par leurs attentats individuels contre les militaires de l'armée d'occupation, ils amenèrent les Allemands à pratiquer une répression aveugle (exécution d'otages) qui ruina définitivement toutes les chances de la collaboration (v.). Ils créèrent les Francs-Tireurs et Partisans (v.) et s'efforcèrent d'étendre leur influence politique dans la Résistance par des groupements tels que le Front national (v.). En 1943, les représentants du parti communiste entrèrent dans le Conseil national de la Résistance (v.), et, en avr. 1944, le général de Gaulle appela deux communistes, François Billoux et Fernand Grenier, à siéger dans le Comité français de libération nationale (v.) à Alger.

Le rôle capital qu'il avait joué dans la Résistance valut au parti, après la Libération, une large audience dans le pays. Au lieu de profiter du chaos pour s'emparer du pouvoir, les communistes se placèrent sur le terrain de la légalité, ils apportèrent leur concours à de Gaulle en poussant à l'effort de guerre et à la production. Amnistié par de Gaulle (31 oct. 1944), Maurice Thorez rentra de Moscou et approuva la dissolution des milices patriotiques, qui constituaient une sorte de milice armée, en majorité communiste. Aux élections d'oct. 1945, le parti recueillit plus de 5 millions de suffrages (26 % des voix) et

COMMUNISTES (partis)
Marcel Cachin, directeur de « l'Humanité » de 1918 à sa mort.
Ph. © « Regards » - Archives de « l'Humanité » - Photeb

devint le « premier parti de France »; il atteignait son plus fort pourcentage (28,6 %) aux élections de nov. 1956 et, jusqu'à la fin de la IVᵉ République, ne devait jamais descendre au-dessous de 25 % des voix. Le général de Gaulle, qui avait des communistes dans son gouvernement depuis la Libération, nomma Thorez ministre d'État (nov. 1945), mais se refusa toujours à confier à un communiste un ministère clé (Affaires étrangères, Intérieur, Justice ou Défense nationale). Après le départ du général de Gaulle (janv. 1946), les communistes continuèrent à gouverner avec les socialistes et le M.R.P. (v. TRIPARTISME), mais le début de la guerre froide, la pression des Américains, qui allaient lancer le plan Marshall (v.), le vote des députés communistes contre les crédits militaires en Indochine amenèrent le président du Conseil socialiste Ramadier à éliminer les ministres communistes de son gouvernement (5 mai 1947). La guerre froide et l'impression profonde laissée par le « coup de Prague » (v.) (févr. 1948) et par l'élimination brutale des opposants au communisme dans les démocraties populaires devaient rejeter les communistes dans une sorte de ghetto politique. Leur vote en faveur de l'investiture de Mendès France, en juin 1954, n'eut d'autre résultat que de compromettre celui-ci aux yeux d'une large partie de l'opinion publique. Mais le parti conservait son implantation électorale; il contrôlait la C.G.T. et des organisations comme les Partisans de la paix, qui rassemblaient ses « compagnons de route ». A la Libération, de nombreux intellectuels, universitaires, artistes s'étaient tournés vers lui, mais beaucoup s'en éloignèrent après la tragédie de Budapest (1956). Après l'instauration de la Vᵉ République, les élections de nov. 1958 virent un recul important du P.C.F., qui ne recueillit que 18,9 % des voix. Depuis lors, les communistes n'ont pas réussi à reconquérir leur ancienne position électorale (21,7 % en 1962; 22,5 % en 1967; 20 % en 1968; 21,5 % aux élections présidentielles de 1969; 21,2 % aux élections législatives de 1973; 18,6 % aux législatives de 1978; 9,78 % aux législatives de 1986; 11,32 % à celles de 1988). Très lent à se déstaliniser (même après le XXᵉ congrès du P.C.U.S., il saluait encore la mémoire de Staline, juin 1956), le P.C.F. adopta une politique d'ouverture vers les socialistes sous les secrétariats généraux de Waldeck-Rochet (1964/70) et de Georges Marchais (à partir de 1970). En 1965, il décida de soutenir la candidature de François Mitterrand à la présidence de la République, et, en déc. 1966, conclut un accord électoral avec la Fédération de la gauche démocrate et socialiste. Durant la crise de mai 1968 (v.), il adopta une attitude très prudente. Inquiet de la poussée des gauchistes (v.), il s'employa à maintenir le mouvement contestataire sur le terrain des revendications de salaires et d'avantages sociaux limités, et à empêcher tout glissement vers une véritable crise révolutionnaire, dont les conditions ne lui semblaient pas réunies. Cette attitude permit à la C.G.T. d'obtenir

COMMUNISTES (partis)
Affiche pour la fête populaire et culturelle qui, chaque année, réunit, au nord de Paris, des dizaines de milliers de participants
Ph. © « l'Humanité » - Photeb

des avantages substantiels lors des accords de Grenelle (v.), mais en même temps elle facilitait la tâche du gouvernement. En août 1968, l'invasion de la Tchécoslovaquie par les troupes du pacte de Varsovie suscita la réprobation du parti communiste, mais le philosophe Roger Garaudy, qui célébrait « le printemps de Prague », devait être exclu du parti en 1970, et la direction communiste française donna sa caution à la politique de « normalisation » poursuivie à Prague par Husak. Bien que cette affaire tchécoslovaque ait provoqué certaines tensions avec les socialistes, le P.C. et le P.S. parvinrent, en 1972, à conclure un accord sur un Programme commun de gouvernement en vue des élections législatives de 1973. François Mitterrand réussit à y faire admettre par le P.C. le principe de l'« alternance démocratique » au pouvoir, mais ce programme ne concernait qu'une phase de « démocratie avancée », et les communistes français continuaient à affirmer, avec Jacques Duclos, qu'« il n'est pas possible d'envisager une sorte de va-et-vient entre le capitalisme et le socialisme » (9 mai 1971). Malgré la vive compétition des socialistes, les communistes restèrent encore, aux élections législatives de 1973, le premier parti de la gauche française. Ils soutinrent sans équivoque la candidature de Mitterrand aux élections présidentielles de 1974, où le candidat de la gauche unie frôla la victoire en obtenant 49,19 % des voix. Peu après l'échec de Mitterrand, les relations se refroidirent entre communistes et socialistes, les premiers s'inquiétant des progrès du P.S. aux élections partielles et de sa pénétration dans le monde ouvrier. Mettant en doute les intentions profondes des socialistes et de leur chef, leur reprochant de vouloir « gérer la crise du capitalisme » et retourner aux ornières de la social-démocratie, le P.C.F., se faisant le défenseur intransigeant du Programme commun, déclencha, à l'automne 1974, une longue polémique qui devait profondément troubler et diviser la gauche française; l'opposition des socialistes et des communistes portugais devait fournir de nouveaux aliments à cette polémique. Au lieu de s'enfermer dans l'union de la gauche, le P.C.F. envisageait bientôt, à l'instar des communistes italiens, un rassemblement plus large et faisait appel à une « union du peuple de France » derrière le Programme commun. Il se montrait de plus en plus critique à l'égard des aspects policiers du régime soviétique, et, à son XXIIᵉ congrès (févr. 1976), il abandonnait solennellement le concept marxiste-léniniste de dictature du prolétariat.

● Cette stratégie complexe d'appel à un rassemblement de la gauche et d'opposition au parti socialiste fut approuvée par 5 870 402 électeurs au premier tour des élections législatives de mars 1978 et, malgré un mauvais report des voix socialistes au second tour, c'est le parti communiste qui remporta au total le plus de sièges (12) par rapport aux élections de mars 1973. Ces résultats furent néanmoins considérés comme un échec de la gauche et, au premier tour des élections présidentielles du 26 avril 1981, là candidature de Georges Marchais n'obtint que 4 414 949 voix contre 7 437 282 au socialiste François Mitterrand. Le ralliement du P.C. au second tour assura la victoire de F. Mitterrand sur la candidature de Valéry Giscard d'Estaing, mais, malgré la stratégie d'union de la gauche, le P.C. subit des pertes considérables aux élections législatives qui suivirent; il ne compta au premier tour que 4 065 540 voix et perdit au total 42 sièges au profit du parti socialiste; le nombre de ses députés à l'Assemblée se réduisit à 44. Il obtint 4 portefeuilles dans le ministère du socialiste Pierre Mauroy : Transports (ministre d'État), Fonction publique, Santé, Formation professionnelle et les conserva dans les deuxième et troisième ministères Mauroy. Les motifs de divergence avec la ligne suivie par le président Mitterrand et par le ministère Mauroy ne manquèrent pas : l'attitude envers la crise polonaise et le syndicat Solidarité, l'intervention soviétique en Afghanistan, le soutien militaire au gouvernement d'Hissène Habré au Tchad, la présence militaire française au Liban, le soutien de F. Mitterrand à la politique atlantique et particulièrement sa prise de position en faveur de l'implantation des fusées américaines Pershing en Europe occidentale ont été autant de points de friction; la politique de rigueur menée à partir de 1983 et critiquée par la C.G.T., la restructuration du programme charbonnier, le recul du P.C. aux élections municipales de mars 1983 et aux scrutins partiels qui suivirent, la réduction des effectifs dans la sidérurgie en furent d'autres. Les députés du P.C. votèrent la confiance au ministère de P. Mauroy en avr. 1984. Aux élections européennes de 1984, le P.C. manifesta un nouveau recul : 11,20% des voix, au lieu de 20,5% en 1979. Il choisit de ne pas participer au ministère Laurent Fabius (v.) formé le 19 juillet 1984 et manifesta envers celui-ci une opposition qui marqua la fin de l'union de la gauche. Aux présidentielles de 1988, le Parti présenta André Lajoinie qui n'obtint que 6,75 % des voix, et appela à voter pour F. Mitterrand au deuxième tour. □

Albanie

Fondé dans la clandestinité le 8 nov. 1941, le parti communiste albanais joua un rôle dirigeant dans la résistance contre les Italiens. Au congrès de Berat (20 oct. 1944), son chef, Enver Hodja, forma un gouvernement provisoire, qui proclama la République populaire en janv. 1946. Le parti tint son premier congrès en nov. 1948 et prit officiellement le nom de «parti du travail d'Albanie». Ardemment stalinien, il fut l'un des plus fervents dans la lutte contre le titisme yougoslave. Son opposition à Khrouchtchev s'affirma au grand jour en nov. 1960, lorsque Enver Hodja, après avoir défendu les thèses chinoises, quitta spectaculairement la confé-

rence communiste de Moscou, mais le P.C. albanais rompit en 1978 avec le P.C. chinois, qu'il accusait de vouloir imposer au pays une alliance militaire avec la Roumanie et la Yougoslavie aux seules fins de favoriser une stratégie chinoise antisoviétique.

Allemagne

Le parti communiste allemand eut pour précurseur le groupe Spartakus (v.), qui, dès janv. 1916, en opposition avec la majorité du parti social-démocrate (v. SOCIALISME), avait lancé une campagne de propagande contre la guerre, contre le nationalisme et pour la solidarité internationale des travailleurs. En avr. 1917, les spartakistes décidèrent de se rallier au nouveau parti socialiste indépendant (U.S.P.D.). Celui-ci se divisa après la révolution de nov. 1918, la majorité acceptant de collaborer avec l'équipe gouvernementale d'Ebert, alors que les spartakistes réclamaient tout le pouvoir pour des conseils d'ouvriers et de soldats, et des réformes économiques radicales (expropriation des grands domaines, de la banque, de la grande industrie). Ne pouvant imposer leurs vues dans l'U.S.P.D., les spartakistes convoquèrent un congrès à Berlin (29 déc. 1918/1er janv. 1919), d'où sortit le parti communiste d'Allemagne (Ligue spartakiste) (*Kommunistische Partei Deutschlands, Spartakusbund*); il avait pour chefs Karl Liebknecht et Rosa Luxemburg, pour organe le journal *Die rote Fahne (Le Drapeau rouge)*. Moins de deux semaines après sa fondation, le parti subit une sévère défaite : l'insurrection qu'il avait déclenchée à Berlin fut écrasée par le ministre social-démocrate Noske et par les corps francs (v.); Karl Liebknecht et Rosa Luxemburg furent tués par des officiers de la cavalerie de la garde (15 janv. 1919). Cependant, Lénine et les dirigeants soviétiques continuaient à espérer que l'Allemagne allait prendre la tête de la révolution en Europe occidentale. Des soulèvements communistes locaux se succédèrent jusqu'en 1923 mais ils furent tous réprimés. Réduit à 40 000 membres après l'expulsion de ses «gauchistes» au congrès de Heidelberg (oct. 1919), le parti doubla le chiffre de ses membres en moins d'un an, et, après la réunion avec l'U.S.P.D. au congrès de Berlin (4/7 déc. 1920), il devint un parti de masse, rassemblant plus de 300 000 membres. Cependant, une forte tendance dans la direction du parti continuait à incliner vers le gauchisme et surestimait les capacités d'action révolutionnaire du communisme allemand : d'où les insurrections d'Allemagne centrale, en mars 1921, qui aboutirent à un désastre. «Bolchevisé» sous la direction d'Ernst Thälmann, à partir de 1925, le parti connut un redressement rapide; sa représentation au Reichstag, qui était de 2 députés en 1920, de 62 en 1924, passa à 77 députés en 1930, à 89 en 1932, et, lors des élections présidentielles de 1932, Thälmann, candidat communiste, obtint près de 5 millions de voix (13,2%). Mais les communistes alle-

COMMUNISTES (partis)
Affiche d'un candidat
communiste de la République
fédérale d'Allemagne aux élections
d'octobre 1976.
Ph. © Owen Franken - Gamma

COMMUNISTES (partis)
Manifestation du parti
communiste allemand en faveur
de la IIIᵉ Internationale,
à Berlin, 1919.
Ph. © A.D.N. Zentralbild - Photeb

mands, qui, dans les années 1923/25, acceptaient encore certaines actions communes avec les sociaux-démocrates, adoptèrent ensuite une attitude de rigoureux isolement, qui correspondait d'ailleurs au caractère de plus en plus monolithique adopté par le parti, en imitation du modèle stalinien. Cette politique aboutit à sous-estimer le danger représenté par Hitler et à empêcher la constitution de tout front commun de la gauche allemande en face du national-socialisme. Après son arrivée au pouvoir, Hitler prit prétexte de l'incendie du Reichstag (v.) (27 févr. 1933) pour arrêter les principaux dirigeants communistes (parmi lesquels Thälmann); cependant, aux élections du 5 mars 1933, les communistes obtinrent encore 4,8 millions de suffrages (12,3 %) et 81 députés (mais leur mandat fut annulé). Dans le même mois, le parti était dissous et des milliers de communistes internés dans des camps de concentration; d'autres se réfugiaient à l'étranger, et environ 5 000 Allemands devaient combattre durant la guerre d'Espagne dans les Brigades internationales. Thälmann devait mourir au camp de Buchenwald en août 1944. Durant la guerre, se constituèrent des groupes de résistance communistes dont le plus important fut celui de l'Orchestre rouge (*Rote Kapelle*), anéanti par la Gestapo durant l'été 1942. En avr. 1945, lors de la défaite de l'Allemagne, Walter Ulbricht, qui s'était réfugié à Moscou, vint reconstituer le parti communiste en zone d'occupation soviétique, où communistes et sociaux-démocrates décidèrent leur fusion dans le parti socialiste unifié d'Allemagne, *Sozialistische Einheitspartei Deutschlands* ou *S.E.D.* (21/22 avr. 1946). Ce nouveau parti obtint 47,5 % des voix aux élections est-allemandes d'oct. 1946. Il contrôla le pouvoir dès la fondation de la République démocratique allemande, en 1949. En Allemagne de l'Ouest au contraire, les communistes ne rencontrèrent qu'une audience très limitée dans la population : leur parti obtint 5,7 % aux élections fédérales de 1949 et 2,2 % en 1953. La Cour constitutionnelle de Karlsruhe prononça son interdiction en août 1956; autorisé à se reconstituer en oct. 1968, il ne représente toujours qu'une force négligeable dans la vie politique de l'Allemagne fédérale.

Chine

Fondé le 1ᵉʳ juill. 1921 à Chang-hai, le P. C. chinois forma, de 1923 à 1927, un front uni avec le Kouo-min-tang (v.), tout en conservant son organisation propre, qu'il développa avec l'aide de conseillers soviétiques. Il comptait, à l'origine, 57 membres et eut pour premier secrétaire général (de 1921 à 1927) un intellectuel, Tch'en Tou-sieou. Mao Tsétoung, d'abord secrétaire du parti pour le Ho-nan (oct. 1921), devint membre du Comité central exécutif au IIIᵉ congrès du parti (Chang-hai, 1923). Après la rupture entre les communistes et Tchang Kaï-chek (avr./juill. 1927), l'échec de la révolte

ouvrière de Canton (déc. 1927) confirma les thèses de Mao Tsé-toung, qui voyait dans les masses paysannes la force principale de la révolution chinoise. En 1929, Mao Tsétoung et Chou-Teh réussirent à établir l'autorité communiste au Kiang-si (Chine du Sud-Ouest), où fut proclamée en nov. 1931 une République soviétique chinoise, dont le gouvernement était présidé par Mao.
C'est au cours de la Longue Marche (v.) (1934/35) que Mao Tsé-toung prit officiellement la direction du P.C. chinois (13 janv. 1935). Dès août 1936, le Comité central du parti fit des offres de collaboration au Kouomin-tang pour organiser en commun la résistance nationale contre les Japonais. Cette nouvelle alliance entre communistes et nationalistes dura de 1937 à 1945, mais les communistes prirent soin de conserver et d'étendre leur implantation régionale; à la fin de la guerre, ils disposaient d'une armée régulière de plus de 900 000 hommes, à laquelle s'ajoutaient 2 millions de miliciens. La campagne de rectification des années 1942/43 consolida l'autorité de Mao sur le parti. En oct. 1949, après trois ans de guerre civile, la République populaire fut proclamée. Dès lors, l'histoire du parti communiste allait se confondre avec celle de la Chine (v.).

Espagne

Dans ce pays où l'anarcho-syndicalisme rassemblait depuis longtemps déjà les forces de l'extrême gauche, le parti communiste, fondé en 1921, ne jouait encore aucun rôle important à l'avènement de la République (1931) et ne comptait alors pas plus de 3 000 membres. Son journal, *Mundo obrero,* n'avait qu'une faible influence en face de la presse anarchiste et socialiste. De plus, le parti devait compter avec la rivalité d'un groupe trotskiste qui, en févr. 1936, fonda le parti ouvrier d'unification marxiste ou P.O.U.M. Son rôle, effacé dans les premières années de la République, ne cessa de grandir après la victoire du Front populaire (févr. 1936) et le début de la guerre civile. Parmi ses dirigeants, il comptait Dolorès Ibarruri, la *Pasionaria,* qui devint bientôt une figure mondialement célèbre. Appelé dans le gouvernement de coalition par Largo Caballero, en sept. 1936, le parti communiste espagnol fut le premier à être associé au pouvoir en Europe occidentale. Étroitement lié à Moscou, il appela d'une part à la plus large union contre le franquisme, s'opposa à la collectivisation des terres, défendit les petites et moyennes entreprises, mais d'autre part se livra en 1937 à une impitoyable épuration à l'égard des membres du P.O.U.M. Cette attitude contribua à diviser les forces républicaines, et les communistes, isolés, furent exclus du pouvoir à Madrid par le général Miaja, en mars 1939. Dans la clandestinité, le P.C. espagnol reprit ses mots d'ordre de l'union populaire la plus étendue contre Franco. En avr. 1956, son Comité central appelait même à une « entente pour la lutte contre la dictature entre des forces qui avaient combattu dans des camps oppo-

COMMUNISTES (partis)
Préparation de la campagne
électorale à Londres,
1er oct. 1974.
Ph. © S. Tait - Sygma

sés pendant la guerre civile ». Mais le parti
devait être affaibli, en 1964, par la création
d'un parti communiste rival, de tendance
maoïste, et par le départ de dirigeants importants tels que les intellectuels Fernando
Claudin et Jorge Semprun, ainsi que Ewique
Lister, l'ancien général de la guerre civile (qui
reviendra dans le Parti en 1986). Le parti
communiste espagnol (P.C.E.) d'obédience
soviétique, avec pour secrétaire général Santiago Carrillo, préconisait, au début des
années 70, l'union de toutes les forces opposées au franquisme; en juill. 1974, il adhéra à
la Junte démocratique rassemblant des anti-
franquistes de toutes tendances, y compris
des monarchistes tels que Calvo Serer. Après
la mort de Franco, le parti communiste, bien
implanté dans les commissions ouvrières, a
accentué son évolution vers une ligne indépendante, proche de celle du P.C. italien.

● Légalisé au printemps 1977, il adhère au
pacte de La Moncloa, conclu en octobre
entre le gouvernement et l'ensemble des
forces politiques. L'abandon, en avr. 1978,
de toute référence au léninisme suscita au
sein du parti une contestation « stalinienne »
dirigée par Dolorès Ibarruri. En 1981, Santiago Carrillo parvenait néanmoins à assurer
son autorité sur les militants, mais, en oct.
1982, le parti enregistra un échec si sévère
aux élections législatives, passant de 10,81%
(en 1979), à un peu moins de 4%, que le secrétaire général démissionna. Il fut remplacé
par Gerardo Iglesias, partisan d'une politique d'ouverture, auquel succédait Julio
Anguita en févr. 1987. A la fin de 1983, on
assistait à la création d'un deuxième parti
communiste, totalement prosoviétique, sous
la direction d'un vieux stalinien, Gallego. □

États-Unis

Deux partis communistes rivaux furent
fondés aux États-Unis en août/sept. 1919.
Sur l'inspiration de Moscou, fut créé en déc.
1921 le parti des travailleurs d'Amérique,
rebaptisé parti communiste des États-Unis
en 1929. Sous la direction d'Earl Browder
(de 1930 à 1945), il fit d'appréciables progrès
à l'époque de Roosevelt et surtout lorsque
l'U.R.S.S., en 1941, devint l'alliée des États-
Unis. Ses effectifs passèrent de 7 500 en 1930
à 80 000 en 1944.
Au temps de la guerre froide, la plupart de
ses dirigeants furent condamnés pour conspiration en vue de renverser le gouvernement
(1949); dans les années 50, les communistes
américains furent frappés de nombreuses
restrictions légales (interdiction d'enseigner,
de voyager à l'étranger, de diriger des syndicats, etc.), qui faisaient pratiquement d'eux
des citoyens de seconde zone. Le parti ne
comptait qu'une dizaine de milliers de membres en 1988.

Grande-Bretagne

Bien que fondé dès 1920, le parti communiste
anglais, qui se heurtait aux puissants courants du socialisme fabien et du Labour
Party, n'exerça jamais une influence importante. Deux députés communistes furent

Le chef du parti communiste
italien (P.C.I.), E. Berlinguer, à la
veille des élections de mai 1976.
Ph. © Alain Keler - Sygma

élus en 1945, mais le parti perdit toute représentation parlementaire dès 1950. Dans les
années 70, les communistes ont fait des progrès au sein des organisations syndicales
(mineurs, transports, constructions navales)
sans qu'ils fussent capables de dépasser,
depuis, un effectif de quelque 21 000
membres ni retrouver un siège aux Communes; ils n'étaient plus que 10 000 en 1988.

Italie

Fondé après la scission intervenue dans le
parti socialiste au congrès de Livourne (janv.
1921), le parti communiste italien posséda
les meilleurs théoriciens du mouvement en
Europe occidentale (Togliatti, Gramsci). Il
obtint 16 sièges aux élections de mai 1921, 19
sièges aux élections d'avr. 1924. Son quotidien, *L'Unità,* fut fondé en févr. 1924. Mais
le parti et ses journaux furent supprimés dès
1925 par Mussolini et les militants entrèrent
dans la clandestinité ou prirent le chemin de
l'émigration. (Gramsci devait mourir en
prison.) A partir de 1943, les communistes
italiens jouèrent un rôle important dans le
mouvement des partisans, et, en avr. 1945,
ils prirent l'initiative de l'exécution sommaire de Mussolini. Secrétaire général du
P.C.I., Palmiro Togliatti, formé à Moscou
durant son exil, fit de son parti un puissant
mouvement de masse, mais pourvu aussi
d'une force intellectuelle qui dépassait de
beaucoup celle des autres partis communistes occidentaux. Comme leurs camarades
français, les communistes italiens n'essayèrent pas, à la fin de la guerre, de se saisir
du pouvoir par la force et jouèrent le jeu
démocratique et parlementaire. En mars
1944, Togliatti, qui venait de rentrer de
Moscou, accepta la participation des communistes au gouvernement royal de Badoglio; soucieux de gagner des adhérents dans
les masses catholiques, le parti ne fit pas non
plus d'objection à la consécration des
accords du Latran (v.) par la nouvelle
Constitution. Éliminés du gouvernement De
Gasperi en mai 1947, les communistes maintinrent l'unité d'action avec le P.S.I. de
Nenni (ce pacte devait être rompu sur l'initiative des socialistes en 1959). Le parti vit le
nombre de ses adhérents passer de 15 000 en
1943 à plus de 2 millions et demi en 1947,
cependant que le pourcentage de ses suffrages s'élevait de 19% en 1946 à 22,6% en 1953
et à plus de 25% en 1963. Dès le début de
la déstalinisation, Togliatti se fit l'avocat du
polycentrisme (déclaration à la revue *Nuovi
Argumenti,* 16 juin 1956). Assez peu favorable à Khrouchtchev, le P. C. italien se
rangea cependant du côté des Soviétiques
dans le conflit Moscou-Pékin, tout en se
refusant à une excommunication solennelle
des Chinois. Avec plus de netteté que le
P.C. français, il réprouva en 1968 l'intervention des forces du pacte de Varsovie en
Tchécoslovaquie.
Sous la direction de Berlinguer à partir de
1972, le P.C.I. a accentué son indépendance
à l'égard de Moscou et des autres partis
communistes européens. Se présentant

1121

comme un parti d'ordre et de modération, prêt à accommoder les principes marxistes à la réalité italienne, il a préconisé un « compromis historique » qui lui permettrait de participer aux responsabilités gouvernementales aux côtés des démocrates-chrétiens. S'inspirant de l'enseignement de Gramsci, il s'est efforcé de pénétrer dans les milieux les plus divers de la société, en particulier chez les intellectuels, les artistes, les journalistes. Cette politique lui valut, aux élections régionales et municipales de juin 1975, de dépasser pour la première fois le seuil des 30% des voix. Aux élections générales de 1976, il atteignait 34,4% des voix, soit un bond de plus de 7% par rapport aux élections de 1972. Sans doute la Démocratie chrétienne demeurait-elle le premier parti d'Italie, mais les communistes se trouvaient en position d'exercer un rôle d'arbitre dans le jeu politique.

● Ainsi le P.C.I. obtint-il de G. Andreotti (v.) d'importantes concessions, notamment la participation communiste à l'élaboration du programme gouvernemental. Puis l'affaire Moro (v.) lui permit, le 16 mars 1978, d'entrer officiellement au sein de la majorité parlementaire. Mais à partir de l'élection à la présidence de la République du socialiste Sandro Pertini, l'Italie sembla s'orienter vers le centrisme. Des reculs répétés du P.C.I. amenèrent Enrico Berlinguer, en 1981 et en 1982, à souligner ses divergences avec l'U.R.S.S., notamment en ce qui concerne l'Afghanistan et la Pologne, sans pour autant renier les liens avec le P.C. soviétique. Le P.C.I. en tira un surcroît de popularité (33,5 % des voix aux élections européennes de 1984) et devint le premier parti d'Italie. Alessandro Natta a succédé à E. Berlinguer, décédé le 11 juin 1984. Aux législatives de 1987, le P.C.I. n'obtenait plus que 28,3 % des voix et ce recul électoral précipita l'évolution sociale-démocrate du parti. Achille Orchetto remplaça A. Natta en 1988. Tirant les leçons de l'échec de l'eurocommunisme des années 1970 face au repli sectaire des autres partis communistes européens, et voulant rompre son isolement, le nouveau secrétaire général fit de son parti un prosélyte de l'intégration européenne, de l'union politique de l'Europe sous l'autorité d'un gouvernement supranational. Le rapprochement avec le parti socialiste de B. Craxi, et avec le S.P.D. allemand au plan européen, laissait présager la création d'un grand pôle réformiste à l'échelle du continent. □

Japon

Fondé dans l'illégalité en juill. 1922, le parti communiste japonais (Nihon Kyosanto) connut longtemps une existence précaire et persécutée. A partir de 1935, la répression policière l'obligea à cesser toute activité organisée jusqu'à la fin de la Seconde Guerre mondiale. Reconstitué en déc. 1945, il adopta d'abord une ligne nationale-communiste, qui lui valut un certain succès aux élections de 1949 (9,8 % des voix) mais fut condamnée par le Kominform en 1950. Dès

COMMUNISTES (partis)
Hô Chi Minh, intervenant au congrès de Tours, 29 déc. 1920.
Ph. © Archives de « l'Humanité »
Photeb

1951, les communistes japonais s'alignèrent sur les positions des communistes chinois. Le P.C.J. rompit avec Moscou en 1964, mais également avec Pékin en 1966, et dénonça désormais le « révisionnisme de droite » et le « dogmatisme de gauche ». Toutefois, une réconciliation avec Moscou s'esquissa à partir de 1968. Le P.C.J. n'en maintint pas moins sa volonté d'indépendance en face de toute tentative d'hégémonie au sein du communisme mondial, qu'elle vînt de Moscou ou de Pékin. Il comptait 400 000 membres en 1988.

Viêt-nam

Membre du parti communiste français dès sa fondation en 1920, formé à Moscou de 1923 à 1925, Hô Chi Minh organisa en 1929 les premières cellules du parti communiste indochinois *(Dong Duong Cong San Dang)*. Réduits à la clandestinité par les autorités coloniales françaises, les communistes confondirent leur cause avec celle du nationalisme vietnamien et le parti fut mis au second plan par Hô Chi Minh, qui créa, en 1941, la Ligue révolutionnaire pour l'indépendance du Viêt-nam, bientôt connue sous le nom de *Viêt-minh* (v.). En sept. 1945, Hô Chi Minh proclama la République démocratique du Viêt-nam, et, en nov. 1945, dans la ligne de sa tactique d'union nationale, il décida la dissolution du parti communiste. Durant la guerre d'Indochine, celui-ci fut reconstitué en févr. 1951 sous le nom de parti des travailleurs vietnamiens *(Dang Lao Dong Viêt-nam)*, qui devint le parti unique du Nord-Viêt-nam après les accords de Genève (1954). Hô Chi Minh en assuma la présidence et fut remplacé par Lê Duan à partir de 1960, auquel succéda Nguyen Van Linh en 1986. Au Sud-Viêt-nam, les communistes s'assurèrent rapidement un rôle prépondérant dans le Front national de libération du Sud-Viêt-nam, ou F.N.L., fondé en déc. 1960; en janv. 1962, ils fondèrent un authentique parti communiste sud-vietnamien, le parti populaire révolutionnaire, dont le premier secrétaire général fut Vo Chi Chong, militant communiste dès les années 30. Voir Viêt-nam.

Yougoslavie

Fondé en 1919 par la majorité d'un congrès rassemblant tous les partis socialistes de la nouvelle fédération des Serbes, Croates et Slovènes, le P.C. yougoslave fit de rapides progrès à Belgrade et à Zagreb. En 1920, il obtenait 58 des 419 sièges à l'Assemblée constituante, mais le gouvernement prit prétexte de l'assassinat du ministre de l'Intérieur, Draskovitch, pour prononcer l'interdiction du parti (juill. 1921). C'est avec l'expérience d'un combat illégal de vingt années que le parti, qui avait pour secrétaire général Josip Broz (Tito) depuis 1937, engagea, dès avr. 1941, la lutte contre l'occupation germano-italienne. L'identification du parti avec la résistance nationale, au cours des années de guerre, allait permettre à Tito, dès

1948, d'affirmer l'autonomie du communisme yougoslave en face de Moscou. Voir YOUGOSLAVIE.

COMMYNES, Philippe van den Clyte, seigneur de (* Commynes, Nord, 1445, † château d'Argenton, 17.X.1509). Diplomate et historien français. Après des études assez négligées (sauf pour les langues vivantes; il ignorait le latin, mais parlait le français, l'italien, l'allemand et l'espagnol), Commynes, filleul de Philippe le Bon, fut introduit facilement à la cour de Bourgogne et devint chambellan de Charles le Téméraire. A Péronne, il sauva le roi Louis XI de la colère de son maître et entra au service de la France (août 1472); Louis XI le combla de richesses et d'honneurs, le nomma sénéchal du Poitou et fit de lui son intime conseiller politique. Charles le Téméraire éliminé, ce fut Commynes que le roi chargea de prendre possession de la Bourgogne et d'essayer de réunir la Flandre à la France.

A la mort de Louis XI, attaqué par les seigneurs qu'on avait dépouillés à son profit et ayant pris parti pour le duc d'Orléans contre la dame de Beaujeu, régente, Commynes fut disgracié et même emprisonné huit mois à Loches et deux ans à la Conciergerie (1487/89). Rentré en faveur, il accompagna en Italie Charles VIII, qui le chargea de plusieurs négociations notamment à Fornoue. Louis XII se passa cependant de ses services et Commynes se retira dans sa terre d'Argenton, consacrant ses loisirs à la rédaction de ses *Mémoires* (édités en 1523), document capital sur les règnes de Louis XI et de Charles VIII, où l'auteur ne se contente pas d'énumérer des faits, comme les chroniqueurs qui l'avaient précédé, mais s'efforce de tirer des conclusions générales et des leçons de politique réaliste.

COMNÈNE. Célèbre famille byzantine. Issue de riches propriétaires terriens de Paphlagonie, elle prétendait descendre d'un des ancêtres de Constantin Ier; elle régna à Constantinople de 1057 à 1059 (Isaac Ier) et de 1081 à 1185 (Alexis Ier, Jean II, Manuel Ier, Alexis II, Andronicos Ier). Ce dernier fut détrôné par Isaac l'Ange et sa famille écartée à jamais du trône impérial byzantin. Après la prise de Constantinople par les Latins, en 1204, deux petits-fils d'Andronicos Ier, David et Alexis, fondèrent l'Empire grec de Trébizonde, qui fut gouverné par les Comnènes jusqu'à la prise de Trébizonde par Mahomet II (1461). D'autre part, des Comnènes alliés à la famille des Anges par mariage gouvernèrent le despotat d'Épire.

COMORES (îles). Archipel de l'océan Indien, dans la partie N. du canal de Mozambique, entre Madagascar et la Tanzanie; il se compose de quatre îles : la Grande Comore — avec la capitale, Moroni — , Anjouan, Mohéli et Mayotte. Peuplées depuis longtemps par des Arabes et des Malais, les îles Comores, qui formaient dès le XIe s. un sultanat musulman, furent visitées

au XVIe s. par les Européens, notamment par l'Anglais James Lancaster en 1591. En 1843, la France occupa Mayotte, qui devait servir de base à la conquête de Madagascar; les autres îles furent annexées entre 1886 et 1898. Rattachées administrativement à Madagascar en 1912, les Comores devinrent un territoire français d'outre-mer en 1947 et demandèrent à conserver ce statut lors du référendum de 1958. L'archipel obtint en 1961 une complète autonomie interne. Les partisans de l'indépendance obtinrent la majorité – sauf à Mayotte – aux élections de 1972, et le référendum du 22 déc. 1974 donna plus de 95% de oui en faveur de l'indépendance – sauf à Mayotte, dont les habitants désiraient rester français. Le 6 juill. 1975, la Chambre des députés des Comores, sans consulter le gouvernement français, proclama unilatéralement l'indépendance, et Ahmed Abdallah, chef du gouvernement local, fut élu président de la République. Cependant, Ahmed Abdallah était renversé dès le 3 août suivant et remplacé par Ali Soilih. L'île de Mayotte se séparait du reste de l'archipel et, par un référendum (févr. 1976), affirmait à une majorité de 99,4% sa volonté de rester française.

● Soilih parvint en oct. 1976 à faire condamner la France à l'O.N.U. sur la question de Mayotte. Il instaura un régime marxiste-léniniste « à la chinoise », mais ses réformes désordonnées n'aboutirent qu'à aggraver le chômage et à entraîner la pénurie, tandis que la garde présidentielle se livrait à des excès. Les partisans de la coopération avec la France, avec l'aide de quelques mercenaires, redonnèrent le pouvoir à Ahmed Abdallah. Celui-ci devint le premier président de la République fédérale islamique fondée par la Constitution du 1er oct. 1978. Alors que l'agriculture, qui occupe 65% de la population active, est quasiment l'unique ressource et qu'elle est surtout fondée sur les plantes à parfum, la chute des cours mondiaux de la vanille a entraîné l'effondrement de l'économie; une classe dirigeante affairiste – le président détient lui-même, depuis vingt ans, le monopole de l'importation du riz – exploite le pays, tandis que l'opposition latente reste sous étroite surveillance. Si l'endettement est élevé, la position géographique et stratégique du petit archipel à l'entrée du canal du Mozambique, par où s'effectue un énorme trafic pétrolier, procure aux Comores l'aide internationale des pays arabes et de la France. Voir MAYOTTE.

COMPACTATA D'IGLAU. Voir IGLAU.

COMPAGNIE. Dans l'histoire militaire, le terme de *compagnie* put s'appliquer d'abord à toute troupe de soldats, en nombre indéterminé. On parle ainsi de Grandes Compagnies (v. COMPAGNIES, Grandes). Les compagnies d'ordonnance (v.) formées par Charles VII avaient chacune un effectif de 1 500 hommes. Au XVIe s., tout corps dont le chef avait le titre de capitaine portait le nom de *compagnie*, même si son effectif atteignait

COMORES
Ahmed Abdallah, premier président de la République fédérale islamique.
Ph. © Gilber Uzan - Gamma

plusieurs milliers d'hommes. Sous le règne de Louis XIII, la compagnie devint une des divisions du bataillon ou de l'escadron. Jusqu'au début du XIXe s., à l'époque de la Restauration, le nom de *compagnie* fut donné aux unités de base non seulement de l'infanterie, mais de la cavalerie et de l'artillerie; à partir de 1825, il n'y eut plus dans l'armée française que des compagnies d'infanterie, mais, de nos jours, des unités des chars de combat, du génie, des transmissions, du matériel portent également ce nom. Sous l'Ancien Régime et sous la Restauration, les compagnies portaient le nom de leur capitaine; chaque colonel avait, dans son régiment, sa compagnie personnelle, qu'on appelait *compagnie colonelle*. L'usage de l'achat des compagnies ne disparut qu'avec la Révolution.

COMPAGNIE DE JÉSUS. Voir Jésuites.

COMPAGNIE DES MESSAGERIES MARITIMES. Voir Messageries maritimes et Compagnie générale transatlantique.

COMPAGNIE GÉNÉRALE MARITIME. Voir Compagnie générale transatlantique.

COMPAGNIE GÉNÉRALE TRANSATLANTIQUE. Compagnie française de navigation fondée en 1861 avec le concours du Crédit mobilier, des frères Pereire. Elle reçut la concession des lignes vers New York, les Antilles, l'Amérique centrale et l'Amérique du Sud, avec, comme points de départ, Le Havre (où le siège de la compagnie fut établi en 1873), Saint-Nazaire et Bordeaux. Dès 1865, elle possédait une vingtaine de navires, jaugeant 80 000 tonneaux, et elle reliait Le Havre à New York en un peu plus de treize jours de navigation. Jusqu'à la Première Guerre mondiale, la « Transat » continua d'étendre ses activités; elle ouvrit des lignes nouvelles à destination du continent américain, du Maghreb et, plus tard, du Pacifique Sud. Remarquablement outillée, la compagnie possédait, en 1914, une flotte de 84 navires.

Elle subit de lourdes pertes durant le premier conflit mondial, puis fut éprouvée par la crise des années trente, et, en 1933, elle devint une société contrôlée par l'État, qui détient la majorité de son capital.

● En 1935, elle mit en service le paquebot *Normandie,* lancé le 20 oct. 1932, long de 312 mètres. Ce transatlantique, le plus luxueux de son temps, remporta en 1937 le « ruban bleu » pour avoir effectué la traversée Grande-Bretagne - États-Unis en 3 jours, 22 h 7 mn. Mais il fut incendié le 8 févr. 1942 dans le port de New York et dut être démoli. Le 11 mai 1960, elle lança le *France* (3e du nom), qui effectua son premier voyage Le Havre - New York le 3 févr. 1963. Ce paquebot eut vite une grande réputation de luxe et de confort. Toutefois, le quadruple-

ment du prix des combustibles, la concurrence de l'avion lui enlevèrent toute rentabilité, malgré sa reconversion tardive à la croisière. Il fut désarmé en oct. 1974, puis vendu. En 1976, la « Transat » fusionna avec un autre armement nationalisé, les Messageries maritimes (v.), et devint la *Compagnie générale maritime (C.G.M.).* Cette compagnie figure dans les dix premiers armements mondiaux pour le transport des marchandises sur des lignes régulières. Possédant en propre ou grâce à ses filiales une soixantaine de navires et un parc de 50 000 conteneurs, elle occupe une place de premier plan en Europe pour le transport maritime des conteneurs et pour les activités qui lui sont reliées : le groupage, la manutention et l'acheminement terrestre jusqu'au client.

COMPAGNIES (Grandes). Bandes de mercenaires, recrutées durant la guerre de Cent Ans, sous les règnes de Jean le Bon et de Charles V. Composées de redoutables aventuriers de tous pays, elles furent licenciées lors de la paix de Brétigny (1360), et, se trouvant désormais sans moyens d'existence, elles se mirent à piller les campagnes et à rançonner les villes. Pour s'en débarrasser, Charles V songea d'abord à les envoyer en Hongrie, sous le prétexte d'une croisade que le pape Urbain V était prêt à subventionner. Mais les routiers refusèrent de partir si loin. Charles V les dévia alors vers l'Espagne et chargea du Guesclin de les conduire au service d'Henri de Trastamare, qui menait une guerre civile en Castille contre son frère Pierre le Cruel.

COMPAGNIES DE COMMERCE ET DE NAVIGATION. Sociétés à parts ou par actions créées dans divers pays européens à partir du XVe s. pour le développement du commerce maritime lointain, pour la découverte et la colonisation de terres nouvelles. Ce n'étaient, à l'origine, que des associations temporaires de commerçants limitées à une seule expédition. Plus tard, elles devinrent permanentes. Dans les sociétés à parts, type prédominant jusqu'à la fin du XVIIe s., les parts n'étaient, en général, ni aliénables ni transmissibles; le XVIIIe s. vit au contraire se multiplier les sociétés par actions, celles-ci étant cessibles, à la différence des parts, ce qui permettait d'associer aux grandes entreprises commerciales et coloniales non plus seulement des commerçants, mais aussi des bourgeois de toutes professions, des nobles et même des gens d'Église. Certains pays, comme l'Espagne et le Portugal, firent du commerce lointain et de la colonisation un véritable monopole d'État. Les Hollandais et les Anglais au contraire préférèrent laisser le champ libre aux compagnies privées, mais celles-ci, en compensation des risques qu'elles prenaient, obtenaient une charte comportant, sur une région déterminée du globe, un certain nombre de droits et de privilèges qui pouvaient aller jusqu'à un véritable monopole. En France, le commerce lointain et la

1
2

COMPAGNIES DE COMMERCE ET DE NAVIGATION
1. Sigle de la Compagnie hollandaise des Indes occidentales, figurant sur une monnaie de Batavia, 1651.
Ph. Jeanbor © Archives Photeb
2. Médaille de la Compagnie (française) des Indes, 1750. (Cabinet des Médailles, Paris.)
Ph. © Bibl. Nat., Paris - Photeb

colonisation souffrirent d'une invincible désaffection d'une large partie du public, qui continuait à juger plus sûrs les investissements en métropole. Au Canada, par exemple, devant l'échec de plusieurs compagnies, la Couronne dut prendre elle-même en charge la colonisation (v. COLONIES).

Dès le début du xvᵉ s. se constitua en Angleterre la Compagnie des Merchant Adventurers (v.), qui se consacrait au commerce avec les Pays-Bas et l'Allemagne du Nord. En 1555 fut créée la Compagnie de Moscovie, qui établit les premières relations commerciales entre l'Angleterre et la Russie. Suivirent la Compagnie d'Espagne (1577), la Compagnie de la Baltique (1579), la première compagnie britannique pour le trafic africain (1585), etc. En 1600 naquit la Compagnie anglaise des Indes orientales (v. INDES ORIENTALES), qui devait poser les fondements de l'Inde britannique, laquelle resta administrée par cette compagnie jusqu'en 1858 (v. INDE). En Amérique, en dehors de la Compagnie de la baie d'Hudson (1670), à destination purement commerciale, les compagnies à charte constituées par les Anglais eurent toutes un but colonial : la Compagnie de Londres (1606) fonda les premiers établissements durables en Virginie; la Compagnie de Plymouth (1606) travailla également en Virginie mais surtout au Massachusetts – sans grand succès. Elle fit place, en 1629, à la Compagnie de la baie du Massachusetts, dotée d'une charte royale. La colonisation des Bermudes fut entreprise par la Compagnie des Iles de sir George Somers (1612).

Parmi les autres compagnies européennes les plus importantes de l'âge mercantiliste (v.), il faut citer : aux Pays-Bas, la Compagnie hollandaise des Indes orientales (v.) et la Compagnie hollandaise des Indes occidentales (v.); en Suède, la Nouvelle Compagnie du Sud (1633) et la Nouvelle Compagnie de Suède (1637), qui créèrent en Amérique du Nord la colonie de la Nouvelle-Suède, annexée par les Anglais en 1655; dans les Pays-Bas autrichiens, la Compagnie d'Ostende (v.), fondée en 1722 par l'empereur Charles VI pour rivaliser dans les Indes orientales avec les Hollandais et les Britanniques, mais dissoute dès 1731. En France, les premières compagnies de commerce, fondées au début du xviiᵉ s., sous les règnes d'Henri IV et de Louis XIII, n'obtinrent que des résultats médiocres et furent toutes éphémères : Compagnie d'Afrique (1600), Société pour trafiquer avec les Indes orientales (1601), Compagnie des Iles d'Amérique (1625), Compagnie des Cent-Associés (v.) (1627), pour la colonisation du Canada, etc. L'initiative privée se révélant défaillante, seul l'État, sous l'impulsion de Colbert, fut capable de mettre sur pied de puissantes compagnies françaises, capables de rivaliser avec les compagnies britanniques et hollandaises. Ces compagnies à monopole et privilège, où les actionnaires n'avaient aucune part dans la direction des affaires et devaient se contenter de percevoir des dividendes, souffrirent toujours d'une insuffisance de

capitaux et de fonds de roulement. Sur le modèle de la Compagnie française des Indes orientales (v.) (1664), furent créées successivement : la Compagnie des Indes occidentales (v.) (1664); la Compagnie du Nord (1669), qui tenta de supplanter les commerçants hollandais dans la Baltique, mais dut être dissoute dès 1684; la Compagnie du Levant (v.) (1670); la Compagnie de la Chine (1698); la Compagnie de Guinée (1701). Au xviiiᵉ s., Law fonda en 1717 la Compagnie d'Occident, qui devait exploiter la Louisiane et le commerce du Canada; en 1719, elle devint la Compagnie française des Indes (v.); celle-ci faisait suite à une première Compagnie des Indes occidentales, qui avait dû être dissoute dès 1684.

Sous l'influence des conceptions économiques libérales, les dernières compagnies à monopole disparurent au xixᵉ s. Mais les Anglais continuèrent à créer des compagnies coloniales, sans privilèges commerciaux exclusifs, qui jouèrent un grand rôle dans l'édification de l'Empire britannique : Compagnies anglaises de l'Afrique du Sud et de l'Afrique occidentale, du Niger, de Bornéo-Septentrional. Ce furent également des compagnies privées qui posèrent les bases de l'Empire colonial allemand au Sud-Ouest africain, en Afrique orientale, en Nouvelle-Guinée.

COMPAGNIES D'ORDONNANCE. Corps de cavalerie française dont la création, envisagée par les états généraux de 1439, fut ordonnée par un édit de Charles VII en avr. 1447. Destinées, avec les francs archers (v.), à remplacer les bandes mercenaires, ces compagnies soldées constituèrent l'embryon de l'armée permanente en France.

COMPAGNONS DE FRANCE. Organisation de jeunesse créée en 1940 en zone Sud pour regrouper des adolescents de quatorze à dix-neuf ans autour de tâches civiques et pour contribuer « à la formation de la personnalité dans le respect et l'approfondissement des convictions de chacun ». Dans une ligne de fidélité au maréchal Pétain, le mouvement présenta des nuances d'opinion très diverses, allant du traditionalisme maurrassien au personnalisme de Mounier. Nombre de Compagnons de France rejoignirent la Résistance après nov. 1942 et le mouvement fut dissous par le gouvernement de Vichy en 1944.

COMPAGNONS DE JÉHU. Voir JÉHU (Compagnons de).

COMPAGNONNAGE. Aux corporations (v.), qui réunissaient patrons et ouvriers, s'ajoutèrent, dès la fin du Moyen Age, des confréries d'ouvriers dont les patrons étaient exclus : ce furent les compagnonnages. Des traditions légendaires font remonter le compagnonnage jusqu'à l'Antiquité et le rattachent aussi à des traditions monastiques et chevaleresques, avec des personnages fabuleux tels que le père Soubise et maître Jac-

COMPAGNONNAGE
Compagnons participant à la fortification de Rhodes contre les Turcs en 1480. Détail d'une miniature.
Ph. © Bibl. Nat., Paris - Photeb

COMPAGNONNAGE
Compagnon en tenue de fête.
Détail d'une composition peinte
en 1841 par un « Compagnon
passant charpentier du Devoir
de Nantes. »

Ph. © Zalewski - Rapho - Arch.
Photeb

ques. En fait, le compagnonnage semble avoir fait son apparition durant la grande crise de la guerre de Cent Ans, qui mit à l'épreuve les anciennes communautés professionnelles et créa un chômage sporadique qui obligea les ouvriers à aller de ville en ville à la recherche de l'embauche, ce qui fut peut être l'origine de la pratique du « tour de France ».

Le compagnonnage prit un grand développement à partir du XVIᵉ s. Il fut une réplique ouvrière à la sclérose du système corporatif où l'accession à la maîtrise devenait de plus en plus difficile pour les compagnons qui n'étaient pas fils de maîtres, où se constituait dans toutes les professions, avec l'appui des pouvoirs publics, une oligarchie quasi héréditaire de plus en plus fermée. Les confréries ouvrières, qui n'avaient pas de statut légal et se trouvaient en butte à la répression des pouvoirs établis, durent s'organiser en sociétés secrètes qui soumettaient leurs membres à une initiation, à une formation professionnelle et spirituelle, à l'observance de règles et de rites précis. Certaines traditions de la franc-maçonnerie (v.) apparaissent étroitement apparentées à celles des compagnonnages. Les dignitaires portaient les titres de vénérables, de premiers compagnons, de maîtres compagnons, de maîtres, de chevaliers, parfois même de grands prêtres. Les « affidés » et les « initiés », qui se reconnaissaient en topant les mains, et par des mots de passe, par des symboles ésotériques, devaient s'entraider en toute occasion, surtout dans le domaine de l'embauche. Les « tours de France » contribuèrent beaucoup à l'expansion des compagnonnages; la coutume s'imposa que chaque ouvrier, avant de se mettre à son compte, visitât les principaux centres professionnels du pays et y travaillât pendant quelque temps, pour perfectionner ses connaissances. Dans certains métiers, ce tour de France était très réduit, mais partout il était de tradition. Cet apprentissage itinérant existait dans la plupart des pays d'Europe, sauf en Angleterre; en Allemagne, il était appelé *Wanderzwang*. Le compagnonnage disposait dans toutes les villes importantes d'une sorte d'auberge, où le *père* et la *mère* affiliés recevaient le compagnon; celui-ci trouvait sur place d'autres agents locaux, le *premier compagnon* et le *rôleur*, qui se chargeaient de lui trouver de l'embauche et veillaient à ce que les obligations du contrat de travail fussent respectées tant par le patron que par le compagnon. L'employeur peu scrupuleux était « interdit » par le compagnonnage et rencontrait désormais de grandes difficultés pour se procurer de la main-d'œuvre; les ouvriers non affiliés qui acceptaient de travailler pour lui étaient considérés comme des « renards » ou des « jaunes » (ce dernier terme devait subsister très longtemps dans le langage syndical).

Au cours des XVIIᵉ et XVIIIᵉ s., le pouvoir royal prit de nombreuses mesures répressives contre les compagnonnages, mais sans grand succès. La France de l'Ancien Régime connut plusieurs graves mouvements revendicatifs inspirés par les compagnonnages : grève des typographes lyonnais (1539), grève des compagnons drapiers (1697), émeute des canuts de Lyon (1779), etc. Mais les compagnonnages étaient divisés par d'âpres rivalités : les petits groupements locaux s'étaient fondus peu à peu en deux vastes associations, celle des *Enfants de Salomon* ou du *Devoir de liberté* ou des « gavots », et celle des *Enfants de maître Jacques* ou du *Devoir* ou des « dévorants ».

Alors que la monarchie, en 1783, avait fini par accorder aux compagnonnages une tolérance limitée, la Révolution de 1789, inspirée par l'esprit libéral et individualiste de la bourgeoisie, proscrivit non seulement les corporations mais toute « coalition » ouvrière ou patronale (loi Le Chapelier (v.), juin 1791). Les compagnonnages subsistèrent néanmoins, mais toujours déchirés par leurs rivalités. Bien que de moins en moins adaptés aux nécessités nouvelles du monde industriel, ils connurent une renaissance sous la monarchie de Juillet. Ce mouvement éveilla l'attention de l'opinion publique : George Sand publia en 1840 son roman *Le Compagnon du Tour de France,* dont la documentation avait été puisée auprès de Pierre Leroux et surtout d'Agricol Perdiguier, ouvrier charpentier, dignitaire des Enfants de Salomon, qui donna l'expression la plus précise des aspirations du compagnonnage au siècle dernier dans le *Livre du Compagnonnage* (1839) et dans ses *Mémoires d'un compagnon* (1854). Sous le second Empire, on comptait environ 200 000 compagnons. A la fin du XIXᵉ s., ils n'étaient plus que 25 000, regroupés en trois rites : le Devoir, qui réunissait les sociétés du rite de maître Jacques et du père Soubise; les Enfants de Salomon ou Devoir de liberté; l'Union compagnonnique, fondée en 1889, et assez proche de la franc-maçonnerie. Durant la dernière guerre, le gouvernement de Vichy, dans le cadre de la Révolution nationale, voulut faire revivre l'idéal du compagnonnage, mais en lui donnant, assez contradictoirement, un caractère officiel. En 1941 fut créée à Lyon, sous le patronage du maréchal Pétain, l'Association ouvrière, et un projet de charte du compagnonnage fut élaboré. Mais beaucoup de compagnons militèrent aussi dans la Résistance, notamment Lucien Térion, dit Tourangeau l'Intrépide, qui mourut en déportation. L'Association ouvrière survécut à la Libération. En 1945, les charpentiers du Devoir et ceux du Devoir de liberté décidèrent de fusionner dans une Société des Compagnons charpentiers du Devoir du Tour de France qui, en 1953, constitua avec d'autres travailleurs du bâtiment la Fédération nationale compagnonnique des métiers du Bâtiment. Au début des années 70, on comptait encore environ 1 500 compagnons effectuant chaque année leur tour de France.

COMPANYS Y JOVER Luis (* Tarros, Lérida, 1883, † Barcelone, 1940). Homme politique espagnol. Avocat et journaliste,

COMPIÈGNE
Sceau de la ville, XIIᵉ s.
Ph. © Arch. Nat., Paris - Photeb

président de la généralité de Catalogne à la proclamation de la République (1931), il se souleva en 1934 contre le gouvernement de Madrid, proclama l'autonomie de la Catalogne, mais fut vaincu par les troupes gouvernementales. Condamné et presque aussitôt amnistié, réintégré en 1936 dans ses fonctions, il resta fidèle à la République durant la guerre civile et dut se réfugier en France en 1939; mais le gouvernement de Vichy le livra aux autorités franquistes et il fut fusillé à la forteresse de Montjuich.

COMPIÈGNE. Ville de France (Oise), sur l'Oise. Autrefois *Compendium*, elle joua un rôle important dès l'époque franque et vit se tenir plusieurs conciles et assemblées; Charles le Chauve l'agrandit en 876 et lui donna le nom de *Carlopolis*. Un concile, réuni le 1ᵉʳ oct. 833, y déposa Louis le Pieux. C'est à Compiègne que Jeanne d'Arc fut prise, le 24 mai 1430. Entièrement reconstruit de 1742 à 1786, le château de Compiègne accueillit chaque année, à la saison de la chasse, la cour de Napoléon III. Il fut le siège du G.Q.G. français en 1917/18. C'est dans la forêt de Compiègne, à Rethondes, que furent signés les armistices du 11 nov. 1918 et du 22 juin 1940. Durant la Seconde Guerre mondiale, les nazis installèrent près de Compiègne, à Royallieu, un centre de triage des résistants et des Juifs en instance de déportation vers les camps allemands. Compiègne fut libérée par les Américains le 30 août 1944.

COMPOSTELLE. Voir Saint-Jacques-de-Compostelle.

COMPROMIS DES NOBLES. Nom donné à une ligue des seigneurs wallons et flamands fondée à Spa dans l'été 1565, sur l'initiative du comte Henri de Brederode, du prince Louis de Nassau et de Philippe de Marnix. Tout en proclamant leur fidélité au roi et leur attachement à la foi catholique, les seigneurs décidaient de se réunir en fédération pour empêcher l'introduction de l'Inquisition dans les Pays-Bas. Ils allèrent présenter une requête en ce sens à la lieutenante-gouvernante Marguerite de Parme (5 avr. 1566), et le soir, au cours d'un banquet qui eut lieu à l'hôtel Kuilenburg de Bruxelles, ils prirent, on ne sait pourquoi, le nom de « Gueux » (v.).

COMPROMIS DE 1850. Nom donné à cinq mesures votées par le Congrès américain en sept. 1850, dans l'intention d'éviter un conflit entre partisans et adversaires de l'esclavage, l'équilibre entre États libres et États esclavagistes, établi en 1820 par le compromis du Missouri (v.), se trouvant bouleversé par l'admission de nouveaux États consécutive à la guerre contre le Mexique. Suggéré par Henry Clay et adopté sous l'influence de Daniel Webster, ce compromis prévoyait : l'admission de la Californie comme État non esclavagiste; le droit pour les territoires du Nouveau-Mexique et de l'Utah de décider librement sur la question de l'esclavage; la restitution des esclaves fugitifs à leurs propriétaires; la suppression du commerce des esclaves dans le district fédéral de Columbia (où se trouvait la capitale de l'Union, Washington).

COMPROMIS DE 1867. Nom donné à l'accord *(Ausgleich)* conclu le 8 févr. 1867 entre Beust, alors ministre des Affaires étrangères d'Autriche, et les représentants hongrois Deak et Andrassy. Il avait pour but de mettre fin à l'opposition hongroise qui troublait l'empire des Habsbourg depuis l'insurrection de 1848/49. François-Joseph reconnaissait l'autonomie de la Hongrie, désormais considérée effectivement comme un royaume indépendant uni au reste de l'empire par une union personnelle, l'empereur acceptant de se faire couronner « roi apostolique » à Budapest. François-Joseph exerçait le pouvoir exécutif en Hongrie, assisté d'un ministère hongrois responsable devant la Diète hongroise; la Hongrie obtenait la gestion complète de ses propres affaires. Cependant, le compromis, admettant que la Hongrie avait des « intérêts communs » avec les autres terres des Habsbourg, établissait un « ministère d'Empire » commun pour les Affaires étrangères, la Guerre et les Finances (celles-ci limitées aux dépenses nécessaires à la défense commune). Il n'y avait ni Premier ministre ni cabinet communs. Des « délégations » de la Diète hongroise et du Parlement de Vienne devaient se réunir deux fois par an, alternativement à Vienne et à Budapest, mais en siégeant séparément, pour contrôler les actes des ministères d'Empire et voter leur budget. Sur cette base du « dualisme » était constituée une nouvelle monarchie, l'Autriche-Hongrie. Le compromis de 1867 n'apaisa nullement les conflits de nationalités qui agitaient l'empire des Habsbourg; il abandonnait les Croates, les Slovènes, les Roumains à la domination hongroise, cependant que les Tchèques et les Polonais restaient sous la coupe de Vienne. Selon la légende, Beust aurait dit à Deak : « Gardez vos hordes, nous garderons les nôtres. »

COMPROMIS HISTORIQUE. Voir Italie.

COMPTOIR NATIONAL D'ESCOMPTE. Établissement français de crédit dont l'origine remonte à la IIᵉ République. La révolution de 1848 ayant entraîné une crise générale du crédit, le gouvernement provisoire décida la création, à Paris et dans plusieurs villes de province, de *Comptoirs nationaux d'escompte* dont le capital était fourni pour un tiers par l'État, pour un tiers par la commune et pour un tiers par des particuliers; ces établissements escomptaient les billets du commerce. Le Comptoir national d'escompte de Paris fut réorganisé en 1853/54 sous la forme d'une société anonyme au capital de 20 millions de francs. Il s'occupa d'abord d'affaires commerciales et orienta

1127

surtout son activité vers les pays d'Orient, les Indes, le Japon. Après 1870, il devint essentiellement une banque de dépôt, et la Banque d'Indochine, banque d'affaires, s'en détacha en 1875. Le Comptoir national d'escompte fut nationalisé en 1945. Il fusionna en 1966 avec la Banque nationale pour le commerce et l'industrie (B.N.C.I.) pour former la Banque nationale de Paris (B.N.P.).

COMTAT VENAISSIN
Armoiries, 1664.
Ph. Jeanbor © Photeb

COMTAT VENAISSIN. Petit pays du midi de la France, qui avait pour chef-lieu Carpentras et tirait son nom de la ville de *Venasque,* qui en fut longtemps la capitale. Possession des comtes de Toulouse comme terre d'Empire depuis 1125, elle leur fut enlevée lors de la croisade des albigeois (1226), mais fut rendue ensuite à Raymond VII. La fille de celui-ci ayant épousé un frère de Louis IX, le comtat Venaissin passa à la France (1271), mais Philippe le Hardi le céda au pape Grégoire X. Depuis lors, le comtat Venaissin appartient au Saint-Siège; sa capitale fut transférée de Pernes à Carpentras en 1320; pendant le séjour des papes à Avignon, le Comtat fut gouverné par un recteur, puis par le légat, qui résidait à Avignon (cette ville ne fit jamais partie du Comtat). Dès le mois de juin 1790, les habitants du Comtat demandèrent leur rattachement à la France; cette réunion fut prononcée par le décret du 13 sept. 1791 et reconnue par le pape au traité de Tolentino (9 févr. 1797).

COMTE. A partir du règne de Constantin, le titre de comte (*comes,* compagnon) fut donné à des personnages de confiance et aux principaux fonctionnaires de l'Empire romain : ainsi, depuis 334, le *comes Orientis,* comte d'Orient qui avait autorité sur l'ensemble de l'Orient; ou encore le *comes sacrarum largitionum,* sorte de ministre des Finances et de l'Économie. Dans les provinces, le *comes civitatis* exerçait, sans fonctions civiles, le commandement militaire d'un district. Après la conquête barbare, s'installa dans chaque district, à la tête d'une force armée, un *grafio* (en allem. *Graf,* comte), qui prit le titre romain de *comes civitatis.* Ces comtes, qui cumulaient le pouvoir civil et le pouvoir militaire, et qui exerçaient notamment la justice, étaient les principaux agents du roi, nommés par lui, d'une manière révocable et généralement pour une période courte. Ils étaient chargés également de percevoir les impôts. Charlemagne mit ce système en application dans tout l'Empire, où il y eut, à la fin du IXᵉ s., jusqu'à 300 comtes. Non rétribués, les comtes recevaient en bénéfice une terre de l'empereur et souvent des abbayes, dont ils devenaient l'abbé laïc. Cependant les comtes, choisis presque toujours parmi les membres de la vieille aristocratie franque, s'assurèrent de fait la succession héréditaire dès la première moitié du IXᵉ s. et constituèrent des dynasties parfois puissantes, dont la plus célèbre fut celle des Robertiens, comtes de Blois, d'Orléans et de

COMTE
Auguste. Philosophe et doctrinaire français (1798-1857).
Ph. Jeanbor © Photeb

Paris. Ce droit à l'hérédité leur fut reconnu par le capitulaire de Kiersy-sur-Oise (877). En 1564, une ordonnance de Charles IX établit qu'en l'absence d'héritiers mâles les comtés retourneraient à la Couronne. – A l'époque mérovingienne exista aussi le comte du palais *(comes palatii),* qui avait surtout des attributions judiciaires et instruisait les affaires venant au tribunal du roi. Voir aussi PALATIN (comte), LANDGRAVE, MARGRAVE.

COMTE DU RHIN. Voir RHEINGRAF.

COMTE Auguste (* Montpellier, 19.I. 1798, † Paris, 5.IX.1857). Philosophe français. Fils d'un petit fonctionnaire, d'une famille profondément catholique et royaliste, il devint très tôt agnostique, mais devait rester toute sa vie enclin au dogmatisme et au mysticisme. Brillant mathématicien, il entra à l'École polytechnique en 1814, à l'âge de seize ans, mais il en fut renvoyé en 1816, avec toute sa promotion, à la suite d'une manifestation contre un professeur. Surveillé par la police en raison de ses opinions libérales, il continua à se cultiver par des lectures abondantes, tant politiques que scientifiques. En 1817, il devint le disciple de Saint-Simon, avec lequel il se brouilla en 1824, après avoir été son secrétaire pendant quelquesannées.

Ce passage par le saint-simonisme fut décisif dans l'évolution de la pensée de Comte. On peut dire que c'est auprès de Saint-Simon que Comte eut la révélation du fait social : détaché comme lui du christianisme, Saint-Simon avait l'ambition de mettre fin à la crise sociale et morale ouverte par la Révolution française en appliquant la science à l'étude et à la conduite des sociétés. Dès le *Plan des travaux scientifiques nécessaires pour réorganiser la société* (1822), l'évolution des idées de Comte est très nette : déjà il rejette le dogme de la liberté d'opinion, considéré comme le principe même de l'anarchie révolutionnaire, et déjà il esquisse sa loi des trois états, montrant que l'avenir de la civilisation dépend de la prédominance de l'esprit d'observation sur les constructions sentimentales ou imaginatives. Dès lors, Comte a trouvé le sens de sa vie et de son œuvre : il se consacrera à la réorganisation de la société, mais en travaillant d'abord à la réorganisation spirituelle, qui commande toutes les autres.

Marié en févr. 1825 à Caroline Massin, jeune femme de mœurs légères dont il avait fait la connaissance dans les galeries du Palais-Royal, Comte ne tarda pas à connaître des déboires conjugaux car son épouse, déçue de le voir se consacrer entièrement à sa mission philosophique, était vite retournée à sa vie galante. Au milieu de ces ennuis intimes et des difficultés matérielles, Comte travaillait cependant avec acharnement. En avr. 1826, il commença à professer son *Cours de philosophie positive* mais ne put dépasser la troisième leçon. Atteint d'un accès de délire violent, provoqué sans doute par le surmenage, il dut être interné pendant plusieurs mois dans la clinique du célèbre aliéniste

COMTE
Auguste. Les inspiratrices de la religion positiviste. Détail d'une lithographie.

Ph. J.L. Charmet © Photeb

Esquirol (avr./déc. 1826). En 1827, il tenta encore de se suicider, en se jetant dans la Seine du haut du pont des Arts, mais dès le début de 1828 il fut en mesure de se remettre au travail et reprit son *Cours* (janv. 1829), qui fut publié de 1830 à 1842.

Nommé répétiteur d'analyse et de mécanique rationnelle à l'École polytechnique (1832), Comte donnait aussi, à la mairie du IIIe arrondissement, un cours d'astronomie qui devint le *Traité philosophique d'astronomie populaire* (1844). Mais son caractère difficile, son dogmatisme intransigeant et la nouveauté de ses idées l'empêchèrent toujours de connaître une grande carrière universitaire; il ne put obtenir de chaire ni à Polytechnique ni au Collège de France et, en 1844, il perdit même sa place de répétiteur. Sa femme l'avait quitté définitivement depuis deux ans et il aurait connu la misère complète si quelques admirateurs anglais, au premier rang desquels Stuart Mill, et une souscription organisée par Littré ne lui avaient assuré au moins le nécessaire. La fin de sa vie fut illuminée par le souvenir de Clotilde de Vaux, jeune femme séparée de son mari, qu'il avait rencontrée en 1844 et qui mourut dans ses bras en avr. 1846. Elle n'avait pas été sa maîtresse mais bien plus encore : son égérie mystique; morte, elle devint pour Comte un objet de culte et cette brève idylle devait avoir des conséquences considérables sur l'évolution du système positiviste.

« L'Amour pour principe et l'Ordre pour base; le Progrès pour but ».

Deux faits essentiels avaient retenu la réflexion d'Auguste Comte dès ses premières démarches : d'une part, le trouble des esprits, l'anarchie spirituelle qui manifestaient la persistance de la grande crise révolutionnaire ouverte au XVIIIe s.; d'autre part, l'accord unanime qui existe dans le domaine des sciences exactes, où chacun se soumet aux faits, où nul ne songerait à invoquer la liberté d'opinion. Seul élément de fixité dans l'anarchie universelle, la science — c'est-à-dire la « science positive », celle qui s'en tient aux faits et rejette tout ce qui le dépasse —, sera donc, pour Comte, la pierre angulaire du nouvel ordre spirituel et politique à instaurer. D'après lui, l'humanité, comme chaque individu, passe par trois états successifs dans son développement intellectuel : l'état théologique (fétichisme, polythéisme, monothéisme), qui recherche une interprétation à la fois globale et finaliste de l'univers; l'état métaphysique ou critique, qui tente d'expliquer le monde non plus par des agents surnaturels mais par des abstractions ou des entités; enfin l'état positif, où l'esprit, renonçant à la recherche des causes transcendantes, s'en tient à celle des lois des phénomènes. En fait, ces trois états continuent de coexister dans l'époque contemporaine : tels individus, tels partis ont déjà atteint l'état positif, tandis que d'autres en sont encore à l'état métaphysique (les libéraux) ou théologique (les légitimistes); dans le domaine scientifi-

que même subsistent, à des degrés divers selon les disciplines, des survivances de modes de pensée métaphysiques ou théologiques. C'est là, pour Comte, la grande cause de l'anarchie spirituelle et politique de son temps.

Le remède consiste à achever le triomphe de l'esprit positif dans toutes les sciences, puis à constituer la science suprême, celle des phénomènes sociaux, qui sera la « physique sociale » ou la « sociologie ». Mais avant de fonder cette physique sociale, il convient de procéder à l'étude objective de tous les résultats de la pensée, en partant des sciences les plus générales, car on ne peut étudier les phénomènes complexes de la société sans faire reposer cette étude sur celle des phénomènes plus simples. C'est dans cette perspective utilitaire — car Comte vise toujours finalement à la réorganisation de la société — que le maître du positivisme dresse une nouvelle classification des sciences qui reste l'une des parties solides de son œuvre, passant successivement en revue les mathématiques, l'astronomie, la physique, la chimie, la biologie pour aborder enfin à la sociologie. Il souligne qu'aucun ordre de phénomènes ne peut être réduit à l'autre et que la recherche d'une loi unique de la pensée scientifique n'est qu'une forme ultime de pensée « théologique ». La sociologie procède par la méthode historique d'observation du passé (ce qui implique ce postulat que la nature de l'homme évolue sans se transformer). Son objet, c'est la totalité de l'espèce humaine, l'Humanité, car l'homme individuel n'est qu'une abstraction, il est enveloppé et dépassé par l'Humanité, qui lui est transcendante et devient l'objet d'une adoration religieuse. L'Humanité, le Grand Être, est la raison première et la fin de toutes choses, elle est, au fond, l'absolu du système de Comte. Mais ici l'influence des doctrinaires traditionalistes, de Maistre et de Bonald, se conjugue chez Comte à celle de Condorcet. Au nom de l'Humanité, Comte aboutit à reconstruire un « catholicisme moins le christianisme », où le pouvoir spirituel passerait des prêtres aux savants (avec un grand prêtre de l'Humanité à la tête de ce clergé nouveau) et le pouvoir temporel des militaires aux producteurs; où l'immortalité subjective, effort pour s'incorporer à l'humanité par une vie altruiste, se substituerait à l'immortalité de l'âme. Sous l'emprise de son adoration mystique pour Clotilde de Vaux, Auguste Comte est allé loin dans cette utopie de la religion positiviste de l'Humanité : l'Immaculée-Conception lui suggéra l'hypothèse de la Vierge-Mère, la doctrine des anges gardiens fut récupérée dans l'héritage des âges théologiques, il y eut un calendrier positiviste où les grands bienfaiteurs de l'Humanité remplaçaient les saints, des fêtes, un drapeau, une devise positiviste, etc.

Dans sa haine de l'individualisme et de la liberté d'opinion, Comte a conçu le gouvernement idéal de la société sous la forme d'une dictature où les « producteurs » et les « banquiers » exerceraient une autorité abso-

CONCENTRATION (camps de)
Détail d'une composition
de Korolkov sur un camp
de travail en U.R.S.S.
Ph. © U.S.I.S. - Photeb

File de prisonniers à Dachau,
28 juin 1938.
Ph. © Bundesarchiv - Photeb

lue, en union avec le pouvoir spirituel. Après avoir fondé la Société positiviste (1848) et publié son *Discours sur l'ensemble du positivisme* (1848), son *Système de politique positive* (1851-54) et son *Catéchisme positiviste* (1852), Comte lança un *Appel aux conservateurs* (1855) en faveur d'une alliance des positivistes et des catholiques contre la démocratie. Avant de mourir, Comte eut encore le temps de faire paraître le premier volume de sa *Synthèse subjective* (1856).

Son influence fut considérable et extrêmement diverse. Certains retinrent surtout de lui l'idée de la primauté, en tous les domaines, de la méthode scientifique ou positive que Claude Bernard appliqua à la médecine, Renan à l'exégèse, Taine à l'histoire et à la critique littéraire; plus largement, Comte fut à l'origine du courant « scientiste » qui allait dominer la mentalité française à la fin du xixe s.; c'est lui encore qui a lancé le nom de « sociologie » mais surtout qui a réellement créé cette science en montrant que la réalité sociale devait être désormais traitée comme les réalités naturelles; d'autres de ses disciples, tel Maurras, s'attachèrent surtout à l'idée d'une reconstruction de l'ordre politique et intellectuel sans référence théologique. En résumé, avec Hegel, Marx et Nietzsche, Auguste Comte, méconnu en son temps (sauf dans les pays anglo-saxons), est l'un des quatre grands penseurs du xixe s. dont le monde moderne continue de vivre. On s'est trop attaché aux aspects ridicules et parfois puérils de la religion de l'Humanité sans voir assez que celle-ci constituait la première version d'un totalitarisme qui prétend mobiliser les vieilles énergies religieuses de l'homme au seul service de la société.

COMUNERO. En espagnol, habitant d'une commune. La **révolte des comuneros (1520/21)** fut une grave insurrection des villes qui marqua, en Espagne, les débuts du règne de Charles Quint. Celui-ci avait soulevé l'opposition de ses sujets ibériques en plaçant aux postes de commande ses conseillers flamands et en utilisant aux fins de sa politique impériale les subsides levés en Espagne. Les Cortes convoquées en avr. 1520 à Saint-Jacques-de-Compostelle pour voter de nouveaux subsides firent apparaître une opposition résolue des citadins, appuyés par de nombreux nobles. Elles refusèrent d'accorder les sommes réclamées. Le chancelier de Castille, Mercurino Gattinara, les transféra à La Corogne et, en corrompant des députés, réussit à obtenir les subsides. L'opposition des villes castillanes, conduites par Tolède, se transforma alors en une véritable insurrection. Réunis à Avila, les *comuneros* constituèrent une Sainte-Ligue (*Junta Santa*, juill. 1520) et mirent à leur tête Juan de Padilla, de Tolède, et Juan Bravo, de Ségovie. A l'origine, le mouvement rassembla nobles et bourgeois dans la défense des antiques libertés et particularismes, mais il prit bientôt un caractère social et populaire qui rejeta les nobles du côté de l'empereur. Les *comuneros* furent écrasés à la bataille de

Villalar (23 avr. 1521), et leurs chefs, Padilla, Bravo et Maldonado, furent exécutés. Les cités castillanes perdirent leur autonomie politique.

Une autre révolte des comuneros, provoquée par l'augmentation des impôts, eut lieu en Colombie contre la domination espagnole (1779/81).

La *Société des comuneros* rassembla au sein de la franc-maçonnerie espagnole un groupe de libéraux exaltés (1821/23).

CONAN Ier le Tort († Conquereux, 992). Fils de Juhel Bérenger, comte de Rennes, il prit le titre de comte de Bretagne à la mort de Drogon (952), chassa Hoël et Guéroch, ses compétiteurs, mais tomba lui-même dans une bataille livrée à Foulques Nerra, duc d'Anjou.

Conan II († 1066), duc de Bretagne (1040/66), fils d'Alain III, eut des démêlés avec Guillaume, duc de Normandie, qui fut soupçonné de l'avoir empoisonné.

Conan III le Gros († 1148), duc de Bretagne (1112/48), succéda à son père Alain Fergent. Allié à Louis le Gros contre son beau-père Henri Ier roi d'Angleterre, il désavoua sur son lit de mort Hoël, fils de son épouse Mathilde, qui avait jusque-là passé pour son propre fils. Cette déclaration fut à l'origine d'une longue guerre civile.

Conan IV le Petit († 1171), duc de Bretagne (1156/71), fils d'Alain le Noir et de Berthe de Bretagne, fut dépouillé de ses États par Henri II d'Angleterre, qui ne lui laissa que le comté de Guingamp.

CONCENTRATION (camps de). Camps d'internement et de travail forcé établis par certains États totalitaires pour y reléguer — généralement sur simple décision des autorités policières ou militaires — des individus considérés comme politiquement dangereux. Des camps de concentration furent établis par les Espagnols à Cuba en 1896 et par les Anglais durant la guerre des Boers, en 1901/02, afin d'y interner non seulement des hommes, mais aussi des femmes et des enfants susceptibles d'apporter une aide aux forces de guérilla. A la fin de la guerre des Boers, Kitchener avait ainsi fait interner près de 200 000 personnes, qui se trouvaient dans un état d'hygiène lamentable, ce qui souleva de vives protestations dans l'opinion publique britannique. D'autre part, durant la Première Guerre mondiale, des camps d'internement provisoires furent aménagés pour les ressortissants des pays ennemis.

Les camps soviétiques

Le premier État européen qui institua un système concentrationnaire durable fut l'U.R.S.S. Dès 1920, la police politique soviétique, appelée alors Tchéka, commença à déporter sans jugement des contre-révolutionnaires, et, en 1922, lorsque la Tchéka fut remplacée par la Guépéou, il existait déjà une vingtaine de camps de concentration dans diverses provinces de la Russie. En 1923 fut créé le premier camp de travail, celui des îles Solovietski, dans la mer Blanche. D'après la *Petite Encyclopédie soviétique* de 1929, le camp de concentration était un « lieu d'isolement... des personnes socialement dangereuses n'ayant pas commis d'actes criminels, mais dont l'isolement est nécessaire afin de sauvegarder l'ordre et comme mesure de défense sociale ». En mai 1928, le Comité central exécutif de l'U.R.S.S. prit un décret pour « l'emploi généralisé du travail des individus se trouvant sous le coup de mesures de protection spéciales ». Le nombre des internés du camp des îles Solovietski, qui ne dépassait pas encore 6 000 en 1927, passa à 30 000 dès 1928. Au printemps de 1930, on comptait environ 650 000 prisonniers dans les sept camps de concentration du N. de l'U.R.S.S. Dès le début de l'ère des plans quinquennaux (1929), il fut décidé d'employer les prisonniers des camps comme main-d'œuvre pour les grands travaux de la « construction du socialisme ». Dans les années 30, les concentrationnaires furent ainsi occupés à la construction des canaux mer Blanche-Baltique et Moscou-Volga, de routes, de chemins de fer, d'implantations industrielles en Oural et en Sibérie. Les camps étaient placés sous l'autorité directe de la Guépéou – que remplaça en 1934 le N.K.V.D. – ; la police politique, en U.R.S.S. comme dans l'Allemagne nazie, devenait ainsi le plus important des employeurs industriels. En dépit du taux de mortalité considérable des bagnards, la population de l'univers concentrationnaire soviétique ne cessa de s'accroître à la suite des déportations successives des koulaks (1929/32), des victimes des grandes purges des années 1935/38, des Polonais et des Baltes (1939/41, 1945/49), des Allemands de la Volga (1941), des minorités kalmoukes, tatares, etc. (1943/46), des prisonniers de guerre des armées de l'Axe (1943/45). On estime que, dès 1935, de six à dix millions de personnes se trouvaient internées. C'est dans les camps des rives de l'Arctique (Vorkouta) et dans ceux du N.-E. de la Sibérie (mines d'or de la Kolyma et du Kamtchatka) que les conditions de vie étaient les plus dures. Les évaluations des victimes de ce système concentrationnaire sont très variables : l'historien communiste Jean Ellenstein parle de millions de victimes et certains auteurs admettent plusieurs dizaines de millions.

Les camps soviétiques commencèrent à se vider après la mort de Staline (amnistie de 1955); une loi d'avr. 1960 disposa que les prisonniers condamnés à vingt-cinq ans de privation de liberté, mais jugés rééduqués par un tribunal spécial itinérant de la police politique, pourraient voir leur peine réduite à quinze ans. Cependant, au début des années 70, des camps subsistaient en Union soviétique, avec une population composée de condamnés de droit commun, de croyants irréductibles (baptistes, Témoins de Jéhovah

par exemple), de membres des minorités nationales et d'opposants au régime. L'existence des camps soviétiques, connue en Occident dès le début des années 30, fut au centre des violentes polémiques suscitées par les procès de Kravchenko et de David Rousset contre l'hebdomadaire communiste *Les Lettres françaises* (1949/50). Des témoignages importants furent publiés par Marguerite Buber-Neumann (1949), Jules Margoline (1949), Alexandre Weissberg (1953), enfin par Soljénitsyne dans son *Archipel du Goulag* (1974).

Les camps hitlériens

Dans l'Allemagne hitlérienne, dès févr. 1933, plusieurs camps de concentration furent ouverts par des chefs locaux de S.A. afin d'y interner des communistes, des sociaux-démocrates, etc. Ces camps ne prirent une existence légale qu'en 1934, lorsqu'ils passèrent sous le contrôle des S.S., Hitler s'efforçant alors de rassurer l'opinion publique; la plupart furent d'ailleurs fermés dès la fin de 1934, à la suite de plaintes pour sévices adressées aux autorités judiciaires. Le système concentrationnaire ne commença à s'organiser que lorsque Himmler fut devenu chef suprême de la police allemande (1936). En janv. 1937, n'existaient encore que deux camps : Dachau, près de Munich, et Sachsenhausen, près de Berlin. Furent ouverts ensuite les camps de Buchenwald (juill. 1937), de Mauthausen (près de Linz, en 1938), auxquels s'ajoutèrent, avant le début de la guerre, ceux de Neuengamme (près de Hambourg), de Ravensbrück (pour les femmes, dans le Mecklembourg), de Flossenburg (Palatinat bavarois). Au 10 avr. 1939, la population totale des détenus internés dans les camps s'élevait déjà à 280 000 individus. Entre 1940 et 1942, furent créés les camps de Lublin, d'Auschwitz, de Theresienstadt, de Dora, du Struthof (en Alsace), de Bois-le-Duc (Pays-Bas); en 1943, le camp de Bergen-Belsen (près de Hanovre). A l'automne de 1944, la population totale des camps de concentration dépassait 600 000 individus, et le nombre des êtres humains qui eurent à souffrir de l'univers concentrationnaire nazi a été évalué par Eugen Kogon à environ 8 millions.

Parmi ceux-ci se trouvaient en grande majorité des Juifs, des adversaires politiques du nazisme et des membres de mouvements de résistance contre l'Allemagne, mais également des homosexuels, des asociaux (trafiquants de marché noir, souteneurs, etc.) et des criminels de droit commun. Les S.S., dont dépendait toute l'administration des camps, s'appliquaient à mélanger les diverses catégories de détenus, en laissant à ceux-ci l'administration directe du camp (système des *kapos*). Le travail des détenus était une source de revenus pour les S.S., qui louaient leur main-d'œuvre forcée à des industries privées. Dès 1942, les conditions de travail ainsi que le régime alimentaire et sanitaire étaient si durs que la mortalité dépassa 50%

CONCENTRATION (camps de)
Un prisonnier de
Buchenwald, 1945.
Ph. © U.S.I.S. - Archives Photeb

pour la seule période de juin à nov. 1942. Mais à côté de cette extermination par le travail et la misère, l'univers concentrationnaire a offert des formes plus affreuses encore d'anéantissement humain : de 1942 à 1944, notamment à Ravensbrück, Dachau, Auschwitz, Buchenwald, des médecins S.S. tels que Sigmund Rascher, Karl Gebhardt, Karl Brandt, se livrèrent sur des détenus à diverses expériences scientifiques (inoculation du typhus, tests de résistance à l'altitude, au gel, vivisection, etc.). D'autre part, à côté des camps de travail, furent créés, à partir de 1942, dans le cadre de la « solution finale du problème juif », de véritables **camps d'extermination** par asphyxie dans les chambres à gaz. Tels furent les camps de la mort de Belsec, Chelmno, Sobibor et Treblinka (en Pologne), qui passèrent au second plan lorsque Himmler, au début de l'été 1942, décida de faire d'Auschwitz le grand centre d'extermination des Juifs déportés de tous les pays européens. On peut estimer que la moitié environ des Juifs massacrés durant la Seconde Guerre mondiale ont péri dans ces camps, les autres ayant été exécutés sur place, en Pologne et en U.R.S.S., par les Einsatzgruppen S.S. Après la guerre, les responsables du système concentrationnaire hitlérien furent jugés par les tribunaux alliés, puis par les tribunaux allemands, lesquels continuent d'infliger des condamnations. Voir Einsatzgruppen, Juifs, S.S.

CONCESSION CAROLINE. Constitution donnée en 1540 par Charles Quint à la ville de Gand, dont les anciens privilèges avaient été supprimés à la suite de la révolte de ses habitants en 1539.

CONCIERGERIE. Partie médiévale du Palais de Justice, à Paris, située sur le quai de l'Horloge, entre la tour Carrée ou de l'Horloge et la tour Bombée ou Bon-Bec. Du temps que le Palais était la résidence du roi (jusqu'à Charles V), elle dépendait de l'officier royal appelé *concierge* puis bailli du Palais. Convertie en prison en 1392, elle vit le massacre des Armagnacs (1418). Les condamnés à mort y attendaient leur exécution. Sous la Terreur, le nombre des prisonniers qui s'y trouvaient entassés, attendant l'échafaud, s'éleva jusqu'à 1 200. La Conciergerie fut la dernière étape vers la mort pour Marie-Antoinette, Bailly, Danton, Mme Roland, André Chénier, etc.

CONCILE. Assemblée d'évêques convoqués pour régler les affaires de l'Église concernant la foi, la discipline ou les mœurs. On distingue : les *conciles généraux* ou *œcuméniques,* où sont appelés les évêques du monde entier; les *conciles nationaux,* composés de tous les évêques d'un État; les *conciles provinciaux,* convoqués par un évêque métropolitain. L'Église catholique regarde comme œcuméniques 21 conciles (22, si l'on y joint le concile de Jérusalem, en l'an 50) : 1. 1er concile de Nicée, 325; 2. 1er concile de Constantinople, 381; 3. 1er concile d'Éphèse,

431; 4. Concile de Chalcédoine, 451; 5. 2e concile de Constantinople, 553; 6. 3e concile de Constantinople, 680; 7. 2e concile de Nicée, 787; 8. 4e concile de Constantinople, 869; 9. 1er concile du Latran, 1123; 10. 2e concile du Latran, 1139; 11. 3e concile du Latran, 1179; 12. 4e concile du Latran, 1215; 13. 1er concile de Lyon, 1245; 14. 2e concile de Lyon, 1274; 15. Concile de Vienne, en France, 1311; 16. Concile de Constance, 1414/18; 17. Concile de (Bâle) Ferrare-Florence (1431) 1438/45; 18. 5e concile du Latran, 1512/17; 19. Concile de Trente, 1545/63; 20. 1er concile du Vatican, 1870; 21. 2e concile du Vatican, 1962/65. Voir l'histoire de chaque concile au nom du lieu où il s'est tenu.

D'autres conciles, bien que non œcuméniques, ont eu une grande importance dans l'histoire du christianisme, tels le concile d'Iliberis (vers 300/306), qui prit d'importantes mesures disciplinaires relatives à l'indissolubilité du mariage, au baptême et à la confirmation; les conciles d'Arles (314, contre le donatisme, et 353, marqué par une victoire temporaire de l'arianisme); le concile de Carthage (418), qui condamna le pélagianisme; le 2e concile d'Orange (529), qui, présidé par st. Césaire d'Arles, s'efforça de définir la doctrine des rapports de la grâce et de la liberté; les conciles wisigothiques de Tolède (vie/viie s.); le synode de Whitby (664), où les usages romains prévalurent, dans l'Église d'Angleterre, sur les usages celtiques, etc.

L'Église orthodoxe ne reconnaît comme œcuméniques que les sept premiers conciles (jusqu'au 2e concile de Nicée, 787) mais elle a tenu, au cours de son histoire, d'importants conciles : conciles de Constantinople (1285, sur la manifestation éternelle de la gloire divine dans l'Esprit, par le Fils; 1341 et 1351, reprenant la doctrine de Grégoire Palamas sur la « distinction-identité » du Dieu caché et de ses « énergies »); concile de Iasi (1642); concile de Moscou (1666/67), qui condamna les « vieux-croyants »; concile de Jérusalem (1672), qui adopta la *Confessio Dosithei.*

Par analogie avec ces assemblées chrétiennes, on appelle *conciles bouddhiques* les réunions monastiques qui, après la mort du Bouddha Çakyamuni, procédèrent à l'élaboration du canon de sa doctrine. Le 1er concile se tint à Rajagriha, vers 480/470 av. J.-C., sous la présidence de Kâçyapa; il adopta un canon primitif, aujourd'hui perdu. Le 2e concile, qui se réunit un siècle environ plus tard à Vaiçali, vit s'affirmer l'opposition entre les Theravadin (traditionalistes) et les Mahasanghikan (partisans d'une « grande communauté » ouverte non seulement aux moines mais aussi aux laïcs). Après la rupture entre ces deux tendances, les Theravadin se retrouvèrent seuls au 3e concile convoqué par l'empereur Açoka à Pataliputra (Patna), en 245 av. J.-C.; ce concile établit définitivement les traditions du bouddhisme du Petit Véhicule et les consigna dans le canon pali. C'est au 4e concile, tenu à Kundalavana, au Cachemire,

CONCIERGERIE
Le maréchal Ney, dessiné depuis une fenêtre de la prison de la Conciergerie, déc. 1815.
Ph. © Bibl. Nat., Paris - Photeb

CONCILE
Le pape Martin V quittant le concile de Constance. Dessin colorié du XVe s.
Ph. © L. von Matt - Photeb

vers 120 de notre ère, que furent définis les fondements du bouddhisme du Grand Véhicule. Voir BOUDDHISME.

CONCILIAIRE (théorie). Doctrine théologique qui se répandit largement dans l'Église catholique, aux XIVe et XVe s., et selon laquelle le concile général ou œcuménique est supérieur au pape. La théorie conciliaire, qui eut son foyer le plus ardent à l'université de Paris, fit son apparition après les humiliations subies par la papauté dans son conflit avec Philippe le Bel, au début du XIVe s. Elle fut exposée pour la première fois, et de la manière la plus radicale, par Marsile de Padoue lors du conflit qui opposait le pape Jean XXII à l'empereur Louis de Bavière. Le scandale du Grand Schisme (v.) lui donna une vigoureuse actualité : puisque la chrétienté était divisée entre deux papes rivaux, la seule voie de retour à l'unité n'était-elle pas l'appel au concile général? Après Henri de Langenstein dans son *Epistola pacis* (1379) et Conrad de Gelnhausen dans son *Epistola concordiae* (1380), les grands représentants de la théorie conciliaire furent les personnalités les plus éminentes de l'université parisienne, Pierre d'Ailly, Gerson et Nicolas de Clémanges. Les conciliaristes parurent triompher en faisant adopter par le concile de Constance, en mars/avr. 1415, des décrets célèbres qui affirmaient, entre autres, que le concile « tient immédiatement de Jésus-Christ une puissance à laquelle chacun est tenu d'obéir, de quelque qualité ou dignité qu'il soit, même papale, en ce qui touche la foi et l'extirpation du schisme, ainsi que la réformation de l'Église de Dieu dans son chef et dans ses membres ». La victoire finale du Saint-Siège dans son conflit avec les Pères du concile de Bâle (v.) entraîna l'échec des conciliaristes, dont les doctrines furent cependant reprises par le gallicanisme (v.), notamment dans la fameuse Déclaration du clergé de France (v.) de 1682. La proclamation du dogme de l'infaillibilité pontificale (1870) aurait dû porter le coup final à la doctrine conciliaire; mais, après Vatican II, nombre d'oppositions qui se sont manifestées dans l'Église à l'encontre de décisions de Paul VI relèvent de l'idée que le pape devrait être constamment soumis au contrôle de l'Église universelle.

CONCINI
Concino. Homme politique français d'origine italienne (v. 1575-1617).
Ph. Jeanbor © Photeb

CONCILIATORE (Il). Périodique littéraire italien, d'inspiration romantique et libérale, fondé à Milan (v.), en sept. 1818, par Luigi Porro Lambertenghi et Federico Confalioneri. Avec Silvio Pellico (v.) comme rédacteur en chef, il compta parmi ses collaborateurs Berchet, Romagnosi, Borsieri, Visconti. Le gouverneur autrichien de Lombardie interdit la publication du journal en oct. 1819.

CONCILIUM PLEBIS. Dans la Rome antique, assemblée indépendante de la plèbe, d'où étaient exclus les patriciens. Les *concilia plebis,* dont la création semble remonter à 471 av. J.-C., prenaient des décisions obligatoires pour les seuls plébéiens et ayant valeur de loi *(plébiscites);* ils élisaient les magistrats plébéiens, édiles et tribuns. Ils permettaient à la plèbe de former, en face du patriciat, un véritable corps politique. Après 287 av. J.-C., lorsque les plébiscites furent rendus obligatoires également pour les patriciens, la plèbe et le patriciat se réunirent dans les comices tributes (v. COMICES), qui votèrent désormais la plupart des lois.

CONCINI Concino, dit **le maréchal d'Ancre** (* Florence, vers 1575, † Paris, 24.IV. 1617). Homme politique français. Fils d'un secrétaire du grand-duc de Toscane, il vint en France en 1600 avec Marie de Médicis, épouse de Henri IV, dont il obtint la protection grâce à l'appui de sa femme, Leonora Galigaï, femme de chambre et favorite de la reine. Après la mort de Henri IV, il acheta le marquisat d'Ancre, fut nommé gouverneur de la Normandie et fait maréchal de France, sans avoir jamais servi sous les armes. Dès 1611, il avait remplacé Sully à la tête des affaires politiques et exerça, grâce à un réseau d'espions, un pouvoir tyrannique. Sa fortune si rapide et ses hauteurs excitèrent la jalousie des grands seigneurs, et, poussé par eux, le jeune roi ordonna l'assassinat de l'étranger, qui fut frappé par Vitry dans la cour du Louvre. Sa femme, condamnée à mort comme sorcière, fut décapitée puis brûlée et leur fils déclaré par le parlement « ignoble et incapable de tenir aucun état dans le royaume ».

CONCLAVE du latin *cum clave,* sous clef. Lieu où, après la mort d'un pape, les cardinaux se réunissent, dans une clôture rigoureuse, pour élire son successeur. Le conclave, qui a pour objet d'empêcher de trop longues vacances du Saint-Siège, aurait été institué en 1271, à l'instigation de st. Bonaventure, alors que la vacance du trône pontifical se prolongeait depuis plus de trois ans, après la mort de Clément IV (1268). Il fut sanctionné par la Constitution *Ubi periculum* de Grégoire X (1274); celle-ci disposait que, le dixième jour après la mort du pape, les cardinaux se réuniraient, soit au lieu du décès, soit en un autre endroit, et qu'ils seraient enfermés dans un appartement, sans aucune communication avec le monde extérieur, jusqu'à ce qu'ils aient élu un nouveau pape; afin de les contraindre à faire leur choix rapidement, les repas qu'on leur faisait passer seraient progressivement diminués et, au huitième jour du conclave, ils se réduiraient au pain et à l'eau. Suspendues par Jean XXI en 1276, ces règles furent remises en vigueur par Célestin V en 1294, et Boniface VIII les introduisit dans le droit canonique. Plusieurs modifications de détail eurent lieu depuis lors, la dernière en date étant celle de Pie XII (Constitution *Vacantis Apostolicae Sedis,* 1945).
À l'époque contemporaine, le privilège de l'*exclusive,* reconnu par la tradition aux souverains de France, d'Autriche et d'Espagne, et que l'empereur François-Joseph fit encore

jouer en 1903 pour empêcher l'élévation au Saint-Siège du cardinal Rampolla, fut supprimé par Pie X peu après son avènement. Pie XI, voulant permettre aux cardinaux étrangers d'arriver à temps pour participer au conclave, porta du dixième au quinzième jour plein après la mort du pape l'entrée des cardinaux en conclave (que le Sacré Collège peut encore différer de deux ou trois jours). Pie X avait supprimé le vote dit *d'accession,* qui, après chaque scrutin, permettait aux cardinaux de se rallier à l'un des candidats en présence. Le vote a lieu à la majorité des deux tiers; si le nombre des cardinaux présents n'est pas divisible par trois, une voix supplémentaire est requise. Depuis la réforme de Pie XII, il est procédé à deux scrutins chaque matin et deux scrutins chaque soir. Après chaque scrutin, les bulletins de vote sont brûlés; si le scrutin a été sans résultat, on mêle aux bulletins de la paille humide, qui dégage une épaisse fumée noire, visible de la place Saint-Pierre; si le pape est élu, on brûle les bulletins seuls, et la fumée blanche fait connaître la bonne nouvelle. Tout chrétien de sexe masculin ayant atteint l'âge de raison peut être élu pape (mais le dernier pape qui n'était pas cardinal fut Urbain VI, élu en 1378). Tous les conclaves du XXᵉ s. ont été courts : Pie X fut élu le matin du quatrième jour; Benoît XV, le soir du quatrième jour; Pie XI, le second jour; Pie XII, le premier jour (élu au second tour de scrutin, il en demanda un troisième pour obtenir l'unanimité); Jean XXIII, le troisième jour (après douze tours de scrutin); Paul VI, au matin du troisième jour.

● De même, Jean-Paul 1ᵉʳ, dès le premier jour; Jean-Paul II, dès le second. Par la constitution *Romano Pontifici eligendo* d'oct. 1975, Paul VI a modifié le mode d'élection du pape. Le conclave peut désormais voter de trois manières différentes. La première, dite « par inspiration », autorise un cardinal à prononcer un nom sans qu'aucune tractation ait eu lieu. Si ce nom est acclamé à l'unanimité, l'Église a un pape. Le deuxième système, dit « par compromis », consiste à désigner de grands électeurs (neuf, onze, treize ou quinze) et à les laisser décider. Le troisième, dit « par scrutin », exige une majorité des deux tiers plus une voix — sauf si les cardinaux se prononcent à l'unanimité pour un principe différent, qui peut être le compromis —, ou la majorité des voix plus une, ou encore une élection entre les deux candidats ayant obtenu le plus de suffrages au scrutin précédent. Les cardinaux âgés de plus de quatre-vingts ans ne participent plus à l'élection. Voir PAPAUTÉ.

CONCORDATS. Traités conclus entre le Saint-Siège et le gouvernement d'un pays pour fixer les droits respectifs de l'Église et de l'État. Dans le passé, les concordats furent souvent de véritables traités de paix mettant fin à des crises violentes provoquées par la rivalité du pouvoir temporel et du pouvoir spirituel. Les premiers concordats furent conclus au XIIᵉ s., après la querelle des

CONCORDATS
Médaille de François Iᵉʳ en l'honneur du concordat de Bologne, signé avec Léon X, 1516. Devise latine signifiant : « Un seul monde ne lui suffit pas. »
Ph. © Hôtel de la Monnaie, Paris
Photeb

Investitures (v.) : ainsi furent signés le concordat avec Henri Iᵉʳ d'Angleterre (1101) et le célèbre concordat de Worms (v.), avec l'empereur allemand Henri V (1122).

Le **concordat de Bologne (1516)** passé entre Léon X et François Iᵉʳ, régla les rapports du Saint-Siège et de la monarchie française jusqu'à la Révolution. Il annulait la pragmatique sanction (v.) de Bourges; il déterminait nettement la part du roi et celle du pape dans la collation des bénéfices ecclésiastiques. Pour la nomination des candidats aux archevêchés, évêchés, abbayes, etc., il supprimait l'élection : pour chaque poste, le roi présentait son candidat, que le pape était libre de ne pas accepter; en cas de refus pontifical, un nouveau candidat devait être présenté dans les trois mois; passé ce délai, le pape procéderait librement à la nomination. S'il sauvegardait les prérogatives pontificales, le concordat de 1516 accordait en revanche au roi un contrôle indirect sur la plupart des bénéfices ecclésiastiques. Il suscita néanmoins une vive opposition des gallicans, du parlement — qui ne consentit à l'enregistrer qu'en mars 1518 — et de l'université de Paris. Ce concordat fut aboli unilatéralement par l'Assemblée constituante, qui adopta, en août 1790, la Constitution civile du clergé (v.).

Le **concordat de 1801,** entre Bonaparte, Premier consul, et le pape Pie VII, mit fin à l'anarchie qui régnait depuis la Révolution dans l'Église de France, partagée entre prêtres constitutionnels et prêtres insermentés. Il rétablissait la paix religieuse en même temps que l'autorité du Saint-Siège sur l'ensemble des catholiques français. Il fut négocié, à partir de sept. 1799, par le cardinal Spina et le P. Caselli, et signé le 16 juill. 1801, à deux heures du matin. Il fut promulgué en France le 8 avr. 1802. Le pape reconnaissait la République française et le gouvernement reconnaissait le catholicisme comme la religion « de la grande majorité des Français »; le culte catholique était déclaré public et libre dans le cadre des règlements de police; des prières pour le régime étaient dites aux offices. Le Saint-Siège, en accord avec le gouvernement, procédait à une nouvelle distribution des diocèses. Le pape demandait leur démission aux évêques légitimes, qui avaient refusé la Constitution civile du clergé (45 sur 81 évêques survivants obéirent; les autres furent déposés par le pape et se soumirent, à l'exception de treize, qui organisèrent, dans l'O. et le S.-E., le schisme de la « petite Église », v.); tous les évêques constitutionnels, sauf deux, remirent leur démission au Premier consul. Sur la nomination des évêques, le concordat de 1801 reprenait les dispositions du concordat de 1516 : les nouveaux évêques étaient présentés par le gouvernement dans les trois mois de la vacance du siège et recevaient du pape l'institution canonique. L'Église s'engageait à ne pas revendiquer les biens du clergé nationalisés par la Révolution; en

CONCORDATS
Le cardinal Consalvi et
l'archevêque de Corinthe,
signant le concordat de 1801
avec la France.
Ph. © Bibl. Nat., Paris - Photeb

Le cardinal Pacelli (futur Pie XII),
signant le concordat de 1933
avec l'Allemagne.
Ph. © Keystone

compensation, le gouvernement assurait un traitement convenable aux évêques et aux curés. Bonaparte régla unilatéralement l'application pratique du concordat par des *Articles organiques,* qui, inspirés par Talleyrand et rédigés par Portalis, reprenaient les revendications traditionnelles du gallicanisme (v.) : aucun acte du Saint-Siège, aucun décret des synodes étrangers et même des conciles œcuméniques, ne pouvait être reçu en France sans l'approbation du gouvernement; aucun nonce ou légat ne pouvait intervenir dans les affaires de l'Église de France sans l'accord du gouvernement; les évêques étaient tenus de résider dans leur diocèse, dont ils ne pouvaient sortir qu'avec l'autorisation gouvernementale; une autorisation était également nécessaire pour établir séminaires et chapitres; les séminaires étaient tenus d'enseigner la doctrine gallicane de la Déclaration du Clergé de France (v.) de 1682. C'est en vain que le pape protesta contre ces Articles organiques. Le 25 janv. 1813, durant sa détention à Fontainebleau, Pie VII se laissa arracher un nouveau concordat, par lequel il renonçait à sa souveraineté temporelle, s'engageait à fixer le siège de la papauté dans l'Empire français ou dans le royaume d'Italie, abandonnait à Napoléon la nomination aux évêchés dans ces deux États; mais, dès le 24 mars 1813, le pape révoqua publiquement ce concordat de Fontainebleau. La Restauration, après avoir préparé, en 1817, le rétablissement du concordat de 1516, y renonça l'année suivante. Le concordat de 1801 resta donc en vigueur jusqu'à la séparation des Églises et de l'État, intervenue en 1905 (v. SÉPARATION). Aujourd'hui encore, il reste appliqué dans les départements de la Moselle, du Bas-Rhin et du Haut-Rhin, qui, lors de la loi de séparation de 1905, constituaient la terre d'Empire d'Alsace-Lorraine (v.), annexée à l'Allemagne.

Le concordat de 1801 servit de modèle aux divers concordats allemands signés après 1815 (notamment au concordat bavarois de 1817), au concordat napolitain de 1817, au concordat russe de 1818, au concordat suisse de 1821, etc. Tous ces traités répondaient à une idée de restauration après la crise révolutionnaire et napoléonienne et restaient marqués par la conception traditionnelle d'une union plus ou moins étroite de l'Église et de l'État : les gouvernements reconnaissaient en général le catholicisme comme religion d'État et, en échange, le Saint-Siège abandonnait aux gouvernements des pouvoirs de contrôle plus ou moins étendus sur l'organisation et la vie interne de l'Église, en particulier sur la nomination des évêques. Les concordats du XXe s. — signés, pour la plupart, sous le pontificat de Pie XI — manifestaient une distinction beaucoup plus nette du spirituel et du temporel et, de la part du Saint-Siège, des exigences plus rigoureuses sur ses prérogatives propres. Conclus avec des États laïques, ces traités ne souffraient plus, comme les précédents, de l'ambiguïté inévitable dans les relations de Rome avec les anciennes « monarchies chrétiennes ».

Les concordats contemporains

Au lendemain de la Première Guerre mondiale, dans une Europe dont la carte venait d'être bouleversée par les traités de paix, les États nouvellement créés ou ressuscités cherchèrent à s'entendre directement avec le Saint-Siège pour l'organisation de leurs Églises nationales. Pie XI répondit à cette attente par une politique systématique de concordats. Durant les dix-sept années de son pontificat, quinze concordats furent signés avec des pays de traditions religieuses et de régimes politiques très divers : Lettonie (1922), Lituanie (1927), Roumanie (1927), Tchécoslovaquie (1928), accords du Latran (v.) avec l'Italie mussolinienne (1929), Autriche (1933), Allemagne (1933), Yougoslavie (1935), Équateur (1937), etc. Préparé sous Pie XI, le concordat avec le Portugal ne fut signé qu'en 1940. Par la suite furent encore conclus des concordats avec l'Espagne franquiste (1953) et avec la république Dominicaine (1954).

Tous ces accords reflétaient un double souci du Saint-Siège : obtenir des assurances contre tout empiétement de l'État laïque (Rome se montrait très ferme sur son droit exclusif à la nomination des évêques et sur la liberté de communication avec les Églises nationales); essayer de faire inscrire dans la législation des États certaines exigences catholiques fondamentales (par exemple, sur l'enseignement religieux, le mariage, le divorce, etc.). Sur le premier point, Pie XI obtint généralement satisfaction; sur le second point, des résultats ne furent acquis qu'auprès de nations possédant de vieilles traditions catholiques, comme l'Italie, l'Espagne et l'Autriche.

Plusieurs de ces concordats n'eurent qu'une durée éphémère : en Lettonie et en Lituanie, ils furent abolis de fait en 1940, lors de l'annexion de ces pays à l'Union soviétique; la Pologne dénonça son concordat en 1945, et la Roumanie le sien en 1949; quant au concordat yougoslave de 1935, il ne fut même pas ratifié, l'Église orthodoxe ayant excommunié ses auteurs. En Allemagne, le concordat de 1933, à peine signé, fut violé par Hitler, qui supprima les mouvements d'Action catholique et de jeunesse chrétienne, et s'efforça d'éliminer tout enseignement religieux. Après 1949, la plupart des *Länder* de la République fédérale d'Allemagne reconnurent et remirent en vigueur le concordat de 1933, qui avait eu pour principal artisan le cardinal Pacelli, futur Pie XII. Il est incontestable que Pie XI, en signant les accords du Latran et le concordat allemand de 1933, a pu contribuer, à l'époque, à renforcer la position morale des régimes fasciste et hitlérien. Mais un concordat est un accord international signé entre le Saint-Siège et un *État;* il n'implique, de la part de l'Église, aucune marque de sympathie particulière pour le gouvernement ou le régime politique de cet État. L'évolution de la politique du Saint-Siège à la suite du concile Vatican II se manifesta dans la révision du concordat

CONCORDE (place de la)

« Vue de l'ordre et de la marche des cérémonies qui doivent être observés le jour
de la publication de la Paix, à la place Louis-XV », le 22 juin 1763. On aperçoit ici deux
des quatre grands fossés de vingt mètres de large qui ceinturaient la place,

aménagés en parterres fleuris, où l'on pouvait descendre par de petits pavillons (qui existent toujours).
Au fond, derrière la statue équestre de Louis XV due à Bouchardon,
les deux palais jumeaux construits par Gabriel (à droite, le Garde-Meuble de la Couronne).
Ph. Jeanbor © Photeb

1137

CONCORDE (place de la)
La statue de la Liberté, en maçonnerie et plâtre, qui avait remplacé sur la place, à la fin de 1792, la statue de Louis XV.
Ph. © Bibl. Nat., Paris - Photeb

espagnol, décidée en 1976, après la mort de Franco; l'Église renonçait au privilège en vertu duquel les ecclésiastiques ne pouvaient être incarcérés et jugés qu'avec l'autorisation des autorités religieuses; en revanche, l'État espagnol renonçait à son droit de conomination des évêques.

● C'est dans le même esprit que le 18 févr. 1984 les accords du Latran ont été remplacés en Italie par un nouveau concordat. Le catholicisme n'est plus la seule religion de l'État italien, et l'État renonce à tout contrôle politique ou administratif sur l'Église.

CONCORDE (temple de la). Temple romain que M. Furius Camillus fit construire en 367 av. J.-C., au pied du Capitole, pour commémorer l'accord réalisé par les lois liciniennes entre patriciens et plébéiens. Restauré après les Gracques, ce temple servait parfois de lieu de réunion au sénat; c'est là que Cicéron prononça sa 4e *Catilinaire*. Tibère le fit reconstruire en 7 av. J.-C., avant son élévation au principat. Séjan y fut condamné à mort.

CONCORDE (place de la). La plus vaste et la plus belle place de Paris. Œuvre de Gabriel, elle fut commencée en 1763 et achevée en 1772. Elle porta d'abord le nom de *place Louis-XV*, fut appelée en 1792 *place de la Révolution* (c'était un des lieux où se dressait la guillotine et Louis XVI y fut exécuté) et reçut en 1795 le nom de *place de la Concorde;* elle redevint *place Louis-XV* en 1815, porta le nom de *Louis-XVI* de 1826 à 1830 et reprit définitivement celui de *place de la Concorde* en 1830. L'obélisque de Louxor y fut érigé en 1836.

CONCORDE (avion). Avion de transport civil supersonique, construit conjointement par la Grande-Bretagne et par la France à partir de 1962. L'accord franco-britannique du 29 nov. 1962 envisageait la construction d'un moyen-courrier (60 passagers sur 3 000 km) d'un poids d'environ 90 tonnes. Les gouvernements français et britannique envisageaient de partager à égalité les frais, la charge de travail et, plus tard, les recettes; la conception et la construction de l'appareil étaient confiées à Sud-Aviation et à la British Aircraft Corporation, la fabrication des réacteurs répartie entre Rolls-Royce, pour 60 % de la charge du travail, et la S.N.E.C.M.A. pour 40 %. Le projet initial fut rapidement modifié et Concorde devint un long-courrier capable de franchir l'Atlantique (120 passagers sur 6 000 km), la poussée des réacteurs étant considérablement accrue et le poids passant de 90 à 175 tonnes. De ce fait, le coût du programme s'est trouvé multiplié par sept entre 1962 et 1973 : il est passé de 1,8 milliard de francs initialement prévus à 14 milliards de francs. Simultanément, les Français et les Anglais construisirent chacun leur prototype : le Concorde-001 français à Toulouse-Mérignac, le Concorde-002 anglais à Filton. Le

Concorde-001 fit son premier vol à Toulouse le 2 mars 1969, il dépassa pour la première fois la vitesse du son le 1er oct. 1969, et, le 4 nov. 1970, il franchissait Mach 2 (deux fois la vitesse du son). Le prototype britannique, légèrement retardé, obtenait des performances analogues. Les deux appareils effectuèrent ensuite sans incident des dizaines de milliers de km de vols expérimentaux. Mais la valeur commerciale de Concorde devait être âprement contestée, tant en Grande-Bretagne qu'en France, surtout après le refus d'achat des grandes compagnies américaines. En 1973, la Cour des comptes estimait que, étant donné le coût atteint par le programme, les sommes engagées ne pouvaient être couvertes que par une vente de 300 appareils; or, en 1976, le programme de construction franco-britannique ne portait encore que sur 20 appareils, dont 9 seulement avaient été vendus. La mise en service commerciale de Concorde commença le 21 janv. 1976, sur la ligne Paris-Dakar-Rio de Janeiro et sur la ligne Londres-Bahrein. L'ouverture de la liaison avec New York, décisive pour l'avenir de l'appareil, était retardée par des campagnes d'organisations américaines de défense de l'environnement, qui reprochaient aux avions supersoniques de polluer l'atmosphère et d'être trop bruyants. Concorde permettait de réaliser en trois heures et demie (au lieu de sept heures) le trajet Paris-New York. A la suite des refus des crédits par le Congrès (mars 1971), les Américains avaient renoncé, au moins provisoirement, à la construction de leur avion commercial supersonique S.S.T. (Boeing-2707). En revanche, le Tupolev-144 soviétique effectua son premier vol d'essai avant Concorde, le 31 déc. 1968, et fut mis en service, pour le transport de fret et de courrier, sur la ligne Moscou-Alma Ata, le 26 déc. 1975.

● L'exploitation du Concorde était lourdement déficitaire; la ligne Londres-Singapour fut fermée dès 1980 et en 1982, les lignes sud-américaines et celles qui desservaient Washington et Mexico. Air France ne possédait plus que 7 Concorde dont 4 seulement volaient régulièrement. Voir AVIATION.

CONDAT. Voir SAINT-CLAUDE.

CONDÉ. Branche de la maison de Bourbon dont le chef est Louis Ier, prince de Condé († 1509). Le grand-père de celui-ci, François Ier, comte de la Marche et de Vendôme, avait acquis en 1487 la seigneurie de Condé-sur-l'Escaut par son mariage avec Marie de Luxembourg-Saint-Paul. Cinquième fils de Charles de Bourbon, duc de Vendôme († 1537), Louis Ier avait pour frère Antoine de Bourbon, roi de Navarre, père d'Henri IV. Depuis 1589 (avènement d'Henri IV) jusqu'au 5e prince de Condé (Henri Jules de Bourbon, † 1709), les princes de Condé furent premiers princes du sang et on leur donnait le titre de *Monsieur le Prince* :

Louis Ier, prince de Condé (* Vendôme, 7.V.1530, † Jarnac, 13.III.1569), adhéra au

CONDÉ
Louis II de Bourbon, 4e prince de C. dit le Grand (1621-1686).
Portrait de Van Egmont, XVIIe s. (Musée nat. du chât. de Versailles.)
Ph. H. Josse © Photeb

CONDÉ
Louis Henri Joseph de Bourbon,
8e prince de C. (1736-1818).
Aquarelle de Carmontelle. (Bibl.
du musée Condé, Chantilly.)
Ph. H. Josse © Photeb

Louis Henri Joseph de Bourbon,
9e prince de C. (1756-1830).
Ph. © Bibl. Nat., Paris - Photeb

calvinisme et fut le rival des Guise. Condamné à mort comme l'un des instigateurs de la conjuration d'Amboise, il fut sauvé par la mort de François II (1560). S'étant mis à la tête des huguenots, il perdit la bataille de Dreux (1562), reprit les armes en 1567 mais fut vaincu à Jarnac (1569); blessé dans ce combat, il s'était déjà rendu prisonnier, lorsqu'il fut assassiné par Montesquiou, capitaine des gardes du duc d'Anjou, sans doute à l'instigation de celui-ci.

Son fils aîné, **Henri Ier de Bourbon,** 2e **prince de Condé** (* La Ferté-sous-Jouarre, 29.XII.1552, † Saint-Jean-d'Angély, 5.III.1588), n'échappa au massacre de la Saint-Barthélemy qu'en abjurant, mais reprit bientôt sa religion et s'allia avec Henri de Navarre (futur Henri IV) contre les catholiques. Il s'efforça d'établir des alliances avec toute l'Europe protestante. Il mourut peut-être empoisonné, à l'instigation de sa femme.

On émit des doutes sur la paternité de son fils posthume, **Henri II de Bourbon,** 3e **prince de Condé** (* Saint-Jean-d'Angély, 1.IX.1588, † Paris, 26.XII.1646). Celui-ci, élevé par Henri IV dans la religion catholique, épousa la belle Charlotte Marguerite de Montmorency et dut s'exiler à Bruxelles pour la soustraire aux poursuites d'Henri IV. Pendant la minorité orageuse de Louis XIII, il se mit à la tête des grands contre Marie de Médicis, qui le fit enfermer pendant trois ans à Vincennes (1616/19). Il servit ensuite loyalement Richelieu et fut nommé, à la mort de Louis XIII, chef du Conseil de régence. Il avait hérité de la plus grande partie des biens confisqués à son beau-frère, Henri de Montmorency (exécuté en 1632), et en particulier de Chantilly, qui devint la principale résidence de campagne des Condé.

Louis II de Bourbon, 4e **prince de Condé,** dit **le Grand Condé** (* Paris, 8.IX.1621, † Fontainebleau, 11.XII.1686), fils du précédent, porta d'abord le nom de duc d'Enghien. Brillant élève des jésuites, il se fit remarquer tout jeune par ses qualités militaires, et Richelieu lui fit épouser sa nièce, Claire Clémence de Maillé-Brézé (1641). Chargé dès l'âge de vingt-deux ans du commandement des armées couvrant la frontière du Nord contre les Espagnols, il remporta sur un ennemi bien supérieur en nombre la victoire de Rocroi (19 mai 1643). Envoyé ensuite sur le Rhin avec Turenne, il battit le général bavarois Mercy à Nordlingen (3 août 1645), puis fit en Flandre la campagne de 1646 et s'empara de Dunkerque. Cependant, son échec devant Lérida, en Catalogne (1647), ternit un peu sa réputation, et Mazarin, au lieu de lui confier le commandement en chef dans les Flandres, en 1648, lui donna seulement une partie de l'armée. Condé prit une revanche éclatante en remportant sur les Espagnols la victoire de Lens (20 août 1648), qui hâta la conclusion des traités de Westphalie. Premier prince du sang depuis la mort de son père

(1646), Condé, au début de la Fronde, se trouva partagé entre son ressentiment contre Mazarin et le dédain qu'il éprouvait pour les chefs de la Fronde nobiliaire, les Vendôme et les Beaufort, et surtout pour les parlementaires. Il fut d'abord du côté de la cour, vint mettre le siège devant Paris (janv. 1649) et força les parlementaires à signer la paix de Rueil. Mais les Frondeurs réussirent ensuite à l'attirer dans leur parti. Arrêté sur l'ordre de Mazarin en janv. 1650, il resta treize mois à la forteresse de Vincennes, et, à sa libération (févr. 1651), il ne songea qu'à se venger, se mit à la tête de la Fronde des princes, leva des troupes, marcha sur Paris mais fut battu par Turenne au faubourg Saint-Antoine (juill. 1652). Il passa alors dans l'armée espagnole, remporta sur les Français la victoire de Valenciennes (1656) et secourut Cambrai (1657); l'année suivante, il tenta vainement de dissuader le commandement espagnol de livrer la bataille des Dunes, où Turenne fut vainqueur (14 juin 1658). Lors de la paix des Pyrénées (1659), Condé reçut cependant son pardon de Louis XIV.

Après plusieurs années de retraite et d'inactivité, au cours desquelles il brigua vainement le trône de Pologne, il fut rappelé à un commandement par Louis XIV en 1668, conquit la Franche-Comté en trois semaines, puis se signala dans la guerre contre la Hollande, prit Wesel (1672) et battit le prince d'Orange à Senef (1674). Successeur de Turenne en Alsace, il obligea Montecucolli à lever le siège de Haguenau et de Saverne (1675). Perclus de goutte, il prit alors sa retraite et vécut à Chantilly, cultivant les lettres et les arts, s'entourant de poètes et de littérateurs parmi lesquels Boileau et Racine. Bossuet prononça son oraison funèbre, qui est restée célèbre.

Son fils, **Henri Jules de Bourbon,** 5e **prince de Condé** (* Paris, 29.VII.1643, † Paris, 1.IV.1709), fit une carrière militaire fort terne. Amateur des lettres et des sciences, il était connu pour ses excentricités et terrorisait sa femme et ses enfants; il fut le père de la duchesse du Maine.

Louis III de Bourbon, 6e **prince de Condé** (* Paris, 10.X.1668, † Paris, 4.V.1710), fils aîné du précédent, appelé *Monsieur le Prince,* épousa en 1685 une fille bâtarde de Louis XIV. Brave soldat, il mena une vie de débauche qui l'usa rapidement.

Son fils, **Louis Henri de Bourbon,** 7e **prince de Condé.** Voir BOURBON, Louis Henri, duc de.

Louis Henri Joseph de Bourbon, 8e **prince de Condé** (* Paris, 9.VIII.1736, † Paris, 3.V.1818), fils du précédent, fut un des premiers nobles à émigrer après la prise de la Bastille. Établi à Worms, il forma en 1792, avec les émigrés, l'« armée de Condé » qui combattit contre les armées de la Révolution jusqu'au traité de Campoformio (1797). Après avoir servi pendant quelque temps en

CONDOTTIERE

Page ci-contre :
Guidoriccio da Fogliano.
Détail d'une fresque
de Simone Martini
(Palazzo Pubblico, Sienne).
C'est la commémoration
de la victoire
que remporta
ce fier capitaine
sur les seigneurs rebelles
de Montemassi et
Sassoforte, en 1328.
Le caparaçon de son cheval
et son propre costume
sont décorés à ses armes
(« fogliana », feuillage).
A droite, une forteresse,
d'où dépasse une sorte
de catapulte, imitée
des machines antiques,
onagre ou scorpion,
propre à lancer
des boulets de pierre
sur l'assaillant (la poudre
n'est pas encore utilisée).
Ph. © Anderson - Viollet
Photeb

CONFÉDÉRATION DE L'ALLEMAGNE DU NORD

Page ci-contre :
élection au Parlement
de la Confédération
par les délégués des
vingt-deux États allemands.
« Notre politique
est d'absorber l'Allemagne
dans la Prusse et, ainsi,
de faire de la Prusse
l'Allemagne. »
Fort de ce principe,
Bismarck défit
la vieille puissance
autrichienne à Sadowa,
le 3 juill. 1866, avec
l'aide des États allemands
du Nord. Il n'y avait plus,
le 12 févr. 1867, qu'à élire
au suffrage direct
le Reichstag prévu
par la Constitution,
puis ce Reichstag n'avait
plus qu'à élire Bismarck
comme premier chancelier
de la Confédération.
On y rallierait ensuite
les États du Sud.
Ph. © Staatsbibliothek Berlin

Russie et en Autriche, Condé se retira en Angleterre en 1801; il rentra en France en 1814.

Son fils, **Louis Henri Joseph de Bourbon, 9ᵉ prince de Condé** (* Paris, 13.IV.1756, † Saint-Leu, 27.VIII.1830), eut une jeunesse fort turbulente, se battit en duel avec le comte d'Artois (futur Charles X) et se distingua au siège de Gibraltar (1782). Émigré avec son père dès 1789, il passa en Angleterre en 1795 et, en compagnie du comte d'Artois (avec lequel il s'était depuis longtemps réconcilié), il prépara l'expédition manquée de Quiberon. Son fils, le duc d'Enghien, fut enlevé et fusillé sur l'ordre de Bonaparte en mars 1804. Séparé de sa femme, Louise Marie Thérèse d'Orléans (sœur de Philippe-Égalité), le dernier des Condé mena à Londres une existence de grand libertin de l'Ancien Régime. Il finit par prendre pour maîtresse une servante, **Sophie Dawes** (* île de Wight, vers 1795, † Londres, 15.XII.1840), à laquelle il donna une éducation et qui le domina bientôt complètement, après qu'il l'eut ramenée avec lui en France, en 1814. Durant les Cent-Jours, il chercha à organiser une résistance en Anjou, puis se réfugia en Espagne. En 1818, il fit épouser sa maîtresse à son aide de camp, le baron de Feuchères, qui croyait que Sophie était une fille du duc. Quand il découvrit la supercherie, Feuchères abandonna sa femme, à laquelle Louis XVIII interdit de paraître désormais à la cour (1824). Cependant, Sophie avait réussi à obtenir du prince un testament qui lui léguait les domaines de Saint-Leu et de Boissy; craignant de voir ce testament attaqué, elle s'assura l'appui des Orléans et poussa le duc à laisser le reste de ses biens considérables à l'un des fils du futur Louis-Philippe, le duc d'Aumale, qui était son filleul (1829). Grâce à l'influence de Louis-Philippe, la baronne de Feuchères fut admise de nouveau à la cour de Charles X. Mais, vers la même époque, les relations entre la baronne et le vieux prince de Condé devenaient de plus en plus difficiles. Il semble que le prince, pour échapper à la domination tyrannique de sa maîtresse, ait envisagé de partir pour l'étranger. Mais, au matin du 27 août 1830, on le trouva pendu à l'espagnolette de sa chambre, dans sa demeure de Saint-Leu. La police conclut à un suicide. Pourtant, les circonstances de cette mort restaient très mystérieuses et l'opinion publique se passionna pour l'affaire; Louis-Philippe était monté sur le trône moins d'un mois plus tôt; les légitimistes rappelèrent les relations troubles des Orléans et de la baronne de Feuchères; celle-ci fut soupçonnée du meurtre et l'on mit même en cause Louis-Philippe, qui aurait craint de voir échapper l'héritage promis au duc d'Aumale. La famille de Rohan, héritière légitime du défunt, attaqua en vain le testament.

CONDOR (Légion). Formation composée de plus de 6 000 volontaires allemands, qui, de 1936 à 1939, prit part à la guerre civile espagnole, du côté franquiste. Elle comprenait surtout de l'aviation — qui effectua le raid sur Guernica (v.) —, mais également de l'artillerie antiaérienne, des chars, des unités de renseignements ainsi que des groupes d'instruction.

CONDORCET Marie Jean Antoine Caritat, marquis de (* Ribemont, Aisne, 17.IX.1743, † Bourg-la-Reine, Hauts-de-Seine, 6.IV.1794). Savant, philosophe et homme politique français. Grand mathématicien, nommé par Turgot inspecteur général des monnaies (1774), il participa au mouvement philosophique et accueillit avec chaleur la Révolution. Monarchiste constitutionnel, puis républicain, député de Paris à la Législative, puis député de l'Aisne à la Convention, il se lia avec les Girondins et dut se cacher après leur proscription (juin 1793). Après avoir écrit dans la clandestinité son *Esquisse des progrès de l'esprit humain* (publiée en 1795), où il célébrait la marche de l'humanité vers la liberté, les lumières et le bonheur, il fut arrêté par les agents de la Terreur et s'empoisonna dans sa cellule. Sa femme, née **Sophie de Grouchy** (* 1764, † 1822), sœur du futur maréchal Grouchy, tint un salon très influent.

CONDOTTIERE. En Italie, du XIVᵉ s. au début du XVIᵉ s., nom donné aux capitaines de bandes mercenaires que les cités prenaient à gages pour assurer leur défense; véritables entrepreneurs de guerre, ils signaient avec une cité un engagement à temps *(condotta)*, généralement pour une durée inférieure à un an, mais renouvelable; l'effectif d'une bande dépassait rarement un millier d'hommes. Les *condottieri* apparurent à l'époque des guerres entre les guelfes et les gibelins. Ils suppléèrent à l'inefficacité des milices urbaines, car leur troupe se composait presque uniquement de cavalerie lourde. A l'origine, ces bandes — et leurs chefs eux-mêmes — étaient pour la plupart d'origine étrangère, avec une forte proportion d'Anglais et d'Allemands. Le condottiere anglais sir John Hawkwood, dit Giovanni Acuto († 1394), combattit ainsi successivement au service de Pise, du Saint-Siège et de Florence. A la fin du XIVᵉ s., les étrangers disparurent peu à peu et les bandes prirent un caractère national, et même régional. Parfois leur chef était un petit seigneur, qui recrutait ses hommes parmi ses vassaux et ses sujets. Plus souvent, le condottiere était un aventurier qui espérait, par ses succès militaires, s'assurer une seigneurie. Alberigo da Barbiano, comte de Conio († 1409), organisa la première bande entièrement italienne, la Compagnia di San Giorgio. Braccio da Montone († 1424), se constitua une principauté en Ombrie aux dépens du Saint-Siège, mais il fut tué en combattant les troupes pontificales de Martin V; sa bande passa sous le commandement de Niccolo Piccinino († 1444), qui servit les Visconti, pour lesquels il conquit Bologne (1434), et qui fut vaincu à Monteluro (1443) par Francesco Sforza. Ce dernier était le fils

d'un paysan romagnol devenu condottiere, Muzio Attendolo Sforza († 1424), grand rival de Braccio de Montone; Francesco Sforza, d'abord au service du Saint-Siège, marié à une Visconti, lutta contre Venise et finit par se rendre maître de Milan, où il fonda une dynastie ducale (v. SFORZA). Aucun autre condottiere ne fit une carrière aussi brillante, mais plusieurs sont restés à juste titre célèbres : le Carmagnola († 1432) trahit les Visconti pour Venise, mais, suspect d'une nouvelle trahison, il fut exécuté par les Vénitiens; Colleoni († 1476), de Bergame, servit aussi la Sérénissime République, qui le nomma capitaine général à vie (sa statue, par Verrocchio, fut érigée à Venise); le Gattamelata († 1443) entra en 1434 au service de Venise et se signala dans maintes rencontres avec les troupes des Visconti. Au début du XVIᵉ s., il faut encore mentionner le condottiere Giovanni dalle Bande Nere, un Médicis, qui combattit les Impériaux. «On a souvent prétendu, à la suite de Machiavel, que les combats entre les condottieri étaient des farces et que les adversaires, secrètement d'accord, cherchaient à se ménager. L'étude des principales batailles a permis de faire justice de cette légende. » (G. Gastellan.) L'âge des condottieri finit avec l'apparition en Italie des puissantes armées monarchiques de Charles VIII et de Charles Quint.

CONDRUSES, *Condrusi.* Peuple germanique de la Gaule Belgique, établi entre la Meuse et l'Ourthe, dans le Condroz actuel, vaincu par César en 57 av. J.-C.

CONDYLIS Georges (* Trikalla, Thessalie, 1879 † Athènes, 1936). Général et homme d'État grec. Initiateur, en sept. 1922, de la révolte qui entraîna l'abdication du roi Constantin, il devint ministre de la Guerre, puis de l'Intérieur. En 1926, il renversa la dictature du général Pangalos et exerça lui-même le pouvoir pendant quelque temps (août/déc. 1926). En 1935, il fit décider par l'Assemblée le rappel de Georges II et exerça la régence jusqu'au retour du roi à Athènes.

CONFALONIERI Federico, comte (* Milan, 1785, † Hospenthal, Uri, 1846). Homme politique italien. D'une vieille famille lombarde, il fut un des fondateurs du périodique romantique et libéral *Il Conciliatore* (1818). Ayant conspiré contre la domination autrichienne avec Silvio Pellico (1821), il fut condamné à mort, mais sa peine fut commuée; après un long emprisonnement au Spielberg, il fut autorisé à s'exiler en Amérique (1835) mais put rentrer deux ans plus tard en Europe.

CONFÉDÉRATION (articles de). Constitution provisoire des États-Unis, qui, ratifiée le 1ᵉʳ mars 1781, resta en vigueur jusqu'à l'introduction de la Constitution de 1787, en mars 1789. Elle était marquée par la grande défiance que la majorité des révolutionnaires américains éprouvaient à l'égard d'un gouvernement central doté de pouvoirs trop étendus. Elle confiait sans doute la gestion des intérêts communs à un Congrès formé de délégués des États, mais en déclarant expressément que chaque État conservait «sa souveraineté, sa liberté et son indépendance». Le Congrès avait seul le droit de décider de la guerre et de la paix, de diriger les Affaires étrangères, de nommer les officiers supérieurs, de conclure des traités de commerce; cependant il ne pouvait lever des impôts et se trouvait ainsi, au point de vue financier, sous le contrôle étroit des États.

CONFÉDÉRATION DE L'ALLEMAGNE DU NORD, *Norddeutscher Bund.* Confédération des 22 États allemands au N. du Main créée sous l'égide de la Prusse, après la victoire de celle-ci sur l'Autriche à Sadowa et après la fin de la Confédération germanique (v.). Ses bases furent posées dès le 18 août 1866, et sa Constitution (17 avr. 1867) entra en vigueur le 1ᵉʳ juill. 1867. Elle mettait sur pied un solide État fédéral, sous l'autorité d'un président héréditaire, le roi de Prusse, assisté d'un chancelier fédéral; l'armée fédérale était organisée sur le modèle prussien et placée sous le commandement direct du président; mais chaque État membre gardait son gouvernement particulier, ses institutions et sa législation traditionnelles. Cette confédération devait servir de modèle pour la constitution de l'Empire allemand en 1871. Bismarck, qui en avait été l'artisan, sut tisser, par la réforme du Zollverein (juill. 1867), des liens économiques étroits entre la Confédération et les trois États de l'Allemagne du Sud (Bavière, Bade et Wurtemberg).

CONFÉDÉRATION DE L'AMÉRIQUE CENTRALE. Voir AMÉRIQUE CENTRALE (Provinces-Unies de l').

CONFÉDÉRATIONS ATHÉNIENNES. Nom donné à deux ligues de villes grecques fondées par Athènes au Vᵉ et au IVᵉ s. avant notre ère.
La **première Confédération athénienne** ou **ligue de Délos** (v.) fut organisée en 477/476 av. J.-C. par Aristide. Groupant Athènes, les cités ioniennes de l'Asie, Eubée, la Chalcidique, les Cyclades, elle avait pour but originel d'affranchir les États grecs de la mer Égée qui se trouvaient encore sous la domination perse. Toutes les cités membres de la ligue devaient rester autonomes; elles disposaient chacune d'une voix au conseil de la ligue, lequel devait se réunir une fois par an au sanctuaire panhellénique de Délos; les cités devaient contribuer à l'effort militaire de la ligue, soit en armant une petite flotte, soit en versant un tribut au trésor fédéral déposé à Délos. Mais Athènes imposa très rapidement son hégémonie aux autres cités; après le transfert du trésor fédéral de Délos à Athènes (454), toutes les décisions furent prises par les seuls Athéniens, qui châtièrent durement les révoltes de leurs «alliés», notamment celle de Samos. La Confédération, devenue un véritable Empire athénien, se

C.F.D.T.
Le siège parisien de la
Confédération française
démocratique du travail.
Ph. © Eva Rodgold - C.F.D.T.

disloqua après la défaite d'Athènes dans la guerre du Péloponnèse (404).

La **seconde Confédération athénienne** fut créée par le décret d'Aristotélès (378/377 av. J.-C.). En constituant cette nouvelle ligue, laquelle était dirigée avant tout contre Sparte, les Athéniens s'engagèrent à respecter l'autonomie des cités alliées. La Confédération était dirigée conjointement par l'ecclésia (v.) athénienne et par un conseil représentant tous les Alliés, à l'exclusion d'Athènes. A partir de 365, Athènes tenta de nouveau d'exploiter la Confédération à son seul profit; ses alliés se révoltèrent dès 357 et la ligue se disloqua complètement après la victoire de Philippe de Macédoine à Chéronée (338 av. J.-C.).

CONFÉDÉRATION BOHÉMIENNE (actes de). Actes par lesquels, après la défenestration de Prague (v.), les États de Bohême, le 31 juill. 1619, constituèrent une étroite alliance pour la défense de leurs libertés religieuses et politiques contre l'empereur. Ils décidèrent que ce dernier ne pourrait mener aucune guerre sans l'accord des États, ni établir des fortifications dans le pays, ni contracter des dettes; les élections impériales devaient être complètement libres, les jésuites exclus de Bohême.

CONFÉDÉRATION FRANÇAISE DÉMOCRATIQUE DU TRAVAIL (C.F. D.T.). Centrale syndicale française qui, au congrès de Paris (6/7 nov. 1964), a pris la suite de la Confédération française des travailleurs chrétiens (C.F.T.C.) (v.), en abandonnant les références à la morale sociale chrétienne. Cette décision fut prise à une majorité de 70 %, mais une minorité décida de ne pas rallier la nouvelle centrale et de continuer la C.F.T.C. La C.F.D.T., qui groupait en 1973 quelque 600 000 membres, était, après la C.G.T., la deuxième centrale syndicale française. Après avoir joué un rôle important dans la crise de mai 1968, elle se rallia ouvertement au socialisme lors de son congrès de 1970. Réélu alors secrétaire général, Eugène Descamps, frappé par la maladie, fut remplacé quelques mois plus tard par Edmond Maire. La C.F.D.T. se différencie des autres centrales syndicales par ses options très nettes en faveur de l'autogestion, de la propriété sociale des moyens de production et de la planification démocratique; elle considère que «l'anticapitalisme n'engendre pas nécessairement le socialisme» et elle rejette les conceptions centralisatrices du socialisme des pays de l'Est, où la propriété collective des moyens de production s'accompagne de la concentration du pouvoir économique et politique entre quelques mains, donc du maintien de l'aliénation. La C.F.D.T. met l'accent sur les conditions de travail, et la réforme des structures hiérarchiques de l'entreprise, qui sont celles de la société tout entière, lui semble aussi importante que la question de la propriété privée; sa perspective ultime est celle d'une société socialiste autogestionnaire. Opposée

sur ce point à la C.G.T., elle l'est également sur les méthodes d'action syndicale; dans les conflits du Joint français et de Lip, la C.F. D.T. a montré qu'elle recherchait la multiplication des conflits d'entreprise et qu'elle poussait les travailleurs à prendre eux-mêmes en charge leurs intérêts, afin de les préparer dès maintenant à la pratique de l'autogestion. Tout en refusant d'adhérer au Programme commun, la C.F.D.T. s'est engagée vigoureusement aux côtés des forces de gauche dans les batailles électorales de 1973 et de 1974. Assez proche du parti socialiste de Mitterrand, elle comprend en son sein un puissant courant gauchiste.

● La victoire de François Mitterrand à l'élection présidentielle de mai 1981, puis celle du P.S. aux élections législatives de juin 1981, ne transformèrent pas pour autant en « syndicat officiel » la centrale qui conserva une position critique à l'égard de la politique économique et sociale du ministère Mauroy, puis du ministère Fabius.

En 1988, avec 900 000 adhérents, la C.F.D.T. occupait la troisième place derrière la C.G.T. et F.O. Toutefois le nombre des cotisants était très inférieur aux chiffres habituellement avancés. Au 41ᵉ congrès de la C.F.D.T.,en nov. 1988, E. Maire prenait sa retraite et laissait le poste de secrétaire général à Jean Kaspar, ancien mineur, ancien responsable de la J.O.C. L'extrême gauche était écartée de la direction. Voir SYNDICALISME.

CONFÉDÉRATION FRANÇAISE DES TRAVAILLEURS CHRÉTIENS (C.F. T.C.). Centrale syndicale française fondée en nov. 1919, la C.F.T.C. rassembla les divers éléments du syndicalisme chrétien qui s'étaient affirmés en France depuis la fin du XIXᵉ s. Sa création fut principalement l'œuvre de la Fédération des syndicats féminins et du puissant Syndicat parisien des employés du commerce et de l'industrie, dont les animateurs, Jules Zirnheld et Gaston Tessier, furent nommés respectivement président et secrétaire de la Confédération. Celle-ci réunissait à sa fondation environ 350 syndicats, mais, dès 1920, elle avait enregistré l'adhésion de 578 syndicats, représentant 156 000 membres. C'était peu en face de la C.G.T., qui comptait alors 600 000 inscrits, mais le recrutement allait se poursuivre au rythme moyen de 15 000 nouveaux membres par an. En 1939, la C.F.T.C. comptait 500 000 adhérents, répartis en plus de 2 300 syndicats. Sans être un mouvement confessionnel, la C.F.T.C., dans ses statuts de fondation, se référait explicitement aux enseignements pontificaux, et notamment à *Rerum novarum* (v.) de Léon XIII. Jusqu'à la Seconde Guerre mondiale, elle resta foncièrement une organisation chrétienne, qui recrutait ses militants dans les œuvres catholiques et, plus tard, dans les rangs de la Jeunesse ouvrière chrétienne, et n'accueillait les non-chrétiens qu'avec beaucoup de circonspection; des aumôniers étaient attachés aux unions départementales et locales.

Cependant, tout en proclamant son refus de la lutte des classes et son désir de contribuer à une « collaboration pacifique du capital et du travail », la C.F.T.C. manifesta très vite une combativité ouvrière qui l'opposa à certains patrons catholiques (affaire d'Halluin, 1924/29). Elle participa aux grandes grèves de 1936, mais la C.G.T., inquiète de cette rivale, obtint qu'elle fût exclue de l'élaboration des accords Matignon (v.). Dissoute avec les autres organisations syndicales par le gouvernement de Vichy dès la fin de 1940, la C.F.T.C. prit part à la Résistance, et son président, Gaston Tessier, siégea au C.N.R. Après la Libération, la C.F.T.C., qui s'affirmait sans contestation comme la deuxième centrale syndicale française, amorça une laïcisation progressive. Celle-ci s'accéléra à partir de 1961, lorsque Eugène Descamps devint secrétaire général. Malgré l'opposition de la Fédération des mineurs, que dirigeait Joseph Sauty, la « déconfessionnalisation » complète fut décidée au congrès extraordinaire de Paris (6/7 nov. 1964), à une majorité de 70% La C.F.T.C. devint la Confédération démocratique du travail (C.F.D.T.) (v.), dont les nouveaux statuts ne faisaient plus aucune référence à la morale sociale chrétienne. Mais une minorité, avec Joseph Sauty et Jacques Tessier, refusa de rallier la nouvelle organisation et décidait de maintenir la C.F.T.C., avec ses références chrétiennes. Hostile à la confusion du syndicalisme et de la politique, la C.F.T.C. repousse la collectivisation généralisée et donne ses préférences à une politique sociale d'accords contractuels.

● Forte de ses 2 000 syndicats, dont 70 nationaux, de ses 101 unions départementales, elle est surtout implantée en Alsace et en Moselle, dans l'ouest de la France et dans le sud-est du Massif central. Voir SYNDICALISME.

CONFEDERAZIONE GENERALE ITALIANA DEL LAVORO (C.G.I.L.). Voir SYNDICALISME.

CONFÉDÉRATION GÉNÉRALE DU TRAVAIL (C.G.T.).

Centrale syndicale française fondée en 1895, au congrès de Limoges, par l'union de la Fédération des Bourses du travail et de la Fédération des syndicats. Comme il était assez difficile d'harmoniser l'organisation verticale des syndicats et le système horizontal, interprofessionnel, des Bourses du travail, la C.G.T. ne devint véritablement une organisation structurée qu'en 1902, au congrès de Montpellier, qui décida la transformation des Bourses du travail en unions départementales et locales. Jusqu'en 1919, date de la fondation de la C.F.T.C., la C.G.T. resta la seule centrale syndicale française. Ses débuts furent marqués par l'opposition entre le syndicalisme réformiste et le syndicalisme révolutionnaire; ce dernier courant, représenté par les anarcho-syndicalistes, s'assura la plupart des postes clés. La C.G.T. se donna une doctrine par la Charte d'Amiens (v.) (1906),

qui affirmait l'indépendance du syndicalisme à l'égard des partis et proclamait que la C.G.T. groupait, « en dehors de toute école politique, tous les travailleurs conscients de la lutte à mener pour la disparition du patronat et du salariat ». Le secrétariat général, d'abord occupé par Victor Griffuelhes, passa en 1909 à Léon Jouhaux, fils de communard, employé à l'Administration des tabacs et allumettes, issu de la tradition libertaire et proudhonienne. L'énergie révolutionnaire de la jeune C.G.T. s'affirma dans les grandes grèves des années 1906/10, mais la résistance résolue du gouvernement républicain fit comprendre aux dirigeants syndicalistes que leur tâche risquait d'être longue et difficile. Dès cette époque se manifestait d'ailleurs un trait français caractéristique, la réticence d'une très grande partie des travailleurs à l'égard de l'engagement syndical. En 1914, on recensait en France à peine 600 000 syndiqués sur environ 10 millions de salariés, alors que, à la même date, les syndicats allemands groupaient déjà plus de 4 millions de membres.

En 1914, Léon Jouhaux rallia la C.G.T. à l'« Union sacrée », attitude qui mécontenta un certain nombre de syndiqués et prépara les divisions du mouvement ouvrier dans l'après-guerre. L'échec des grandes grèves de mai 1920 amena un départ massif d'ouvriers déçus, et la C.G.T., dont l'effectif avait atteint 2 millions de membres à la fin de 1918, retombait à 600 000 membres en janv. 1921. Ce même mois (13 janv. 1921), la XIᵉ chambre du tribunal correctionnel de la Seine, en condamnant Léon Jouhaux et d'autres dirigeants à des peines d'amende pour leur rôle dans les grèves de 1920, allait jusqu'à prononcer la dissolution de la C.G.T. pour avoir contrevenu à la loi de 1884 sur les syndicats en poursuivant des actions révolutionnaires autres que la défense des intérêts professionnels. Toutefois, cette décision ne fut pas exécutée. Mais la très forte minorité cégétiste communiste montrait une impatience grandissante envers le bureau confédéral, qui, en févr. 1921, refusait l'adhésion à l'Internationale syndicale rouge (v.), dont le congrès constitutif allait se tenir à Moscou en juillet suivant. La scission intervint au congrès de Lille (juill. 1921). La minorité communiste, qui avait rassemblé 1 325 mandats contre 1 572, décida, dès la fin de l'année, de créer une nouvelle centrale, la Confédération générale du travail unitaire (C.G.T.U.), qui, étroitement liée au parti communiste (bien qu'on y trouvât aussi des anarcho-syndicalistes), adhéra à l'Internationale syndicale rouge ou Internationale de Moscou, alors que la C.G.T. restait fidèle à la Fédération syndicale internationale ou Internationale d'Amsterdam.

Pendant près de quinze ans, C.G.T. et C.G.T.U. allaient se combattre âprement. Toujours dirigée par Léon Jouhaux, la C.G.T. évoluait vers des positions réformistes et voyait ses effectifs, d'abord inférieurs à ceux de la C.G.T.U. au lendemain de la scission, se grossir rapidement par l'adhé-

C.F.T.C.
Insigne de la Confédération française des travailleurs chrétiens.
Ph. Jeanbor © Photeb

C.G.T.
Insigne de la Confédération générale du travail.
Ph. © M. Delius

sion de fonctionnaires, d'instituteurs, de membres des classes moyennes. Ses revendications portaient principalement sur les congés payés, la semaine de 40 heures, l'éducation ouvrière; en 1925, elle obtenait du Cartel des gauches la création du Conseil national économique, où elle déléguait ses représentants, de même qu'au Bureau international du travail (B.I.T.), à Genève. La C.G.T.U., au contraire, persévérait dans une ligne révolutionnaire axée sur les thèmes de la lutte des classes et de la dictature du prolétariat. Elle condamnait avec véhémence Léon Jouhaux qui déclarait : « Il faut renoncer à la politique du poing tendu pour adopter une politique de présence dans les affaires de la nation. Nous voulons être partout où se discutent les intérêts ouvriers. »

La crise économique des années 30 provoqua un renouveau de l'action syndicale et un rapprochement des diverses tendances de la C.G.T. sur un programme qui comportait notamment la nationalisation des industries essentielles et du crédit, et la lutte contre le chômage par un programme de grands travaux publics. C'est cependant autour du commun dénominateur politique de la lutte contre le fascisme que devait se faire la grande réunification syndicale. A la suite de la journée du 6 févr. 1934 (v. FÉVRIER 1934), la C.G.T.U. décida de s'associer au mot d'ordre de grève générale lancé par la C.G.T. pour la journée du 12 févr. Les militants des deux centrales participèrent ensemble au grand défilé du cours de Vincennes, qui annonçait le Front populaire (v.). Les négociations syndicales, commencées dès sept. 1934, n'en furent pas moins lentes et difficiles, car les dirigeants de la C.G.T. craignaient que la réunification ne favorisât les entreprises de noyautage des communistes. L'accord de principe ne fut conclu qu'en sept. 1935, au prix d'importantes concessions de la part de la C.G.T.U. : la nouvelle centrale conserverait le nom de C.G.T.; ses statuts réaffirmeraient l'indépendance du syndicalisme à l'égard des partis politiques; la pluralité des tendances seraient respectées. Le congrès de réunification eut lieu à Toulouse, en mars 1936. Léon Jouhaux demeurait secrétaire général de la nouvelle C.G.T., dont le bureau confédéral, en face d'une majorité relativement hostile aux communistes, comprenait deux secrétaires « unitaires », Frachon et Racamond.

La C.G.T. adhéra au programme du Front populaire. Ses chefs, quelque peu dépassés par la base lors des grandes grèves de mai 1936, eurent la satisfaction de discuter avec les délégués patronaux les accords de Matignon (v.), et, à la fin de l'année 1936, les effectifs étaient passés en quelques mois de 1,5 à 5 millions d'adhérents. Cependant, dès 1937, les divergences politiques entre communistes et réformistes mirent l'unité syndicale en péril et, après la signature du pacte germano-soviétique (août 1939), les anciens dirigeants de la C.G.T.U. furent exclus de la C.G.T. Certains cégétistes devaient se rallier au gouvernement de Vichy, tel René Belin,

C.G.T.
Célébration du 80ᵉ anniversaire de la Confédération générale du travail.
Ph. © M. Delius

ancien secrétaire confédéral, qui devint ministre du Travail. Le 9 nov. 1940, la C.G.T. fut dissoute avec les autres syndicats; le 15 nov. 1940, elle publiait avec la C.F.T.C. le *Manifeste des Douze*, qui s'efforçait de rapprocher les conceptions cégétistes et chrétiennes autour des points suivants : le syndicalisme français doit être anticapitaliste; le syndicat doit accepter la subordination de l'intérêt particulier à l'intérêt général; le syndicalisme n'a pas pour mission d'absorber l'État. Reconstituée clandestinement, la C.G.T. prit part à la Résistance, et, après de longues négociations, la réunification avec les unitaires fut acquise par l'accord du Perreux (17 avr. 1943).

A la Libération, la C.G.T. réunifiée vit une partie de son programme réalisée par les nationalisations (v.) que décida le général de Gaulle. Ses effectifs dépassaient 5 millions d'adhérents à la fin de 1945 et 6 millions à la fin de 1947. Mais le parti communiste, devenu le « premier parti de France », y exerçait une influence grandissante par l'intermédiaire de Benoît Frachon — qui partageait le secrétariat général avec Léon Jouhaux —, de l'hebdomadaire *La Vie ouvrière* et d'une multitude de cadres et de militants éprouvés. Cette mainmise communiste amena des départs dès 1946 (constitution de syndicats autonomes aux P.T.T., au Métropolitain), puis une véritable scission. En déc. 1947, après l'échec des grandes grèves qui avaient suivi le renvoi des ministres communistes et le lancement du plan Marshall, Léon Jouhaux et ses amis quittèrent la C.G.T. pour fonder une nouvelle centrale, la Confédération générale du travail-Force ouvrière (C.G.T.-F.O.) (v.). Cette crise entraîna un reflux général du syndicalisme. Au début de 1948, la C.G.T. ne comptait plus que 2,5 millions d'adhérents, et la C.G.T.-F.O. près d'un million. Dirigée jusqu'en 1967 par Benoît Frachon, la C.G.T., qui, malgré sa perte d'effectifs, demeurait de beaucoup la centrale française la plus puissante, conserva des liens étroits avec le parti communiste; en 1956, elle refusa de prendre position sur le soulèvement hongrois de Budapest, puis élimina la tendance de Pierre Le Brun, qui recherchait une plus grande autonomie à l'égard du P.C. Durant la crise de mai 1968, elle se refusa, à la différence de la C.F.D.T., à prendre des positions révolutionnaires et s'efforça surtout de préserver le monde ouvrier des contaminations gauchistes en dirigeant ses revendications non vers un changement radical de la société mais sur la question des salaires (accords de Grenelle). Dirigée par Georges Séguy, secrétaire général à partir de 1967, la C.G.T. appuya totalement le Programme commun et la politique d'union des forces de gauche aux élections de 1973 et de 1974. En maintes circonstances, elle pratiqua l'unité d'action avec la C.F.D.T., mais elle s'est aussi opposée à la centrale rivale dans des conflits comme ceux du Joint français et de Lip : la C.G.T. se sépare de la C.F.D.T. non seulement sur la conception de la société socialiste

C.G.T.
Défilé sur le boulevard Haussmann, le 24 mai 1968.

Ph. © Sygma

C.G.T.-F.O.
Insigne de la Confédération générale du travail - Force ouvrière.

Ph. Jeanbor © Photeb

future (méfiance très nette à l'égard de l'autogestion), mais également sur la stratégie syndicale. Elle se veut réaliste et refuse de se laisser entraîner à l'aventure par des minorités ou par le spontanéisme des masses; aux actions ponctuelles elle préfère les grands mouvements d'ensemble qui font prendre conscience à la classe ouvrière de ses intérêts communs. Bien que son secrétaire général et nombre de ses dirigeants soient des membres importants du parti communiste, la C.G.T. affirme sa complète indépendance sur le plan syndical. En 1984, elle restait de loin la plus puissante des centrales syndicales françaises avec 2 400 000 adhérents, 37 fédérations professionnelles, 95 unions départementales et 15 000 syndicats de base. Son influence était particulièrement forte dans le secteur nationalisé, dans la métallurgie, dans le bâtiment, dans l'industrie du livre.

● Dirigée à partir de 1982 par Henri Krasucki (*Wolomin, Pologne, 2.IX.1924), la C.G.T. a perdu 565 000 adhérents actifs de 1983 à 1987. Avec ses retraités, elle comptait encore (officiellement), à cette date, 1 031 000 adhérents. Sans doute a-t-elle été gênée par le soutien qu'elle a apporté au gouvernement de Pierre Mauroy et par la politique de rigueur instaurée par celui-ci. Partagée, depuis la venue de la gauche au pouvoir en juin 1981, entre la solidarité politique et son rôle syndical, elle a du moins milité pour une renaissance active du « tissu » industriel français, tout en prenant de plus en plus de distance avec la politique d'austérité décrétée par les gouvernements Mauroy et Fabius. Les grandes grèves des cheminots, en 1986, et des personnels hospitaliers, en 1988, exprimaient ses difficultés à contrôler une base gagnée par les « coordinations » intersyndicales. Voir SYNDICALISME.

CONFÉDÉRATION GÉNÉRALE DU TRAVAIL - FORCE OUVRIÈRE (C.G.T.-F.O.). Centrale syndicale française fondée en avr. 1948 par les cégétistes non communistes qui avaient suivi Léon Jouhaux lors de sa démission de la C.G.T. le 19 déc. 1947. Elle reprit le nom de l'hebdomadaire *Force ouvrière* créé par Jouhaux en déc. 1945 pour lutter contre l'influence de *La Vie ouvrière* communiste. Là C.G.T.-F.O., dirigée par Léon Jouhaux jusqu'à sa mort, en 1954, puis, successivement, par Robert Bothereau et André Bergeron, refusait toute collusion du syndicat avec un parti politique et elle dénonçait dans la C.G.T. un « instrument du parti communiste ». Elle resta fidèle à cette ligne, et son choix de la voie réformiste l'amena, sous la Ve République, à accepter la politique contractuelle. Son principe fondamental est une séparation stricte entre l'activité politique et l'activité syndicale, de telle sorte que F.O. rassemble des militants appartenant aux nuances politiques les plus diverses, allant de la droite au gauchisme. Elle refusa d'adhérer au Programme commun de la gauche, et, à partir de 1973, elle s'opposa parfois très vivement à la C.G.T. et à la C.F.D.T., en dénonçant

leur politisation, alors que les centrales rivales l'accusaient de collusion avec le gouvernement et le patronat. Au sein du syndicalisme français, F.O. représente un courant qui prédomine en Allemagne occidentale, dans les pays scandinaves, aux États-Unis, et qui voudrait représenter les aspirations de la « majorité silencieuse » des travailleurs dans un pays où moins de 20% des salariés sont syndiqués.

● Dirigée par André Bergeron de 1963 à 1989, F.O. était la deuxième centrale syndicale française (moins d'un million d'adhérents). Le renforcement de son influence s'est effectué, tant parmi les ouvriers qu'auprès des cadres et des agents de maîtrise, grâce à sa défense ferme des acquis, politique décrite comme immobilisme corporatiste par ses adversaires. L'élection de M. Blondel, en 1989, au poste de secrétaire général, divisait profondément le syndicat, où la tendance modérée fut mise en minorité par une aile plus militante, où les trotskistes étaient actifs. Voir SYNDICALISME.

CONFÉDÉRATION GERMANIQUE, *Deutscher Bund.* Confédération formée le 8 juin 1815 par 39 États allemands (principautés souveraines et villes libres). Elle avait pour objet « le maintien de la sécurité extérieure et intérieure de l'Allemagne, de l'indépendance et de l'inviolabilité des États confédérés ». Elle déçut profondément les espérances du nationalisme allemand qui s'était affirmé dans les « guerres de Libération » contre Napoléon, car elle constituait, comme l'avait voulu Metternich, non pas une union du peuple allemand, mais une association de souverains indépendants. Certains de ces souverains étaient même des étrangers : le roi d'Angleterre faisait partie de la Confédération comme roi de Hanovre; le roi de Danemark, comme duc du Holstein, du Schleswig et du Lauenburg; le roi des Pays-Bas, comme grand-duc du Luxembourg. En revanche, de toutes les possessions de l'empereur d'Autriche et du roi de Prusse, seules étaient incluses dans la Confédération germanique celles qui avaient jadis fait partie du Saint Empire dissous en 1806 (toute la partie de l'empire des Habsbourg à l'E. de la Leitha et tous les territoires prussiens de Posnanie, de Prusse-Occidentale et de Prusse-Orientale restaient en dehors de la Confédération).

La Confédération germanique possédait un seul organe fédéral, la Diète, siégeant à Francfort, qui n'était qu'un congrès d'ambassadeurs des États membres, dépourvu des pouvoirs nécessaires pour imposer une politique commune. La Constitution confédérale ne pouvait être révisée que par un vote unanime de la Diète. La présidence exercée par l'empereur d'Autriche n'était guère plus qu'honorifique. L'armée fédérale – 300 000 hommes – n'avait ni instruction ni organisation communes permanentes. A l'époque de la Sainte Alliance, Metternich se servit de la Confédération germanique pour réprimer les menées libérales et nationales en Allemagne (décisions de Karlsbad, 1819). La tenta-

tive menée en 1848/49 par le Parlement de Francfort (v.) pour transformer la Confédération germanique en un État fédéral national aboutit à un échec. A partir de 1850, l'histoire de la Confédération germanique fut dominée par l'antagonisme croissant entre l'Autriche et la Prusse. Au début de la guerre austro-prussienne de 1866, l'Autriche obtint la mobilisation de l'armée fédérale contre la Prusse (14 juin 1866). Les troupes fédérales furent bousculées par l'armée prussienne, qui remporta d'autre part une victoire décisive sur les Autrichiens à Sadowa (v.). Bismarck jeta sans tarder les bases d'une nouvelle Confédération de l'Allemagne du Nord (v.), fortement unie autour de la Prusse, et, par la paix de Vienne (23 août 1866), l'Autriche dut reconnaître la dissolution de la Confédération germanique.

CONFÉDÉRATION HELVÉTIQUE. Voir Suisse.

CONFÉDÉRATION INTERNATIONALE DES SYNDICATS CHRÉTIENS (C.I.S.C.). Organisation fondée au congrès de La Haye (15/18 juin 1919) par la réunion de syndicats chrétiens appartenant à quatorze pays européens. Bien que ne comprenant pas exclusivement des catholiques (les syndicats chrétiens allemands, à forte proportion protestante, représentaient environ les deux tiers des 3 millions et demi de travailleurs regroupés, à l'origine, dans la C.I.S.C.), elle se réclamait des enseignements pontificaux, rejetait la lutte des classes, faisait appel à la collaboration et à l'arbitrage. La disparition des syndicats chrétiens dans l'Italie fasciste et l'Allemagne nationale-socialiste lui fit perdre beaucoup d'adhérents, et, en 1945, elle ne regroupait qu'un peu plus de 500 000 travailleurs. C'est dans la période de l'après-guerre qu'elle prit un rapide essor, car elle offrait une voie de « non-alignement » idéologique aux syndicats — notamment ceux du tiers monde — qui jugeaient trop communiste la Fédération syndicale mondiale (F.S.M.) et trop marquée d'anticommunisme américain la Confédération internationale des syndicats libres (C.I.S.L.).
● En 1988, la C.I.S.C. (devenue C.M.T. depuis 1980) regroupait 15 millions d'adhérents dans 80 pays et 8 fédérations internationales professionnelles. Ainsi : Confédération latino-américaine du travail (C.L.A.T., 29 organisations), Union panafricaine des travailleurs croyants (U.P.T.C., 20 organisations), Fraternité des syndicalistes indiens (5 organisations), Organisation européenne de la C.I.S.C. (19 organisations), Canada (1 organisation). Lors de son congrès de Luxembourg (oct. 1968), la C.I.S.C. s'est, à l'exemple de la C.F.T.C., « déconfessionnalisée » et a changé d'appellation, prenant le nom de Confédération mondiale du travail (C.M.T.). En France, la C.F.D.T. lui est affiliée; en revanche, les travailleurs chrétiens de la Confederazione italiana sindacati lavoratori sont affiliés à la C.I.S.L.

CONFÉDÉRATION INTERNATIONALE DES SYNDICATS LIBRES (C.I.S.L.). Organisation fondée au congrès de Londres (28 nov./7 déc. 1949) par les représentants de 59 centrales syndicales nationales qui avaient rompu en janv. 1949 avec la Fédération syndicale mondiale (F.S.M.) (v.), passée sous obédience communiste. Elle naissait « de la volonté des syndicalistes d'Europe et d'Amérique, désireux de développer la politique de collaboration atlantique définie par le célèbre discours du général Marshall et le plan qui en est issu » (G. Lefranc). La création de la C.I.S.L. était une conséquence de la coupure provoquée par la guerre froide dans le mouvement syndical international. La C.I.S.L., dans sa déclaration constitutive, se proclamait « solidaire de tous les travailleurs privés par les régimes d'oppression de leurs droits de travailleurs et d'êtres humains », et s'engageait à leur apporter son appui. Le congrès de Londres avait fait la synthèse entre les trois principales tendances : celle de Léon Jouhaux, qui dénonçait « la réaction internationale, de Wall Street à Franco »; celle de Walter Reuther, du syndicat américain C.I.O., qui souhaitait engager la lutte à la fois contre la dictature soviétique et contre Wall Street (« Ni Staline ni la Standard Oil »); celle d'Irving Brown, délégué du syndicat américain A.F.L., qui soutenait que le péril le plus immédiat était celui du totalitarisme soviétique.
La C.I.S.L., qui, à ses débuts, représentait environ 50 millions de travailleurs, établit son siège à Bruxelles. En 1969, elle fut affaiblie par le retrait de l'A.F.L.-C.I.O., qui lui fit perdre 13,7 millions d'adhérents.
● En 1988, 136 organisations représentant 98 pays et 87 millions d'adhérents étaient affiliées à la C.I.S.L. Les organisations les plus importantes étaient : les Trade Unions britanniques (9 millions de travailleurs); le Deutscher Gewerkschaftsbund (D.G.B.) d'Allemagne de l'Ouest (7 millions), la Confederazione italiana sindacati lavoratori (C.I.S.L., travailleurs chrétiens italiens, 1,7 million), l'Österreichische Gewerkschaftsbund (Ö.G.B., centrale autrichienne, 1,5 million). Le syndicalisme français est représenté à la C.I.S.L. par la Confédération générale du travail-Force ouvrière (C.G.T.-F.O.).

CONFÉDÉRATION MONDIALE DU TRAVAIL (C.M.T.). Voir CONFÉDÉRATION INTERNATIONALE DES SYNDICATS CHRÉTIENS (C.I.S.C.).

CONFÉDÉRATIONS POLONAISES. Voir BAR (Confédération de) et TARGOWICA (Confédération de).

CONFÉDÉRATION DU RHIN, *Rheinischer Bund.* Constituée à la suite des victoires de Napoléon en Allemagne par un traité que signèrent à Paris, le 12 juill. 1806, les représentants de 16 princes allemands, parmi lesquels les rois de Bavière et de Wur-

1

2

CONFÉDÉRATION DU RHIN

1. Napoléon fait prêter serment le 12 juill. 1806 aux représentants des seize princes confédérés. Détail d'une litho de Motte.
Ph. © Bildarchiv Preussischer Kulturbesitz

2. Médaille commémorative, gravée sous la direction de Denon. Les princes allemands confédérés, armés en guerriers médiévaux, prêtent serment sur l'aigle impériale posée sur un faisceau.
Ph. © Hôtel de la Monnaie, Paris Photeb

CONFUCIANISME
Affiche chinoise proclamant : « Ouvriers, paysans et soldats
sont la force principale de la critique de Lin Piao et Confucius. »
La révolution culturelle prolétarienne, commencée en 1966, rebondit en 1971
avec l'élimination de Lin Piao, vice-président du Comité central,
qui, selon la version officielle, trouva la mort au cours de sa fuite,
dans un accident d'avion (13 sept. 1971). Si Lin Piao
paraît avoir représenté l'ultra-gauchisme, Confucius, dans le même temps,
fut stigmatisé en tant qu'antique et toujours actuel champion
du conservatisme intellectuel, tenant résolument la philosophie
à l'écart des masses populaires. Contrairement à Confucius,
Mao préconisa que la philosophie devait quitter « la salle de conférences »
pour s'établir à l'usine et aux champs. Attaquant Lin Piao à gauche
et Confucius à droite, le centrisme de Chou En-lai marquait des points.
Ph. © A.F.P. Photeb

temberg, les grands-ducs de Berg et de Clèves, l'archevêque de Mayence, les souverains de Bade, de Hesse-Darmstadt, de Nassau. Cette confédération, qui consacrait la fin du Saint Empire, fut placée sous le protectorat tout-puissant de Napoléon, qui détenait le commandement de l'armée confédérée et fit attribuer le poste suprême d'archichancelier de la Confédération à l'un de ses hommes liges, l'archevêque Dalberg. La Confédération s'engageait à fournir à Napoléon une armée de 63 000 hommes. Elle s'élargit après l'effondrement de la Prusse, notamment par l'entrée du roi de Saxe, des princes d'Allemagne centrale et septentrionale, du roi Jérôme de Westphalie. En 1811, la Confédération du Rhin rassemblait 36 États. Cette construction devait se désagréger en 1813, après les défaites de Napoléon, mais elle avait marqué une étape importante vers l'unité de l'Allemagne, dont elle simplifia profondément la carte politique.

CONFÉDÉRÉS D'AMÉRIQUE (États).
Confédération formée en mars 1861 par sept États du sud des États-Unis qui, après l'élection de Lincoln à la présidence, firent sécession de l'Union (v. SÉCESSION, guerre de, et ÉTATS-UNIS). Ces sept États — Caroline du Sud, Georgie, Louisiane, Mississippi, Floride, Alabama, Texas — furent rejoints, après l'attaque contre Fort Sumpter (12/13 avr. 1861) par quatre nouveaux États, l'Arkansas, la Caroline du Nord, la Virginie (sauf ses comtés occidentaux) et le Tennessee. La capitale de la Confédération, provisoirement établie à Montgomery, fut ensuite fixée à Richmond, Virginie. Le président de la Confédération fut Jefferson Davis, avec H. Stephens comme vice-président. La Confédération s'effondra après la reddition du général Lee en avr. 1865. Voir SÉCESSION (guerre de).

CONFESSANTE (Église), *Bekenntniskirche.* Nom donné à la fraction de l'Église évangélique allemande qui résista aux tentatives d'annexion idéologique du IIIe Reich. Issue de la Ligue des pasteurs dans la détresse *(Pfarrernotbund)* créée en sept. 1933, et qui regroupait plus du tiers du pastorat allemand, elle se manifesta au synode de Barmen (29/31 mai 1934), où furent proclamés solennellement l'attachement aux grandes confessions de foi (v.) de la Réforme et le refus d'admettre, pour l'Église, toute autre règle que celle de la Parole de Dieu. L'Église confessante, dont l'inspirateur théologique fut Karl Barth et les principaux animateurs Martin Niemöller, Hanns Lilje, W. Künneth, R. von Thadden-Triegloff, Dietrich Bonhoeffer, commença à s'organiser, à l'échelle régionale et nationale, en « conseils fraternels », tandis que les stricts luthériens, en désaccord avec les « confessants » pour des raisons ecclésiologiques, constituaient le Conseil luthérien (ces deux mouvements de résistance spirituelle au national-socialisme devaient rester séparés jusqu'à la fin du IIIe Reich). En oct. 1934, le synode de Berlin-

Dahlem proclama une « loi d'urgence » par laquelle le mouvement confessant décidait de ne plus obéir désormais à l'Église du Reich (nazifiée) et se donnait lui-même comme l'authentique Église. On aurait tort cependant de voir dans l'Église confessante un mouvement de résistance *politique*, visant à une subversion de l'État. Jusqu'en 1935, l'Église confessante caressa le rêve de se faire reconnaître par l'État comme la seule Église authentique, sur la base d'une stricte séparation entre le politique et le religieux. Cet espoir fut anéanti durant l'été 1935, lorsque Hitler renforça son contrôle sur le protestantisme allemand par la création d'un ministère des Affaires ecclésiastiques. L'opposition spirituelle devenait dès lors résistance à l'État : beaucoup de « confessants » se refusèrent à un tel choix, contraire aux traditions du protestantisme allemand. Ce fut, en fait, la fin de l'Église confessante : la résistance protestante au national-socialisme ne fut plus qu'individuelle; Niemöller, Bonhoeffer, Hanns Lilje, Gerstenmayer en furent les plus énergiques illustrations.

CONFESSION (billets de). Durant la crise du jansénisme (v.), au début du XVIIIᵉ s., attestations délivrées par les prêtres aux fidèles pour garantir l'orthodoxie de leur confession de foi, c'est-à-dire leur non-appartenance à la secte janséniste, laquelle refusait d'accepter la bulle *Unigenitus* (v.). Certains curés de Paris allèrent même jusqu'à refuser les sacrements aux moribonds qui ne pouvaient témoigner de leur adhésion à la bulle en présentant ce billet de confession. Les jansénistes firent alors appel au parlement, qui leur était favorable. En 1752, le curé de Saint-Étienne-du-Mont, ayant refusé les sacrements à l'oratorien Lemère, fut cité devant le parlement, qui prononça la confiscation de ses biens. Le roi ayant annulé la procédure, le parlement répliqua par un arrêt interdisant aux ecclésiastiques de réclamer des billets de confession et alla même jusqu'à saisir le temporel de l'archevêque de Paris, Christophe de Beaumont. Le roi dut exiler les parlementaires (mai/oct. 1753), mais ceux-ci eurent finalement gain de cause : billets de confession et refus de sacrements furent interdits. Le pape Benoît XIV entérina cette mesure en 1756 par sa bulle *Ex omnibus*.

CONFESSION DE FOI. Sommaire des doctrines fondamentales de la foi. Dans l'histoire du christianisme, on connaît plusieurs confessions de foi, qui ont eu une importance fondamentale sur la doctrine et l'histoire de l'Église :
1. Le *symbole des apôtres,* qui n'a pas été établi par les apôtres eux-mêmes mais reflète l'immédiate tradition apostolique (Iᵉʳ s.-début IIᵉ s.); le texte reçu actuel remonte au début du Vᵉ s.);
2. Le *symbole de Nicée-Constantinople,* révision du bref symbole adopté au concile de Nicée (325) contre l'arianisme; il aurait été composé peu avant le Iᵉʳ concile de Constantinople (381) par st. Cyrille de Jérusalem;
3. Le *symbole* dit *de st. Athanase,* composé en fait entre 381 et 428, connu également sous le nom de *Quicunque vult*;
4. La *Confession d'Augsbourg,* présentée à Augsbourg à l'empereur Charles Quint le 25 juin 1530; rédigée par Melanchthon, elle fut approuvée par Luther et constitue, avec ses 21 articles, l'expression officielle du luthéranisme;
5. La 1ʳᵉ *Confession helvétique* (1536), synthèse des doctrines de Zwingli et de Luther, et la 2ᵉ *Confession helvétique* (1566), d'orientation surtout calviniste, avec des éléments zwingliens;
6. Les *Trente-Neuf Articles* de 1563, qui définissent la doctrine de l'Église anglicane;
7. La *Confession de Westminster* (1645/47), d'esprit calviniste, qui est la définition des doctrines presbytériennes dans le monde anglo-saxon.

CONFINS MILITAIRES (gouvernement des), *Militärische Grenze.* Dans l'ancien empire d'Autriche, nom donné à tous les territoires limitrophes de la Turquie, de l'Adriatique à la Transylvanie. Ils étaient divisés en quatre *généralats* (Agram, Petervaradin, Temesvar, Hermannstadt), qui formaient de véritables colonies militaires, fournissant ensemble 18 régiments. L'administration particulière des Confins militaires (*Militärgrenze*), qui remontait au début du XVIᵉ s., fut supprimée entre 1851 et 1881.

CONFLANS-L'ARCHEVÊQUE ou bien **CONFLANS-LES-CARRIÈRES.** Ancien bourg de la banlieue de Paris, englobé dans la commune de Charenton-le-Pont (Val-de-Marne). Les archevêques de Paris y possédaient un château que leur avait légué l'archevêque François de Harlay. Traité de Conflans 5 oct. 1465, par lequel Louis XI mit fin à la guerre de la ligue du Bien public, qui l'opposait à la grande noblesse.

CONFUCIANISME. L'un des grands systèmes moraux et religieux de la Chine, fondé par **Confucius,** nom latinisé de **K'ong fou-tseu,** *Kongfuzi* en pinyin (* vers 551, † vers 479 av. J.-C.). Fonctionnaire, puis professeur de sagesse morale et politique, Confucius compila et épura les enseignements des Anciens, vaste travail d'où sortirent les cinq *Classiques,* véritable Bible de la civilisation chinoise (en fait, il se pourrait que seul le *Tch'ouen ts'ieou* ait été rédigé — et pour une partie seulement — par Confucius lui-même). Les autres enseignements personnels du sage nous ont été conservés par ses disciples, avec plus ou moins d'exactitude, dans les « Quatre Livres » (le *Louen yu,* le *Tchong yong,* le *Ta hio* et le *Möng-tseu*). Confucius fut un esprit essentiellement conservateur, profondément attaché à la tradition, et qui, dans une Chine en désarroi, déchirée par les rivalités des principautés féodales, ne voyait de salut moral et politique que dans le retour aux coutumes ancestrales.

CONFUCIANISME
Portrait de K'ong fou-tseu (Confucius), XVIIIᵉ s. Le fondateur d'un des grands systèmes moraux et religieux de la Chine, qui vécut au VIᵉ-Vᵉ av. J.-C., est ici représenté sous les traits traditionnels du lettré chinois.
Ph. © Bibl. Nat., Paris - Photeb

Indifférent aux problèmes vraiment religieux et métaphysiques, tourné vers l'action pratique, il conçut toute la vie chinoise sur la base d'une morale patriarcale de clan, tempérée par les vertus d'amitié et d'équité. Les deux principaux disciples de Confucius furent, au IVe s. avant notre ère, Möng-tseu (appelé souvent Mencius par les Occidentaux) et Siun-tseu. Le pessimisme de ce dernier n'eut qu'une influence temporaire, qui correspondait aux conditions de vie tragique que connaissait la Chine à l'époque des Royaumes combattants. Möng-tseu, beaucoup plus optimiste, devait, au contraire, donner le ton pour des siècles à l'orthodoxie confucéenne. Assez libéral en politique, il s'efforça d'imposer la primauté de la classe des Lettrés (v.). Ce premier élan du confucianisme fut brisé par le fondateur de l'Empire chinois, Ts'in Che Houang-ti, qui, conseillé par les légistes (v.), ordonna, en 213 av. J.-C., la destruction des livres confucéens. Ceux-ci furent reconstitués au Ier s. avant notre ère par deux grands érudits, Lieou Hiang et son fils, Lieou Hing. La dynastie des Han favorisa le confucianisme, dont la doctrine, foncièrement conservatrice, apparut dès lors comme un précieux appui pour le pouvoir impérial. Dès le IIe s. avant notre ère, s'affirma cette suprématie des Lettrés confucéens qui devait rester, jusque dans les Temps modernes, un des traits caractéristiques de la vie chinoise. En 125 av. J.-C., il fut décidé que tout candidat à un poste de fonctionnaire devait subir un examen portant sur l'un au moins des Classiques. Le confucianisme, humanisme politique à l'usage de l'élite, ne put cependant empêcher la diffusion du taoïsme (v.) et surtout du bouddhisme (v.), qui devait devenir la grande religion chinoise. La division et les troubles que connut la Chine pendant près de quatre siècles (IIIe-VIe s. de notre ère), après la chute des Han, furent peu profitables aux confucéens. C'est seulement au VIIe s., sous les T'ang, que le confucianisme connut une renaissance. En face du bouddhisme, les confucéens hésitaient entre le refus de tout compromis et la tentation d'une synthèse qui intégrerait à leur tradition des éléments d'origine bouddhique et indienne. C'est cette dernière tendance qui l'emporta, à partir du XIIe s., dans le « néoconfucianisme », dont le meilleur représentant fut Tchou-hi († 1200); celui-ci fit du confucianisme une philosophie systématique se présentant comme un monisme matérialiste.

En marge des développements philosophiques, s'élabora très tôt un culte de Confucius. Dès 59 de notre ère, les Han prescrivirent que Confucius devait recevoir chaque année des offrandes dans toutes les écoles chinoises. En 442, un empereur, d'ailleurs taoïste, fit élever près de la tombe du sage un temple dédié à sa mémoire. En 505, un autre empereur, bouddhiste celui-ci, consacra à Confucius un temple dans la capitale. Il s'agissait, en fait, d'un culte civique, sans véritable signification religieuse. C'est du moins ce qu'estimèrent les missionnaires jésuites du XVIe et du XVIIe s. : ils admirent que les convertis chinois pouvaient participer aux rites du culte confucéen; cette attitude suscita d'ardentes polémiques dans l'Église (v. RITES CHINOIS). A la fin du siècle dernier, un groupe de lettrés progressistes et ouverts aux idées occidentales, dont l'animateur était K'ang Yeou-wei, rêva de faire du confucianisme la base d'une modernisation de la Chine. Dans les années 1910, au contraire, Hou Che et les jeunes intellectuels de la « Renaissance chinoise », dénoncèrent comme anachronique « le vieux magasin d'antiquités confucéen ». Tchang Kaï-chek estima cependant que là Chine nouvelle ne pouvait rompre avec une tradition millénaire, et il associa étroitement le confucianisme à son mouvement de la Vie nouvelle, lancé en 1934. Le communisme maoïste s'est efforcé au contraire d'effacer de la mentalité chinoise l'empreinte d'une doctrine à laquelle il reproche surtout d'engendrer le fatalisme et la passivité. En 1974, dans le contexte de la lutte dirigée contre la tendance de Lin Piao, fut lancée une grande campagne contre le féodalisme de Confucius.

CONGÉS PAYÉS. Avant 1936, plusieurs administrations publiques et entreprises privées avaient pris l'habitude d'accorder à leur personnel un certain nombre de jours de vacances payés chaque année. Le principe de congés payés pour tous les salariés prit un caractère légal à la suite de la victoire du Front populaire et des accords Matignon (v.). Dès le 8 juin 1936, le Parlement vota une mesure qui accordait aux travailleurs quinze jours de congés payés obligatoires par an. La durée des congés annuels fut portée à trois semaines par le gouvernement Guy Mollet, en févr. 1956, et, sous la Ve République, à 24 jours ouvrables en 1969.
● L'ordonnance du 30 janv. 1982 a accordé 30 jours ouvrables de congés, ce qui revient à une 5e semaine qui doit obligatoirement être prise durant l'hiver. En 1985, 58,5 % des Français partaient en vacances, mais ce chiffre variait selon les catégories socioprofessionnelles : 87,2 % des cadres supérieurs et des membres des professions libérales; 51,3 % des patrons de l'industrie et du commerce; 62,9 % des employés; 51,3 % des ouvriers. En dépit des campagnes officielles faites depuis 1975 pour « l'étalement » des vacances, la concentration des congés durant la période du 15 juillet au 15 août, habitude spécifiquement française, provoque une chute de la production industrielle et le surpeuplement (avec hausse des prix) des lieux de villégiature.

CONGIAIRES. A Rome, dans l'Antiquité, distributions d'huile, de vin, de viande, de sel, parfois de vêtements et d'argent, faites au peuple par des citoyens riches, par des candidats aux fonctions publiques, puis par l'État lui-même. C'est Scipion, candidat à l'édilité, qui accorda le premier congiaire, en 213 av. J.-C. Voir ANNONE.

CONGO (royaume du). Ancien État noir de l'Afrique équatoriale, fondé vers le début du XIVᵉ s. mais dont l'histoire ne nous est connue que depuis sa découverte par le voyageur portugais Diogo Cam en 1484. A cette époque, le royaume du Congo s'étendait au S. jusqu'à Loanda, dans l'actuel Angola; à l'E. jusqu'au fleuve Kouango; au N.-E. jusqu'au-delà du Stanley Pool; au N. jusqu'au royaume de Loango. Il couvrait ainsi toute la région du bas Congo. Gouverné par un roi électif, le *manicongo*, l'État était divisé en six provinces, à la tête desquelles se trouvaient soit des parents du roi, soit des descendants des chefs soumis. Des relations amicales s'établirent rapidement entre les Congolais et leurs visiteurs portugais. En 1489, une ambassade du manicongo fut reçue à Lisbonne; elle en revint l'année suivante, habillée à l'européenne, et accompagnée de missionnaires et de techniciens portugais. Le manicongo, Nzinga Kouvou, se convertit au christianisme en 1490 et tenta d'imposer sa nouvelle religion à ses sujets, mais il rencontra une telle résistance qu'il fut contraint d'apostasier quatre ans plus tard. Le roi suivant, Nzinga Mbemba, qui avait pris le nom d'Alfonso Iᵉʳ (1507/43), se montra au contraire un fervent chrétien et il donna à la capitale de son royaume, Ambasse, le nom de São Salvador; il envoya son fils Henri faire des études ecclésiastiques au Portugal et cet Henri revint au Congo en 1521, après avoir été consacré évêque d'Urique. Alfonso, qui lisait et écrivait couramment le portugais, organisa et habilla sa cour selon les modes portugaises. Mais l'essor de la jeune chrétienté noire fut brisé par l'afflux des trafiquants portugais, qui commencèrent, dès 1518, à se livrer à la traite des Noirs. Pour échapper aux Portugais, le troisième successeur d'Alfonso Iᵉʳ, Diogo Iᵉʳ, tenta vainement à deux reprises (1547 et 1553) de placer son pays sous la suzeraineté directe du pape. Attaqué par les Djagas du S.-E. et par les Ngolas païens du S. (que soutenaient les marchands portugais), affaibli aussi par de continuelles guerres de succession (car la royauté restait élective), le royaume du Congo entra dans une inéluctable décadence. En 1668, le roi Antonio fut battu par une coalition d'Angolans et de Portugais. Tout le territoire de l'ancien royaume retourna alors à l'émiettement politique.

CONGO BELGE. Ancienne colonie belge de l'Afrique équatoriale, qui englobait la plus grande partie du bassin du Congo; capitale *Boma* et, à partir de 1926, *Léopoldville* (auj. *Kinshasa*, v.).

L'État indépendant du Congo

C'est vers 1875, après les expéditions de Livingstone et les premiers voyages de Stanley, que l'Europe commença à s'intéresser à l'Afrique centrale. Au début de 1876, Émile Banning, archiviste-bibliothécaire au ministère belge des Affaires étrangères, publia dans *L'Écho du Parlement* trois articles qui décidèrent le roi des Belges, Léopold II, à convoquer à Bruxelles une Conférence géographique internationale (12/14 sept. 1876), laquelle décida la fondation d'une Association internationale africaine (A.I.A.) destinée à étudier le centre de l'Afrique et à envisager les moyens d'y faire disparaître la traite des Noirs à laquelle continuaient de se livrer des marchands d'esclaves arabes. Sous le couvert de principes qui paraissaient purement scientifiques et humanitaires, Léopold II envisageait de s'assurer la propriété du Congo. L'année suivante, Stanley, dont on était sans nouvelles depuis deux ans, acheva la traversée du continent africain d'est en ouest, en longeant le fleuve Congo. N'ayant trouvé en Angleterre aucun désir d'entreprendre la colonisation des régions qu'il venait de découvrir, il accepta les offres de Léopold II et, en 1879, il repartit au Congo avec un groupe de Belges, mandaté par le Comité belge d'études du haut Congo. Au cours de cette expédition (1879/82), Stanley constata avec dépit que Pierre Savorgnan de Brazza, à la tête d'une expédition française, l'avait devancé sur le bas Congo et s'était installé à l'emplacement de l'actuelle Brazzaville. Il installa sa station sur la rive opposée du fleuve, à Léopoldville, et commença à signer des traités avec les chefs indigènes. A la suite de cette expédition, Léopold II fonda, en 1882, l'Association internationale du Congo et Stanley repartit pour l'Afrique et conclut quelque 400 traités avec les roitelets noirs. Malgré les revendications du Portugal sur l'embouchure du Congo, la conférence internationale de Berlin, dans son acte du 26 févr. 1885, reconnut Léopold II comme souverain, à titre personnel — et non comme roi des Belges —, d'un État indépendant du Congo. Le Parlement belge réagit sans enthousiasme à cet événement et il fut établi que le roi devrait supporter tous les frais de la conquête et de la colonisation sur sa fortune personnelle. La pacification du territoire, qui demanda une dizaine d'années, fut menée par des officiers belges. Furent successivement annexés les territoires de l'Oubangui et du Bomu (1887/89), de l'Uélé (1890), du Katanga (1891/92), du Kivu (1894). Le roi, qui tenait toujours à couvrir son action par des principes humanitaires, convoqua en 1889 la Conférence internationale antiesclavagiste de Bruxelles, et, jusqu'en 1894, les Belges, commandés par Dhanis, menèrent une lutte impitoyable contre les sultans arabes trafiquants d'esclaves, notamment Séfu et Rumaliza. Parallèlement se poursuivait la mise en valeur économique du Congo (construction de la voie ferrée Matadi-Léopoldville, 1891/98). L'effort de colonisation dépassa rapidement les ressources personnelles de Léopold II, qui, dès 1886, dut commencer à solliciter des emprunts auprès du Parlement belge. Sa domination sur les pays conquis se faisait plus dure; toutes les terres vacantes furent déclarées propriété d'État; les indigènes furent soumis à des corvées excessives. Le traitement inhumain qui

CONGO BELGE
Banderole brandie le jour
de l'indépendance, 30 juin 1960 :
« Kasavubu, chef d'État,
commandant en chef de l'armée,
sauvez la nation ».
Ph. © R. Darolle - Gamma

leur était infligé fut dénoncé, en 1904, par un rapport du consul britannique à Boma, Roger Casement (qui devait plus tard devenir un martyr de la lutte pour la liberté irlandaise). En 1895, lors d'un nouvel emprunt de plus de 6 millions de francs belges, Léopold II accorda à la Belgique la faculté d'annexer le Congo en 1901, mais, comme une forte opposition à l'entreprise coloniale se manifestait dans l'opinion publique, c'est seulement en mars 1908 que le Parlement accepta le transfert du Congo à la Belgique.

Le Congo belge

Durant un demi-siècle, la Belgique déploya au Congo un grand effort de mise en valeur économique. Dès les premières années du XXᵉ s., le caoutchouc, qui avait été, au début de la colonisation, la principale richesse du pays, fut supplanté par les produits miniers, cuivre et diamants. L'Union minière du Haut-Katanga, créée en 1906, commença en 1911 l'extraction du cuivre et, en 1928, fournissait 7% de la production mondiale de cuivre; à cette date, le Congo était aussi le deuxième producteur de diamants du monde, derrière l'Union sud-africaine. Les abus dans le recrutement de la main-d'œuvre autochtone suscitèrent, en 1928, les protestations de l'épiscopat. L'œuvre culturelle des écoles missionnaires n'était pas négligeable, mais elle se cantonnait presque entièrement au niveau élémentaire et les autorités coloniales ne se donnèrent pas pour tâche de former une véritable élite indigène, capable de participer aux responsabilités du pouvoir. C'est seulement en 1948 que fut créée l'université Lovanium et, en 1956, l'université officielle du Congo belge et du Ruanda-Urundi à Élisabethville. A la veille de l'indépendance, la première accueillait seulement 127 étudiants africains, la seconde 24 étudiants. L'analphabétisme, à la fin de la période coloniale, se situait entre 70 et 75 %. En 1914/18, les troupes du Congo belge participèrent à l'invasion de l'Afrique-Orientale allemande, et la Belgique, aux traités de paix, reçut un mandat sur le Ruanda-Urundi (v.). Durant la Seconde Guerre mondiale, la colonie, sous l'autorité du gouvernement belge réfugié à Londres, connut un rapide essor industriel qui précipita l'urbanisation de la population autochtone; celle-ci obtint en 1946 le droit de constituer des syndicats et le droit de grève. La période de l'après-guerre fut marquée par un effort économique accru (plan décennal de 1949) et par un nouvel afflux de population blanche (34 000 Européens en 1944, 113 000 en 1958). L'éveil politique des Noirs se manifesta en 1956 avec la publication du Manifeste de conscience africaine et du Manifeste de l'Abako. A la suite de l'indépendance des anciennes colonies françaises au sein de la Communauté (1958), de graves émeutes se produisirent à Léopoldville le 4 janv. 1959, et, dès le 13 janv. 1959, le gouvernement belge annonçait sa détermination de conduire le Congo vers l'indépendance. De nombreux partis politiques noirs se constituèrent : Mouvement national congolais de Lumumba, Abako de Kasavubu, Union congolaise, parti démocrate congolais, parti de l'unité congolaise, etc. Après deux « conférences de la Table ronde » (janv. et mars 1960), l'indépendance de la République du Congo fut officiellement proclamée par le roi Baudouin Iᵉʳ à Léopoldville, le 30 juin 1960. ● Le Congo belge, dit aussi Congo-Léopoldville ou Congo-Kinshasa, prit officiellement le nom de République démocratique du Zaïre en 1972. A partir de 1960, voir ZAÏRE.

CONGO-KINSHASA, ex-**Congo-Léopoldville.** Voir ZAÏRE.

CONGO FRANÇAIS. Ancienne dénomination de l'Afrique-Équatoriale française. Dès le XVIIᵉ s., des commerçants français, principalement des trafiquants d'esclaves et d'ivoire, commencèrent à visiter les côtes avoisinant l'embouchure du Congo. Mais l'exploration systématique de la région congolaise par la France fut inaugurée seulement en 1875, par Savorgnan de Brazza, qui remonta le cours de l'Ogooué. Les initiatives de Léopold II de Belgique, qui venait d'engager Stanley, poussèrent la France à s'assurer rapidement des droits à l'occupation de terres congolaises. Dès sept. 1879, Brazza passa un traité avec Makoko, roi des Tékés, et les bases de la souveraineté française sur la rive droite du Congo étaient déjà établies lorsque Brazza rencontra Stanley au Stanley Pool en déc. 1882. Un poste avait été fondé à Ntamo, qui devait devenir Brazzaville. Le traité de 1887 fixa les frontières des possessions françaises et de l'État libre du Congo, et, en 1891, fut fondée la colonie du Congo français. Lors de la création de l'Afrique-Équatoriale française (1910), les régions explorées par Brazza furent divisées en deux territoires, le Gabon à l'O., le Moyen-Congo à l'E. A la suite de la crise marocaine, la France, pour avoir les mains libres au Maroc, céda à l'Allemagne, par le traité du 4 nov. 1911, une partie du Congo (la vallée de la Sangha jusqu'au fleuve Congo), qui devait être réannexée en 1919. Le Congo, qui s'était rallié à de Gaulle dès 1940, devint en 1946 un territoire français d'outre-mer, représenté à l'Assemblée nationale. A la suite du référendum de 1958, le Congo devint une république au sein de la Communauté française. Voir article suivant, CONGO (République populaire du).

CONGO (République populaire du), communément appelée **Congo-Brazzaville.** État de l'Afrique équatoriale formé par l'ancienne colonie française du Moyen-Congo; capitale *Brazzaville.* République indépendante au sein de la Communauté française dès le 28 nov. 1958, le Congo connut dès sa naissance des troubles sanglants qui opposaient les Kongos Balalis, partisans de l'abbé Fulbert Youlou, et les Tékés Mbochis, qui soutenaient le parti populaire congolais de Jacques Opangault. Les partisans de Fulbert

Youlou obtinrent la majorité aux élections de juin 1959 et le Congo proclama son indépendance complète le 15 août 1960. Élu alors président, l'abbé Fulbert Youlou fut renversé par un coup d'État en août 1963. Sous la conduite d'Alphonse Massemba-Debat (1963/68), le Congo adopta une ligne « socialiste ». Après la démission forcée de Massemba-Debat (sept. 1968), le pouvoir passa à des militaires d'extrême gauche, le capitaine Ngouabi, qui devint chef de l'État, et le capitaine Raoul, qui devint Premier ministre (mais ce dernier fut éliminé du pouvoir à la fin de 1971). L'orientation politique du régime se manifesta par l'adoption de : « République populaire du Congo » comme nom officiel du pays, et de *L'Internationale* comme hymne congolais provisoire. Cependant, le président Ngouabi élimina politiquement les gauchistes en févr. 1973 et signa de nouveaux accords de coopération avec la France au début de 1974.

● Cette politique francophile fut peut-être à l'origine du coup d'État qui, le 18 mars 1977, coûta la vie à Ngouabi. Les auteurs directs de l'assassinat ainsi que l'ancien président Massemba-Debat, accusé d'avoir trempé dans le complot, furent immédiatement passés par les armes. Un Acte fondamental, renforçant le caractère militaire de la République populaire, fut promulgué le 5 avr., et le colonel (plus tard général) Yhombi-Opango devint chef de l'État, sans pour autant parvenir à faire taire de très vives rivalités de personnes. Accusé de corruption et menacé du tribunal révolutionnaire, il se démit de toutes ses fonctions le 5 févr. 1979, laissant la place à l'homme fort du Parti congolais du travail (P.C.T.), le colonel Sassou Nguesso (*1943), officiellement élu le 31 mars de la même année et réélu en juill. 1984. Un référendum approuva par 97% des suffrages la nouvelle Constitution adoptée le 8 juill., qui réaffirmait à la fois les options socialistes (marxistes-léninistes) du régime et la primauté du P.C.T. Dirigé par des éléments radicaux souvent issus des forces armées ou du syndicalisme, le Congo a connu longtemps une situation économique et financière difficile. Très proche des pays du bloc socialiste — un traité d'alliance a été signé avec l'U.R.S.S. en mai 1981 — le Congo a cependant renforcé ses liens avec la France, comme en témoigne l'accueil réservé à F. Mitterrand en oct. 1982; il a permis en même temps l'exploitation de ses richesses naturelles par des firmes multinationales, américaines et françaises, en particulier pour la potasse et le pétrole. La production pétrolière s'est remarquablement développée depuis 1978 : moins de 2 millions de tonnes en 1977, 4 millions en 1981, plus de 5 millions en 1983. Depuis elle s'est stabilisée à ce chiffre alors que l'on avait espéré atteindre 8 à 10 millions pour les années 1983-84. Cette richesse a permis un essor sans précédent dans le bâtiment et les travaux publics, assurant au Congo une prospérité réelle. Le Congo a un des taux de scolarisation les plus élevés d'Afrique. Toutefois une nouvelle

CONGO FRANÇAIS
Le général de Gaulle, à Brazzaville, 1944.
Ph. © Bernard Lefebvre - Photeb

baisse des cours du pétrole, ajoutée aux difficultés d'exploitation, pourrait remettre en question cette prospérité relative.

CONGRÉGATION (la). Association religieuse fondée à Paris, et placée sous le patronage de la Sainte Vierge, le 2 févr. 1801, par un ancien jésuite, l'abbé Delpuits. Œuvre de pure piété et de charité, elle ne rassembla, à l'origine, que quelques étudiants, mais sa fidélité ardente au Saint-Siège, lors du conflit entre Napoléon Ier et Pie VII, lui valut d'être supprimée en 1809. Elle fut reconstituée en 1814 par un autre jésuite, le P. Ronsin, et groupa rapidement, sous la Restauration, des membres de la haute aristocratie, des magistrats, des officiers, des écrivains et des savants, qui, par leur crédit personnel, donnèrent à la Congrégation une importante influence. Parmi ses membres, qui ne dépassèrent guère le nombre de deux mille, on comptait les ducs de Montmorency et de Rivière, le comte de Damas (qui furent tous trois gouverneurs du duc de Bordeaux), Franchet et Delavau (qui furent placés à la tête de la police par Villèle), Cauchy, Laennec, etc. Beaucoup de membres de l'entourage du comte d'Artois (Charles X) étaient également affiliés à la Congrégation. Celle-ci, qui comptait une soixantaine de filiales en province, fonda des « œuvres de zèle et de charité » : la *Société des bonnes œuvres,* pour les hôpitaux et les prisons; l'*Association de Saint-Joseph,* pour les ouvriers; la *Société des bonnes études,* sorte de conférence littéraire d'inspiration chrétienne pour les étudiants; la *Société catholique des bons livres,* qui, de 1824 à 1826, distribua dans le public plus de 800 000 ouvrages de piété et de vulgarisation. Les membres de la Congrégation déployèrent souvent, avec l'appui des pouvoirs publics, un zèle intempestif (notamment dans l'organisation des *missions*); certains d'entre eux s'étaient groupés d'autre part dans une organisation secrète au service du trône et de l'autel, les *Chevaliers de la foi.* Ces activités furent dénoncées par une violente campagne émanant des milieux gallicans et libéraux : en 1826, un gallican notoire, Montlosier, publia son *Mémoire à consulter sur un système religieux et politique tendant à renverser la religion, la société et le trône,* dans lequel il accusait la Congrégation de constituer un système de gouvernement occulte substitué à l'État, légende qui s'accrédita rapidement dans l'opinion publique. L'éloignement du P. Ronsin, en 1828, ne suffit pas à calmer les esprits, et la Congrégation fut dissoute en 1830. Elle se reconstitua, mais sans exercer aucune activité politique, en 1852.

CONGRÉGATIONS. Nom donné : a) au sens large, à tous les ordres religieux masculins ou féminins; b) au sens restreint, aux associations religieuses masculines ou féminines dont les membres, qui ne sont ni séculiers ni religieux, ne font pas de vœux solennels et ne sont liés que par des vœux simples ou par une simple promesse d'obéissance.

CONGRÉGATIONS

Page ci-contre :
les pompiers enfoncent
à coups de hache
la porte d'entrée
du couvent des dominicains,
rue Jean-de-Beauvais,
à Paris, avril 1903.
La loi du 1er juill. 1901
a obligé toutes les
congrégations religieuses
enseignantes et
prédicantes à demander
une autorisation
législative d'exister.
Celle-ci est refusée
aux congrégations
prédicantes : dominicains,
franciscains, capucins,
oratoriens, eudistes,
marianistes, barnabites,
pères de Picpus,
missionnaires
de la Miséricorde,
oblats de Marie-Immaculée,
pères du Saint-
Sacrement, clercs
de Notre-Dame de Sion,
rédemptoristes d'Antony,
pères de la Sainte-Croix,
passionistes anglais.
Certains partiront
d'eux-mêmes...
en fermant les portes à clef
derrière eux;
d'autres resteront
sur place, attendant
poursuites et expulsions.
Ph. J. Dubout © Tallandier

Les principales congrégations religieuses masculines sont : les *salésiens*, les *rédemptoristes*, les *assomptionnistes*, les *oblats de Marie*, les *spiritains*, les *lazaristes*, le *Verbe divin*, les *passionistes*, les *Pères blancs*, les *montfortains*, les *sulpiciens*, les *missionnaires du Sacré-Cœur*, les *prêtres des missions étrangères*. Dans les querelles politiques du XIXe s., le terme de congrégation fut toujours pris en son sens large.

Dès la fin du XVIIIe s., les ordres religieux furent la cible principale des adversaires du christianisme, mais également des milieux joséphistes et gallicans, qui leur reprochaient leur étroite fidélité au Siège romain. Les premières étapes de la lutte contre les congrégations furent : la suppression des jésuites (au Portugal dès 1759, dans toute l'Église en 1773); la création de la *commission des Réguliers*, qui, de 1766 à 1781, supprima neuf congrégations (Grandmont, Antonins, Célestins, etc.) et plus de quatre cents couvents; l'abolition des vœux perpétuels par l'Assemblée constituante (13 févr. 1790) et la suppression de toutes les congrégations (12 oct. 1792). Reconstituées à partir du Ier Empire et sous la Restauration, les congrégations masculines furent soumises, en France, à une autorisation par voie législative (loi de 1817), tandis que les congrégations féminines pouvaient être autorisées par simple ordonnance (loi de 1825). Cependant, des congrégations non autorisées se multiplièrent en France au cours du XIXe s. La campagne anticléricale contre les congrégations commença en 1843 par les cours de Michelet et de Quinet au Collège de France, qui étaient dirigés principalement contre les jésuites. A l'étranger, des mesures légales furent prises en Italie (loi de 1866 contre les congrégations se consacrant à la prédication et à l'enseignement), en Allemagne (loi de 1872 interdisant l'enseignement aux jésuites, aux Pères du Saint-Esprit, aux lazaristes, aux rédemptoristes, etc.; loi de 1875 interdisant toutes les congrégations non hospitalières), en Russie (expulsion des jésuites, 1820), en Suisse (expulsion des jésuites, 1874).

En France, après le gouvernement de l'« Ordre moral », le laïcisme militant inspira toute la politique de la IIIe République de 1878 à 1918. Fidèle au programme tracé par Gambetta, Jules Ferry ouvrit la lutte officielle par les décrets du 29 mars 1880 visant les congrégations non autorisées et dissolvant la Compagnie de Jésus, suivis de la loi du 30 oct. 1886 qui décidait le remplacement par des maîtres laïcs des 3 000 frères des Écoles chrétiennes et des 15 000 religieuses des écoles publiques. Une nouvelle étape de cette lutte s'ouvrit au lendemain de l'affaire Dreyfus, au cours de laquelle de nombreux catholiques — notamment les assomptionnistes de *La Croix* — s'étaient distingués par la virulence de leur passion antirépublicaine. Waldeck-Rousseau, après avoir prononcé la dissolution des assomptionnistes (24 janv. 1900), fit voter la loi du 1er juill. 1901 qui, tout en proclamant la liberté entière d'association, soumettait les congrégations à un statut spécial. Cette loi fut interprétée dans un sens agressivement anticlérical par l'ancien séminariste Émile Combes (refus de 54 sur 59 demandes d'autorisation de congrégations masculines, mars 1903; refus de toutes les demandes d'autorisation de congrégations féminines, juin 1903; interdiction de l'enseignement à tous les congrégationistes, autorisés ou non, mars 1904). Sans que ces diverses lois fussent abrogées, de nombreuses congrégations commencèrent à se réinstaller en France après 1918. Mais la liberté légale ne fut accordée aux congrégations que par le gouvernement de Vichy, qui rendit dès 1940 aux religieux le droit d'enseigner, autorisa les chartreux et, par la loi du 8 avr. 1942, déclara licites par simple décret toutes les congrégations non autorisées. Ces lois furent validées après la Libération.

CONGRÉGATIONS ROMAINES. Voir CURIE ROMAINE.

CONGRÉGATIONALISME. Type d'organisation des Églises protestantes dans laquelle chaque Église est indépendante et autonome, par une application du principe démocratique au gouvernement de l'Église. Tous les chrétiens étant considérés comme «prêtres de Dieu», le congrégationalisme n'a ni évêques ni prêtres. Ses principes furent exposés pour la première fois en 1582 par Robert Browne, dont l'œuvre fut continuée par d'autres puritains, H. Barrow, J. Greenwood, J. Penry, morts martyrs. Le congrégationalisme fut introduit par des émigrants puritains en Amérique dès 1620.

CONGRÈS. Réunions diplomatiques formées soit de souverains, soit de leurs plénipotentiaires, et qui avaient pour but de résoudre les différends internationaux. Les congrès les plus célèbres sont ceux de Munster et d'Osnabrück (1646/48), des Pyrénées (1659), d'Aix-la-Chapelle (1668, 1748 et 1818), de Nimègue (1676/78), de Ryswick (1697), d'Utrecht (1713), de Rastadt (1797/99), de Tilsit (1807), d'Erfurt (1808), de Châtillon (1814), de Vienne (1814/15), de Karlsbad et de Troppau (1820), de Laibach (1821), de Vérone (1822), de Paris (1856), de Berlin (1878). Voir ces noms.
Au XXe s., le terme de *congrès* a fait place à celui de *conférence*.

CONGRÈS DES ÉTATS-UNIS. Aux États-Unis, nom donné au corps législatif, composé de deux chambres : la Chambre des représentants (v.) et le Sénat (v.), qui siègent ordinairement séparées mais se réunissent parfois pour entendre des messages du président.

CONGRÈS (parti du). Avant de devenir le principal parti politique de l'Inde, le Congrès national indien fut un mouvement rassemblant les tendances les plus diverses; il évolua peu à peu de la collaboration administrative avec les Anglais vers la lutte pour l'indépendance. Le premier Congrès fut réuni en 1885,

CONGRÈS (parti du)
Indira Gandhi à la tribune,
lors des élections de 1967.
Ph. © Marilyn Silverstone
Magnum

**CONGRÈS
DES ÉTATS-UNIS**
Washington inaugure à New York,
en 1789, le premier « palais » du
Congrès (Federal Hall).
Ph. © U.S.I.S. - Photeb

à Bombay, par des intellectuels libéraux, sur l'initiative d'un fonctionnaire anglais, Allan Octavian Hume, qui, encouragé par le vice-roi, lord Dufferin, voulait constituer auprès des autorités coloniales une authentique représentation indienne. A l'origine, le Congrès rassemblait des hindous et des musulmans, mais, dès les premières années du XXᵉ s., il s'affirma comme un mouvement nationaliste hindou et les adhérents de l'islam se regroupèrent séparément dans une Ligue musulmane (v.). Pendant longtemps, le Congrès se montra loyaliste à l'égard de l'Angleterre et se borna à réclamer des réformes politiques, sans susciter de la part de l'administration britannique autre chose que de l'indifférence. Peu à peu, il attira des commerçants, des propriétaires terriens, et ses préoccupations prirent un caractère plus économique. Sous le peu compréhensif vice-roi lord Curzon (1899/1905), le Congrès se fit plus radical, et, lors de sa réunion de Calcutta (1906), il adopta pour la première fois la revendication de l'autonomie interne. A partir de 1915, Gandhi devint la personnalité dominante du Congrès, et, en 1920, il fit adopter les principes de l'indépendance, de la non-coopération et du boycottage des produits anglais. Le chef de l'aile gauche du mouvement, Nehru, prit la tête du Congrès en 1929. C'est durant la Seconde Guerre mondiale que le Congrès fit faire à l'Inde les progrès décisifs vers l'indépendance.
Tandis qu'un des chefs du mouvement, Subhas Chandra Bose, passait du côté des Japonais et fondait à Singapour un gouvernement de l'Inde libre, la majorité des dirigeants marchandaient leur appui à l'Angleterre. Devant leur attitude résolue, le Parlement britannique vota l'indépendance indienne, qui devint effective le 15 août 1947. Dirigé par Nehru après la mort de Gandhi, le Congrès se transforma en parti politique et il n'a cessé depuis lors d'exercer le pouvoir avec Nehru (1947/64), Lal Bahadour Chastri (1964/66) et Indira Gandhi (à partir de 1966). Représentant du nationalisme bourgeois, il adopta cependant un programme socialisant (réforme agraire, nationalisations, planification), mais trop vague pour empêcher la constitution de divers groupes socialistes dissidents, en 1948 et 1951. Le Congrès remporta de grandes victoires aux scrutins de 1951/52, de 1957 et de 1962, mais se trouva en difficulté aux élections de 1967 (il conserva la majorité absolue des sièges à la Chambre du peuple, mais ne l'emporta que dans 8 des 17 États de l'Union indienne). Aux prises avec une opposition de gauche et gênée par l'aile conservatrice de son parti, Indira Gandhi s'efforça de reconquérir les voix populaires et réaffirma l'orientation socialiste du Congrès en décidant la nationalisation des banques (1969). En désaccord avec la direction parlementaire du Congrès, elle fit élire en 1969 à la présidence de la République son propre candidat, V.V. Giri, contre le candidat officiel du Congrès, ce qui provoqua la scission de l'aile conservatrice, conduite par Morarji Desai. Mais l'opinion ratifia la politique de Mᵐᵉ Gandhi en lui assurant, ainsi qu'au parti du Congrès, regroupé sous son autorité, une nouvelle grande victoire électorale en févr. 1971. Le parti apporta son appui complet à Mᵐᵉ Gandhi lorsqu'en 1975 elle renforça son pouvoir personnel en faisant emprisonner des chefs de l'opposition et en établissant la censure de la presse.
● Le retour à la démocratie au début de 1977 entraîna la chute d'Indira Gandhi, la défaite de son parti et la victoire du Janata de Morarji Desai. Une nouvelle scission s'ensuivit au sein du Congrès en janv. 1978. La fraction favorable à Indira se constitua en parti autonome et remporta les législatives de 1980 avec 43 % des voix. I. Gandhi, redevenue Premier ministre, accentua encore le caractère individuel et népotique de son autorité, jusqu'au tragique attentat qui lui coûta la vie (v. INDE, SIKHS) et entraîna un raz de marée en faveur de son fils, Rajiv, qui lui succéda, en déc. 1984.

CONGRÈS COMMUNISTES. Voir COMMUNISME et COMMUNISTES (partis).

CONGRÈS DE NUREMBERG. Voir NUREMBERG et NATIONAL-SOCIALISME.

CONGRÈS DU PARLEMENT. En France, sous la IIIᵉ et la IVᵉ République, réunion commune des deux assemblées — Chambre des députés et Sénat — formant le Parlement français, pour l'élection du président de la République et pour les révisions constitutionnelles. Le premier président de la République élu par le Congrès fut Jules Grévy, le 30 janv. 1879.

CONGRESS OF INDUSTRIAL ORGANIZATIONS (C.I.O.). Fédération de syndicats américains issue d'une scission intervenue dans l'American Federation of Labor (v.) en 1935. Cette scission avait été provoquée par le désir de former des unions plus larges que celles de la vieille A.F.L., et qui eussent groupé aussi bien les manœuvres que les ouvriers spécialisés d'une même branche industrielle. Le C.I.O., qui se constitua en nov. 1935, voulait ainsi donner une plus large base démocratique au syndicalisme américain. Son fondateur fut John Lewis, chef du syndicat des mineurs (qui devait plus tard quitter le C.I.O.). Dès sa fondation, le C.I.O. montra une plus grande activité politique que l'A.F.L.; il apporta son soutien aux démocrates. En févr. 1955, le président du C.I.O., Walter Reuther, chef du syndicat de l'automobile, accepta la fusion de son organisation avec l'A.F.L. En fait, le C.I.O. se vit rapidement submergé dans l'unité syndicale. L'intervention américaine au Viêt-nam provoqua une tension entre George Meany, président de l'A.F.L.-C.I.O., fidèle aux traditions d'apolitisme du syndicalisme américain, et Walter Reuther, qui voulait désembourgeoiser le syndicalisme et éveiller chez le travailleur américain une conscience de classe et une conscience politique. En juill. 1968, Reuther démissionna de l'A.F.L.-C.I.O., entraînant avec lui l'Union des travailleurs de l'automobile.

● Lane Kirkland devint président de l'A.F.L.-C.I.O. en 1980.

CONNAUGHT, Connacht. Ancien royaume de l'Irlande occidentale, correspondant aux actuels comtés de Mayo, de Sligo, de Leitrim, de Galway et de Roscommon. Il disparut en 1227, quand Henri III d'Angleterre le confia à la famille de Burgh. En 1874, le prince Arthur (* 1850, † 1942), troisième fils de la reine Victoria et futur gouverneur du Canada (1911/16), reçut le titre de duc de Connaught.

CONNECTICUT. État du N.-E. des États-Unis, en Nouvelle-Angleterre; capit. *Hartford.* La rivière Connecticut fut découverte en 1614 par le Hollandais Adriaen Block. Dans cette région, peuplée par les Mohicans, les premiers colons anglais furent des puritains de Plymouth Colony (1634). D'abord connue sous le nom de colonie de New Haven, elle reçut, en 1662, de Charles II, une charte, qui fixa les limites du territoire et qui resta en vigueur jusqu'en 1818. Le Connecticut fit partie des 13 colonies révoltées contre l'Angleterre et fut la cinquième à ratifier la Constitution américaine (1788).

● L'État, en 1987, comptait 3,2 millions d'habitants, dont 90 % de Blancs et 6,9 % de Noirs. Sa population était urbanisée à 78,8 %.

CONNÉTABLE. Cette charge a son origine dans celle du *comes stabuli* ou comte de l'écurie de l'époque carolingienne. Au Moyen Age, le connétable, assisté des maréchaux, s'occupe de l'écurie royale et organise les nombreux voyages du souverain. Au-dessous du sénéchal, il exerce des fonctions militaires qui vont grandir peu à peu : dès le XIVe s., le connétable, assisté des maréchaux de France, commande en chef l'armée royale en temps de guerre; le roi luimême, lorsqu'il se trouve au milieu des troupes, ne prend aucune mesure importante sans avoir consulté le connétable.
En temps de paix, le connétable était aussi le premier conseiller du roi en toute matière militaire; il avait place à la table du roi. La fonction fut souvent confiée à un membre de la famille de Montmorency; elle fut également illustrée par Du Guesclin, Clisson, Bourbon, enfin Lesdiguières. A la mort de ce dernier, en 1627, la charge de connétable fut abolie; Napoléon Ier la rétablit nominalement en 1804 pour son frère Louis. Il y eut également des connétables en Angleterre, du XIIe s. au XVIe s., en Écosse, à partir du XIIe s., en Castille, en Navarre, au Portugal et dans le royaume de Naples (à partir du milieu du XVe s.).

CONNUBIO, en italien *mariage.* Nom donné à l'alliance secrète conclue au printemps 1852 entre Cavour et Urbano Rattazzi, chef du centre gauche, pour renverser le cabinet D'Azeglio (nov. 1852).

CONON d'Athènes (* Athènes, vers 444, † Chypre, vers 390 av. J.-C.). Général athénien. Stratège dans la guerre du Péloponnèse, il prit le commandement de la flotte athénienne après la disgrâce d'Alcibiade (407), fut vaincu à Aigos Potamos (405), mais réussit à se réfugier à Chypre et passa au service des Perses, avec lesquels il remporta sur les Spartiates la victoire de Cnide (394). Il chassa ensuite les harmostes spartiates de l'Archipel et rentra à Athènes, où il releva les Longs Murs (393). Envoyé par les Athéniens comme ambassadeur auprès des Perses, il fut victime des intrigues spartiates et le satrape Tiribaze le fit arrêter. Selon certaines sources, il mourut en prison, dès 393; selon d'autres, il parvint à se retirer à Chypre, où il passa les dernières années de sa vie. Cornelius Nepos a écrit sa *Vie.*

CONQUES. Ville de France (Aveyron), près de Rodez. Son ancienne abbaye bénédictine possédait les reliques de ste. Foy, martyre d'Agen, et fut, au Moyen Age, un grand centre de pèlerinage, ainsi qu'une étape sur la route des montagnes conduisant vers Saint-Jacques-de-Compostelle. L'abbatiale (1035-60) est un des chefs-d'œuvre de l'art roman du Sud-Ouest (tympan du Jugement dernier au grand portail, vers 1040). Trésor d'orfèvrerie des IXe-XVe s.

CONQUISTADOR. Nom donné aux aventuriers espagnols qui firent la conquête du Nouveau Monde. Les plus célèbres conquistadores furent Cortez, Pizarre, Almagro, Orellana. Voir ces noms.

CONRAD Ier († 23.XII.918), roi de Germanie (911/918). Duc de Franconie, apparenté aux Carolingiens par les femmes, il fut élu roi à la suite de l'extinction des Carolingiens allemands. Il eut à soutenir des guerres contre Henri, duc de Saxe, et contre le duc de Bavière, qui refusaient de le reconnaître. Il s'appuya sur l'Église (synode de Hohenaltheim, 916), mais son autorité demeura en grande partie nominale; il mourut d'une blessure reçue en combattant les Hongrois. Il eut pour successeur son principal ennemi, le duc Henri de Saxe.

CONRAD II le Salique (* vers 990, † Utrecht, 4.VI.1039), roi de Germanie (1024/39), empereur allemand (1027/39). Fils du duc de Franconie, élu roi à Mayence en 1024 et couronné empereur à Rome en 1027, il fonda la dynastie franconienne ou salique, qui succéda à la maison de Saxe. Pour combattre les grands et le haut clergé, il s'appuya sur les petits féodaux, ce qui eut pour conséquence de faire sombrer l'Allemagne dans l'émiettement à un moment où le germanisme se trouvait menacé par les jeunes nations slaves. Par la Constitution *De beneficiis* (1027), il reconnaissait l'hérédité des anciens fiefs. Conrad intervint énergiquement en Italie (1026/27 et 1035/37), repoussa les Polonais (1031), annexa la Bourgogne et le royaume d'Arles (1032),

CONRAD II
le Salique. Empereur allemand (1027/1039).

mais dut céder le Schleswig aux Danois (1027).

CONRAD III (* 1093 ou 1094, † Bamberg, 15.II.1152), empereur allemand (1138/52). Fils de Frédéric, duc de Souabe, et d'Agnès, sœur de l'empereur Henri V, il fut fait par celui-ci duc de Franconie, disputa sans succès la couronne impériale à Lothaire II (1127), mais fut élu à la mort de ce dernier (1138), sans recevoir officiellement le titre impérial. Il fut le fondateur de la dynastie des Hohenstaufen. Il mena une longue lutte contre les guelfes et dut reconnaître le duché de Saxe à Henri le Lion (1142). Il abandonna l'Allemagne à la confusion pour s'engager, sur les instances de Bernard de Clairvaux, dans la désastreuse 2e croisade (1147/49). Son règne fut marqué par une nouvelle poussée du germanisme vers l'Est, mais Conrad n'eut aucun mérite dans cette entreprise, œuvre d'Albert l'Ours et d'Henri le Lion. Conrad III eut pour successeur son neveu, Frédéric Barberousse.

CONRAD IV (* Andria, Apulie, 26.IV. 1228, † Lavello, 21.V.1254), empereur allemand (1250/54), roi de Sicile (1251/54). Second fils de l'empereur Frédéric II et d'Isabelle de Brienne, duc de Souabe et, par sa mère, héritier du royaume de Jérusalem, élu roi de Germanie en 1237, à l'âge de neuf ans, il régna d'abord sous la régence de l'archevêque Siegfried III de Mayence. Il dut faire face en Allemagne à un parti opposé aux Hohenstaufen. Le pape Innocent IV combattit son élection à l'empire, lui opposa Guillaume de Hollande et fit prêcher une croisade contre lui. Chassé d'Allemagne en 1251, Conrad passa en Italie pour se faire reconnaître roi de Sicile, prit Naples, Capoue, Aquino, mais mourut au milieu de ses conquêtes. Il fut le père de Conradin.

CONRAD V. Voir Conradin.

CONRAD, roi d'Arles ou de la Bourgogne-Provence (* 937, † 993). Fils de Rodolphe II, surnommé le Pacifique, il réussit à triompher des Hongrois et des Sarrasins, qui ravageaient en même temps ses États, en les jetant les uns contre les autres.

CONRAD, marquis de Montferrat († 28.IV.1192). Fils de Guillaume III, marquis de Montferrat, il prit la croix en 1186, s'arrêta quelque temps à Constantinople, où il devint le beau-frère de l'empereur Isaac l'Ange, qu'il aida à triompher de son rival Alexis Branas. Son père ayant été fait prisonnier par Saladin, il partit pour la Palestine, secourut Tyr et força les musulmans à lever le siège. Il fut proclamé souverain de Tyr. Après la mort de Sibylle, reine de Jérusalem (1191), il épousa sa sœur et comptait, avec l'appui des Génois et des Français, se faire nommer roi de Jérusalem, lorsqu'il fut poignardé par un membre de la secte des Assassins.

CONRAD VON HÖTZENDORF Franz, comte (* Penzing, près de Vienne, 11.XI. 1852, † Mergentheim, 25.VIII.1925). Feld-maréchal austro-hongrois. Chef d'état-major général en 1906, protégé par l'archiduc héritier François-Ferdinand, il réclama en vain une guerre préventive contre l'Italie et la Serbie. Démis de ses fonctions en 1911, il fut rappelé en 1912, lors de la guerre balkanique. Responsable de la conduite des opérations durant la Première Guerre mondiale, il soutint, contre le haut commandement allemand, que les puissances centrales devaient d'abord emporter la décision contre la Russie. En désaccord avec l'empereur Charles Ier, il dut quitter son poste en mars 1917 et prit le commandement d'un groupe d'armées sur le front tyrolien. Il publia ses souvenirs : *Aus meiner Dienstzeit* (1921-25).

CONRADIN (* Wolfstein, près de Landshut, 25.III.1252, † Naples, 29.X.1268). Fils de Conrad IV et neveu de Manfred, dernier descendant de la famille des Hohenstaufen, il perdit son père à l'âge de deux ans et fut élevé à la cour de Bavière. A la mort de Manfred (févr. 1266), il fut appelé par les gibelins italiens pour disputer la péninsule à Charles d'Anjou, que le pape avait investie comme roi de Sicile. Il entra triomphalement dans Rome mais fut vaincu par Charles d'Anjou à Tagliacozzo (23 août 1268); livré à son ennemi par trahison, il devait être mis à mort après un simulacre de jugement. Avec lui finit la dynastie des Hohenstaufen.

CONSALVI Ercole (* Rome, 8.VI.1757, † Rome, 24.I.1824). Cardinal italien. Auditeur à la Rote (1792), il devint ministre de la Guerre de Pie VI (1797) et se montra un adversaire résolu de la Révolution française. Secrétaire du conclave à Venise en 1799, il fut fait cardinal (1800) par Pie VII et nommé secrétaire d'État. Venu à Paris, il fit aboutir les négociations du concordat avec la France (15 juill. 1801), mais son attitude très ferme sur la question des Articles organiques (v.) lui valut la haine de Napoléon, et, devant la pression exercée par l'Empereur sur le pape, il dut démissionner (1806). Arrêté peu après Pie VII, libéré en 1813, il redevint secrétaire d'État après la chute de Napoléon et prit part au congrès de Vienne, où il eut d'importants entretiens avec lord Castlereagh sur l'amélioration de la situation des catholiques anglais. Dans la même ligne, Consalvi fut l'artisan des concordats avec la Bavière (1817), la Russie (1818), Naples (1817), le Piémont, la Suisse, etc. Son opposition aux *zelanti* le fit renvoyer par Léon XII en 1823.

CONSCRIPTION. Système de recrutement pour le service militaire, établi en France par la loi Jourdan du 19 fructidor an VI (5 sept. 1798). Cette loi astreignait en principe au service militaire tous les Français âgés de vingt à vingt-cinq ans; ils formaient cinq classes, et, chaque année, selon les besoins de l'armée, on appelait une ou plu-

CONRAD III
Empereur allemand (1138/1152).

CONRADIN
Prince allemand (1252-1268).
Détail d'une miniature du « Chansonnier Manesse », le représentant à la chasse au faucon.

sieurs classes sous les drapeaux, en commençant par la première, celle de vingt ans; c'était le *contingent*. Les conscrits pouvaient acheter un remplaçant, dont le prix dépassait souvent 3 000 francs. Au début, le fardeau de la conscription était assez léger, mais il ne cessa de s'alourdir au cours des guerres napoléoniennes (v. ARMÉE). Particulièrement odieuse, la conscription fut supprimée par la Restauration dès 1814, et la loi Gouvion-Saint-Cyr (v.) du 12 mars 1818 créa un nouveau système de recrutement de l'armée.

CONSCRITS (pères). Titre que l'on donnait aux sénateurs de la Rome antique. « Il est possible qu'au début, ceci ayant permis à d'anciens magistrats plébéiens de pénétrer au sénat, on fait une distinction entre les *patres* (anciens sénateurs patriciens) et les *conscripti* (anciens magistrats, inscrits à côté des *patres*)... Mais cette distinction s'effaça progressivement, surtout après l'entrée en masse de plébéiens, après les défaites devant Hannibal. » (J. Ellul, *Histoire des institutions*, I.).

CONSEIL

CONSEIL DES ANCIENS. L'une des deux chambres du Corps législatif en France (avec le Conseil des Cinq-Cents, v.), créées par la Constitution de l'an III, et qui partageaient le pouvoir avec le Directoire. Ce Conseil était composé de 250 membres, élus au suffrage censitaire à deux degrés et qui devaient être renouvelés par tiers tous les ans; ils devaient avoir quarante ans accomplis, être mariés ou veufs, et être domiciliés depuis quinze ans sur le territoire de la République. Le Conseil des Anciens n'avait pas l'initiative des lois; celle-ci appartenait au Conseil des Cinq-Cents, et les Anciens pouvaient seulement approuver ou rejeter les résolutions des Cinq-Cents. Le Conseil des Anciens avait le droit de changer la résidence du Corps législatif (à la veille du 18-Brumaire, il décida que les Conseils se transporteraient à Saint-Cloud, ce qui facilita le coup d'État de Bonaparte). Le Conseil des Anciens fut supprimé après le 18-Brumaire, ainsi que le Conseil des Cinq-Cents.

CONSEIL AULIQUE, c'est-à-dire *Conseil de la cour*. Dans le Saint Empire, tribunal d'État présidé par l'empereur, et qui était chargé d'exercer en son nom les droits impériaux. Il donnait son investiture aux comtes et aux barons du Saint Empire; il jugeait en dernier ressort toutes les causes féodales qui avaient pour objet un fief, ainsi que celles qui concernaient les affaires d'Italie. Les États ne pouvaient recourir à la Diète que si l'arrêt du Conseil aulique suscitait une réclamation commune à tout l'Empire. Ce conseil, qui fut établi par Maximilien Ier en 1501, empiéta peu à peu sur les droits des États.

CONSEIL DU BAILLIAGE. Voir BAILLI.

CONSEIL DES CINQ-CENTS. Assemblée créée par la Constitution de l'an III (23 sept. 1795) et qui formait, avec le Conseil des Anciens (v.), le Corps législatif, sous le Directoire (v.). Composée de 500 membres, élus pour trois ans (au suffrage censitaire à deux degrés), qui devaient être âgés de plus de trente ans et domiciliés depuis dix ans sur le territoire de la République, cette assemblée proposait les lois. Le Conseil des Cinq-Cents siégeait dans la salle du Manège (auj. rue de Rivoli). Dans la journée du 18 fructidor an V (1796), les directeurs expulsèrent 42 de ses membres, accusés de menées contre-révolutionnaires. Le 18 brumaire an VIII (1799), le Conseil des Cinq-Cents, transféré à Saint-Cloud sous prétexte de sécurité, fut dissous par Bonaparte, en même temps que le Conseil des Anciens.

CONSEIL DU COMMERCE. Sous l'Ancien Régime, conseil chargé des questions économiques (commerce et industrie), dans lequel des négociants, élus par les principales places marchandes, siégeaient à côté des conseillers du roi. Ce conseil, dont les origines remontent au règne d'Henri IV, fut définitivement organisé en 1699. Son influence contribua aux édits sur la liberté du commerce promulgués en 1774 et 1776.

CONSEIL CONSTITUTIONNEL. Conseil créé en France par la Constitution de 1958, en remplacement du Comité constitutionnel de la IVe République. Composé de membres de droit (les anciens présidents de la République) et de neuf membres nommés pour neuf ans par tiers par le président de la République, le président de l'Assemblée nationale et le président du Sénat, ce conseil veille à la régularité des opérations électorales, et se prononce souverainement sur la conformité à la Constitution des lois (organiques et ordinaires) et des règlements des assemblées parlementaires.

CONSEIL DES DÉPÊCHES. Voir CONSEIL DU ROI.

CONSEIL
1. Membre du Conseil des Anciens.
2. Membre du Conseil des Cinq-Cents.
Détails d'une gravure coloriée, « dessinée d'après nature ».
Ph. © Archives Photeb

CONSEIL DES DIX. Voir Dix (Conseil des).

CONSEIL ÉCONOMIQUE ET SOCIAL. En France, organisme consultatif qui eut pour origine le Conseil national économique créé en 1925. La Constitution de 1946 remplaça ce conseil par un Conseil économique, qui devait donner ses avis sur les questions relatives au plan (v.) et à la conjoncture économique en général et, éventuellement, remplir un rôle d'arbitrage dans les conflits économiques et sociaux. La Constitution de 1958 a substitué à ce Conseil économique le Conseil économique et social (composé de 230 membres), qui a des fonctions analogues.
● Ses membres sont désignés par les organisations syndicales les plus représentatives, et par le gouvernement (67 membres).

CONSEIL D'EMPIRE. Dans l'empire des tsars, conseil créé en 1801 et réorganisé en 1810 par Spéranski; il avait pour mission de préparer les projets de lois, qui étaient ensuite soumis au tsar.

CONSEIL DE L'ENTENTE. Organisme d'union africaine créé le 30 juin 1959 entre la Côte-d'Ivoire, le Niger, la Haute-Volta et le Dahomey, afin d'harmoniser les lois et les politiques des États membres et définir une attitude commune au sein de la Communauté (v.). Il demanda au général de Gaulle l'indépendance des quatre États dès la fin de l'année 1959.

CONSEIL D'ÉTAT (sous la monarchie). Voir Conseil du roi.

CONSEIL D'ÉTAT. Organe consultatif et juridictionnel créé en France par la Constitution de l'an VIII (1799), œuvre de Bonaparte, Premier consul. Héritier du Conseil du roi (v.) de l'Ancien Régime, il était chargé, à l'origine, sous la direction du pouvoir exécutif, de « rédiger les projets de loi et les règlements de l'administration publique » et de « résoudre les difficultés qui s'élèvent en matière administrative », ce qui lui conférait un triple rôle de législation, d'administration et de contentieux. Entre 1800 et 1811, il accomplit une tâche considérable en élaborant le Code civil et les autres codes (v.), qui constituèrent la base législative de la France moderne. Son rôle de conseiller dans les affaires politiques fut restreint dès 1802 (il n'eut plus de rôle exclusif dans la préparation des sénatus-consultes et on ne lui soumit plus les traités), alors que ses compétences administratives et juridictionnelles se confirmaient et s'élargissaient. Maintenu par la Restauration (sans toutefois être mentionné par la Charte de 1814), il se vit conférer un rôle étendu par la Constitution de la IIᵉ République (1848), qui le plaçait, en quelque sorte, à la tête de l'administration et, en confiant le choix de ses membres à l'Assemblée nationale, faisait de lui un intermédiaire entre le pouvoir exécutif et le pouvoir législatif. Mais le second Empire ramena le Conseil d'État au rôle d'auxiliaire de l'exécutif, qu'il a gardé depuis lors. Sous Napoléon III, il déploya une grande activité dans la préparation des lois.
Ses fonctions, importantes sous la IIIᵉ République, se sont encore accrues depuis 1946. Aujourd'hui, le Conseil d'État est obligatoirement consulté sur tous les projets de lois que le gouvernement présente aux Assemblées; il donne aussi son avis sur tous les projets de règlement d'administration publique, sur toute question juridique que lui soumet le gouvernement, sur les applications pratiques de la Constitution. Juridiction administrative suprême, il statue en dernier ressort dans les affaires électorales, fiscales, etc.; il peut annuler des mesures illégales prises par des ministres; il est le seul juge d'appel des jugements prononcés par les tribunaux administratifs.
Sous le Consulat et le premier Empire, le nombre des conseillers d'État, à l'origine de 30 à 40, fut porté à 50. Les ministres et, sous l'Empire, les princes de la famille impériale et les grands dignitaires devinrent membres de droit du Conseil. En 1803, furent créés les *auditeurs* au Conseil d'État, chargés de présenter des rapports, mais privés de voix délibérative. La nomination des membres du Conseil d'État appartient exclusivement au chef du pouvoir exécutif (Napoléon Iᵉʳ), qui pouvait à tout moment mettre fin aux fonctions d'un conseiller. En 1848, on décida que les membres du Conseil d'État seraient nommés pour six ans par l'Assemblée nationale, mais Napoléon III revint au système du premier Empire; à partir de 1875, les conseillers furent nommés par le chef de l'État en Conseil des ministres, et révocables de même, ce qui soumettait étroitement ce personnel à l'exécutif. Ce système a subsisté.

CONSEIL DE L'EUROPE. Voir Européennes (Institutions).

CONSEIL DES FINANCES. Voir Conseil du roi.

CONSEIL GÉNÉRAL. Voir Département.

CONSEIL DES INDES. Voir Indes (Conseil des).

CONSEIL DES MINISTRES. Sous la monarchie et sous Napoléon Iᵉʳ, les ministres ne constituent pas un corps, alors qu'en Angleterre l'institution du « cabinet » est déjà très élaborée à la fin du XVIIIᵉ s. C'est à partir de la Restauration, avec le début du régime parlementaire, qu'apparaît le Conseil des ministres. Il forme une unité disposant exclusivement de l'action gouvernementale; généralement uni par une commune opinion politique, dirigé par un président du Conseil (v. Président), il est collectivement responsable devant le roi ou devant les chambres.

CONSEIL MUNICIPAL. Voir Commune.

CONSEIL D'ÉTAT
Costume à l'époque napoléonienne.
Ph. © Bibl. Nat., Paris
Archives Photeb

C.N.P.F.
Sigle de la Confédération
nationale du patronat français.
Ph. Jeanbor © Photeb

CONSEIL NATIONAL. Assemblée de
192 membres, désignés par le gouvernement,
qui fut créée par le régime de l'État français
(loi du 24 janv. 1941). Considéré comme
« l'émanation des forces vives de la nation »,
il était composé de savants, d'écrivains, de
notabilités religieuses, d'officiers, de fonctionnaires, d'artisans et aussi d'anciens
parlementaires. Le Conseil national ne fonctionna que de mai 1941 à avr. 1942 et s'occupa principalement de la réorganisation
administrative et de la préparation d'une
nouvelle Constitution.

**CONSEIL NATIONAL DE LA RÉSIS-
TANCE (C.N.R.).** Organisme commun qui
groupa, à partir de 1943, les mouvements de
résistance, d'abord dispersés et isolés, sur le
territoire de la France métropolitaine. Le
C.N.R. comprenait des représentants des
principaux mouvements de résistance, des
partis politiques n'ayant pas apporté leur
adhésion au régime de Vichy, et des deux
grandes centrales syndicales (C.G.T. et
C.F.T.C.). Le C.N.R., qui tint sa première
réunion le 27 mai 1943, fut d'abord présidé
par Jean Moulin, puis, après l'arrestation de
ce dernier, par Georges Bidault. C'est par
l'intermédiaire de cet organisme que de
Gaulle et son gouvernement d'Alger préparèrent l'instauration d'un gouvernement dès
la libération de la France métropolitaine.
Dans son programme du 15 mars 1944, le
C.N.R. non seulement réclamait une sévère
épuration, mais prévoyait aussi de profondes réformes de structures pour l'établissement d'une « véritable démocratie économique » — nationalisation des sources d'énergie, des produits du sous-sol, des
compagnies d'assurances et des grandes
banques. Ce programme fut partiellement
appliqué en 1945/46. Voir RÉSISTANCE.

**CONSEIL NATIONAL DU PATRO-
NAT FRANÇAIS (C.N.P.F.).** Organisme
de liaison et de coordination des chefs d'entreprise français, constitué en 1945 pour
remplacer la Confédération générale du
patronat français de l'entre-deux-guerres. Il
a défini ses principes doctrinaux dans sa
charte de janvier 1965 : « Libre création et
libre développement des entreprises dans le
respect des lois économiques naturelles »,
« saine concurrence » à l'intérieur comme à
l'extérieur du pays, légitimité du profit,
considéré comme « l'un des moteurs essentiels de la croissance économique », « vérité
et liberté des prix », refus de tout partage de
l'autorité dans la gestion des entreprises,
défiance à l'égard des empiétements de l'État
et de l'emprise de l'administration sur la vie
du pays. Le C.N.P.F. fut présidé de 1946 à
1966 par Georges Villiers, dont l'œuvre
essentielle fut de convaincre les patrons français de s'engager résolument dans la compétition européenne, puis, de 1966 à 1972, par
Paul Huvelin, auquel succéda François
Ceyrac. Ce dernier avait été le principal artisan de la politique contractuelle menée avec
les syndicats à partir de 1968.

● Le 15 déc. 1981, il laissa la présidence à
Yvon Gattaz (*1925). Celui-ci a dû affronter
de grandes difficultés : conjoncture économique internationale très difficile, déclin de
nombreuses entreprises françaises, situation
financière précaire, gouvernement de la
gauche plus enclin à favoriser le capitalisme
d'État que le capitalisme privé, même si ses
conceptions de l'économie ont considérablement évolué. En 1986, François Périgot
(* 1926) succédait à Y. Gattaz, démis-
sionnaire.

**CONSEIL ŒCUMÉNIQUE DES ÉGLI-
SES (C.Œ.É.).** Selon sa formule de base, le
C.Œ.É. est « une association d'Églises qui,
fidèles aux Écritures, reconnaissent en Jésus-
Christ Dieu et le Sauveur, et qui cherchent
ensemble à répondre à son appel pour la
gloire de Dieu, Père, Fils et Saint-Esprit ».
Fondé en 1948, ce Conseil est l'aboutissement institutionnel du mouvement œcuménique (v. ŒCUMÉNISME). Lieu de rencontre, de
dialogue et de recherche, le C.Œ.É. ne
constitue pas une « super-Église » et n'a pas
d'autorité législative sur ses membres. Il rassemble aujourd'hui la quasi-totalité des Églises chrétiennes non catholiques (à l'exception des Églises « fondamentalistes » américaines). Longtemps réservée à son égard,
l'Église catholique a changé d'attitude
depuis le concile Vatican II : un groupe mixte
de travail Église catholique-C.Œ.É. fut
constitué en 1965, des représentants catholiques sont entrés dans la commission « Foi et
Constitution » du Conseil, et, en 1969, le
pape Paul VI a été officiellement reçu au
siège du C.Œ.É. à Genève. Le C.Œ.É. a eu
pour secrétaires généraux Visser't Hooft
(1948/66), Carson Blake (1966/72) et, à
partir de 1972, un Antillais noir, le pasteur
méthodiste Philip Potter. Il a tenu ses
assemblées générales à Amsterdam (1948),
Evanston (1954), New Delhi (1961), Upsal
(1968), Nairobi (1975), Vancouver (1983).
Le C.Œ.É., qui rassemblait en 1973 plus de
deux cent soixante-dix Églises, a évolué de
plus en plus du domaine spirituel et théologique sur le terrain social et politique, et, au
nom de l'antiracisme, il a accordé des subventions aux mouvements révolutionnaires
africains en lutte contre le Portugal et contre
les gouvernements blancs de Rhodésie et
d'Afrique du Sud.

CONSEILS OUVRIERS. L'idée des
conseils ouvriers, conçus comme l'organisation autonome du prolétariat en lutte, joua
un rôle essentiel dans les mouvements révolutionnaires européens des années 1918/20.
Elle trouve son origine immédiate dans les
soviets (v.) russes apparus dès la révolution
manquée de 1905, mais elle pouvait se réclamer d'une vieille tradition socialiste remontant à Proudhon, à Marx, qui avait proclamé
que « l'émancipation des travailleurs sera
l'œuvre des travailleurs eux-mêmes », à la
Commune parisienne de 1871; celle-ci avait
été dirigée par un Conseil élu, dont les éléments bourgeois s'étaient rapidement retirés, et elle avait décidé que les entreprises

CONSEILS OUVRIERS
Kurt Eisner (1867-1919),
dirigeant du gouvernement
révolutionnaire de Bavière.
Ph. © A.D.N., Zentral Bildarchiv
Photeb

CONSEIL DU ROI

Le roi de France Philippe VI de Valois (1328/1350) jugeant Robert d'Artois.

Il s'agit d'un « Conseil du roi », mais d'un caractère spécial
puisque les pairs de France sont ici assemblés, en 1330,
pour le procès d'un prince rebelle, Robert III d'Artois,
arrière-petit-fils du frère de Saint Louis. Au moins y voit-on les « grands » qui,
à cette époque, faisaient partie du Conseil royal.

Philippe en avait d'autant plus besoin que sa propre royauté était contestée
par Édouard III d'Angleterre et qu'il était d'abord « l'élu » des pairs.

A sa droite, les rois de Bohême et de Navarre
et les six pairs séculiers (ou laïcs) : ducs de Normandie,
de Bourgogne, de Guyenne, comtes de Flandre, de Toulouse et de Champagne.

A sa gauche, les six pairs ecclésiastiques :
archevêque de Reims, évêques de Laon, Langres, Beauvais, Châlons et Noyon.

abandonnées par leurs patrons seraient prises en charge par un conseil ouvrier. Le conseil ouvrier prétendait, en effet, à un rôle à la fois politique et économique. Antonio Gramsci, qui en fit la théorie dans ses articles de l'*Ordine nuovo* en 1919-20, écrivait que « l'objectif potentiel des conseils ouvriers est de préparer les hommes, les institutions, les idées, par un travail prérévolutionnaire de perpétuel contrôle, à se substituer à l'autorité patronale dans l'entreprise, à discipliner d'une façon nouvelle la vie sociale... Les conseils ouvriers incarnent socialement l'action de tout le prolétariat uni dans la lutte pour la conquête du pouvoir public et pour la suppression de la propriété privée ».

En nov. 1918, les conseils d'ouvriers et de soldats *(Arbeiter- und Soldatenräte)* furent à l'avant-garde de la révolution allemande. Ils constituaient une réaction contre la direction bureaucratique particulièrement pesante de la social-démocratie allemande; par la suite, l'idée des conseils remplit aussi une fonction critique à l'égard de la révolution russe, où Lénine avait rapidement transformé les soviets « d'organes d'auto-administration prolétarienne et de vecteurs d'une démocratie radicale qu'ils étaient à l'origine en organes permettant à l'élite du parti unique de diriger les masses » (O. Anweiler, *Les Soviets en Russie*, Gallimard, 1972). Cependant, l'histoire de la révolution allemande fut aussi celle de la confiscation puis de l'écrasement des conseils par une équipe dirigeante issue de l'appareil du parti social-démocrate.

A la suite de la révolte des équipages de la marine impériale, des conseils de marins et d'ouvriers se rendirent maîtres de Kiel le 4 nov. 1918. Dans les jours suivants, des conseils similaires, formés de matelots ou de soldats et d'ouvriers, se formèrent dans la plupart des ports et des grandes villes du Reich. Selon les endroits, ces conseils étaient dominés soit par les socialistes majoritaires, soit par les socialistes de gauche ou indépendants. Les conseils se posaient comme les seuls représentants authentiques du pouvoir populaire, mais, dès le 10 nov. 1918, les conseils ouvriers de Berlin, où prédominaient les socialistes majoritaires, se donnèrent un Comité exécutif, lequel délégua aussitôt ses pouvoirs au Conseil des commissaires du peuple qui s'était constitué sous la direction du socialiste majoritaire Ebert. Or ce dernier était résolu à sauver l'unité du Reich, à préserver les structures fondamentales de l'État et de l'économie, et, pour empêcher le développement de l'anarchie, il n'hésita pas, dès les premiers jours de la révolution, à accepter secrètement l'appui des militaires. Dès lors, le Conseil des commissaires du peuple s'efforça de limiter les pouvoirs des conseils, que les spartakistes, au contraire, voulaient étendre. Le Congrès des conseils qui se réunit à Berlin du 16 au 21 déc. 1918 fut dominé par les socialistes majoritaires, qui, en dépit de leur méfiance pour tous les vestiges du régime impérial et pour l'armée, prêtèrent la main à Ebert. Le parti communiste allemand, qui se constitua à la fin de déc. 1918, adopta les vues de Rosa Luxemburg, fondées sur la croyance en la spontanéité révolutionnaire des masses et sur l'hostilité à la conception léniniste d'un parti centralisé. Cette attitude favorisa les entreprises du gouvernement social-démocrate; avec l'aide des corps francs (v.), le socialiste Noske, commissaire aux Affaires militaires, écrasa dans le sang les conseils de Berlin (janv. et mars 1919), de Magdebourg (avr. 1919), de Leipzig (mai 1919), etc.

Dans la Bavière séparatiste, au contraire, le gouvernement révolutionnaire de Kurt Eisner s'appuya sincèrement sur les conseils d'ouvriers et de soldats. Après l'assassinat d'Eisner par un officier (févr. 1919), les conseils de Munich s'assurèrent le contrôle absolu, supprimèrent la presse bourgeoise, armèrent le prolétariat, ordonnèrent des prises d'otages et, à l'exemple de Béla Kun en Hongrie, proclamèrent une « république des Conseils » *(Räterepublik)*, le 7 avr. 1919. Celle-ci avait à sa tête des idéalistes, comme l'écrivain Ernst Toller, ou comme Landauer, qui décréta que les universités seraient désormais ouvertes à tous les citoyens de plus de dix-huit ans, mais aussi des illuminés quasi déments comme ce Dr Lipp, commissaire aux Affaires étrangères, qui déclara la guerre au Wurtemberg et à la Suisse pour avoir refusé de fournir des wagons aux révolutionnaires de Munich. Cette République bavaroise des Conseils fut écrasée par les corps francs de von Epp et d'Ehrhardt les 1er/3 mai 1919. Cependant, durant toute l'année 1919, de nouveaux conseils ouvriers ou « organisations d'usines » continuèrent à se former dans toutes les régions d'Allemagne.

Cette tendance gauchiste du communisme allemand, qui était particulièrement forte à Berlin, dans le Nord, le Nord-Ouest et la Saxe, fut dénoncée par Lénine dans *La Maladie infantile du communisme* et fut exclue du P.C. allemand en févr. 1920. Elle forma alors l'Union générale ouvrière d'Allemagne (A.A.U.D.) (févr. 1920), puis le parti ouvrier communiste d'Allemagne (K.A.P.D.) (avr. 1920), qui, d'abord plus nombreux que le P.C. léniniste, perdit dès 1922/23 toute influence sur les masses. Le renouveau du gauchisme (v.), à partir de 1967/68, a fait renaître l'intérêt pour l'expérience des conseils ouvriers.

CONSEILS OUVRIERS
Carte postale évoquant les conseils de marins et d'ouvriers formés dans différents ports d'Allemagne en novembre 1918.
Ph. © Bildarchiv Preussischer Kulturbesitz

CONSEIL DU PRINCE, *Consilium principis.* Dans l'Empire romain, organe consultatif de l'empereur *(princeps).* Son origine remonte à l'époque d'Auguste, mais il ne commença à s'organiser que sous le règne de Claude, lequel y fit entrer les affranchis chefs de bureaux, qui en furent exclus par la suite. Composé de sénateurs, de chevaliers et, à partir d'Hadrien, de jurisconsultes (une vingtaine sur soixante-dix membres), le Conseil, qui se réunissait régulièrement sous la présidence de l'empereur, supplanta de plus en plus le sénat. Chargé de tout le travail législatif et judiciaire, il était également consulté dans toutes les grandes affaires politiques. Après l'institution par Dioclétien de la tétrarchie (v.), furent créés quatre Conseils impériaux − un par empereur −; ces conseils prirent, au IVe s., le nom de consistoire (v.).

CONSEIL PRIVÉ ou DES PARTIES. Voir CONSEIL DU ROI.

CONSEIL PRIVÉ. Sous le Consulat et le premier Empire, conseil du gouvernement institué en 1802. Composé des deuxième et troisième consuls, de deux ministres, de deux conseillers d'État, de deux grands officiers de la Légion d'honneur et, à partir de 1804, des grands dignitaires de l'Empire, il devait donner son avis sur des projets de sénatus-consultes, sur la ratification des traités de paix ou d'alliance ainsi que pour l'exercice du droit de grâce par le souverain. − Sous la Restauration, conseil créé par l'ordonnance du 9 juill. 1815. Composé des princes du sang, membres de droit, et de « ministres d'État » nommés librement par le roi, il pouvait devenir un instrument de gouvernement direct, rival du Conseil des ministres, et donc contraire au régime parlementaire; mais, dans la pratique, il ne fut presque jamais réuni. − Sous le second Empire, conseil personnel et intime de Napoléon III, créé le 15 févr. 1858; ses membres étaient généralement choisis parmi les ministres en fonction; mais ce conseil fut rarement réuni.

CONSEIL PRIVÉ, *Privy Council.* En Angleterre, le Conseil privé du roi, issu de la *Curia regis,* échappa rapidement au contrôle exclusif des barons. Principal organe du gouvernement sous Henri VII et les Tudors, il déclina dès le début du XVIIe s., du fait de l'importance croissante du Parlement, de la préférence des souverains pour les réunions plus restreintes du « cabinet », et, finalement, de la diminution de l'autorité politique du roi. L'Acte d'établissement de 1701 marqua une ultime et vaine tentative pour lui rendre son influence passée. Le Conseil privé subsiste cependant encore aujourd'hui; composé d'environ 300 membres, il s'occupe surtout des questions relatives aux universités, à la recherche scientifique, aux fondations charitables, etc.

CONSEIL DE LA RÉPUBLIQUE. Nom d'une des deux chambres du Parlement instituées par la Constitution française du 27 oct. 1946. Ses membres étaient élus au suffrage universel indirect, en partie par les communautés communales et départementales de France et d'Algérie, et par les communautés territoriales d'outre-mer, en partie par l'Assemblée nationale. Il n'avait qu'un rôle secondaire et consultatif. La Constitution de la Ve République l'a remplacé par un Sénat.

CONSEIL DU ROI. A l'époque féodale, le roi délibérait des affaires importantes avec les feudataires et avec les dignitaires ecclésiastiques de tout le royaume, qui formaient la cour du roi (v. CURIA REGIS). La complexité croissante des affaires et l'extension du pouvoir royal amenèrent le parlement (v.) et la Chambre des comptes (v.) à se constituer comme des organes autonomes; d'autre part, le roi, pour les affaires politiques, préférait s'en remettre à un organe permanent de conseil, que l'on appelait, dès le XIIIᵉ s., Grand Conseil ou Conseil secret. Outre les princes du sang, les grands officiers et des évêques, ce conseil comprenait des membres librement nommés par le souverain, des techniciens, des légistes (v.), les « clercs du roi », auxquels s'ajoutèrent bientôt les maîtres des requêtes (v.) de l'hôtel du roi. Le Conseil était appelé à donner des avis sur toutes les questions qu'il plaisait au roi de lui soumettre : affaires intérieures ou étrangères, administratives, financières, religieuses. Organe de gouvernement et d'administration, il avait aussi un rôle judiciaire important, car le roi se réservait la possibilité de « retenir » une affaire qui aurait dû normalement être jugée par le parlement. Les personnages de haut rang demandaient à être jugés par le roi lui-même « en son Conseil ». A partir du XVᵉ s., ces affaires furent confiées à un département spécialisé du Conseil du roi, appelé le *Grand Conseil*. D'autres sections se différencièrent dès la fin du Moyen Age : le *Conseil secret* ou *étroit* ou *des affaires* traitait les questions politiques importantes, les autres relevant du *Conseil privé;* le *Conseil des finances* apparut au XVIᵉ s. Au XVIIᵉ s., les états généraux n'étant plus convoqués par la monarchie absolue, le rôle du Conseil s'accrut encore. Louis XIV lui donna sa forme définitive par le règlement de 1673, avec le souci d'écarter la haute noblesse de la direction des affaires. Les princes du sang, les pairs de France, les grands officiers continuaient à en faire théoriquement partie, mais n'y paraissaient plus guère; d'autres grands personnages, prélats ou laïques, étaient des « conseillers à brevet », mais ce brevet, généreusement distribué, n'était qu'un titre honorifique. Le travail effectif était accompli par des conseillers professionnels − une trentaine environ −, librement nommés par le roi et pour la plupart issus de la bourgeoisie. Le Conseil du roi se subdivisait alors en quatre conseils principaux :

Le *Conseil d'en haut* ou *Conseil d'État* traitait de toutes les grandes affaires de politique intérieure ou extérieure. Composé de cinq ou six membres au plus, toujours présidé par le roi, il travaillait en secret et sans procès-verbal de ses délibérations;

Le *Conseil des dépêches* était chargé des liaisons entre les diverses administrations; il adressait des « dépêches » (d'où son nom) aux autorités régionales et locales. Présidé par le roi ou par le chancelier, il réunissait

les secrétaires d'État, le contrôleur général et les intendants des finances, les ministres et divers conseillers;

Le *Conseil des finances,* créé en 1681, s'occupait de toutes les affaires de finances et jugeait en dernier ressort le contentieux des finances; il comprenait le contrôleur général des finances, les intendants des finances et quelques conseillers;

Le *Conseil d'État privé* ou *Conseil des parties* avait un rôle essentiellement judiciaire; présidé habituellement par le chancelier, il rassemblait les ministres et les trente conseillers d'État.

D'autres conseils, moins importants, furent formés aux XVIIᵉ/XVIIIᵉ s. : Conseil de conscience, Conseil du commerce, etc.

CONSEIL DE SÉCURITÉ. Voir ORGANISATION DES NATIONS UNIES.

CONSEILS SOUVERAINS. En France, aux XVIIᵉ/XVIIIᵉ s., nom donné aux parlements (v.) dans les provinces récemment annexées. Il en existait en Artois (Arras), en Roussillon (Perpignan), en Alsace (Colmar), en Corse (Bastia).

CONSEILS SUPÉRIEURS. Nom donné aux tribunaux souverains établis en France en 1771, après l'exil du parlement de Paris, dans les villes d'Arras, Blois, Châlons, Clermont-Ferrand, Lyon, Poitiers, Nîmes, Bayeux, Douai et Rouen. Ils disparurent lors de la restauration des parlements par Louis XVI, en 1774/75.

CONSEIL SUPÉRIEUR DE LA GUERRE. Organe permanent du haut commandement français, créé en 1888 pour donner des avis sur toutes les grandes questions militaires; jusqu'en 1939, il comprenait les maréchaux de France et les généraux désignés pour exercer, en cas d'hostilités, des commandements d'armée ou de groupes d'armées; il avait pour vice-président le généralissime désigné. Il fut reconstitué en 1947, mais sa compétence a été limitée à l'armée de terre. Tranformé en Conseil supérieur de l'armée de terre (1971).

CONSEIL SUPÉRIEUR DE LA DÉFENSE NATIONALE. Organisme créé en France en 1906 pour coordonner les efforts des ministères de la Guerre, de la Marine, des Colonies − et, plus tard, de l'Air − dans le domaine militaire.

CONSEIL DES TROUBLES. Tribunal spécial établi aux Pays-Bas en 1567 par le duc d'Albe pour punir les rebelles à la domination espagnole; les comtes d'Egmont et de Horn furent parmi ses victimes. A cause de sa sévérité, les Brabançons le surnommèrent *Conseil de sang (Bloedraad).*

CONSERVATEUR (parti)
Disraeli, leader du parti,
intervenant aux Communes
sur la question irlandaise. Détail
d'une gravure d'après le croquis
d'Émile Barrère; mars 1868.
Ph. © Archives Photeb

CONSERVATEUR (Le). Hebdomadaire français de tendance royaliste, publié sous la Restauration (oct. 1818/mars 1820); il compta parmi ses collaborateurs Bonald et Chateaubriand. Il cessa de paraître à la suite du rétablissement de la censure.

CONSERVATEUR (parti), *British Conservative Party.* Parti politique britannique qui a pris la suite du torysme (v. WHIG et TORY) du XVIIIe s. et du début du XIXe s. Le parti conservateur naquit de la nécessité d'adapter le vieux torysme à la situation nouvelle créée par la réforme électorale de 1832, qui avait élargi le corps électoral britannique. Les principes du nouveau parti furent proclamés par Peel dans le manifeste de Tamworth (1834) : les conservateurs, tout en soulignant leur attachement aux institutions établies, prenaient acte de la réforme et se proposaient de travailler au progrès économique et social. Le parti conservateur anglais, qui voulait gagner à lui les classes moyennes, fut, dès ses origines, beaucoup moins réactionnaire que les « conservateurs » du continent. La question du libre-échange divisa très vite le parti : tandis que Peel, au pouvoir depuis 1841, évoluait vers le libéralisme économique et se montrait partisan de la suppression des droits sur les blés, la majorité du parti, qui s'appuyait sur les gentilshommes campagnards, ne pouvait qu'être favorable au maintien des tarifs protectionnistes. L'abolition des *corn laws* (1846) provoqua ainsi une scission chez les conservateurs, qui restèrent pratiquement exclus du pouvoir jusqu'en 1874.
Disraeli, qui avait mené l'opposition contre Peel, réorganisa le parti sur un programme progressiste qui comportait non seulement le maintien des institutions traditionnelles et la défense de l'empire, mais aussi « l'amélioration de la condition populaire ». Disraeli voulait travailler à l'avènement d'une « démocratie tory »; il soutint la réforme électorale de 1867 et son ministère (1874/80) fut marqué par l'adoption de nombreuses mesures sociales. Battus aux élections de 1880, les conservateurs bénéficièrent de la scission provoquée chez les libéraux par le problème du Home Rule irlandais (1886). Les libéraux « unionistes », partisans du maintien de tous les liens de l'Irlande avec l'Angleterre et adversaires de Gladstone, devinrent les alliés des conservateurs. Ceux-ci, sous la direction de Salisbury, puis de Balfour, furent donc au pouvoir de 1886 à 1892 et de 1895 à 1905. Durant cette période, le parti conservateur s'identifia avec la politique étrangère impérialiste de la fin de l'ère victorienne (guerre des Boers). Mais les négligences à l'égard de la politique sociale devaient provoquer une longue éclipse du parti (1906/22).
Les conservateurs, revenus au pouvoir aux élections de 1922, devaient gouverner l'Angleterre jusqu'en 1945 (sauf deux brefs intermèdes travaillistes en 1923/24 et 1929/31). Durant cette période, les leaders du parti furent successivement Bonar Law (1922/23),

Stanley Baldwin (1923/37), Neville Chamberlain (1937/40) et Winston Churchill (1940/45) — v. ces noms. Le primat donné par Churchill à la politique impériale allait provoquer en 1945, en dépit de la victoire, une grave défaite électorale des conservateurs. De nouveau dans l'opposition (1945/51), le parti, tout en luttant contre la politique d'étatisation travailliste, mit l'accent sur un programme social (chartes de l'industrie, 1947, de l'agriculture, 1948) et reprit la direction du gouvernement (1951/64) avec W. Churchill (1951/55), A. Eden (1955/57), H. Macmillan (1957/63) et A. Douglas Home (1963/64). Rejetés dans l'opposition à la suite des élections d'oct. 1964, les conservateurs revinrent au pouvoir avec Edward Heath (juin 1970/mars 1974). De nouveau dans l'opposition, le parti passa en févr. 1975 sous la direction d'une femme énergique, Margaret Thatcher (v.), qui remporta les élections de mai 1979 et devint Premier ministre. Voir GRANDE-BRETAGNE.

Au **Canada,** le parti conservateur se constitua en 1854 par l'union des conservateurs modérés et des réformateurs modérés, qui désiraient, les uns et les autres, le maintien des liens étroits avec la couronne britannique. Son premier grand chef fut John A. Macdonald. Le parti conservateur, qui a gardé sa principale implantation dans les régions anglophones, resta prédominant dans la politique fédérale jusqu'au lendemain de la Première Guerre mondiale. Il détint le pouvoir de 1867 à 1873 et de 1873 à 1921 et y revint de 1930 à 1935 avec Richard B. Bennett et de 1957 à 1963 avec John G. Diefenbaker. En 1942, il absorba le parti progressiste et prit le nom de « parti conservateur progressiste ». Aux élections de 1974, il obtint 34,8% des voix mais en sept. 1984, avec 211 députés élus sur 282, il mit fin à 20 ans de suprématie libérale.

En **Allemagne,** le terme de « conservateur » *(konservativ)* désigne une tendance idéologique assez proche de celle que l'on désigne en France par le mot traditionalisme (v.) : refus du rationalisme et de l'individualisme; conception historique et « organique » de la société conçue comme une communauté vivante de classes, d'« ordres » ayant chacun sa fonction particulière; rejet du libéralisme économique. La pensée « conservatrice » allemande s'est élaborée à l'époque du romantisme dans les œuvres d'Adam Müller, de Novalis, de Görres, du Suisse K. L. von Haller. Dans l'Allemagne impériale, le parti conservateur allemand *(Deutschkonservative Partei),* fondé en 1876, exprimait les positions des grands propriétaires nobles des régions de l'Est, qui, tout en sachant gré à Bismarck d'avoir établi la suprématie de la Prusse en Allemagne, lui reprochaient l'institution du suffrage universel et craignaient que la Prusse ne perdît peu à peu son identité dans le nouvel Empire. Ce parti prédomina à partir de 1879 à la Chambre des représentants de Prusse, où elle eut pour chef Heyde-

CONSERVATEUR (parti)

Édouard Heath intervenant à la conférence du parti conservateur de 1976.
Le leader britannique a dirigé les « torys » de 1965 à 1975. Chef
de gouvernement, il a bataillé pour l'entrée de la Grande-Bretagne
dans le Marché Commun mais ses deux échecs successifs aux élections
générales de février et d'octobre 1974 ont fortement entamé
son crédit personnel. Dès 1975, il a été remplacé à la tête du parti
par une femme, Margaret Thatcher,
dite « le papillon de fer », sans doute plus « à droite » que lui.
Ph. © Camera Press - Parimage

brand. Après sa rupture avec les nationaux-libéraux, Bismarck dut rechercher, en 1881, l'appui des conservateurs, favorables à des mesures protectionnistes. Jusqu'à la Première Guerre mondiale, le gouvernement de Guillaume II reposa presque constamment sur la coalition des conservateurs et du parti du Centre contre les socialistes. Le parti conservateur disparut en 1918, et, sous la république de Weimar, les forces conservatrices furent représentées principalement par le parti national allemand et par le parti démocratique allemand (parti allemand d'État à partir de 1930). Un brillant renouveau intellectuel du conservatisme se manifesta, au cours des années 20, dans les œuvres de Moeller van den Bruck, de Carl Schmitt, d'Ernst Jünger; mais la « révolution conservative », pour reprendre l'expression d'Armin Mohler (*Die konservative Revolution in Deutschland 1918-32,* 1950), ne réussit pas à soulever les masses et fut débordée par l'hitlérisme; son idéologie contribua à inspirer la résistance militaire à Hitler et les hommes du 20 juill. 1944 (v. JUILLET 1944). Après une longue éclipse, la pensée conservatrice allemande connaissait à partir de 1970 un certain renouveau avec les œuvres d'Armin Mohler, de Gerd-Klaus Kaltenbrunner, etc.

CONSERVATOIRES. Nom donné d'abord en Italie (ital. *conservatorio*) aux écoles d'enseignement musical. Au XVIIIᵉ s., les conservatoires italiens les plus célèbres étaient ceux de Naples et de Venise. En France, le Conservatoire national de musique, qui existe sous ce nom depuis 1795, fut précédé par l'École royale de chant et de déclamation (1784) et par l'Institut national de musique (1793).

CONSERVATOIRE NATIONAL DES ARTS ET MÉTIERS. Voir ARTS ET MÉTIERS (Conservatoire national des).

CONSIDÉRANT Victor (* Salins, Jura, 12.X.1808, † Paris, 27.XII.1893). Homme politique français. Chef de l'école fouriériste après la mort de Charles Fourier (1837), il fit de malheureuses tentatives pour réaliser ses idées en France et en Belgique, sous la forme de phalanstères. Membre de l'Assemblée nationale en 1848, poursuivi pour haute trahison en 1849, il se réfugia au Texas, où il fonda une colonie socialiste nommée La Réunion; il rentra en France en 1869. Auteur de divers ouvrages, entre autres *La Destinée sociale* (1834-45).

CONSILIUM PRINCIPIS. Voir CONSEIL DU PRINCE.

CONSISTOIRE. Dans l'Empire romain, nom donné, à partir du IVᵉ s., au Conseil du prince (v.), dont les membres devaient se tenir debout et silencieux devant l'empereur. Composé des comtes, des clarissimes du sénat, du maître des offices, des deux maîtres des Finances et du questeur du palais, qui faisait fonction de vice-président, le Consistoire était compétent pour toutes les questions législatives et administratives; il constitua aussi, à l'époque byzantine, un tribunal suprême d'appel.

CONSISTOIRE ROMAIN. Assemblée de cardinaux qui, à partir du XIIIᵉ s., remplaça les synodes romains comme conseil du pape. Jusqu'à la création des congrégations (v.) de la Curie, au XVIᵉ s., le consistoire, qui tenait des réunions régulières et fréquentes, s'occupait de toutes les affaires importantes de l'Église. Aujourd'hui, il n'est plus convoqué que pour des séances de pure forme, notamment pour entendre le pape annoncer les nominations cardinalices (« consistoire secret »).

CONSISTOIRES ISRAÉLITES. A la suite de la réorganisation des communautés religieuses françaises sous Napoléon Iᵉʳ, le règlement du 17 mars 1808 groupa les israélites de France en circonscriptions dirigées par un consistoire de notables, responsable devant les autorités. Ce système reçut sa forme définitive par les décrets ultérieurs de 1862 et de 1872; les consistoires départementaux furent complétés par un consistoire central, siégeant à Paris. Après la loi de séparation de 1905, les consistoires créèrent des associations cultuelles israélites rattachées à une Union centrale.

CONSISTOIRES PROTESTANTS. Par la loi du 18 germinal an X (1802), Bonaparte, Premier consul, décida que les fidèles protestants français seraient regroupés en églises consistoriales (une par 6 000 âmes) ayant chacune à leur tête un consistoire ou conseil de notables qui administrerait les biens et élirait les pasteurs; cinq églises consistoriales formeraient un arrondissement d'inspection, les inspections étant regroupées en trois consistoires généraux.

CONSPIRATION DES POUDRES. Voir POUDRES (conspiration des).

CONSTANCE, *Konstanz.* Ville d'Allemagne (Bade-Wurtemberg), sur le lac de Constance. Castrum romain fondé au Iᵉʳ s., pris par les Alamans au IIIᵉ s., Constance eut un siège épiscopal vers 580 et devint ville libre impériale en 1192. A cette époque, elle avait déjà une population d'environ 40 000 habitants. En 1183, Frédéric Barberousse y signa la **paix de Constance,** qui reconnaissait l'indépendance des villes lombardes. Passée au protestantisme, elle fut mise au ban de l'empire par Charles Quint pour avoir refusé d'accepter l'*interim* d'Augsbourg et rejoint la ligue de Smalkalde. Elle perdit son rang de ville libre (1547) et fut annexée par l'Autriche, qui la céda en 1805 au grand-duché de Bade. L'évêché fut sécularisé en 1802 et aboli en 1827.
De 1414 à 1418, se tint le **concile de Constance** convoqué pour éteindre le Grand Schisme d'Occident, réformer l'Église et

mettre fin à l'hérésie (notamment à celle de Jean Hus). Des trois papes qui se trouvaient alors en présence — Grégoire XII, Jean XXIII et Benoît XIII (v. LUNA, Pedro de) —, le premier, reconnu comme légitime, s'effaça, et les deux autres furent déposés par le concile. Martin V fut nommé pape. Pendant le concile, la théorie conciliaire, selon laquelle le concile général est supérieur au pape, fut soutenue par de nombreux Pères, notamment par les principaux représentants de l'Église de France, Pierre d'Ailly, archevêque de Cambrai, et Jean Gerson, chancelier de l'université de Paris. C'est pour cette raison que le concile de Constance n'est pas considéré comme entièrement œcuménique par la tradition catholique (les sessions XLIII-XLV, présidées par Martin V, après l'extinction du schisme, le furent sans aucun doute).

CONSTANCE Iᵉʳ Chlore, Flavius Valerius Constantius Chlorus, c'est-à-dire pâle (†Eburacum, auj. York, été 306), empereur romain (305/306). Petit-neveu, par sa mère Claudia, de l'empereur Claude II le Gothique, adopté en 293 par Maximien et élevé au rang de césar, il eut à gouverner les Gaules, l'Espagne et la Bretagne (Angleterre), triompha en 296 de la révolte bretonne de Carausius et mena en 298 et 305 plusieurs campagnes victorieuses contre les Francs et les Alamans. Devenu auguste en 305 avec Galère, il gouverna avec sagesse et bonté et fit cesser dans ses États la persécution contre les chrétiens. De sa première femme, Hélène, il eut pour fils le futur empereur Constantin, qu'il nomma césar en mourant; de son second mariage avec Theodora, belle-fille de Maximien, naquit Jules Constance, père de Julien l'Apostat.

CONSTANCE II, Flavius Julius Constantius (*Illyricum, 7.VIII.317 † Mopsucrène, Cilicie, 3.XI.361), empereur romain (337/361). Troisième fils de l'empereur Constantin, il reçut, comme César, le gouvernement de l'Égypte, de l'Orient, de l'Asie et du Pont; après la mort de ses frères Constantin II (340) et Constant (350), il battit l'usurpateur Magnence (353) et resta seul maître de l'Empire. Il lutta pendant des années, sans succès, contre le roi de Perse Sapor. Influencé par les ariens, il persécuta les tenants de la foi orthodoxe, notamment st. Athanase. Il mourut alors qu'il partait en campagne contre son cousin Julien que les troupes de Gaule avaient proclamé à sa place.

CONSTANCE III, Flavius Constantius († Ravenne, 2.IX.421), empereur romain (421). Général d'Honorius, il réduisit en 411 l'usurpateur Constantin qui s'était enfermé dans Arles et chassa des Gaules Ataulphe, roi des Wisigoths; après la mort de celui-ci (415), il épousa sa veuve, Gallia Placida, qui était la sœur de l'empereur Honorius, et ce dernier lui conféra le titre d'auguste (421). Mais Constance III mourut quelques mois plus tard. Il fut le père de Valentinien III.

CONSTANT Ier
Empereur romain (337/350).
Monnaie en or. (Cabinet
des Médailles.)
Ph. © Bibl. Nat., Paris - Photeb

CONSTANT
Benjamin C. de Rebecque.
Écrivain et homme politique
français (1767-1830).
Ph. Jeanbor © Photeb

CONSTANCE DE PROVENCE († Melun, 1302). Reine de France. Fille de Guillaume II, comte de Provence, elle devint, en 998, la troisième épouse de Robert II le Pieux. En 1031, elle tenta vainement de faire monter sur le trône son fils cadet, Robert, au détriment de son frère aîné, Henri Ier.

CONSTANCE Ire (* vers 1154, † 1198), reine de Sicile (1194/98). Fille de Roger II de Sicile, elle épousa en 1186 le futur empereur Henri VI. Elle hérita la Sicile de son neveu Guillaume II, mais Henri VI eut à vaincre une puissante résistance locale, conduite par Tancrède de Lecce. Veuve en 1197, Constance continua à gouverner seule son royaume sicilien. Elle confia la tutelle de son jeune fils, le futur empereur Frédéric II, au pape Innocent III.

CONSTANCE II (* 1247, † Rome, 1302), reine de Sicile (1282/1302) et d'Aragon. Fille de Manfred, héritière des Hohenstaufen, elle épousa en 1261 le futur Pierre III d'Aragon, auquel elle apporta ses droits sur la Sicile, où il se fit couronner en 1282.

CONSTANS Jean Antoine Ernest (* Béziers, 3.V.1833, † Paris, 7.IV.1913). Homme politique français. Avocat, puis professeur de droit romain, il mena la lutte contre les congrégations comme ministre de l'Intérieur dans le gouvernement Ferry (1880/81); au même poste, dans les cabinets Tirard et Freycinet (1889/92), il réprima énergiquement l'agitation des boulangistes et celle des socialistes. Ambassadeur à Constantinople (1899/1909).

CONSTANT Ier, Flavius Julius Constans (* vers 323, † Elena, Septimanie, 350), empereur romain (337/350). Quatrième ou cinquième fils de Constantin le Grand, il reçut en partage l'Italie, l'Afrique, l'Illyrie et la Macédoine. Vainqueur de son frère Constantin II à Aquilée (340), il devint maître de tout l'Occident mais fut vaincu et tué par l'usurpateur Magnence.

CONSTANT II Pogonate (* 630, † Syracuse, 15.IX.668), empereur d'Orient (641-668). Petit-fils d'Héraclius, placé sur le trône à l'âge de douze ans, à la chute d'Héracléonas, il combattit les Arabes et les Germains, lutta contre les Lombards en

Italie; il se rattacha religieusement au monothélisme et fit arrêter et déporter le pape Martin Ier. Par souci de pacification religieuse, il interdit les discussions sur les problèmes christologiques, mais le pape Martin Ier l'accusa de protéger l'hérésie monothélite. Constant II fit arrêter et déporter le pape (653). Il ne put, malgré ses qualités réelles, empêcher les Arabes de s'emparer d'Alexandrie (643) et de l'Arménie (653). Cette menace le décida, en 663, à transporter sa capitale à Rome. Il rêvait de restaurer l'empire d'Occident mais fut assassiné dans son bain, par un de ses officiers.

CONSTANT DE REBECQUE Benjamin (* Lausanne, 25.X.1767, † Paris, 8.XII.1830). Écrivain et homme politique français. Auteur d'un des chefs-d'œuvre de la littérature romanesque, *Adolphe* (1816), ce descendant d'émigrés huguenots commença sa carrière politique sous le Directoire, fut nommé membre du Tribunat (1799/1802), mais suivit bientôt son amie, Mme de Staël, dans l'opposition à Napoléon Ier et dans l'exil. Ardent libéral, il applaudit en 1814 à la chute du tyran et à la restauration des Bourbons, mais, durant les Cent-Jours, par un retournement soudain qui lui fut beaucoup reproché, il se rallia à Napoléon Ier et essaya de poser les bases d'un Empire constitutionnel en élaborant l'*Acte additionnel aux Constitutions de l'Empire*. Après la dissolution de la Chambre introuvable, il rentra dans la vie politique et devint un des chefs du parti libéral, dont il défendit les idées comme député à partir de 1819. Monarchiste constitutionnel, il fit bénéficier ses collègues de sa connaissance incomparable des États étrangers; il voulut être le « maître d'école de la liberté » et contribua à acclimater en France le système anglo-saxon de la responsabilité ministérielle. Signataire de l'Adresse des 221 (v.) en mars 1830, il fut nommé par la monarchie de Juillet membre du Conseil d'État.

CONSTANTA, ou CONSTANTZA. Ville de Roumanie (Dobroudja), principal port roumain, sur la mer Noire. Ancienne colonie grecque de *Tomis,* fondée au VIe s. av. J.-C., lieu d'exil du poète Ovide, elle fut reconstruite au IVe s. par l'empereur Constantin et prit alors le nom de *Constantiana.*

CONSTANTIN

EMPEREURS

CONSTANTIN Ier le Grand, Flavius Valerius Constantinus (* Naissus = Nish, 17.II.280/288? † Ancyrona, près de Nicomédie, 22.V.337), empereur romain (306/337). Fils de Constance Chlore et d'Hélène, proclamé auguste par l'armée à la mort de son père (306), il s'appuya sur la Gaule dans la grande compétition qui opposait de nombreux prétendants à l'Empire. En 312, il envahit l'Italie, battit son rival Maxence au Pont Milvius (28 oct. 312) et partagea le monde romain avec Licinius, qui régnait en Orient. Tous deux décidèrent d'accorder la tolérance aux chrétiens (« édit de Milan » v., 313) et Constantin lui-même se convertit au christianisme. Vainqueur de Licinius à la bataille d'Andrinople (3 juill. 323), il rétablit l'unité impériale. Il poussa à l'extrême les tendances centralisatrices et dirigistes qui avaient inspiré les réformes de Dioclétien, gouverna avec un conseil étroit d'hommes de confiance et essaya de faire du principe héréditaire le fondement du pouvoir. Pour combattre les forces centrifuges, l'État aggrava la fixation de chacun à sa condition sociale, l'hérédité des fonctions, la hiérarchie des groupes sociaux. Constantin manifesta de plus en plus ouvertement sa faveur à l'Église. Dès 324, il prit les premières mesures contre le paganisme; en 325, il convoqua et présida le premier concile œcuménique, celui de Nicée; l'Église se moula peu à peu dans les cadres de l'État et dut accepter l'intervention de l'État dans ses affaires; la législation commença à se pénétrer de l'esprit chrétien. En 330, Constantin transporta la capitale impériale à Byzance, qu'il avait fait magnifiquement reconstruire et qui prit le nom de Constantinople (v.). A sa mort, l'Empire fut partagé entre ses trois fils survivants, Constantin II, Constance II et Constant Ier (l'aîné, Crispus, avait été exécuté en 326).

CONSTANTIN
Empereur romain (306/337).
Buste en bronze doré, trouvé
à Nish, son lieu de naissance.
(Musée nat. de Belgrade.)
Ph. Luc Joubert © Arch. Photeb

Constantin (arc de). Arc de triomphe romain, élevé près du Colisée pour commémorer la victoire de Constantin Ier sur Maxence (312). Bien conservé, il est décoré de bas-reliefs évoquant la vie de Constantin, de Trajan et de Marc Aurèle.

Constantin (basilique de). Voir MAXENCE (basilique de).

CONSTANTIN II le Jeune (* Arles, 316, † Aquilée, 340), empereur romain (337/340). Fils aîné du précédent et de l'impératrice Fausta. A la mort de son père, en 337, il reçut les Gaules, l'Espagne et la (Grande-) Bretagne; entré en lutte avec son frère Constant Ier pour la possession de la Macédoine et de la

CONSTANTIN VII
Porphyrogénète. Empereur
d'Orient (912/959). Monnaie
byzantine. (Cabinet des Médailles.)
Ph. © Bibl. Nat., Paris - Photeb

Thrace, il pénétra avec une armée en Italie, mais fut vaincu et tué.

CONSTANTIN III HÉRACLIUS (* 3.V.612, † Chalcédoine, 24.V.641), empereur d'Orient (641). Fils d'Héraclius et d'Eudocia, il ne régna que quelques mois, en partageant le trône avec son demi-frère, Héracléonas, fils de l'impératrice Martine. Celle-ci fut soupçonnée d'avoir fait empoisonner Constantin III.

CONSTANTIN IV (* 648, † 685), empereur d'Orient (668/685). Fils aîné de Constant II, monté sur le trône en 668 avec ses deux frères, Tibère et Héraclius, il repoussa les attaques arabes contre Constantinople (672/78) en utilisant pour la première fois le feu grégeois; battu par les Bulgares en 679, il amena les Serbes et les Croates à reconnaître la suzeraineté de Byzance et travailla à leur évangélisation. Au concile général de Constantinople (680-681), il fit condamner les monothélites.

CONSTANTIN V Copronyme ou l'Ordurier (* 718, † en campagne dans les Balkans, 14.IX.775), empereur d'Orient (741/775). Fils de Léon III l'Isaurien, auquel il succéda en 741, il réunit en 754, à Constantinople, un concile favorable à l'iconoclasme et persécuta les orthodoxes, qui se vengèrent en lui donnant des surnoms insultants. Sa politique iconoclaste fut approuvée par le concile de Hiéria (753). Il remporta des victoires sur les Arabes (à Chypre, 748), les Bulgares (755) et les Slaves (758), mais dut abandonner Ravenne aux Lombards (751) et périt dans une nouvelle campagne contre les Bulgares. Diffamé par les historiens religieux, il semble avoir été un des plus grands souverains byzantins.

CONSTANTIN VI (* 14.I.771, † vers 800), empereur d'Orient (780/97). Petit-fils du précédent, fils de Léon IV et d'Irène, il succéda à son père en 780. En 790, il secoua la tutelle de sa mère, voulut régner par lui-même et montra de grandes qualités guerrières; mais l'impératrice Irène parvint à ressaisir le pouvoir et lui fit crever les yeux (15 août 797). Il mourut peu après dans l'oubli. Avec lui finit la dynastie isaurienne.

CONSTANTIN VII Porphyrogénète (* 905, † 9.XI.959), empereur d'Orient (912/959). Fils et successeur de Léon VI, placé sur le trône sous la tutelle de son oncle puis d'un conseil de régence, il n'avait aucun goût pour la politique et laissa gouverner d'abord sa mère, puis, à partir de 919, son beau-père, l'énergique Romain Ier Lécapène, qui fut associé au trône (920). Romain Ier,

CONSTANTINE

La ville, puissamment protégée par ses défenses naturelles, fut assiégée à l'automne 1837, six jours durant, par le corps expéditionnaire français,
fort de dix mille hommes, que le duc de Nemours commandait.
Une journée entière de tir d'artillerie leur fut nécessaire pour ouvrir une brèche.
Les zouaves de Lamoricière, lancés à l'assaut, durent prendre maison
par maison, au prix de lourdes pertes, jusqu'à ce que les chefs de la ville (ici)
viennent demander « la clémence des vainqueurs ».

Ph. © Bibl. Nat., Paris - Photeb

après plus de vingt ans de gouvernement, fut déposé par ses propres fils; Constantin les châtia et se résigna à reprendre le pouvoir (945), qu'il ne tarda pas à abandonner à l'influence de sa femme pour obéir à ses goûts profonds, qui étaient ceux d'un grand lettré et d'un écrivain : il composa, entre autres, une *Vie de Basile Ier*, son grand-père, un *Traité de l'administration de l'Empire* et le fameux *Livre des cérémonies* sur les coutumes et le cérémonial de l'Église et de la cour byzantines.

CONSTANTIN VIII. Nom donné parfois au fils de Romain Ier (Romain Lécapène), qui gouverna l'empire d'Orient avec ses deux frères et son père de 920 à 945, sous le règne de Constantin VII Porphyrogénète.

CONSTANTIN VIII (* 961, † 21.XI.1028), empereur d'Orient (976/1028). Fils de Romain II le Jeune, il succéda en 976 à Jean Ier Tzimiscès et fut proclamé empereur avec son frère Basile II, auquel il abandonna toute l'autorité. A la mort de Basile II (déc. 1025), il resta seul souverain mais laissa le pouvoir à de hauts fonctionnaires et à des eunuques et vit le peuple, écrasé sous l'impôt, se soulever contre lui. A son lit de mort, il arrangea le mariage de sa fille Zoé avec Romain III Argyre.

CONSTANTIN IX Monomaque ou **le Gladiateur** (* vers 980, † 30.XI.1055), empereur d'Orient (1042/1055). Il s'assura le trône en 1042, en devenant le troisième époux de l'impératrice Zoé. Gouvernant médiocre, il fut du moins un bâtisseur et un protecteur des sciences. C'est sous son règne qu'eut lieu le schisme entre Rome et Constantinople (1054).

CONSTANTIN X Ducas (* 1007, † mai 1067), empereur d'Orient (1059/67). Fils d'un certain Andronic, il fut ministre et ami d'Isaac Ier Comnène, auquel il succéda en 1059; il a laissé l'image d'un bureaucrate sans envergure politique.

CONSTANTIN XI Dragasès (* févr. 1403, † Constantinople, 29.V.1453), dernier empereur d'Orient (1449/53). Fils de Manuel II Paléologue, il succéda en 1448 à son frère Jean VIII. En 1453, assiégé par la formidable armée de Mahomet II et complètement abandonné par l'Occident, il se défendit vaillamment dans sa capitale et tomba en héros près de la porte de Romanos.

PAPES

CONSTANTIN Ier († Rome, 9.IV.715), pape (708/715). D'origine syrienne, il obtint la soumission de l'archevêque de Ravenne et combattit le monothélisme.

CONSTANTIN II, antipape (767/769). Imposé par l'aristocratie laïque après la mort de st. Paul Ier (été 767), il dut se retirer lors de l'élection légitime d'Étienne III (août

768), eut les yeux crevés et fut jugé par un concile qui annula tous ses actes.

ROIS

CONSTANTIN Ier (* Athènes, 2.VIII. 1868, † Palerme, 11.I.1923), roi de Grèce (1913/17 et 1920/22). Fils et successeur de Georges Ier, il essaya, durant la Première Guerre mondiale, contre Venizelos et les Alliés, de préserver la neutralité de son pays. Sous la pression de la France, il fut contraint d'abdiquer en juin 1917 en faveur de son fils cadet Alexandre. A la mort de ce dernier, il fut rappelé d'exil (19 déc. 1920) par un plébiscite; mais les désastreux échecs de la guerre contre la Turquie l'obligèrent à une nouvelle abdication (27 sept. 1922). Son fils, Georges II, lui succéda.

CONSTANTIN II (* Athènes, 2.VI.1940), roi de Grèce (1964/73). Fils et successeur de Paul Ier, il déclencha en juill. 1965 une grave crise politique en provoquant le départ de Georges Papandréou, chef de l'Union du Centre, qui avait obtenu la majorité absolue aux élections de l'année précédente. Après une longue période d'instabilité ministérielle, il décida de dissoudre le Parlement, en avr. 1967, mais, quelques jours plus tard, l'armée devançait les élections et prenait le pouvoir. Il accepta ce coup d'État tout en manifestant son désir d'un retour au régime parlementaire, puis, le 13 déc. 1967, il tenta de se séparer des chefs militaires au pouvoir et de rallier à lui la population. Ayant échoué, il se réfugia en Italie avec sa famille et fut déchu à la suite du référendum du 29 juill. 1973 qui confirma, à plus de 78%, l'éta-blissement de la république en Grèce. En 1974, après la chute du régime militaire, le retour à la monarchie fut de nouveau refusé par un référendum.

CONSTANTIN Pavlovitch, grand-duc de Russie (* Saint-Pétersbourg, 8.V.1779, † Vitebsk, 27.VI.1831). Deuxième fils de Paul Ier et petit-fils de Catherine II, il participa avec bravoure aux campagnes contre Napoléon. Il devait succéder à Alexandre Ier mais renonça à ses droits au trône en 1825 par amour pour la comtesse polonaise Groudna-Groudzinska. Sa renonciation ayant été tenue secrète, la mort d'Alexandre Ier fut suivie d'une période de confusion qui fut mise à profit par les décabristes (v.). Vice-roi de Pologne à partir de 1816, il fut chassé de Varsovie par l'insurrection de 1830 et mourut peu après du choléra.

DIVERS

CONSTANTIN († Arles, 411). Général romain. Proclamé empereur par les légions de Bretagne, en 407, il écarta les Burgondes de la Gaule et lutta énergiquement contre les invasions des Vandales, des Alains et des Suèves, mais fut assiégé dans Arles et mis à mort après la proclamation de l'empereur Maxime.

CONSTANTIN l'Africain (* en Sicile? vers 1020, † Mont-Cassin, 1087). Médecin italien. D'abord au service de Robert Guiscard puis moine au Mont-Cassin, il contribua au renouveau de la médecine européenne en commençant à traduire en latin les ouvrages des savants arabes qui avaient recueilli l'héritage de la médecine grecque.

CONSTANTINE, *Qacentina*. Ville de l'Algérie orientale. D'abord connue sous son nom phénicien de *Cirta* ou *Kirtha* (= cité), elle fut la capitale des rois massyles de Numidie et atteignit son apogée au IIe s. av. J.-C., sous le règne de Micipsa, fils de Masinissa. En 113 av. J.-C., Jugurtha s'en empara et massacra les commerçants italiens qui y étaient installés, ce qui amena Rome à lui déclarer la guerre. A l'époque de César, elle reçut le nom de *Sittiarum civitas*, à cause d'un certain Sittius qui y conduisit une colonie romaine, puis s'appela *Constantine* en l'honneur de l'empereur Constantin Ier, qui la rebâtit, après sa destruction en 311 durant les guerres civiles. Elle passa ensuite aux Arabes puis aux Turcs. Après la prise d'Alger par les Français (1830), le bey Hadj Hamed se proclama indépendant. Constantine résista longtemps aux Français et l'attaque menée par Clauzel en 1836 aboutit à un échec. La ville, puissamment fortifiée, fut prise, maison par maison, par le général Valée (13 oct. 1837), après un siège extrêmement meurtrier au cours duquel périt le général Danrémont.
● Devenue Qacentina, la ville, en 1979, comptait 500 000 habitants.

Plan de Constantine. Le 3 oct. 1958, le général de Gaulle prononça à Constantine un important discours visant à rallier l'élite algérienne à la France par un puissant effort économique qui devait, dans un délai de cinq ans, distribuer aux musulmans 250 000 ha de terres cultivables, leur assurer 200 000 logements, 400 000 emplois nouveaux, porter leurs salaires à un niveau comparable à ceux de la métropole et étendre la scolarité des enfants. Ce plan économique fut rapidement mis en œuvre mais ne suffit pas à arrêter l'évolution de l'Algérie vers l'indépendance.

CONSTANTINOPLE

CONSTANTINOPLE, *Konstantinoupolis*. Nom d'Istanbul (v.) à l'époque où cette ville était la capitale de l'empire d'Orient (v.), de 330 à 1453.

Byzance antique

Constantinople fut construite sur la rive occidentale (ou européenne) du Bosphore, sur le promontoire triangulaire baigné au N. par la Corne d'Or, au S. par la mer de Marmara. Dès la plus haute antiquité fut reconnue l'importance exceptionnelle de cette position, qui commandait l'entrée dans le Pont-Euxin (la mer Noire). Sur la côte asiatique du Bosphore, où s'éleva la ville de Chalcédoine (v.), on a retrouvé des traces d'habitat humain remontant au début du IIIe millénaire avant notre ère. Sur la rive européenne, des établissements thraces précédèrent la fondation, vers 658/657 av. J.-C., de la colonie grecque de Byzance *(Byzantion)*, dont l'origine est attribuée aux Mégariens. Byzance, qui contrôlait le commerce des céréales entre la Scythie et la Grèce, passa vers 512 sous le joug des Perses, mais fut libérée par les Grecs en 478. Désormais sous la tutelle d'Athènes, elle entra dans la ligue de Délos (v.). Après s'être révoltée à deux reprises (440 et 411) contre les Athéniens, elle fut prise par les Spartiates en 405, mais, dès 389, Thrasybule y restaura le parti démocratique, allié d'Athènes, et Byzance dut entrer, en 377, dans la seconde Confédération athénienne. Avec l'aide d'Athènes, la ville résista avec succès à un siège mené par Philippe de Macédoine (340/339 av. J.-C.). A l'époque hellénistique, elle eut un statut de ville libre, qu'elle garda sous les Romains.
En 196 de notre ère, Byzance prit parti pour Pescennius Niger, concurrent de Septime Sévère; celui-ci, vainqueur, rasa ses murs et massacra son corps municipal puis, revenant à de meilleurs sentiments, il la fit reconstruire, élargir et lui donna le nom d'*Augustus Antonina*.

Fondation et histoire de la « Nouvelle Rome »

Dès la fin du IIIe s., les empereurs romains songèrent à transférer la capitale de l'Empire en Orient, parce que l'Orient apparaissait, en regard de l'Italie décadente, comme la partie la plus vivante du monde romain, mais aussi la plus menacée (par les Perses, par les Goths). Le gouvernement central devait se rapprocher des régions du Danube et de l'Euphrate, théâtres principaux des opérations militaires. Dioclétien avait résolu que la nouvelle capitale serait Nicomédie. Constantin, en 324, se décida pour le site de Byzance, qui se trouvait au carrefour des grandes routes commerciales entre la Méditerranée et la mer Noire, entre l'Europe et l'Asie. Les travaux de construction durèrent jusqu'en 336, mais l'inauguration eut lieu dès le 11 mai 330.
On fit venir de tout l'Empire les architectes et les entrepreneurs, qui eurent à leur disposition un nombre considérable d'ouvriers (40 000 terrassiers goths furent enrôlés d'un coup). Pour orner la cité, on rafla en Grèce, en Asie Mineure, en Afrique, des statues, des colonnes, des œuvres d'art de toute sorte. Pour assurer le peuplement, on institua l'annone (v.) et des distributions gratuites à l'image de celles qu'on faisait à Rome, on multiplia les affranchissements, on libéra des captifs, on fit don de palais tout neufs à des notables romains, on accorda à la nouvelle capitale le droit italique, et non provincial, ce qui comportait notamment l'exemption d'impôt.
D'abord appelée *Secunda Roma* et, après le Ve s., *Nova Roma*, Constantinople devint, dès sa fondation, la résidence de l'empereur et le siège du gouvernement. Ce fut d'abord une ville toute romaine, où la langue officielle était le latin; l'influence de l'hellénisme ne commença à l'emporter qu'au début du VIIe s., avec la dynastie d'Héraclius. Lors du partage de l'Empire romain, en 395, Constantinople était devenue la capitale de l'empire d'Orient. Elle ne tarda pas à surpasser Rome, tombée aux mains des Barbares, tant par sa richesse et par l'activité de son commerce que par le nombre de sa population, qu'on évaluait à 500 000 habitants dès le Ve s. et à plus d'un million à l'époque de Justinien. C'est sous le règne de cet empereur (527/565) que la ville atteignit son apogée. Elle était entourée par des murailles terrestres et littorales qui allaient lui permettre, pendant plus de six cents ans, de repousser toutes les attaques, celles des Perses et des Avars en 626, des Arabes en 674/678 et 717/718, des Bulgares en 813 et 913, des Russes en 860, 941 et 1043, des Petchénègues en 1090/91. Ces murs, dont la construction remontait, pour l'essentiel, à Théodose II (première moitié du Ve s.), étaient alignés sur deux rangées du côté de la terre, sur une seule rangée du côté de l'eau, et étaient jalonnés de tours. La ville était traversée par une rue centrale, la Mésé, qui partait du forum d'Auguste *(Augustéon)* et traversait les autres grandes places : forum de Constantin, forum de Théodose ou *Forum Tauri*, forum d'Arcadius, pour aboutir soit à la porte d'Or, soit à la porte de Sélymbria. Les principaux monuments de la cité étaient : le Grand Palais impérial, ensemble de résidences et d'édifices profanes ou religieux qui furent construits à diverses époques (il n'en reste rien aujourd'hui); l'Hippodrome (v.), centre de la vie populaire; les sanctuaires chrétiens,

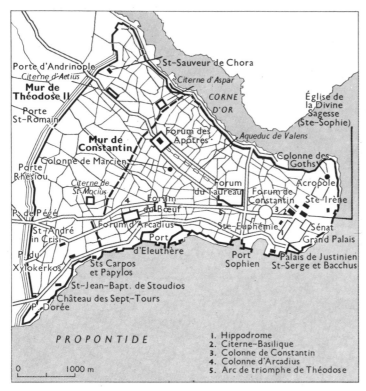

Légende de la carte :
1. Hippodrome
2. Citerne-Basilique
3. Colonne de Constantin
4. Colonne d'Arcadius
5. Arc de triomphe de Théodose

CONSTANTINOPLE

Le développement de la ville au IVe et au Ve s. En six années (324-330),
grâce à des dizaines de milliers de terrassiers, l'éperon rocheux
et le port (la Corne d'Or,) où les descendants des colons de Mégare
vivaient tant bien que mal depuis des siècles,
sont devenus une puissante ville portuaire fortifiée. Elle se dresse au carrefour
des axes d'échange est-ouest
(mer Noire-Méditerranée) et nord-sud
(Europe orientale et Asie Mineure), au confluent du monde des steppes, du monde
syro-mésopotamien et du monde romain. Elle tient les clefs des routes du blé, de l'or,
du cuivre, de l'étain, des étoffes. Les pistes caravanières
et les voies maritimes de tout le monde d'alors convergent peu ou prou vers elle.

dont les plus importants étaient l'église de Sainte-Irène (IVe-VIe s.), Sainte-Sophie (v.) (VIe s.), l'église des Saints-Serge-et-Bacchus (VIe s.); les monastères, tel celui de Studion (v.) (Ve s.); les citernes, les aqueducs (aqueduc de Valens, 378) et les nombreux établissements de bains (thermes de Zeuxippe), qui faisaient de Constantinople l'une des villes les plus confortables du monde antique finissant.

La population de la ville, d'abord grecque et latine, fut, à toutes les époques, en partie cosmopolite. Constantinople attira de nombreux immigrants étrangers – Arméniens, Bulgares, Géorgiens, Arabes, Russes, Allemands... –, marchands et soldats. Cette humanité très mêlée ne brilla jamais par les vertus morales et par la discipline civique : avide de fêtes et turbulente, elle n'avait besoin que d'un prétexte, que ce fût une course à l'Hippodrome ou une querelle théologique, pour déclencher une émeute qui pouvait mettre en péril l'Empire lui-même (par exemple, en 532, la grande sédition Nika, v.). Dès le VIIe s., Constantinople fut exposée à des invasions venues des Balkans ou de l'Asie Mineure, cependant que des fléaux périodiques (pestes, épidémies, tremblements de terre, incendies) venaient décimer la population, qui, tombée à moins de 500 000 âmes à partir du XIIIe s., ne devait guère dépasser une cinquantaine de mille en 1453. Les commerçants vénitiens installés à Constantinople avaient obtenu, dès 1082, d'importants privilèges qui furent ensuite accordés également aux Pisans, aux Génois et à d'autres Italiens; ce statut de faveur exaspéra la population locale, qui se livra à un massacre de commerçants étrangers en 1182. Durant tout le haut Moyen Age, alors que l'Occident connaissait une profonde régression de la vie urbaine, Constantinople resta la ville la plus grandiose de la chrétienté. C'est avec émerveillement que les croisés la découvrirent, en 1096 et en 1203. Et la cité, qui jusqu'alors avait résisté à tous les assauts barbares ou musulmans, allait être livrée au pillage par des guerriers chrétiens : elle ne se releva jamais du sac terrible, des actes de carnage et de pillage commis, du 13 au 16 avr. 1204, par les barons de la 4e croisade (v.). Devenue la capitale de l'Empire latin de Constantinople (v. EMPIRE LATIN), elle fut dépouillée systématiquement de ses objets d'art et de ses reliques. Le 25 juill. 1261, Michel VIII Paléologue reprit une ville qui n'était plus que décombres. Malgré quelques reconstructions, à la fin du XIIIe et au début du XIVe s., le déclin fut irrémédiable. Isolée par les Turcs dès 1355/60, Constantinople fut sauvée de Bayézid Ier, en 1402, par l'invasion de Tamerlan, mais, dès 1422, le sultan Mourad II reparaissait sous ses murs, et, en avr. 1453, Mahomet II commençait le dernier siège de la ville. Celle-ci, défendue par le dernier empereur d'Orient, Constantin XI Dragasès, et par le Génois Giustiniani, était protégée du côté de l'eau par une longue chaîne qui barrait l'entrée de la Corne d'Or. Par un stratagème audacieux, les Turcs transportèrent, par terre et de nuit, leurs bateaux du Bosphore dans la Corne d'Or. Le 29 mai 1453 eut lieu l'assaut final, au cours duquel Constantin XI trouva la mort en combattant. Voir Istanbul.

Conciles de Constantinople

1er concile de Constantinople (IIe œcuménique), 381. Réuni par l'empereur Théodose Ier, il adopta un symbole de la foi qui confirmait celui de Nicée avec quelques additions précisant la doctrine sur le Saint-Esprit. Il renouvela les condamnations contre les ariens, les sabelliens, les photiniens, les apollinaristes, etc. Le 3e canon, qui accordait la prééminence d'honneur à l'évêque de Constantinople après celui de Rome, ne fut pas approuvé par l'Église romaine.

2e concile de Constantinople (Ve œuménique), 553. Convoqué par l'empereur Justinien, il condamna les Trois Chapitres (dus à Théodore de Mopsueste, Théodoret de Cyr et Ibas d'Édesse, suspectés de nestorianisme), mais en sauvegardant l'autorité du concile de Chalcédoine, que devait souligner encore le pape Vigile. Il condamna également l'origénisme.

3e concile de Constantinople (VIe œuménique), 680/681. Réuni par l'empereur Constantin IV pour mettre fin à la querelle du monothélisme, il adopta un décret dogmatique sur les deux volontés du Christ. Il condamna les monothélites ainsi que la lettre du pape Honorius à Sergius (qui n'était pas considérée comme un acte du magistère apostolique *ex cathedra,* mais seulement comme une faute personnelle d'Honorius).

4e concile de Constantinople (VIIIe œuménique), 869/870. Il définit la doctrine du culte des Images et condamna Photius, usurpateur du patriarcat de Constantinople.

CONSTANTINOPLE (patriarcat de). L'un des cinq anciens patriarcats de l'Église, le patriarcat de Constantinople porte le titre de *patriarcat œuménique* et jouit d'un primat d'honneur sur les autres patriarcats de l'Orthodoxie. Selon la tradition, le siège de Byzance aurait été fondé par l'apôtre st. André. Après la fondation, par Constantin, de la nouvelle capitale de l'Empire (330), ce siège, jusqu'alors obscur, fut appelé à jouer un rôle de première importance. Dès le 1er concile de Constantinople (381) fut reconnue à l'évêque de Constantinople « la prééminence d'honneur après l'évêque de Rome, car Constantinople est la nouvelle Rome ». Le canon 28 du concile de Chalcédoine (451) confirma cette décision. Dès le VIe s., les archevêques de Constantinople prirent habituellement le titre de *patriarche œuménique,* dont la signification ne fut d'ailleurs jamais exactement définie. Les papes ne virent pas sans inquiétude cette élévation de Constantinople, qui menaçait la prééminence du siège romain. Léon le Grand refusa sa sanction au canon 28 de Chalcédoine et Grégoire le Grand protesta à son tour contre l'usage du titre de patriarche œuménique. Mais les circonstances politiques et culturelles qui éloignaient les deux moitiés de l'Empire romain à la suite des invasions barbares contribuèrent à établir la primauté de fait de Constantinople sur tout l'Orient chrétien. Les patriarches jouèrent un rôle important dans l'histoire de l'Empire byzantin, mais, même à cette époque, leur pouvoir ne fut jamais comparable à celui du pape en Occident. L'Église orientale garda toujours son caractère collégial, le patriarche n'exerçait pas une juridiction directe et immédiate sur les évêques ; considéré comme « le père des pères », il était au centre du collège épiscopal, non au-dessus. D'autre part, il subissait le plus souvent une lourde tutelle du pouvoir impérial.

Après la prise de Constantinople par les Turcs (1453), le patriarcat de Constantinople entra dans une longue période de déclin. Il dut accepter l'érection de Moscou en patriarcat (1589). A partir du XIXe s., la tendance croissante à l'« autocéphalie », c'est-à-dire à l'autonomie des Églises nationales, réduisit encore son influence. Du moins les sultans lui accordaient-ils sur les chrétiens orthodoxes de l'Empire ottoman certains pouvoirs politiques et administratifs que le régime d'Atatürk lui enleva en 1923, après avoir même envisagé d'expulser le patriarcat du territoire turc.

Aujourd'hui, le patriarche de Constantinople, qui réside dans le quartier grec du Phanar, à Istanbul, n'exerce d'autorité directe que sur une centaine de milliers de Grecs établis en Turquie, sur les diocèses des îles grecques du Dodécanèse et de la Crète, sur le monastère du mont Athos (v.) et sur l'exarchie patriarcale de Patmos. Sa juridiction nominale s'étend sur la diaspora grecque d'Europe, des deux Amériques, d'Australie et sur un certain nombre de communautés russes orthodoxes de l'émigration qui ont rompu avec Moscou. Son primat historique confère cependant au patriarche un grand ascendant sur l'orthodoxie tout entière ; il en fut particulièrement ainsi sous le patriarcat d'Athénagoras (1948/72), qui joua un rôle important dans le mouvement œuménique (v.), prit l'initiative des conférences panorthodoxes réunies à partir de 1961 et, en dépit des réserves de l'Église de Grèce, accepta de rencontrer Paul VI en Terre sainte (janv. 1964), d'envoyer des observateurs à Vatican II (oct. 1965) et de lever les excommunications lancées après la rupture de 1054 (déc. 1965). Voir Églises orientales.

CONSTANTZA. Voir Constanta.

CONSTANTINOPLE (patriarcat de)
Le patriarche Joseph, qui assista au concile de Florence, en 1439.
Ph. © Bibl. Nat., Paris - Photeb

CONSTITUANTES (assemblées)

« Les Évêques du côté gauche prononçant le serment civique, décrété le 27 nov. 1790. » (Légende originale de l'époque.)
La Constitution civile du clergé avait été votée le 12 juill.
par l'Assemblée constituante, puis contresignée par Louis XVI.
Le pape Pie VI atermoya avant de la condamner. Mais
l'Assemblée n'avait pas attendu. Le décret du 27 nov. donnait huit jours
aux prêtres exerçant un ministère public pour prêter serment
à la Constitution et à la Constitution civile du clergé qui y était incluse.
En janv. 1791, un tiers seulement des membres ecclésiastiques de l'Assemblée
avait accepté de prêter serment. La légende originale de cette gravure révèle que
les termes politiques de droite et gauche étaient déjà entrés dans les mœurs.
Ph. Jeanbor © Photeb

CONSTITUANTES (assemblées). Plusieurs assemblées politiques françaises ont porté le nom d'*Assemblée constituante,* mais les Constitutions de l'an I (1793) et de l'an III (1795) furent élaborées par la Convention (v.), et les lois constitutionnelles de la III⁰ République par l'Assemblée nationale (v. ASSEMBLÉE) élue en 1871, bien que ni la Convention ni l'Assemblée de Bordeaux n'aient été appelées constituantes.

Assemblée nationale constituante de 1789/91

C'est le 17 juin 1789 que les députés du tiers aux États généraux (v.), considérant qu'ils représentaient l'immense majorité des Français, se déclarèrent *Assemblée nationale;* le 20 juin, ayant trouvé la salle des Menus-Plaisirs fermée sur l'ordre de Louis XVI, ils se réunirent dans la salle du Jeu de paume (v.) et firent le serment de ne pas se séparer « jusqu'à ce que la Constitution du royaume soit établie et affermie sur des fondements solides ». Le clergé et la noblesse s'étant réunis au tiers état (27 juin), l'Assemblée nationale se déclara officiellement *constituante* (9 juill. 1789). Elle siégea d'abord à Versailles. Elle vota l'abolition des droits et privilèges féodaux, ainsi que celle des privilèges des provinces et des villes (4 août) (v. AOÛT 1789, nuit du 4), puis la Déclaration des droits de l'homme et du citoyen (v.) (26 août).

A la suite des journées d'Octobre (v.), elle vint s'installer à Paris, dans le manège des Tuileries, où elle tint des séances quotidiennes, le matin et, après 6 heures, le soir. Les députés, qui n'avaient aucune expérience du régime parlementaire, travaillaient dans un grand désordre, sous la faible autorité de présidents renouvelés tous les quinze jours et parmi les « mouvements divers » du public des tribunes. A la Constituante, de même que dans toutes les Assemblées révolutionnaires suivantes, il n'y avait pas de partis, de groupes organisés. Cependant trois tendances assez mouvantes finirent par se dessiner, alors qu'au début on avait distingué seulement les « aristocrates » et les « patriotes », les uns opposés, les autres favorables aux réformes. En négligeant les restes du parti aristocrate, impuissant en raison de son petit nombre, malgré le talent de ses porte-parole, l'ancien officier Cazalès et l'abbé Maury, on trouvait : *a)* les *monarchiens* (Mounier, Malouet, Clermont-Tonnerre), qui, inquiets des excès de la démocratie, auraient voulu renforcer l'exécutif en donnant au roi un veto absolu et, comme en Angleterre, contenir la Chambre basse, législative, par une Chambre haute; *b)* les *constitutionnels,* formant la tendance la plus puissante, qui aspiraient à une véritable monarchie parlementaire; ils étaient animés par La Fayette, l'abbé Sieyès, Bailly, Talleyrand, Le Chapelier; sur leur gauche, s'affirmait le groupe des « triumvirs » (Duport, Lameth, Barnave); *c)* siégeant à l'extrême gauche, les *patriotes* les plus radicaux, très minoritaires encore, mais représentés par un orateur lucide et ardent, Robespierre. En dehors des partis, Mirabeau dominait l'Assemblée par son éloquence, mais accumulait contre lui des inimitiés qui le tinrent écarté du pouvoir.

La Constituante avait pour tâche essentielle de poser les bases d'une France nouvelle. La Constitution (v. CONSTITUTIONS FRANÇAISES) fut adoptée dans son texte final, après de nombreux remaniements, en sept. 1791. Ouvre de la bourgeoisie libérale majoritaire à l'Assemblée, elle exprimait les préoccupations fondamentales de cette classe : limiter le pouvoir royal tout en excluant des décisions politiques les masses populaires. Après avoir proclamé dans la Déclaration des droits de l'homme le principe de la souveraineté nationale et de l'admissibilité des citoyens à tous les emplois publics, les constituants imaginèrent un régime électoral censitaire et indirect qui réservait les droits politiques à la classe riche. Disciples de Montesquieu, ils établirent la séparation des pouvoirs : d'une part, l'Assemblée législative, indissoluble, à laquelle reviennent l'initiative et le vote des lois, et qui possède le contrôle des finances; d'autre part, le roi, conservant le pouvoir exécutif, pourvu d'un droit de veto suspensif, mais irresponsable puisque tous ses actes devaient être contresignés par un ministre qui en prenait la responsabilité. Aucun moyen légal n'était prévu pour résoudre un conflit éventuel entre ces deux pouvoirs.

La Constituante procéda à une totale réorganisation administrative dans un esprit d'uniformité (création de 83 départements (v.), divisés en districts, cantons et communes) et de décentralisation extrême, puisque le gouvernement n'avait plus aucun représentant nommé par lui dans les départements. Le système judiciaire subit également une transformation radicale : égalité devant la loi, suppression des parlements, élection des juges, abolition de la torture, création d'un Tribunal de cassation (v.) unique et d'une Haute Cour (v.), gratuité de la justice, projet de rédaction d'un Code de législation unique pour toute la France. Dans le domaine financier, fut proclamé le principe de l'égalité devant l'impôt (v.); toutes les anciennes taxes furent supprimées et remplacées par trois contributions directes (*contribution foncière*, sur le revenu des terres et des maisons; *contribution personnelle et mobilière*, impôt sur la fortune calculé d'après les signes extérieurs de richesse; *patente*, payée par les commerçants et les industriels). La Constituante abolit les lois restrictives à l'égard des protestants, émancipa les juifs, sécularisa l'état civil, qui passa des curés aux officiers municipaux, fit du mariage un contrat civil, admit le divorce, supprima le droit d'aînesse.

Dans le domaine économique, elle fit disparaître les douanes intérieures, les péages, les compagnies commerciales à monopole, les corporations, instituant ainsi un régime libéral qui préparait le terrain au développement du capitalisme. L'œuvre essentielle de l'Assemblée constituante fut d'établir durable-ment les principes de la liberté individuelle et de l'égalité devant la loi, mais presque aucun progrès ne fut accompli en matière d'égalité sociale. La loi Le Chapelier (v.) (14 juin 1791), en supprimant les associations professionnelles et en interdisant la grève, privait les ouvriers de toute organisation en face du patronat. A l'égard de la paysannerie, les effets de l'abolition des droits féodaux furent annulés par le principe du rachat de ces droits. La sécularisation des biens du clergé fit disparaître les institutions charitables et accrut ainsi la détresse des pauvres; pas plus dans le domaine de l'instruction publique que dans celui de l'assistance, les constituants ne dépassèrent le terrain des principes et du verbalisme humanitaire; craignant les réactions des colons des Antilles, ils n'osèrent pas supprimer l'esclavage dans les colonies.

En dehors de ses travaux constitutionnels, l'Assemblée eut à régler des problèmes urgents, en premier lieu la crise financière, qui s'était encore aggravée depuis le début de la Révolution. Sur la proposition de Talleyrand, elle recourut à l'expédient de la nationalisation des biens du clergé (v.) (2 nov. 1789), laquelle entraîna la création des assignats (v.). Héritiers du gallicanisme (v.), les constituants, après avoir aboli les vœux de religion (13 févr. 1790), entreprirent une réorganisation ecclésiastique qui visait à fonctionnariser le clergé. Mais la Constitution civile du clergé (v.) (12 juill. 1790) rencontra une vive opposition : l'obligation faite à tous les prêtres de prêter serment à la Constitution civile (27 nov. 1790) et la condamnation solennelle de celle-ci par le pape (avr. 1791) aboutirent à couper en deux l'Église de France. Ce fut, selon le mot de Talleyrand, « la plus grande faute politique de l'Assemblée ».

Après les heures fraternelles de la fête de la Fédération (v.) (14 juill. 1790), les difficultés se multiplièrent. La Constitution de 1791 n'était pas encore définitivement votée qu'elle était déjà mise en question par Louis XVI (fuite à Varennes (v.), 20/21 juin 1791) et par le progrès des idées démocratiques dans les milieux populaires parisiens. La fusillade du Champ-de-Mars (v.) (17 juill. 1791) sépara irrémédiablement les modérés ou *Feuillants* (v.) (La Fayette, Barnave) et les *Jacobins* (v.) qui, dès lors, envisageaient la poursuite de la Révolution jusqu'à la solution républicaine. Les aristocrates émigraient ou complotaient; à l'extérieur, les puissances européennes s'inquiétaient de voir la France proclamer le droit des peuples à disposer d'eux-mêmes, annexer Avignon et le comtat Venaissin (sept. 1791), bafouer les droits des princes possessionnés d'Alsace, qui en appelèrent à l'empereur.

Quand l'Assemblée constituante se sépara, le 30 sept. 1791, pour faire place à l'Assemblée législative (v.), les menaces s'accumulaient de toutes parts. Le régime établi en 1791 n'allait pas durer un an.

CONSTITUANTES
(assemblées)
Louis XVI prête serment à la Constitution sur l'autel de la Patrie, lors de la Fête de la Fédération, organisée le 14 juill. 1790 par l'Assemblée constituante.
Ph. © Bibl. Nat., Paris - Photeb

Assemblée constituante de 1848

Le gouvernement provisoire instauré par l'émeute du 24 févr. 1848 la convoqua par le décret du 5 mars. Elle fut la première assemblée française élue au suffrage universel et dont les membres perçurent une indemnité parlementaire (25 francs par jour pendant la durée de la session). Ses 900 membres furent élus au scrutin de liste par tous les citoyens âgés de 21 ans au moins et domiciliés depuis six mois; tout Français âgé de 25 ans était éligible; l'Algérie et les colonies étaient représentées à l'Assemblée. Les socialistes, qui voyaient que le corps électoral inclinait vers les modérés, essayèrent vainement de faire ajourner les élections (manifestation du 17 mars 1848). Les élections, qui eurent lieu le 23 avril, jour de Pâques, donnèrent une forte majorité (environ 500 députés sur 900) aux républicains modérés; il y eut environ 300 monarchistes (en majorité des orléanistes) et 90 républicains démocrates et socialistes. Réunie pour la première fois le 4 mai, l'Assemblée proclama la république. Mais sa composition lui attirait l'hostilité des révolutionnaires parisiens, qui, battus légalement, essayèrent de prendre le pouvoir par la force. L'émeute des journées de juin 1848 (v.) fut réprimée par le général Cavaignac, qui avait reçu de l'Assemblée des pouvoirs dictatoriaux. Plusieurs milliers d'émeutiers furent déportés sans jugement en Algérie, sur un simple décret de l'Assemblée, qui vota ensuite des lois restreignant les libertés de presse et de réunion. L'Assemblée élabora ensuite la Constitution de la IIe République, qui fut promulguée le 12 nov. 1848 (v. Constitutions françaises).
Le prince Louis-Napoléon Bonaparte fut élu président de la République le 10 déc. 1848, à une écrasante majorité (cinq millions et demi de voix, contre un million et demi à Cavaignac), mais l'Assemblée constituante ne céda sa place à la nouvelle Assemblée législative (v.) que le 26 mai 1849. Voir République (deuxième).

Assemblée constituante de 1945/46

Élue au scrutin de liste proportionnel et départemental le 21 oct. 1945, elle avait une majorité de gauche, mais les socialistes refusèrent l'offre communiste de constituer un gouvernement de Front populaire. A l'unanimité, l'Assemblée réélut le général de Gaulle président du gouvernement provisoire (13 nov. 1945), mais l'ancien chef de la France libre, en désaccord avec les partis, démissionna dès le 20 janv. 1946. L'Assemblée adopta, le 19 avr. 1946, un projet de Constitution qui eût établi en France un régime d'assemblée unique et souveraine. Ce projet, soutenu principalement par les communistes et les socialistes, fut rejeté par le pays au référendum du 5 mai 1946.

Assemblée constituante de 1946

Élue le 2 juin 1946, après le rejet du premier projet de Constitution (v. paragraphe précédent), elle marquait, par sa composition politique, le premier reflux de la gauche depuis la Libération. Socialistes et communistes ne disposaient plus de la majorité absolue dans cette Assemblée, où le parti le plus important était le M.R.P. Le projet de Constitution élaboré par les députés fut, malgré l'opposition du général de Gaulle, adopté par le pays au référendum du 13 oct. 1946; il devint la Constitution de la IVe République (v. Constitutions françaises).

CONSTITUTION ANTONINE ou ÉDIT DE CARACALLA. Édit promulgué en 212 par l'empereur romain Caracalla et qui accordait en principe le droit de cité romaine à tous les pérégrins (v.); plusieurs catégories d'individus en restaient cependant exclues (les affranchis latins juniens; les Barbares peu romanisés, établis près des frontières; la plus grande partie des populations rurales).

CONSTITUTION CIVILE DU CLERGÉ. Votée par l'Assemblée constituante le 12 juill. 1790, cette Constitution, inspirée par un esprit à la fois gallican et démocratique, prétendait établir l'indépendance totale (sauf en matière doctrinale) de l'Église de France à l'égard du Saint-Siège. La France était divisée en 83 diocèses (un par département); curés et évêques devenaient des salariés de la nation; enfin le principe de l'élection remplaçait les anciennes nominations, le curé étant élu par l'assemblée électorale du district, l'évêque par celle du département. Les évêques n'étaient plus institués par le pape, mais lui notifiaient seulement leur élection et étaient consacrés par le métropolitain. L'attitude de Pie VI fut d'abord indécise et Louis XVI, malgré ses scrupules, signa la Constitution civile du clergé le 24 août 1790. Devant les protestations de la plupart des prélats français, l'Assemblée constituante décida (27 nov. 1790) que tous les évêques et curés en exercice devraient, dans les huit jours, prêter serment à la Constitution civile, sous peine d'être destitués; 4 seulement des 130 évêques diocésains et une minorité du bas clergé acceptèrent le serment, ce qui divisa le clergé de France en prêtres «jureurs» et prêtres «réfractaires». La Constitution civile fut formellement condamnée par Pie VI, dans le bref *Caritas* du 13 avr. 1791. Elle devait être abrogée par le concordat (v.) de 1801.
Texte de la Constitution civile dans *Archives parlementaires de 1787 à 1860* de Mavidal et Laurent, Ire série, XVII (1884).

CONSTITUANTES (assemblées)
Première séance de l'Assemblée constituante, 4 mai 1848. Des élections du
23 avril, les premières au suffrage universel, les radicaux et les socialistes
sortent très diminués aussi bien à Paris qu'en province : moins de cent.
Sur 800 députés, environ 300 sont monarchistes.
Près de 500 sont des « républicains bourgeois » de la classe moyenne.
Les émeutes armées de Limoges et de Rouen surtout
(une trentaine de morts) contribuent à alourdir cette rentrée parlementaire.
La majorité en est raffermie, et décide de cesser tous rapports
avec la gauche révolutionnaire. (Musée Carnavalet.)
Ph. Jeanbor © Archives Photeb

CONSTITUTIONS

CONSTITUTIONS
Effigie de la Liberté présentant la Constitution de 1793 et la Déclaration des Droits.
Ph. J.L. Charmet © Arch. Photeb

CONSTITUTIONS FRANÇAISES. Liste des Constitutions, Chartes ou lois constitutionnelles qui ont régi la France depuis 1791 :

Constitution de 1791

Votée par l'Assemblée constituante (v.) du 3 au 14 sept. 1791. Elle est fondée sur les principes de la souveraineté du peuple et de la séparation des pouvoirs. *Pouvoir exécutif :* le roi des Français, dont la personne est inviolable et sacrée, choisit ses ministres, qui ne sont pas responsables devant l'Assemblée mais peuvent être traduits par celle-ci devant une Haute Cour; il dirige la politique extérieure, promulgue les lois, possède un veto (v.) suspensif sur les décrets de l'Assemblée. *Pouvoir législatif :* une Assemblée législative (v.) unique, élue pour deux ans au suffrage indirect et censitaire (v. CENS, SCRUTIN); elle a l'initiative et le vote des lois, établit et contrôle l'impôt, décide de la guerre et de la paix; elle se réunit d'elle-même sans convocation royale et ne peut être dissoute. La France est divisée en départements (v.). L'indépendance du pouvoir judiciaire est assurée par l'élection des magistrats (v.).
En liant le droit de suffrage à la situation de fortune, cette Constitution établit de nouvelles inégalités et réserve le pouvoir politique à une minorité de bourgeois aisés. Aucun moyen légal n'est prévu pour résoudre les conflits entre l'Assemblée et le roi.

Constitution de l'an I (1793)

Élaborée par la Convention (v.), elle fut approuvée par référendum (v.) populaire en juill. 1793 et promulguée solennellement le 10 août 1793. Cette Constitution est très démocratique et décentralisatrice : le pouvoir est exercé par une Assemblée unique élue au suffrage universel; les autorités départementales élues participent à la désignation des 24 membres (ou ministres) du Conseil exécutif; toutes les lois importantes votées par l'Assemblée devront être soumises au référendum populaire; le droit à l'insurrection est proclamé « quand le gouvernement viole les lois du peuple ».
Ces dispositions admirables ne furent jamais appliquées car, le 10 oct. 1793, deux mois exactement après la promulgation de la Constitution de l'an I, la Convention consacrait l'établissement du régime de la Terreur (v.) en décrétant : « Le gouvernement provisoire de la France sera révolutionnaire jusqu'à la paix. »

Constitution de l'an III (1795)

Ouvre de la Convention thermidorienne, approuvée par référendum en sept. 1795, elle posait les bases du régime qui est resté connu sous le nom de Directoire (v.). Elle accentuait la séparation des pouvoirs, afin d'éviter le retour à une dictature révolutionnaire. En rétablissant le suffrage indirect et censitaire, elle réservait le pouvoir à la bourgeoisie aisée. *Pouvoir législatif :* deux assemblées élues, le Conseil des Anciens (v.) et le Conseil des Cinq-Cents (v.). *Pouvoir exécutif :* un directoire (v.) de cinq membres désignés par les Anciens sur des listes présentées par les Cinq-Cents; ce directoire nommait les ministres et tous les fonctionnaires civils et militaires; il dirigeait la politique étrangère; il faisait exécuter les lois mais n'avait aucune part dans leur élaboration, ni droit de veto. Aucune solution légale n'était prévue en cas de conflit entre le directoire et les conseils.

Constitution de l'an VIII (1799)

Inspirée par Bonaparte après le coup d'État du 18-Brumaire (v.), promulguée dès le 15 déc. 1799 et ratifiée par référendum en févr. 1800, elle donna à la France le régime du Consulat (v.). Suffrage universel mais indirect : seuls pouvant être élus aux fonctions législatives ou publiques des candidats figurant sur des « listes de notabilités », choisis en fait par le gouvernement. Le *pouvoir législatif* est réparti entre quatre assemblées : le Sénat conservateur (v.), le Tribunat (v.), le Corps législatif (v.) et le Conseil d'État (v.). Le gouvernement est exercé par trois consuls, nommés pour dix ans, mais le Premier consul détient seul le *pouvoir exécutif* et une bonne part du pouvoir législatif.

Constitution de l'an X (4 août 1802)

Établissement d'une monarchie de fait : le Premier consul est confirmé à vie dans ses fonctions, il reçoit le droit de désigner son successeur, de nommer les autres consuls et les sénateurs, de conclure les traités. Le Sénat peut désormais modifier la Constitution par des sénatus-consultes (v.) organiques et dissoudre les Chambres.

Constitution de l'an XII (sénatus-consulte du 14 mai 1804)

Approuvée par plébiscite, le 6 nov. 1804. Elle confie le gouvernement de la République à un empereur, Napoléon Bonaparte. La dignité impériale est héréditaire dans la descendance de Napoléon, de mâle en mâle, par ordre de primogéniture. Les institutions précédentes restent à peu près inchangées; mais le Sénat voit s'accroître son rôle théorique.

Charte constitutionnelle de 1814

Octroyée par Louis XVIII le 4 juin 1814 et rétablie après les Cent-Jours. Elle institue un régime de monarchie constitutionnelle qui durera (avec quelques modifications en 1830) jusqu'en 1848. Voir CHARTE.

Portrait de Louis XVIII, dans lequel s'inscrit la rédaction des 76 articles de la Charte constitutionnelle de 1814.
Ph. © Bibl. Nat., Paris - Photeb

CONSTITUTIONS
Assiette en faïence, décorée
en l'honneur de la Charte
de 1830. (Musée de l'Histoire
vivante, Montreuil.)
Ph. J.L. Charmet © Photeb

Acte additionnel aux Constitutions de l'Empire (22 avr. 1815)

Rédigé par Benjamin Constant et ratifié par plébiscite. Établit un régime analogue à celui de la Charte de 1814, avec un empereur des Français, une Chambre des pairs et une Chambre des représentants élue au suffrage censitaire.

Charte révisée du 14 août 1830

Par rapport à la Charte de 1814, elle affirme indirectement le principe de la souveraineté nationale; confirme la liberté de la presse; restreint le pouvoir du roi de légiférer par ordonnances; supprime la censure et les tribunaux d'exception; abaisse le cens électoral et l'âge requis pour être électeur ou éligible; retire au catholicisme son caractère de religion d'État.

Constitution du 21 nov. 1848

Votée par l'Assemblée constituante (v.), elle fonde les institutions de la IIᵉ République. Principes de la souveraineté du peuple et de la séparation des pouvoirs. Pouvoir exécutif : un président de la République (v.), élu pour 4 ans au suffrage universel direct et non immédiatement rééligible; il nomme et révoque les ministres et les fonctionnaires, dispose de la force armée et négocie les traités; responsable, il peut être traduit par l'Assemblée devant une Haute Cour (v.). Pouvoir législatif : une Assemblée législative (v.) unique, élue pour trois ans au suffrage universel direct; ses membres sont inviolables et elle ne peut être dissoute ou prorogée que par elle-même; elle vote les lois, les impôts, le budget. Déséquilibre provoqué par l'antagonisme de deux pouvoirs populaires également forts.

Constitution du 14 janv. 1852

Après le coup d'État du 2-Décembre (v.), elle maintient en apparence le régime républicain mais pose déjà en fait les institutions du second Empire (v.). Le président de la République, élu pour dix ans au suffrage universel direct, détient le pouvoir exécutif, nomme parmi les députés des ministres qui ne dépendent que de lui, possède seul l'initiative des lois, reçoit un serment de fidélité des ministres, des membres des Assemblées, des officiers, magistrats et fonctionnaires. Le pouvoir législatif est composé d'un Conseil d'État (fonctionnaires), qui élabore les lois, d'un Corps législatif (v.) élu pour six ans au suffrage universel direct, d'un Sénat (v.), nommé par le président.

Sénatus-consulte du 7 nov. 1852

Ratifié par plébiscite le 21 nov. 1852. La dignité impériale est rétablie en faveur de Louis-Napoléon Bonaparte, avec hérédité dans sa descendance directe, légitime ou adoptive. Pour le reste, maintien de la Cons-

P.-H. Teitgen, garde des Sceaux,
présente la Constitution de la
IVᵉ République, 27 oct. 1946.
Ph. © Keystone

titution précédente. Le décret du 24 nov. 1860 étendra les pouvoirs du Corps législatif (droit d'adresse (v.), publicité des débats), qui, en janv. 1867, reçoit le droit d'interpellation (v.).

Lois constitutionnelles de 1875

Les plus importantes furent votées le 30 janv. (amendement Wallon, v.), le 24 févr., le 25 févr. et le 16 juill. 1875; complétées ou modifiées de 1880 à 1934, elles restèrent la base de la «Constitution de 1875», celle de la IIIᵉ République. Régime parlementaire. Parlement composé de deux Chambres : la Chambre des députés (v.), élue pour 4 ans au suffrage universel (mode de scrutin variable), le Sénat (v.), composé d'hommes au moins quadragénaires, élus au suffrage restreint et indirect. Ces assemblées ont des pouvoirs égaux, mais le budget doit être d'abord voté par la Chambre des députés, et le Sénat possède des pouvoirs judiciaires (il peut être constitué en Haute Cour). Réunies en Congrès (v.), les deux Chambres disposent du droit de réviser la Constitution; elles élisent, pour sept ans, le président de la République. Le président est irresponsable, mais les ministres qu'il choisit sont solidairement responsables devant les deux Chambres; en raison du mauvais souvenir laissé par la crise du 16 mai 1877 (v.), aucun président de la IIIᵉ République, après Mac-Mahon, n'osera recourir au droit de dissolution (v.) que lui reconnaissait la Constitution.

Actes constitutionnels de 1940

Promulgués par le maréchal Pétain les 12, 23, 30 juill. et 4 déc. 1940 en vertu de la délégation de pouvoirs accordée par l'Assemblée nationale de la IIIᵉ République le 10 juill. 1940. La présidence de la République est supprimée; Pétain exerce les fonctions de chef de l'État; il a la plénitude du pouvoir gouvernemental; il nomme les ministres, qui ne sont responsables que devant lui; la Chambre des députés et le Sénat sont ajournés *sine die;* le chef de l'État a le droit de prononcer la déchéance des parlementaires; Pierre Laval est désigné comme son « dauphin ».

Constitution de 1946

Votée par la 2ᵉ Assemblée constituante (v.), après le rejet d'un premier projet constitutionnel, et approuvée par le référendum du 13 oct. 1946, elle donne ses institutions à la IVᵉ République. Régime parlementaire. Pouvoir législatif : l'Assemblée nationale (v.), élue pour 5 ans au suffrage universel, décide en dernier recours dans le vote des lois ou du budget; elle peut seule renverser le gouvernement; le Conseil de la République (v.), sorte de chambre de réflexion, n'est plus que l'ombre du Sénat de la IIIᵉ République. Le président de la République, élu pour 7 ans par les deux Chambres, a des pouvoirs plus restreints que dans la Constitution de 1875; le chef du gouvernement, désigné par lui, doit, avant de constituer son cabinet, obtenir l'in-

Die Verfassung des Deutschen Reichs.

Dom 11. August 1919.

Das Deutsche Volk,

einig in seinen Stämmen und von dem Willen beseelt, sein Reich in Freiheit und Gerechtigkeit zu erneuen und zu festigen, dem inneren und dem äußeren Frieden zu dienen und den gesellschaftlichen Fortschritt zu fördern, hat sich diese Verfassung gegeben.

CONSTITUTIONS

Page de titre de la Constitution de Weimar. Cette Constitution républicaine, la première que l'Allemagne se soit donnée, sera valable moins de quinze ans, de 1919 à 1933. C'est toutefois plus que le IIIe Reich d'Hitler, qui dura seulement douze ans, de 1933 à 1945. Avant eux, le Ier Reich, ou Saint Empire romain germanique, avait duré huit cent quarante-quatre ans, de 962 à 1806; le Bund (Confédération allemande), cinquante et un ans, de 1815 à 1866; le IIe Reich, quarante-sept ans, de 1871 à 1918. Hitler parviendra au pouvoir en utilisant la Constitution de Weimar, mais en y faisant deux entorses : le décret du 4 févr. 1933, signé de Hindenburg, contre la liberté de la presse, et surtout le décret d'urgence du 28 févr. 1933, après l'incendie du Reichstag, abrogeant les garanties de liberté civique.
Ph. © Bildarchiv Preussischer Kulturbesitz

vestiture de la majorité absolue de l'Assemblée nationale. Le président de la République a un droit limité de dissolution. A côté du Parlement, mise en place d'organes consultatifs ou juridictionnels : Conseil économique, Assemblée de l'Union française, Comité constitutionnel. Création de l'Union française (v.), composée de la métropole et des divers pays d'outre-mer, qui sont désormais représentés au Parlement.

Constitution de 1958

Approuvée par le référendum du 28 sept. 1958, elle établit les institutions de la Ve République. Compromis entre le maintien du régime parlementaire et le souci, exprimé par le général de Gaulle dès son discours de Bayeux (v.) (1946), de renforcer l'exécutif. Le président de la République est élu pour 7 ans au suffrage universel par un large collège de notables et non plus, comme dans les IIIe et IVe Républiques, par les parlementaires. La réforme constitutionnelle approuvée par le référendum du 28 oct. 1962 établira l'élection du président de la République au suffrage universel. Le président nomme le Premier ministre (v.) et les ministres; il a le droit de dissoudre l'Assemblée nationale; il peut soumettre au pays, par voie de référendum (v.), certains projets de loi sur l'organisation des pouvoirs publics; dans des circonstances graves, il peut exercer les pleins pouvoirs en vertu de l'article 16 (v.). Le gouvernement est « déparlementarisé » (incompatibilité entre les fonctions parlementaires et les fonctions ministérielles). Le Parlement ne peut siéger que pendant une durée limitée (environ 5 mois et demi par an); son règlement est fixé en grande partie par la Constitution; les interpellations sont supprimées; les conditions fixées pour l'adoption d'une motion de censure visent à assurer la stabilité gouvernementale. La Constitution instituait aussi entre la métropole et les pays d'outre-mer une Communauté (v.) qui n'eut qu'une existence éphémère.

CONSTITUTIONS ÉTRANGÈRES. Liste des Constitutions de divers pays :

Belgique

Constitution du 7 févr. 1831, révisée partiellement en 1893, 1920/21 et 1970. Monarchie constitutionnelle. Le pouvoir exécutif est exercé par la Chambre des représentants et le Sénat, élus à l'origine au suffrage censitaire, au suffrage universel plural à partir de 1893, au suffrage universel masculin pur et simple à partir de 1919, au suffrage universel masculin et féminin à partir de 1948. Le pouvoir exécutif est confié à un roi héréditaire et inviolable, qui choisit ses ministres responsables dans la majorité des Chambres. Le roi participe au pouvoir législatif par l'initiative et la sanction des lois; il convoque, proroge ou dissout les Chambres et désigne le chef du cabinet; il fait les traités, commande l'armée, nomme aux emplois civils et militaires. Mais il ne peut jamais agir seul; tous ses actes doivent avoir le contreseing d'un ministre.

Suisse

Charte des prêtres ou *Pfaffenbrief de 1370.*
Elle prévoyait le serment à la Confédération.
Ce serment, qui instituait un réel lien confédéral, fut renouvelé périodiquement jusqu'au
XVIᵉ s., plus irrégulièrement jusqu'en 1798.

*Constitution de la République helvétique
(1798).* Elle fut rédigée par Pierre Ochs, sur
le modèle de la Constitution française de l'an
III. La Suisse devait former une république
une et indivisible; les cantons, portés au
nombre de 23, devenaient de simples arrondissements administratifs. Le gouvernement
central était formé par un directoire de cinq
membres (pouvoir exécutif) et par deux
Chambres, le Grand Conseil et le Sénat
(pouvoir législatif).

Acte de médiation de 1803. Il reconstitua
une Confédération analogue à celle qui existait avant 1798, mais avec dix-neuf cantons
au lieu de treize. Une Diète fédérale, formée
des députés des cantons, se réunissait chaque
année, à tour de rôle, dans l'un des six
« cantons-directeurs » *(Vorort),* dont le
gouvernement devenait en quelque sorte,
pour cette période d'un an, le gouvernement
de la Confédération; le premier magistrat du
Vorort prenait, pour un an, le titre de landammann de la Confédération.

Pacte fédéral de 1815. La Suisse reste une
Confédération de 22 cantons autonomes et
souverains, qui se gouvernent comme ils l'entendent, mais s'engagent à respecter la
liberté de commerce d'un canton à l'autre.
La Diète est toujours l'organe essentiel de la
Confédération. Celle-ci est unie par des liens
beaucoup plus lâches que sous l'Acte de
médiation de 1803. La souveraineté quasi
absolue des cantons va se révéler incompatible avec le développement économique du
XIXᵉ s.

Constitution de 1848. Élaborée par la Diète
après la guerre du Sonderbund (v.), qui avait
mis en péril l'unité de la Suisse, elle fut
approuvée par le vote des cantons, le 12 sept.
1848. A l'ancienne Confédération d'États
elle substituait le système d'un État fédératif.
Les 22 cantons, tout en conservant une large
autonomie, abandonnaient une partie de
leurs droits à d'authentiques autorités
fédérales : le Conseil national, chambre
populaire élue au suffrage universel, et le
Conseil des États, chambre des cantons,
formaient l'Assemblée fédérale (pouvoir
législatif); le Conseil fédéral, composé de
sept membres élus par l'Assemblée fédérale
et choisis dans des cantons différents, exerçait le pouvoir exécutif; chaque année, un des
conseillers fédéraux, désigné par l'Assemblée fédérale, devait présider le gouvernement, avec le titre de président de la Confédération. Le pouvoir judiciaire fédéral était
confié à un Tribunal fédéral. L'armée, les
affaires étrangères, les douanes, les postes,
les monnaies relevaient exclusivement des
autorités fédérales.

Constitution de 1874. Elle modifie dans un
sens centralisateur (extension des pouvoirs
de l'administration fédérale) et démocratique (extension des responsabilités populaires
par les droits de référendum et d'initiative)
la Constitution de 1848, dont les organes
essentiels sont conservés. Cette Constitution
a régi la Suisse jusqu'à nos jours, mais elle a
été révisée et complétée à plusieurs reprises,
notamment en 1907 (unification du droit
dans le Code civil suisse), en 1918 (introduction de la représentation proportionnelle),
en 1947 (extension des pouvoirs économiques de l'autorité fédérale).

Allemagne

Acte fédéral du 8 juin 1815. Voir CONFÉDÉRATION GERMANIQUE.

Constitution de la Confédération de l'Allemagne du Nord (17 avr. 1867). Elle rassemble
tous les États allemands au N. du Main dans
un État fédéral qui a pour président héréditaire le roi de Prusse; celui-ci nomme un
chancelier fédéral. Le gouvernement fédéral
contrôle les affaires étrangères, l'armée et les
affaires économiques, mais les États restent
souverains dans les autres domaines de
l'administration, notamment en matière
d'instruction publique et de cultes. Parlement fédéral composé de deux assemblées :
le *Bundesrat* (Conseil fédéral), dont les
membres sont nommés par les gouvernements des États, a, théoriquement, de larges
pouvoirs de contrôle sur le gouvernement
fédéral; le *Reichstag,* Chambre des députés
élue au suffrage universel direct, a des attributions strictement limitées au domaine
législatif; même dans le domaine des finances, ses pouvoirs de contrôle sont très
restreints.

Constitution impériale du 14 avr. 1871. Elle
reprend, sans grandes modifications, la
Constitution précédente, qui s'applique
désormais à tous les États du nouvel Empire
allemand. L'Allemagne constitue une
monarchie fédérale, dont le souverain héréditaire est le roi de Prusse. Les 25 États qui
la composent continuent à être souverains,
chacun gardant sa Constitution particulière
et ses lois propres. Les affaires étrangères,
l'armée et la marine, la justice, les postes et
télégraphes, les voies de communication, les
affaires économiques, les douanes relèvent
de l'autorité fédérale. Le pouvoir exécutif est
exercé par l'empereur, qui est également le
chef suprême des forces armées; il convoque
le Reichstag, qu'il peut proroger ou dissoudre; il nomme et révoque un chancelier
d'Empire, qui est « responsable » (mais la
Constitution ne précise pas si c'est devant
l'empereur ou devant le Reichstag). Le
Parlement comprend le *Bundesrat,* qui
représente les États fédérés (et perdra rapidement toute importance), et le *Reichstag,* qui,
élu au suffrage universel, représente directement le peuple allemand; le Reichstag vote
les lois, qui doivent être acceptées par le Bundesrat; il vote le budget, mais ne peut

CONSTITUTIONS
Détail d'une gravure représentant
la première réunion du Reichstag
élu conformément à la Constitution
impériale du 14 avril 1871.
Ph. © Bildarchiv Preussischer
Kulturbesitz

remettre en question les dépenses inscrites une fois pour toutes dans la Constitution ni les impôts antérieurement établis; il a le droit d'interpellation mais ne peut renverser le chancelier, car la responsabilité ministérielle n'existe pas en fait.

Constitution de Weimar (1919). Votée par l'Assemblée constituante de Weimar le 31 juill. 1919, promulguée le 11 août 1919. Elle maintient la structure fédérale, mais renforce l'unité allemande. Les anciens États, devenus des «pays» *(Länder)* et organisés en républiques, n'ont plus qu'une souveraineté restreinte; les lois locales peuvent être abrogées par des lois fédérales; toutes les recettes financières sont centralisées par le gouvernement fédéral, qui accorde ensuite aux Länder les allocations nécessaires. Le Reich devient une République démocratique et parlementaire; le suffrage universel est accordé aux hommes et aux femmes âgés de vingt ans; les députés sont élus sur la base de la représentation proportionnelle. Le pouvoir législatif appartient, comme dans la période wilhelmienne, à deux assemblées : le *Reichstag* et le *Reichsrat* (qui a remplacé le *Bundesrat* et ne dispose plus que d'un veto suspensif). Le pouvoir exécutif est très fortement structuré. Il repose essentiellement sur le président de la République, élu directement au suffrage universel, pour sept ans, et immédiatement rééligible. Ce président a toutes les attributions habituelles du chef de l'État mais, de plus, il contrôle l'activité législative du Reichstag, qu'il peut dissoudre et dont il peut mettre en question les votes en recourant à un référendum populaire; le président peut aussi décréter l'état de siège, et, par l'article 48 de la Constitution, il peut, en cas d'une grave menace pour l'ordre public, suspendre les droits fondamentaux et gouverner par décrets-lois. C'est lui qui désigne le président du Conseil, le chancelier, lequel est responsable devant le Reichstag. La Constitution de Weimar a aussi l'ambition de fonder la démocratie sociale; elle prévoit notamment que toutes les richesses naturelles seront placées sous le contrôle de l'État; que des conseils ouvriers et des conseils économiques défendront les intérêts des travailleurs et veilleront aux intérêts généraux de la production.

Cette Constitution devait régir la République de Weimar et n'eut pas à être abrogée formellement par Hitler, qui se servit au contraire de ses dispositions centralisatrices pour établir sa dictature. A la majorité constitutionnelle des deux tiers, le Reichstag, par son vote du 23 mars 1933, remit au chancelier Hitler la plénitude du pouvoir législatif, pour une durée de quatre ans; ces pouvoirs furent renouvelés à l'unanimité le 30 janv. 1937. La loi d'«uniformisation» *(Gleichschaltung)* du 31 mars 1933 obligea tous les Länder à légiférer désormais en harmonie avec les lois du Reich, sans tenir compte des Constitutions provinciales. La loi de reconstruction du Reich (30 janv. 1934) supprima les Diètes des Länder et le Reichsrat.

CONSTITUTIONS
Conrad Adenauer, alors président du Parlement, paraphe à Bonn, le 23 mai 1949, le texte de la Constitution de la République fédérale d'Allemagne.
Ph. © Ullstein

Loi fondamentale de la République fédérale d'Allemagne (8 mai 1949). Elle s'inspire de la Constitution de Weimar mais en renforçant le contrôle parlementaire sur l'exécutif. La République fédérale est composée de 10 *Länder,* qui ont chacun leur Parlement et leur gouvernement pour gérer les affaires locales (les Alliés occidentaux ont empêché que Berlin-Ouest, qui reste soumis au régime de l'occupation et est divisé en trois secteurs — américain, britannique et français — soit inclus comme *Land* dans la R.F.A.). La politique étrangère, la défense, les finances, l'économie relèvent des autorités fédérales; la politique culturelle et religieuse, de l'autorité des *Länder.* Le pouvoir législatif fédéral est exercé par deux chambres : le *Bundestag,* dont les membres sont élus au suffrage universel direct pour quatre ans, et le *Bundesrat,* assemblée représentative des *Länder.* Le président de la République a des pouvoirs beaucoup moins étendus que dans le régime de Weimar; il n'est pas élu au suffrage universel, mais par l'Assemblée fédérale, qui réunit les deux Chambres. La direction effective des affaires appartient au chancelier fédéral, qui, désigné par le président de la République, doit être élu par la majorité absolue du Bundestag. Cette Loi fondamentale *(Grundgesetz)* dut être approuvée par les trois gouverneurs militaires alliés (12 mai) et entra en vigueur le 23 mai 1949.

1re Constitution de la République démocratique allemande (30 mai 1949). A la différence de la Loi fondamentale de Bonn, la Constitution est-allemande établit une république centralisée, sur le modèle des démocraties populaires de l'Europe orientale. En 1949 est toutefois établie une division en 5 *Länder,* mais le pouvoir souverain appartient à la Chambre du peuple *(Volkskammer),* devant laquelle le gouvernement est responsable. Les tendances centralisatrices s'accusèrent lors de la réforme constitutionnelle du 23 juill. 1952 qui remplaça les *Länder* par de simples districts *(Bezirke)* privés de toute autonomie. En sept. 1960, la présidence de la République fut supprimée et remplacée par un Conseil d'État *(Staatsrat)* de 23 membres choisis par la Chambre du peuple, le Conseil des ministres devenant désormais un simple organe d'exécution. En fait, le parti communiste-socialiste S.E.D., sans être un parti unique, contrôle étroitement tous les rouages du pouvoir, et c'est son bureau politique qui est le principal organe de décision politique en R.D.A.

2e Constitution de la République démocratique allemande (8 avr. 1968). Elle définit la R.D.A. comme «l'État socialiste de la nation allemande». Aucune modification essentielle par rapport aux dispositions précédentes. La référence à la «nation allemande» fut supprimée en 1974.

Italie

« Statuto » piémontais du 4 mars 1848. Promulgué par Charles-Albert. Il établit une monarchie constitutionnelle inspirée de la

monarchie de Juillet en France. Le roi garde des pouvoirs très étendus. Le Parlement comprend deux Chambres : le Sénat, dont les membres sont nommés par le souverain, et la Chambre des députés, élue tous les quatre ans au suffrage censitaire. La religion catholique est reconnue comme religion d'État. En 1861, ce Statut devient la Constitution du nouveau royaume d'Italie, lequel constitue un État centralisé, dont les provinces, sous l'autorité de préfets, n'ont aucune autonomie. En 1912 est établi le suffrage universel masculin.

Le Statut piémontais de 1848 restera théoriquement en vigueur jusqu'à la fin de la monarchie italienne, en 1946. Il fut abrogé de fait sous le fascisme : loi du 24 déc. 1925, supprimant la responsabilité ministérielle devant le Parlement; loi du 31 janv. 1926, permettant au Duce de légiférer par décrets-lois; loi du 9 déc. 1928, qui faisait du Grand Conseil fasciste l'organe suprême chargé de coordonner les activités de l'État.

Constitution républicaine du 22 déc. 1947.
Entrée en vigueur le 1er janv. 1948. L'Italie est une « république démocratique fondée sur le travail ». En réaction contre le fascisme, les droits fondamentaux de l'homme et du citoyen sont longuement détaillés. Le pouvoir législatif appartient conjointement aux deux Chambres du Parlement : la Chambre des députés et le Sénat. Les députés sont élus pour 5 ans, au suffrage universel direct et au scrutin de liste; les sénateurs sont élus pour 6 ans, sur une base régionale (il y a toutefois des sénateurs à vie). L'initiative des lois appartient au gouvernement, aux membres des deux Chambres et à certains corps constitués; le droit de référendum et d'initiative populaire est inscrit dans la Constitution. Le président de la République est élu pour sept ans par les deux Chambres réunies, à la majorité des deux tiers. Commandant des forces armées, il promulgue les lois et peut dissoudre le Parlement. Il nomme le président du Conseil et, sur proposition de celui-ci, les ministres, mais le gouvernement doit obtenir la confiance des deux Chambres.

La Constitution proclame les droits des minorités; elle prévoit l'attribution de statuts particuliers à certaines unités régionales. Au sujet des rapports entre l'État et l'Église, elle a d'abord confirmé les accords du Latran (v.), puis les a remplacés par un nouveau concordat (v.) en 1984.

Espagne

Constitution de 1812. Promulguée par les Cortes (v.) de Cadix, le 18 mars 1812, elle s'inspirait de la Constitution française de 1791 et prétendait établir en Espagne un régime de monarchie constitutionnelle. Elle proclamait la séparation des pouvoirs exécutif, législatif et judiciaire, et le principe de la souveraineté nationale. Le roi participait au pouvoir législatif des Cortes, mais ses décrets devaient être contresignés par un ministre et

les ministres étaient responsables devant les Cortes. La Constitution établissait la liberté de la presse (mais non la liberté religieuse); les codes législatifs devaient être unifiés.

Cette Constitution, qui ne tenait guère compte des conditions politiques réelles de l'Espagne, ne fut jamais mise en pratique, mais elle resta la charte des revendications libérales au XIXe s.

Constitution (Estatuto Real) de 1834.
Accordée par Isabelle II, elle établissait un système parlementaire bicaméral, dont les pouvoirs s'exerçaient surtout en matière financière; le souverain gardait un pouvoir de dissolution et le gouvernement n'était pas responsable devant le Parlement. L'Espagne était divisée administrativement en 49 provinces, modelées sur le système départemental français.

Constitution de 1837. Compromis entre la précédente et la Constitution de 1812. Les Cortes se voient reconnaître l'initiative des lois, mais celles-ci doivent être sanctionnées par le souverain, qui a un droit de veto.

Constitution de 1845. Elle rétablissait pratiquement l'Estatuto Real de 1834.

Constitution de 1852. Elle enlevait presque tout pouvoir aux Cortes et instituait une dictature de fait.

Constitution de 1856. Retour à la Constitution de 1845.

Constitution de 1869. Elle maintenait la forme monarchique de gouvernement après la révolution de sept. 1868 et la fuite d'Isabelle II. Tendances démocratiques.

Constitution de 1876. Promulguée après l'intermède de la Ire République et l'avènement d'Alphonse XII, elle représentait un compromis entre les Constitutions de 1834 et de 1869. Système parlementaire bicaméral et gouvernement responsable, mais suffrage censitaire. Le roi conservait le choix des ministres. Les non-catholiques étaient désormais tolérés par la loi, mais non reconnus. Cette Constitution devait rester en vigueur jusqu'au coup d'État du général Primo de Rivera, en 1923.

Constitution du 9 déc. 1931. Constitution de la IIe République espagnole. Les Cortes, assemblée unique, sont élues pour 4 ans au suffrage universel. Le président de la République est élu pour six ans par un collège électoral composé des députés des Cortes et d'un nombre égal d'électeurs désignés par le peuple. Les officiers et les membres du clergé sont inéligibles. Le gouvernement est responsable devant les Cortes. La Constitution proclama la liberté religieuse, la séparation de l'Église et de l'État, la sécularisation de

CONSTITUTIONS
La reine Isabelle II d'Espagne
prête serment à la Constitution
de 1834.
Ph. © Oroñoz - Photeb

CONSTITUTIONS

Le républicain Dwight David Eisenhower prête serment à la Constitution
des États-Unis, janv. 1957. Cette cérémonie, au-delà
de son caractère traditionnel, revêt une importance politique considérable.
La Constitution est un pacte solennel, qui accorde d'immenses pouvoirs
au président. Celui-ci cumule les attributions d'un chef d'État
et d'un chef de gouvernement, possède le commandement suprême des forces armées
et détient la responsabilité de l'usage de l'arme atomique.
Il gouverne avec l'aide de secrétaires d'État, responsables uniquement
devant lui. Le bureau du président compte cinq mille personnes,
auxquelles s'ajoute l'« administration », dirigée par les secrétaires d'État
et se renouvelant avec le président. Néanmoins, le Congrès
(Chambre des représentants et Sénat) possède ses propres prérogatives,
notamment en matière de budget, d'autant que le président n'y dispose pas
toujours de la majorité. Ainsi Eisenhower, élu en 1952, réélu en 1956,
a gouverné lors de son second mandat (jusqu'en 1961)
avec un Congrès à majorité démocrate.
Ph. © U.S.I.S. - Photeb

l'enseignement. La Catalogne recevra un
statut d'autonomie (sept. 1932).

Loi de succession (26 juill. 1947). L'Espagne est définie comme « un État catholique,
social et représentatif qui, en accord avec sa
tradition, se déclare constitué en royaume ».
La charge de chef de l'État est exercée par le
général Franco. En cas de vacance, les pouvoirs du chef de l'État sont assumés par un
Conseil de régence qui comprend le président des Cortes, le prélat de plus haut rang
et le chef des forces armées. Ce Conseil
devra désigner et faire accepter par les deux
tiers au moins des Cortes une personnalité
de sang royal, qui jurera d'observer les lois
fondamentales de l'État; à défaut, le Conseil
nommera un régent.

Loi organique du 10 janv. 1967. Votée par
les Cortes le 22 oct. 1966, approuvée par
référendum le 14 déc. 1966. Elle établit
théoriquement une séparation des pouvoirs
entre le chef de l'État et le chef du gouvernement (mais, jusqu'en 1974, le général
Franco continua à cumuler ces deux fonctions). La composition des Cortes est
renouvelée et démocratisée; en plus d'une
majorité de membres désignés directement
par le chef de l'État et les organisations officielles, l'assemblée comptera 102 députés
élus par les chefs de famille et les femmes
mariées. Le principe de la liberté religieuse
est proclamé, conformément aux décrets du
concile Vatican II.

● *Constitution du 29 déc. 1978.* Adoptée par
référendum le 6 déc. 1978, elle crée un État
social et démocratique. Le pouvoir exécutif
est exercé par le gouvernement, qui a à sa
tête un président, et le pouvoir législatif par
les Cortes, qui comprennent un Congrès des
députés (de 300 à 400 membres) et un Sénat
(de 208 membres), l'un et l'autre élus au suffrage universel direct pour quatre ans; le
gouvernement est responsable devant le
Congrès des députés, qui élit son président.
Le pouvoir judiciaire est coiffé par une
Cour suprême. La souveraineté réside dans
le peuple, d'où émanent les pouvoirs de
l'État. Sont reconnus : liberté d'opinion,
droit au divorce et à l'avortement, liberté de
réunion, d'association, d'expression, d'éducation, droit à l'intégrité physique et morale,
au secret de la vie privée, garanties juridiques; abolition de la peine de mort; maintien
des relations entre les pouvoirs publics et
l'Église catholique; droit à l'autonomie des
nationalités et des régions. Le roi, chef de
l'État, commandant en chef des forces
armées, a des pouvoirs très limités. Après
avoir consulté les groupes parlementaires, il
propose un candidat à la présidence du gouvernement. □

États-Unis

Constitution de 1787. Les treize colonies
d'Amérique révoltées contre l'Angleterre se
donnèrent comme première Charte constitutionnelle les Articles de Confédération de

1777 (v. CONFÉDÉRATION, articles de). C'est à la Convention constitutionnelle de Philadelphie (v. CONVENTION) qu'il appartint d'élaborer la Constitution qui a régi jusqu'à nos jours les États-Unis. D'une concision remarquable, ce texte était essentiellement le résultat d'un compromis entre les thèses de ceux qui souhaitaient un pouvoir central fort et les thèses de ceux qui voulaient sauvegarder la souveraineté de chacun des États. Les États-Unis forment un État fédéral. Le gouvernement fédéral a des attributions essentielles mais limitées : la politique étrangère, la défense, le droit de négocier des traités, de déclarer la guerre et de faire la paix, le droit de battre monnaie, de réglementer le commerce avec l'étranger et entre les États, de faire les lois nécessaires « pour la défense commune et la prospérité générale ». L'organisation du gouvernement fédéral est fondée sur le principe de la séparation et de l'équilibre des pouvoirs. Le *pouvoir exécutif* fédéral appartient à un président élu pour quatre ans (et rééligible) par un collège d'électeurs élus, dans chaque État, en nombre égal à celui des représentants de cet État au Congrès. Le *pouvoir législatif* est exercé par ce Congrès (v.), qui est composé de deux Chambres : le Sénat (v.), où chaque État, quelle que soit sa population, a une représentation de deux sièges, et la Chambre des représentants (v.), où le nombre des députés est proportionnel à la population. Le *pouvoir judiciaire* fédéral est confié à une hiérarchie de tribunaux fédéraux au sommet de laquelle se trouve la Cour suprême (v.). Dans la pratique, chacun des trois pouvoirs est indirectement contrôlé par les deux autres. Le président a des prérogatives très étendues; les ministres ne dépendent que de lui; cependant il ne peut se passer du Congrès, qui vote les impôts et les lois, qui ratifie la nomination des hauts fonctionnaires et la signature des traités avec les États étrangers. Les actes du Congrès sont soumis d'autre part à la ratification du président et peuvent être bloqués par son veto suspensif, jusqu'à ce qu'ils aient été votés par une majorité des deux tiers. La Cour suprême peut casser comme contraires à la Constitution les actes du président et ceux du Congrès, mais elle n'a pas le moyen de faire exécuter elle-même ses propres décisions.

Depuis 1787, la Constitution américaine a été complétée ou modifiée par 25 amendements; les dix premiers furent promulgués en 1791, le 25ᵉ en 1966. Parmi les plus importants, citons : le 10ᵉ amendement (1791) (« Les pouvoirs qui ne sont pas délégués aux États-Unis par la Constitution ou qui ne sont pas refusés par elle aux États sont réservés aux États respectivement, ou au peuple »); le 13ᵉ amendement (6 déc. 1865), qui abolissait l'esclavage (v.); le 14ᵉ amendement (9 juill. 1868), qui restreignait quelque peu les droits des États après la guerre de Sécession (v.); le 19ᵉ amendement (18 août 1920), qui accordait le droit de vote aux femmes; le 22ᵉ amendement (27 févr. 1951) qui limitait à deux termes la durée maximale d'un mandat présidentiel.

CONSTITUTIONS
Frontispice de la Constitution de la République soviétique de Russie, 1918.
Ph. © A.P.N.

Union soviétique

L'Assemblée constituante, élue à l'initiative du gouvernement Kérenski (nov. 1917), fut dispersée par les bolcheviks au lendemain de sa première réunion, le 19 janv. 1918.

Constitution de la R.S.F.S. de Russie. Adoptée le 10 juill. 1918 par le Vᵉ congrès des Soviets de Russie à Moscou, elle devait servir de modèle aux Constitutions des autres républiques de l'U.R.S.S.

1ʳᵉ Constitution de l'U.R.S.S. (31 janv. 1924). Elle faisait suite à la formation officielle de l'U.R.S.S. décidée le 30 déc. 1922. L'U.R.S.S. se présentait dans ce texte comme un État socialiste multinational. Les affaires étrangères, la défense, les transports, les postes et télégraphes, l'élaboration des principes fondamentaux de la vie politique et économique, les finances et le ravitaillement relevaient de la compétence du gouvernement central; dans les autres domaines, les républiques de l'Union se gouvernaient par elles-mêmes; la Constitution leur reconnaissait même le droit de faire sécession de l'Union. Le droit de vote était donné aux hommes et aux femmes âgés de plus de 18 ans (à l'exception des koulaks, des commerçants, des moines et des prêtres, des anciens policiers tsaristes).
L'organe suprême du pouvoir était le Congrès des Soviets de l'U.R.S.S., disposant à la fois des pouvoirs constituant, législatif, exécutif et judiciaire. Il ne se réunissait qu'une fois par an — tous les deux ans à partir de 1927 —, pour procéder à l'élection du Comité central exécutif, sorte de Parlement à deux Chambres (le Soviet de l'Union et le Soviet des nationalités). Le pouvoir effectif était exercé par deux organismes nommés par le Comité central exécutif : le Présidium et le Conseil des commissaires du peuple.

2ᵉ Constitution de l'U.R.S.S. (5 déc. 1936). Le Congrès des Soviets est remplacé par le Soviet suprême (v.), qui comprend deux Chambres, le Soviet de l'Union et le Soviet des nationalités. Le Présidium du Soviet suprême, élu par ces deux Chambres, a un président, qui est le chef d'État nominal de l'U.R.S.S. Le pouvoir exécutif appartient au Conseil des commissaires du peuple (devenu en mars 1946 le Conseil des ministres). Le parti communiste est reconnu officiellement par la Constitution (art. 126) comme « l'avant-garde des travailleurs dans leur combat pour renforcer et développer le système socialiste ».

● *3ᵉ Constitution de l'U.R.S.S. (7 oct. 1977).* Adoptée par le Soviet suprême le 7 oct. 1977, une nouvelle Constitution exprime, soixante ans après la révolution d'Octobre, l'extension et l'approfondissement de la démocratie socialiste. Une réforme constitutionnelle, adoptée en déc. 1988, modifiait le système électoral.

CONSULAT

Volet d'un diptyque d'ivoire, VIe s. (Cabinet des Médailles, Paris.)
C'est une de ces doubles tablettes d'ivoire sculpté
que les consuls avaient coutume d'offrir, en commémoration de leur élection,
à leurs amis les plus importants. La cire dont elles étaient enduites
à l'intérieur permettait de s'en servir comme d'un luxueux carnet.
Sans ce diptyque, nous ne saurions rien du consul Magnus,
en charge dans l'Empire romain d'Orient,
que nous voyons ici tenant à la main sa « mappa »,
mouchoir qu'il jetait dans l'arène pour donner le signal des courses.
Ph. © Bibl. Nat., Paris - Photeb

CONSTITUTIONNELS. Nom donné au groupe le plus important de l'Assemblée constituante de 1789-91, composé d'hommes du juste-milieu, qui furent les principaux auteurs de la Constitution de 1791. Il avait pour animateurs La Fayette, Talleyrand, Sieyès, Bailly, Le Chapelier. Voir CONSTITUANTE (Assemblée).

CONSTITUTIONNEL (Le). Quotidien politique parisien fondé durant les Cent-Jours et qui poursuivit sa publication jusqu'en 1914. Durant la Restauration, il fut l'organe d'un libéralisme qui mêlait les principes de 1789 et les souvenirs de l'épopée napoléonienne; il mena alors une opposition habile et prudente, prenant la Charte pour drapeau, mais ses attaques contre les jésuites et l'Église lui valurent plusieurs procès sous Charles X. Son importance politique diminua sous la monarchie de Juillet et il passa en 1844 au docteur Véron. Au début de la IIIe République, *Le Constitutionnel* redevint pendant quelque temps le principal des organes officieux du gouvernement. Sainte-Beuve y avait publié jusqu'en 1861 ses *Causeries du lundi*.

CONSUALIA. Dans la Rome antique, fêtes célébrées le 18 août en l'honneur de Consus, dieu champêtre; elles étaient marquées par des courses de chars et de chevaux, et par des jeux champêtres.

CONSUL (à Rome). Voir CONSULAT.

CONSUL. Nom donné, au Moyen Age, dans le midi de la France, à des magistrats municipaux généralement élus par les bourgeois et chargés d'administrer collégialement certaines villes, dites « de consulat » (v. COMMUNES). Le consulat était organisé de manière à constituer une juste représentation des divers éléments de la population (il y avait des consuls des marchands, des consuls des nobles, etc.). A partir du XVIe s., les consuls des marchands, élus par les commerçants notables de la place, formèrent des juridictions consulaires, compétentes en toute matière de commerce, et qui furent à l'origine des actuels tribunaux de commerce.

Au **sens moderne du mot**, le consul est un fonctionnaire chargé par son gouvernement de défendre les intérêts des ressortissants de son pays et de remplir des fonctions administratives (notamment en matière d'état civil) dans un pays étranger. Dans les cités méditerranéennes du Moyen Age existaient des *consuls des marchands* ou des *consuls de la mer*, chargés de juger les contestations entre les marchands ou les patrons de navires. Le développement des relations commerciales fit nommer des agents analogues dans des ports étrangers. Mais c'est seulement au XIXe s. que la France, imitée par les autres États, généralisa le système consulaire.

CONSULAIRE. Dans la Rome antique, personnage qui avait rempli les fonctions de consul.

CONSULAIRE (garde). Voir GARDE CONSULAIRE.

CONSULAIRES (fastes). Voir FASTES.

CONSULAT. A Rome, les consuls étaient les premiers magistrats de la République. Après la chute de la royauté (509 av. J.-C.), le roi fut d'abord remplacé par deux *praetores,* nommés par le peuple et confirmés par le sénat. Au ve s., ces magistrats étaient appelés *judices* dans leur fonction judiciaire et *praetores* dans leur fonction militaire, puis *consules,* c'est-à-dire les « collègues ». Le consulat ne fut définitivement organisé qu'après les lois liciniennes (v.) (367 av. J.-C.), qui décidèrent qu'une des deux places annuelles de consul serait désormais obligatoirement réservée à un plébéien.

D'importantes précautions furent prises pour empêcher les consuls de commettre des abus de pouvoir. Comme presque toutes les magistratures romaines, celle des consuls était collégiale, chacun des deux consuls exerçait la totalité des pouvoirs indépendamment de l'autre (en général, les deux consuls exerçaient leurs attributions à tour de rôle, un mois chacun); en cas de désaccord, chacun pouvait exercer le droit d'*intercessio,* lui permettant de casser une décision prise par son collègue, disposition qui n'empêcha pas César, en 59, de dédaigner souverainement l'opposition de Bibulus. Les consuls n'étaient nommés que pour un an, et, à partir de la fin du ive s., on ne put réitérer le consulat qu'après un délai de dix ans. A Rome, la juridiction criminelle des consuls était limitée par la *provocatio ad populum,* tout citoyen condamné à mort par un consul pouvant en appeler au peuple pour faire annuler son jugement. A leur sortie de charge, les consuls étaient responsables de leur administration.

Dans ce cadre, les consuls gardaient néanmoins des pouvoirs très étendus. Ils avaient, en fait, tous les pouvoirs détenus autrefois par le roi, sauf les pouvoirs religieux (en dehors de l'*auspicium,* qui autorisait à consulter les dieux pour connaître leur volonté dans le domaine politique). Ils convoquaient, présidaient et congédiaient le sénat, présentaient les projets de lois, présidaient à l'institution des magistrats; ils convoquaient les comices curiates et centuriates; chefs militaires, ils levaient et commandaient l'armée en campagne, en exerçant alors dans sa plénitude leur droit de vie et de mort. Élus par les comices centuriates, ils entraient en charge au début de l'année, à laquelle ils donnaient leur nom (éponymie). Leurs insignes étaient une chaise curule, une baguette d'ivoire et douze licteurs qui portaient devant eux des faisceaux sans hache (lorsque le consul était à Rome, *imperium domi*) ou avec hache (lorsque le consul commandait l'armée en campagne, *imperium militare*). L'âge minimum pour accéder au consulat était de 37 ans avant les Gracques, de 43 ans par la suite. Les pouvoirs des consuls furent progressivement restreints : ils n'eurent jamais l'administration du Trésor, qui appartenait au questeur; l'exercice de la justice leur fut enlevé pour être confié au préteur, et l'administration de l'*Urbs* aux édiles. Sylla décida que, pendant leur année de charge, la fonction des consuls serait purement civile; en sortant de charge, les consuls iraient gouverner les provinces comme proconsuls.

Sous l'Empire, le consulat continua d'être une charge enviée, mais toute honorifique, et donnée pratiquement par l'empereur; il y eut une foule de consuls subrogés, c'est-à-dire de consuls substitués aux premiers pour trois mois, deux mois et quelquefois quinze jours; en ce cas, les deux premiers seuls donnaient leur nom à l'année. Lors de la division de l'Empire (395), l'Occident et l'Orient eurent chacun un consul. Les *consuls désignés* étaient les citoyens élus pour être consuls l'année suivante. On appelait *consulaires* ceux qui avaient été consuls et qui étaient, de droit, sénateurs. Dès 541, Justinien supprima pratiquement le consulat, en cessant de nommer des consuls; mais il ne fut légalement aboli que sous Léon VI, en 886.

CONSULAT

CONSULAT
Denier à l'effigie du consul
C. Coelius Caldus, 62 av. J.-C.
Ph. © L. von Matt - Arch. Photeb

CONSULAT. Régime établi en France après le coup d'État des 18-19 brumaire an VIII (v. BRUMAIRE) (9-10 nov. 1799), par lequel Bonaparte avait renversé le Directoire (v.). Dès le soir du 10 nov., le Conseil des Anciens (v.) et quelques membres du Conseil des Cinq-Cents (v.) décidèrent une révision de la Constitution et désignèrent trois consuls provisoires, Bonaparte, Sieyès et Roger Ducos. Remaniant à sa convenance les projets établis par Sieyès, Bonaparte inspira directement la Constitution de l'an VIII. Celle-ci fut mise en application dès la fin de déc. 1799 et donna au pays, sous une façade libérale, un régime déjà fortement autoritaire et centralisé (v. CONSTITUTIONS FRANÇAISES).

Le gouvernement était confié à trois consuls nommés pour dix ans, mais le Premier consul (Bonaparte) détenait seul le pouvoir exécutif et une grande part du pouvoir législatif, alors que les deux autres consuls (Cambacérès et Lebrun) n'avaient qu'un rôle consultatif. Trois assemblées étaient dési-

La Paix, Bonaparte Premier Consul

1
2

CONSULAT

1. Médaillon en l'honneur de la paix de Lunéville (9 févr. 1801) entre la République française et l'empereur d'Autriche.
Ph. Jeanbor © Photeb

2. Bonaparte est élu « président de la République italienne », 28 janv. 1802.
Ph. © Bibl. Nat., Paris - Archives Photeb

gnées par le gouvernement, qui choisissait leurs membres dans des listes de notabilités établies par le suffrage universel, mais à plusieurs degrés : le Sénat conservateur (v.), dont les membres, nommés à vie, se recrutaient par cooptation, devait être le gardien de la Constitution et désignait les consuls ainsi que les membres des deux Assemblées législatives; le Tribunat (v.) discutait les projets de lois soumis par les consuls; le Corps législatif (v.) les votait ou les rejetait, mais sans pouvoir les discuter. La fonction législative se trouvait ainsi démembrée; les assemblées n'avaient pas l'initiative des lois, laquelle appartenait exclusivement au gouvernement, qui confiait leur préparation au Conseil d'État (v.), dont les membres étaient nommés par le Premier consul. Ce dernier promulguait les lois, nommait et révoquait à volonté les ministres, les ambassadeurs, les officiers, les membres des administrations locales; il nommait, sans pouvoir les révoquer, les juges au criminel, les juges au civil autres que les juges de paix, et ceux de la Cour de cassation (v.).

L'époque du Consulat (nov. 1799-mai 1804) fut marquée par un redressement et une profonde réorganisation de la France, que le Directoire, en s'effondrant, laissait en proie au désordre intérieur (chouannerie, brigandage), au marasme économique, à la détresse financière, à l'épuisement militaire. Bonaparte comprit que la France était prête à tourner la page de la Révolution pourvu que l'État assurât l'ordre matériel et que les conquêtes civiles et sociales réalisées depuis 1789 fussent sauvegardées. Il pratiqua une politique de réconciliation nationale, abrogea la loi des otages, rappela les proscrits du 18-Fructidor (v.), remit les prêtres en liberté, déclara close la liste des émigrés (v.) (mars 1800), assura la pacification religieuse par le Concordat (v.) (16 juill. 1801), accorda une amnistie générale (26 avr. 1802). La chouannerie (v.) s'éteignit dans les départements de l'Ouest dès les premiers mois de 1800 et le brigandage fut énergiquement réprimé. Sous la direction de Gaudin, les finances se restaurèrent rapidement; la création de la Direction des contributions directes (nov. 1799) assura la rentrée régulière des impôts; celle de la Caisse d'amortissement (nov. 1799) et de la Banque de France (v.) (févr. 1800) contribua à raffermir le crédit de l'État; dès 1802 fut présenté un budget en équilibre; en mars 1803 naquit le franc (v.) germinal, dont la stabilité devait se maintenir jusqu'en 1914.

Le principe de l'élection et de l'autonomie des administrations locales, établi par la Constitution de 1791, ayant rapidement abouti à l'anarchie, le Consulat s'engagea dans une réaction radicale en renouant avec la tradition centralisatrice de la monarchie absolue : la loi du 28 pluviôse an VIII (17 févr. 1800) supprimait pratiquement la démocratie à l'échelon des communautés locales en plaçant chaque circonscription administrative sous la coupe d'un délégué du gouvernement (préfet, sous-préfet, maire nommés par le Premier consul). Jamais la

France n'avait connu une telle omnipotence de l'État, et cette organisation, maintenue, pour l'essentiel, par tous les régimes successifs du XIXᵉ et du XXᵉ s., est restée un des traits les plus caractéristiques de notre pays. Dans le même esprit, la réforme judiciaire du 27 ventôse an VIII (18 mars 1800) remplaça les juges élus de 1791 par des magistrats nommés par le gouvernement. Enfin le Code civil (v.), promulgué le 21 mars 1804, achevait l'unification du droit français en amalgamant le droit romain, le droit coutumier, les principes libéraux de 1789, le conservatisme social de la bourgeoisie et l'autoritarisme de Bonaparte. Celui-ci voulait aller plus loin encore, en posant les bases d'une nouvelle société hiérarchique, dont les élites seraient formés dans des lycées (v.) militairement organisés (loi du 1ᵉʳ mai 1802), puis regroupées dans un véritable ordre aristocratique, divisé en cohortes et richement doté en biens nationaux : telle devait être la première Légion d'honneur (v.) (loi du 18 mai 1802), mais la très vive opposition de l'opinion obligea le Premier consul à renoncer à son projet initial, et la Légion d'honneur ne fut finalement qu'une simple décoration honorifique.

Le Consulat assura aussi à la France la pacification extérieure : après les victoires de Bonaparte à Marengo (v.) (14 juin 1800), de Moreau à Hohenlinden (v.) (3 déc. 1800), les Autrichiens se résignèrent à signer la paix de Lunéville (v.) (9 févr. 1801), qui confirmait le traité de Campoformio (v.), concédait à la France toute la rive gauche du Rhin, reconnaissait les Républiques cisalpine, ligurienne, helvétique et batave, et laissait Bonaparte disposer de la Toscane pour conclure un arrangement avec les Bourbons d'Espagne. Après l'évacuation de l'Égypte (v.) par les Français (août 1801), l'Angleterre, demeurée seule, accepta à son tour, par le traité d'Amiens (v.) (25 mars 1802), de conclure une paix que l'opinion des deux pays salua comme la fin de dix ans de guerres révolutionnaires, mais qui ne devait être qu'une trêve d'un an à peine.

Malgré l'immense popularité que lui valaient ses succès politiques, économiques, finan-ciers et militaires, Bonaparte se trouvait aux prises avec plusieurs oppositions : celle de certains groupes libéraux (les « Idéologues »), celle de généraux républicains (Moreau, Bernadotte), celle des royalistes (machine infernale (v.) de la rue Saint-Nicaise, 24 déc. 1800). Exploitant l'effet psychologique de la paix d'Amiens, Bonaparte renforça son pouvoir par la Constitution de l'an X (août 1802) : il devenait consul à vie, recevait le droit de désigner son successeur, de nommer les autres consuls et les sénateurs; les pouvoirs des assemblées législatives (Tribunat et Corps législatif) étaient encore limités, puisque le Sénat, désormais étroitement subordonné au Premier consul, pouvait dissoudre les Chambres, annuler les jugements des tribunaux, transformer ou suspendre la Constitution par des sénatus-consultes organiques. Dans la dernière étape de sa marche vers la dictature héréditaire, Bonaparte se heurta encore aux royalistes (conspiration de Cadoudal, févr. 1804); il leur répondit par une mesure terroriste, l'arrestation en territoire étranger et l'exécution, après une parodie de procès, du duc d'Enghien (20/21 mars 1804). Cet acte lui aliéna quelques hommes d'honneur, comme Chateaubriand, mais ramena vers lui les anciens Jacobins; une campagne d'opinion persuadait les Français qu'en donnant au pouvoir un caractère héréditaire, on découragerait les assassins. A la demande du Tribunat − unanime, à la seule exception de Carnot −, le Sénat adopta le 18 mai 1804 un sénatus-consulte organique ou Constitution de l'an XII : le gouvernement de la République était confié à un empereur, qui prenait le titre d'Empereur des Français; Napoléon Bonaparte devenait empereur; la dignité impériale était héréditaire dans sa descendance directe et légitime, de mâle en mâle, par ordre de primogéniture. Mais l'établissement de l'Empire n'exigeait pas d'autre modification aux institutions existantes : le Consulat avait déjà habitué le pays à revivre sous des institutions monarchiques.

CONTARINI
Deux des blasons de cette grande famille vénitienne.
Ph. Jeanbor © Photeb

CONSULAT DE LA MER. Recueil de jurisprudence maritime publié à la fin du XVᵉ s., à Barcelone, sous le titre de *Libre de Consolat*. Il rassemblait les anciennes coutumes du droit commercial et maritime en vigueur en Méditerranée et un code de procédure élaboré par les rois d'Aragon. Traduit en de nombreuses langues, il fit autorité jusqu'au XVIIIᵉ s.

CONSULTA DI STATO. Conseil d'État de 24 membres, presque tous laïcs, à vocation consultative, créé dans les États pontificaux par Pie IX en avr. 1847. Il joua un rôle important dans l'évolution libérale qui aboutit à la Constitution de mars 1848.

CONSULTA NAZIONALE. Assemblée consultative italienne qui, en 1945/46, collabora au gouvernement de la nation jusqu'à l'élection de l'Assemblée constituante. Elle était composée par les représentants des partis membres du Comité de libération nationale.

CONSULTATIVE PROVISOIRE (Assemblée). Assemblée créée à Alger par le général de Gaulle le 17 sept. 1943, afin de donner au Comité de libération nationale l'aspect d'un gouvernement démocratique. Composée de représentants des mouvements de résistance et des partis de la IIIᵉ République, elle resta en fonctions jusqu'à la fin d'oct. 1945. Voir FRANCE.

CONTI
Louis François de Bourbon,
prince de C. (1717-1776).
Aquarelle de Carmontelle, 1761.
(Bibl. du musée Condé, Chantilly.)
Ph. H. Josse © Photeb

CONTI
Louise Marguerite de Lorraine,
princesse de C. (1574-1631).
Ph. © Bibl. Nat., Paris - Photeb

CONTARINI. Célèbre famille de Venise, qui a fourni à la république huit doges, depuis Domenico Contarini (1043/70), qui annexa la Dalmatie et commença la reconstruction de Saint-Marc, jusqu'à Alvise Contarini (1676/84), et compta parmi ses membres quatre patriarches de Venise et un grand nombre d'hommes d'État, de diplomates, d'érudits, d'artistes, etc.

CONTÉ Nicolas-Jacques (* Aunou-sur-Orne, près de Sées, 4.VIII.1755, † Paris, 6.XII.1805). Chimiste et mécanicien français. D'abord attiré par la peinture, il se tourna bientôt vers la mécanique, inventa une machine hydraulique et, pendant la Révolution, fut un pionnier de l'aérostation employée à des fins militaires. En 1794, alors que la guerre avec l'Angleterre privait la France de graphite naturel, il inventa la plombagine artificielle et fonda une manufacture de crayons qui devint célèbre. Il fut également à l'origine de la fondation du Conservatoire des arts et métiers, à Paris. Il participa à l'expédition d'Égypte, au cours de laquelle il eut maintes fois l'occasion de déployer son génie inventif. « Il a toutes les sciences dans la tête et tous les arts dans la main », devait dire de lui Monge.

CONTEMPORAINE (époque). Nom donné couramment à la partie de l'histoire qui s'est déroulée depuis la Révolution de 1789 jusqu'à nos jours.

CONTI. Branche cadette de la maison de Condé; elle doit son nom au bourg de Conti (Somme), que Louis Ier de Condé acquit par mariage en 1551. Le titre de prince de Conti fut porté pour la première fois par son fils, François de Bourbon (* 1558, † 1614), marié en 1605 à une fille du duc de Guise et mort sans laisser d'enfants. Le fondateur de la deuxième maison de Conti fut :

Armand de Bourbon, prince de Conti (* Paris, 11.X.1629, † Pézenas, 21.II.1666). Fils d'Henri II de Condé, frère du grand Condé. D'abord destiné à l'état ecclésiastique, il fut entraîné dans la Fronde par sa sœur, la duchesse de Longueville, arrêté avec son frère et enfermé au Havre (1650/51) par ordre de Mazarin; il fit sa paix, épousa une nièce du cardinal, fut nommé gouverneur de la Guyenne et commanda en Catalogne (1655), puis en Italie (1657). Après avoir été le premier protecteur de Molière, il tomba dans la dévotion, subit comme sa sœur l'influence du jansénisme et écrivit contre les spectacles. Après la mort de son fils aîné, **Louis Armand de Bourbon, prince de Conti** (* Paris, 4.IV.1661, † Fontainebleau, 9.XI.1685), le titre passa à son second fils, le plus illustre des Conti :

François Louis de Bourbon, prince de Conti (* Paris, 30.IV.1664, † Paris, 21.II.1709). Il combattit à partir de 1690 aux Pays-Bas, se distingua aux batailles de Steinkerque, Fleurus, Neerwinden, et, à la mort de Sobieski, fut élu roi de Pologne (1697); mais lorsqu'il arriva pour prendre possession du trône, il le trouva occupé par Auguste II. Il fut nommé ensuite gouverneur du Languedoc puis, en 1709, peu avant sa mort, commandant en chef en Flandre. Massillon prononça son oraison funèbre et Saint-Simon a laissé son portrait dans ses *Mémoires*. Louis XIV avait pour lui une vive antipathie, depuis que Conti, encore tout jeune, était allé prendre du service chez les Impériaux contre les Turcs.

Louis François de Bourbon, prince de Conti (* Paris, 13.VIII.1717, † Paris, 2.VIII.1776), petit-fils du précédent, commanda en 1744 en Piémont, prit Villafranca et vainquit sur la Stura, puis en Flandre, où il prit Mons et Charleroi (1746). Malgré ses brillantes qualités militaires, il n'obtint plus de commandement, du fait de l'inimitié de Mme de Pompadour. A partir de 1771, il mena l'opposition des princes contre Maupeou et Turgot. Il fut le protecteur de Rousseau et de Beaumarchais.

Son fils, **Louis François II, prince de Conti** (* Paris, 1.IX.1734, † Barcelone, 13.III. 1814), resta en France sous la Révolution mais fut proscrit au 18-Fructidor. Avec lui s'éteignit la branche des princes de Conti.

CONTI Louise Marguerite de Lorraine, princesse de (* 1574, † Paris, 30.IV.1631). Fille d'Henri, duc de Guise, femme célèbre pour son esprit et sa beauté, elle fut aimée de Henri IV, qui voulait l'épouser, et fut mariée en 1605 à François de Bourbon, 1er prince de Conti. Restée veuve en 1614, elle épousa secrètement le maréchal de Bassompierre, fut disgraciée avec lui et mourut en exil. On lui a attribué l'*Histoire des amours du grand Alcandre* (c'est-à-dire Henri IV).

CONTINENTAL (Blocus). Voir BLOCUS CONTINENTAL.

CONTRATACIÓN (Casa de). Voir CASA DE CONTRATACIÓN.

CONTRE-ASSURANCE (traité de). Voir RÉASSURANCE (traité de).

CONTRE-RÉFORME. Voir RÉFORME CATHOLIQUE.

CONTRE-TORPILLEURS. Voir TORPILLEURS.

CONTRIBUTIONS. Voir IMPÔT.

CONTRÔLE DES NAISSANCES. Voir POPULATION.

CONTRÔLEUR GÉNÉRAL DES FINANCES. Titre porté en France par le ministre des Finances au XVIIe et au XVIIIe s. Longtemps collégiale, la haute administration des finances fut placée, à la fin du XVIe s., sous l'autorité d'un *surintendant des Finan-*

ces, qui dirigeait tous les services et ordonnançait toutes les dépenses de l'État. Le *contrôleur général des Finances,* dont l'office fut créé en 1554, n'eut d'abord que des fonctions restreintes; il était chargé avant tout de surveiller le trésorier de l'Épargne. La charge de surintendant des Finances ayant disparu en 1661, avec la disgrâce de Fouquet, Colbert prit en 1665, avec le titre de contrôleur général des finances, la direction des Finances, moins l'ordonnancement des dépenses, réservé désormais au roi seul. Les travaux publics, l'agriculture, le commerce et l'industrie ayant été également rattachés au Contrôle général, celui-ci devint un véritable ministère de l'Économie nationale. Membre de droit du Conseil des finances et du Conseil du commerce, le contrôleur général siégeait aussi habituellement au Conseil d'État (v. CONSEIL DU ROI). Les principaux titulaires de cette charge furent : Colbert (1665-83), Le Peletier (1683-89), Pontchartrain (1689-99), Chamillart (1699-1708), Desmaretz (1708-15), Le Peletier des Forts (1726-30), Orry (1730-45), Machault d'Arnouville (1745-54), Bertin (1759-63), L'Averdy (1763-68), Terray (1769-74), Turgot (1774-76), Calonne (1783-87). Necker exerça les fonctions de contrôleur général (1777-81 et 1788-90), mais, comme il était protestant et étranger, il n'eut que le titre de directeur général des Finances.

CONUBIUM. Voir MARIAGE.

CONVÈNES. Ancien peuple de la Gaule, qui occupait le sud de l'actuel département de la Haute-Garonne; il avait pour centre *Ludgunum Convenarum* (Saint-Bertrand-de-Comminges).

CONVENTION ÉCOSSAISE DE 1639. Parlement réuni par les Écossais pour résister au roi d'Angleterre Charles Ier, qui avait tenté d'imposer le *Prayer Book* en Écosse.

CONVENTION ANGLAISE DE 1688. Assemblée extraordinaire du Parlement anglais, qui, après la fuite de Jacques II, proclama vacant le trône et y appela Guillaume d'Orange.

CONVENTION CONSTITUTIONNELLE DE PHILADELPHIE (1787). Assemblée qui, siégeant à Philadelphie du 25 mai au 17 sept. 1787, élabora la Constitution des États-Unis. Peu après la fin de la guerre d'Indépendance (v.), il apparut rapidement que les Articles de confédération (v.) de 1781 ne suffisaient pas à assurer la stabilité de l'Union, dont le gouvernement fédéral était trop faible. La Convention de Philadelphie réunissait 55 délégués de tous les États (à l'exception du Rhode Island), parmi lesquels Washington, Madison, Hamilton, Franklin; elle se choisit comme président Washington. Elle fut marquée par l'opposition entre les délégués des grands États, qui proposaient un Congrès dont les deux chambres seraient élues à la représentation proportionnelle, et les délégués des petits États (dont les représentants du New Jersey furent les porte-parole), qui voulaient l'égalité absolue entre les États dans toutes les décisions fédérales. Le compromis adopté fut la création de deux chambres : un Sénat, où chaque État aurait deux sièges, et une Chambre des représentants, où le nombre de députés serait proportionnel à la population. Voir CONSTITUTIONS ÉTRANGÈRES.

CONVENTION NATIONALE

CONVENTION NATIONALE
Costume de représentant
du peuple, 1795.
Ph. © Bibl. Nat., Paris - Photeb

Assemblée constituante qui gouverna la France du 21 sept. 1792 au 26 oct. 1795.

La lutte entre Girondins et Montagnards (sept. 1792/juin 1793)

Cette assemblée, dont le nom s'inspirait de la Convention constitutionnelle américaine de Philadelphie, fut élue théoriquement au suffrage universel pour succéder à l'Assemblée législative (v. LÉGISLATIVE). Dans le climat de crainte et de suspicion créé par la chute du roi, par l'invasion prussienne dans le Nord-Est, par les massacres de Septembre, 90% des électeurs s'abstinrent de voter. L'assemblée ne représentait donc en fait qu'une minorité agissante, qui se réclamait de la révolution du 10-Août (v. AOÛT 1792, journée du 10), bien que la quasi-totalité de ses 749 membres appartinssent à la bourgeoisie (hommes de loi, fonctionnaires, commerçants, intellectuels). Pas plus que la Constituante et la Législative, la Convention ne posséda de partis politiques organisés et disciplinés. Les antagonismes personnels (entre Mme Roland et Danton, entre Brissot et Robespierre) y jouèrent un rôle important. On peut cependant distinguer trois groupes principaux : les Brissotins ou Girondins (v.), d'abord les plus nombreux, qui représentaient la bourgeoisie modérée et éclairée des provinces, attachée au libéralisme économi-

CONVENTION NATIONALE

Le 20 mai 1795 (1ᵉʳ prairial, an III), la tête du député Féraud
est présentée à Boissy d'Anglas (1756-1826), qui préside la Convention.
Détail d'une peinture de Tellier. (Musée nat. du château
de Versailles.) C'est un des moments les plus tragiques de la vie
de cette Assemblée qui pourtant en compte de nombreux.
Une bande d'émeutiers, poussés par le climat de famine qui règne à Paris,
envahit la salle et assassine un des conventionnels. Boissy d'Anglas
va être destitué par l'extrême gauche, mais la troupe accourue réprimera l'insurrection.
Six députés seront condamnés à mort pour avoir pactisé avec elle.
Ph. Luc Joubert © Arch. Photeb

que, inquiète des pressions que les sectionnaires parisiens pouvaient exercer sur l'assemblée; les Jacobins (v.) ou Montagnards, qui s'opposaient initialement aux Girondins moins par leurs principes que par leurs méthodes autoritaires et centralisatrices, par leur électorat parisien et par leur tactique, qui s'appuyait volontiers sur les sans-culottes; flottant entre ces deux extrêmes, et décidant de la majorité, la Plaine ou le Marais (v.), formée des députés du centre, dont les revirements expliquent les révolutions successives qui ont ponctué l'histoire de la Convention. Dès sa première séance, le 21 sept. 1792 — lendemain de la victoire de Valmy (v.) —, la Convention décréta l'abolition de la royauté et elle introduisit indirectement la République en décrétant (22 sept.) que les actes officiels seraient datés dorénavant de «l'an premier de la République». Pour faire pièce à la Gironde, déjà suspectée par les Jacobins de fédéralisme (v.), Danton, le 25 sept., fit proclamer la République «une et indivisible». Le procès de Louis XVI acheva de séparer Girondins et Montagnards. La découverte aux Tuileries des documents de l'armoire de fer (20 nov.) rendait la mise en accusation du roi inévitable, et la Convention, investie de tous les pouvoirs, décida que le roi serait jugé par elle-même (5 déc.). A l'issue du procès (10 déc./20 janv.), l'assemblée élabora sa sentence au cours de quatre scrutins dramatiques qui eurent lieu par appel nominal des députés. Unanimes (moins 14 abstentions), les 721 députés présents reconnurent Louis XVI coupable de «conspiration contre la liberté publique et contre la sûreté générale de l'État». Mais les Girondins tentèrent de sauver le roi en demandant que le jugement fût soumis à la ratification du peuple (proposition rejetée par 423 voix contre 286 et 12 abstentions). Après le vote de la peine de mort (387 voix contre 334), les Girondins s'opposèrent encore aux Montagnards sur le sursis, rejeté par 380 voix contre 310, et Louis XVI fut guillotiné le 21 janv. 1793. En imposant cet acte terrible, les Montagnards avaient voulu interdire à la Convention tout retour en arrière; ils déclenchaient, entre la Révolution française et les puissances européennes, une lutte sans merci qui allait justifier les mesures extrêmes.

Après Valmy et Jemmapes (v.) (6 nov. 1792), la France, libérée de l'invasion, avait inauguré une politique de conquêtes. La Savoie, le comté de Nice, les Pays-Bas autrichiens, la rive gauche du Rhin furent rapidement occupés et annexés (nov. 1792/mars 1793). La libération des peuples, l'abolition des privilèges et des droits féodaux, décidées par la Convention sur la proposition de Cambon (15 déc. 1792), ne tardèrent pas à devenir l'alibi d'une expansion nationale qui se réclamait de la théorie des «frontières naturelles» (v.) soutenue par Danton. Mais l'exécution de Louis XVI allait provoquer la naissance de la première coalition (v.), qui groupa, à l'appel de l'Angleterre, la Hollande, l'Autriche, la Prusse, les États du Saint Empire, l'Espagne, le Portugal, les royaumes de Sardaigne et de Naples. Dès le printemps 1793, les armées révolutionnaires allaient subir de graves revers : défaite de Neerwinden (18 mars 1793), entraînant l'évacuation précipitée de la Belgique; capitulation de Mayence (23 juill.); invasion de l'Alsace; occupation de Toulon par les Anglais (27 août). A cet assaut de l'extérieur correspondait le soulèvement de la Vendée (v.) (mars 1793).

Pour faire face aux dépenses croissantes, la Convention dut recourir à l'inflation en multipliant les émissions d'assignats (v.), qui, de janv. à juill. 1793, perdirent plus de la moitié de leur valeur par rapport au numéraire. Dans une population exaspérée par la cherté de la vie, travaillée par la propagande des Enragés (v.), portée par l'orgueil national à imputer toutes les défaites à la trahison, une grande colère montait contre la Convention. Soucieux de ne pas se laisser déborder par la Commune de Paris (v. COMMUNE), les Montagnards imposèrent des mesures d'exception (mars/avr. 1793) qui préparèrent l'instauration du « gouvernement révolutionnaire » : création d'un Tribunal révolutionnaire (v.), envoi dans les provinces de représentants en mission (v.), création dans chaque commune d'un comité de surveillance (v.), peine de mort contre les émigrés et les rebelles, cours forcé de l'assignat, maximum départemental pour les grains et les farines, enfin création du Comité de salut public (v.) (6 avr. 1793). La Montagne sut détourner la fureur populaire contre les Girondins, accusés de rechercher la paix et compromis par la défection de leur ami Dumouriez, qui était passé aux Autrichiens (5 avr.). La Gironde obtint cependant de l'assemblée la création d'une commission des Douze (v.) (18 mai), qui, chargée d'enquêter sur les menées subversives de la Commune de Paris, fit arrêter Hébert et plusieurs chefs des Enragés. Les sections répliquèrent en créant un comité insurrectionnel, et la Convention, paralysée par l'émeute, accepta de nommer l'extrémiste Hanriot à la tête de la garde nationale, puis, lors des journées du 31-Mai (v.) et du 2-Juin (v.), supprima la commission des Douze et décréta l'arrestation de 29 députés et de deux ministres girondins.

Le gouvernement révolutionnaire et la Terreur (juin 1793/juill. 1794)

Débarrassés de leurs rivaux, les Montagnards restaient dans une situation périlleuse. Ils n'avaient pu l'emporter qu'avec l'aide des sans-culottes parisiens, qui méprisaient l'Assemblée, aspiraient à un gouvernement direct par les comités populaires et réclamaient des mesures économiques dirigistes et égalitaires. Bien que leurs idées politiques et sociales fussent très différentes, les Montagnards avaient besoin de l'appui de la rue pour s'imposer à la Convention, mais ils devaient aussi ménager celle-ci afin de paraître gouverner en son nom. La situation du pays était des plus critiques : à l'invasion des

régions frontalières, dans le Nord, en Alsace, dans les Pyrénées, aux victoires des vendéens, qui avaient constitué une « armée catholique et royale », à la détresse financière, au marasme économique, vint s'ajouter, après la chute des Girondins, un soulèvement fédéraliste qui entraîna plus de cinquante départements, surtout en Normandie, dans le Sud-Ouest, dans la vallée du Rhône et en Provence. Pour apaiser l'agitation des provinces, la Convention vota en hâte (11/24 juin 1793) la Constitution très démocratique de l'an I, qui établissait le suffrage universel et le principe du référendum, proclamait le droit au travail, le droit à l'assistance et même le droit à l'insurrection. Mais cette Constitution ne devait jamais être appliquée car, le 10 octobre 1793, deux mois exactement après sa promulgation solennelle, la Convention décrétait : « Le gouvernement provisoire de la France sera révolutionnaire jusqu'à la paix. »

Ce gouvernement révolutionnaire, imposé par les circonstances, c'est toujours la Convention qui l'exerçait en droit, mais en fait elle n'avait plus d'autre rôle que d'entériner les décisions de ses comités, dont les deux plus importants furent le Comité de salut public (où Robespierre avait remplacé Danton dès juill. 1793) et le Comité de sûreté générale (v. COMITÉ). L'assemblée déléguait donc ses pouvoirs à de véritables organes de gouvernement qui instaurèrent un régime de dictature et de centralisation tel que la France ni aucun pays du monde civilisé n'en avait jamais connu. Dans les provinces, les administrations locales furent reprises en main par le pouvoir parisien, sous l'énergique impulsion des représentants en mission. Le décret du 14 frimaire an II (4 déc. 1793), qui acheva d'organiser le gouvernement révolutionnaire, fit passer l'autorité dans les districts (v.) et les communes à des représentants directs du pouvoir, les agents nationaux. Sous la pression d'une nouvelle émeute conduite par les hébertistes (5 sept. 1793), la Convention avait « placé la Terreur (v.) à l'ordre du jour ». Le Tribunal révolutionnaire, tribunal purement politique, dont les magistrats et même les jurés étaient nommés par la Convention, et dont les jugements ne comportaient pas d'appel, entra dans sa grande période d'activité dès l'automne 1793, après la loi des suspects (v.) (17 sept. 1793). On s'efforça d'arrêter la crise économique par des mesures dirigistes : loi sur l'accaparement (v.) (27 juill. 1793), loi du maximum général (v.) (29 sept.). A la tête du Comité des finances, Cambon tenta par des expédients d'enrayer le déficit. La volonté de rupture totale avec le passé s'exprima dans une tentative de déchristianisation de la vie quotidienne : mise en vigueur du calendrier (v.) révolutionnaire (5 oct. 1793), démission de l'évêque constitutionnel Gobel (7 nov.), célébration d'une fête de la Liberté et de la Raison (v.) à Notre-Dame de Paris (10 nov.), fermeture des églises parisiennes (23 nov.).

CONVENTION NATIONALE
La tribune de l'Assemblée, pendant le procès de Louis XVI, janv. 1793. Détail d'une estampe éditée en Angleterre.
Ph. © Bibl. Nat., Paris - Photeb

Imposé par la minorité d'une assemblée qui avait elle-même été élue par un électeur seulement sur dix, le gouvernement révolutionnaire effaça, au nom du salut public, toutes les libertés proclamées depuis 1789; supprimant les garanties les plus élémentaires de la justice, il jeta en prison plus de 300 000 personnes, en fit exécuter de 35 à 40 000; reniant l'esprit universaliste et pacifique des premiers temps de la Révolution, il fit de l'exacerbation du chauvinisme une méthode de gouvernement et inaugura l'ère des grandes guerres populaires qui devaient saigner l'Europe pendant cent cinquante ans; il laissa se répandre dans tout le pays un climat empoisonné de suspicion et de délation, il accumula les rancœurs et les haines entre deux France pour longtemps irréconciliables; enfin il attacha au nom de la République des souvenirs sanglants qu'allaient exploiter pendant tout le XIXe s. les monarchistes légitimistes, orléanistes et bonapartistes. C'est une question qui restera toujours débattue de savoir si c'est à ce prix seulement que la Convention pouvait accomplir son œuvre incontestable : la sauvegarde de l'indépendance nationale. La réussite de la Convention nationale apparaît en effet avant tout militaire. Le génie organisateur de Carnot et l'énergie farouche du Comité de salut public surent imposer la « levée en masse » (v.) (23 août 1793), mobiliser une véritable armée nationale qui affirma sa supériorité numérique et morale sur les armées de mercenaires des coalisés, assurer la cohésion de cette armée par l'amalgame (v.) et insuffler aux chefs comme aux hommes un extraordinaire esprit d'offensive (v. ARMÉE). Dès la fin de 1793, les victoires de Jourdan, de Hoche, de Pichegru (Wattignies, 15/16 oct.; Wissembourg, 26 déc.) avaient redressé la situation sur les frontières. Le printemps et l'été de 1794 virent la reconquête de la Belgique et le rejet des Autrichiens sur le Rhin après la victoire de Jourdan à Fleurus (26 juin 1794). Durant les sombres mois de la Terreur, les « soldats de l'an II » sauvaient l'honneur de la Révolution et commençaient la conquête de l'Europe. A l'intérieur, l'année 1793 s'était achevée sur l'anéantissement de la grande armée vendéenne, écrasée à Cholet (17 oct.) et à Savenay (21 déc.), et la lutte contre la chouannerie (v.), qui allait durer des années encore, n'était plus qu'une affaire de police, menée d'ailleurs avec une impitoyable rigueur par les « colonnes infernales » (v.).

Bilan de la Convention montagnarde

Dans les autres domaines, le bilan de la Convention montagnarde ne présente que des demi-succès, des échecs ou des carences significatives. La dépréciation du papier-monnaie, momentanément arrêtée à la fin de 1793 par l'application de la loi du maximum, reprit dès le début de 1794, pour ne plus s'arrêter jusqu'au Directoire. La réduction de la dette qui accompagna l'ouverture du Grand Livre de la dette publique (v.) se révéla insuf-

fisante. Pour faire face aux énormes dépenses militaires, il fallait toujours imprimer de nouveaux assignats (6 milliards en circulation en juill. 1794, contre 2 milliards en 1792), qui perdirent encore plus de la moitié de leur valeur durant l'année 1794. Le principe de l'impôt progressif sur le luxe et les richesses, acquis dès mars 1793, institué sous la forme d'un emprunt forcé d'un milliard en sept. 1793, resta à peu près inappliqué. La politique sociale fut déterminée par l'attachement des conventionnels au principe intangible de la propriété individuelle. On décida l'abolition sans indemnité des droits féodaux (v.) (17 juill. 1793), mais aucune mesure sérieuse ne fut prise pour permettre aux paysans pauvres d'acheter les biens nationaux (v.). La Convention vota, sur la proposition de Saint-Just, les décrets de Ventôse (v.) (févr./mars 1794), mais ils ne furent pas appliqués. Quant aux ouvriers des villes, ils restèrent sous le régime de la loi Le Chapelier (v.) — interdiction de s'associer et de faire grève — et se virent en outre imposer un blocage des salaires. Faute de ressources, les mesures d'assistance publique restèrent lettre morte, de même que le décret de déc. 1793 qui avait créé un enseignement primaire d'État gratuit et obligatoire. L'esclavage (v.) fut aboli aux colonies (févr. 1794). Élus pour un mois par la Convention et rééligibles, les douze membres du Comité de salut public furent constamment réélus — à l'exception d'un seul — de sept. 1793 à juill. 1794. Pendant toute cette période, Robespierre, secondé par Couthon et par Saint-Just, dirigea en fait le gouvernement, et, après avoir éliminé le Tribunal révolutionnaire (mars/avr. 1794) les factions opposées des hébertistes (v.) et des indulgents (v.), il exerça, sans titre officiel, une véritable dictature. La politique robespierriste fut marquée par un effort vers l'égalité sociale et la redistribution des propriétés : décrets de Ventôse (v.) (26 févr. et 3 mars 1794), par l'essai d'une religion révolutionnaire et patriotique : décret du 7 mai et fête de l'Être suprême (v.) (8 juin), et par une aggravation de la Terreur : loi du 22-Prairial (v.) inaugurant la « Grande Terreur », Mais le sang qui coulait plus abondant que jamais de la guillotine ne se justifiait plus aux yeux de l'opinion, car la patrie n'était plus en danger (victoire de Fleurus, (v.) 26 juin). La « nausée de l'échafaud » gagnait la Convention et même certains membres du Comité de salut public. Robespierre coalisa bientôt contre lui les oppositions les plus diverses : terroristes inquiets d'être emportés à leur tour par une prochaine épuration (Fouché, Tallien, Vadier, Barras), anciens amis de Danton ou d'Hébert, techniciens lassés de subir un dogmatisme sanguinaire (Carnot, Cambon), modérés de la Plaine aspirant au retour à un gouvernement normal. En liquidant la faction hébertiste, Robespierre s'était aliéné les sans-culottes et son sort dépendait désormais de la Convention. Par son grand discours du 8-Thermidor (26 juill.), il crut pouvoir entraîner encore l'Assemblée, mais celle-ci se déjugea brusquement et, le lendemain, vota son arrestation et celle de ses amis, après avoir refusé de l'entendre. Dans la nuit du 9 au 10 thermidor, les troupes de la Convention brisent, pour la première fois, une insurrection de la Commune : Robespierre, mis hors la loi, est exécuté, avec 21 autres proscrits, au soir du 28 juill. 1794. Voir THERMIDOR (journées des 9-10).

La Convention thermidorienne (juill. 1794/oct. 1795)

Au lendemain du 9-Thermidor, le gouvernement passait à des hommes qui étaient soit des terroristes repentis, soit des opportunistes qui avaient accepté et cautionné la Terreur, et qui, les uns avec les autres, restaient résolus à maintenir la République. Mais la violente réaction de l'opinion publique après la chute de Robespierre entraîna rapidement l'élimination des extrémistes et l'arrivée au pouvoir des hommes du centre et de la droite. La Convention ressaisit les leviers de l'exécutif et démantela l'appareil du gouvernement révolutionnaire, constitué par les comités. On décida que ceux-ci seraient renouvelés par quart tous les mois et que leurs membres ne pourraient y être immédiatement réélus. Les attributions du Comité de salut public furent limitées aux Affaires étrangères et à la Guerre. La Commune de Paris fut supprimée, le club des Jacobins dut fermer ses portes. Le Tribunal révolutionnaire fut épuré et réorganisé, avant d'être supprimé (mai 1795). La Convention abolit très vite les principales lois terroristes, relâcha la plupart des suspects emprisonnés, pacifia les provinces de l'Ouest en traitant avec les chouans (convention de La Jaunaye, 17 févr. 1795), mit fin à la persécution antireligieuse en proclamant la séparation de l'Église et de l'État (18 sept. 1794) et la liberté des cultes (21 févr. 1795), réintégra en son sein les députés girondins survivants (8 mars 1795), etc. A cette détente contribuaient les succès extérieurs : après l'occupation de Cologne et de Coblence (oct. 1794) et la conquête de la Hollande (janv. 1795), la Prusse signait le traité de Bâle (v.) (5 avr. 1795), qui reconnaissait à la France la rive gauche du Rhin; peu après, les Hollandais acceptaient de former la République batave, alliée et vassale de la République française, et le roi d'Espagne traitait à son tour. Mais l'effet psychologique des victoires et des mesures d'apaisement fut en partie anéanti par la crise économique : l'abandon du dirigisme, la suppression du maximum (24 déc. 1794), le retour à une totale liberté économique provoquèrent une hausse foudroyante du coût de la vie et une nouvelle chute de la valeur des assignats. C'est la misère des faubourgs qui fut la cause des émeutes du 12-Germinal (v.) (1er avr. 1795) et 1er-Prairial (v.) (20 mai), les deux dernières journées populaires de la Révolution. Envahie à deux reprises, la Convention thermidorienne réagit avec vigueur et en appela à l'armée, qui fit ainsi sa première

intervention dans la politique. Cernés par 20 000 hommes, les ouvriers du faubourg Saint-Antoine durent livrer toutes leurs armes; les derniers Montagnards furent exclus de l'Assemblée et certains d'entre eux condamnés à mort; le Tribunal révolutionnaire fut supprimé; le ressort de la révolution parisienne était désormais définitivement brisé et le petit peuple allait se montrer indifférent au sort d'une République confisquée par les bourgeois. Mais la Convention se vit bientôt dépassée par la réaction qu'elle avait déclenchée : les royalistes se manifestèrent ouvertement; les provinces, et surtout le Midi, furent en proie à une Terreur blanche (v.); un corps d'émigrés, amené par une flotte anglaise, débarqua à Quiberon (v.) (juin 1795).

Les Thermidoriens ne voulaient pas plus du royalisme que du jacobinisme : leur désir profond était d'arrêter la Révolution, mais en conservant, en institutionnalisant les avantages acquis par la bourgeoisie. C'est dans cet esprit que fut élaborée et votée (22 août 1795) la Constitution de l'an III — celle du Directoire (v.) —, qui, en rétablissant le suffrage censitaire, réservait aux citoyens les plus riches la participation à la vie politique. En raison de l'ampleur du mouvement royaliste et de l'indifférence du peuple parisien, la Convention avait tout à redouter des élections prochaines : aussi, par le décret du 30 août 1795, elle décida que les deux tiers des futurs députés devraient être choisis parmi ses propres membres. Privés de tout espoir de parvenir légalement au pouvoir, les royalistes, qui avaient l'appui des gardes nationaux de plusieurs sections parisiennes, tentèrent une marche sur l'Assemblée. Mais ce coup d'État du 13-Vendémiaire (v.) (5 oct. 1795) fut brisé par Barras, qui fit appel au jeune général Bonaparte. Après avoir triomphé de cette dernière épreuve, la Convention se sépara trois semaines plus tard, le 26 oct. 1795. A travers les tumultes, elle avait accompli, depuis la chute de Robespierre, une importante œuvre scolaire et culturelle : création d'établissements d'enseignement secondaires ou « écoles centrales » (v.) par la loi Lakanal (févr. 1795), d'écoles primaires (mais sans le principe d'obligation et de gratuité) et d'établissements d'enseignement supérieur, qui furent à l'origine de la plupart de nos grandes écoles : École normale supérieure, École polytechnique (d'abord appelée École centrale des travaux publics), École des Ponts et Chaussées, École de Mars (École militaire), École des langues orientales, Conservatoire des Arts et Métiers, Institut national (Conservatoire) de musique. C'est également durant les années 1794/95 que furent organisés le musée du Louvre, les Archives nationales, la Bibliothèque nationale, le musée des Monuments français, le Bureau des longitudes. A la veille de sa dissolution, la Convention, par la loi du 25 oct. 1795, créa encore l'Institut de France, qui remplaçait les anciennes académies royales.

CONVENTION NATIONALE
La fin du « Vengeur », juin 1794. Cet épisode de la guerre sur mer fut un des derniers hauts faits militaires de la période révolutionnaire. Avant de s'engloutir avec son équipage, le navire soutint six heures durant le feu de dix vaisseaux britanniques.
Ph. © Bibl. Nat., Paris - Photeb

CONVENTION DE SEPTEMBRE 1864.
Voir Septembre (convention de).

CONVENTIONS COLLECTIVES. Accords passés entre un ou plusieurs syndicats de salariés, d'une part, un employeur ou un groupe d'employeurs, d'autre part, sur les salaires, les horaires, les congés, les conditions de travail, etc. Les conventions collectives n'ont fait leur apparition qu'à la fin du XIXe s. lorsque, en réaction contre l'esprit individualiste du droit issu de la Révolution française (v. Le Chapelier), s'affirma une tendance vers une organisation *sociale* des rapports créés par le travail. Dans les vingt-cinq années qui précédèrent la Première Guerre mondiale, quelque 2 000 conventions collectives furent conclues en France. Elles constituèrent rapidement une sorte de coutume de la profession, que les conseils des prud'hommes appliquaient même aux non-signataires de la convention. Les conventions collectives reçurent un statut officiel par la loi du 25 mars 1919. Sous le Front populaire, à la suite des accords Matignon (v.), la loi du 24 juin 1936 accrut encore leur portée en permettant au gouvernement de rendre une convention collective obligatoire pour tous les salariés d'une profession et d'une région. La réglementation étatique des conventions collectives s'accrut encore après la Libération, lorsque la loi du 23 déc. 1946 soumit la validité d'une convention à son agrément par le ministre du Travail.

CONVERSIONS (caisse des). Voir Pellisson.

CONVULSIONNAIRES. Nom donné à des jansénistes qui se réunissaient au cimetière de Saint-Médard, sur la tombe du diacre Pâris († 1727), et tombaient en convulsions, éprouvaient des guérisons, des visions, etc. Le 29 sept. 1732, la police ferma le cimetière et un mauvais plaisant mit sur la porte ce distique : *De par le Roi, défense à Dieu / De faire miracle en ce lieu.* Voir Jansénisme.

COOK
James. Explorateur anglais (1728-1779). Portrait par J. Webber. (National Portrait Gallery, Londres.)
Ph. © du Musée - Photeb

COOK James (* Marton-in-Cleveland, Yorkshire, 27.X.1728, † Hawaii, 14.II. 1779). Navigateur anglais. Fils d'un ouvrier agricole, il fut d'abord apprenti épicier, mais il apprit le métier de marin avec des pêcheurs de son pays, acquit sans maître les notions fondamentales de mathématiques et d'astronomie, et entra en 1755 dans la marine royale. Tout en prenant part aux opérations navales dans les eaux canadiennes, il compléta sa formation scientifique et fut chargé, de 1763 à 1767, d'effectuer des levés hydrographiques sur les côtes de Terre-Neuve. Sur l'ordre du gouvernement britannique, Cook devait exécuter trois voyages d'exploration autour du monde. Il entreprit son premier voyage (1768/71) afin d'observer à Tahiti le passage de Vénus sur le Soleil. Parti de Plymouth le 25 août 1768 au commandement de l'*Endeavour*, Cook doubla le cap Horn et entra dans le Pacifique, séjourna à Tahiti (avr./juill. 1769), découvrit l'archipel auquel

COOK

Mort tragique du capitaine. Ayant dû faire relâche à Hawaii (îles Sandwich),
le 14 févr. 1779, Cook était descendu à terre,
pour enquêter sur le vol d'une chaloupe. Au cours d'une querelle,
de l'autre côté de la baie, un chef de premier rang fut tué.
La nouvelle poussa aussitôt les indigènes
à « une attaque générale à coups de pierres, et les soldats de marine
leur répondirent par une décharge de mousqueterie...
On vit alors une scène d'horreur et de confusion, ajoute un membre de l'expédition,
qui en fut témoin. Notre malheureux commandant
se trouvait au bord de la mer la dernière fois qu'on l'aperçut ».

il donna le nom d'*îles de la Société,* réalisa la première circumnavigation de la Nouvelle-Zélande (oct. 1769), et revint en Angleterre en juill. 1771. Son deuxième voyage (1772/75) eut pour objet de résoudre le problème du continent austral, qui tourmentait depuis longtemps les géographes. Parti le 13 juill. 1772 avec deux navires, le *Resolution* et l'*Adventure,* il fit trois croisières antarctiques (hivers 1772/73, 1773/74 et janv./févr. 1775); il franchit pour la première fois le cercle polaire antarctique, s'avança jusqu'à 71 10' de lat. S. et acquit la certitude de l'inexistence d'un grand continent austral. Au cours de ce même voyage, il fit de nouvelles visites en Nouvelle-Zélande, découvrit les îles Sandwich, visita la Nouvelle-Calédonie, et rentra en Angleterre en juill. 1775. En juill. 1776, il partit pour son troisième voyage, avec le *Resolution* et le *Discovery,* il découvrit les îles Hawaii (18 janv. 1778), puis longea le continent américain et tenta, à travers les glaces du détroit de Bering, de découvrir le passage du Nord-Ouest. Après avoir atteint 70 44' de lat. N., il dut redescendre vers le Sud et fit relâche à Hawaii, où il fut tué par les indigènes. Cook, qui fut le premier des navigateurs scientifiques modernes, a laissé des journaux de ses trois voyages autour du monde (publiés en 1773 et 1784).

COOK Frederick Albert (* Callicoon Depot, New York, 10.VI.1865, † New Rochelle, New York, 5.VIII.1940). Explorateur américain, il prétendit avoir découvert le pôle Nord le 21 avr. 1908, mais son mensonge fut reconnu après que Peary, l'année suivante, eut réellement fait cette découverte.

COOK Arthur James (* Wookey, Somerset, 1883, † Londres, 1931). Syndicaliste britannique. D'abord paysan, puis mineur au pays de Galles, il milita très vite dans le mouvement syndical. Secrétaire de la Fédération des mineurs, il joua un rôle important dans les actions syndicales des années 20.

COOLIDGE Calvin (* Plymouth, Vermont, 4.VII.1872, † Northampton, Massachusetts, 5.I.1933). Homme politique américain. Membre du parti républicain, gouverneur du Massachusetts (1919/20), il passa au premier plan de la scène politique américaine lorsqu'il décida d'employer la milice contre les policiers grévistes de Boston, en 1919. Élu vice-président des États-Unis en 1921, il succéda au président Harding, mort en cours de mandat (1923). Président des États-Unis (1923/28), il se révéla un administrateur consciencieux. Sa simplicité et son intégrité lui valurent une grande popularité. Néanmoins dans un climat d'expansion et de prospérité, il pratiqua une politique de laisser-faire économique qui devait conduire le pays à la crise de 1929.

COOPÉRATISME. Le coopératisme, dont les premiers théoriciens furent Robert Owen

COOLIDGE
Calvin. Homme politique américain (1872-1933). National Portrait Gallery, Washington.
Ph. J. Martin © Arch. Photeb

en Angleterre, Charles Fourier, Victor Considérant et Philippe Buchez en France, fit son apparition dans les années 1830/50. Son idée essentielle était l'abolition du profit par la mise en contact direct du producteur et du consommateur, les intermédiaires étant supprimés. Pour Owen, la coopérative devait même entraîner l'élimination de la monnaie : dans son Magasin d'échange du travail *(Equitable Labour Exchange),* créé à Londres en 1832, chaque producteur pouvait échanger ses produits en nature contre d'autres marchandises, les uns et les autres évalués en heures de travail. Ce magasin d'échange n'eut aucun succès; les produits invendables s'entassèrent dans ses dépôts, qui manquaient toujours au contraire des marchandises d'utilité courante. Mais l'idée coopératiste était lancée et allait inspirer les coopératives de consommation, qui connurent, dès le XIXe s., un essor considérable en Angleterre puis dans tous les pays industriels. En 1844, un groupe de travailleurs owénites, les tisserands des manufactures de Rochdale, fondèrent la première de ces coopératives, la Société des équitables pionniers de Rochdale *(Rochdale Society of Equitable Pioneers).* Ils posèrent les « principes de Rochdale » qui ont continué d'inspirer tout le mouvement coopératiste : libre adhésion, sans discrimination religieuse ou politique; capital de départ fourni par les coopérateurs, qui reçoivent des actions en échange de leur apport mais, dans les assemblées générales, ne disposent que d'une voix, quel que soit le nombre de leurs actions; pas de profit, mais restitution des bénéfices aux membres, au prorata de leurs achats. Cinq ans après sa fondation, la coopérative de Rochdale comptait déjà 17 000 membres.

Alors que l'Angleterre développait surtout les coopératives de consommation, les socialistes français du siècle dernier se passionnèrent pour des coopératives de production, dont les résultats furent plus décevants. Dès 1831, dans un article du *Journal des sciences morales et politiques,* Buchez avait proposé aux ouvriers d'un même métier, menuisiers, cordonniers, maçons, etc., de se grouper, de mettre en commun leurs instruments de travail et, au lieu de recevoir un salaire d'un entrepreneur, de prélever eux-mêmes et de partager les bénéfices, moins un cinquième qui servirait à accroître chaque année un capital social perpétuel et inaliénable. Sous l'inspiration de Buchez, se fonda en 1834 la coopérative des bijoutiers en doré. En 1841, dans son livre *L'Organisation du travail,* Louis Blanc préconisa la création d'« ateliers sociaux », groupant, avec des capitaux fournis par l'État, des ouvriers d'un même métier. L'idée coopératiste parut triompher après la révolution de 1848 : en un an, on vit éclore en France quelque 300 coopératives de production, dont 200 à Paris, et même les Ateliers nationaux (v.), malgré leur échec, contribuèrent à cet essor. Après une régression sous le second Empire, de nouvelles coopératives se créèrent à partir de 1865, et, sous la IIIe République, les économistes de l'école de Nîmes (Charles Gide) envisagèrent même le remplacement complet du régime capitaliste par un régime coopératif. On comptait en France, en 1910, environ 500 coopératives de production, 578 en 1934, environ 375 à la Libération. En 1974, elles étaient au nombre de 640, employaient 35 000 personnes et réalisaient un chiffre d'affaires de 3 milliards de F. Le mouvement des coopératives de production était beaucoup plus développé dans d'autres pays, en particulier en Italie (2 000 coopératives employant plus de 200 000 personnes en 1974).

Mais ces sociétés se sont heurtées à trois obstacles principaux : la difficulté de réunir les capitaux sans faire appel à des capitalistes du dehors qui obtiennent dans l'entreprise des droits et des pouvoirs incompatibles avec l'idée coopératiste; le déclin rapide de l'idéal initial quand les fondateurs, vieillis et incapables de travailler par eux-mêmes, deviennent de véritables actionnaires et font travailler à leur compte des « auxiliaires » qui ne sont pas des coopérateurs mais des salariés de la coopérative; le problème de l'autorité dans une entreprise où les dirigeants sont des travailleurs comme les autres.

Contrastant avec ce relatif échec des coopératives de production, les coopératives de consommation ont poursuivi leurs progrès : vers 1960/70, on en dénombrait 3 000 en France, avec 3,5 millions d'adhérents regroupés dans une Fédération nationale des coopératives de consommation (F.N. C.C.); en Angleterre, elles comptaient 12,5 millions d'adhérents; en Belgique, en Suisse, en Autriche, dans les pays scandinaves, les coopératives de consommation connaissaient également un grand succès. En U.R.S.S., l'Union centrale des coopératives de consommation rassemblait en 1958 quelque 35 millions de membres et représentait à elle seule 29% de tout le commerce de détail. Les pays orientés vers le socialisme ont créé, depuis 1945, des types nouveaux de coopératives de producteurs : expérience d'autogestion (v.) en Yougoslavie, kibboutzim (v.) israéliens.

Parmi les autres variétés de cette formule, il faut encore mentionner les coopératives de crédit, qui ont eu un grand succès en Allemagne − où elles furent lancées, entre 1850 et 1875, par F. W. Raiffeisen et F. H. Schulze-Delitzsch −, et surtout les coopératives agricoles. Celles-ci unissent des petits exploitants pour l'achat en commun d'engrais et d'aliments de bétail, ou pour le groupage et la vente des produits, ou pour la transformation (laiteries, fromageries, coopératives de vinification), ou pour l'utilisation en commun du matériel d'exploitation agricole, etc. Apparues en France dans les années 1880, elles rassemblaient, en 1982, 6276 points de vente (42 200 employés) et leur chiffre d'affaires s'élevait à 27,5 milliards de F.

COOPÉRATISME
Philippe Buchez, doctrinaire du mouvement coopératiste (1796-1865).
Ph. Jeanbor © Archives Photeb

COPAÏS. Ancien lac de Grèce, en Béotie, célèbre dans l'Antiquité pour ses anguilles et ses succulents poissons. Aujourd'hui asséché et couvert de cultures.

COPÁN. ancienne cité maya, dans le Honduras occidental. Fondée vers le début du Ve s., à l'apogée de l'Ancien Empire, elle fut un important centre religieux et astronomique; les fouilles des archéologues nord-américains y ont mis au jour des pyramides qui servaient de base à des temples, ainsi que des stèles et des reliefs (l'un, notamment, représentant l'assemblée des prêtres-astronomes).

COPENHAGUE, *Köbenhavn.* Capitale du Danemark, dans l'île de Sjaelland, sur le bord du Sund. Mentionnée pour la première fois en 1043 comme un village de pêcheurs déjà commercialement important, pourvue d'un château en 1167, elle appartint jusqu'au XVe s. aux évêques de Roskilde. Érigée en ville en 1284, elle devint en 1443 la résidence de la cour et fut embellie par Christian IV et Christian V aux XVIe et XVIIe s. Son université fut fondée en 1479. Puissante base navale, elle résista victorieusement au siège des Suédois (1658/60). De graves incendies la ravagèrent en 1728 et 1795. Pour contraindre le Danemark à se retirer de la ligue des Neutres (v.), une flotte anglaise, commandée par sir Hyde Parker et Nelson, y détruisit la flotte danoise (2 avr. 1801); la ville fut de nouveau bombardée en pleine paix par les Anglais (2/5 sept. 1807), ce qui décida Frédéric VI à s'allier avec Napoléon. Elle fut occupée par la Wehrmacht du 9 avr. 1940 au 5 mai 1945. Copenhague est la principale place commerciale du Danemark et son port a un trafic annuel de plus de 10 millions de tonnes. ● Elle comptait 600 000 habitants en 1983.

COPPET. Village de Suisse (Vaud), sur le lac de Genève. Château du XVIIIe s., qui appartint à Necker et à sa fille Mme de Staël, et devint, grâce à celle-ci, au début du XIXe s., l'un des centres du préromantisme avec B. Constant, Schlegel, etc.

COPTES. Voir ÉGLISES ORIENTALES (Église copte d'Égypte).

COPTE (légion). Formée par Kléber en Égypte, en 1799, après le départ de Bonaparte. Elle comprenait 500 hommes équipés à l'européenne et fut dissoute en 1801.

COPTOS, auj. *Qift.* Ancienne ville de Haute-Égypte, sur la rive droite du Nil, au nord de Thèbes. Point d'arrivée de la route caravanière venant des rives de la mer Rouge par la vallée de l'ouadi Hammamat, elle fut, dès l'Ancien Empire, le grand entrepôt commercial de l'Égypte intérieure. Au XXIIe s. avant notre ère, à l'époque de la VIIIe dynastie memphite, les nomarques de Coptos constituèrent un État indépendant, qui engloba, pendant près d'un demi-siècle, toute l'Égypte méridionale.

CORBEIL
Armoiries de la ville, 1664.
Ph. Jeanbor © Photeb

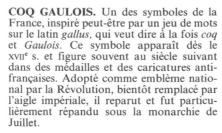

COQ GAULOIS. Un des symboles de la France, inspiré peut-être par un jeu de mots sur le latin *gallus,* qui veut dire à la fois *coq* et *Gaulois.* Ce symbole apparaît dès le XVIIᵉ s. et figure souvent au siècle suivant dans des médailles et des caricatures antifrançaises. Adopté comme emblème national par la Révolution, bientôt remplacé par l'aigle impériale, il reparut et fut particulièrement répandu sous la monarchie de Juillet.

CORAIL (mer de). Partie de l'océan Pacifique, au N. de l'Australie. Une bataille aéronavale entre Anglo-Américains et Japonais s'y livra du 4 au 8 mai 1942; la flotte japonaise y subit de lourdes pertes et cette défaite marqua le premier coup d'arrêt dans l'avancée nippone vers l'Australie.

CORAN ou **KORAN** (on disait autrefois *Alcoran*). Livre sacré des musulmans, dont le nom, qui dérive de la racine arabe *qara'a,* « lire, réciter, déclamer », signifie « la lecture » par excellence, la révélation reçue d'Allah par Mahomet et exprimée ensuite par celui-ci. Mahomet présenta ses enseignements comme directement inspirés d'Allah, qui lui parlait par l'intermédiaire de l'ange Gabriel (Djabraïl). A la mort du Prophète, aucun recueil des textes coraniques n'avait encore été définitivement établi. La première réunion fut entreprise par Abou-Bakr et Omar vers 633, qui en confièrent le soin au jeune Zaïd ben Tsabit. D'autres recensions furent opérées par d'anciens compagnons de Mahomet, et, comme leurs divergences suscitaient des troubles parmi les croyants, une nouvelle version officielle parut vers 650, conformément au désir du calife Othman. Cette version suscita diverses protestations : les chiites, en particulier, affirment que les passages relatifs à Ali et à sa famille ont été supprimés sur l'ordre d'Othman. Dans son état actuel, le Coran se compose de 6 226 versets, répartis en 114 chapitres appelés sourates. Voir ISLAM.

CORBEIL-ESSONNES. Ville de France (Essonne), au confluent de l'Essonne et de la Seine. Fondée vers le IXᵉ s., résidence des Capétiens, elle eut des comtes jusqu'à Louis le Gros et fut, dès le Moyen Age, un important centre de meunerie. Assiégée vainement en 1418 par le duc de Bourgogne, en 1562 par les calvinistes; le duc de Parme s'en empara pour les ligueurs en 1590, mais elle revint la même année à Henri IV.

Traité de Corbeil (1258). Traité conclu entre Jacques Iᵉʳ d'Aragon et Louis IX. Celui-ci renonçait à la souveraineté de Barcelone et du Roussillon, contre l'abandon des prétentions de Jacques sur Narbonne, Nîmes, Albi, Cahors, Arles et Marseille.

CORBIE. Ville de France (Somme), à l'E. d'Amiens. Ancienne abbaye fondée par ste. Bathilde, qui y appela en 657 des moines colombaniens de Luxeuil; au IXᵉ s., Corbie fut un grand foyer intellectuel – avec Paschase Radbert, théologien de l'Eucharistie – et missionnaire – avec st. Anschaire, apôtre de la Scandinavie. Pour convertir les païens de Germanie, les moines de Corbie fondèrent en Westphalie la nouvelle Corbie, Corvey (v.). Au XVIIᵉ s., l'abbaye entra dans la congrégation de Saint-Maur. Corbie, ancienne ville fortifiée, fut aux mains des Impériaux d'août à novembre 1636. Louis XIV la fit démanteler en 1673.

CORBINEAU Jean-Baptiste Juvénal, comte (* Marchiennes, Nord, 1776, † Paris, 1848). Général français. Il fit dans la cavalerie les campagnes de la Révolution et de l'Empire, se distingua en Espagne, prit Grenade, dont il fut nommé gouverneur (1810), et sauva une partie de l'armée au passage de la Berezina grâce à sa découverte d'un gué (28 nov. 1812). Général de division et aide de camp de l'Empereur en 1814, il reprit du service en 1830, fut nommé pair de France par Louis-Philippe (1835) et fit arrêter à Boulogne le prince Louis-Napoléon (1840). Il avait à l'armée deux frères, Constant et Hercule, célèbres comme lui par leur bravoure, ce qui les avait fait surnommer *les trois Horaces.*

CORBULON, Cneius Domitius Corbulo († Corinthe, 67). Général romain. Nommé par Claude légat en Germanie, il construisit le canal de la Meuse au Rhin. En Asie, il remporta en 58 et 63 de brillantes victoires contre Tiridate, roi d'Arménie, et son frère, le roi des Parthes Vologèse, à Artaxate et Tigranocerte. Il revenait triomphant lorsque Néron, le croyant impliqué dans un complot, donna l'ordre de le mettre à mort; il se perça lui-même de son épée.

CORCYRE. Nom ancien de CORFOU (v.).

CORDAY Charlotte (* Saint-Saturnindes-Ligneries, près de Sées, Orne, 27.VII.1768, † Paris, 17.VII.1793). Jeune femme française. De la famille noble des Corday d'Armont, cette lectrice fervente de Rousseau, qui admirait les héros de Plutarque et de Corneille, sympathisa d'abord avec les idées révolutionnaires, mais fut indignée par les crimes de la Terreur. Sous l'influence des chefs girondins réfugiés en Normandie, en particulier de Barbaroux, elle vint à Paris en 1793 avec le projet de tuer Marat; elle se présenta chez lui sous prétexte de lui faire d'importantes révélations et le poignarda alors qu'il prenait son bain (13 juill. 1793). Arrêtée aussitôt et condamnée à mort, elle monta courageusement sur l'échafaud.

CORDÉ (peuple), appelé également **peuple des Haches de bataille.** Nom donné à des groupes humains (IIIᵉ-IIᵉ millénaire) qui jouèrent un rôle important, en Europe orientale et centrale, dans la transition entre le néolithique et l'âge du bronze. La culture de ces peuples guerriers, qui nomadisaient avec leur bétail, a pour caractéristiques une pote-

CORBIE
Sceau du serment de fidélité de la ville à Louis IX (cavalier en costume civil), oct. 1228.
Ph. © Arch. Nat., Paris - Photeb

CORBULON
Général romain (mort en 67).
(Musée du Louvre, Paris.)
Ph. H. Josse © Photeb

rie décorée par l'impression de cordelettes sur l'argile fraîche, des haches de bataille à profil asymétrique et des sépultures individuelles sous tumulus ronds, qui marquent une rupture avec les ensevelissements collectifs des civilisations mégalithiques.

L'influence du peuple cordé s'étendit de la Russie centrale à l'est de la France actuelle et de la Scandinavie à la Suisse.

CORDELIER (Le Vieux). Voir VIEUX CORDELIER (Le).

CORDELIERS. Nom donné en France, avant la Révolution, aux Frères mineurs, à cause de la ceinture de corde qui serre leur robe. Voir FRANCISCAINS.

Club des Cordeliers ou **Société des Amis des droits de l'homme et du citoyen.** Club révolutionnaire fondé à Paris en mai 1790 et qui tint ses premières réunions dans un ancien couvent de cordeliers (aujourd'hui musée Dupuytren, rue de l'École-de-Médecine). Animé par Danton, Marat, Camille Desmoulins, Fabre d'Églantine, il joua un rôle comparable à celui du club des Jacobins, son rival. Après la fuite de Louis XVI à Varennes, c'est lui qui organisa la manifestation du Champ-de-Mars (v.) (17 juill. 1791). A la fin de 1792, les Cordeliers passèrent sous le contrôle des extrémistes, Hébert, Chaumette et leurs amis, qui luttèrent pour la dictature de la Commune (v.) et entrèrent bientôt en conflit avec la Convention (v.). Après l'élimination des hébertistes (mars-avr. 1794), ce qui restait du club fusionna avec les Jacobins (v.).

CORDIER Nicolas (* en Lorraine, vers 1567, † Rome, 25.XI.1612). Sculpteur français. Il travailla à Rome et réalisa la statue colossale de Henri IV, érigée en 1608 à Saint-Jean-de-Latran pour commémorer l'abjuration du souverain français.

CORDOUE, *Córdoba.* Ville d'Espagne, en Andalousie, sur la rive droite du Guadalquivir. D'origine carthaginoise, conquise en 152 av. J.-C. par les Romains, qui y établirent leur première colonie en Espagne, elle se rallia aux pompéiens et fut durement châtiée par César après sa victoire de Munda (45), mais elle se releva rapidement et devint, sous l'Empire, la florissante capitale de la province de Bétique. Sous la domination des Wisigoths à partir de 572, elle déclina. Prise par les Arabes en 711, elle devint en 756 la capitale des Omeyyades d'Espagne, qui fondèrent le califat de Cordoue (929/1031) (voir ci-après). La ville atteignit alors son apogée, comme centre politique et culturel; son rayonnement s'exerça, au-delà de la péninsule Ibérique et du monde musulman, sur l'Europe chrétienne. La mosquée (aujourd'hui cathédrale) de Cordoue, construite du VIIIᵉ au XIᵉ s., vaste édifice long de 179 m, large de 128 m, divisé en allées par 850 colonnes de marbre, est un des chefs-d'œuvre de l'architecture

CORDAY
Charlotte. Jeune femme française (1768-1793). (Musée Lambinet, Versailles.)
Ph. J.L. Charmet © Arch. Photeb

musulmane. De son passé maure Cordoue conserve également les vestiges du palais élevé en 936 par Abd er-Rahman III (Medina az-Zahara). Enlevée aux Maures en 1236 par Ferdinand III de Castille, Cordoue entra dans un long déclin. (Toutefois, sa célèbre industrie du cuir resta longtemps encore florissante.) Les Français s'en emparèrent et la mirent à sac en 1808. Elle se rallia à Franco dès le début de la guerre civile (14 août 1936). Ville natale de nombreux personnages célèbres : les deux Sénèque, Lucain, Averroès, Maïmonide, Juan de Mena, Pablo de Céspedes, Gongora. On y comptait 279 000 habitants en 1981.

Califat de Cordoue. En 756, Abd er-Rahman, petit-fils du dernier calife omeyyade (v.) de Damas et seul rescapé du massacre de toute sa famille ordonné par les Abbassides (v.), ayant réussi à gagner l'Espagne, se rendit maître de Cordoue, où il fonda un émirat indépendant. S'appuyant sur une garde formée de Berbères et d'esclaves slavons, il édifia un État centralisé, réduisit les résistances de la noblesse arabe au cours de guerres sans merci et accorda un statut très tolérant aux chrétiens et aux juifs. L'émirat de Cordoue s'étendit bientôt à toute l'Espagne musulmane, mais fut troublé par de nombreuses révoltes locales, notamment sous les règnes d'El-Hakam Iᵉʳ (796/822) et d'Abd er-Rahman II (822/852). Il atteignit son apogée sous Abd er-Rahman III (912/961), qui, consommant la rupture de l'Espagne musulmane avec Bagdad, prit en 929 le titre de calife. El-Hakam II (961/976), grand mécène, attira à Cordoue des savants et des lettrés venus de tout le monde islamique; il fonda plus de 20 écoles et une bibliothèque de 400 000 volumes. Cordoue devint le centre d'une civilisation originale, hispano-musulmane, qui joua un rôle essentiel dans la transmission à l'Europe de la culture antique et dans les rapports spirituels de l'Orient et du monde chrétien : deux Cordouans, le musulman Averroès et le juif Maïmonide, devaient exercer une grande influence sur le développement de la philosophie européenne au Moyen Age. La dynastie omeyyade de Cordoue commença à décliner sous Hicham II el-Mouayyad (976/1009), qui dut laisser le pouvoir à son maire du palais, Mohammed ibn-abi-Amir el-Mansour, appelé par les Occidentaux Almanzor (981/1002); ce dernier remporta des succès éclatants mais éphémères contre les princes chrétiens en s'emparant de Barcelone (985), de Coïmbre (987) et de Saint-Jacques-de-Compostelle (997), mais sa dictature avait porté un coup fatal à la dynastie. Déchiré par des guerres civiles opposant mercenaires berbères et slavons, Arabes, indigènes convertis et chrétiens mozarabes, le califat de Cordoue sombra après le règne d'Hicham III (1027/31) et s'émietta en une poussière de principautés indépendantes, les *taifas.*

CORDOUE Gonzalve de. Voir GONZALVE DE CORDOUE.

CORÉE DU SUD
Au Midopa, grand magasin de Séoul, le rayon de l'horlogerie en 1984,
un des multiples signes extérieurs du développement
de l'industrie d'un pays dont l'indice général est le plus élevé du monde :
100 en 1975, 241 en 1982 (France 112, Japon 139).
Ph. © J.-P. Laffont - Sygma

CORÉE, *Chôsen,* c'est-à-dire *Pays du matin calme.* Péninsule de l'Asie orientale, au sud de la Mandchourie, entre la mer Jaune et la mer du Japon. Peuplée à partir du IIIe millénaire par des peuples venus de Mandchourie et de Sibérie, la Corée conserve des vestiges mégalithiques. Elle passa du néolithique à l'âge du métal vers la fin du ve s. avant notre ère. La tradition légendaire fait remonter la fondation du premier royaume de Corée à 2333 av. J.-C. Dès le néolithique, la Corée subit l'influence chinoise. En 108 avant notre ère, elle fut envahie par l'empereur Wou-ti, de la dynastie des Han, qui fonda, dans l'ouest et le centre du pays, quatre préfectures chinoises, dont le centre politique était Lolang (près de l'actuel Pyongyang). Mais la suzeraineté chinoise devint rapidement nominale, et, entre le Ier et le début du IVe s. de notre ère, se constituèrent les trois royaumes coréens indépendants de Kokuryo, au nord, de Paikche, au sud-ouest, et de Silla, au sud-est. Ces États rivalisèrent entre eux durant, les IVe/VIIe s., et la prépondérance passa de Kokuryo à Silla, qui atteignit son apogée entre 670 et 780. A partir du IVe s., les trois royaumes avaient peu à peu adopté la culture bouddhique. La Corée connut encore plusieurs invasions chinoises, en particulier à l'époque des T'ang, entre 645 et 670.

Fondée en 918 en Corée centrale, la dynastie de Koryo soumit le royaume de Silla et réunifia la Corée (935/936). Elle établit sa capitale à Songdo (l'actuel Kaesong), repoussa avec succès les Khitan (début du XIe s.), mais passa, à partir de 1231, sous la tutelle des Mongols. Après une période troublée, les Mongols furent définitivement chassés en 1364 par un jeune chef de guerre qui rétablit l'indépendance et l'unité coréenne et fonda, en 1392, la dynastie des Li (ou Yi), qui devait régner jusqu'en 1910. Le bouddhisme, qui avait été tout-puissant sous la dynastie Koryo, perdit ses privilèges, sans toutefois être persécuté, et la Corée adopta le système d'administration confucéen.

Convoitée par les Japonais dès le XVIe s. (invasion repoussée d'Hideyoshi, 1592/98), la Corée devint, à partir de 1637, un État vassal des empereurs chinois de la dynastie mandchoue. Elle tenta de se fermer complètement aux étrangers. A partir de la fin du XVIIIe s., le christianisme, introduit par des Chinois convertis par les jésuites, commença cependant à y faire des progrès rapides. Le déclenchement d'une persécution systématique contre les chrétiens (1865) provoqua l'expédition française de l'amiral Roze (1866), laquelle n'eut pas plus de succès qu'une tentative américaine pour ouvrir le pays au commerce occidental (1871). Ce furent les Japonais qui obtinrent le premier traité de commerce (26 févr. 1876) et qui, dès lors, s'employèrent à affirmer leur présence dans le pays en soutenant le parti réformiste, alors que la Chine appuyait les conservateurs. Après la guerre sino-japonaise (v.) de 1894/95, les Japonais, par le traité de Shimonoseki (v.) (17 avr. 1895), obligèrent la Chine à reconnaître l'indépendance de la Corée, mais celle-ci, dès l'année suivante (accord Lobanov-Yagamata, 9 juin 1896), passa sous une sorte de condominium russo-nippon. La Corée fut un des enjeux de la guerre russo-japonaise (v.) de 1904. Au traité de Portsmouth (v.), le Japon fit reconnaître la prééminence de ses intérêts en Corée. Dès 1907, il prit le contrôle de l'administration du pays et, le 22 août 1910, procéda à l'annexion pure et simple.

La période de la domination japonaise (1910/45) fut marquée par l'industrialisation et l'essor économique du pays; mais les élites coréennes, exclues de tous les postes dirigeants, constituèrent dès 1919 un mouvement de résistance nationale et créèrent un gouvernement provisoire en exil, d'abord à Chang-hai, puis à Washington, sous la présidence du Dr Syngman Rhee. A la conférence du Caire (1943), les Alliés décidèrent la restauration de l'indépendance coréenne. Après la défaite du Japon, la Corée fut partagée en deux zones d'occupation, soviétique au nord, américaine au sud, délimitées par le 38e parallèle. Les négociations américano-soviétiques sur la réunification du pays n'aboutirent à aucun résultat, car les Soviétiques refusaient alors que dans leur zone fussent contrôlées par une commission des Nations unies. L'été 1948 vit ainsi la création de deux États coréens antagonistes : au sud, la **République de Corée,** présidée par Syngman Rhee; au nord, la **République démocratique populaire de Corée,** présidée par le communiste Kim Il Sung. Après l'évacuation simultanée des troupes soviétiques et américaines (1948/49), la Corée du Nord tenta de réunifier le pays par les armes et, le 25 juin 1950, déclencha la guerre de Corée (v. CORÉE, guerre de), marquée par l'intervention des États-Unis et des forces internationales de l'O.N.U. d'une part, des Chinois d'autre part. Ce conflit, qui laissait la plus grande partie du pays en ruine, se termina par l'armistice de Panmunjon (27 juill. 1953), qui rétablit la division de la Corée en deux États séparés par la ligne du cessez-le-feu.

Après des années d'incessants incidents sur la ligne de démarcation, une détente se manifesta à partir de 1972, et, le 4 juill. 1972, les deux Corées signaient un accord par lequel elles s'engageaient à renoncer désormais à toute menace ou provocation. Mais les rapports entre les deux États devaient encore connaître de nombreuses tensions. La victoire totale du communisme en Indochine, en 1975, fit craindre à la Corée du Sud une nouvelle agression de la Corée du Nord; les Américains, qui avaient précédemment prévu l'évacuation de leurs troupes en 1975/76, les renforcèrent au contraire.

● Mais l'arrivée au pouvoir, à Washington, du président Carter, qui avait promis de favoriser le désengagement américain en Corée, fut effectivement suivie d'un retrait progressif des forces qui s'y trouvaient stationnées. L'évacuation complète ne prit fin qu'en 1982. Un état de tension n'en persistait

pas moins entre les deux Corées et l'élection de R. Reagan n'a pas apporté de soulagement à cette situation. Les deux États n'ont cessé d'entretenir deux puissantes armées; au nord, 780 000 hommes; au sud, 600 000.

● **CORÉE DU NORD.** Sa superficie est de 120 538 km^2 (environ 3 fois la Suisse); elle possède une longue frontière avec la Chine et une autre, très courte, avec l'U.R.S.S. Déjà secrétaire général du parti communiste de Corée en 1945, Kim Il Sung devint secrétaire général du parti du travail en 1946. Il fut chef du gouvernement de la nouvelle République démocratique populaire puis chef de l'État. Entretenant le culte de la personnalité, il n'hésita pas à rendre son pouvoir héréditaire; en janv. 1981, il choisit son fils pour lui succéder. Depuis la rupture de 1958 entre l'U.R.S.S. et la République populaire de Chine, qui, en quelque manière, avaient parrainé la naissance de l'État, il essaya de maintenir une politique d'équilibre entre ses deux puissants voisins. En janv. 1984, il proposa des négociations entre les États-Unis et les deux Corées pour la paix dans la péninsule et la réunification.

La Corée du Nord exporte du riz, bien que sa production agricole globale reste insuffisante pour subvenir aux besoins alimentaires de sa population (20 millions d'habitants), et cela malgré la réforme agraire et la création d'exploitations collectives. La pêche constitue une de ses ressources essentielles (80 kg par personne et par an). La production énergétique est assurée par le charbon (35 millions de tonnes par an) et par un fort réseau hydro-électrique (Yalou). La Corée du Nord se montrait incapable de rembourser sa dette extérieure depuis 1978, alors que le vieillissement de ses équipements réclamait un apport de capitaux étrangers.

● **CORÉE DU SUD.** Sa superficie est de 94 484 km^2, soit, à peu près, le tiers de l'Italie, mais sa population, 42 millions d'habitants, est bien plus nombreuse que celle de la Corée du Nord; sa densité est une des plus importantes du monde : 426 habitants au km^2 (99 en France). Dotée d'un régime militaire combiné avec des éléments de démocratie parlementaire, son histoire politique est complexe et assez agitée. Son premier président, Syngman Rhee, critiqué pour ses méthodes autoritaires, fut renversé à la suite d'émeutes estudiantines en avr. 1960. Ses remplaçants, le président Yun Poson puis le Premier ministre Chang Myon, n'eurent pas davantage de succès; une junte militaire s'empara alors du pouvoir le 16 mai 1961, ne gardant que Yun Poson. Mais le chef de cette junte, Chang Od Yon, dut, moins de deux mois plus tard, céder la place à Park Chung-hee, qui resta pour un temps le maître de la situation. Il fit approuver un régime présidentiel en déc. 1962, se fit élire président en oct. 1963, et le parti démocratique républicain sur lequel il s'appuyait emporta une très large majorité aux élections de nov. Il répéta ces deux succès en 1967, et traqua, il est vrai,

CORÉE
Portrait d'un aristocrate, VIIe s.
(Musée du palais Duksoo, Séoul.)
Ph. © Paolo Koch - Rapho

les opposants jusqu'en France et en Allemagne fédérale. Il fut de nouveau président après une modification de la Constitution, le 27 avr. 1971. Sans doute tout cela n'était pas suffisant pour juguler les voix divergentes : le 17 oct. 1972, Park Chunghee proclama la loi martiale devant l'Assemblée et interdit les partis. Une nouvelle Constitution lui donna des pouvoirs dictatoriaux qu'un référendum approuva massivement. Il n'en multiplia pas moins les arrestations et les procès, se fit de nouveau élire en 1978, mais il fut assassiné le 26 oct. 1979 par le chef des services secrets. Le Premier ministre Choe Kyu-ha devint président de la République.

On aurait pu croire à une certaine ouverture du régime. Il n'en fut rien. A la suite des manifestations en faveur de la liberté, ce fut un général, Chon Tu-hwan, qui s'imposa, le 12 déc. 1979, à la tête du pays où un collège électoral le plaça officiellement le 27 août 1980. Une nouvelle Constitution, approuvée par référendum le 22 oct. 1980, donna au régime les apparences d'une démocratie. Chon Tu-hwan, réélu le 25 févr. 1981, s'appuya sur l'armée pour instaurer un nouvel ordre moral, afin de rassurer les investisseurs étrangers.

Les violentes émeutes de la région de Kwangju, qui avaient fait plus de 300 morts, en mai 1980, avaient cependant montré la détermination de toute une élite à ne pas entrer dans le jeu des militaires.

Le nouveau régime est parvenu néanmoins à de bons résultats sur le plan économique. Il s'est assigné pour objectifs la lutte contre l'inflation, contre l'irresponsabilité civile et la corruption, mais y parvint malaisément; des scandales financiers éclatèrent jusque dans l'entourage de Chon Tu-hwan en juin 1982, et il dut prendre comme Premier ministre Kim Sang Ngup, recteur de l'université de Séoul; il dut aussi affronter les Églises chrétiennes, porte-parole de la résistance à la répression.

La Corée du Sud est liée aux intérêts stratégiques du Japon — situé à 300 km de ses côtes — et des États-Unis — qui y déploient leur arsenal nucléaire —, ce qui explique l'indulgence des Occidentaux pour cette conception très militariste de la démocratie.

On doit désormais compter aussi avec la puissance industrielle de la Corée du Sud. Séoul, avec près de 9 millions d'habitants, est une des métropoles les plus peuplées de la planète : 36 000 habitants au km², 3 fois plus qu'à Londres. Pauvre en matières premières, en produits miniers, quoiqu'elle arrive à extraire 20 millions de tonnes de houille par an, la Corée du Sud est un des onze « nouveaux pays industrialisés ». Elle doit importer son pétrole, mais construit 9 centrales nucléaires. Malgré l'appréciation de la monnaie (le won) en 1988, l'économie sud-coréenne ne perdait rien de son dynamisme mais les tensions sociales restaient extrêmes; les émeutes de juin 1987 avaient contraint Chon Tu-hwan à des élections, en févr. 1988, qui cependant tournèrent à l'avantage

de son ancien second, Roh Tae-woo, grâce aux divisions de l'opposition. Les 24e jeux Olympiques, organisés à Séoul en 1988, donnèrent lieu à un déploiement militaire et policier sans précédent et se déroulèrent sans incident.

CORÉE (guerre de). Conflit qui opposa les deux Corées de 1950 à 1953. Elle fut provoquée par l'invasion des troupes nord-coréennes en Corée du Sud, à l'aube du 25 juin 1950. Réuni d'urgence, le Conseil de sécurité de l'O.N.U. (d'où l'U.R.S.S. était volontairement absente depuis le mois de janv. précédent) demanda l'assistance des Nations unies en faveur de la Corée du Sud. Le président Truman répondit à cet appel et décida l'intervention des forces américaines (27 juin). Divers contingents internationaux furent ensuite envoyés en Corée. Placé au commandement des forces des Nations unies, le général MacArthur réussit à préserver la tête de pont de Pusan (au S.-E. de la presqu'île de Corée) et, le 15 sept., déclencha une contre-offensive qui, le 26 oct., mena les forces de l'O.N.U. jusqu'à la frontière mandchoue. La Corée du Nord se trouvait dans une situation militaire désespérée, mais la Chine populaire décida d'intervenir sous la forme d'un envoi de « volontaires ». La balance pencha alors de nouveau en faveur des communistes : une puissante offensive chinoise, déclenchée le 26 nov. 1950, obligea les forces internationales à évacuer Séoul et à se replier de près de 100 km au S. du 38e parallèle. Le front fut stabilisé au début janv. 1951 et, peu à peu, les forces de l'O.N.U. réussirent à rejeter les communistes au N. du 38e parallèle. La Chine fut condamnée comme agresseur par l'O.N.U. en févr. 1951. Cependant MacArthur, pour éviter une nouvelle offensive communiste, réclamait une action aérienne contre les bases chinoises en Mandchourie. Truman refusa et remplaça MacArthur par Ridgway (11 avr. 1951). Engagées dès juill. 1951 à Kaesong, poursuivies à Panmunjon, les négociations de paix traînèrent pendant deux ans. Après la mort de Staline, les communistes abandonnèrent leur intransigeance et l'armistice fut enfin signé à Panmunjon, le 27 juill. 1953. La ligne du cessez-le-feu, dont le tracé se situe, dans sa plus grande partie, sensiblement au nord du 38e parallèle, est devenue la frontière *de facto* des deux Corées car aucun traité de paix n'a suivi jusqu'à présent l'armistice.

La guerre de Corée fut extrêmement meurtrière : 38 500 hommes des Nations unies (Américains compris), 70 000 Coréens du Sud, environ 2 millions de Coréens du Nord et de Chinois, plus 3 millions de civils tués par les bombardements, les épidémies, etc. Dès le début, ce conflit avait pris une signification internationale. Dans ses premières semaines, il fit craindre le déclenchement d'une Troisième Guerre mondiale, mais l'Union soviétique, qui avait certainement été informée des préparatifs de l'attaque nord-coréenne et n'envisageait sans

CORÉE
Meeting antiaméricain et
« anti-impérialiste » dans le stade
de Pyongyang : 480 000
participants. Effigie de
Kim Il Sung, chef de l'État
de Corée du Nord.
Ph. © Pic

doute à ce moment qu'une guerre localisée, se garda d'intervenir dès lors que s'affirma la résolution des États-Unis. Pour la première fois, les deux Grands montraient nettement leur volonté d'éviter un face-à-face irrémédiable. Le gouvernement américain, en décidant la destitution de MacArthur (avr. 1951), refusa de même le risque d'un conflit généralisé avec la Chine. Ainsi, contrairement aux craintes des alliés européens de Washington, la politique américaine, en dépit de la guerre de Corée, demeura fidèle à la priorité qu'elle avait donnée à l'Europe dès 1947.

CORFINIUM. Ville d'Italie ancienne, dans le Samnium, chez les Péligniens. Durant la guerre sociale (90/89 av. J.-C.), elle fut le centre de la révolte des peuples italiens alliés de Rome, qui en firent la capitale de leur fédération et lui donnèrent le nom d'*Italia*.

CORFOU. Une des îles Ioniennes, la deuxième en grandeur. Identifiée avec Scheria, l'île des Phéaciens dans *L'Odyssée*. Célèbre dans l'Antiquité sous le nom de *Kerkyra* ou *Corcyre*. En 734 av. J.-C., Corinthe y fonda une colonie qui mena de fréquentes guerres avec la métropole (combat naval de 664 av. J.-C.) L'immixtion des Athéniens dans un de ces conflits — l'enjeu était la possession d'Épidamne — fut l'occasion de la guerre du Péloponnèse (v.). Le déclin commença pour Corcyre, qui, après avoir passé sous la domination d'Agathocle, de Pyrrhus, des rois de Macédoine, fut annexée par Rome en 229 av. J.-C. Robert Guiscard la prit aux Byzantins. Elle appartint à Venise de 1386 à 1797 et partagea ensuite le destin des îles Ioniennes (v.).

Pacte de Corfou (20 juill. 1917). Accord signé pendant la Première Guerre mondiale entre le gouvernement serbe de Pachitch, alors réfugié à Corfou, et le président du Comité yougoslave : il posa les bases d'une union des Serbes, des Croates, des Slovènes et des Monténégrins dans une monarchie constitutionnelle et fédérale sous la dynastie des Karageorgevitch.

Incident de Corfou (1923). En août 1923, plusieurs officiers italiens ayant été assassinés en territoire grec, Mussolini lança un ultimatum à la Grèce, puis fit bombarder et occuper Corfou (31 août). A la suite d'un appel de la Grèce à la S.D.N. et sous la pression britannique, Mussolini dut cependant évacuer l'île (27 sept.) et se contenta d'une indemnité considérable que lui versa la Grèce.

CORINTHE, *Korinthos.* Ville de Grèce, sur le golfe et l'isthme du même nom, à l'entrée du Péloponnèse. Dans l'Antiquité, son site se trouvait à environ 6 km au sud-ouest de la ville actuelle.
D'origine néolithique, port déjà prospère durant l'helladique récent, sous l'autorité des rois de Mycènes, elle fut occupée par les Doriens et devint au VIIIᵉ s., sous le gouvernement de la famille marchande des Bacchiades, un des plus actifs foyers de la civilisation grecque archaïque. Défendue par la forteresse de l'Acrocorinthe, elle dut à sa situation entre deux mers (le golfe Saronique et le golfe de Corinthe) de devenir un centre commercial et un point stratégique de première importance. Elle participa au mouvement de colonisation vers l'Ouest en fondant Syracuse et Corcyre (v. CORFOU), mais eut de fréquents démêlés avec cette dernière colonie; en 664, les flottes des deux cités se livrèrent la première bataille navale connue de l'histoire grecque. Après le renversement des Bacchiades (657), l'expansion corinthienne se poursuivit sous la dynastie de tyrans fondée par Cypsélos, en particulier sous Périandre (627/585) : établissement de nouvelles colonies (Potidée); construction du *diolcos,* sorte de chemin empierré permettant le halage des navires à travers l'isthme; relations diplomatiques avec les Milésiens, les Lydiens, les Égyptiens; diffusion de la monnaie corinthienne dans toute la Méditerranée. Vers 600 avant notre ère, Corinthe atteignait l'apogée de sa puissance, mais, en 582, les Cypsélides furent renversés et la cité revint sous le gouvernement d'une oligarchie de marchands. Éprouvés durement par la concurrence navale et commerciale d'Athènes, les Corinthiens furent les alliés de Sparte durant la guerre du Péloponnèse, laquelle avait eu pour occasion une nouvelle querelle entre Corinthe et Corcyre. Cependant, ils durent ensuite défendre leur indépendance contre Sparte au cours de la «guerre de Corinthe» (v.) (395/386). En 338, Corinthe fut occupée par Philippe de Macédoine, qui y posa les bases de la ligue de tous les États grecs contre la Perse. Membre de la ligue Achéenne, elle en prit bientôt la tête, mais succomba devant les Romains : en 146 av. J.-C., le consul Mummius la prit et la livra à la destruction.
César puis Auguste la relevèrent et rétablirent les jeux Isthmiques (v.). Ville très dissolue, dont les courtisanes étaient fameuses dans tout le monde ancien, Corinthe, devenue la capitale de la province romaine d'Achaïe, fut évangélisée par st. Paul, qui y fonda une Église vers 50 de notre ère, la première établie en pays grec; mais dans l'atmosphère païenne de la ville, cette communauté fut exposée à certains désordres, ce qui motiva les deux *Épîtres aux Corinthiens*. Ravagée par les Barbares à partir de la fin du IIIᵉ s., Corinthe fut prise en 1205 par les Français, déjà maîtres du Péloponnèse, qui la cédèrent peu après aux Vénitiens, auxquels les Turcs l'enlevèrent en 1458. Venise en reprit possession en 1687, mais la perdit de nouveau en 1714. Corinthe fut délivrée des Turcs en 1821; elle se trouvait alors dans un état lamentable. La ville fut détruite en 1858 par un tremblement de terre et reconstruite à quelques kilomètres de son ancien site. Le canal de Corinthe, à travers l'isthme, fut construit de 1881 à 1893.

CORINTHE (guerre de). Guerre qui, de 395 à 386 av. J.-C., opposa aux Spartiates les cités d'Athènes, de Corinthe, d'Argos et de Thèbes, soutenues par la Perse. Succédant à la guerre du Péloponnèse (v.), elle fut provoquée par l'impatience qu'éprouvaient les cités grecques à subir la domination oligarchique de Sparte qui, dès 400, était entrée en conflit avec les Perses. Sur terre, les coalisés, n'ayant pas réussi à constituer un commandement unique, furent battus par les Spartiates à Némée et à Coronée (394). Sur mer, l'Athénien Conon, devenu le chef de la flotte perse, écrasa la flotte spartiate à Cnide (394), puis, rentré à Athènes, il releva les Longs Murs (v.), qui avaient été abattus conformément à la paix de 404. Mais les Perses, inquiets du redressement trop rapide d'Athènes et de l'appui apportée par celle-ci aux Chypriotes révoltés, préféra conclure avec Sparte la paix du Roi ou paix d'Antalcidas (v.) (386), qui proclamait le principe de l'autonomie de toutes les cités, ramenait ainsi la Grèce à l'émiettement politique et faisait repasser les villes grecques d'Asie sous la domination du roi de Perse.

CORIOLAN, Cneius Marcius Coriolanus (début du ve s. av. J.-C.). Général romain. Il battit les Volsques à plusieurs reprises, leur prit Corioles, au S.-E. de Rome (493 av. J.-C.) et reçut pour cette raison le nom de *Coriolan*. Candidat malheureux au consulat, il se mit à attaquer violemment les plébéiens et les tribuns du peuple et fut condamné à l'exil (491). Il passa chez les Volsques, alors en guerre avec Rome, et se mit à leur tête pour ravager le territoire romain et assiéger Rome même. Après avoir repoussé toutes les ambassades envoyées vers lui par les Romains, il se laissa attendrir par les larmes de sa mère, Véturie, et de sa femme, Volumnie, et consentit à lever le siège. Les Volsques l'auraient alors mis à mort. Plutarque écrivit une *Vie* de Coriolan et Shakespeare fait de lui le héros d'une de ses tragédies. Plusieurs traits de la carrière de Coriolan apparaissent légendaires.

CORIOSOLITES. Voir CURIOSOLITES.

CORISANDE, Diane d'Andouins, comtesse de Gramont, dite **la Belle** (* Hagetmau, Gascogne, 1554, † en Navarre, 1620). Femme de Philibert de Gramont, comte de Guiche, depuis 1567, elle devint en 1573 la maîtresse d'Henri de Navarre (Henri IV), dont elle fut la fidèle conseillère et qui lui écrivit plusieurs lettres qui ont été conservées.

CORK, Richard Boyle, 1er comte de. Voir BOYLE.

CORMONS. Ville d'Italie, en Vénétie (Gorizia). L'armistice de Cormons (12 août 1866) mit fin à la troisième guerre austro-italienne, qui avait été marquée par la défaite des Italiens à Custozza (29 juin 1866).

CORNARO. Famille patricienne de Venise, qui donna à la république trois doges : **Marco Cornaro** (1365/67), **Giovanni Ier Cornaro** (1624/29) et **Giovanni II Cornaro** (1709/22); ce dernier fit la guerre aux Turcs et signa le traité de Passarowitz, qui fixait les limites des États de Venise et de la Turquie. Parmi les autres personnages célèbres de cette famille :

Caterina Cornaro (* Venise, 1454, † Venise, 10.VII.1510), reine de Chypre. Elle épousa en 1472 Jacques de Lusignan, roi de Chypre et de Jérusalem, et, à la mort de son mari, dès 1473, elle fut chargée du gouvernement. Elle lutta énergiquement pour conserver la souveraineté de l'île, mais, aux prises avec de grandes difficultés, elle dut subir la tutelle de Venise, à qui elle finit par remettre ses États (1489). Elle se retira alors au château d'Asolo, où elle tint une cour d'érudits, de poètes et d'artistes.

Luigi Cornaro (* 1467, † 1566). Après s'être livré jusqu'à l'âge de quarante ans à toutes sortes d'excès, il décida de changer complètement sa vie, adopta la plus stricte tempérance dans la nourriture et la boisson, et vécut ainsi presque centenaire. À l'âge de quatre-vingt trois ans, il composa ses *Discorsi della vita sobria* (1558).

Elena Cornaro (* Venise, 5.I.1646, † Padoue, 26.VII.1684). Oblate bénédictine, d'une grande érudition, elle fut la première femme à recevoir le titre de docteur en philosophie de l'université de Padoue (1678).

CORNEILLE saint († Centum Cellae, juin 253), pape (251/253). Élu pape par la majorité du clergé romain, il fut contesté par Novatien. Son échange de lettres avec st. Cyprien de Carthage constitue un document capital sur la prééminence romaine au IIIe s. Il fut exilé à Centum Cellae (auj. Civitavecchia), où il mourut.

CORNELIA (IIe s. av. J.-C.). Dame romaine. Fille de Scipion l'Africain, femme de Tiberius Sempronius Gracchus, elle fut la mère des Gracques. Veuve de bonne heure, elle se consacra à l'éducation de ses fils et conquit l'admiration unanime par ses vertus et par la noblesse de son caractère. Ptolémée VIII Évergète demanda sa main, mais elle refusa, trouvant plus glorieux d'être la veuve d'un Romain que l'épouse d'un roi.

CORNELIA (Ier s. av. J.-C.). Fille de Metellus Scipion et femme de Pompée, elle suivit son mari dans sa fuite après la bataille de Pharsale, le vit massacrer sous ses yeux dans le port d'Alexandrie et se réfugia à Chypre.

CORNELIA. Une des plus anciennes familles patriciennes de Rome et la plus importante à l'époque républicaine, elle donna

CORISANDE
Diane d'Andouins, dite la Belle C.
Aristocrate française
(1554-1620).
Ph. © Giraudon - Photeb

CORNARO
Elena. Érudite italienne
(1646-1684).

Ph. Jeanbor © Photeb

naissance à un grand nombre de branches, entre autres les Lentullus, les Scipions, les Cethegus, les Dolabella, les Rufinus (voir ces noms). Par la suite, il y eut aussi beaucoup de Cornelii plébéiens.

CORNELIUS BALBUS Lucius (Ier s. av. J.-C.). Homme politique romain. D'origine espagnole, il reçut la citoyenneté romaine grâce à Pompée. Il s'attacha au parti de César, dont il devint le secrétaire privé, puis à Octave. En 40, il fut le premier provincial à accéder au consulat.

Son neveu, **Lucius Cornelius Balbus Minor** (Ier s. av. J.-C.), naturalisé en même temps que son oncle, fut lui aussi du parti de César. Proconsul en Afrique (21), il occupa en 19 av. J.-C. la capitale des Garamantes, Djerma, et il fut le premier Romain d'origine étrangère à obtenir les honneurs du triomphe.

CORNELIUS DOLABELLA. Voir DOLABELLA.

CORNELIUS NEPOS. Voir NEPOS Cornelius.

CORNETTE. Dans l'armée royale, pièce de taffetas carrée qui servait d'étendard à une compagnie de cavalerie; elle était aux couleurs du capitaine; l'officier qui la portait s'appelait également *cornette*.
La cornette blanche ou cornette de France, apparue au XVe s., n'était déployée que lorsque le roi se trouvait à la tête des armées.

CORN-LAWS. En Angleterre, lois sur le blé qui, en imposant aux importations un prix minimal, protégeaient la production céréalière britannique. Cette législation protectionniste, qui remontait à la fin du XVIIe s., fut encore aggravée en 1815. Les grands propriétaires terriens, qui dominaient le Parlement, s'étaient considérablement enrichis à la faveur des guerres napoléoniennes, car le Blocus continental obligeait alors l'Angleterre à vivre pratiquement sur elle-même. Le retour de la paix provoqua d'abord un effondrement des prix agricoles, par suite de l'afflux des blés d'Amérique et de Russie. Malgré les protestations des classes populaires et des milieux industriels, qui aspiraient au contraire à une orientation libre-échangiste, le gouvernement, sous la pression de l'aristocratie terrienne, fit voter en 1815 un fort relèvement des tarifs douaniers afin de limiter les importations de céréales : le blé anglais pouvait ainsi être vendu à bon prix, ce qui signifiait le pain cher, mais aussi le chômage pour le peuple, car l'industrie souffrait de ce carcan protectionniste. Retardée par l'agitation que suscitait la réforme électorale, la lutte pour l'abolition des *Corn-Laws* ne s'organisa qu'en 1838, lorsqu'un industriel de Manchester, Richard Cobden (v.), prit la tête d'une Ligue contre les lois sur les blés (*Anti-Corn-Law League*). L'ampleur du mouvement obligea le leader conservateur

CORNWALLIS
Charles Mann, marquis C. Général anglais (1738-1805). Portrait par T. Gainsborough, 1783. (National Portrait Gallery, Londres.)

Ph. © du Musée - Photeb

Peel à se rallier peu à peu aux thèses libérales et les droits sur les blés étrangers furent abolis par les décrets de 1846 et 1849. Mais la « conversion » de Peel provoqua une scission au sein du parti conservateur (v.).

CORNOUAILLES, *Cornwall.* Comté d'Angleterre, à la pointe S.-O. de l'île. La Cornouailles possède de nombreux monuments mégalithiques. Du fait de ses richesses en étain, elle fut, dès l'Antiquité, en relation avec les Phéniciens et les Grecs. Peuplée par les Celtes, soumise par les Romains au Ier s. de notre ère, elle résista jusqu'aux environs du Xe s. aux Anglo-Saxons et conserva très longtemps son caractère original; la langue cornique, parlée par ses habitants, ne disparut qu'au XVIIIe s.

CORNWALLIS Charles Mann, lord Brome, marquis (* Londres, 31.XII.1738, † Ghazipour, Bénarès, 5.X.1805). Général anglais. Après avoir pris part à la guerre de Sept Ans, il se distingua durant la guerre d'Amérique aux combats de Germantown et de Redbank (1777), contribua grandement à la prise de Charleston (1780), mais dut capituler à Yorktown (19 oct. 1781). Rappelé à la suite de cette défaite, il fut nommé gouverneur du Bengale (1786/93) et lutta avec succès contre Tippou Sahib. Vice-roi d'Irlande (1798/1801), il termina sa carrière comme gouverneur général de l'Inde (1801/05). On a publié ses lettres (1859).

Son frère, **sir William Cornwallis** (* dans le Suffolk, 25.II.1744, † dans le Hampshire, 5.VII.1819). Amiral anglais. Il livra à Villaret de Joyeuse la bataille navale de Brest (1795) et fit le blocus de ce port en 1801 et de 1803 à 1806.

COROGNE (La), *La Coruña.* Ville d'Espagne, en Galice. Fondée par les Ibères ou les Phéniciens, proche de la ville romaine de Brigantium, elle fut, en 1588, une des bases de départ de l'Invincible Armada. Drake l'incendia en 1598. Victoires navales anglaises sur les Franco-Espagnols en 1747 et 1805. Prise par les Français en 1823, par les carlistes en 1836. Son activité commerciale, liée aux colonies d'Amérique, déclina après la perte de Cuba (1898).

CORONÉE, *Koronéia.* Ville de Grèce, en Béotie, au N.-O. de Thèbes. Les Thébains y remportèrent une victoire sur les Athéniens (447 av. J.-C.); Agésilas, roi de Sparte, vainquit également en ce lieu Athènes et ses alliés, Thèbes, Argos et Corinthe (394 av. J.-C.). La ville fut détruite par les Romains en 171 av. J.-C.

CORONEL. Ville et port du Chili (prov. de Concepción), sur l'océan Pacifique. Au large de Coronel, le 1er nov. 1914, l'escadre allemande de l'amiral von Spee, avec les cuirassés *Scharnhorst* et *Gneisenau*, infligea des pertes sévères à l'escadre britannique de l'amiral Cradock. Les Anglais prirent leur

CORPORATIONS

Un boulanger de l'Empire romain, Ier s. Fresque de Pompéi. (Musée archéol. nat. de Naples.) Le métier de boulanger faisait alors appel à toute la gamme des opérations, à partir du broyage du grain; aussi était-il considéré comme particulièrement pénible. D'autre part, le pain, qui comptait beaucoup dans l'alimentation, avait un rôle politique, puisqu'il était distribué gratuitement à un nombre grandissant de citoyens par le service officiel de l'annone.

Les boulangers romains se répartissaient en trois catégories :
ceux qui travaillaient directement pour l'annone;
ceux qui tenaient des boulangeries d'État;
les boulangers « libres », ayant étal et enseigne sur rue, comme celui-ci.

Ph. © L. von Matt - Photeb

revanche un mois plus tard à la bataille des Falkland (v.).

CORONER. Au Moyen Age, officier de justice anglais, élu à vie par les francs tenanciers *(freeholders)* de chaque comté, afin de défendre dans les procès les intérêts de la Couronne (d'où son nom). Aujourd'hui, les fonctions de coroner sont limitées à l'enquête, avec l'aide d'un jury, sur la cause des morts non naturelles.

CORPORATIONS. A côté de l'esclavage (v.), l'Antiquité gréco-romaine a toujours connu des ouvriers libres et des associations ouvrières. A Athènes, les lois de Solon donnent une sanction juridique aux thiases (v.).

Dans la Rome antique

A Rome, les rois étrusques (selon la tradition, Numa Pompilius, 715/672) autorisent et consacrent la formation de *collèges* d'artisans, qui se plaçaient sous la protection d'une divinité, possédaient une maison et une caisse communes, célébraient ensemble des sacrifices religieux. A l'époque impériale, les corporations furent strictement réglementées (les *collegia*). Les empereurs, surtout Trajan et Alexandre Sévère, encouragèrent les organisations corporatives afin d'en faire des instruments de gouvernement. La création de nouveaux *collegia* d'artisans était subordonnée à l'autorisation du sénat. Cependant, ces corporations romaines, aux premiers siècles de notre ère, avaient encore un rôle plus social qu'économique. Aucune réglementation du travail n'était établie, si ce n'est peut-être sur la fixation du salaire. C'est à partir du IVe s., avec le déclin de l'esclavage et l'orientation de plus en plus dirigiste de la politique économique impériale, que l'État resserra la surveillance du travail libre. Chaque travailleur fut obligé de s'affilier au *collegium* de sa profession, qui possédait désormais une sorte de monopole. Les statuts corporatifs, sanctionnés par l'État, avaient force de loi. Il était interdit de changer de métier et l'appartenance à une corporation était héréditaire. L'artisan ne pouvait renoncer à sa profession sans faire à la corporation l'abandon de tous ses biens; le fils d'un boulanger — par exemple — ne pouvait hériter sans reprendre la charge de son père. L'organisation corporative du Bas-Empire jouait ainsi pour les artisans un rôle analogue à celui du colonat (v.) pour les paysans.

Les corporations du Moyen Age

Les *collegia* du monde romain disparurent après les migrations germaniques, sauf peut-être dans certaines régions d'Italie. Dans le reste de l'Europe, le système corporatif médiéval naquit d'une manière spontanée, sans doute à partir des confréries, associations religieuses qui rassemblaient maîtres, compagnons et apprentis pour une dévotion commune au saint patron d'un métier et pour des activités charitables. Vers le XIe s. apparurent les premiers groupements économiques, constitués entre marchands, sous le nom de hanses (v.) ou de ghildes (v.). Bientôt le principe de l'association s'imposa également aux artisans, car il répondait à des besoins nouveaux : d'une part, l'autorité seigneuriale ou municipale tenait à régulariser la vie économique renaissante; d'autre part, les artisans sentaient la nécessité de s'entraider pour défendre leurs droits. Les producteurs s'organisèrent donc en « corps » ou communautés de métier, qui groupaient dans un syndicat hiérarchisé tous ceux qui, dans une même ville, exerçaient la même profession : les *maîtres* ou patrons, les *compagnons* ou ouvriers spécialisés et les *apprentis*. Ceux qui se rassemblaient ainsi « juraient le métier », de même que les bourgeois d'une même ville « juraient la commune ».

Dès le XIIIᵉ s., la corporation se présente comme le cadre général de la vie industrielle, et il en sera ainsi jusqu'à la veille de la Révolution. Mais, à côté des *métiers jurés,* il y eut toujours des *métiers libres,* qui, tout en étant soumis à la réglementation générale édictée par le seigneur, la commune ou le roi, pouvaient être exercés par tous sans que l'initiative individuelle fût limitée par un statut corporatif. Le régime corporatif régnait surtout dans les centres importants, dans les villes qui avaient une organisation municipale. En France, les bouchers et les boulangers formaient presque partout des corporations. Quatre corps de métiers, en raison des compétences techniques et morales exigées de leurs membres, était obligatoirement jurés : les apothicaires, les imprimeurs, les orfèvres et les serruriers. A partir du XIVᵉ s., beaucoup de métiers encore inorganisés devinrent des métiers jurés. Le pouvoir royal favorisa l'extension des corporations : des ordonnances de nov. 1581 et d'avr. 1597 prescrivirent d'établir des métiers jurés dans toutes les villes et les gros bourgs, et même d'y englober certains métiers ruraux, tel celui de tisserand. Mais les résistances devaient être fortes, car Colbert, par l'édit de mars 1673, et un arrêt du Conseil du roi, en 1767, durent encore renouveler les ordres donnés sous Henri IV.

A la tête de chaque corporation, se trouvait une direction collégiale composée de maîtres généralement élus par les membres de la corporation, parfois désignés par le seigneur sur la présentation des gens du métier. Selon les régions, on les appelait jurés, gardes, bayles, syndics, etc. Chargés d'appliquer et de faire respecter les règlements du métier qui, d'abord coutumiers, commencèrent à être rédigés à partir du XIIIᵉ s., ils possédaient un droit permanent de visite, pouvaient saisir les produits non conformes aux normes, infliger des amendes, procéder même à l'exclusion du contrevenant, qui, dès lors, ne pouvait plus travailler. Les statuts de la corporation réglaient en détail les conditions de travail, dans l'intérêt des gens du métier et du public. La grève était interdite aux compagnons et aux apprentis, comme le lock-out aux maîtres; les heures d'ouverture des ateliers, les jours de chômage étaient fixés pour

CORPORATIONS
Jeton des boulangers de Paris.
Ph. © Bibl. Nat., Paris - Photeb

toute la corporation; mais la rémunération du travail était librement débattue entre le maître et ses compagnons, l'autorité corporative ne fixant uniquement qu'un salaire minimum. Dans la plupart des métiers, les compagnons n'avaient que peu de recours contre le maître qui ne tenait pas ses engagements; pour défendre leurs intérêts, ils en vinrent, tout à la fin du Moyen Age, à se grouper en « compagnonnages » (v.). Le règlement corporatif s'efforçait de supprimer ou de limiter la concurrence : l'approvisionnement en matières premières devait se faire en plein marché, à un prix aussi égal que possible pour tous les artisans; lorsqu'il s'agissait de matières rares, les gardes du métier procédaient eux-mêmes à la répartition entre les maîtres *(lotissement).* La fabrication était de même réglementée dans ses détails techniques; les artisans ne devaient proposer que de la marchandise de meilleure qualité, parfois estampillée par les autorités corporatives; les malfaçons étaient confisquées; les statuts fixaient les lieux et les heures de vente; la sollicitation du client et le colportage étaient interdits. La corporation avait également une fonction sociale importante. Si le maître était le propriétaire de son atelier, de l'outillage et des matières premières, s'il gardait pour lui tous les profits de l'entreprise, il menait aussi, avec ses compagnons et ses apprentis, une vie en quelque sorte familiale.

Au Moyen Age, l'accès à la maîtrise restait largement ouvert; passé compagnon, après un apprentissage de trois ou quatre ans, le jeune ouvrier pouvait espérer devenir maître en réalisant un chef-d'œuvre (v.). Issue des confréries religieuses et charitables, la corporation jouait le rôle d'une société de secours mutuel; elle possédait des lits d'hôpitaux pour ses malades, prenait à sa charge l'enterrement de ses membres, assurait la subsistance de la veuve et des enfants, etc.

Déclin des corporations (XVᵉ/XVIIIᵉ s.)

Fondée sur la confiance mutuelle, sur une discipline et une solidarité volontaires, l'organisation corporative présentait de grands avantages : aux gens de métier, elle apportait, grâce au monopole, une protection contre les risques de la concurrence; aux consommateurs, elle garantissait une fabrication loyale, des produits de qualité, des prix modérés. Elle contribuait à faire de l'exercice d'un métier une fonction sociale. Dès la fin du Moyen Age, cependant, le système commença à donner des signes d'inadaptation et de sclérose. La réglementation destinée à maintenir l'égalité des chances entre tous les maîtres d'un même métier aboutissait à décourager les inventions et les innovations et engendrait une stagnation technique aux dépens des artisans les plus habiles et des consommateurs. Défendant jalousement leur monopole, les corporations se disputaient sans cesse à propos des limites de leurs attributions respectives : d'inter-

CORPS LÉGISLATIF
Président en grand costume,
sous le Ier Empire.
Ph. © Bibl. Nat., Paris - Photeb

Eugène Rouher à la tribune,
dans le débat sur la presse,
4 févr. 1868.
Ph. © Bibl. Nat., Paris - Photeb

minables procès opposaient maîtres tailleurs et fripiers, cordonniers et savetiers, rôtisseurs et poulaillers, traiteurs et pâtissiers, etc. A partir du xve s., la maîtrise commença à se fermer, en devenant héréditaire; afin d'assurer leur succession à leurs fils, les maîtres s'entendirent pour leur réserver un apprentissage moins long, un chef-d'œuvre moins difficile, cependant qu'on exigeait des compagnons, outre le chef-d'œuvre, des droits, des cadeaux, des banquets toujours plus coûteux.

Le pouvoir royal contribua au déclin du système. Au XVIIe s. surtout, les corporations furent surchargées d'impôts; à partir de 1690, le roi, pour augmenter ses ressources, se mit à vendre comme offices héréditaires les fonctions de jurés et de syndics, exercées normalement par les membres élus des corporations. Celles-ci, pour préserver leur autonomie, étaient réduites à acheter elles-mêmes ces offices, ce qui les endettait et les réduisait à augmenter encore les droits de réception, au détriment des compagnons aspirant à la maîtrise. Cette crise financière coïncidait avec une inadaptation croissante des corporations aux conditions économiques nouvelles, qui exigeaient une concentration des entreprises; intégrée tant bien que mal dans le système corporatif, la manufacture (v.) en annonçait la dislocation prochaine.

Au XVIIIe s., l'école des physiocrates (v.), pénétrée d'esprit individualiste et convaincue de l'efficacité du libre jeu des forces naturelles, déclencha une attaque ouverte contre les corporations, notamment Bigot de Sainte-Croix, dans son *Traité de la liberté générale du commerce et de l'industrie, qui démontre les abus des anciennes communautés et jurandes* (1775). En Angleterre, la précocité de la révolution industrielle fit disparaître spontanément les corporations au cours du XVIIIe s. En France, Turgot, par l'édit de févr. 1776, décida la suppression des jurandes et corporations, sans indemnité, et proclama la liberté complète du commerce et de l'industrie, sauf pour les « métiers de danger », pharmacie, orfèvrerie, imprimerie. Cette réforme radicale se heurta à la résistance du parlement, qui dut cependant l'enregistrer en lit de justice (12 mars 1776), mais la chute de Turgot (mai 1776) empêcha l'application de l'édit. En août 1776, un nouvel édit conserva les corporations, mais en diminuant leur nombre. Le système corporatif, légèrement réformé, subsista ainsi jusqu'à la Révolution. En 1789, de nombreux cahiers de doléances réclamaient sa suppression, laquelle fut enfin décidée par l'Assemblée constituante (décret d'Allarde, 2/17 mars 1791).

Le corporatisme à l'époque moderne

Si les corporations étaient devenues, à la fin de l'Ancien Régime, un cadre sclérosé, leur suppression brutale eut pour principal résultat, à l'aube de l'ère capitaliste, d'isoler les travailleurs en face du patronat (v. LE CHA-

PELIER). C'est seulement à la fin du XIXe s. que commença de se développer le syndicalisme (v.), mais dans un esprit de lutte de classes. L'étude historique du Moyen Age et l'ouverture progressive de l'Église aux questions sociales amenèrent les économistes chrétiens du XIXe s. à rechercher un système qui assurerait, en même temps que la sauvegarde des travailleurs, des contacts permanents entre patrons et ouvriers, dans l'intérêt commun du métier et de la communauté sociale tout entière. Bien entendu, on ne songeait pas à ressusciter les anciennes structures corporatives, mais à créer des corporations nouvelles, adaptées aux nécessités du monde moderne.

Cette redécouverte du corporatisme commença en Allemagne, avec Mgr Ketteler et le groupe de Mayence; en France, au lendemain de 1870, avec Albert de Mun et René de La Tour du Pin de La Charce, auteur de *Vers un ordre social chrétien* (1907). Les corporatistes faisaient valoir non seulement des arguments humains et sociaux (réaction contre l'individualisme libéral, renonciation à la lutte des classes et aux moyens violents tels que la grève et le lock-out), mais également des raisons d'ordre économique : la réunion de tous les producteurs dans des organisations professionnelles communes permettrait, tout en maintenant le régime de la propriété privée, de limiter la concurrence, de discipliner la production. Politiquement, elle substituerait à la représentation parlementaire atomistique une représentation des forces organiques du pays (Chambre des corporations). Ces thèmes étaient propres à séduire les adversaires de la démocratie, et le premier groupement politique qui adopta officiellement la doctrine corporatiste fut l'Action française (v.).

Dans l'entre-deux-guerres, l'idée corporatiste fut reprise par le fascisme (v.) italien, qui y trouvait de nombreux avantages : destruction des syndicats d'idéologie marxiste et révolutionnaire; soumission des rapports économiques et sociaux à une discipline commune; intégration du travail dans l'État. Le corporatisme mussolinien, progressivement mis en place par la loi des corporations du 3 avr. 1926, par la Charte du travail du 21 avr. 1927, par la création du Conseil national des corporations (1929), eut un caractère essentiellement étatique. La loi du 5 févr. 1934 mit en place 22 confédérations nationales de fédérations de métiers; le système prétendait mettre fin à la lutte des classes par des contrats collectifs discutés, dans chaque branche de l'activité économique, entre employeurs et syndicats. Mais alors que le patronat était représenté par ses membres les plus influents, les travailleurs n'avaient pour porte-parole que les délégués syndicaux fascistes, devenus pratiquement des fonctionnaires. Le Duce lui-même présidait le Conseil national des corporations, et, à partir de 1926, exista un ministère des Corporations. La corporation italienne était en fait un organe de l'État, l'un des instruments de la direction de l'économie, et aucune autonomie véritable ne lui était laissée. Son intégration complète dans l'État fut symbolisée, en 1939, par la création d'une Chambre des faisceaux et des corporations, qui rassemblait les membres du Conseil national fasciste et ceux du Conseil national des corporations et remplaçait désormais la Chambre des députés.

Le système corporatif fasciste inspira des réalisations d'esprit voisin dans l'Autriche de Dollfuss et le Portugal de Salazar. Le corporatisme autoritaire devint l'idéologie sociale des divers mouvements fascistes européens, tandis que les économistes chrétiens préféraient la formule du « syndicat libre dans la profession organisée » (Semaine sociale d'Angers, 1936) et que de nombreux autres théoriciens, tels que Bouvier-Ajam, Coquelle-Viance, Brethe de La Gressaye, en France, recherchaient les voies d'un corporatisme non totalitaire. Les corporatistes français se divisaient surtout selon qu'ils voulaient supprimer les syndicats de classe ou qu'ils envisageaient les corporations comme des regroupements entre syndicats patronaux et ouvriers. Sous le régime de Vichy, fut créée dès le 2 déc. 1940 une Corporation agricole; la Charte du travail (4 oct. 1941), beaucoup moins étatique que la *Carta del lavoro* mussolinienne, était un compromis entre syndicalisme et corporatisme (elle ne connut pour ainsi dire pas d'applications pratiques et fut abrogée par le gouvernement de la Libération). Après 1945, les souvenirs du fascisme ont provoqué une vive réaction contre le corporatisme.

CORPS LÉGISLATIF. Nom donné à plusieurs assemblées politiques françaises :

Sous le **Consulat et le premier Empire.** Créé par la Constitution de l'an VIII, le Corps législatif comprenait 300 membres choisis par le Sénat, parmi les citoyens de plus de trente ans, sur la liste nationale des notabilités; ses membres, nommés pour cinq ans, étaient renouvelés par cinquième chaque année. Le Corps législatif, qui siégeait au Palais-Bourbon, était une « assemblée de muets » : il acceptait ou rejetait, sans pouvoir les discuter lui-même, les projets de lois sur lesquels le Tribunat avait formulé son avis. La Constitution de l'an X (1802) restreignit encore ses pouvoirs : il put désormais être dissous par le Sénat et n'eut plus à donner son approbation aux traités de paix et d'alliance. La Constitution de l'an XII (1804) donna au Sénat un droit de veto sur les lois votées par le Corps législatif mais celui-ci reçut un droit strictement limité de discuter les projets. Cette assemblée fut supprimée en 1814.

Sous le **second Empire.** Créé par la Constitution du 14 janv. 1852, le Corps législatif, élu au suffrage universel, discute et vote les projets de loi qui lui sont soumis par le gouvernement, mais il ne peut les amender et il vote le budget par ministère et non plus par chapitre; il n'a ni le droit d'interpellation ni

le droit d'adresse. Son président est désigné par l'empereur, qui convoque, ajourne ou dissout le Corps législatif. Les élections de 1852 et 1857 assurèrent au régime impérial une majorité écrasante dans cette assemblée; cependant, cinq députés républicains y siègèrent à partir de 1857 et y firent entendre leur voix avec force. Dès lors, le Corps législatif commença à jouer un grand rôle et le régime, dans son évolution libérale, lui accorda des droits importants : droit d'adresse (24 nov. 1860); droit de publier le compte rendu intégral de ses débats dans *Le Moniteur* (1861); droit d'interpellation (31 janv. 1867); droit d'élire son président et son bureau; droit d'initiative des lois concurremment avec l'empereur (6 sept. 1869). Cette assemblée disparut avec le régime impérial, le 4 sept. 1870.

CORPS DE LA PAIX. Voir PEACE CORPS.

CORPS FRANCS, *Freikorps.* Nom donné en Allemagne, après 1918, à des unités de volontaires qui se donnaient une double mission : protection des frontières de l'Est, notamment en Silésie et dans les pays Baltes; lutte contre la subversion communiste à l'intérieur du Reich. Le premier corps franc fut organisé en janv. 1919 par le général Maercker sous le nom de *Corps volontaires des chasseurs territoriaux (Freiwilliger Landesjägerkorps).* Avec d'autres formations analogues, il étouffa la révolution à Berlin (janv. 1919). Dans les premiers mois de 1919, les corps francs se multiplièrent grâce à un afflux d'officiers et d'anciens combattants revenus du front. Avec l'appui du gouvernement légal, notamment du ministre social-démocrate de la Guerre Noske, les corps francs rétablirent l'ordre à Brême et à Hambourg (févr. 1919), à Halle (mars), de nouveau à Berlin (la « semaine sanglante », 6/13 mars), à Munich (avr./mai), en Saxe (mai 1919). Sur les frontières, les corps francs luttèrent contre les bolcheviks en Lettonie (printemps/été 1919), contre les Polonais en Haute-Silésie (mai 1921). Leur activité inquiéta bientôt les Alliés et le gouvernement allemand lui-même, car plusieurs chefs de corps francs, comme le capitaine Ehrhardt, chef de la « brigade navale » du Baltikum, étaient engagés résolument dans la lutte politique contre le régime de Weimar. On retrouva d'anciens membres des corps francs dans toutes les organisations paramilitaires qui militèrent en Allemagne jusqu'à 1933, notamment dans les sections d'assaut (S.A.) (v.) du mouvement national-socialiste.

CORPUS JURIS CIVILIS. Nom donné aux compilations juridiques exécutées entre 528 et 534 sur l'ordre de l'empereur Justinien. Ce *Corpus* comprend les *Institutes* (v.), le *Digeste* (v.) et le *Code* de Justinien (v.). Voir DROIT ROMAIN.

CORPUS JURIS CANONICI. Nom donné, au XVIᵉ s., pour faire pendant au

CORPS FRANCS
Drapeau du corps franc
« Oberland », rassemblé
pour marcher sur Munich,
au printemps 1919.

CORSE

Jeune Corse manifestant pour la journée « Isula Morta », île morte,
le 1er sept. 1975. La fin de cet été est dramatique pour la Corse :
l'occupation à Aléria de la cave d'un viticulteur rapatrié d'Afrique du Nord,
suspect de malversations, par des militants de l'« Action régionaliste »,
a abouti à une tuerie. Des incidents meurtriers ont éclaté ensuite à Bastia.
Par cette journée de grève générale, magasins fermés, services publics suspendus,
les partisans d'une Corse nouvelle entendent se compter
et attirer l'attention du « continent » sur leurs mots d'ordre.

Ph. © Desjobert - Ledru - Sygma

Corpus juris civilis, au recueil des textes fondamentaux du droit ecclésiastique de l'Église romaine comprenant : le *Décret* de Gratien (v.), les *Décrétales* (v.) de Grégoire IX, le *Sexte* (v.) de Boniface VIII, les *Clémentines* (v.) de Clément V, les *Extravagantes* (v.) de Jean XXII et les *Extravagantes communes.* Voir DROIT CANONIQUE.

CORRADINI Enrico (* San Miniatello, Florence, 20.V.1865, † Rome, 10.XII. 1931). Homme politique italien. Journaliste et écrivain, marqué par l'influence de D'Annunzio, il commença son évolution vers le nationalisme sous le choc du désastre d'Adoua (1896), s'imprégna des idées de Gobineau et de Maurras et fonda la revue *Il Regno* (1903-05); il y dénonçait la « démocratie positiviste », le socialisme, le pacifisme et exaltait la morale guerrière, les mythes de la Rome antique et de l'Italie des condottieri et de la Renaissance. Transposant dans la politique internationale l'idée de la lutte des classes, il affirmait le droit des « nations prolétaires » (telles que l'Italie) contre les nations riches. En déc. 1910, il fonda l'Association nationaliste italienne et lança le mot d'ordre d'un « socialisme national », qu'il devait développer dans son hebdomadaire *L'Idea nazionale.* Après la guerre, il rallia le mouvement nationaliste au fascisme, devint sénateur (1923) et ministre d'État (1928).

CORREGIDOR. Îlot volcanique situé à l'entrée de la baie de Manille (Philippines, île de Luçon). Puissamment fortifiée par les Américains, l'île de Corregidor opposa à l'offensive japonaise de 1942 une énergique résistance et soutint du feu de ses batteries les défenseurs de la presqu'île de Bataan. Prise par les Japonais le 7 mai 1942, elle fut de nouveau âprement défendue par les Japonais, qui, plutôt que de se rendre, se firent tous sauter avec les défenses, au début de mars 1945.

CORRESPONDANT (Le). Revue française publiée de 1843 à 1933. Augustin Cochin, son directeur de 1856 à 1872, en fit le grand organe du catholicisme libéral et compta parmi ses collaborateurs Montalembert, Falloux, A. de Broglie, plus tard Mgr d'Hulst et A. de Mun.

CORRIDOR POLONAIS ou **CORRIDOR DE DANTZIG.** Nom donné à l'ancien territoire allemand de Prusse-Occidentale, situé à l'ouest de la Vistule, qui, attribué à la Pologne par le traité de Versailles (1919), sépara jusqu'en 1939 la province allemande de Prusse-Orientale du reste de l'Allemagne. Voir GDANSK (DANTZIG).

CORRIERE DELLA SERA. Quotidien italien, publié à Milan le matin (en dépit de son titre). Fondé en 1876 par Eugenio Torelli-Viollier, il atteignait déjà un tirage de 100 000 exemplaires au début de ce siècle, mais ne prit définitivement la position de premier rang qu'il a gardée jusqu'à nos jours (environ 534 000 exemplaires dans les années 80) que sous la direction de Luigi Albertini (de 1900 à 1925). Depuis 1899, il publie un supplément hebdomadaire, *La Domenica del Corriere*.

● La faillite des éditions Rizzoli, propriétaires du journal, a conduit le *Corriere*, en 1983, à passer sous administration judiciaire.

CORSAIRES. Dans la guerre maritime d'autrefois, navires privés armés en guerre qui, sur commission de leur gouvernement, faisaient la course pour leur compte personnel aux navires ennemis. A la différence du pirate, qui s'attaquait indistinctement aux navires de toutes nations, y compris la sienne, le corsaire recevait de son souverain une autorisation personnelle appelée *lettre de marque*. Le bénéfice résultant des prises revenait dans sa majeure partie au corsaire. Cette forme de guerre fut surtout développée par la France, à partir de 1690. Les plus célèbres corsaires français furent Jean Bart, Duguay-Trouin, Forbin, Surcouf. Durant la guerre de l'Indépendance américaine et durant la guerre anglo-américaine de 1812/14, des corsaires américains — entre autres Stephen Decatur — causèrent de lourdes pertes au trafic commercial britannique sur les mers. Le droit de course, qui n'était souvent qu'un masque de la piraterie, fut aboli par la déclaration du congrès de Paris (16 avr. 1856).

Par extension, on a donné le nom de corsaires à des navires appartenant à des marines de guerre nationales qui s'efforçaient de paralyser la flotte commerciale ennemie (notamment les croiseurs et sous-marins allemands qui opérèrent dans l'Atlantique durant les deux guerres mondiales).

CORSE. Île française de la Méditerranée occidentale, chef-lieu *Ajaccio*. Colonisée par les Phocéens, qui y fondèrent Alalia vers 560 av. J.-C., elle passa sous la domination carthaginoise (IVᵉ s.), puis aux Romains, qui mirent près d'un siècle (259/163) à imposer leur autorité aux indigènes. Déçus par la rudesse du pays et les soulèvements continuels de la population, les Romains firent de l'île un lieu de bannissement (Sénèque). Conquise par les Vandales, puis par Bélisaire (533) et par les Sarrasins (713), la Corse passa au XIᵉ s. sous la souveraineté des papes, qui la cédèrent à Pise en 1098. Elle fut contestée aux Pisans par les Génois, qui, après plusieurs échecs, finirent par s'emparer de l'île après la victoire de la Meloria (1284). Mais les Génois durent ensuite faire face aux Aragonais, qui appuyèrent le soulèvement d'Arrigo Della Rocca (1376/1401). A partir de 1453, Gênes confia l'administration de l'île à la Banque de San Giorgio, laquelle eut à réprimer de nombreuses révoltes conduites par les seigneurs de Cinarca. De 1553 à 1556, Sampiero d'Ornano (Sampiero Corso) s'empara de l'île avec l'aide de la France, mais celle-ci, au traité du Cateau-Cambrésis (1559), dut reconnaître la possession de la Corse

aux Génois. De nouvelles révoltes corses eurent lieu en 1729, en 1731, en 1736 — avec le baron de Neuhof (v.) —, enfin, en 1755, avec Pasquale Paoli (v.), qui, en quelques mois, se rendit maître de tout l'intérieur de l'île. Confinés dans les villes côtières, les Génois finirent par renoncer à dompter les Corses, et, par la convention de Compiègne (1764) et le traité de Versailles (1768), ils vendirent à la France leurs droits sur l'île. La prise de possession effective ne se fit pas sans résistance des Corses, mais les troupes de Paoli furent définitivement vaincues à Pontenuovo (9 mai 1769).

La Corse réunie à la France fut administrée avec libéralisme par Marbeuf (1768/86). Au début de la Révolution, en 1790, Paoli revint en Corse et fut nommé gouverneur et commandant de la garde nationale. En difficulté avec les Jacobins puis avec la Convention elle-même, il appela à l'aide les Anglais, qui débarquèrent (févr. 1794), mais durent évacuer l'île en août 1796. La Corse, qui avait formé un département en 1791, puis deux (le Golo et le Liamone) en 1793, fut réunie définitivement en un seul département en 1811. Ile natale de Napoléon Iᵉʳ, elle devait rester longtemps un bastion du parti bonapartiste. Occupée par les Italiens (nov. 1942), puis par les Allemands, la Corse, reconquise par des troupes françaises débarquées d'Afrique du Nord (12 sept./4 oct. 1943), fut le premier territoire libéré de la France métropolitaine. En mai 1958, s'y créèrent des Comités de salut public qui marquèrent leur adhésion au mouvement né le 13 mai à Alger (v. MAI 1958). La pauvreté de leur pays, son sous-équipement rural, industriel et intellectuel, son inadaptation à la vie moderne ont conduit les Corses à émigrer dès le XIXᵉ siècle vers les départements méridionaux du continent et à occuper des emplois administratifs dans la France d'outre-mer, puis en métropole. A partir de 1960, l'éradication du paludisme sur la côte orientale a favorisé la création de florissantes propriétés vinicoles par les rapatriés d'Afrique du Nord, bénéficiant de fonds d'État (Société de mise en valeur de la Corse, S.O.M.I.V.A.C.). Ce renouveau agricole a coïncidé avec le développement de l'industrie touristique (aéroport et port d'Ajaccio, Bastia, Calvi) et la modernisation des villes ou bourgs côtiers (lotissements, ports de plaisance, marinas). Au recensement de 1982, la Corse comptait env. 250 000 habitants. Mais, à partir de 1972-73, une opinion régionaliste prit corps. Désireux de préserver l'originalité culturelle du « peuple corse », ce mouvement revendiquait aussi pour les autochtones les bienfaits matériels des progrès acquis et l'organisation de ceux à venir. En dépit de l'augmentation de l'aide de l'État en faveur des équipements et de la décision de créer une université à Corte, l'aile autonomiste de ce mouvement a suscité contre la « colonisation » études, réunions, mais aussi attentats spectaculaires : occupation, le 21 août 1975, d'une cave vinicole à Aléria, qui provoqua une fusillade tuant deux gen-

CORSAIRES
Francis l'Olonois. Gravure d'une « Histoire des boucaniers d'Amérique », 1699.
Ph. Jeanbor © Photeb

darmes; fusillade de Bastia, les 27-28 août 1975; dynamitage d'une cave à Aléria, le 20 août 1975, d'un Boeing à Ajaccio quelques jours plus tard; manifestation contre la Légion étrangère à Corte, en octobre 1976.

● Les plastiquages devaient se poursuivre, frappant commerces ou résidences secondaires de continentaux, succursales de banques, gendarmeries, sans qu'il fût toujours possible de démêler la part de vengeance personnelle, de banditisme ou de signification politique de ces attentats. Certaines revendications, de caractère intellectuel ou économique, ont été satisfaites : l'installation d'une université à Corte au centre de l'île et ce que l'on appelait « la continuité territoriale » : le système mis en place en 1976 pour les bateaux, en 1978 pour les avions, rapproche les tarifs de transport entre Corse et métropole continentale (350 km) de ceux appliqués par la S.N.C.F. sur la terre ferme. Mais l'université a des difficultés; elle est guettée par le repliement sur la « corsitude » ou l'alignement sur les universités continentales. Le procès, en 1979, de dix-sept séparatistes corses devant la Cour de sûreté de l'État déclencha, à Paris et en Corse, une nouvelle vague d'attentats à la bombe et d'actions terroristes, dus au Front de libération nationale de la Corse (F.L.N.C.). L'Union du peuple corse, principal mouvement autonomiste, préconisait le recours à un référendum sur l'autodétermination et l'internationalisation de la question corse. La majorité de gauche issue des élections de juin 1981 choisit de désamorcer le terrorisme en commençant à appliquer à la Corse son projet de régionalisation et en décrétant une importante amnistie. L'île devient communauté territoriale de plein droit avec un président de l'Assemblée responsable de l'exécutif régional et un préfet devenu commissaire régional. Élue au suffrage universel direct et à la représentation proportionnelle à l'automne 1982, l'Assemblée de Corse (22 sièges à la gauche et 26 à l'opposition) était difficilement gouvernable à cause des « petites listes » de « non-alignés » (6 sièges) s'ajoutant aux autonomistes de l'Union du peuple corse (7 sièges), sans compter que les communistes se joignaient parfois à l'opposition, comme lorsqu'il s'est agi de rejeter la loi du 2 mars 1982 sur le statut particulier de la notion du « peuple corse ». Le retrait des autonomistes de l'Assemblée empêcha la formation d'une majorité au point que, en avr. 1984, son président en demanda la dissolution. De nouvelles élections ont donné une courte majorité à l'opposition de droite, et c'est le chef de file de celle-ci, le député R.P.R. Jean-Paul de Rocca-Serra, qui devint président de l'Assemblée.

CORTAILLOD. Ville de Suisse, au sud-ouest de Neuchâtel, éponyme de la culture néolithique des palafittes (v.) des lacs suisses et jurassiens (IV°/III° millénaire).

CORTENUOVA. Ville d'Italie, en Lombardie (Bergame). L'empereur Frédéric II de Hohenstaufen y vainquit la Ligue lombarde (27 nov. 1237).

CORTES. Nom donné en Espagne et au Portugal aux assemblées représentatives. Des Cortes locales furent réunies au León dès la fin du XII° s.; les premières auraient été convoquées par Alphonse IX en 1188. Elles étaient composées de membres de la noblesse, du clergé et de représentants mandatés *(procuradores)* par les communes, lesquels devinrent prédominants dans les Cortes dès le XIV° s. Ces assemblées apparurent plus tardivement en Catalogne (1218), en Aragon (1274) et en Navarre (1300), mais elles jouèrent dans ces États un rôle politique plus étendu qu'en Castille. Après avoir atteint leur apogée au XIV° s., les Cortes déclinèrent sous les Rois Catholiques et après la réunion définitive de la Castille et de l'Aragon; cependant, jusqu'à la fin du XVI° s., l'institution garda de larges pouvoirs. C'est l'absolutisme des Habsbourg qui, au XVII° s., fut fatal aux Cortes, dont les membres furent bientôt choisis par le roi.

En 1810, lors de la lutte nationale contre Napoléon, la Junte centrale de Cadix convoqua des Cortes qui élaborèrent la célèbre Constitution libérale de 1812 (v. CONSTITUTIONS ÉTRANGÈRES, Espagne). Cette assemblée fut supprimée par Ferdinand VII en 1814. Réunies de nouveau en 1820, après l'insurrection de Riego, mais dissoutes lors de l'expédition française de 1823, les Cortes ne furent rétablies qu'après la mort de Ferdinand VII, par l'*Estatuto real* de 1834. Leurs pouvoirs varièrent selon les fluctuations de la politique troublée de l'Espagne au XIX° et au XX° s. Sous la II° République, après 1931, les Cortes, élues pour la première fois au suffrage universel, devinrent une assemblée souveraine, devant laquelle le gouvernement était responsable. Par la loi constitutionnelle du 17 juin 1942, le régime franquiste rétablit des Cortes dont les membres étaient désignés par le chef de l'État ou par des organismes officiels (autorités provinciales et municipales, syndicats, etc.); mais la loi organique de 1967 a fait entrer aux Cortes une centaine de membres élus par les chefs de famille et les femmes mariées.

● La Constitution de 1978 (v.) a supprimé cette formule d'élections, mais elle a repris le nom de Cortes pour désigner l'ensemble du Sénat et du Congrès des députés élus au suffrage universel.

CORTEZ, Hernan Cortés, en franç. **Fernand** (* Medellin, Estrémadure, 1485, † Castilleja de la Cuesta, près de Séville, 2.XII.1547). Homme de guerre espagnol, conquérant du Mexique. D'une famille noble, il abandonna ses études de droit, arriva à Saint-Domingue en 1504 et passa en 1511 à Cuba, où il devint le secrétaire du gouverneur Diego Velázquez. En 1518, celui-ci lui confia le commandement d'une flotte de onze vaisseaux, avec laquelle Cortez aborda sur la côte mexicaine près de Tabasco, le 19 févr. 1519. A la tête d'une

CORTEZ
Fernand. Homme de guerre espagnol (1485-1547). Aquarelle de Diego Duran, 1579. (Bibl. Nat., Madrid.)

petite force de 600 hommes, il soumit diverses tribus indiennes, puis, allié aux Tlaxcaltèques, il marcha sur la capitale, Tenochtitlán, qui lui ouvrit ses portes le 8 nov. 1519 et où l'empereur aztèque Montézuma le reçut avec honneur, comme un descendant du dieu Quetzalcoatl. Cortez réduisit Montézuma en tutelle et gouverna par son intermédiaire. Cependant, en 1520, il dut retourner vers la côte pour vaincre de puissantes forces espagnoles que Velázquez, dont il avait outrepassé les ordres, envoyait contre lui sous les ordres de Panfilo de Narvaez. Mais pendant ce temps, une révolte éclata, au cours de laquelle Montézuma lui-même, qui cherchait à calmer les insurgés, fut blessé mortellement. A son retour, Cortez dut ordonner l'évacuation de Tenochtitlán : ce fut la *noche triste*, la « Nuit triste » du 30 juin au 1er juill. 1520. Regroupant aussitôt ses forces, le conquérant espagnol remporta une victoire décisive sur les Indiens à Otumba (7 juill. 1520), reprit un an plus tard Tenochtitlán (13 août 1521) et mit fin à l'Empire aztèque, dont la capitale, rasée, fut remplacée par la ville de Mexico. Cortez fut nommé par Charles Quint gouverneur et capitaine général de la Nouvelle-Espagne (oct. 1522). Au cours d'une expédition vers le Honduras (1524/26), il fit mettre à mort le dernier souverain aztèque, Cuauhtémoc, qu'il avait gardé captif jusqu'alors comme garantie de la soumission mexicaine. En butte à de nombreux envieux, il dut venir se justifier en Espagne (1528). Revenu au Mexique en 1530, il entreprit une nouvelle expédition et découvrit en mai 1536 le golfe de Californie. Rentré définitivement en Espagne, il accompagna Charles Quint dans l'expédition d'Alger (1541), mais mourut négligé par la cour et pauvre.

CORTONE Pierre de. Voir PIERRE DE CORTONE.

CORVÉE. Dès la plus haute antiquité, les seigneurs ou l'État demandèrent aux paysans des *corvées*, services ou journées de travail gratuits. *En Égypte,* sous l'Ancien Empire, tout sujet du roi était, en principe, astreint à la corvée. En fait, celle-ci pesait surtout sur les paysans, que l'on occupait, dans la longue période d'inactivité occasionnée chaque année par la crue du Nil, à construire des digues et des canaux pour assurer une bonne irrigation. C'est également par le recours à cette main-d'œuvre disponible que furent construits les temples et les pyramides; 100 000 hommes auraient été mobilisés, pendant trois mois, pour construire la Grande Pyramide. Mais, dès le Moyen Empire, l'affectation d'esclaves et de prisonniers de guerre aux travaux de terrassement libéra les paysans égyptiens des corvées. *A Rome,* à partir du IVe s. de notre ère, l'État, assumant des fonctions de plus en plus nombreuses, dut imposer à la population des corvées ou services gratuits. On distinguait les *munera sordida* (réquisitions d'ouvriers

pour des travaux publics) et les *munera personalia* (réquisitions de fonctionnaires non payés, astreints à des emplois temporaires dans la police, la poste, l'administration des jeux, les bureaux de l'administration, etc.). A l'époque gallo-romaine et franque, les domaines ruraux furent concédés en petites exploitations ou manses à d'anciens esclaves ou à des colons, qui s'acquittaient en redevances en argent et en journées de travail (corvées) au service du maître. *Dans l'Europe médiévale,* aux Xe/XIIIe s., les corvées étaient dues pour la culture et la récolte; le seigneur nourrissait les corvéables et leur versait un petit salaire; le nombre et la durée des corvées étaient fixés par la coutume de la seigneurie ou par la charte du village : parfois, il s'agissait d'un travail précis à effectuer sur la « réserve » du seigneur; parfois, d'un certain nombre de jours de travail par semaine ou par an; en outre, tous les hommes du domaine seigneurial étaient tenus de contribuer à l'entretien des routes, des ponts et des fortifications. Les corvées furent souvent rachetées en argent. L'essor démographique européen des XIe/XIIIe siècles et les progrès techniques permirent de réduire le nombre et la durée des corvées : au IXe siècle, les habitants de Thiais les plus favorisés devaient 156 jours de corvée par an à leur seigneur, l'abbé de Saint-Germaindes-Prés; en 1250, ils ne devaient plus que *10 jours* (cité par J. Imbert et H. Legohérel, *Histoire économique des origines à 1789,* P.U.F., 1970, p. 146). Au XVIIIe siècle, la plupart des corvées étaient devenues symboliques, mais l'État généralisa, à partir de 1738, sous l'inspiration du contrôleur général Orry, la « corvée royale » qui remontait à l'époque de Louis XIV et astreignait les paysans à travailler gratuitement un certain nombre de jours par an à la construction des routes et à divers travaux publics. Sous Louis XVI, on put se racheter de la corvée royale par une taxe. Toutes les corvées furent abolies en France par l'Assemblée constituante (décrets des 4/11 août 1789). A l'époque moderne, la corvée subsista longtemps dans les colonies (dans les colonies françaises d'Afrique jusqu'en 1946); elle existe encore en Chine populaire.

CORVETTE. Navire des anciennes marines à voile, intermédiaire entre la frégate et le brick; il portait trois mâts, non compris le beaupré, et était armé de 20 à 32 bouches à feu. Au XIXe siècle, on lança également des corvettes à vapeur. Durant la Seconde Guerre mondiale, le terme de corvette, tombé en désuétude vers 1900, revint en usage pour désigner des escorteurs de 500 à 900 tonnes, armés contre les sous-marins.

Capitaine de corvette. Dans la marine française, le grade de capitaine de corvette, qui équivalait à celui de chef de bataillon dans l'armée de terre, fut remplacé en 1848 par celui de capitaine de frégate. Il fut rétabli en 1917.

CORVETTO Louis Emmanuel, comte (* Gênes, 1756, † Gênes, 1821). Homme politique français. Avocat réputé dans sa ville natale, président du Directoire exécutif de la République ligurienne (1797), nommé conseiller d'État (1806) et fait comte d'Empire (1809), il prit part à la rédaction du Code de commerce et du Code pénal. Ministre des Finances sous la Restauration (1815/18), il contracta auprès de banques étrangères les grands emprunts de 1816 et 1817, qui permirent de régler en trois ans toutes les indemnités prévues par le traité de Paris et hâtèrent la fin de l'occupation alliée; il sut inspirer confiance dans le crédit de la France et opéra un remarquable redressement de la situation financière.

CORVEY. Ville d'Allemagne (Westphalie), au S.-E. de Minden. Puissante abbaye fondée en 822 sur la rive gauche de la Weser, sous le nom de *Corbeia nova,* par les moines venus de Corbie, elle fit rayonner le christianisme chez les Saxons, soumis depuis peu par Charlemagne. Solidement organisée par son premier abbé, Adalard (781/826), cousin de Charlemagne, Corvey fut pour toute l'Allemagne du Nord un centre de culture chrétienne. Sa bibliothèque possédait un célèbre manuscrit de Tacite (auj. à Rome). L'abbé de Corvey devint prince du Saint Empire en 1203 et obtint la dignité épiscopale en 1794. En 1803, l'abbaye fut sécularisée et donnée au prince d'Orange; son territoire, incorporé en 1807 au royaume de Westphalie, échut à la Prusse en 1815.

CORVIN Matthias. Voir MATTHIAS Iᵉʳ CORVIN.

CORVIN Jean. Voir HUNYADE.

CORVISART Jean Nicolas, baron (* Dricourt, Ardennes, 15.II.1755, † Courbevoie, Seine, 18.IX.1821). Médecin français, il fut le premier, en 1795, à occuper la chaire de clinique à la faculté de médecine (alors *École de santé*) de Paris; professeur au Collège de France en 1797; premier médecin de Napoléon en 1807.

CORYBANTE. Nom donné aux prêtres de la Grande Mère des dieux, en Syrie.

COS, *Kos.* La plus vaste des îles du Dodécanèse, après Rhodes. Occupée dès l'époque mycénienne, colonisée par des Doriens d'Épidaure, elle fut célèbre dans l'Antiquité par son temple d'Asclépios et par son école médicale, la première de Grèce. Patrie d'Hippocrate, d'Apelle et de Théocrite. Après avoir résisté à l'impérialisme athénien, elle connut une brillante période à l'époque hellénistique grâce à ses relations économiques et culturelles avec l'Égypte ptolémaïque. Devenue l'alliée des Romains, elle reçut des privilèges importants. Occupée au XIVᵉ s. par les chevaliers de Saint-Jean de Jérusalem, elle tomba en 1523 sous la domination ottomane. Après avoir fait partie des possessions italiennes de la mer Égée (1912/47), elle a fait retour à la Grèce.

CORVISART
Jean Nicolas. Médecin français (1755-1821). Portrait par Gérard, 1808. (Musée nat. du château de Versailles.)
Ph. H. Josse © Photeb

COSAQUES. Paysans soldats qui habitaient diverses régions de l'ancien Empire russe et qui, pour la plupart, jouirent jusqu'à 1918 d'une certaine autonomie en échange du service militaire. Les Cosaques (du turc *kazak,* «rebelle», «homme libre») furent formés à l'origine par des paysans fugitifs venus de l'Asie centrale sous domination turque (XVᵉ s.); un autre groupe se forma au XVIᵉ s. par l'afflux, en Ukraine occidentale, de paysans petits-russiens, de religion orthodoxe, qui fuyaient la dureté de la condition paysanne dans l'État polono-lituanien. Ce second groupe, établi sur les rives du Dniepr inférieur, prit le nom de **Cosaques Zaporogues** («Cosaques d'au-delà des rapides» du fleuve). Tout en restant sous la domination nominale des rois de Pologne, ils étaient, de fait, complètement indépendants; en échange, ils défendaient les frontières méridionales de la Pologne contre les Tatars. Mais au XVIIᵉ s., la politique des rois de Pologne, persécutrice à l'égard des orthodoxes, provoqua plusieurs révoltes des Cosaques Zaporogues. Le plus grave de ces soulèvements eut lieu en 1648, sous la conduite de l'hetman Bogdan Chmielnicki, qui n'hésita pas à s'allier aux Tatars de Crimée contre les Polonais. En 1654, les Zaporogues firent reconnaître leur indépendance avec l'appui des Russes, mais, au traité d'Androussovo (1667), ils tombèrent sous la coupe du tsar, auquel la Pologne dut céder la rive gauche du Dniepr. Les Cosaques tentèrent alors de secouer ce nouveau joug. Lors de l'expédition de Charles XII, l'hetman Mazeppa s'allia avec le roi de Suède contre Pierre le Grand et tenta de détacher l'Ukraine de la Russie, mais son entreprise échoua. Le tsarisme travailla dès lors à la suppression des libertés cosaques. Après l'insurrection de Pougatchev (qui n'était cependant pas un Zaporogue), la Sietch des Cosaques Zaporogues, une puissante forteresse située dans une île du Dniepr, fut détruite (1775) et les dernières libertés cosaques abolies.

Les **Cosaques du Don,** établis sur le cours inférieur de ce fleuve, avaient reconnu la suzeraineté de Moscou dès le règne d'Ivan le Terrible, mais ils formaient aussi, comme les Zaporogues, une sorte de république indépendante. Ils aidèrent les Russes dans la conquête de l'Oural, des rives de la Caspienne et de la Sibérie. Ils se révoltèrent avec Stenka Razine (1669/71) et avec Pougatchev (1773/74) et, après ce dernier soulèvement, perdirent pratiquement toute autonomie. Cependant, au cours du XIXᵉ s., le tsarisme sut se les attacher en leur accordant la propriété des terres en échange du service militaire.

Au début du XXᵉ s., il y avait environ 5 millions de Cosaques en Russie. Les groupes les plus importants étaient les Cosaques du Don (1 500 000), les Cosaques du Kouban (Zaporogues transférés à la fin du XVIIIᵉ s.) et les Cosaques de l'Oural. On trouvait également des *voiska* de Cosaques au Caucase, en Transbaïkalie, à Omsk, à Irkoutsk, à Astrakhan, à Vladivostok. Le régime soviétique ayant supprimé le statut des Cosaques en juin 1918, la plupart d'entre eux combattirent avec les Blancs durant la guerre civile, sous le commandement du général Krasnov, qui se réfugia ensuite en Allemagne; 30 000 autres Cosaques partirent également en émigration. Mais des Cosaques se distinguèrent aussi dans les rangs des bolcheviks, en particulier dans la cavalerie de Boudienny, au cours de la guerre polono-soviétique (1920). Sous le régime soviétique, les Cosaques perdirent leur autonomie et furent intégrés dans les nouvelles circonscriptions administratives. Pendant la Seconde Guerre mondiale, se formèrent des unités cosaques qui combattirent du côté allemand, sous le commandement suprême du colonel allemand, devenu ataman (ou hetman), von Pannwitz. Capturés par les Britanniques à la fin de la guerre, 170 000 Cosaques, hommes, femmes et enfants, qui avaient suivi la retraite de la Wehrmacht, furent rassemblés dans des camps d'Autriche et de Carinthie et livrés aux Soviétiques dès la fin de mai 1945. Pannwitz, le général Krasnov et d'autres chefs cosaques de la guerre civile de 1918/20 furent condamnés à mort et pendus à Moscou en janv. 1947.

COSEIGNEURIE. Fief indivis entre plusieurs seigneurs; les coseigneuries existaient surtout dans le midi de la France.

COSENZ Enrico (* Gaëte, 12.I.1820, † Rome, 28.IX.1898). Général italien. D'abord officier dans l'armée napolitaine, rallié à la cause de l'indépendance italienne, il combattit en 1860 avec les Mille à Naples et en Sicile et fut ministre de la Guerre de Garibaldi. Il s'illustra ensuite à Custozza. Chef du grand état-major italien de 1882 à 1893.

COSENZA. Ville d'Italie (Calabre). Dans l'Antiquité *Cosentia*, capitale du Bruttium, elle fut soumise par les Romains, puis prise par Hannibal aidé des Lucaniens et reconquise par Rome en 204 av. J.-C. Alaric, qui l'assiégeait, mourut devant ses murs (412). Les Normands s'y établirent en 1130. Au XIXᵉ s., elle s'insurgea à plusieurs reprises (1829, 1837, 1844) contre les Bourbons de Naples.

COSGRAVE William Thomas (* Dublin, 6.VI.1880, † Dublin, 16.XI.1965). Homme politique irlandais. Membre du Sinn Féin, il prit part à la révolte de Pâques 1916, fit partie en 1919 du gouvernement républicain et fut, avec Griffith et Collins, le chef des nationalistes modérés qui acceptèrent le traité de Londres de 1921. Président du Conseil exécutif de l'État libre d'Irlande de 1922 à 1932, il travailla à la réorganisation économique de l'Irlande mais se rendit impopulaire par une fiscalité excessive et par son attitude conciliante à l'égard de l'Angleterre. Il fut battu aux élections de 1932 par Eamon De Valera.

COSME DE MÉDICIS. Voir Médicis.

COSSÉ-BRISSAC. Voir Brissac.

COSSOVO. Voir Kossovo.

COSTA RICA. République d'Amérique centrale, entre la mer des Caraïbes et l'océan Pacifique. Découverte par Colomb en 1502, la région occupée aujourd'hui par l'État de Costa Rica n'avait qu'une population indienne clairsemée et fut facilement conquise par les Espagnols venus de Panamá (vers 1520). Le Costa Rica fit d'abord partie de la capitainerie générale du Guatemala, puis, après l'émancipation des colonies espagnoles, de l'empire mexicain d'Iturbide (1821/23) et des Provinces unies de l'Amérique centrale (1823/38). Devenu indépendant en 1839, le Costa Rica devait jouir d'une stabilité politique tout à fait exceptionnelle dans les États hispano-américains. Le café, introduit au XIXᵉ s., devint la principale culture; à partir de 1874, la firme américaine United Fruit installa de grandes plantations de bananiers, d'abord sur la côte de la mer des Caraïbes, puis sur la côte du Pacifique.

Son économie, toujours fondée principalement sur les exportations de bananes et de café, et orientée vers les États-Unis, assurait au Costa Rica le plus haut revenu *per capita* de tous les pays d'Amérique latine. Le président réformateur Figueres, qui, déjà prééminent dans la vie politique costaricienne de 1948 à 1958, avait tenté d'émanciper son pays de la tutelle des États-Unis, fut réélu en 1971, et, alors que depuis un quart de siècle aucun parti n'avait exercé deux présidences successives, c'est un protégé de Figueres, Oduber Quiros, qui lui succéda à la présidence en mai 1974.

● Il légalisa l'existence du parti communiste et des autres organisations de gauche en 1975, mais fut battu aux élections de 1978 par Rodrigo Carrezo Odio, candidat d'une coalition allant de l'extrême droite à la démocratie chrétienne. Celui-ci ne put faire face aux répercussions de la crise mondiale. En 1986, Oscar Arias succéda à Luis Alberto Monge, président depuis 1982. Inquiet de la situation instable des pays d'Amérique centrale (le Costa Rica lui-même avait servi de base arrière au guérillero nicaraguayen Eden Pastora; v. Nicaragua), O. Arias mit au point le plan de paix et de démocratisation qui porte son nom, adopté par les pays voisins, notamment le Nicaragua, où des pourparlers furent ouverts entre sandinistes et «contras». Cette initiative diplomatique reçut la consécration du prix Nobel de la Paix en 1987. L'économie du pays, fondée sur l'exportation des bananes et du café, a diversifié ses ressources agricoles. Le revenu par habitant était le plus élevé de cette région du monde. Depuis l'abolition de l'armée par le président Figueres en 1949, le Costa Rica ne dispose que d'une garde civile dont les effectifs étaient de 7 000 hommes.

COSTA E SILVA Artur da (* Taquari, 3.X.1902, † Rio de Janeiro, 17.XII.1969).

COSAQUES
Cosaque du Kouban, v. 1860.
Ph. © Bibl. Nat., Paris - Photeb

COSENZ
Enrico. Général italien (1820-1898).
Ph. Fiore © Photeb

COSTUME

Maréchal et homme politique brésilien. Auteur du coup d'État militaire qui renversa le président Goulart en avril 1964; président de la République (mars 1967/août 1969), remplacé par un triumvirat militaire.

COSTELLO John Aloysius (* Dublin, 20.VI.1891, † Dublin, 5.I.1976). Homme politique irlandais. Attorney général (1926/32), successeur de Cosgrave à la tête du parti Fine Gael (1944), il devint Premier ministre (1948/51) et rompit les derniers liens de son pays avec l'Angleterre, en proclamant la république d'Irlande (1948); de nouveau chef du gouvernement de 1954 à 1957.

COSTES Dieudonné (* Caussade, Tarn-et-Garonne 14.XI.1892, † Paris, 18.V.1973). Aviateur français. Pilote de ligne à partir de 1919, il fut le premier avec Bellonte à réussir la liaison aérienne sans escale Paris-New York avec le Breguet XIX *Point-d'Interrogation* (1er-2 sept. 1930).

COSTUME

COSTUME. Reflet de l'évolution des mœurs, des conditions sociales, des ressources économiques, des contacts internationaux des diverses civilisations, l'histoire du costume commence fort loin dans les temps primitifs. L'homme s'est vêtu pour se protéger du froid et des intempéries, pour répondre à un sentiment de pudeur, mais aussi pour affirmer son individualité, pour marquer son rang, pour séduire, pour attirer l'attention. On estime que dès l'époque de Neanderthal (vers − 100000) existaient déjà des différences entre le costume masculin et le costume féminin. Au paléolithique supérieur, avant la fin des grandes glaciations, les habitants de l'Espagne actuelle se sont représentés sur les peintures pariétales vêtus d'un costume de peaux de bêtes assez semblable à celui que portent encore les Eskimos. Avec la révolution néolithique apparurent les premiers vêtements de textile (lin, chanvre, coton, laine), qui commencèrent à remplacer les peaux apprêtées et les tuniques de feuilles dont parle la Genèse (III, 7).

Antiquité

Les Égyptiens, vivant sous un climat régulier et très chaud, ne portaient d'habitude qu'un vêtement réduit au minimum : pour les hommes, un étui pénien à l'origine puis un pagne, d'abord étroit et court, qui devait s'allonger considérablement sous le Nouvel Empire; pour les femmes, une robe collante et étroite, généralement blanche, qui descendait jusqu'au-dessus des chevilles. Les enfants restaient complètement nus et le crâne rasé jusqu'à l'adolescence. Le pharaon, en habit de cérémonie, portait sur le pagne une sorte de tablier raide en or et en émaux de couleur, et une longue tunique de toile fine, frangée au bas et à manches courtes. Alors que la majorité des Égyptiens allaient pieds nus, le souverain portait une sorte de sandales préfigurant les poulaines (v.) de notre Moyen Age. Beaucoup plus somptueux apparaît le costume babylonien, du moins à l'époque assyrienne; sa double tunique, en drap richement brodé, devait être adoptée par les Perses.

En Grèce, les vêtements que portaient les Crétois dès le début du IIe millénaire étaient très différents du costume oriental; cousus et ajustés, ils reflétaient, dans la diversité et la vivacité de leurs couleurs, l'esprit d'un monde ensoleillé, luxueux et gai. Sur le continent, les guerriers mycéniens se protégeaient avec de lourds casques de bronze. Au costume ajusté et serré aux hanches par une étroite ceinture des Grecs archaïques succéda, à partir du Ve s. av. J.-C., un vêtement léger et souple qui, pour les hommes comme pour les femmes, consistait essentiellement dans le chiton (v.), simple pièce de toile ou de laine retenue aux épaules par des fibules. Sur ce vêtement de dessous, les femmes portaient le péplos (v.), les hommes la klaene ou la chlamyde (v.), sorte de manteau court réservé aux cavaliers, aux éphèbes, aux chasseurs, et, par temps froid, le manteau long ou himation (v.). Les femmes s'entouraient la tête d'un voile *(kalyptra)*, sur lequel elles plaçaient souvent une sorte de chapeau de paille pointu, la tholia. Les hommes se couvraient d'un petit chapeau de feutre ou de paille, le pétasos, ou d'un chapeau de feutre à larges bords et à haute calotte, la kausia. Le costume militaire comprenait un casque (v. ARMURE), d'abord en cuir puis en métal, une cuirasse (v.) et les cnémides, jambières métalliques qui montaient depuis la cheville jusqu'au genou.

Chez les Romains, le costume ne subit pas de modifications importantes au cours de l'histoire. Hommes et femmes portaient comme vêtement de dessous une tunique. Par-dessus, les hommes drapaient la toge (v.), qui était la marque du citoyen libre; d'abord portée également par les femmes, la toge fut réservée aux jeunes filles à la fin de la République, alors que les matrones adoptaient la stola, longue robe à plis serrée à la taille, imitée du péplos des élégantes de Grèce. A la promenade, les Romaines revêtaient la palla, grand châle rectangulaire qui cachait leur taille. Elles relevaient un pan de

1221

la palla pour se protéger la tête, les chapeaux étant exceptionnels. A l'exception de la toge et de la stola, qui était réservée aux matrones, les esclaves portaient les mêmes costumes que leurs maîtres, mais faits d'une étoffe plus grossière et de couleur sombre. Des bandes de pourpre plus ou moins larges sur la tunique distinguaient les sénateurs (tunique laticlave) et les chevaliers (tunique augusticlave). Plus tard, à Byzance, une synthèse s'opéra entre le costume romain, avec son drapé caractéristique, et le costume oriental, aux tissus et aux broderies d'un luxe extrême.

Moyen Age

Les 'Gaulois portaient des braies (v.), ou pantalons descendant jusqu'aux pieds, et la saie, sorte de blouse avec ou sans manches attachée sous le menton par une agrafe; un collier métallique, le torque (v.), constituait l'élément caractéristique de leur parure. Mais, dans les régions septentrionales, les Gaulois comme les Germains, à l'époque de la conquête romaine, étaient encore simplement couverts de peaux de bêtes. C'était encore, lors des grandes invasions du v° s., le costume de la plupart des tribus germaniques. Mais, une fois installés en Gaule, en Italie, en Espagne, les chefs barbares adoptèrent rapidement les vêtements romains et surtout byzantins, dont la magnificence les fascinait. Une des particularités du costume masculin franc consistait en des bandes d'étoffe entourant la jambe. A l'époque romane, les costumes des diverses classes sociales offraient encore très peu de variété. Alors que le peuple portait le sayon, qui n'était autre que la saie gauloise descendue jusqu'à mi-jambes et munie d'un capuchon, le modèle antique et byzantin continuait à inspirer le vêtement des clercs et de la société noble. Il y avait très peu de différences entre le costume religieux et le costume civil, entre le costume féminin et le costume masculin : le goût allait aux étoffes légères faisant de nombreux plis souvent concentriques à partir du cou ou de la taille. Ces vêtements, formés principalement d'une chemise, la chainse, du bliaud (v.) et d'un manteau, allongèrent, vers le xII° s., de la hauteur du genou jusqu'aux pieds. A partir du xIII° s., le costume, reflétant la complexité croissante de la société, la montée de la bourgeoisie, les progrès de l'artisanat et du commerce, les mœurs de plus en plus mondaines, ne cesse de gagner en luxe et en diversité; le goût des couleurs, des ornements d'orfèvrerie, des fourrures se répand. Le souci de briller, même par l'extravagance, l'emporte de plus en plus sur l'utilité. Les principaux éléments du costume masculin sont la cotte (v.), qui sera remplacée par le pourpoint (v.) vers le milieu du xv° s., le surcot (v.), qui s'est substitué au bliaud, les chausses (v.) collantes, attachées au vêtement par des aiguillettes.

Les femmes portent également le surcot, qui prend sur elles les formes les plus diverses.

A partir de 1300 environ, les élégants des deux sexes adoptent la mode des vêtements « mi-partis », c'est-à-dire divisés par moitié en deux couleurs dissemblables. Les lois somptuaires, telle celle édictée par Philippe le Bel en 1292, sous la pression de l'Église, se révèlent impuissantes à arrêter l'envahissement du luxe. Vers 1380 commence à se répandre l'usage des robes et des manteaux à queue, portés par des suivantes ou des pages. Les coiffures féminines, discrètes et quasi monacales jusqu'à la fin du xIV° s., avec les tourets et les guimpes qui dissimulaient presque entièrement les cheveux, se font plus hardies en adoptant, dès avant 1400, la forme des templettes ou templières, tresses descendant de chaque côté du visage, pour bientôt donner dans l'extravagance avec les audacieux hennins (v.) à grand voile de la seconde moitié du xv° s. (v. CHAPEAUX); les chaussures, demeurées longtemps très simples, se compliquent elles aussi, à partir de 1350 environ, avec la mode des poulaines (v.).

Renaissance et époque classique

La Renaissance italienne eut une influence décisive sur l'évolution du costume. Elle exalta la beauté des corps, libéra les mœurs, mit la femme au centre de ses fêtes somptueuses alors que l'exploitation des mines d'Amérique allait faire affluer vers l'Europe les métaux précieux qui revêtirent le monde des cours d'un luxe sans précédent. Dès la fin du xv° s., Venise donnait le ton à l'Italie et les modes italiennes allaient inspirer celles de France à partir de François I°°. L'entrevue du Camp du Drap d'or (1520) vit les noblesses française et anglaise rivaliser de faste vestimentaire et un témoin put dire que « plusieurs y portèrent leurs moulins, leurs forêts et leurs prés sur leurs épaules ». L'essor du pourpoint, taillardé, brodé, serré à la taille, étoffa la silhouette masculine, la partie supérieure du haut-de-chausses étant désormais garnie d'un bouffant d'étoffe plissée, la trousse ou tonnelet, couvert de bandes d'une couleur différente de celle du vêtement. D'Italie vint l'usage des dentelles ou « passements », attestée dès 1545; de Flandre, la mode des « crevés », larges entailles pratiquées sur les manches, le pourpoint, les chausses, pour mettre en valeur la finesse extrême des lingeries de dessous. Sous le règne d'Henri II, qui vit apparaître les premiers bas de soie, les hommes s'engoncèrent le cou dans des collerettes plissées et godronnées, les fraises (v.), cependant que les femmes s'enfermaient dans le vertugadin (v.), qui élargissait démesurément la robe et qui, sous ses variantes, paniers et crinolines, devait exercer sa tyrannie jusqu'au xIX° s. L'influence du protestantisme ramena un temps le costume masculin à plus de simplicité, à des couleurs sombres, à une ornementation plus sobre, mais la frénésie du luxe s'épanouit de plus belle dans le costume de cour sous le règne d'Henri III. Le pourpoint prit une forme extravagante, en bosse de polichinelle, les collerettes et les fraises devinrent gigantesques, au point qu'il fallut inventer des cuillers à manche allongé pour permettre aux élégants de savourer les entremets. La mode des masques, commune

COSTUME
Parisien, 1797, avec gilet
à larges rayures, culottes
à l'anglaise.
Ph © Bibl. Nat., Paris - Photeb

aux deux sexes, favorisa les aventures sentimentales, comme les conspirations et les
crimes. Les robes féminines d'apparat s'allongèrent d'une queue démesurée : celle
d'Élisabeth de Valois, lors de son mariage
avec Philippe II d'Espagne, ne mesurait pas
moins de 23 mètres de long.

Réaction éphémère sous Henri IV qui a
conservé la simplicité d'un soldat et qui, sur
les conseils de Sully, essaie de freiner le luxe
coûteux de la cour par des édits
somptuaires : les hommes adoptent le feutre
haute forme et un costume de couleur
sombre composé d'un pourpoint court et
d'un haut-de-chausses gonflé en forme de
bourse, descendant jusqu'au genou; les
femmes délaissent le vertugadin pour la
« robe à commodité », laquelle ne devait pas
être si commode puisqu'elle était faite de
trois jupes superposées, la « modeste », la
« friponne » et la « secrète ». Le règne de
Louis XIII commence par un retour au luxe
et à l'abus des accessoires, mais les édits de
Richelieu et le culte naissant du bon goût
ramènent dès 1630 les élégants à plus de
discrétion. Les rabats et les collets remplacent les fraises, le pourpoint serré s'ouvre
légèrement sur la poitrine pour faire valoir
la finesse de la chemise; aux hauts-de-
chausse succède une culotte qui s'arrête au
genou, au-dessus de petites bottes largement évasées. C'est à cette époque que la cravate (v.) fait son apparition. Après Richelieu, Mazarin fait la guerre aux « passements », sortes de guipures d'or ou d'argent
d'importation étrangère, ce qui favorise la
vogue de la dentelle, dont la fabrication
nationale est soutenue par le gouvernement
(« point d'Alençon »), et celle des
« galants », nœuds de ruban qui vont garnir
par centaines les habits « à la française ».

La grande période créatrice de la mode
louis-quatorzienne se situe dans les années
1661/80, celles où le jeune roi, amant de
Mᵐᵉ de La Vallière puis de Mᵐᵉ de Montes-
pan, court de victoire en victoire sur les
champs de bataille européens. « Un
mélange d'aspect débraillé, de recherche
d'élégance et de richesse caractérise cette
période. » (J. Ruppert.) La perruque (v.)
devient de règle, jusqu'à la fin du XVIIIᵉ s.
L'originalité du costume masculin réside
alors dans la rhingrave (v.), sorte de jupe-
culotte importée de Hollande. Le costume
féminin, qui conserve les jupes amples, les
tailles minces, les manches courtes, s'orne
de dentelles et de rubans. Ce costume ne
cesse de gagner en somptuosité jusqu'à la fin
du siècle, avant que l'influence dévote de
Mᵐᵉ de Maintenon et le climat assombri par
les défaites militaires n'amènent un retour à
l'austérité qui se prolongera jusqu'à la mort
du Roi-Soleil. Le costume masculin, qui
connaît une évolution analogue, offre à
partir de 1680 la grande innovation du jus-
taucorps (v.), sorte de tunique qui recouvre
complètement la culotte, laissant voir le
mollet bien pris dans un bas.

Avec la Régence, la mode retrouve une fantaisie et une grâce légère qu'elle conservera
durant tout le XVIIIᵉ s. La forme du

vêtement masculin ne variera guère jusqu'à
la Révolution : longue « veste » ou gilet à
manches descendant au milieu des cuisses;
« culotte » courte serrée au-dessus du genou
par une fermeture, la « jarretière », qui
maintient aussi le bas; enfin l'ancien jus-
taucorps devenu l'« habit à la française »,
qui, d'abord droit, s'évasera de plus en plus
sur les côtés pour mieux laisser voir les broderies de la veste. Pour les femmes, les
robes (v.) volantes, « à la Watteau », vont
rester à la mode, avec quelques modifications, jusqu'à la fin du règne de Louis XV,
mais, dès 1720, font leur apparition les premières robes à panier, c'est-à-dire équipées
d'un jupon de toile tendu sur des cerceaux
de baleines mobiles qui donnaient à la robe
une ampleur considérable tout en permettant aux élégantes un peu plus de mouvement que le vertugadin de leurs aïeules.
Malgré son incommodité, cette robe devait
séduire trois générations de femmes et elle
fut le modèle dans la somptueuse « robe à la
française » portée au temps de Louis XVI à
la cour, au théâtre, au bal. C'est seulement
vers 1780 que, sous l'influence de l'Angleterre et de l'idée du « retour à la nature »,
apparurent des robes beaucoup plus simples
telles que les polonaises, les anglaises, les
robes-redingotes, etc.

Révolution et XIXᵉ siècle

La Révolution supprima la cour, atténua les
différences vestimentaires entre les diverses
classes sociales et amena une plus grande
simplicité dans le costume. Ce n'était plus
l'aristocratie mais la bourgeoisie qui donnait le ton à la mode. Le vêtement devint
même une façon de manifester ses opinions
politiques : les « patriotes » abandonnèrent
la culotte pour le pantalon (v.) et adoptèrent une courte veste, appelée « carmagnole ». Mais les chefs bourgeois de la
Révolution, comme Robespierre, conservaient l'habit à la française, devenu le frac,
en drap, sans broderies ni galons, largement
ouvert sur un gilet qui ne descendait plus au-
dessous de la ceinture. Les femmes continuèrent à porter des jupes « à l'anglaise », et
aussi des jupes très amples, mais d'étoffe
plus commune qu'au temps de la
monarchie; plus de velours ni de satin, mais
de la toile peinte, de la cotonnade, de
l'étoffe soie et coton. Les chapeaux, qui
avaient atteint le comble de l'extravagance
sous Marie-Antoinette, devinrent des bonnets « à la Charlotte Corday », « à la
Bastille », « à la Constitution », « à la
patriote ». Après Thermidor, la réaction
royaliste des muscadins (v.) s'afficha dans le
costume; on allongea le cou pour narguer le
spectre de la guillotine, on porta des perruques blondes à la Louis XVII. Aux muscadins succédèrent les incroyables (v.), pour
qui le comble de l'élégance était de paraître
contrefait, bossu, boiteux ou myope. Après
plus d'un siècle de règne, la perruque disparut définitivement avant 1800. Dans le costume féminin, l'anticomanie succéda, sous
le Directoire, à l'anglomanie. Les femmes se
mirent à porter de longues tuniques drapées,

COSTUME
Jeune femme, 1926, en manteau
à col de fourrure.
Ph. © Bibl. Nat., Paris - Photeb

souvent transparentes, à taille très haute, laissant la gorge largement découverte; les « merveilleuses » relevaient leur robe pour montrer leur jambe gainée dans un bas fin ajouré. Les fonctionnaires reçurent des uniformes dessinés par David, qui prirent, sous le premier Empire, un caractère quelque peu théâtral. Joséphine lança la « robe de cour », où la simplicité s'alliait à la richesse. Cette période vit aussi l'apparition du sac à main, ainsi que celle du parapluie.

Sous la Restauration, le romantisme naissant favorisa les modes « troubadour », qui prétendaient imiter le costume du Moyen Age; en fait, c'est à la Renaissance que furent empruntées les manches « à gigots » ou « à crevés », lancées par la duchesse de Berry, qui fut alors l'arbitre de l'élégance féminine. Le costume masculin chercha la perfection dans la sobriété et le soin apporté aux petits détails. On préféra pour l'habit des couleurs foncées, noir, brun, vert bronze, mais assorties d'un pantalon long de couleur claire avec des gilets courts, en soie ou en velours, qui ne se voyaient que lorsque l'habit était déboutonné. Les libéraux affectionnèrent particulièrement la redingote (v.) dite « militaire » ou « demi-solde ». Ces redingotes, qui descendaient d'abord jusqu'aux chevilles, raccourcirent considérablement sous Louis-Philippe, mais leur jupe devint de plus en plus ample et forma des godets à la taille. Le chapeau haut-de-forme eut les faveurs de tous, et, dès les années 1820, apparurent des hauts-de-forme à ressort, les claques, longtemps appelés du nom de leur inventeur, des gibus. Les « lions » de 1840 veillaient avec un soin extrême à la rigidité de leur pantalon, qui était tendu par une bande passant sous la chaussure, le sous-pied. Après que les tentatives des quarante-huitards pour ressusciter le frac à la Robespierre et la carmagnole eurent sombré dans le ridicule, la bourgeoisie triomphante fit régner dans le costume masculin, à partir du second Empire, une élégance austère et quasi macabre qui devait imposer, jusqu'à la Première Guerre mondiale, la primauté absolue de l'habit noir comme tenue de soirée. Cette époque vit l'apparition d'une pièce essentielle du costume masculin moderne, le veston. Contrastant vivement avec la sévérité vestimentaire de leurs époux, les femmes de la cour de Napoléon III se livrèrent à toutes les fantaisies raffinées de la robe à deux ou trois jupes, de la robe à multiples volants, de l'ample crinoline...; le remplacement de cette dernière par la tournure, vers 1869, annonçait l'éclipse d'une génération dont Winterhalter nous a conservé les plus séduisants attraits. Les débuts de la IIIe République, l'ère des prophètes barbus de la science et de la laïcité, apparaissent comme une des époques les plus lugubres de l'histoire du costume. Face aux hommes engoncés dans leur livrée noire et blanche, la femme, écrit Robert Burnand, « se tient plus que jamais sur la défensive, se protège par des avancées ou par des positions d'arrière solidement cuirassées. Consciente de sa puis-

sance, il semble qu'elle renonce à se montrer telle qu'elle est, et veuille faire voir que, malgré les extravagances de la mode qui la rendent méconnaissable, elle est, toujours et malgré tout, souveraine ». Vers 1890, l'apparition des jupes courtes, qui dégageaient à peine la cheville, et des premiers costumes tailleurs fit quelque scandale. Les robes princesses, fermées dans le dos par d'innombrables petits boutons, les guimpes, les corsets, les bottines longues à délacer faisaient des adultères de la Belle Époque des aventures réclamant beaucoup de sang-froid et une longue préméditation. Dans les premières années du xxe s., tandis que le « dinner jacket » — inventé, dit-on, par Édouard VII — commence à s'implanter, non sans résistances, en France, sous le nom de « smoking », la mode féminine invente un nouvel instrument de supplice, la jupe entravée.

Époque contemporaine

Après 1918, le bouleversement des mœurs, le développement des sports et de l'automobile apportent, à l'homme comme à la femme, une libération vestimentaire qui ne va pas sans excentricités. Les « garçonnes », qui se sont débarrassées du corset, se donnent l'allure masculine avec un soutien-gorge qui leur efface la poitrine et une robe-chemise sans taille. La mode des cheveux plats et coupés court ne triomphe définitivement qu'à partir de 1924. Les jupes, qui raccourcissent progressivement pour s'arrêter au-dessus du genou en 1926, commencent à rallonger à partir de 1928, et la mode de la jupe longue se maintiendra jusqu'à la Seconde Guerre mondiale. Dans les années 30, la fermeture à glissière en métal envahit tous les éléments du costume féminin. Les hommes se délivrent du faux col, remplacent le haut-de-forme, le melon, le canotier par des chapeaux de feutre mous, et les plus jeunes même commencent à sortir sans chapeau; l'imperméable fait son apparition peu avant 1930. Vers cette date, les pardessus, croisés et légèrement cintrés, se portent de plus en plus longs. Dès 1925/26 on s'est mis à porter des pantalons « pied d'éléphant » qui cachent presque complètement la chaussure, leur largeur pouvant atteindre trente centimètres. Les élégants, jusqu'à la guerre, restent fidèles à la guêtre et à la canne; dans les soirées, ils portent l'habit, réservant le smoking pour les dîners plus intimes. Malgré l'essor de la production des vêtements en grande série, le costume, dans les démocraties occidentales, reste encore un facteur important de différenciation sociale. Aussi les premières révolutions du xxe s. ont-elles des conséquences sur les mœurs vestimentaires. L'U.R.S.S. de l'époque des plans quinquennaux manifeste son prolétarisme par le port quasi universel de la casquette; cependant, les diplomates soviétiques, tels Tchitcherine et Litvinov, se plient volontiers, dans toutes les conférences internationales, aux convenances de l'élégance bourgeoise. Le ralliement de l'ensemble des dirigeants soviétiques au complet

COMMUNE : Sienne aux Siennois, XVIᵉ s.

COMMUNE DE PARIS : le feu aux monuments, 1871

CONCILE : Trente, la Contre-Réforme, XVIᵉ s.

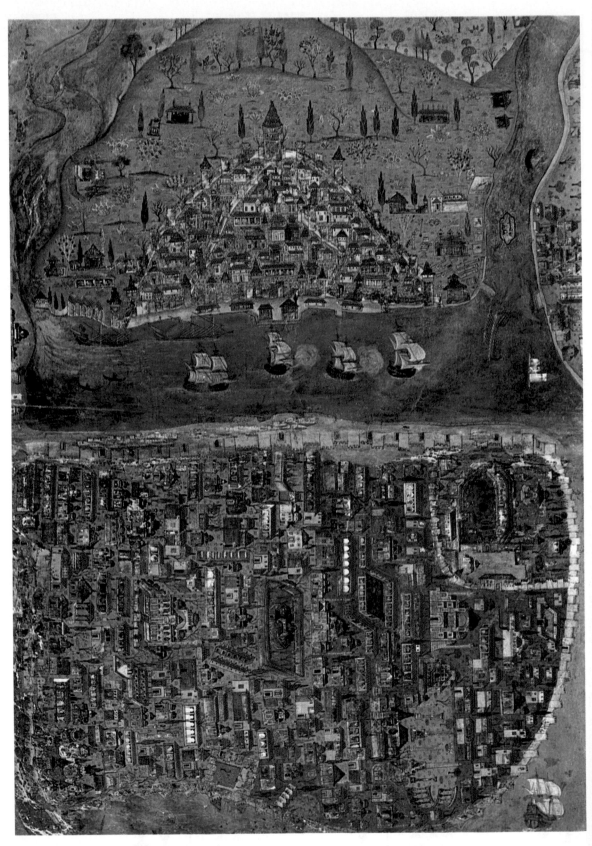

CONSTANTINOPLE : ville des empereurs et des sultans, XVIᵉ s.

IV

COSTUME : le corsage et la toge

ondes vénitiennes, XVIe s.

COSTUME : l'affaire des couturiers, XIXᵉ s.

CROISADES : forteresses du Levant, 1124

COSTUME

En haut :
deux élégantes en crinoline,
dans un attelage à deux chevaux.
Un cavalier les accompagne,
au champ de courses de Longchamp.
Scène tirée d'un album
d'Albert Adam et Pauquet, dessinateurs
de mode attitrés du palais des Tuileries.
Vers 1865. L'avènement du second Empire
avait ouvert en France une ère nouvelle
d'élégance; les couturiers de Paris
— même arrivés d'Angleterre, comme
Charles Frederic Worth en 1846 —
firent de nouveau prime en Europe.
Leur premier atout fut la crinoline,
qui s'enfla progressivement, prit des
formes de ballon, de sac, de tonneau.
Les grands magasins
démocratisèrent, avec leurs soldes
et leurs « occasions », les modes d'abord
adoptées par la cour. Ainsi l'Exposition
internationale de 1867 va consacrer
l'Espagne, chère à l'impératrice Eugénie,
avec le boléro, le toquet
à bords relevés, orné de plumes de coq
et de ces rubans retombants,
dits « suivez-moi-jeune-homme ».
Ph. J.L. Charmet © Photeb

En bas :
élégante et son fils, fin XIXᵉ s.
Affiche de L. Huvey pour
le Salon du cycle 1896, une des premières
où figure une automobile. Audibert
et Lavirotte, constructeurs lyonnais,
rivalisaient à ce moment-là avec Panhard
et Levassor, le marquis de Dion,
les frères Peugeot, dans l'« invention »
de ces curieux véhicules « sans chevaux »,
fonctionnant au charbon ou au pétrole.
La mode de ce temps-là, à côté de Worth,
Rouff, Doucet, c'est surtout l'affaire
de Paquin. En 1890, ce dernier
dépensait déjà pour ses matières premières
quatre millions de francs (or) : 22 millions
de mètres de fils, plus de 1 000 kg
d'épingles, 360 kg de fil de soie,
150 kg de baleines, 300 kg d'agrafes.
Il occupait 1 300 employés,
dont 350 étaient nourris matin et soir,
rue de la Paix, et envoyait chaque
semaine 20 ou 30 de ceux-ci se reposer
dans ses trois chalets de Paris-Plage.
Ph. J.L. Charmet © Photeb

CROISADES

En haut, à gauche :
les croisés assiègent Alep.
Détail d'une miniature ottomane
d'un Codex du XVIᵉ s.
(Bibl. de Topkapi, Istanbul.)
Au nord de la Syrie, Alep forme une oasis
fertile, au milieu du plateau dépouillé
qu'elle domine. Grande halte sur les routes
de l'Inde, de l'Arabie, de la Perse,
de l'Égypte, elle a été dès le IIᵉ millénaire
av. J.-C. l'objet de conquête
de toutes les grandes civilisations
et de tous les grands empires
du Proche-Orient, alors que sa citadelle
la rendait quasi imprenable.
Son dernier souverain en date, à l'aube
du XIIᵉ s., était un émir seldjoukide.
En 1124, les croisés assiégèrent
vainement la ville;
le gouverneur turc de Mossoul viendra
la secourir... en en prenant possession.
Ph. Gustavo Tomsich © Photeb

En haut, à droite :
vue de la citadelle d'Alep. Les croisés
de 1124 n'ont pas vu ce joyau
de l'architecture médiévale musulmane,
qui a été construit seulement
à la fin du XIIᵉ s., sur les fondations
de la précédente forteresse.
Contre les tentatives de mine et de sape,
le talus, qui descend à 48% jusqu'au fond
du fossé, a été maçonné. L'entrée,
à droite, avec son pont à huit arches,
ses deux grandes tours, son couloir
à cinq coudes, ses trois portes, est déjà
un chef-d'œuvre de stratégie défensive.
Ph. © Titus

En bas :
l'armée de Saladin. Miniature
du « Roman de Godefroi de Bouillon »,
1337. (Bibl. Nat., Paris.) Réalisée alors
que l'Occident a perdu tout l'Empire latin
d'Orient, cette miniature paraît
révéler cependant une bonne connaissance
du costume des cavaliers d'Allah.
Saladin (1137-1193) eut tout autant
à lutter contre les nombreuses factions
politico-religieuses de l'islam
que contre les coalisés européens.
Il réussit à faire prisonnier Guy de Lusignan
à Tibériade, le 4 juill. 1187, et s'empara,
le 2 oct. suivant, de Jérusalem,
provoquant une intense émotion
dans la chrétienté, qui se croisa pour
la troisième fois. Il fut le héros musulman
de cette troisième croisade,
comme Richard Cœur de Lion en fut le héros

chrétien. Régnant de la Syrie à l'Égypte,
Saladin réussit à conserver
la Palestine. Homme d'une grande culture,
administrateur civil de premier plan,
il mourut en laissant
son empire à son frère et à dix-sept fils.
Ph. © Bibl. Nat., Paris - Photeb

VII

VIII

CROISADES

Saint Louis reçoit la sainte Couronne.
Miniature de « La Fleur des histoires »,
XVe s. (Bibl. royale Albert-Ier, Bruxelles.)
Hommage tardif et en costume d'époque
à un événement antérieur
de deux siècles. Pour défendre l'Empire
franc de Constantinople, le jeune empereur
Baudouin avait dû engager la Couronne
d'épines chez des prêteurs vénitiens.
Il l'offrit à Louis IX, à charge
pour lui de la dégager. Deux frères
prêcheurs allèrent la chercher
à Constantinople. Le 10 août 1239,
les deux émissaires parvinrent
avec la précieuse relique près de Sens,
où le roi et ses trois frères l'attendaient.
Ils la portèrent en procession,
pieds nus, de Sens jusqu'à Paris, dans
Notre-Dame alors toute neuve, avant
que la Sainte-Chapelle ne lui serve d'abri.
Ph. © Bibl. royale Albert Iᵉ Bruxelles

CROISADES

En haut :
**débarquement de croisés allant
attaquer une forteresse sarrasine.**

En bas :
**cavaliers et fantassins croisés
s'apprêtant à combattre.**
Miniatures des « Cantigas
de Santa Maria », d'Alphonse X le Sage,
roi de Castille et de León, 1262.
(Bibl. nationale, Florence.)

Les grandes campagnes neuf fois menées
par l'Occident en Terre sainte
ou en Méditerranée orientale ne doivent
pas faire oublier les innombrables
expéditions qui, durant plusieurs siècles,
opposèrent chrétiens et « sarrasins »
à travers le Bassin méditerranéen.
Ces illustrations, quasi contemporaines
de la croisade tunisienne de Saint Louis
(1270), révèlent l'acuité de la lutte
en Méditerranée occidentale, lutte
d'autant plus vive que l'islam —
qui a perdu la Corse, la Sicile, la Sardaigne,
les Baléares — reste encore fortement
accroché à l'Espagne. Sous le règne
d'Alphonse X, les Castillans fortifient
leur marine, s'emparent de Cadix,
de Carthagène, tentent de s'assurer
le détroit de Gibraltar. Mais en 1279, le roi
de Castille échoue à Algésiras
en provoquant la réconciliation
des Maures d'Espagne et des Marocains.
Ph. Gustav Tomsich © Photeb

CROISADES

**Le pape Pie II prend, à Ancône,
la tête de la croisade.**
Fresque du Pinturrichio pour la bibliothèque
Piccolomini. (Cathédrale de Sienne.)
Pie II, érudit, écrivain et diplomate,
désirait mener la croisade
contre Mahomet II et les Turcs Ottomans, qui,
le 29 mai 1453, s'étaient emparés
à Constantinople de tout l'héritage antique
et chrétien de Byzance. Il essaya
d'y intéresser les grands souverains
européens. Vainement. Après avoir reçu
les ambassadeurs de Perse, de Trébizonde
et d'Arménie, qui le pressaient d'intervenir,
Pie II décida qu'il embarquerait avec ses
seules forces à Ancône, sur l'Adriatique.
Il allait mourir, à cinquante-neuf ans,
dans la nuit de l'Assomption 1464,
avant d'avoir pris la mer.
C'est pour décorer la bibliothèque
où il avait rassemblé ses collections
que son petit-neveu fit appel
au Pinturrichio. Ainsi fut peint ce dixième
et dernier tableau d'une série qui, au-delà
des embellissements chers à la Renaissance,
est un bon document d'histoire.
Ph. © Scala - Photeb

IX

X

▶ XI

CROISADES : pour la couronne d'épines, 1239

CROISADES :
difficile
Reconquista,
1262

X

CROISADES : les rêves héroïques, 1464

XI

veston et au chapeau mou, à l'époque de la Seconde Guerre mondiale, constitue sans doute un épisode significatif dans l'histoire du matérialisme dialectique. Dans les pays fascistes, en Italie et en Allemagne, la généralisation de l'uniforme politique (chemises noires, chemises brunes) ou quasi militaire, même pour les fonctionnaires civils, manifeste la volonté de mobilisation permanente au service de l'État totalitaire.

Après les restrictions de la guerre, qui ont favorisé l'emploi des tissus synthétiques, le raccourcissement des jupes, le recours aux chaussures à semelles de bois, la mode féminine reprend son élan en 1947, lorsque Christian Dior lance le « new look », avec la jupe au-dessous du mollet, les épaules discrètes, la poitrine relevée, la taille pincée. Paris, jusque vers 1960, va dicter de nouveau sa loi aux élégantes du monde entier. Le new look n'eut qu'une existence éphé-

mère — à peine deux ans — mais Dior lança ensuite ses lignes H et A. La fin des années 50 vit le retour aux modes de 1925, que suivirent la révolution de la mini-jupe (1967) et la généralisation du pantalon féminin au début des années 70. L'invention du Nylon et le succès mondial du « jean » ont également contribué au bouleversement du costume, dominé désormais par le souci de l'utilité. Le costume tend de plus en plus à s'uniformiser, non seulement en Chine, où le communisme maoïste a revêtu près d'un milliard d'hommes d'identiques bleus de chauffe, mais même en Occident, où la cravate, hier marque de la personnalité, se fait de plus en plus rare et où la chemise elle-même tend à disparaître, remplacée par le pull-over. Mais l'histoire du costume atteste qu'il y aura toujours des revanches pour l'individualisme et l'originalité.

COSTUME
Tenue de sport Christian Dior, automne-hiver 1976-1977.
Ph. Marc Hispard © Christian Dior Photeb

COT Pierre (* Grenoble, 20.XI.1895, † Paris, 21.VIII.1977). Homme politique français. Avocat, député radical-socialiste de Chambéry (1928/40), il fut un des dirigeants des « jeunes radicaux » qui s'orientèrent vers le Front populaire. Ministre de l'Air en 1933/34, il retrouva ce poste dans le premier cabinet Blum et le cabinet Chautemps (juin 1936/janv. 1938) puis fut ministre du Commerce (1938). Il prit fermement position contre la politique de Munich. Réfugié aux États-Unis (1940/43), il fut jugé par contumace au procès de Riom; le gouvernement de Vichy le rendait responsable de l'infériorité de l'aviation française en 1939/40. Il représenta le parti radical-socialiste à l'Assemblée consultative, puis fut élu à l'Assemblée nationale en 1946. Il se rapprocha étroitement des communistes, devint député progressiste du Rhône (1951/58) et fut député de Paris (1967/68).

COTE 304. Position des environs de Verdun, entre le bois de Malancourt et le Mort-Homme. Elle fut, avec le Mort-Homme, le pivot de la défense de Verdun sur la rive gauche de la Meuse. Après l'échec de tous leurs assauts en 1916, les Allemands s'en emparèrent le 28 juin 1917; elle fut reconquise par les Français le 24 août 1917.

CÔTE-DE-L'OR, *Gold Coast.* Voir GHANA.

CÔTE-D'IVOIRE. État de l'Afrique occidentale, sur le golfe de Guinée, capitale *Yamoussoukro.* La Côte-d'Ivoire reçut la visite des Portugais dès le XVIe s.; des comptoirs commerciaux français s'y établirent au siècle suivant; en 1842, furent fondés les établissements d'Assinie et de Grand-Bassam, mais c'est seulement à partir de 1884 que la pénétration militaire et administrative se développa le long de la

côte et à l'intérieur du pays, qui avait été exploré par Binger (1887/89 et 1892). La colonie de la Côte-d'Ivoire, constituée en 1893, fut pacifiée après la capture de Samory (1898) et englobée dans le gouvernement général de l'Afrique-Occidentale française en 1899. Elle connut un développement économique rapide. La Haute-Volta en fut détachée en 1932 et constitua une colonie séparée. L'essor économique s'accéléra après la Seconde Guerre mondiale : aménagement du port d'Abidjan, prolongement de la voie ferrée Abidjan-Niger jusqu'à Ouagadougou (1955), etc. La Côte-d'Ivoire était le plus prospère des territoires de l'A.O.F. mais sa richesse dépendait essentiellement, comme aujourd'hui encore, de l'agriculture (80% de la population active en 1970) et de la forêt. Territoire de l'Union française (1946), elle vit se développer, à partir de 1946, le Rassemblement démocratique africain, dirigé par Houphouët-Boigny. Ce dernier conduisit la Côte-d'Ivoire à l'autonomie au sein de la Communauté française (décembre 1958), puis à l'indépendance (7 août 1960). Mais il maintint son pays dans une étroite coopération économique avec la France et avec le Marché commun. République présidentielle avec un parti unique, le parti démocratique de la Côte-d'Ivoire (P.D.C.I.), le pays a témoigné d'une stabilité politique rare. Grâce à un afflux d'investissements privés, la Côte-d'Ivoire a connu un « miracle économique » exemplaire pour l'Afrique francophone. Devenue le troisième producteur mondial de café et de cacao, la Côte-d'Ivoire a vu son industrialisation progresser de plus de 15 % en moyenne par an depuis l'indépendance.

● De 1960 à 1972, le produit intérieur a plus que triplé et le produit par tête était le plus élevé de tous les pays africains, à l'exception de celui de la République sud-africaine (v.).

COT
Pierre. Homme politique français (1895-1977).
Ph. © L. Silvester - Arch. Photeb

La production de cacao et de café, dont la Côte-d'Ivoire est devenue le 1er et le 3e producteur mondial, y a beaucoup contribué. De 1976 à 1978 on a pu croire à une production pétrolière très importante, ce qui a provoqué un endettement considérable. La chute brutale des cours mondiaux frappant les produits d'exportation en 1980 a conduit à un programme de « refroidissement ». La Caisse de stabilisation, organisme d'État, a le monopole des transactions sur le café et le cacao et ses bénéfices importants sont la principale source des investissements publics. Elle paie à prix assez bas les producteurs ivoiriens, qui accordent des salaires très faibles à la main-d'œuvre immigrée, généralement voltaïque. Toutefois, la multiplicité des petites et moyennes plantations assure une diffusion assez large des revenus agricoles au sein de la population. Les jeunes Ivoiriens fuient cependant l'agriculture pour rechercher des emplois industriels, mais la crise économique mondiale réduit le programme d'industrialisation et multiplie le chômage. La réduction des investissements, les mesures d'économie (essence très chère, augmentation du prix de l'électricité et de différents produits de base, remise en cause des bourses et des indemnités de logement pour les fonctionnaires) provoquent un certain mécontentement.

La capitale a été transférée en mai 1983 du port d'Abidjan – qui compte près de 2 millions d'habitants – à Yamoussoukro, village natal d'Houphouët-Boigny dont la transformation en capitale a coûté une fortune au pays et sans que les installations aient jamais véritablement fonctionné (l'achèvement de la basilique monumentale, en face du palais présidentiel, était prévu pour sept. 1989). Malgré ses difficultés, la Côte-d'Ivoire reste un pays relativement riche, au produit national brut quatre fois supérieur à celui du Burkina. Le pays, totalement dominé par la personnalité de son président Houphouët-Boigny, appréhendait les difficultés de sa succession. De juill. 1987 à janv. 1989, la Côte-d'Ivoire, en refusant de vendre sa production de cacao sur le marché international, avait tenté d'empêcher la chute des cours de sa principale source de devises. Devant l'échec de cette initiative, la situation ne fut dénouée que grâce à l'intervention du gouvernement français.

CÔTE FRANÇAISE DES SOMALIS. Voir Somalie.

COTEREAUX. Nom donné au XIIe s., sous le règne de Louis VII, à des troupes de bandits qui infestèrent le centre et le midi de la France. Plus de 7 000 d'entre eux furent tués dans le Berry vers 1180.

COTHON. Port de Carthage antique, comprenant deux bassins, l'un, rectangulaire, pour la flotte de commerce, l'autre, circulaire, pour la flotte de guerre.

COTHURNE, *kothornos.* Dans l'Antiquité, brodequin d'origine orientale, montant jus-

qu'au milieu des mollets; il laissait les orteils à découvert et se nouait au-dessus de la cheville. Porté par les chasseurs, les cavaliers, il servait aussi aux acteurs de théâtre, mais, en ce cas, comportait plusieurs semelles de liège pouvant dépasser 15 cm de hauteur, afin de grandir le personnage.

COTON. Le coton a été cultivé et tissé dans l'Inde dès la plus haute antiquité. En Europe, Hérodote y fit le premier allusion (*Hist., IV,* 106) : « Les Indiens, dit-il, possèdent une sorte de plante qui, au lieu de fruit, produit de la laine d'une qualité plus belle et meilleure que celle des moutons; ils en font leurs vêtements. » Arrien, Strabon et Pline parlent également de la culture du coton. Au début de notre ère, les étoffes de coton étaient importées de l'Inde par les Romains en quantités assez importantes. La culture du coton, qui n'atteignit la Chine qu'au Xe s., fut introduite en Espagne par les Arabes. Dès le XIIIe s., existait à Barcelone une florissante corporation de tisserands de coton. En arrivant en Amérique, les Européens découvrirent que les indigènes connaissaient depuis longtemps l'usage du coton (il est déjà attesté chez les Indiens Pueblos préhistoriques de l'Arizona et au Pérou préinca). L'Angleterre fut le premier pays d'Europe à développer systématiquement la filature du coton. C'est dans cette branche que furent réalisées, au XVIIIe s., les premières inventions décisives de la révolution industrielle : la *spinning-jenny* (v. JENNY) (1765/70) de Hargreaves, permettant de filer plusieurs fils à la fois; la *water-frame* (v.) (1767/69) d'Arkwright, pouvant produire des fils de toute torsion et de toute force; la *mule-jenny* (v.) (1774/79) de Crompton, etc. (v. INDUSTRIELLE, révolution).

En France, l'industriel jacobite émigré John Holker fonda à Rouen une fabrique de velours de coton et introduisit dès 1771 la *spinning-jenny.* Mais les progrès de l'industrie du coton furent plus lents qu'outre-Manche. En Angleterre, la consommation annuelle de coton brut passa de 945 tonnes vers 1750 à 30 100 tonnes vers 1800/1810, à 241 000 tonnes vers 1840/48; en France, de 1 100 tonnes vers 1790 à 10 740 tonnes vers 1804/07, à 57 630 tonnes vers 1845. Dès cette époque, les États-Unis étaient devenus le principal producteur mondial, et la guerre de Sécession provoqua en Europe une véritable « famine de coton ». La production nord-américaine, qui fournissait 60 % de la production mondiale vers 1930, n'a pas cessé de rétrograder en importance relative.

● Le classement est devenu le suivant en 1986 : Chine 26,4 % de la production mondiale, U.R.S.S. 16,4 %, États-Unis 13,8 %, Inde 8,8 %, etc. Mais les États-Unis restent le premier exportateur avec 30 % du marché mondial du coton; le Japon est le premier importateur mondial, avant la Chine, la Corée du Sud, Hongkong, l'Italie. La production mondiale de coton ne représentait plus que 47 % du marché des textiles (contre

CÔTE-D'IVOIRE
Masque-pendentif baoulé.

COTY
René. Homme politique français
(1882-1962).

Ph. © E.C.P. Armées - Photeb

80 % en 1900) en raison de l'importance prise par les textiles synthétiques.

COTONOU. Ville de la République du Bénin (Dahomey), principal port et centre commercial du pays. Occupée par les Français en 1878, elle se développa fortement à la veille de la Seconde Guerre mondiale. De 1959 à 1964, de grands aménagements rendirent le port accessible aux gros navires.
● La ville comptait plus de 300 000 habitants en 1980.

COTTA Marcus Aurelius (Iᵉʳ s. av. J.-C.). Homme politique romain. Consul en 74; chargé de la guerre contre Mithridate, il prit Héraclée du Pont, mais subit ensuite de graves défaites, fut mis en jugement et privé des insignes de sénateur.

Son frère, **Caius Aurelius Cotta** (Iᵉʳ s. av. J.-C.), banni par Marius, rappelé par Sylla, fut consul en 75. Cicéron le met en scène dans son *De oratore* comme une autorité dans l'art oratoire; il apparaît également dans le *De natura deorum*.

COTTE. Au Moyen Age, vêtement porté par les deux sexes, sur la chemise et sous le surcot. Dans le costume militaire, la cotte d'armes des XIᵉ/XIIᵉ s. couvrait le corps jusqu'aux genoux; elle portait le nom de *broigne;* garnie extérieurement d'un tricot de mailles de fer, elle devenait la *cotte de mailles*. D'abord flottante, elle est ajustée à partir du XIVᵉ s. Elle disparaît au XVIᵉ s.

COTTEREAU Jean. Voir CHOUAN Jean.

COTTIENNES (alpes). Voir ALPES COTTIENNES.

COTTIUS Marcus Julius (Iᵉʳ s. apr. J.-C.). Chef ligure soumis par Auguste, mais laissé comme préfet dans ses anciennes possessions; son fils, du même nom, reçut sous l'empereur Claude le titre de roi. A sa mort, ses États furent englobés dans une province romaine.

COTY, François Marie Joseph Spoturno, dit **François** (* Ajaccio, 3.V.1874, † Louveciennes, 25.VII.1934). Industriel et entrepreneur de presse français. D'abord secrétaire d'Emmanuel Arène, il devint un riche et célèbre parfumeur et put satisfaire ses ambitions politiques. En 1922, il s'assura le contrôle du *Figaro* (v.), dont il voulut faire un journal de combat nationaliste, et il y attira des polémistes de talent tels que Bernanos. En 1928, il lança un nouveau quotidien, *L'Ami du Peuple,* dont les idées se rapprochaient de celles du fascisme; ce journal était vendu 10 centimes à Paris et 15 centimes en province, tandis que les autres journaux quotidiens coûtaient 25 centimes. Coty provoqua une violente réaction de la presse parisienne; les Messageries Hachette et l'agence Havas lui refusèrent leurs services, et l'entreprise finit par se révéler désastreuse

COUBERTIN
Pierre de C. Initiateur des
jeux Olympiques (1862-1937).

Ph. © Keystone

financièrement. Coty avait fondé également un mouvement politique d'extrême droite, la Solidarité française (v.).

COTY René (* Le Havre, 20.III.1882, † Le Havre, 22.XI.1962). Homme politique français. Avocat, député (1923/35) puis sénateur (1935/40) de la Seine-Inférieure, sous-secrétaire d'État à l'Intérieur (1931). Il vota les pouvoirs au maréchal Pétain en juill. 1940. Membre du Conseil de la République, dans le groupe des indépendants, à partir de 1948, ministre de la Reconstruction (1947/48), il fut élu président de la République comme successeur de Vincent Auriol le 23 déc. 1953. Sa présidence fut marquée par la fin de la guerre d'Indochine et par le développement de la crise algérienne. A la suite du putsch d'Alger (13 mai 1958), il appela au pouvoir le général de Gaulle, qui mit fin à la IVᵉ République.

COTYS ou KOTOS. Nom de plusieurs rois de Thrace et du Bosphore. Cotys II, roi des Odryess, secourut Persée contre les Romains mais fut bientôt forcé d'implorer la paix (167 av. J.-C.).

COUBERTIN, baron Pierre de (* Paris, 1.I.1862, † Genève, 2.IX.1937). Après avoir lutté très tôt pour l'enseignement du sport dans les établissements d'enseignement secondaire, il lança dès 1888 l'idée d'une rénovation des jeux Olympiques : les premiers de l'époque moderne se tinrent à Athènes en 1896. Il assuma la direction des jeux Olympiques jusqu'en 1925.

COUCH (pays de). Nom donné par les anciens Égyptiens au pays que les Grecs appelaient *Éthiopie,* c'est-à-dire à l'actuel Soudan central, au sud de la deuxième cataracte. Voir NUBIE.

COUCY. Nom d'une ancienne famille de Picardie qui tirait son nom de Coucy-le-Château (Aisne). Ses membres avaient pour devise : *Roy ne suis, ne prince, ne duc, ne comte aussy : je suis le sire de Coucy.* La forteresse, qui avait été élevée dès le Xᵉ s. à Coucy par un archevêque de Reims, fut occupée vers la fin du XIᵉ s. par le fondateur de la dynastie de Coucy, **Enguerrand de Boves** († 1115). Son fils, **Thomas de Marle,** seigneur pillard, fut aux prises avec plusieurs expéditions menées contre lui par Louis VI.

Enguerrand III de Coucy, dit **le Grand,** avait combattu aux côtés de Philippe Auguste à Bouvines, mais fut le chef de la ligue formée pendant la minorité de Louis IX contre Blanche, mère du jeune roi; c'est lui qui fit construire le château et ses fortifications (v. article suivant).

Enguerrand VI, gendre de Léopold Iᵉʳ, duc d'Autriche, fut tué à la bataille de Crécy (1346).

COUCY
Armoiries de la ville, 1664.
Ph. Jeanbor © Photeb

Enguerrand VII (* vers 1340, † 18.II.1397), gendre d'Édouard III d'Angleterre, fut fait prisonnier par les Turcs dans la croisade de Nicopolis et mourut en captivité à Brousse; il fut le dernier descendant mâle de la maison de Coucy. Sa fille, Marie, vendit Coucy au duc d'Orléans (1400).

COUCY (château de). Ancien château fort de la région de Laon, au S.-O. de cette ville. La forteresse, élevée au xᵉ siècle par un archevêque de Reims, fut complètement reconstruite vers 1230/40 par Enguerrand III de Coucy (voir ci-dessus). Avec son énorme donjon (31 m de diamètre, 54 m de hauteur) et ses quatre tours d'angle flanquant les remparts, c'était l'un des chefs-d'œuvre les plus typiques de l'architecture militaire médiévale. Vers 1380/87, Enguerrand VII, le dernier des Coucy, fit aménager le château dans le goût des résidences princières du temps. La place ayant été défendue par les frondeurs contre les troupes royales, Mazarin fit démanteler Coucy en 1642. Passé à l'État en 1856, le château fut restauré par Viollet-le-Duc, mais il fut détruit en mars 1917 par les Allemands.

COUDÉE. Mesure de longueur en usage dans l'Antiquité. En Égypte, la *coudée royale* ou *sacrée* équivalait à 0,525 m. La coudée grecque valait 0,463 m et la coudée romaine 0,444 m.

COULEUVRINE ou **COULEVRINE.** Bouche à feu en usage du xvᵉ au xviiᵉ siècle, que sa forme allongée et la couleur du métal faisaient ressembler à une couleuvre. Les couleuvrines étaient des pièces de grande dimension et de fort calibre : certaines avaient 6 m de long, pesaient plus de 16 tonnes et pouvaient lancer des projectiles de 70 kg; c'était surtout des pièces de forteresse ou de siège.

COUMANS ou **COMANS.** Peuple nomade de race turque connu encore sous le nom de *Kiptchaks* et de *Polovtsy*. Peut-être apparenté aux Ouïgours et venu des confins chinois, il fit son apparition en Sibérie occidentale au ixᵉ s. et fut mentionné pour la première fois dans les chroniques russes (sous le nom de *Polovtsy*) en 1055. Les Coumans s'étant alors installés en Russie méridionale, Vsévolod tenta d'acheter la paix avec eux, mais ils remportèrent une grande victoire sur les forces kiéviennes en 1068, sur les rives de l'Alta. Après avoir exploité les dissensions de Kiev, ils furent vaincus par Vladimir Monomaque en 1103, mais non écrasés. Un siècle exactement plus tard, en 1203, ils mirent à sac Kiev, dont ils précipitèrent la chute. Au S., d'abord alliés aux Petchenègues, ils attaquèrent Andrinople en 1078, puis se rangèrent aux côtés des Byzantins qu'ils aidèrent à se débarrasser des Petchenègues (1091). Ils s'allièrent ensuite aux Bulgares contre l'Empire latin de Constantinople et participèrent à la victoire d'Andrinople sur les croisés (1205). Vers le même moment,

ils commençaient à lancer de dangereuses attaques contre la Hongrie, qui, pour se défendre, appela l'ordre Teutonique en Transylvanie. Ils avaient chez les Latins la réputation d'un peuple fort sauvage et st. Dominique rêvait d'aller les évangéliser. Au début des invasions mongoles (1223), les Coumans de Russie méridionale combattirent tantôt aux côtés des Mongols, tantôt aux côtés des Slaves. Mais en 1237, ils furent sévèrement battus par les Mongols, qui donnèrent aux territoires conquis sur eux le nom de *khanat de Kiptchak*. Quarante mille Coumans survivants trouvèrent refuge en Hongrie orientale, dans la région appelée *Coumanie*, où certains groupes de leur peuple avaient été convertis au christianisme dès 1227.

COUNAXA. Localité ancienne de la Mésopotamie, à proximité de l'Euphrate et à 130 km environ au N.-O. de Babylone. En 401 av. J.-C., Cyrus le Jeune, révolté contre son frère, le roi de Perse Artaxerxès II, y fut vaincu et tué par ce dernier. Ses mercenaires grecs, parmi lesquels se trouvait Xénophon, parvinrent à regagner leur pays après la fameuse retraite des Dix-Mille (v.).

COUP DE JARNAC. Voir JARNAC.

COUP-DE-POING. Autre nom donné au biface (v.).

COUPE STRATIGRAPHIQUE. Voir STRATIGRAPHIE.

COUPE-CHOU. Sabre très court — environ 50 cm — porté par les fantassins français de 1831 à 1866; on donnait également ce nom au *coupe-coupe*, sabre d'abattis qui équipait les troupes noires de l'armée française, notamment les tirailleurs sénégalais.

COUPOLE DU ROCHER. Voir OMAR (mosquée d').

COUR. Entourage d'un souverain, composé de ses parents, des serviteurs du roi et de la famille royale, des officiers et dignitaires du palais, ainsi que de familiers qui, sans remplir une fonction précise, résident habituellement auprès du prince.

Dans l'Antiquité et à Byzance

Dès l'Ancien Empire égyptien, le pharaon et ses femmes avaient auprès d'eux une foule de serviteurs. Le chef des gardes du corps, l'intendant du palais, l'intendant des bâtiments, le gardien de l'arc royal, le gardien des couronnes, les deux chasse-mouches, le préposé aux chevaux, les quatre perruquiers, les gardiens des habits royaux, les scribes, trésoriers, médecins, artistes, etc., étaient parfois d'importants dignitaires. On trouvait également à la cour égyptienne de nombreux prêtres, des hauts fonctionnaires et enfin les véritables courtisans, qui portaient le nom d'« amis du roi ». En Perse, la cour des grands rois achéménides comptait

toujours plusieurs milliers de personnes; les intrigues de palais ne contribuèrent pas peu à la rapide décadence de la dynastie fondée par Cyrus.

Dans l'Empire romain, Dioclétien, au cours de son œuvre de restauration du pouvoir, entoura la majesté impériale d'une cour fastueuse et réglée par un cérémonial, à l'imitation de la cour des Sassanides (fin du IIIe s.). La cour devint le cadre d'un véritable culte de l'empereur, qui devait durer jusqu'à la chute de Byzance, en 1453. La vie extérieure du souverain byzantin était réglée par une étiquette rigide et minutieuse, qui comprenait des rites de signification religieuse : silence absolu obligatoire en présence de l'empereur, rites du prosternement et de l'adoration impériale, acclamations. Cette liturgie de la cour connut son plus bel éclat et toute sa complexité vers le Xe s., mais, à partir du XIIe s., sous les Comnènes, les influences occidentales contribuèrent à une simplification de l'étiquette et à la suppression de nombreuses cérémonies. Dans sa vie privée, l'empereur d'Orient mena toujours un train beaucoup plus libre et plus simple que les Habsbourg d'Espagne et que Louis XIV au XVIIe s.

Les cours de la Renaissance

En Europe occidentale, la vie de cour commença à s'épanouir au XVe s., dans le duché bourguignon et dans les principautés italiennes. Elle trouva son cadre dans le fastueux palais et ses distractions dans les fêtes brillantes comme celles que donnaient les Médicis à Florence, les papes à Rome, les Este à Belriguardo, les Gonzague à Mantoue, ou comme ce somptueux « banquet du faisan » offert à Lille, en 1454, par le duc Philippe le Bon. En Italie, puis en France à partir de François Ier et d'Henri II, en Angleterre sous Henri VIII et Élisabeth Ire, en Espagne, à l'époque du Siècle d'or, les cours inaugurèrent des formes supérieures de la sociabilité. Elles attiraient, protégeaient et faisaient vivre écrivains et artistes. Sous l'influence grandissante des femmes, elles imposèrent un idéal mondain d'élégance, de galanterie et de raffinement. Elles donnèrent naissance à de nouveaux genres littéraires et artistiques éminemment sociaux, le ballet de cour, le théâtre, l'opéra, la musique de chambre...

Dans les grandes monarchies française et espagnole, le développement de la cour manifesta l'affirmation de la puissance royale, qui, dans le moment même où se précisaient les théories du droit divin (v.), affectait de prendre ses distances par rapport aux sujets et de s'entourer de mystère. Avec François Ier, la cour des Valois occupa brusquement le devant de la scène politique, mondaine, artistique. Elle comprenait déjà plusieurs milliers de personnes : le roi et les princes du sang, avec leurs serviteurs privés et leurs gardes, les ministres, les conseillers, les prélats, les grands seigneurs, les uns et les autres accompagnés de leurs valets, de leurs médecins, de leurs apothicaires, de leurs poètes, de leurs musiciens, etc.

Selon Brantôme, c'est à partir de François Ier que les femmes jouèrent un grand rôle à la cour de France, car le roi, « considérant que toute la décoration d'une cour était des dames, l'en voulut peupler plus que de coutume ancienne. Comme de vrai, une cour sans dames, c'est un jardin sans aucunes belles fleurs, et mieux ressemble une cour d'un satrape ou d'un Turc que non pas d'un grand roi chrétien ». Les favorites commencèrent à se mêler des affaires de l'État. Sous François Ier, on vit la comtesse de Châteaubriant pousser ses médiocres frères aux plus hauts postes, puis la duchesse d'Étampes choisir des ministres, et enfin la cour se diviser en deux partis, celui d'Étampes et celui de Diane de Poitiers, maîtresse du futur Henri II. La cour était devenue le centre des intrigues politiques; c'est là que se nouaient les cabales contre un ministre, que se distribuaient les hautes charges, les pensions, les évêchés, les abbayes. Parfois même on y préparait des crimes, tels le massacre de la Saint-Barthélemy ou l'assassinat du duc de Guise. Phénomène nouveau par son ampleur, la cour du XVIe s. restait encore marquée cependant par les usages féodaux. La grande noblesse, en cours de domestication, gardait encore le sentiment de l'honneur. Si les membres des plus grandes familles ne croyaient pas déchoir en acceptant de servir le roi et la reine comme chambellans, grands veneurs, panetiers, échansons ou valets de la chambre, c'est que ces offices dérivaient des services domestiques dus par les vassaux du Moyen Age à leur suzerain.

La cour des Valois n'avait pas encore de résidence fixe. Avec les six, huit et jusqu'à douze mille chevaux qu'elle entretenait régulièrement, d'après l'estimation d'un ambassadeur vénitien, elle se déplaçait de ville en ville, de château en château, de Saint-Germain à Fontainebleau, à Amboise, à Blois, à Chambord. Elle ne s'arrêtait guère plus de quinze jours dans un endroit. « Sa prodigalité n'a pas de bornes, dit encore l'envoyé de Venise; les voyages augmentent la dépense du tiers au moins, à cause des mulets, des charrettes, des litières, des chevaux, des serviteurs qu'il faut employer et qui coûtent le double de l'ordinaire », car la cour emportait avec elle ses cuisines ambulantes, ses vaisselles, ses meubles, ses tapisseries, ses archives d'État. Dans cette cour nomade, l'étiquette ne pouvait pas être très rigide. Entre les courtisans et le roi, régnait une familiarité qui devait subsister sous Henri IV et sous Louis XIII.

La cour de Versailles

Avec Louis XIV, la vie de cour allait connaître en France un éclat sans précédent. Sous l'influence espagnole qui s'était exercée pendant la régence d'Anne d'Autriche et après le mariage avec l'infante Marie-Thérèse, l'étiquette se durcit et s'alourdit. Elle pesait en premier lieu sur le roi lui-même, lequel semblait comme le grand prêtre d'un culte

COUR

Une scène de la cour
de Bourgogne, au XVᵉ s.
Miniature de Loyset Lyedet
pour l' « Histoire de
Charles Martel », commandée
par le duc Philippe le Bon
(document très agrandi).
La Bourgogne ne lança pas
la mode des hennins,
initiative qui paraît
revenir à la reine
de France Isabeau.
Mais à sa cour,
ces hauts cornets,
dotés d'espèces d'étendards
flottant sur les épaules,
firent fureur. La démesure
de la coiffe féminine
correspondait-elle
à quelque autre démesure?
Joseph Calmette a écrit :
« Une mégalomanie politique
paraît bien se cacher
derrière cette obsession
constante de faire
de la Maison ducale
la plus splendide
de toutes les maisons qui
règnent dans la chrétienté...
de faire partout vanter
la richesse,
la générosité, le goût
de ceux de Bourgogne. »

Bibl. Royale Albert-Iᵉʳ, Bruxelles
Ph. © Archives Photeb

1231

qui, au-delà de sa personne, allait au principe éternel de la monarchie et de l'État. La vie de cour servait « d'abord à élever le monarque bien au-dessus de son entourage, à donner à ce demi-dieu mortel un temple digne de son culte; puis à domestiquer la noblesse, en la déracinant de ses attaches et clientèles locales et féodales, en la fixant dans une étroite dépendance morale et financière. La noblesse, endettée, n'a plus de recours que dans les grâces royales. Oisive, elle devient un ornement utile au prince; dépendante, elle prend du service rémunérateur et pensionné ». (H. Méthivier, *Louis XIV*, P.U.F., 1950, p. 36.)

La cour qui, dans les premières années du règne, menait, comme au temps de François Ier, une vie vagabonde, s'installa en 1682 à Versailles (v.). C'est là qu'elle apparut dans toute la solennité de son cérémonial. Elle comptait jusqu'à 8 000 personnes, dont la moitié environ appartenait à la maison du roi (v.), l'autre moitié étant formée des simples courtisans dont toute l'ambition était d'attirer les regards du roi, pour obtenir une place, une pension, ou simplement la faveur d'accompagner Louis dans une promenade ou d'être invité à Marly. La vie de courtisan, dans laquelle excellèrent un Dangeau, un d'Antin, un La Feuillade, un La Rochefoucauld (le fils du moraliste), a été âprement satirisée par La Bruyère et par Saint-Simon. Mais on ne doit pas oublier que la cour, si elle attirait ambitieux, flatteurs et intrigants, était aussi un séjour d'enchantement, avec ses fêtes, ses concerts, ses opéras, ses représentations théâtrales, ses tables de jeu, et le centre de toute la vie littéraire et artistique. Il faut aussi tenir compte de tout ce qui entrait de sincère admiration dans le désir des courtisans de partager constamment la vie du plus grand souverain de l'univers, que toute l'Europe s'efforçait d'imiter. A la fin de l'Ancien Régime, la cour de France, malgré les « retranchements » auxquels avait procédé Louis XVI en 1775, 1776 et 1787, était deux fois plus nombreuse qu'au temps de Louis XIV: près de 4 000 personnes pour la maison civile du roi, de 9 000 à 10 000 pour sa maison militaire, 2 000 au moins pour les maisons de ses proches, et de 1 000 à 2 000 courtisans sans fonctions définies, en tout quelque 16 000 personnes, dont l'entretien annuel s'élevait en moyenne à 50 millions de livres, soit le dixième de l'ensemble des revenus de l'État. Aussi la cour était-elle l'une des institutions les plus impopulaires de la monarchie finissante, et l'une de celles qui ont le plus contribué à sa chute.

COUR DES AIDES. Voir AIDES.

COUR DE CASSATION. Juridiction suprême française qui a pour rôle essentiel le contrôle de l'application de la loi.

Sous la monarchie, les arrêtés des cours souveraines étaient ordinairement en dernier ressort; si une erreur s'y était glissée, elle ne pouvait être redressée que par l'intervention personnelle du roi. A la fin du XIIIe s., il fallait invoquer de la part des premiers juges une erreur de fait, mais, dès le XIVe s., une erreur de droit fut suffisante. Si le roi en son Conseil acceptait le recours, il renvoyait les parties devant la même cour en enjoignant à celle-ci de revoir sa décision. Le pourvoi en cassation pouvait être formé soit par l'une des parties, soit par les gens du roi; il devait se fonder sur la violation des ordonnances ou de la coutume, sur l'excès de pouvoir ou l'incompétence de la cour, ou enfin sur la violation d'une forme essentielle. A partir du XVIe s., apparut (ordonnance de Blois, mai 1579) la procédure du pourvoi en cassation devant le Conseil du roi (v.). (Conseil privé ou des parties, présidé par le chancelier), définitivement fixée par le règlement du chancelier d'Aguesseau du 20 juin 1738. Il en résulta des abus, car ce conseil représentait une confusion des pouvoirs législatif et judiciaire et sa composition, toute politique, n'offrait aucune garantie.

L'Assemblée constituante, par ses décrets des 27 nov./1er déc. 1790, institua un **Tribunal de cassation** unique pour toute la France, chargé de casser les décisions judiciaires entachées d'une violation de la loi ou d'une inobservation des formes. Comme l'actuelle Cour de cassation, ce tribunal n'examinait pas les questions de fait, mais seulement les questions de droit. Il était composé de juges élus pour quatre ans par les collèges électoraux départementaux. Le sénatus-consulte du 28 floréal an XII (18 mai 1804) donna à ce tribunal le nom de **Cour de cassation.** La loi du 1er avr. 1837 permit à la Cour d'imposer sa manière de voir aux tribunaux de renvoi, alors que, depuis 1790, les désaccords persistants entre la Cour et ces tribunaux ne pouvaient être réglés que par le système du « référé législatif », qui appelait le pouvoir législatif à trancher en donnant un « décret déclaratoire de la loi ».

COUR DES COMPTES. En France, cour chargée de juger les comptes des comptables publics, de contrôler l'exécution des lois de finances, de s'assurer du bon emploi des crédits, fonds et valeurs gérés par les services de l'État. Créée par Napoléon Ier (loi du 16 septembre 1807 et décret du 28 septembre 1807), elle a pris la suite des Chambres des comptes (v. CHAMBRES) de l'Ancien Régime. Elle est composée de 210 magistrats inamovibles, comprenant des auditeurs, des conseillers référendaires et, au sommet, un premier président et un procureur général. La Cour contrôle la gestion, mais elle n'a pas juridiction sur l'ordonnancement, c'est-à-dire qu'elle n'a pas la possibilité de juger les grandes options de l'État. Son contrôle s'exprime par des référés et des lettres du procureur général adressés aux divers ministères intéressés, et surtout par le rapport public annuel dans lequel la Cour présente aux pouvoirs publics ses principales observations.

COUR DE L'ÉCHIQUIER. Voir ÉCHIQUIER.

COURS DE JUSTICE. Tribunaux d'exception créés en France en 1944 afin de procéder à l'épuration (v.). L'ordonnance du 26 juin 1944 prévoyait la création d'une cour de justice au chef-lieu de chaque ressort de cours d'appel. Les cours de justice devaient juger les faits postérieurs au 18 juin 1940 et antérieurs à la Libération révélant l'intention de favoriser les entreprises de toute nature de l'ennemi. Ces cours étaient composées d'un magistrat président, de quatre jurés choisis sur une liste de résistants, d'un commissaire du gouvernement et d'un juge d'instruction. Comme il est de tradition dans les juridictions exceptionnelles, les cours de justice jugeaient en dernier ressort. Elles fonctionnèrent jusqu'en décembre 1949 et prononcèrent 2 071 condamnations à mort (et plus de 4 000 par contumace), dont un tiers environ furent suivies d'exécution, et quarante mille peines de travaux forcés et de prison (dont 2 777 aux travaux forcés à perpétuité). Voir COUR DE JUSTICE (Haute), CHAMBRES CIVIQUES et ÉPURATION.

COUR DE JUSTICE (Haute). Juridiction politique instituée pour juger les crimes et délits des hauts personnages de l'État et certains attentats contre la sûreté de l'État. En France, la Constitution de 1791 institua une **Haute Cour nationale,** composée de quatre grands juges pris parmi les membres du Tribunal de cassation (v.) et de vingt-quatre hauts jurés élus par les départements. Elle ne pouvait se réunir que sur convocation du Corps législatif. Supprimée en sept. 1792, rétablie en 1795, elle siégea à Vendôme en 1796/97 et jugea notamment Babeuf et ses complices. Elle fut maintenue par la Constitution de l'an VIII. Le sénatus-consulte du 28 floréal an XII (18 mai 1804) organisa une Haute Cour impériale, composée, sous la présidence de l'archichancelier, des princes, des grands dignitaires et des grands officiers de l'Empire, de soixante sénateurs parmi les plus anciens, des six présidents de section au Conseil d'État, de quatorze conseillers d'État parmi les plus anciens, de vingt juges parmi les plus anciens de la Cour de cassation. Ce tribunal n'eut néanmoins jamais l'occasion de se réunir.
Les Chartes de 1814 et de 1830 confièrent le jugement des crimes de trahison et d'atteinte à la sûreté de l'État à la Chambre des pairs (v. PAIRS), qui prenait alors le nom de **Cour des pairs.** La Constitution de 1848 rétablit une Haute Cour. Sous le second Empire, la Haute Cour était composée de juges choisis annuellement par l'empereur parmi les conseillers de la Cour de cassation et de jurés tirés au sort parmi les membres des conseils généraux des départements.
La Constitution de 1875 prévoyait que le Sénat pouvait se constituer en Haute Cour pour juger le président de la République poursuivi pour crime de haute trahison ou pour infraction de droit commun, ainsi que les crimes commis par les ministres dans l'exercice de leurs fonctions, les attentats contre la sûreté de l'État (complot boulan-

giste, procès Caillaux). Cette Haute Cour fut supprimée en 1940 par le régime de Vichy qui institua une Cour suprême de justice, laquelle eut à juger diverses personnalités du régime précédent, tenues pour responsables de la défaite de 1940 (voir RIOM, procès de). Par l'ordonnance du 18 nov. 1944, le gouvernement provisoire du général de Gaulle créa une **Haute Cour de justice** afin de juger le chef de l'État, le chef du gouvernement, les ministres et certains hauts fonctionnaires de l'État français. Elle était composée, à l'origine, de trois magistrats et de vingt-quatre jurés tirés au sort sur deux listes de cinquante personnes établies par l'Assemblée consultative. A partir du 27 décembre 1945, son caractère politique s'accentua : elle ne comprit plus de magistrats, mais uniquement des parlementaires (un président, deux vice-présidents, douze jurés). La Haute Cour instruisit 108 affaires et prononça 56 condamnations, dont 18 à la peine de mort (trois exécutions eurent lieu : celles de Laval, de Brinon et de Darnand). Elle cessa son activité en juillet 1949.
La Constitution de la Ve République a institué une nouvelle **Haute Cour de justice,** dont les juges sont désignés dans leur sein, en nombre égal, par les députés et les sénateurs; cette juridiction serait appelée à juger le président de la République et ses ministres, s'ils étaient accusés par l'Assemblée nationale et le Sénat se prononçant l'un et l'autre à la majorité absolue.

COUR INTERNATIONALE DE JUSTICE. Principale juridiction des Nations unies, mise en place en avril 1946, conformément à l'article 92 de la Charte des Nations unies. Les 15 membres qui la composent, élus sans égard à leur nationalité par l'Assemblée générale de l'O.N.U. et le Conseil de sécurité votant séparément, sont désignés pour neuf ans et renouvelables par tiers tous les trois ans. Ce tribunal a son siège à La Haye. Il a pris la suite de la **Cour permanente de justice internationale** créée en 1920, en exécution de l'article 14 du pacte de la S.D.N., et qui siégeait également à La Haye.

COUR MAJOUR. Ancienne cour féodale supérieure du Béarn, créée en 1220.

COUR DES MIRACLES. Endroit où les mendiants de Paris se retrouvaient chaque nuit et qui jouissait du droit d'asile. On lui donnait ce nom parce que les mendiants y étaient délivrés comme par miracle des infirmités simulées avec lesquelles, de jour, ils excitaient la pitié des passants. La cour des Miracles, qui se trouvait entre les actuelles rues Saint-Sauveur, des Petits-Carreaux, du Caire et Saint-Denis, fut nettoyée par la police en 1656.

COUR DES MONNAIES. Dans l'ancienne monarchie française, tribunal qui jugeait tous les délits concernant les monnaies. Cette cour se sépara de la Chambre des comptes (v.) vers 1357 et fut érigée en

COUR DE JUSTICE (Haute)
Membre de la Haute Cour
nationale, 1795.
Ph. © Bibl. Nat., Paris - Photeb

COURBET
Gustave. Peintre français,
membre de la Commune de
1871 (1819-1877).
Photo de Nadar.
Ph. © Coll. Sirot - Arch. Photeb

cour souveraine par Henri II en 1551. Sa juridiction s'étendait d'abord à la France entière, mais Louis XIV créa une seconde cour à Lyon en 1704 (elle fut supprimée en 1771).

COUR DES PAIRS. Voir Cour de justice (Haute) et pairs (Chambre des).

COUR PERMANENTE DE JUSTICE INTERNATIONALE. Voir Cour internationale de justice.

COURS PRÉVÔTALES. Juridictions d'exception créées en France sous la Restauration, par la loi du 20 déc. 1815, pour connaître des crimes de droit commun (contrebande armée, assassinats et vols sur les grands chemins, etc.) et des délits politiques tels que rébellion, réunions séditieuses, écrits ou discours gravements subversifs. Établies dans chaque département et composées de cinq magistrats et d'un prévôt désigné par l'armée, ces cours jugeaient en dernier ressort, selon une procédure expéditive; leurs sentences étaient exécutables dans les vingt-quatre heures. Bien qu'on ait beaucoup exagéré leur sévérité, ces cours prévôtales, qui disparurent en mai 1818, laissèrent un mauvais souvenir durable dans l'opinion publique.

COUR DU ROI. Voir Curia regis, Conseil du roi et parlement.

COURS SOUVERAINES. Dans l'ancienne monarchie française, tribunaux placés au sommet de la hiérarchie judiciaire, dont les arrêts ne pouvaient être réformés par la voie de l'appel. Le Grand Conseil, les parlements, les Chambres des comptes, les Cours des aides et des monnaies (v. ces noms) étaient des cours souveraines.

COUR SUPRÊME DES ÉTATS-UNIS, *Supreme Court of the United States.* Nom de la plus haute juridiction des États-Unis, créée par l'article 3 de la Constitution de 1787. Cette cour est composée de juges inamovibles, nommés par le président des États-Unis, avec l'accord du Sénat. Le nombre des membres, qui était, à l'origine, de six, passa à sept en 1807, à neuf en 1837, à dix en 1863 pour revenir à neuf à partir de 1869. La Cour est chargée de juger les litiges entre les États, les procès dans lesquels soit le gouvernement fédéral, soit un État de l'Union est partie, enfin tous les cas de droit soulevés par l'application de la Constitution et des lois fédérales; elle vérifie la constitutionnalité des actes du Congrès ou des Assemblées des États. Tout citoyen, s'il se considère comme lésé dans ses droits reconnus par la Constitution, peut en appeler à la Cour suprême. Celle-ci apparaît donc comme la gardienne de la Constitution et des droits des citoyens; ses pouvoirs sont d'autant plus grands que la Constitution, n'étant pas très explicite, a besoin d'être interprétée. Le rôle de la Cour s'étendit considérablement sous la présidence du juge

COURIER
Paul-Louis. Écrivain et
polémiste français (1772-1825).
Ph. Jeanbor © Photeb

John Marshall (1801/35), et Tocqueville avait été frappé de l'importance de cette institution. La Cour suprême suivit pendant longtemps une orientation assez conservatrice : dans l'affaire Dred Scott (1857), elle décida que le Congrès n'avait pas le pouvoir d'abolir l'esclavage dans les territoires de l'Union. A la fin du XIXe s. et au début du XXe s., plusieurs lois sociales furent annulées par la Cour. Celle-ci s'opposa à la politique de F. D. Roosevelt, à l'époque du New Deal (v.); elle déclare inconstitutionnels le *National Industrial Recovery Act* (mai 1935) et *l'Agricultural Adjustement Act* (janvier 1936). Dans les années 60, la Cour a affirmé à plusieurs reprises l'inconstitutionnalité de la ségrégation raciale.

COUR DE SÛRETÉ DE L'ÉTAT. Juridiction créée en France en déc. 1962 pour juger les crimes et délits contre la sûreté de l'État. Ses origines sont étroitement liées à la répression des activités de l'O.A.S. (v.), à la fin de la guerre d'Algérie (v.). Après le putsch des généraux d'Alger (22-25 avr. 1961), le général de Gaulle créa un Haut Tribunal militaire, mais cette juridiction, ayant épargné au général Salan la peine capitale, fut dissoute par ordonnance en mai 1962 et remplacé par une Cour militaire de justice. La légalité de cette nouvelle juridiction d'exception fut aussitôt contestée, et un arrêt du Conseil d'État du 19 oct. 1962 (« arrêt Canal ») annula même la création de la Cour militaire de justice. C'est alors que fut créée la Cour de sûreté de l'État, dont les arrêts, à la différence de ceux des deux juridictions précédentes, peuvent faire l'objet de pourvoi en cassation et de pourvoi en révision.
● Elle a été supprimée par la loi du 4 août 1981, et les crimes qui pourraient être commis contre la sûreté de l'État sont jugés par une cour d'assises sans jury en vertu de la loi du 21 juill. 1982.

COURANTE. Danse à trois temps qui, apparue vers le début du XVIIe siècle, connut une grande vogue sous Louis XIV. Dans la suite classique, elle venait généralement après l'allemande.

COURBET Gustave (* Ornans, Doubs, 10.VI.1819, † La Tour-de-Peilz, près de Vevey, Suisse, 31.XII.1877). Peintre français. Chef de l'école « réaliste » et l'un des précurseurs de l'art moderne, il fut aussi un ardent socialiste, disciple de Proudhon. Membre de la Commune de Paris en 1871, il dirigea la démolition de la colonne Vendôme, symbole du bonapartisme; mais il appartint à la minorité du Conseil de la Commune, s'opposa à la création d'un Comité de salut public et se désolidarisa des violences finales des communards. Après l'insurrection, il fut condamné à six mois de prison et au paiement des frais de restauration de la colonne Vendôme (plus de 300 000 francs-or!). Pour échapper à la ruine, il se réfugia en Suisse.

COURBET Amédée Anatole (* Abbeville, 26.VI.1827, † Makung, îles Pescadores, 11.

COURONNE
Ramsès II portant la couronne de Basse-Égypte. Détail d'une fresque de la « Tombe du Petit Prince », vallée des Rois.
Ph. © Hassia - Photeb

Apollon couronné de lauriers. Monnaie de Leontini (Sicile), Vᵉ s. av. J.-C.
Ph. © L. von Matt - Photeb

VI.1885). Amiral français. Gouverneur de la Nouvelle-Calédonie (1880/82), puis commandant de l'escadre d'Indochine (1883), il imposa à l'Annam le traité d'Huê (août 1883); commandant suprême des armées de terre et de mer, il contribua largement à la conquête du Tonkin par la prise de Sontay et par l'anéantissement de la flotte chinoise à Fou-tcheou (août 1884). Il mourut l'année suivante, de maladie, à bord de son vaisseau, le *Bayard*.

COURIER Paul-Louis (* Paris, 4.I.1772, † Véretz, Indre-et-Loire, 10.V.1825). Écrivain et polémiste français. Issu de la riche bourgeoisie, il servit comme officier d'artillerie dans les armées de la Révolution et de l'Empire (1793/1809), occupant ses loisirs en satisfaisant ses goûts d'helléniste. Retiré dans son domaine de La Chavonnière, en Touraine, Courier allait, dès 1816, harceler le gouvernement de la Restauration dans des pamphlets où il se présentait sous l'apparence d'un paysan naïf (« Paul Louis, vigneron ») qui protestait contre les tracasseries du pouvoir. Après sa *Pétition aux deux Chambres* (1816), il publia le *Simple Discours* (1821) pour railler la souscription nationale organisée en vue d'offrir au fils du duc de Berry le château de Chambord. Condamné à deux mois de prison, il s'attira un nouveau procès en protestant contre l'interdiction de danser le dimanche faite par leur curé aux villageois d'Azay (1822). Pour défendre son activité de polémiste, il publia enfin, en 1824, le *Pamphlet des pamphlets*. Ni républicain ni bonapartiste, il eût donné ses préférences à une monarchie bourgeoise; mais c'était avant tout un indépendant, un solitaire; il désirait un gouvernement qui fût « comme le coche qu'on paye et qui doit nous mener, non où il veut, mais où nous prétendons aller ». De caractère peu commode, il était détesté par ses proches et périt dans un assassinat, victime d'une vengeance personnelle dont l'un était l'amant de Mᵐᵉ Courier. Armand Carrel publia ses œuvres complètes (4 vol., 1829-30).

COURLANDE, allemand **Kurland,** letton **Kurzeme.** Région historique de la Lettonie, entre la mer Baltique et la Daugava (Dvina). D'abord peuplée par les Koures, elle fut conquise de 1243 à 1247 par les chevaliers Teutoniques. En 1561, après la sécularisation de l'ordre, la Courlande devint un duché vassal de la Pologne et héréditaire dans la maison de Gotthard Ketteler, dernier maître de l'ordre livonien. A l'extinction de cette maison (1737), la veuve du duc, devenue l'impératrice Anne de Russie, donna le duché à Biron, son favori. Le fils de celui-ci laissa la Courlande à la Russie (1795). Voir LETTONIE.

COURONNE. Dès la plus haute antiquité, la couronne, ornement sacerdotal et magique, fut aussi un des attributs de la souveraineté royale.

Les couronnes dans l'Antiquité

En Égypte, à l'époque prédynastique, le roi du Sud était coiffé de la couronne blanche, le roi du Nord portait la couronne rouge. Le *pschent,* double couronne formée par la superposition de la couronne rouge de Basse-Égypte et de la couronne blanche de Haute-Égypte, symbolisait l'union de l'Égypte sur la tête du pharaon. Il existait également le *khepresh,* casque bleu ou couronne bleue, que le roi portait surtout à la chasse ou à la guerre. La couronne *Atef* était la coiffure distinctive d'Osiris, constituée de la couronne blanche et d'un faisceau de papyrus; dans sa forme plus compliquée, cette couronne, comportant trois faisceaux de papyrus, était appelée *hemhemt.*

En Grèce, les couronnes étaient, à l'origine, signes de consécration à la divinité. On utilisait, pour leur tressage, des feuilles et des branches prises aux plantes favorites du dieu : l'olivier pour Athéna, le laurier pour Apollon, la vigne pour Dionysos, le noyer ou le cèdre pour Artémis, etc. En raison du caractère sacré de leur magistrature, les archontes portaient une couronne dans l'exercice de leurs fonctions. Dans les festins, on se couronnait de fleurs, ordinairement de roses, de violettes, de safran, pour se préserver de l'ivresse. Les athlètes vainqueurs recevaient une couronne d'olivier sauvage, dans les jeux Olympiques, de laurier, aux jeux Pythiques, de pin, aux jeux Isthmiques, d'ache, aux jeux Néméens. Les poètes et les acteurs étaient couronnés lors des concours dramatiques.

Les Romains, comme les Grecs, portaient des couronnes pendant les banquets et en donnaient aux vainqueurs des jeux du cirque. Ils décernaient aussi des couronnes à titre de récompense, comme des décorations : la *couronne civique (corona civica)* était donnée à celui qui avait sauvé un citoyen romain; faite de simples rameaux de chêne, elle conférait de grands honneurs : au spectacle, celui qui la portait pouvait prendre place à côté des sénateurs et on se levait respectueusement à son arrivée; — la *couronne castrale* ou *vallaire (corona castrensis* ou *vallaris)* était une couronne d'or remise par le général à celui qui, le premier, avait pénétré dans le camp *(castrum)* de l'ennemi, en franchissant la palissade de défense *(vallum)* ;\— la *couronne murale (corona muralis)* était attribuée au guerrier qui, dans un assaut, avait escaladé le premier la muraille d'une ville assiégée; — la *couronne graminée (corona graminea),* couronne de gazon *(gramen),* était décernée par les soldats au chef qui les avait sauvés d'un péril imminent; — la *couronne obsidionale (corona obsidionalis)* était la même que la précédente, mais décernée par toute une armée à l'officier supérieur, général ou tribun, qui lui avait permis d'échapper à un encerclement; — la *couronne rostrale* ou *navale (corona rostralis* ou *navalis)* récompensait le Romain qui,

COURONNE
Le jeune empereur Constant (337/350) couronné par la Victoire.
Ph. © L. von Matt - Photeb

dans un combat naval, avait le premier sauté à l'abordage sur le vaisseau ennemi ou qui avait eu le mérite de sa capture; — la *couronne triomphale (corona triomphalis)* était la couronne de laurier que portait le triomphateur le jour de son triomphe. Les empereurs romains, dans les occasions solennelles, portèrent des reproductions en or de cette couronne triomphale.

Moyen Âge et Temps modernes

Le trésor de la cathédrale de Monza possède deux des plus anciennes couronnes de souverains qui nous ont été conservées : la couronne de Théodelinde, reine des Lombards (morte en 627), simple cercle orné de 180 pierres disposées en cinq rangs, et la fameuse « couronne de fer » des Lombards, qui fut ceinte par Charlemagne lorsqu'il se fit couronner roi des Lombards (774), par les rois d'Italie (d'Othon le Grand à Charles Quint) et par Napoléon Ier, couronné roi d'Italie à Milan, en 1805. En Allemagne, la couronne d'Othon le Grand, exécutée vers 960, servit au couronnement des empereurs allemands jusqu'à la fin du Saint Empire. Elle est conservée dans le trésor impérial de Vienne, de même que la couronne impériale d'Autriche, faite pour Rodolphe II en 1602. Les couronnes royales du Moyen Âge ont disparu, en Angleterre, au XVIIe s., pendant la dictature de Cromwell; en France, pendant la Révolution. Les souverains anglais possèdent à l'heure actuelle trois couronnes : celle dite de Saint-Édouard, qui fut fabriquée en 1661 pour le couronnement de Charles II, et qui reproduisait la couronne de st. Édouard le Confesseur, détruite après l'exécution de Charles Ier; — la couronne impériale, faite en 1838 pour le couronnement de la reine Victoria; — la couronne impériale des Indes, avec laquelle Georges V fut couronné empereur des Indes à Delhi, en 1911. En Hongrie, la fameuse couronne dite de Saint-Étienne ou Sainte Couronne est postérieure, en fait, de plus de trente ans à la mort de st. Étienne : elle fut envoyée en 1073 au roi Géza Ier par l'empereur byzantin Michel VII Ducas. En Russie, la plus ancienne couronne est le bonnet dit du grand Monomaque, qui, selon la tradition, aurait été envoyé par un empereur byzantin à Vladimir Monomaque (1113/25); il semble qu'elle a servi pour la première fois lors du couronnement d'Ivan IV le Terrible, en 1547. Voir aussi TIARE.

COURONNE. Monnaie de divers pays européens. En France, on frappa sous le règne de Philippe VI de Valois des couronnes d'or et d'argent.
En Angleterre, la couronne d'or apparut en 1526, la couronne d'argent en 1551, mais, à partir du règne de Charles II, ne furent plus émises que des couronnes d'argent d'une valeur de 5 shillings. Il y eut également des couronnes en Espagne, au Portugal, dans de nombreux anciens États allemands, en Autriche. Depuis 1875, la couronne, divisée en 100 öre, est l'unité monétaire du Danemark, de la Norvège et de la Suède, ainsi que de l'Islande.

COURONNE (affaire de la). Après la défaite d'Athènes par Philippe de Macédoine à Chéronée (338), Démosthène fut chargé de la réparation des fortifications de la cité, entreprise à laquelle il contribua en donnant cent mines de sa propre fortune. Ctésiphon proposa au peuple de lui décerner, en récompense, une couronne d'or, mais l'orateur Eschine, rival de Démosthène, accusa Ctésiphon de proposition illégale (vers 336). A la suite des événements (nouvelle guerre avec la Macédoine et prise de Thèbes par Alexandre le Grand, 335), le procès fut retardé jusqu'en 330 av. J.-C. Contre Eschine, Démosthène fit la défense de Ctésiphon et l'apologie de sa propre politique, et il réussit à gagner le procès, bien que, au point de vue juridique, l'accusation d'Eschine fût sans doute fondée. Eschine fut condamné à une amende et dut s'exiler à Rhodes. Le discours *Sur la couronne* est un chef-d'œuvre de l'éloquence de tous les temps.

COURONNE DE FER. Voir COURONNE.

COURONNE DE FER (ordre de la). Ordre fondé le 5 juin 1805 par Napoléon Ier, roi d'Italie, sur le modèle de la Légion d'honneur. La décoration représentait la couronne lombarde, avec ces mots : « Dieu me l'a donnée, gare à qui la touchera. » Aboli en 1814, cet ordre fut rétabli en 1816 par l'empereur François Ier d'Autriche, souverain du royaume lombardo-vénitien.

COURONNE D'ÉPINES. Célèbre relique chrétienne, la couronne d'épines, qui fut l'un des instruments de la Passion du Christ (*Jean,* xix, 2), était conservée à Jérusalem dès le VIe s., au témoignage de Cassiodore. Amenée à Constantinople avant 1100, elle fut donnée par l'empereur latin Baudouin II à Saint Louis en 1238; pour l'abriter, celui-ci fit construire la Sainte-Chapelle (v.) du Palais, à Paris. Aujourd'hui conservée au trésor de Notre-Dame de Paris.

COURONNÉ (le Grand-). Voir GRAND-COURONNÉ (le).

COURONNEMENT. Voir SACRE.

COURRIER DE LYON. Voir LESURQUES.

COURRIÈRES. Ville de France (Pas-de-Calais), dans un important bassin houiller. Le 10 mars 1906, une terrible catastrophe fit plus de mille victimes parmi les mineurs; ce drame était largement imputable à la négligence de la compagnie concessionnaire de Courrières, laquelle décida d'arrêter dès le 13 mars toutes les recherches, alors que des hommes en vie demeuraient enfouis dans la mine (le 30 mars, quinze d'entre eux émergèrent, par leurs propres moyens, de la fosse n° 2). Au cours de la grande grève qui suivit,

Buste reliquaire de Charlemagne, couronné, contenant le crâne de l'empereur, XIVe s.
Ph. © Archives Photeb

le gouvernement Clemenceau fit charger les ouvriers par les dragons (20 mars); le travail ne reprit qu'à la fin du mois d'avril 1906.

COURSE. Voir CORSAIRES.

COURSE A LA MER. Nom donné à l'ensemble des opérations menées en Picardie et dans les Flandres, à la suite de la bataille de la Marne (v.), de la mi-septembre à la mi-novembre 1914. Dans sa première phase, les adversaires essayèrent, sans résultats, de se déborder mutuellement en Picardie et en Artois. Puis, par une puissante offensive lancée dans les Flandres le 16 oct., les Allemands, maîtres d'Anvers (9 oct.), cherchèrent à s'emparer des rivages du pas de Calais, afin de pouvoir porter une menace directe contre l'Angleterre. Malgré la résistance belge, ils réussirent à forcer l'Yser (v.) à Tervaete (22 oct.), mais le roi Albert les força à s'arrêter en faisant ouvrir les écluses de Nieuport (27 oct.); à Dixmude (v.), ils se heurtèrent aux troupes francobelges et à la brigade de fusiliers marins français de l'amiral Ronarc'h. Dans le secteur d'Ypres (v.), défendu par le corps expéditionnaire britannique de French, les assauts les plus violents eurent lieu les 31 oct. et 11 nov.; mais les Allemands ne purent percer et le front s'immobilisa pour quatre années.

COURTRAI
Sceau de la ville, 1308.
Ph. © Arch. Nat., Paris - Photeb

COURT Antoine (* Villeneuve-de-Berg, Ardèche, 17.V.1695, † Lausanne, 12.VI. 1760). Pasteur français. Il travailla avec abnégation, au lendemain des dragonnades et de la guerre des Cévennes, à restaurer dans le midi de la France une Église protestante régulière, avec des pasteurs, une discipline, des assemblées. En août 1715, il réunit à Monoblet, dans le Gard, un synode provincial — le premier depuis la révocation de l'édit de Nantes. En 1729, il fonda à Lausanne un séminaire pour la formation des pasteurs. Il a laissé une *Histoire des troubles des Cévennes ou de la guerre des Camisards* (1760).

COURTENAY. Famille française mentionnée dès le début du XIe s., qui tire son nom du château de Courtenay, dans le Loiret. Elle s'allia aux Capétiens en 1150 par le mariage de Pierre de France, septième fils de Louis VI, avec Élisabeth de Courtenay. Leur fils, **Pierre de Courtenay** (* vers 1167, † 1219), devint empereur latin d'Orient en 1216 mais ne put prendre possession de son trône (v. PIERRE). Deux de ses fils furent aussi empereurs latins de Constantinople : Robert, de 1221 à 1228, et Baudouin II, de 1240 à 1261 (nominalement jusqu'en 1273). La fille de Baudouin II, Catherine de Courtenay, épousa en 1300 Charles de Valois, frère de Philippe le Bel; par ce mariage, les domaines des Courtenay passèrent aux Valois.
Une des branches de cette famille régna sur le comté d'Édesse de 1119 à 1150; une autre branche se fixa en Angleterre vers 1160 et reçut le comté de Devon (1335).

COURTIER (l'honnête). Expression employée par Bismarck pour caractériser son rôle au congrès de Berlin (v.) (1878), où, soucieux avant tout de maintenir l'équilibre européen favorable à l'Allemagne, il s'entremit pour amener la Russie, la Grande-Bretagne et l'Autriche-Hongrie à un compromis sur la question d'Orient (v.).

COURTRAI, *Kortrijk.* Ville de Belgique (Flandre-Occidentale), sur la Lys. Dans l'Antiquité *Cortoriacum,* elle fut au Moyen Age une ville commerciale importante par ses industries drapières, qui connurent leur apogée au XIVe s. En 1302, l'armée française y fut vaincue par les milices flamandes (voir ci-après), mais Charles VI, après sa victoire de West-Rozebeke, vengea cette humiliation en incendiant la ville (1382). Française de 1668 à 1678 et de 1794 à 1814, sous-préfecture du département de la Lys sous le premier Empire, Courtrai est restée le principal centre de l'industrie du lin en Europe occidentale.

Bataille de Courtrai ou **des Éperons d'or (11 juillet 1302).** A la suite du soulèvement des Flamands contre leur gouverneur français Jacques de Châtillon (« Matines brugeoises », mai 1302), Guy et Jean de Namur, ainsi que Guillaume de Juliers, fils et petit-fils du comte Guy de Dampierre (lequel avait été dépossédé par Philippe le Bel en 1297), se mirent à la tête des milices populaires flamandes. Celles-ci fauchèrent la chevalerie française dans une sanglante bataille au cours de laquelle périrent Robert d'Artois, commandant de l'armée de France, et Jacques de Châtillon. Au soir de la bataille, les Flamands ramassèrent plus de 4 000 éperons dorés, qui décorèrent la voûte de l'église Notre-Dame de Courtrai jusqu'en 1382, date à laquelle ils furent repris par l'armée française, victorieuse à West-Rozebeke. La bataille de Courtrai eut pour conséquences le retour de Guy de Dampierre à la tête du comté de Flandre (1303) et l'instauration d'un régime démocratique dans toutes les villes flamandes. Militairement, elle annonça, avant Crécy (1346), le déclin de la lourde cavalerie féodale, désormais supplantée par la piétaille.

COUSIN-MONTAUBAN Charles Guillaume Marie, comte de Palikao (* Paris, 24.VI.1796, † Versailles, 8.I.1878). Général français. Il se distingua en Algérie, notamment lors de la capture d'Abd el-Kader (1847). Commandant de l'expédition française en Chine en 1859/60, il prit Pékin après le combat de Palikao et laissa ses troupes mettre au pillage le palais d'Été. A la suite des premières défaites françaises, il remplaça Émile Ollivier à la présidence du Conseil, le 9 août 1870, et forma un gouvernement composé de bonapartistes autoritaires. La révolution du 4-Septembre l'obligea à se réfugier quelque temps en Belgique.

COUTANCES
Armoiries de la ville, 1664
Ph. Jeanbor © Photeb

A son retour en France, il se retira complètement de la vie politique.

COUSTEAU Jacques Yves (* Saint-André-de-Cubzac, Gironde, 11.VI.1910). Explorateur et océanographe français. Directeur du musée océanographique de Monaco (1957), il a accompli de nombreuses explorations sous-marines, principalement à bord de la *Calypso*, et en a ramené le film *Le Monde du silence* (1955).
● Tout en poursuivant une œuvre océanographique et archéologique considérable, il a réalisé en équipe de nombreux films pour la télévision et écrit de nombreux ouvrages sur l'exploration, la faune et la flore sous-marines. En 1988, il fut élu, au 1er tour, membre de l'Académie française, succédant au professeur Jean Delay.

COUTANCES. Ville de France (Manche). A l'époque gauloise *Cosedia*, cité des Unelli, elle fut fortifiée par Constance Chlore, dont elle prit le nom, et devint la capitale du *pagus Constantinus,* d'où vient le nom du Cotentin. Sa cathédrale (première moitié du XIIIe s.) est un chef-d'œuvre de l'architecture gothique normande. Sévèrement bombardée durant la Seconde Guerre mondiale, Coutances fut prise par la Ire armée américaine le 28 juill. 1944.

COUTHON Georges (* Orcet, près de Clermont-Ferrand, 22.XII.1755 † Paris, 28. VII.1794). Homme politique français. Avocat à Clermont, puis président du tribunal de cette ville (1790), il fut élu en 1791 à la Législative, où il devint le porte-parole des Jacobins. Paralysé des jambes, il devait être porté à la tribune, mais cette infirmité ajoutait à sa popularité. Ami de Robespierre et de Saint-Just, il fut réélu député à la Convention, où il se montra un des Montagnards les plus violents. Il contribua à la chute des Girondins (juin 1793), devint membre du Comité de salut public (10 juill.), dirigea le siège de Lyon insurgée contre la Convention (août) et fut élu président de l'assemblée (21 déc. 1793). Il fut le principal instigateur de la loi du 22-Prairial (10 juin 1794), qui ôtait les dernières garanties aux accusés traduits devant le Tribunal révolutionnaire et qui inaugura la Grande Terreur. Il fut entraîné dans la chute de Robespierre et guillotiné avec celui-ci. Sa *Correspondance* a été éditée par Mège (1872).

COUTILIERS. Soldats d'infanterie du XVe s., qui étaient armés d'une *coutille* ou *langue-de-bœuf,* épée très longue, à trois pans et tranchante dans toute sa longueur.

COUTRAS. Ville de France (Gironde), au N. de Libourne. Victoire d'Henri de Navarre sur les ligueurs commandés par le duc de Joyeuse (20 oct. 1587).

COUTUMIER (droit). Voir DROIT FRANÇAIS.

COUTUMIERS. Recueil des règles fixées par le droit coutumier. Les coutumiers, œuvres privées dans lesquelles un jurisconsulte décrivait les coutumes de sa région, firent leur apparition au XIIIe s. Citons le *Très Ancien Coutumier de Normandie,* supplanté, vers 1250, par le *Grand Coutumier de Normandie,* principale source du droit normand (encore en vigueur aujourd'hui dans les îles Anglo-Normandes); le *Conseil à un ami,* de Pierre de Fontaines (vers 1253), qui rassemble les coutumes du Vermandois; le *Livre de Justice et de Plet* (seconde moitié du XIIIe s.), relatif aux coutumes de l'Orléanais; les *Établissements de Saint Louis* (vers 1270), qui, avec des ordonnances de Saint Louis et des textes de droit romain, nous ont conservé des coutumes de l'Anjou, de la Touraine et de l'Orléanais; les *Coutumes de Beauvaisis* (vers 1283), de Philippe de Beaumanoir, recueil des coutumes du comté de Clermont-en-Beauvaisis, considéré comme le chef-d'œuvre de la littérature coutumière; la *Très Ancienne Coutume de Bretagne* (vers 1330); la *Somme rurale,* de Jean Boutillier, bailli de Tournai (fin du XIVe s.), d'un grand intérêt pour les coutumes du nord de la France; le *Grand Coutumier de France,* de Jacques d'Ableiges (fin XIVe s.), précieux pour l'histoire du droit parisien; la *Practisa forensis,* de Jean Masner (XVe s.), pour la coutume d'Auvergne, etc. Dès les XIIe/XIIIe s., on trouve dans le Midi de véritables recueils officiels de coutumes (notamment à Montpellier, à Toulouse). Au XVe s., Charles VII, par l'ordonnance de Montilz-lès-Tours (1454), ordonna la rédaction officielle des coutumes; cette entreprise ne fut achevée que dans la seconde moitié du XVIe siècle. Voir DROIT FRANÇAIS.

COUVE DE MURVILLE Maurice (* Reims, 24.I.1907). Diplomate et homme politique français. D'origine protestante, inspecteur des Finances (1930) et directeur des finances extérieures (1940), il gagna Alger en 1943, se rallia au général de Gaulle et devint commissaire aux Finances dans le Comité français de libération nationale. Directeur général des affaires politiques aux Affaires étrangères (1945/50), il fut ensuite ambassadeur au Caire (1950/54), à Washington (1955/56) et à Bonn (1956/58). A son retour au pouvoir, le général de Gaulle lui confia, dès juin 1958, le ministère des Affaires étrangères, où il mena pendant dix ans une politique conforme aux grandes options gaullistes sur l'Europe, l'indépendance à l'égard des États-Unis, le rapprochement avec les pays de l'Est. Nommé Premier ministre en juill. 1968, après la grande crise de mai, il dut faire face à de grandes difficultés financières et économiques et ne put empêcher de Gaulle de s'engager dans le référendum constitutionnel d'avr. 1969, dont le résultat négatif devait entraîner le départ du général et, peu après, celui de Couve de Murville lui-même, qui avait expédié les affaires courantes jusqu'à l'élection de Georges Pompidou (juin

COUTHON
Georges. Homme politique
français (1755-1794).
Ph. Jeanbor © Photeb

1969). Il fut élu député de Paris en 1973, 1978,1981. Il a publié des Mémoires politiques : *Une politique étrangère 1958-69* (1971).

COUVENT BLANC, Deir el-Abiad. Monastère égyptien fondé dès l'époque constantinienne à l'ouest d'Akhmim (aujourd'hui *Sohag*), et reconstruit, vers 430, par Shenouté. Celui-ci y fit régner une observance rigoureuse, sanctionnée par de fréquentes volées de coups de bâton. Le Couvent Blanc, exposé aux razzias des pillards du désert, était déjà en ruine au xve s., mais l'église de Shenouté (ve s.) subsiste encore.

COVADONGA. Hameau de l'Espagne septentrionale, dans les Asturies (prov. d'Oviedo). Pélage, roi des Wisigoths, y aurait remporté la première victoire chrétienne sur les Maures (718) qui marqua le début de la « Reconquête » sur l'islam..

COVENANT. Nom donné à plusieurs « alliances » scellées par les presbytériens d'Écosse, aux xvie et xviie s., pour maintenir leurs libertés religieuses.

Le **National Covenant** fut conclu à l'église des Greyfriars d'Édimbourg, le 28 févr. 1638, en réponse aux tentatives de l'archevêque Laud et de Charles Ier pour établir une nouvelle liturgie épiscopalienne dans les églises d'Écosse. Les convenantaires écossais s'opposèrent aux troupes royales durant les *guerres épiscopales* (1639/40), qui provoquèrent en Angleterre la crise politique d'où devait sortir la guerre civile.

Par la **Solemn League and Covenant** du 25 sept. 1643, les presbytériens écossais, qui marchandaient leur alliance contre Charles Ier, obtinrent du Parlement anglais la promesse d'un alignement de l'anglicanisme sur le presbytérianisme écossais. Mais Charles Ier, par le traité secret du 26 déc. 1647, accepta à son tour le Covenant et détacha ainsi du Parlement les Écossais, qui se tournèrent contre Cromwell. Après l'exécution du roi, son fils, Charles II, accepta à son tour le Covenant (juin 1650). Mais celui-ci ne fut pas respecté par les Stuarts après leur restauration (1660) : aux tentatives royales d'imposer l'épiscopalisme répondirent plusieurs révoltes presbytériennes (1666, 1679, 1685), qui furent durement réprimées. Le presbytérianisme écossais n'obtint définitivement sa liberté qu'après la révolution de 1688.

COVENT GARDEN. Célèbre théâtre d'opéra à Londres, ouvert en 1732. Haendel y donna la plupart de ses opéras et de ses oratorios. La Patti, Caruso et les plus grands chanteurs du monde se sont produits sur cette scène.

COVENTRY. Ville d'Angleterre (Warwickshire), dans les Midlands. Elle se développa autour d'une abbaye fondée au xie s. A son histoire médiévale est associée la légende de lady Godiva (v.). Dès 1400, Coventry possédait une industrie textile florissante, avant de devenir, à la fin du xixe s., un centre d'industries mécaniques. Ses usines d'automobiles, de construction aéronautique, d'armement, d'appareillage électrique, en firent un des principaux objectifs des raids de la Luftwaffe sur l'Angleterre en novembre 1940 et avril 1941; plus de 50 000 maisons furent détruites ou endommagées. ● En 1981, Coventry comptait 313 000 habitants.

COVENTRY sir William (* vers 1628, † Somerhill, près de Tunbridge Wells, 23. VI.1686). Homme politique anglais. Après avoir combattu avec les royalistes durant la guerre civile, il devint secrétaire du duc d'York (futur Jacques II) en 1660, commissaire à la Marine (1662) et membre de la commission du Trésor (1667). Il contribua à la chute de Clarendon, fut le chef de l'opposition contre le ministère de la Cabale (v.) et lutta contre l'orientation profrançaise de la politique britannique de son temps.

COVILHAO Pedro da (* Covilha, Beira, fin xve s., † en Éthiopie, vers 1545). Voyageur portugais. Gentilhomme envoyé en 1487 par le roi Jean II à la recherche du Prêtre Jean (v.) que l'on supposait vivre en Abyssinie, il visita l'Arabie, l'Inde, les côtes occidentales de l'Afrique puis pénétra en Abyssinie, où le négus le retint auprès de lui. Au cours de ses voyages, Covilhao acquit la certitude qu'il était possible de parvenir en Inde en doublant la pointe méridionale de l'Afrique. Il prépara ainsi l'expédition de Vasco de Gama.

COWES. Ville et port d'Angleterre (Hampshire), sur la côte septentrionale de l'île de Wight. Henri VIII y fit construire (1540) un château qui est, depuis 1856, le siège du Royal Yacht Squadron, le plus ancien club de yachting mondial, fondé en 1815.

CRACOVIE, *Krakow.* Ville de la Pologne méridionale, sur la Vistule. Évêché fondé vers l'an 1000, Cracovie eut son premier développement troublé par les raids des Mongols, qui la brûlèrent en 1241 et la dévastèrent de nouveau en 1259, 1285 et 1288. Elle reçut en 1257 une charte communale inspirée de la coutume de Magdebourg et, jusqu'au xvie s., resta soumise à de fortes influences allemandes, comme centre commercial entre l'Allemagne, la Hongrie et la Russie. Capitale de la Pologne de 1320 à 1596, elle eut une université dès 1364. De nombreux monuments, parmi lesquels le château royal, construit sur la colline du Wawel, l'église Notre-Dame (xiiie/xive s.), exemple typique du gothique polonais, la grande place du Rynek Glowny, avec la halle aux draps (xive/xvie s.), le beffroi (xvie s.), rappellent son passé médiéval. A la fin du xvie s., la capitale fut transférée à Varsovie, mais les rois de Pologne continuèrent à se faire couronner à Cracovie (pour la dernière fois en 1734) et y eurent leur tombeau. Au xviie s., la ville souffrit

CRACOVIE
Armoiries de la ville, XVIIe s.
Ph. Jeanbor © Photeb

beaucoup des guerres qui dévastèrent l'Europe centrale. Sa population, qui avait atteint 80 000 habitants, était tombée à 9 500 en 1787. Lors du troisième partage de la Pologne (1795), elle échut à l'Autriche, puis fut comprise dans le grand-duché de Varsovie (1809), devint ville libre (1810) et forma à partir de 1815, une petite république sous la protection de la Russie, de l'Autriche et de la Prusse, qui garantirent solennellement sa neutralité éternelle. Cependant l'Autriche, prenant prétexte de quelques troubles qui avaient éclaté dans la ville, l'incorpora à ses États en nov. 1846, malgré les protestations de la France et de l'Angleterre. Rendue à la Pologne en 1919, Cracovie fut occupée par les Allemands le 6 sept. 1939 et devint jusqu'en 1944 la capitale du Gouvernement général (allemand) de Pologne. Elle fut conquise par l'armée soviétique de Koniev le 19 janv. 1945. ● Elle comptait 723 000 habitants en 1982.

CRANMER Thomas (* Aslacton, Nottinghamshire, 2.VII.1489, † Oxford, 21.III.1556). Réformateur anglais. Professeur de théologie à Cambridge, il se signala en 1529 à l'attention d'Henri VIII, en proposant une méthode pour faciliter le divorce du roi avec Catherine d'Aragon; envoyé à Rome pour traiter cette affaire, il chercha aussi en Allemagne l'appui des princes luthériens et, à son retour, fut nommé archevêque de Canterbury (1533). Il prononça lui-même le divorce royal, que le pape avait refusé. Adversaire virulent du papisme, il contribua fortement, sous Henri VIII, puis comme régent sous Édouard VI, à consolider le schisme anglican par l'introduction d'une nouvelle liturgie des *Book of Common Prayer* de 1549 et de 1552, et des Quarante-Deux Articles de 1553. Dès 1532, il avait épousé une nièce d'Osiandre. Lors de la restauration du catholicisme, sous Marie Tudor, il fut arrêté comme hérétique, se rétracta un moment pour tenter de sauver sa vie, puis mourut résolument sur le bûcher en proclamant son hostilité à la primauté pontificale.

CRANNON, *Krannon*. Ancienne ville de Grèce, en Thessalie, à l'est de Pharsale. Antipater et Cratère y remportèrent une victoire sur les Athéniens pendant la guerre lamiaque (322 av. J.-C.).

CRAON. Ancienne famille de France, connue dès le XIᵉ s. **Pierre de Craon** (XIVᵉ s.) accompagna le duc d'Anjou dans son expédition de Naples (1384), se fit chasser de la cour de Charles VI à cause de ses intrigues et de ses débauches, et se vengea en tentant d'assassiner le connétable de Clisson. Le dernier représentant de cette famille gouverna quelque temps la Bourgogne sous le règne de Louis XI, après la mort de Charles le Téméraire. A l'extinction de cette famille, la maison de Beauvau prit le titre de Craon, un de ses membres ayant épousé l'héritière du nom.

CRANMER
Thomas. Réformateur anglais (1489-1556). (National Portrait Gallery, Londres.)
Ph. © du musée - Photeb

CRAONNE. Ville de France (Aisne), au S.-E. de Laon. Victoire de Napoléon sur Blücher et Vorontzov (7 mars 1814).

CRAPOUILLOT (Le). Du nom donné aux mortiers de tranchée par les poilus, durant la Première Guerre mondiale. Fondé par Jean Galtier-Boissière dans une tranchée de l'Artois en 1915, *Le Crapouillot* devint en 1919 une spirituelle et courageuse revue non conformiste rassemblant une brillante équipe d'écrivains (Mac Orlan, H. Béraud, F. Carco, H. Jeanson, etc.) et d'artistes (Dunoyer de Segonzac, Dignimont, Gus Bofa, Vertès). Beaucoup de ses numéros spéciaux parus à partir de 1930 resteront, sous leur ton satirique, des documents de premier ordre pour l'histoire contemporaine : *Histoire de la guerre 14-18, L'Anarchie, L'Académie française, Histoire de la IIIᵉ République, Les Deux Cents Familles, Histoire de la guerre 39-45, Les Gros*, etc. Galtier-Boissière abandonna la direction du *Crapouillot* en janv. 1965.

CRASSUS Lucius Licinius (* 140, † 91 av. J.-C.). Orateur et homme politique romain. Consul en 96, avec Mucius Scaevola, ardent défenseur des droits de l'aristocratie, il publia la loi interdisant aux non-citoyens de s'arroger le droit des citoyens romains; il soutint en 91 la tentative de réforme de Livius Drusus. Il fut un des grands orateurs de son temps. Cicéron l'a mis en scène dans son dialogue *De oratore*.

CRASSUS Marcus Licinius (* vers 115, † près de Carrhae, en Asie Mineure, mai 53 av. J.-C.). Homme politique et général romain. Partisan de Sylla, il commença à acquérir son immense fortune aux dépens des victimes des proscriptions, fut préteur en 71 et écrasa, la même année, la révolte de Spartacus. Consul avec Pompée en 70, il s'entendit avec son collègue pour abolir la Constitution de Sylla et pour diminuer les pouvoirs du sénat. Il se distingua par ses largesses au peuple et subventionna de nombreux hommes politiques, notamment César. Avec ce dernier et Pompée, il forma en 60 le premier triumvirat (v.) et obtint de César, consul en 59, une révision favorable du contrat des publicains en Asie. Il appuya ensuite Clodius contre Pompée, fut consul avec Pompée pour la seconde fois en 55 et, à sa sortie de charge, se fit nommer pour cinq ans gouverneur de Syrie. Avide de gloire militaire, il conduisit avec beaucoup d'imprudence une campagne contre les Parthes et, après avoir remporté quelques succès, fut complètement vaincu à Carrhae, par Suréna. Il fut tué traîtreusement, alors qu'il négociait sa reddition. Plutarque a écrit sa *Vie*.

CRATÈRE. Grand vase à large ouverture et à anses dans lequel les Anciens mélangeaient l'eau et le vin. Il existait des cratères en terre cuite, en bronze, en métaux précieux et somptueusement ornés par les artistes. Les temples possédaient de nombreux cratères, qui servaient aux libations pour les sacrifices. Le plus grand vase que nous ait livré l'Antiquité est le cratère de Vix (v.). Cette pièce en bronze, d'une décoration raffinée, a une hauteur totale de 1, 64 m, une capacité de 1 100 litres, un poids de 208,6 kg. Il fut fabriqué au VIᵉ siècle av. J.-C., dans un atelier étrusque ou grec.

CRATÈRE, Cratéros († en Cappadoce, 321 av. J.-C.). Général macédonien. Ami d'Alexandre, il commandait l'infanterie de la garde. Après la mort du conquérant, il ramena les vétérans macédoniens vers l'Europe, partagea avec son beau-père Antipater la régence de la Macédoine et de l'Épire, prit part à la répression de la révolte des Grecs et à la victoire de Crannon (322). Il contribua à la ruine de Perdiccas, mais fut tué en combattant Eumène.

CRAVATE. Nom donné en France, vers 1660, à l'écharpe que portaient les cavaliers croates en service dans l'armée française depuis le règne de Louis XIII.

La **cravate de drapeau** ne fut, à l'origine, que l'extrémité de l'écharpe du cornette (v.) que celui-ci nouait au fer de lance de son drapeau, de crainte qu'on ne le lui enlevât. Après l'abandon de l'écharpe, la cravate subsista comme signe national distinctif sur les drapeaux régimentaires.

CRAXI Bettino. Voir ITALIE.

CRAZY HORSE, c'est-à-dire *Cheval fou,* **Tashunca-Uitco** dit (* vers 1849, † 5.IX. 1877). Chef indien de la tribu des Sioux Oglalas, il cerna et détruisit, avec Sitting Bull, les forces du général Custer (1876), mais il dut se rendre au printemps 1877 et fut, quelques mois après, abattu sommairement par les Blancs.

CRÉCY (bataille de, 1346). Première grande bataille de la guerre de Cent Ans (v.), livrée entre Anglais et Français, le 26 août 1346. Débarqué dans le Cotentin, à Saint-Vaast-la-Hougue, Édouard III d'Angleterre, après avoir ravagé la Normandie, traversa la Seine à Poissy (16 août) et, refusant le combat à l'armée française, réussit à franchir l'estuaire de la Somme à marée basse, au gué de la Blanche Tache (24 août). Assuré désormais de pouvoir éventuellement faire retraite vers la Flandre, son alliée, le roi anglais choisit, pour y attendre les Français, une position défensive au flanc d'un petit vallon, près de Crécy-en-Ponthieu. Il ordonna tranquillement son armée en trois « batailles » et confia la droite à son fils, le jeune Prince Noir. L'armée anglaise comptait environ 14 000 hommes, une dizaine de milliers d'archers et 4 000 chevaliers, qui devaient également combattre à pied. L'armée française de Philippe VI de Valois, qui arriva à la fin de l'après-midi du 26, était beaucoup plus nombreuse, mais épuisée par deux semaines de vaine

CRATÈRE
Cratère corinthien, représentant des épisodes de la vie d'Héraklès. (Musée du Louvre.)
Ph. © Giraudon - Photeb

poursuite. Cependant, à la vue de l'ennemi, les chevaliers français ne songèrent qu'à montrer leur bravoure et ils engagèrent le combat sans s'accorder de repos. Les arbalétriers génois reçurent l'ordre de tirer mais ils faiblirent bientôt, sous le tir rapide et précis des archers anglais. Alors qu'ils commençaient à fuir, ils vinrent se heurter aux charges des chevaliers français qui s'élançaient, tout à leur impétuosité. Sous les flèches des Anglais, le combat mal engagé tourna bientôt en une mêlée désordonnée; les chevaux affolés tombaient sur les Génois, les bousculaient, refusaient d'avancer, et les chevaliers anglais s'avançaient déjà, à pied, pour frapper les Français désarçonnés et encombrés par leurs lourdes armures. Le carnage se prolongea jusque dans la nuit; Philippe VI réussit à quitter le champ de bataille, où l'on trouva, le lendemain, les corps de plus de 1 500 chevaliers et écuyers français; Jean de Luxembourg, roi de Bohême, était parmi les morts. Les Anglais n'avaient eu que des pertes insignifiantes, et vinrent mettre le siège devant Calais (4 septembre). Après Courtrai (1302), Crécy démontrait la supériorité des archers et des gens d'armes (chevaliers) combattant à pied sur la lourde cavalerie féodale.

CREDIT ANSTALT BANKVEREIN, Oesterreichische Credit-Anstalt für Handel und Gewerbe. Banque autrichienne fondée à Vienne en 1855. Sa faillite, en mai 1931, fut le début d'un vaste krach financier qui s'étendit à l'Allemagne, déclenchant dans ce pays une crise comparable à celle de 1929 aux États-Unis.

CRÉDIT FONCIER DE FRANCE. Premier en date des grands établissements français de crédit, il fut fondé par le décret du 10 déc. 1852, au capital de 25 millions — porté bientôt à 60. À partir de 1854, il passa sous le contrôle de l'État. Sa mission initiale était de financer la modernisation agricole de la France par un système de prêts à long terme (jusqu'à cinquante ans). Comme les paysans ne se montraient guère intéressés par ces facilités, le Crédit foncier se tourna vers l'aide à la construction immobilière dans les grandes villes et vers la régularisation du marché du crédit hypothécaire. En 1877, il absorba le Crédit agricole. Après la Libération, cette institution semi-publique fut chargée de gérer le Fonds national d'amélioration de l'habitat, les dommages de guerres et les primes et prêts à la construction.

CRÉDIT LYONNAIS. Établissement bancaire créé à Lyon en 1863, avec un capital initial de 20 millions, par Henri Germain. D'abord banque locale de dépôt, dont les activités se limitaient à la région rhodanienne, le Crédit lyonnais prit un essor après 1871 en participant aux emprunts publics et au financement des affaires industrielles et commerciales, en pratiquant aussi bien le long terme que le court terme, en prêtant même à de nombreux gouvernements étrangers. Dans les années 1880, après le krach de l'Union générale, Henri Germain adopta une politique plus prudente, en renonçant désormais aux participations trop importantes et en préférant des opérations à court terme. La banque, qui avait établi son siège à Paris en 1882, vit ses dépôts passer de 250 millions en 1878 à 846 millions en 1895, tandis que le nombre de ses agences passait de 200 vers 1900 à 415 en 1914. Nationalisé en 1946, le Crédit lyonnais est la troisième banque française de dépôt et la septième banque mondiale.

CRÉDIT MOBILIER. Banque d'affaires fondée en 1852 par les frères Pereire (v.). Soutenue à ses débuts par Napoléon III et de puissantes personnalités du régime, elle joua un grand rôle dans l'expansion économique du second Empire, et porta ses investissements dans les chemins de fer, les transports maritimes, les mines, les grands travaux de construction immobilière à Paris et à Marseille, les compagnies d'assurances, etc. En 1857, les dépôts du Crédit mobilier atteignaient 103 millions de francs. Mais les Pereire se heurtèrent aux Rothschild, qui contrôlaient la Banque de France. Après la crise de 1866/68, le Crédit mobilier se trouva en difficulté : les Pereire durent accepter les conditions de la Banque de France et quitter le conseil d'administration; le prêt de 15 millions accordé n'empêcha pas la liquidation du Crédit mobilier, en 1871.

CREDO. Voir symbole des apôtres.

CREEKS. Confédération d'Indiens d'Amérique du Nord, établie au XVIIIe s. en Georgie et en Alabama. Elle rassemblait principalement des Muskogees et des Natchez. Vaincus par Jackson (1813/14), les Creeks furent déportés vers 1830 dans la région de l'Oklahoma, où ils formèrent jusqu'en 1907 une sorte de république autonome.

CRÉMATION. Voir funéraires (usages).

CRÉMIEUX Isaac Adolphe (* Nîmes, 30.IV.1796, † Paris, 10.II.1880). Homme politique français. D'une famille israélite, avocat à Nîmes puis à Paris, député de Chinon (1842/51), il joua un rôle important après la révolution de 1848. Ministre de la Justice dans le gouvernement provisoire, il soutint la candidature de Louis-Napoléon à la présidence de la République, mais s'opposa au coup d'État du 2-Décembre et fut pendant quelque temps incarcéré. Député de Paris (1869), il reprit le portefeuille de la Justice dans le gouvernement de la Défense nationale (1870); dans ce poste, il inspira le *décret Crémieux* (24 octobre 1870), qui, donnant la citoyenneté française aux Juifs d'Algérie, fut ressenti par les musulmans comme une mesure discriminatoire. Député d'Alger à l'Assemblée nationale (1871/75), puis sénateur à vie.

CRÉMIEUX
Isaac Adolphe. Homme politique français (1796-1880).
Ph. © Bibl. Nat., Paris - Photeb

CRÉDIT LYONNAIS
La salle des coffres (11 200 m²) du siège parisien, boulevard des Italiens,
1878. Prudemment, le Crédit lyonnais s'était d'abord tenu,
avec succès, au programme qu'il avait diffusé à sa naissance, le 6 juill. 1863 :
ouvrir « à toute personne, quel que soit son état ou sa condition,
une caisse de dépôts productifs d'intérêts ».
Au lendemain de la guerre de 1870,
l'expansion de l'industrie fut si spectaculaire qu'il se tourna,
comme bien d'autres, du côté des affaires. Son portefeuille-titres,
totalisant deux millions en 1869, atteignit 61 millions en 1874.
Il s'installe, en mars 1878, boulevard des Italiens, où « les étrangers
qui viennent présenter des lettres de créance sont accueillis avec
le plus grand empressement... Ils y trouvent des journaux de tous les pays ».
Ph. J.L. Charmet © Photeb

CRÉOLES

Dame créole du Pérou, vêtue selon l'usage de Lima, 1774.
La créole est une Blanche née sous le climat tropical du continent américain
ou de la mer des Caraïbes, c'est-à-dire, le plus souvent,
dans l'empire espagnol du Nouveau Monde. Les créoles forment la seconde classe
des citoyens, derrière ceux qui sont directement venus de la métropole,
et sont exclus de la fonction publique. Ils descendent pourtant
des premiers conquérants, ou souvent de quelque noble émigré espagnol.
Les femmes créoles font rêver les Européens :
« A la délicatesse des traits elles joignent cette taille et cette démarche
élégantes qui semblent l'apanage des pays chauds.
C'est dans leurs grands yeux spirituels qu'on trouve le contraste
si rare d'une douce langueur et d'une vivacité piquante.
L'état de désœuvrement dans lequel elles sont élevées,
les ardeurs presque continuelles du climat,
les complaisances aveugles dont elles sont perpétuellement l'objet,
les effets d'une imagination vive, tout développe
en elles une extrême sensibilité nerveuse. » (Pierre Larousse, 1869.)
Ph. © Bibl. Nat., Paris - Photeb

CRÉMONE, *Cremona.* Ville d'Italie, en Lombardie, sur le Pô. Fondée en 218 comme un poste romain avancé face aux Gaulois, colonie romaine en 191 av. J.-C., Crémone prit le parti d'Antoine durant la guerre civile; pour la punir, Octave partagea son territoire entre les vétérans de ses armées. Détruite en 70 de notre ère par les troupes de Vespasien, reconstruite, elle fut ravagée par les Goths en 540. Elle se constitua en république libre en 1098, fut déchirée par les querelles entre guelfes et gibelins. Soumise aux Sforza en 1441, puis à Venise de 1499 à 1509, elle revint au Milanais, avec lequel elle passa sous la domination autrichienne, en 1707. A partir du XVIe s., elle fut célèbre par ses grands facteurs de violons : les Amati, les Guarneri et les Stradivari. Les Impériaux s'en emparèrent en 1702 et y firent prisonnier le maréchal de Villeroi. Prise par les Français en 1800, elle devint le chef-lieu du département du Haut-Pô, puis fut soumise à l'Autriche (1814) qui la perdit en 1859 avec toute la Lombardie.

CRÉOLES. Nom (de l'espagnol *criollo*) donné depuis le XVIe s. aux Blancs nés dans les colonies européennes de l'Amérique latine ou dans les autres « vieilles colonies » de la Réunion, de l'île Bourbon, etc. A la fin du XVIIIe s., on comptait dans l'Empire colonial espagnol environ 3 millions de créoles, qui, détenteurs de la puissance économique et conscients de leur particularisme d'Américains, supportaient de plus en plus impatiemment de n'être pas associés aux décisions politiques, réservées aus seuls Espagnols, aux *peninsulares.* Des révoltes de créoles avaient déjà eu lieu au Paraguay (1721), au Pérou (1740) et au Mexique (1742); elles annonçaient les mouvements d'indépendance qui devaient renverser l'autorité espagnole au début du XIXe s. et qui furent essentiellement l'œuvre des créoles.

CRÉPIDE. Chaussure très répandue chez les anciens Grecs et les Romains. Voir CHAUSSURES.

CRÉPY-EN-LAONNOIS. Ville de France (Aisne). **Paix de Crépy-en-Laonnois (15/16 sept. 1544),** entre François Ier et Charles Quint. La France renonçait à ses prétentions sur le Milanais, Naples, l'Aragon, la Flandre, l'Artois; Charles Quint renonçait au duché de Bourgogne et à ses dépendances. De plus, Charles, duc d'Orléans, 2e fils de François Ier, devait épouser une fille de Charles Quint ou de Ferdinand Ier, et recevoir en dot la Franche-Comté ou le duché de Milan.

CRÉQUI. Ancienne famille française, originaire de l'Artois, qui devait son nom au petit village de Créqui, près de Fruges (Pas-de-Calais).

Jacques de Créqui, dit **de Heilly** († 1415), connu sous le nom de maréchal de Guyenne. Il commanda l'armée de Jean sans Peur, duc de Bourgogne, contre les Liégeois révoltés (1408); lieutenant général en Guyenne (1413), il remporta d'abord quelques succès sur les Anglais, mais fut fait prisonnier à Bordeaux, parvint à s'échapper, se battit à Azincourt, mais fut pris de nouveau et mis à mort.

Charles de Créqui (* 1578, † 1638), prince de Poix, gouverneur du Dauphiné, pair et maréchal de France. Il défit les Espagnols au Tésin (1636) et fut tué en Piémont, devant le fort de Brême. Il avait épousé successivement les deux filles du duc de Lesdiguières, Madeleine et Françoise de Bonne.

Charles de Créqui (* 1623, † 1687), petit-fils du précédent. Ambassadeur à Rome, il fut insulté par la garde corse du pape (20 août 1662). Louis XIV, en menaçant de confisquer Avignon et le Comtat, obtint d'Alexandre VII une réparation exemplaire (v. GARDE CORSE, affaire de la).

François de Créqui (* 1624, † 1687), frère cadet du précédent, duc de Lesdiguières, maréchal de France, s'illustra à partir de 1667 en Flandre, en Alsace et en Lorraine. Battu à Conz (1675), il prit Luxembourg en 1684. Il avait fait décimer la garnison française de Trèves, coupable d'avoir capitulé (1675).

CRESCENTII, Crescenzi. Famille romaine qui exerça aux xe/xie s. une grande influence sur les élections pontificales :

Crescentius († vers 984), fils de Théodora la Jeune, assassina le comte Rodfred, qui avait mené une révolte de l'aristocratie romaine contre le pape Jean XIII et contre la politique impériale. Par la suite, il lutta à son tour contre l'empereur, fit arrêter et étrangler Benoît VI (974), nomma à sa place l'anti-pape Boniface VII mais dut se soumettre à l'empereur Othon II, qui l'enferma dans un couvent.

Johannes Crescentius Nomentanus († 998), son fils, reconnu comme patrice romain en 989, exploita lui aussi le sentiment national italien contre le pape et l'empereur. Accusant Grégoire V d'être l'homme du parti allemand, il fit nommer à sa place l'antipape Jean XVI, en profitant de ce que l'empereur Othon III était engagé dans une guerre contre les Slaves. L'empereur, accouru à Rome, s'empara du château Saint-Ange et

Crescentius fut décapité sur les créneaux, devant tout le peuple. Selon la légende, Othon fut ensuite empoisonné par la veuve de Crescentius, Stéphanie.

Johannes Crescentius († 1012), fils du précédent, patrice en 1002, engagea la lutte contre la famille romaine rivale de Tusculum. L'opposition entre les deux maisons provoqua de nombreux troubles dans les élections pontificales du xie s., notamment à la mort de Serge IV (1012).

CRESSENT Charles (* Amiens, 16.XII. 1685, † Paris, 10.I.1768). Ébéniste français. Fils d'un sculpteur sur bois, il vint très tôt à Paris, où il fut l'ami de Watteau et de Girardon. Ébéniste du Régent (1715), il travailla aussi pour plusieurs cours étrangères. Il fut un des premiers à enrichir ses marqueteries de motifs de bronze, dont il traçait lui-même le dessin, ce qui lui valut d'être attaqué par la corporation des ébénistes, qui l'accusait d'avoir transgressé ses règlements.

CRÉSUS (vi^e s. av. J.-C.). Dernier roi de Lydie (de 561 environ à 546). Fils d'Alyatte, de la race des Mermnades, il conquit la Pamphylie, la Mysie et la Phrygie jusqu'à l'Halys. Il était célèbre par ses richesses, et sa cour, à Sardes, était le rendez-vous des philosophes et des poètes. Il organisa le système monétaire lydien sur la base du bimétallisme or et argent. La pièce courante était le statère. Le rapport or-argent fut fixé, après quelques hésitations, à 13,33/l; il s'imposa jusqu'au ve s. à tout le monde grec. Solon étant venu lui rendre visite, Crésus lui montra avec un naïf orgueil ses palais et ses trésors, mais s'attira cet avertissement du sage Athénien : « N'appelons personne heureux avant sa mort. » De fait, s'étant allié aux Assyriens contre Cyrus, Crésus fut battu à la bataille de Thymbrée, assiégé dans sa ville de Sardes et il perdit son trône (546). Promis par Cyrus à mourir brûlé vif, il s'écria devant son bûcher : « O Solon, Solon! » Cyrus lui fit demander l'explication de cette parole et, frappé à son tour par l'instabilité des choses humaines, lui fit grâce et le garda amicalement auprès de lui.

CRESWELL CRAGS. Grottes d'Angleterre, dans le nord-est du comté de Derby. Fouillées à partir de 1875, elles ont livré les vestiges d'un faciès industriel dit *cresswellien*, qui est une variante du magdalénien (v.) récent (13000/9000 av. J.-C.).

CRÈTE

CRÈTE, *Kriti, Krêtê*. Île grecque de la Méditerranée orientale, au sud des Cyclades. Peuplée dès les VIIᵉ/VIᵉ millénaires, sans doute par des immigrants venus d'Asie Mineure, elle reçut d'Anatolie (vers 4000 av. J.-C.) une civilisation néolithique très pauvre par rapport au néolithique des Cyclades. Vers le milieu du IIIᵉ millénaire, commença à s'affirmer une civilisation crétoise originale, dite *minoenne* du nom de *Minos,* dont on ne sait si c'est celui d'un homme, d'une dynastie ou d'une fonction. Le passé crétois ne commença à se dévoiler qu'à partir des extraordinaires découvertes faites à Cnossos (v.) par l'Anglais Arthur Evans (v.) vers 1900. Cependant, la civilisation minoenne reste encore très mystérieuse. Des trois systèmes successifs d'écriture qu'elle utilisa depuis le début du IIᵉ millénaire — pictographie, linéaire A, linéaire B —, ce dernier seulement, en usage à partir du XVᵉ s. av. J.-C., a été déchiffré à la suite des travaux de M. Ventris et J. Chadwick en 1952/53. Les textes en linéaire B (v.) se sont révélés être du grec archaïque, la langue des fonctionnaires achéens qui administraient la Crète aux XVᵉ/XIIᵉ s., mais le linéaire A et le pictographique gardent encore leur secret car nous ignorons la langue égéenne qu'ils servaient à noter. Les hypothèses sur la plus belle période de la civilisation minoenne reposent donc encore sur l'archéologie. Depuis Evans, on divise le minoen en trois grandes périodes : minoen ancien (vers 3000/2000 av. J.-C.); minoen moyen (vers 2000/1700); minoen récent (vers 1700/1400).

Les trois grandes périodes

Le minoen ancien, représenté surtout dans la partie orientale de l'île, garde un caractère subnéolithique; cette époque voit un premier épanouissement des ports (Mochlos, Vasiliki, Palaikastro), mais ignore encore les grands palais (d'où son nom d'époque « prépalatiale »). Le cuivre est le principal métal employé; le bronze n'apparaît que tout à la fin de la période; les Crétois connaissent déjà la double hache, qui tiendra une grande place dans leur symbolique. En ce IIIᵉ millénaire, la Crète entretient surtout des relations avec l'Asie Mineure, la Phénicie (c'est seulement par l'intermédiaire des Phéniciens que s'effectuent alors ses échanges avec l'Égypte).

Le minoen moyen voit l'édification des premiers palais (phase « paléopalatiale ») à Cnossos, à Phaistos et à Mallia (v. ces noms). La Crète est encore divisée en principautés féodales tournées non pas les unes contre les autres, ni vers la conquête militaire des pays étrangers (absence de fortifications), mais vers l'expansion maritime et commerciale en direction des Cyclades, de Rhodes, de Chypre, de l'Orient, de l'Égypte enfin, où les Crétois sont désormais connus directement, sous le nom de *Keftiou;* la métallurgie (cuivre et bronze) continue à se développer; la céramique, l'orfèvrerie, la glyptique atteignent leur point de perfection. Vers 1750/1700, les « premiers palais » sont renversés par des cataclysmes naturels (éruptions volcaniques ou tremblements de terre?), dont la Crète se relève rapidement.

Au minoen récent, la construction des « nouveaux palais » (phase « néo-palatiale ») manifeste les progrès considérables de l'architecture. Cnossos étend désormais son hégémonie sur toute l'île et se trouve à la tête d'un empire maritime, d'une thalassocratie qui a définitivement supplanté celle des Cyclades; c'est alors seulement, si curieux et inexplicable que paraisse ce fait, que la Crète entre pour la première fois en contact avec la Grèce continentale. Les rapports commerciaux s'accompagnèrent-ils d'une forme quelconque de tutelle politique, comme pourrait le suggérer la légende de Thésée et du Minotaure (v. Cɴossos)? Les Crétois importaient du cuivre, de l'étain, des métaux précieux, exportaient les produits de leur belle agriculture — avant tout, l'huile et le vin — ainsi que des armes, des bijoux, des poteries. Les rois-prêtres vivaient dans des palais dont la complexité, le confort « moderne », la décoration fastueuse n'ont pas cessé d'étonner les archéologues; bâties sur plusieurs étages, autour de grandes cours rectangulaires, les résidences princières de Cnossos, de Phaistos, de Mallia offraient un dédale de salles et de corridors (d'où la légende du Labyrinthe); les pièces, éclairées par une ingénieuse distribution de la lumière, étaient décorées de fresques éblouissantes, pleines de mouvement, d'expression, de couleur, qui empruntaient leurs thèmes à la nature, aux fleurs, aux oiseaux, au monde marin. Ces palais, qui possédaient de nombreux entrepôts, jouaient certainement un rôle économique important; ils étaient pourvus d'un système de canalisation d'eau, d'un tout-à-l'égout ainsi que de salles d'eau, qu'on a pris d'abord pour des salles de bains mais qui, plus probablement, servaient à des rites lustraux. Centres administratifs, demeures royales, cadre d'une vie de cour qui dut être gaie et brillante, les palais servaient aussi à certaines fêtes religieuses, par exemple aux jeux et courses tauromachiques souvent représentés sur les fresques de Cnossos.

La religion crétoise, essentiellement agraire, semble avoir affectionné les divinités féminines, peut-être d'origine orientale. On connaît par des statuettes ses prêtresses aux seins nus, brandissant des serpents dans chaque main; le culte, qui ne comportait pas

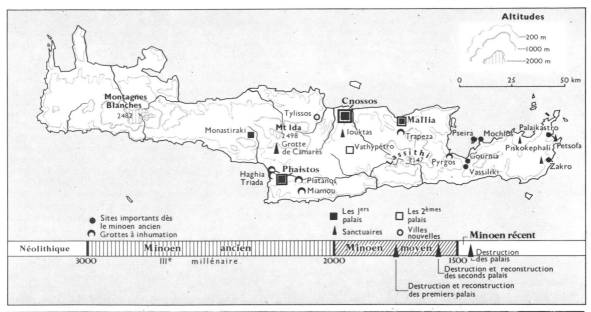

Altitudes

—200 m
—1000 m
—2000 m

0   25   50 km

Montagnes Blanches
2482

Cnossos

Mallia

Tylissos

Monastiraki

Mt Ida
2 498
Grotte de Camarès

Iouktas

Trapeza

Pseira

Mochlos

Palaikastro

Petsofa

Vathypétro

Lassithi
2147

Gournia

Piskokephali

Zakro

Haghia Triada

Phaistos

Platanos

Miamou

Pyrgos

Vassiliki

● Sites importants dès le minoen ancien	■ Les 1ers palais
○ Grottes à inhumation	▲ Sanctuaires
	□ Les 2èmes palais
	○ Villes nouvelles

Minoen récent

Néolithique	Minoen ancien	Minoen moyen	

3000   IIIe millénaire   2000   1500

▲ Destruction des palais

Destruction et reconstruction des seconds palais

Destruction et reconstruction des premiers palais

CRÈTE
La déesse aux serpents : statuette
en faïence provenant du palais
de Cnossos. (Musée
d'Héraklion, Crète.)
Ph. © Hassia - Photeb

Le dieu marin de la Crète.
Monnaie grecque en argent
frappée à Itanos. (Cabinet
des Médailles.)
Ph. © Bibl. Nat., Paris - Photeb

de sacrifices sanglants, mais des processions et des jeux, n'était pas célébré dans des temples mais en plein air, sur des hauteurs, dans des grottes, autour d'arbres sacrés ou bien encore dans les cours des palais. La femme jouait un rôle de premier plan dans la société, qui reposait, semble-t-il, sur la base du matriarcat.

« Peintures murales, statuettes et bas-reliefs évoquent pour nous une vie de fêtes, d'assemblées joyeuses autour des athlètes qui s'affrontaient et des chœurs qui chantaient et dansaient... »

« On a souvent insisté sur les défauts de cette civilisation, sur sa grâce, sa joliesse ou son exubérance qui ne peuvent dissiper une certaine impression de facilité et de manque d'effort. Quelque justifiés que puissent être ces jugements, nul ne conteste que le monde crétois créa une certaine forme de vie, mise, plus complètement qu'ailleurs, au service de l'homme; c'est en ce domaine sans doute que la civilisation crétoise marqua les peuples ses voisins de la façon la plus originale, leçon que la civilisation grecque devait un jour poursuivre. » (M. Meuleau, *Le Monde et son histoire*, I, 355-357, Bordas-Laffont, 1965.)

Vers 1450/1400 avant notre ère, la Crète connut une nouvelle catastrophe. Certains historiens l'attribuent à un tremblement de terre, mais d'autres, insistant sur la destruction simultanée de tous les palais et les villes de l'île, supposent plutôt une invasion brutale par des étrangers, qui ne pourraient être que des Achéens (v. ce mot et MYCÉNIENNE, civilisation). Les palais ne furent que partiellement restaurés et réoccupés. La décadence de la civilisation crétoise fut irrémédiable; les Achéens supplantèrent les Crétois sur les routes commerciales qui reliait l'Égée à l'Orient, mais ce furent surtout les Phéniciens qui bénéficièrent de la fin de la civilisation minoenne, en s'assurant l'hégémonie en Méditerranée.

Après l'invasion des Doriens (vers 1100), la Crète ne joua plus qu'un rôle effacé dans l'histoire grecque. Elle ne prit part ni aux guerres médiques ni à la guerre du Péloponnèse. A l'époque classique, elle était divisée en une quinzaine de cités-États; les deux plus importantes étaient Cnossos et Cortyne, qui se livraient des guerres continuelles. Devenue un repaire de pirates, elle fut soumise à Rome par Metellus Creticus (68/67) et, en 27 av. J.-C., forma·une province avec la Cyré·naïque. Les Arabes l'occupèrent de 823 à 961 et lui donnèrent le nom de Candie *(kandah,* retranchement), d'après la ville du même nom. Reprise en 961 par Nicéphore Phocas, elle passa, après la prise de Constantinople par les croisés (1204), à Boniface de Montferrat, puis aux Génois et, en 1210, aux Vénitiens, qui en furent chassés par les Turcs, après une guerre de vingt-cinq ans, en 1669. La Crète se souleva lors de la guerre d'indépendance grecque, mais elle fut soumise par un corps égyptien (1824) et le sultan dut la céder au pacha d'Égypte. Celui-ci la restitua aux Turcs en 1841. Le soulèvement de 1866 fut durement réprimé par les Turcs; cependant, deux ans plus tard, le sultan accorda une relative autonomie à l'île. Une nouvelle insurrection crétoise, en 1896/97, déclencha la guerre entre la Turquie et la Grèce; malgré la défaite des Grecs, les Turcs furent contraints par les grandes puissances d'évacuer l'île (1898). Le rattachement à la Grèce, proclamé en 1908, devint effectif en 1913. En 1935 eut lieu en Crète un soulèvement anti-monarchiste des partisans de Vénizélos, mais il fut réprimé après quelques combats. Durant la Seconde Guerre mondiale, les troupes britanniques, chassées de Grèce par la Wehrmacht, essayèrent de se retrancher en Crète (avr. 1941); mais l'île fut prise par une audacieuse opération aéroportée allemande (19/31 mai 1941). Les Allemands se maintinrent en Crète jusqu'en 1944, mais durent constamment lutter contre une active résistance des habitants de l'île.

CREUSOT (Le). Ville de France (Saône-et-Loire). Situé au cœur d'un bassin houiller exploité depuis le XVIe s., Le Creusot fut un des premiers centres de la métallurgie française. C'est là que, pour la première fois en France, en 1785, la houille fut substituée au bois dans le traitement du minerai de fer. Dans les environs, Ignace de Wendel fonda un établissement destiné à approvisionner en coke la manufacture fondée à Indret, près de Nantes, par Wilkinson. En 1787, pour satisfaire les besoins de la marine, fut fondée la société de construction d'armes du Creusot (4 000 actions de 2 500 livres chacune). Dès 1789, les recettes s'élevaient à plus de 2 millions de livres, mais la société sombra pendant la Révolution. Le Creusot ne reprit son essor qu'en 1836, lorsque les frères Adolphe et Eugène Schneider fondèrent la Société des forges et ateliers du Creusot. D'abord voué avant tout à la sidérurgie, Le Creusot s'orienta rapidement vers la métallurgie de transformation et produisit les premières locomotives fabriquées en France.

La ville devint sous le second Empire la capitale de la métallurgie française : en 1870, Schneider y employait plus de 10 000 ouvriers, utilisait 15 hauts fourneaux, 160 fours à coke, 91 laminoirs, 30 marteaux-pilons, 85 machines à vapeur (représentant 5 500 CV, près de 2 % de la force-vapeur employée en France) et produisait 130 000 tonnes de fonte. Les grandes grèves qui paralysèrent les ateliers (janvier 1870) puis les mines (mars) prirent l'importance d'un événement national; malgré un large mouvement de solidarité, elles se terminèrent par un échec; l'année suivante, les travailleurs du

CREUSOT (Le)
Grève de mars 1870. Détail
d'une gravure sur la manifestation
des femmes.
Ph. © Archives Photeb

Creusot proclamèrent la Commune (26 mars 1871). Après la guerre franco-allemande, Le Creusot se consacra plus particulièrement à la production des armements et des blindages. Ses activités se sont largement diversifiées depuis 1945 : moteurs Diesel et électriques, outillage pour centrales nucléaires, locomotives, etc. En 1970, la Société des forges et ateliers du Creusot fusionna avec la Compagnie des ateliers et forges de la Loire pour former la Société Creusot-Loire.

● Le principal actionnaire de ce nouveau groupe était la Compagnie Creusot-Loire (50 % du capital), holding constitué à parts égales par Schneider S.A. et la Compagnie générale d'industrie et de participation (de Wendel). Les principales implantations du groupe étaient au Creusot, à Imphy, à Firminy, à Châlon-sur-Saône, à Saint-Chély-d'Apcher, à Pamiers. Première entreprise française de mécanique, Creusot-Loire s'associa avec le Commissariat à l'énergie atomique (C.E.A.) pour créer Framatome, dont elle détenait 70 %. A la suite de la part grandissante qu'a prise dans Schneider S.A. le groupe belge fondé par le baron Édouard Empain (*1852 † 1979) (v.), Creusot-Loire devint une filiale de ce groupe. La crise mondiale de la métallurgie (défaillance de sa filiale sidérurgique américaine Phoenix Steel) affecta gravement le groupe, qui comptait 3 000 salariés, mais subit 1,3 milliard de francs de pertes entre 1978 et 1982, et 1,4 milliard en 1983. Sa restructuration, avec l'aide des capitaux de l'État et de Schneider S.A., fut entreprise. Mais les mesures adoptées furent insuffisantes et n'empêchèrent pas la mise en liquidation judiciaire de l'entreprise, en 1984. Voir SCHNEIDER.

CRI D'ARMES. Au Moyen Age, cri de ralliement pour reconnaître les amis dans la mêlée et devise guerrière inscrite sur les drapeaux, au cimier des armes, etc. Parmi les cris d'armes les plus connus, citons : *Montjoie-Saint-Denis,* cri des rois de France et de leurs vassaux d'Ile-de-France; *Bourbon-Notre-Dame* et *Espérance,* de la maison de Bourbon; *Saint-Malo au riche duc,* des ducs de Bretagne; *Flandre au lion,* des comtes de Flandre; *Hainaut au noble comte,* des comtes de Hainaut.

CRI DU PEUPLE (Le). *a)* Quotidien politique parisien publié, sous la direction de Jules Vallès, du 22 févr. au 11 mars et du 21 mars au 23 mai 1871. Ce fut le journal le plus célèbre de la Commune (v.). Aux côtés de Vallès, ses principaux collaborateurs furent Casimir Bouis, Jean-Baptiste Clément et Pierre Denis.
b) Quotidien politique parisien, publié de 1883 à 1889, organe du socialisme de Jules Guesde.
c) Quotidien politique parisien, publié du 19 oct. 1940 au 17 août 1944. Dirigé par Jacques Doriot, il était l'organe du parti populaire français (v.) et milita en faveur de la collaboration.

CRILLON. Village du département du Vaucluse, au N.-E. de Carpentras. Vendu en 1456 à Louis de Berton, il donna son nom à la branche française de la famille piémontaise des Balbis (ou des Balbes) de Berton. Les descendants de Louis de Berton portèrent dès lors le nom de Crillon. La seigneurie fut érigée en duché en 1725.

Louis des Balbes de Berton de Crillon (* Murs, Vaucluse, 1541, † Avignon, 2.XII. 1615), l'un des plus grands capitaines du xvie s., surnommé « le brave Crillon » ou « le brave des braves ». Il s'illustra sous les règnes successifs de cinq rois, d'Henri II à Henri IV; il alla combattre à Lépante sous les ordres de don Juan d'Autriche (1571), accompagna en Pologne le duc d'Anjou (futur Henri III) et le défendit plus tard contre la Ligue mais refusa de se prêter à l'assassinat d'Henri de Guise. Henri IV l'estimait beaucoup et, du champ de bataille d'Arques, où Crillon n'avait pu se trouver, il lui écrivit ce billet célèbre (ici dans la transcription de Voltaire) : « Pends-toi, brave Crillon! nous avons combattu à Arques, et tu n'y étais pas! » Crillon fut le premier à recevoir le grade de colonel-général de l'infanterie française.

Louis, duc de Crillon et Mahon (* 1717, † Madrid, 1796), combattit en Italie, en Bavière et en Hollande de 1733 à 1745, se distingua dans la guerre de Sept Ans, puis, s'estimant victime d'une injustice, quitta le service de la France pour celui de l'Espagne (1762). Il devint commandant général des armées espagnoles pendant la guerre de 1780 entre l'Angleterre et l'Espagne, reprit aux Anglais Mahon et l'île de Minorque (1782) et fut récompensé par le titre de duc de Mahon. Auteur de *Mémoires* (1791).

François Félix, duc de Crillon (* Paris, 1748, † Paris, 1820), deuxième fils du précédent, fit ériger en duché de Crillon sa terre de Boufflers, en Picardie. Il servit en Espagne sous les ordres de son père et se distingua dans l'opération de Minorque. Député de la noblesse du Beauvaisis aux États généraux de 1789, il forma chez lui une Société des amis de la Constitution, qui fut le noyau du club des Feuillants (v.). Emprisonné sous la Terreur, il fut sauvé par le 9-Thermidor. Pair de France en 1815.

Louis Antoine François-de-Paule, duc de Crillon et Mahon (* Paris, 1775, † Avignon, 1832), frère cadet du précédent, entra au service de l'Espagne en 1794, combattit les troupes de la Révolution, fut fait prisonnier, mais épargné (1794/95). Revenu en Espagne, il prêta serment au roi Joseph après l'abdication de Charles IV; proscrit pour cette raison en 1814, il fut contraint de se réfugier en France.

CRIMÉE, *Krim.* Péninsule de la côte septentrionale de la mer Noire, en U.R.S.S., dans la république d'Ukraine. Appelée dans

CRILLON
Louis, duc de C. et Mahon.
Homme de guerre (1717-1796).
Ph. Jeanbor © Photeb

l'Antiquité *Chersonèse Taurique,* elle eut comme premiers habitants les mystérieux Cimmériens (v.), qui furent suivis, au VIIIe s. av. J.-C., par les Scythes (v.). A partir du VIe s., les Grecs y fondèrent des colonies et des comptoirs commerciaux sur la route du blé : Chersonèse, Théodosia, Panticapée (qui devint plus tard la capitale du royaume du Bosphore – v. ce nom). A partir du IIIe s. de notre ère, cette région fut envahie par les Goths et les Hérules, suivis, après le Ve s., par les Huns, puis les Khazars, les Coumans, enfin, au XIIIe s., les Tatars. Cependant, la côte, passée sous l'influence de Rome peu avant le début de notre ère, resta aux Byzantins jusqu'au XIIIe s. Les Génois y établirent de florissants comptoirs (Soldaïa, Kaffa (aujourd'hui Feodossia)), qui subsistèrent jusqu'en 1475; à cette date, la Crimée tout entière passa sous la domination des Tatars, qui se reconnurent en 1478 tributaires des sultans ottomans. Les khans tatares, à partir de leur capitale de Bakhchisaraï, entreprirent la conquête des ports du S. de la Russie et poussèrent leurs raids jusqu'à Moscou et en Pologne. En 1774, à la paix de Kütchük-Kaïnardji, Catherine II força la Turquie à rendre son indépendance complète au khanat tatare de Crimée, que la Russie put ainsi plus facilement annexer, dès 1783. La Crimée, théâtre de la guerre franco-anglo-russe de 1854/56 (v. article suivant), fut, durant la guerre civile qui suivit la révolution de 1917, le dernier refuge des armées blanches (1920). Au cours de la Seconde Guerre mondiale, elle fut conquise par la Wehrmacht dès oct.-nov. 1941 à l'exception de Sébastopol, qui résista jusqu'au 2 juill. 1942. La péninsule fut reconquise par les armées Tolboukine et Yeremenko, en avr./mai 1944; l'aide apportée aux Allemands par la population tatare entraîna la déportation de celle-ci en Sibérie (ces Tatars devaient être rapatriés après la mort de Staline) et la fin de la république soviétique autonome de Crimée qui avait été créée en 1921; en 1954, la Crimée fut englobée dans la république d'Ukraine. Sa côte, pourvue, depuis l'époque des tsars, de stations de repos et de tourisme (notamment Yalta, v.), constitue la Riviera soviétique, à l'est de la puissante base de Sébastopol.

CRIMÉE
Statère d'argent de la Chersonèse Taurique. (Cabinet des Médailles.)
Ph. © Bibl. Nat., Paris - Photeb

CRIMÉE (guerre de). Ce conflit, qui opposa de 1853 à 1856 la Russie d'une part, la Turquie, la France, l'Angleterre et la Sardaigne d'autre part, prend place dans le cadre général de la question d'Orient (v.) posée aux grands États européens à partir du XVIIIe s. par le déclin de l'Empire ottoman. La guerre eut pour causes profondes : l'ambition de la Russie, qui voulait atteindre les Détroits (v.) et procéder sans tarder au démembrement de la Turquie; la résolution de l'Angleterre de barrer aux Russes la route de la Méditerranée; le désir de Napoléon III de défendre les intérêts catholiques et français en Orient et d'empêcher, par une alliance avec l'Angleterre, que ne se reforme contre la France la coalition qui avait été

fatale à Napoléon Ier. La crise commença en 1851 par une rivalité franco-russe à propos des Lieux saints (v.), où l'expansion catholique, depuis 1840, éliminait de plus en plus les moines orthodoxes. Ceux-ci étaient soutenus par la Russie, alors que Louis-Napoléon se posait en champion des religieux latins, pour lesquels il obtint des concessions importantes du sultan, en février et décembre 1852. Le tsar Nicolas Ier, mécontent de cet échec, proposa alors officieusement à l'Angleterre un plan de démembrement de l'Empire ottoman (janvier 1853). Devant la réserve de Londres, qui voyait, au contraire, dans le maintien de l'intégrité de la Turquie une sauvegarde indispensable contre l'expansion russe, le tsar envoya à Constantinople Menchikov, avec mission officielle de régler la question des Lieux saints au mieux des intérêts orthodoxes, en fait pour obtenir du sultan la reconnaissance d'un véritable protectorat russe sur les chrétiens orthodoxes de l'Empire ottoman (février/mars 1853). Sur les conseils de l'ambassadeur britannique Stratford de Redcliffe, la Porte rejeta les demandes du tsar, lequel ordonna alors aux troupes russes d'occuper les principautés moldo-valaques (juillet 1853). Malgré l'attitude hésitante des grandes puissances, la Turquie déclara la guerre à la Russie (4 octobre 1853). Après la destruction d'une flotte turque dans la mer Noire (30 novembre), qui causa une vive émotion à Londres et à Paris, les flottes française et britannique reçurent l'ordre d'entrer dans la mer Noire (3 janvier 1854) et, le 28 mars, la France et l'Angleterre à leur tour déclaraient la guerre à la Russie. L'Autriche resta neutre, sous la pression des États allemands, mais obligea les Russes à évacuer les principautés moldo-valaques (août 1854). En janvier 1855, la Sardaigne se joignit, au contraire, aux Franco-Britanniques.

La guerre eut pour théâtre principal la presqu'île de Crimée. Débarqués à Eupatoria (14 septembre 1854), les Français, commandés par Saint-Arnaud, et les Anglais, sous lord Raglan, reçurent comme objectif la puissante forteresse de Sébastopol. Après la victoire de l'Alma (v.) (20 septembre 1854), le siège commença, très meurtrier, car Sébastopol était défendue par un brillant officier du génie, Todleben. Deux tentatives russes pour briser l'encerclement furent repoussées à Balaklava (25 octobre 1854, charge de la Brigade légère) et à Inkerman (5 novembre), mais ce fut seulement après de longs mois d'une guerre de tranchées que la prise de la tour Malakov (v.) par Mac-Mahon (8 septembre 1855) obligea les Russes à évacuer Sébastopol, après avoir sabordé les navires et fait sauter tous les bastions (11 septembre 1855). Bien que le tsar Alexandre II, qui avait succédé à Nicolas Ier au cours du siège, fût plus enclin à un compromis que son prédécesseur, la Russie refusait encore de traiter. Elle y fut contrainte par la menace de voir l'Autriche et la Suède se joindre aux Alliés (janvier 1856). Le conflit se termina par le traité de Paris (v.) (30 mars 1856), qui prévoyait la neutralisation de la mer Noire, désormais interdite à tout navire de guerre; la liberté de navigation sur le Danube; l'autonomie des principautés de Moldavie, de Valachie et de Serbie. L'indépendance et l'intégrité territoriale de l'Empire ottoman étaient réaffirmées et placées sous la garantie des puissances signataires.

La guerre de Crimée avait assuré le prestige européen de la France du second Empire. En Angleterre, elle avait suscité de vives oppositions, qui furent fatales au cabinet Aberdeen (janvier 1855), et elle contribua à inspirer aux dirigeants anglais une politique de « splendide isolement » qui se prolongea jusqu'à la fin du siècle. La Russie comprit que sa défaite était due aux vices de son système administratif et politique, aux carences de son économie arriérée; elle s'absenta de l'Europe pour se consacrer à d'importantes réformes intérieures (abolition du servage, 1861). Par son attitude constamment hostile, l'Autriche perdit l'appui du tsar, qui lui avait permis, en 1849, d'écraser l'insurrection hongroise. La guerre de Crimée consacrait ainsi la fin de l'Europe de la Sainte Alliance et favorisait les entreprises belliqueuses de la Sardaigne et de la Prusse : ni l'unité italienne ni l'unité allemande n'eussent été possibles si l'Autriche ne s'était pas elle-même isolée et si l'Angleterre et la Russie n'avaient pas résolu de se cantonner dans une attitude d'abstention à l'égard des affaires européennes.

CRIMES DE GUERRE.

Les crimes de guerre sont aussi anciens que la guerre elle-même. Dans l'Orient antique, les campagnes militaires menées par l'Assyrie s'accompagnèrent de l'extermination ou de la réduction en esclavage de peuples entiers. Dans le monde hellénique et romain, les prisonniers de guerre, et souvent les populations civiles vaincues, étaient réduits en esclavage. Cette situation semblait si naturelle qu'aucun des grands esprits de l'Antiquité n'a songé à s'en indigner. Les guerres fratricides des cités grecques furent toujours conduites avec une sauvagerie inouïe. César mena la conquête de la Gaule avec la même cruauté, et, plus d'un an après la chute d'Alésia, lorsque les opérations prirent fin avec la prise d'Uxellodunum, il donna l'ordre d'amputer de la main droite tous les assiégés qui venaient de faire leur reddition. Le christianisme ne changea rien aux mœurs guerrières; il ajouta aux crimes anciens ceux du fanatisme religieux. Les croisades furent marquées de nombreuses scènes de massacres, et l'humanité de Saladin, après sa conquête de Jérusalem (1187), étonna beaucoup les Latins. Sans doute, dans l'Occident chrétien, la mise en esclavage des prisonniers de guerre avait disparu; mais le pillage restait une pratique courante (sac de Constantinople, 1204; sac de Rome par Charles Quint, 1527), les grandes armées de mercenaires vivaient sur l'habitant, et l'histoire du XVIIᵉ s., après les exactions sans nombre qui avaient été commises durant les guerres de Religion et la guerre de Trente Ans, fut encore entachée par des crimes de guerre tels que le massacre de la garnison de Drogheda par Cromwell (1649) et la dévastation du Palatinat par les Français (1689). Par rapport au Moyen Age, l'Europe classique des XVIIᵉ et XVIIIᵉ s., l'Europe des grands États nationaux, apparaissait plutôt en régression. Toutes les institutions (v. PAIX DE DIEU, TRÊVE DE DIEU) que l'Église avait autrefois tenté d'établir pour freiner et limiter la fureur guerrière étaient depuis longtemps oubliées : la plupart des guerres de l'époque classique commencèrent sans déclaration formelle. La notion de « crime de guerre » ou de « crime contre la paix » semble s'être esquissée pour la première fois au moment de la chute de Napoléon, dans le camp des Alliés : en 1814, un Anglais, Lewis Goldsmith, proposa la constitution d'un « grand tribunal européen » devant lequel Napoléon eût été appelé à comparaître « au nom de toutes les nations civilisées », mais cette idée de justice internationale était encore trop éloignée des esprits de l'époque et le projet n'eut pas de suite.

Les conférences de La Haye

Au cours du XIXᵉ s., le progrès des idées humanitaires fit sentir la nécessité de codifier les principes concernant la conduite de la guerre dans des conventions internationales. Réunie à l'instigation du Suisse Henri Dunant, la convention de Genève (v.) (1864) s'occupa de la protection des soldats blessés. La déclaration de Saint-Pétersbourg (1868) interdit l'emploi de projectiles particulièrement meurtriers. Mais les étapes décisives dans la voie d'une véritable législation de la guerre furent franchies lors des deux conférences de La Haye (v.), en 1899 et 1907, qui édictèrent l'interdiction des bombardements aériens, des gaz asphyxiants, des balles explosives, l'obligation d'un ultimatum avant le déclenchement des hostilités, ainsi que diverses mesures sur les droits et devoirs des neutres, sur la guerre maritime, etc. Aussi, au lendemain du premier conflit mondial (1914/1918), les Alliés victorieux, qui avaient proclamé qu'ils menaient une « guerre du droit », purent-ils s'appuyer sur cet embryon de législation internationale pour introduire dans le traité de Versailles (articles 227/230) la notion de crimes de guerre et exiger de l'Allemagne la comparution devant un tribunal spécial international de l'ex-empereur Guillaume II et de certains militaires que les vainqueurs accusaient d'avoir contrevenu aux lois de la guerre. Mais les Pays-Bas, où l'empereur s'était réfugié en 1918, refusèrent l'extradition de Guillaume II. Le gouvernement allemand obtint des puissances alliées que les criminels de guerre fussent jugés en Allemagne, par des tribunaux allemands. En 1920, la France transmit à l'Allemagne une liste de 800 noms. Quelques procès eurent lieu en 1921 mais, devant l'indignation de l'opinion publique allemande, les Alliés renoncèrent dès 1922 à exiger l'application des clauses du traité en ce domaine.

CRIMÉE (guerre de)
Soldats sous la neige, en févr. 1855.

CRIMES DE GUERRE

Durant la période qui suivit, la législation sur la guerre fut complétée : par le protocole de Genève sur l'interdiction de la guerre chimique et bactériologique (1925); par le pacte Briand-Kellogg de renonciation solennelle à la guerre (1928), qui fut signé par 150 nations (y compris la France, la Grande-Bretagne, les États-Unis, l'U.R.S.S., l'Allemagne, l'Italie, le Japon); l'accord de Genève sur le traitement des prisonniers de guerre (1929); l'accord de Londres sur les règles de la guerre sous-marine (1936). Au cours de la Seconde Guerre mondiale, dès 1941, les Alliés manifestèrent leur intention de châtier les atrocités et crimes de guerre qu'ils imputaient aux Allemands. La déclaration de Moscou (30 oct. 1943) spécifia que les officiers et soldats allemands, ainsi que les membres des organisations nationales-socialistes, coupables d'atrocités et de crimes, seraient, après la guerre, renvoyés dans les pays où ces forfaits avaient été perpétrés afin d'y être jugés et punis conformément aux lois de ces pays. Cependant, la déclaration réservait le cas des « grands criminels de guerre », dont les actes étaient sans localisation géographique particulière. Pour juger ces derniers, la conférence de Potsdam (déclaration du 26 juill. 1945) décida la création d'un tribunal militaire international, dont le statut fut fixé par l'accord de Londres du 8 août 1945.

Le tribunal de Nuremberg

Ce tribunal, composé de quatre juges représentant les États-Unis, l'U.R.S.S., le Royaume-Uni et la France, avait juridiction : *a)* sur les *crimes contre la paix* (direction, préparation, déclenchement ou poursuite d'une guerre d'agression ou d'une guerre de violation des traités); *b)* sur les *crimes de guerre* (violations des lois et coutumes de la guerre); *c)* sur les *crimes contre l'humanité* (assassinat, extermination, réduction en esclavage des populations civiles). Ce tribunal siégea à Nuremberg du 20 nov. 1945 au 1ᵉʳ oct. 1946 (v. NUREMBERG), pour juger les grands dirigeants et les organisations du régime nazi ainsi que le haut commandement allemand en tant que corps. Par la suite, le tribunal international jugea encore à Nuremberg douze autres procès de dirigeants nazis, groupés d'après leurs activités (ministres, fonctionnaires de la justice, médecins des camps, officiers supérieurs, etc.). Les criminels de guerre japonais furent également traduits devant un tribunal militaire international, qui siégea à Tokyo du 3 mai 1946 au 12 nov. 1948. Enfin de nombreux procès de criminels de guerre eurent lieu devant les tribunaux des divers pays qui avaient été occupés par l'Allemagne hitlérienne. Même dans les pays alliés, ces procès suscitèrent des critiques au point de vue juridique, la livraison des vaincus au jugement des vainqueurs n'offrant pas les garanties d'impartialité d'une justice sereine. D'autre part, il ne fut jamais question de constituer un tribunal pour juger les crimes de guerre des Alliés. Sur la demande du

ministère de l'Intérieur ouest-allemand, les Archives de la République fédérale ont réuni en 1969 une « Documentation sur les crimes de déplacement de populations », relatives aux sévices subis par les populations est-allemandes expulsées des territoires enlevés à l'Allemagne en 1945; mais pour des raisons diplomatiques, le gouvernement de Bonn n'avait pas encore autorisé en 1975 la publication de cette documentation. Après la constitution de la République fédérale (1949), la justice allemande poursuivit la répression des crimes de guerre nazis et procéda à plus de 80 000 condamnations; nombre de criminels de guerre libérés par les Alliés furent de nouveau jugés par les tribunaux allemands et emprisonnés. En juin 1969, le gouvernement fédéral décida de supprimer la prescription pour les crimes de guerre. Depuis 1945, l'accusation de « crimes de guerre » a souvent été reprise contre les Américains en Corée et au Viêt-nam, contre l'armée française pendant les guerres d'Indochine et d'Algérie, contre l'armée israélienne dans les territoires occupés de Palestine. Lancée souvent à des fins de pure propagande, cette accusation reposait parfois sur des faits incontestables : la question est de savoir si l'on peut exiger le respect absolu des lois de la guerre de la part d'armées régulières engagées dans une lutte contre des partisans (v.) qui eux-mêmes ne respectent aucune de ces lois.

CRIPPS sir Stafford (* Londres 24.IV. 1889, † Zurich, 21.IV.1952). Homme politique anglais. Brillant avocat, il appartint au gouvernement travailliste de Ramsay MacDonald comme solliciteur général en 1930/ 31, puis fit campagne pour la formation d'une sorte de front populaire avec les communistes, ce qui entraîna son exclusion du Labour Party en 1939 (il y fut réintégré en 1945). Durant la guerre, Churchill l'utilisa pour améliorer ses relations avec la gauche britannique et l'Union soviétique : après l'avoir envoyé en 1940 comme ambassadeur à Moscou, il nomma Stafford Cripps lord du Sceau privé et *leader* (porte-parole du gouvernement) à la Chambre des communes (1942). Chargé ensuite d'une mission d'enquête en Inde, Cripps ne parvint pas, malgré ses efforts pour la création d'un gouvernement autonome après les hostilités, à se concilier les dirigeants nationalistes indiens. Après 1945, ministre des Affaires économiques et chancelier de l'Échiquier (1947/50) il seconda le gouvernement travailliste d'Attlee, il exerça une véritable dictature économique et se fit le champion d'une politique d'« austérité » anti-inflationniste.

CRISES ÉCONOMIQUES. Dans les désordres de la vie économique, qui entraînent la raréfaction des demandes du consommateur, l'effondrement des cours et des prix, la faillite d'un grand nombre d'entreprises, la paralysie de l'initiative privée, l'extension du chômage, on ne vit jusqu'au XIXᵉ s. que des catastrophes isolées. Les économistes libéraux classiques, comme

CRISES ÉCONOMIQUES
Groupe de la série « Les Gueux ».
Gravure de J. Callot (1592-1635).
Ph. © Bibl. Nat., Paris - Photeb

J.-B. Say et F. Bastiat, essayaient de contester la possibilité des crises, allant même jusqu'à les déclarer « inconcevables », car la libre concurrence devait, selon eux, assurer le retour constant des prix à l'équilibre. Vers 1860, l'économiste français Clément Juglar découvrit cependant que les crises obéissaient à des mouvements réguliers et s'inséraient dans des cycles économiques, et qu'elles suivaient inéluctablement les phases de prospérité. Par la suite, d'autres analyses des mécanismes cycliques furent données par l'Américain Joseph Kitchin (1923) et par le Russe N.D. Kondratiev (1926).

De nombreuses théories ont essayé d'expliquer le déclenchement des crises économiques : disproportion entre la quantité de monnaie en circulation et la quantité de marchandises offertes sur le marché (Jean Bodin, XVIᵉ s.); interventions intempestives des pouvoirs publics, qui faussent le jeu des forces naturelles (libéraux classiques); mauvaise répartition des revenus dans le système capitaliste (Marx et les socialistes); facteurs météorologiques et cosmologiques agissant sur la production agricole, laquelle influence l'ensemble de l'économie (W. S. Jevons, 1909; H. L. Moore); réflexes psychologiques des producteurs, des distributeurs du crédit, des consommateurs, qui passeraient par des phases successives d'optimisme et de pessimisme (Aftalion); responsabilité primordiale du crédit (Wicksell, Robbins, Mitchell); action des grands innovateurs techniques qui accaparent un certain nombre de biens de consommation pour fournir une production nouvelle (Schumpeter), etc.

Les crises économiques jusqu'au XVIIIᵉ siècle

Avant la révolution industrielle, les crises, dues essentiellement à des facteurs agricoles, ne connurent jamais la généralité et la brutalité qui ont marqué les mouvements des prix dans le système capitaliste et industriel moderne. Vers 217/210 av. J.-C., pendant la deuxième guerre punique, Rome souffrit d'une agriculture paralysée par l'invasion d'Hannibal, d'un commerce maritime coupé par l'action de la flotte carthaginoise; l'État dut procéder à une dévaluation de 60 %, augmenter les impôts, faire largement appel au crédit privé; mais, dès la fin du conflit, ces difficultés furent surmontées. Beaucoup plus grave devait être la crise du IIIᵉ s. de notre ère, qui contraignit le régime impérial à adopter une politique interventionniste et étatiste, à la longue fatale au monde romain. Cette crise, qui affecta d'abord l'Italie, était due à la désertion croissante des campagnes, à la ruine de la classe moyenne qui venait grossir le prolétariat des villes, à l'arrêt des conquêtes (après l'occupation temporaire de la Dacie et de l'Orient arabe par Trajan, au début du IIᵉ s.), à la paralysie grandissante du commerce, car l'Italie produisait moins, n'exportait plus et ne pouvait assurer sa subsistance – fournie entièrement par des importations – qu'au prix d'une véritable

« hémorragie d'or ». Les expédients habituels – dévaluation (sous Caracalla, 211/217), augmentations d'impôts, emprunts forcés – se révélant insuffisants, l'État dut progressivement prendre en charge la vie économique, fixer l'artisan à son métier, le paysan à sa terre, mettre en place « l'énorme entreprise de réglementation et de fixation qui, avec une apparence d'organisation, achèvera la décadence économique de l'Empire » (J. Ellul).

L'Occident médiéval connut à son tour une longue période de dépression, qui s'annonça peu avant 1300 et se prolongea pendant tout le XIVᵉ et le XVᵉ s. Des causes nombreuses contribuèrent à cette crise : déséquilibre entre une production qui ne trouvait plus de sols vierges à défricher et un essor démographique qui s'était poursuivi régulièrement depuis le XIᵉ s.; famine monétaire, engendrant des mutations autoritaires et des mesures protectionnistes, etc.; cataclysmes naturels responsables des mauvaises récoltes de 1315/17, suivies, après le retour de l'abondance, d'un effondrement des prix agricoles; misères collectives telles que la guerre de Cent Ans (v.) et la peste noire (v.), génératrices de démoralisation, de laisser-aller. La crise se manifesta par un recul de l'agriculture (désertion des campagnes), par une stagnation de l'industrie (crise des textiles flamands; sclérose du système corporatif – v. CORPORATIONS –, où les maîtrises commencent à se fermer), par une interruption de l'expansion commerciale (nombreuses faillites de banques italiennes, déclin irrémédiable des foires de Champagne (v.)), par un renversement de la courbe démographique (d'où manque de main-d'œuvre, recul de la surface des terres cultivées, chute de la production, hausse générale des salaires), par des troubles sociaux, tels que la jacquerie (v.). Mais les villes furent beaucoup moins affectées que les campagnes : la bourgeoisie urbaine s'enrichit en prêtant aux propriétaires fonciers menacés, ou en acquérant à bon marché des terres possédées jusqu'alors par des nobles.

D'une manière générale, les crises économiques de l'Ancien Régime furent essentiellement des crises de sous-production agricole retentissant sur l'ensemble de l'économie nationale. Mais à côté de ce secteur traditionnel et précapitaliste, « il existe un secteur capitaliste (zones maritimes et places de commerce) où les crises et les mouvements de prix peuvent dépendre d'une accumulation de stocks, d'un mouvement spéculatif ou d'un resserrement des instruments monétaires » (J. Imbert et H. Legohérel, *Histoire économique des origines à 1789*, P.U.F., 1970, p. 422). Ce dernier facteur paraît avoir été déterminant dans la « crise du XVIIᵉ siècle », longue phase de marasme qui affecta l'Europe de 1650 à 1730 environ. Le stock monétaire, qui avait considérablement grossi au XVIᵉ siècle, du fait de l'afflux des métaux précieux, cessa soudain de s'accroître en quantité suffisante à partir de 1630. L'Europe connut de nouveau une

CRISES ÉCONOMIQUES
Sans-travail londonien, 1845.
Ph. © Radio Times Hulton
Picture Library

Pièce allemande de 10 000 marks,
émise en 1923. (Cabinet
des Médailles.)
Ph. © Bibl. Nat., Paris - Photeb

pénurie de numéraire; les monnaies espagnole et française subirent des mutations brutales et désordonnées. Les prix baissèrent, pour atteindre dans les années 1660/80 leur niveau le plus bas, inférieur à celui du milieu du XVIᵉ siècle; après une légère remontée, nouvelle baisse de 1700 à 1715. Le trafic commercial entre Séville et l'Amérique déclina dès 1610, celui de la Baltique après 1650. Le nombre des pièces de drap produites à Venise tombait de plus de 20 000 en 1600 à moins de 6 000 vers 1680. Périodiquement revenaient de grandes famines, suivies d'épidémies : 1630/32, 1648/52, 1660/61, 1693/94, 1709/10.

En France, à une période de reprise et de croissance (1730/70) firent suite vingt années de difficultés diverses, qui contribuèrent à l'explosion révolutionnaire : une baisse progressive du prix des céréales, à partir de 1770; une série de mauvaises récoltes, dues aux intempéries, qui se succédèrent de 1773 à 1789; la crise fourragère de 1785, qui obligea, en certaines régions, à abattre le bétail; une crise industrielle due à la concurrence des produits anglais introduits après le traité commercial de 1786; le cruel hiver de 1788/89 qui provoqua crise de sous-production agricole, hausse des prix des produits de la terre (insuffisante toutefois pour compenser le manque à gagner des paysans) et chute des salaires.

Principales crises économiques du XIXᵉ siècle

Dans l'ère du capitalisme libéral, l'extension de l'industrie, la liberté des mouvements de capitaux, l'interdépendance croissante des systèmes monétaires et bancaires, le prodigieux accroissement du volume des échanges commerciaux contribuèrent à l'extension et à l'internationalisation des crises, bien que celles-ci n'aient pas eu la même gravité et la même durée dans tous les pays. Après la crise de 1825, essentiellement anglaise, la *crise de 1836/38,* provoquée par les restrictions de crédit décidées à l'encontre de l'Amérique par la Banque d'Angleterre, affecta d'abord les États-Unis et, par contrecoup, les secteurs de l'économie britannique travaillant pour l'Amérique; elle fournit un terrain favorable à l'agitation chartiste (v.) et à la propagande libre-échangiste de Richard Cobden et de l'Anti-Corn-Law League.

La *crise de 1847/49* toucha à la fois l'Angleterre, la France, la Belgique, l'Allemagne, l'Italie et les États-Unis. Elle fut provoquée ou du moins précédée par une crise agricole : maladie de la pomme de terre (famine en Irlande); mauvaises récoltes généralisées dues à des conditions atmosphériques défavorables; hausse du prix des céréales, qui culmina en France de mars à juillet 1847; émeutes du pain à Gênes, à Vienne. La crise agricole s'apaisa dès le second semestre 1847, mais la crise financière continua à se développer, due cette fois encore à la politique très restrictive de la Banque d'Angleterre,

qui voulait arrêter les exportations d'or vers les États-Unis. Comme par le passé, la sous-production agricole a entraîné une sous-consommation industrielle. Les restrictions du crédit, l'élévation du taux de l'escompte de la Banque de France et de la Banque d'Angleterre, les retraits de dépôts dégénérant bientôt en panique bancaire privèrent de capitaux les industriels en difficulté. Les faillites furent nombreuses dans le petit commerce parisien; une des plus grandes banques françaises, la Caisse du commerce et de l'industrie, dut déposer son bilan. La baisse des salaires, le chômage, la faim provoquèrent un profond mécontentement d'où sortirent les révolutions de 1848.

La *crise de 1857* succéda à une phase d'expansion qui, coïncidant avec un accroissement considérable de la production d'or (découvertes des mines de Californie et d'Australie, 1849/51), avait vu s'épanouir les constructions ferroviaires et navales, les grands travaux d'urbanisme (Haussmann), les organismes de crédit. Cette crise, provoquée par les difficultés croissantes de la production aurifère, frappa surtout les chemins de fer aux États-Unis, en Angleterre, en France. Elle se propagea rapidement à l'industrie du charbon et de la sidérurgie; mais, dès 1859, la reprise économique était manifeste. La *crise de 1866* (qui affecta surtout les milieux bancaires), fut marquée par des faillites spectaculaires — celle du Crédit mobilier (v.) en France, et, à Londres, celle d'Overent Gurney and Co., le «banquier des banquiers».

La *crise de 1873* succéda à un puissant mouvement spéculatif suscité par les progrès rapides de la sidérurgie en Allemagne, des chemins de fer aux États-Unis. Ces deux pays surtout furent touchés, ainsi que la Grande-Bretagne, alors que la France en restait à peu près indemne. La reprise ne se dessina pas aux États-Unis avant 1877, en Europe avant 1878. En France, le plan Freycinet (v.) inaugura une politique de grands travaux publics et un essor spectaculaire des émissions de valeurs industrielles, mais ce climat optimiste fut bouleversé par *la crise de 1882;* celle-ci fut déclenchée par le krach de l'Union générale (v.), dont le souvenir devait longtemps effrayer les épargnants français et les détourner des placements industriels vers les valeurs d'État. On assista à une cascade de faillites dans les entreprises industrielles (mines, métallurgie, bâtiment) et dans les banques d'affaires. Le marasme se prolongea pendant quatre ans. La Grande-Bretagne et l'Europe furent atteintes par la *crise de 1890/93;* la faillite de la banque Baring de Londres ébranla durement la Banque de Paris et des Pays-Bas, alors que le marché français ne s'était pas encore remis du scandale de Panama (v.) (1889). En 1893, New York connut à son tour une panique boursière : 600 faillites bancaires, industrie métallurgique gravement touchée, chômage, grèves (émeutes

1255

Front populaire (mai 1936) devait marquer le ralliement français à l'évolution dirigiste qui entraînait désormais tous les États. Le franc (v.) fut dévalué (oct. 1936), mais la France allait, en fait, continuer à subir la crise jusqu'à la guerre de 1939. Les conséquences avaient été encore plus graves en Allemagne, où des millions de chômeurs et de petits bourgeois ruinés portèrent Hitler au pouvoir (janv. 1933); le régime national-socialiste (v.) remédia à la crise par une politique rigoureusement dirigiste et autarcique et par la mise en œuvre d'un grand programme de travaux publics (autoroutes) et d'armements, qui résorba rapidement le chômage. Des mesures analogues furent prises par l'Italie fasciste. Dans tous les pays du monde libéral, la confiance était désormais perdue, les barrières économiques dressées avec plus de méfiance que jamais, et, pour oublier leur misère, les peuples se confiaient de nouveau aux drogues du nationalisme belliqueux. La crise ne fut pas vraiment surmontée et· ses conséquences devaient aboutir à la Seconde Guerre mondiale.

La crise des années 1980

La crise qui commença avec la hausse des produits pétroliers à la fin de 1973 a des causes complexes. On considère généralement que son origine première réside dans la désagrégation du système monétaire international échafaudé à la fin de la Seconde Guerre mondiale (accords de Bretton Woods, v. MONNAIE). Durant les années 60, la primauté du dollar (v.), base de ce système, fut remise en question par l'inflation américaine, en partie liée au conflit vietnamien. Par la prolifération des eurodollars (emprunts en dollars faits par un Européen à un autre Européen disposant de cette monnaie), cette inflation s'est étendue à toute l'économie occidentale, entraînant une activité artificielle, facilitant la survivance d'entreprises parasitaires, gênant les efforts faits par les États en vue de favoriser les consommations collectives. L'inflation a été la cause indirecte de l'augmentation brutale des prix de l'énergie décidée par les pays arabes en oct. 1973, à la suite de la guerre du Kippour (v. ISRAÉLO-ARABES, guerres) : l'année 1973 avait commencé, en effet, dans un climat d'expansion encore jamais atteinte, mais liée à l'inflation, et l'accélération trop rapide de la croissance mondiale provoquait une demande inattendue de pétrole et d'énergie, qui devait entraîner inévitablement une hausse des prix (v. PÉTROLE). Dès la fin de 1973, le rythme très élevé d'expansion, auquel le monde occidental s'était habitué depuis près d'un quart de siècle, tomba brusquement : la production américaine baissait de 2%, la production japonaise de 3%. Les années 1974/75 furent marquées par une chute accrue de la production (en particulier dans des secteurs tels que la sidérurgie, l'automobile, le bâtiment), par l'arrêt des investissements, par une contraction générale du commerce mondial, par la montée

du chômage (v.). Au printemps 1975, le produit national brut des pays de l'O.C.D.E. était inférieur d'environ 12% à son niveau de la fin de 1973 et la production était retombée au niveau moyen de 1972.

Alors que certains experts annonçaient une reprise prochaine, d'autres observateurs considéraient que cette récession économique allait entraîner une modification radicale des habitudes de vie et prédisaient la fin de la « société de consommation ».

● Ni l'une ni l'autre de ces hypothèses ne s'est vérifiée, mais tous les pays du monde, quel que soit leur régime, ont été plus ou moins touchés et dix ans plus tard la crise sévissait toujours. La baisse des prix (et de la consommation) du pétrole et de certaines matières premières était devenue catastrophique pour les pays producteurs. Les déséquilibres qui affectaient l'économie mondiale, liés à la surconsommation américaine absorbant l'essentiel des capitaux internationaux, se reflétaient dans l'instabilité du dollar (v.), d'abord affaibli sous Carter, puis surévalué, pendant le premier mandat de Reagan, chutant enfin deux fois de 20 % en quelques mois. Alors que les mesures d'austérité généralisée étaient parvenues à juguler l'inflation, les États-Unis restaient quasi indifférents à la menace que les contradictions de leur économie faisaient peser sur le système financier international; leur laisser-faire exaspéra les tensions, au point de déclencher une panique boursière le 19 oct. 1987. Mais ce krach, que l'on tenta de comparer à celui de 1929, s'en distinguait pourtant sensiblement : par sa brièveté (la Réserve fédérale américaine s'engageait « à fournir les liquidités nécessaires au soutien du système économique et financier » dès le 20 oct.); par la conscience qu'eurent les responsables de l'interdépendance des économies (coopération immédiate des Banques centrales); par la confiance que manifestèrent finalement les opérateurs boursiers; par la rapidité de la reprise : en 1989, alors que les déséquilibres structurels s'exacerbaient, l'économie mondiale paraissait plus menacée de surchauffe que de récession. Voir CAPITALISME, CHÔMAGE, COMMERCE, DETTE, F.M.I.

CRISPI Francesco (* Ribera, près d'Agrigente, Sicile, 4.X.1819, † Naples, 12.VIII. 1901). Homme politique italien. Avocat à Naples, il commença sa carrière comme un révolutionnaire radical, prit une part active au soulèvement de la Sicile contre les Bourbons en 1848/49 et dut se réfugier au Piémont. Républicain mazzinien, il fut expulsé par les autorités piémontaises en 1853, gagna Malte, d'où il se fit encore expulser, puis Londres, où il devint le proche collaborateur de Mazzini. Revenu en Italie en 1859, il joua un rôle de premier plan dans l'expédition des Mille (v.) avec Garibaldi; il débarqua à Marsala en mai 1860 et devint ministre de l'Intérieur dans la Sicile libérée, où il lutta avec passion contre la réunion des provinces méridionales de l'Italie à la

CRISPI
Francesco. Homme politique italien (1819-1901).
Ph. © Bibl. Nat., Paris - Photeb

monarchie piémontaise. N'ayant pu cependant empêcher l'annexion de son île natale au nouveau royaume d'Italie, il devint député au Parlement (1861) et, pendant quelques années, il fut le chef du groupe républicain, qui siégeait à l'extrême gauche. Mais en 1864, il se rallia à la maison de Savoie en proclamant : « La république nous diviserait, la monarchie nous unit. » Cette conversion de l'ancien mazzinien allait beaucoup contribuer à la consolidation de la monarchie italienne. «Vrai méridional, impulsif, désordonné, plein d'éclairs et d'étonnantes intuitions, entièrement extérieur à lui-même et privé de tout pouvoir de concentration», selon le jugement d'A. Labriola, Crispi fut cependant une des personnalités dominantes de la vie politique italienne jusqu'à la fin du XIXe s. Reconnu comme chef de la gauche, il fut élu président de la Chambre en nov. 1876 et devint ministre de l'Intérieur dans le cabinet Depretis (déc. 1877/mars 1878). Il dut démissionner à la suite d'une accusation de bigamie qui provoqua un terrible scandale et faillit briser définitivement sa carrière. Pendant les neuf années suivantes, au Parlement et dans son journal *Riforma,* il mena l'opposition à Depretis. Il se fit le champion d'une politique de prestige extérieur, d'expansion coloniale et d'alliance avec les Empires centraux. En 1887, Depretis dut le reprendre comme ministre de l'Intérieur, et c'est Crispi qui lui succéda dans la charge de président du Conseil (août 1887/févr. 1891, déc. 1893/mars 1896). Soutenu à fond dans sa politique impérialiste par le roi Humbert Ier, Crispi se crut le Bismarck de l'Italie. Les radicaux, qui lui reprochaient son goût du pouvoir personnel, l'abandonnèrent mais il gouverna avec le soutien de la droite. A l'intérieur, il pratiqua une politique anticléricale mais dut faire face au mouvement paysan des *fasci* en Sicile et à des menées anarchistes, qu'il réprima vigoureusement. Il renforça les liens avec l'Allemagne et l'Autriche et adopta une attitude provocatrice à l'égard de la France. En Afrique orientale, malgré la défaite italienne de Dogali (26 janv. 1887), il obtint du négus la reconnaissance officielle de la colonie italienne d'Érythrée, mais il essaya d'interpréter le traité d'Uccialli (v.) (1889) pour étendre le protectorat italien à toute l'Abyssinie; il en résulta une guerre qui aboutit au désastre italien d'Adoua (1er mars 1896). Crispi dut aussitôt démissionner, il se vit même accusé de pratiques financières malhonnêtes et abandonna complètement la vie publique. En dépit de son échec, il laissa à une grande partie de l'opinion italienne la nostalgie d'une politique de grandeur que le fascisme devait plus tard tenter de réaliser.

CRISPUS Flavius Julius ou **Valerius** (* vers 300?, † Pola, 326). Fils aîné de l'empereur Constantin, fait césar en 317, il battit les Francs en 320, remporta une victoire navale décisive sur Licinius, dans l'Hellespont, en 324. Ayant repoussé les avances de sa belle-mère Fausta, il aurait été accusé par

celle-ci d'avoir voulu la séduire, et Constantin le fit exécuter.

CRISTAL (Nuit de). Nom donné à la nuit des 9/10 nov. 1938, au cours de laquelle les militants hitlériens, avec la complicité des autorités du Reich, se livrèrent dans toute l'Allemagne à un vaste pogrom, en riposte à l'assassinat par le jeune Juif Grynszpan d'un conseiller de l'ambassade d'Allemagne à Paris, von Rath.

CRITIAS (* vers 460, † Munychia, 403 av. J.-C.). Homme politique athénien. De la famille des Médontides, il fut un des élèves les plus doués de Socrate. Écrivain, poète, il figure dans plusieurs dialogues de Platon, le *Protagoras,* le *Timée* et le *Critias.* Attaché au parti oligarchique, il avait fait partie du Conseil des 400 (en 411) mais avait été banni d'Athènes. Amnistié dès la chute d'Athènes, en 403, il établit, avec Théramène et en bénéficiant de l'appui du général spartiate Lysandre, le gouvernement autoritaire des Trente Tyrans (v.). Attaqué par Thrasybule, il périt au cours de la guerre civile qui amena la chute des Trente.

CROATES. Troupes de cavalerie légère des armées des Habsbourg, au temps de la guerre de Trente Ans; elles étaient recrutées non seulement parmi les Croates et les Slaves du Sud, mais également chez les Hongrois. L'armée française, à partir du règne de Louis XIII, eut aussi ses Croates ou *Cravates;* ils formèrent en 1666 un régiment de cavalerie légère, le Royal-Cravate, dont l'uniforme comprenait une cravate (v.), et qui ne disparut que lors de la Révolution.

CROATIE, *Hrvatska.* République autonome membre de la République populaire fédératice de Yougoslavie; capitale *Zagreb.* Elle comprend la Croatie propre, la Slavonie, la Dalmatie et une partie de l'Istrie. D'abord habité par les Illyriens et les Celtes Pannoniens, le territoire actuel de la Croatie fut conquis par les Romains en 35 av. notre ère et fit partie de la province de Pannonie. Englobée dans l'empire de Théodoric (493) puis dans celui de Justinien (535), cette région fut envahie au VIIe s. par des Slaves venus d'Ukraine, les Croates, qui, au IXe s., furent convertis au christianisme. Après avoir été soumis aux Francs (806) et aux Byzantins (877), les Croates fondèrent un duché (vers 880), puis un royaume indépendant (925). Les Xe/XIe s. marquent une période de grandeur pour la Croatie, qui luttait avec Venise et dont les souverains portèrent, à partir de 1059, le titre de roi de Dalmatie. Mais la dynastie nationale s'étant éteinte, le roi Ladislas Ier de Hongrie s'empara du pays. De 1091 à 1918 — si l'on excepte les périodes d'occupation turque (1526/1699), française (1809/13) et la courte période d'annexion à l'Autriche (1849/68) —, la Croatie devait rester en union personnelle avec la Hongrie, tout en gardant son gouvernement local autonome. Cependant, le nationalisme

CROATIE
Insigne du mouvement des Oustachis, avec l'inscription « La liberté ou la mort ».
Ph. © Harlingue-Viollet - Photeb

croate commença à s'affirmer en 1848 : sous la direction du ban Josip Jelacic, les Croates non seulement refusèrent de se rallier à la sécession hongroise (septembre 1848) mais ils engagèrent une lutte ouverte contre les révolutionnaires hongrois — pour le seul profit du gouvernement autrichien.

Lors de la réorganisation dualiste de l'empire des Habsbourg (compromis de 1867), les Croates furent inclus contre leur gré dans la partie hongroise de l'Empire; en 1868, ils obtinrent des Magyars le *nagodba,* qui reconnaissait leur autonomie dans les domaines de la police intérieure, de la justice, de l'instruction publique et de l'agriculture. Cependant le *nagodba* était loin de réaliser l'unanimité : certains Croates, à la suite de l'évêque catholique Strossmayer, réclamaient la création d'une communauté des Slaves du Sud, sous direction croate, alors que le « parti légal » d'Ante Starcevic aspirait à la création d'une Croatie autonome. Durant la Première Guerre mondiale, un groupe de dirigeants politiques croates, dirigés par Ante Trumbic, passa dans le camp des Alliés et signa avec les Serbes la déclaration de Corfou (20 juillet 1917), qui posait les bases d'un futur État rassemblant tous les Slaves du Sud. Entrés ainsi en décembre 1918 dans le royaume des Serbes, Croates et Slovènes (Yougoslavie), les Croates virent bientôt les dirigeants serbes de Belgrade négliger leurs aspirations à l'autonomie. L'opposition nationaliste croate s'organisa légalement dans le parti paysan de Radic (ce dernier devait être assassiné en 1928) et, clandestinement, dans le mouvement des Oustachis (v.), qui n'hésita pas à recourir à l'action terroriste (assassinat du roi Alexandre Ier à Marseille, 1934). Durant la Seconde Guerre mondiale, dès le début de la conquête de la Yougoslavie par les troupes de l'Axe, l'indépendance de la Croatie fut proclamée à Zagreb (10 avril 1941). Le royaume de Croatie, qui comprenait, outre la Croatie, la Slavonie et une partie de la Dalmatie, eut pour souverain

titulaire le prince italien Aymon de Savoie-Aoste, mais fut dirigé en fait par le « poglavnik » Ante Pavelic, ancien chef des Oustachis, qui établit un régime autoritaire et collabora étroitement avec les Allemands. Dans la nouvelle Yougoslavie de Tito (lui-même un Croate), la Croatie, en vertu de la Constitution de 1946, devint une république autonome au sein de la fédération yougoslave. Dotée d'institutions propres : son gouvernement, son Parlement, son parti communiste, elle n'a toutefois pas obtenu son indépendance économique totale. Alors qu'elle apportait à la Yougoslavie, par son industrie touristique et par ses travailleurs émigrés provisoirement à l'étranger, le tiers des devises entrant dans le pays, elle n'en recevait pour son propre usage, en 1971, du gouvernement de Belgrade, que le dixième. Il s'ensuivit une grave crise (nov./déc. 1971), qui parut menacer l'existence même de la Yougoslavie et obligea Tito à remanier radicalement la direction du gouvernement et du parti communiste croates.

CROCKETT David dit **Davy** (* dans le Tennessee, 17.VIII.1786, † Alamo, 6.III. 1836). Homme politique américain, fils d'un pauvre fermier, exemple typique de l'« homme de la frontière », il prit part à la guerre contre les Indiens Creeks (1813/15). Très populaire, il fut élu représentant du Tennessee (1827/31, 1833/35) et périt en combattant les Mexicains, à la célèbre bataille d'Alamo (v.). Son autobiographie (1834) contribua à sa légende, renouvelée dans un feuilleton télévisé de Walt Disney (1955).

CROCODILOPOLIS, en égyptien *Shedet,* auj. *Médinet-el-Fayoum.* Ancienne ville d'Égypte, capitale du Fayoum (v.), elle possédait un temple consacré au dieu crocodile Sobek. Les Grecs de l'époque classique l'appelèrent *Crocodilopolis,* mais, aux temps hellénistiques, elle prit le nom d'Arsinoé.

CROCKETT
David. Homme politique américain (1786-1836).
Ph. © Kean Archives. Philadelphie
Photeb

CROISADES

CROISADES. Nom donné aux expéditions qui furent entreprises aux XIe, XIIe et XIIIe s. par les chrétiens d'Occident (les Francs ou les Latins) afin de reconquérir la ville de Jérusalem (v.) et les Lieux saints (v.), passés sous la domination islamique au VIIe s.

Les causes des croisades

Maîtres de Jérusalem depuis 636, les musulmans avaient respecté la ville — qui était pour eux également une ville sainte — et avaient laissé se poursuivre les pèlerinages (v.) chrétiens, dont l'origine remontait à

l'époque de Constantin le Grand. On a souvent dit que l'interruption de ces pèlerinages par les Turcs Seldjoukides (v.), qui conquirent Jérusalem en 1078, avait été la cause principale des croisades; mais il apparaît que les pèlerinages, bien que devenus plus périlleux du fait des guerres qui opposaient Seldjoukides et Byzantins, continuèrent jusqu'à la fin du XIe s. Deux ans après la défaite byzantine de Manzikert (1071), l'empereur Michel VII, en donnant au Saint-Siège de vagues espoirs concernant une réunion des Églises, avait demandé au pape Grégoire VII

CROISADES
Croix de chevalier de la première
croisade. (Musée de Cluny, Paris.)
Ph. H. Josse © Photeb

l'envoi de secours occidentaux pour son armée; son successeur, Alexis Ier Comnène, lançait le même appel à Urbain II lors du concile de Plaisance (1095). Il est possible, en dépit de tout ce qui séparait Rome de Byzance, que le Saint-Siège ait conçu les croisades dans un esprit de solidarité avec les « chrétiens séparés » contre les infidèles. Mais des mobiles plus profonds poussaient l'Europe chrétienne vers une grande aventure en Orient. Le XIe s. avait vu, en tous domaines, un réveil de l'Occident : fin des invasions, conversion des Normands et des Hongrois, essor démographique, renouveau des villes et du commerce international en Méditerranée, réforme « grégorienne » (v.) dans l'Église, expansion monastique de Cluny (v.). Les croisades allaient être une nouvelle manifestation de ce réveil : l'Europe chrétienne se sentait désormais assez forte pour reprendre à l'islam les terres qu'il avait conquises depuis le VIIIe s. autour de la Méditerranée. En Espagne, avec le déclin du califat de Cordoue (v.), la Reconquête (v.) avait commencé vers 1030, dans un esprit qui était déjà celui de la croisade. En 1085, Alphonse VI de Castille reprenait Tolède aux Maures, mais les Almoravides, venus du Maghreb, remportaient sur les chrétiens la victoire de Zallaca (1086). A l'appel d'Urbain II, Français et Espagnols combattirent côte à côte pour contenir la nouvelle poussée de l'islam. Dans ce contexte, les demandes d'aide de Byzance ne pouvaient qu'accréditer l'idée bien fausse, mais courante en Occident, d'un islam ne formant qu'un bloc et enserrant de partout la chrétienté. Porter la guerre en Orient, ce n'était pas seulement délivrer la Terre sainte du joug des infidèles, mais atteindre le monde musulman tout entier dans ses centres vitaux.

Les croisades permirent à l'Europe, émergeant du chaos féodal, de prendre conscience de son unité, représentée alors par l'idée chrétienne. Même si la passion de la guerre pour la guerre, l'esprit d'aventure, l'appât du gain, le mirage des richesses de l'Orient jouèrent un rôle important dans l'engagement des croisés, surtout des seigneurs, le mobile psychologique fondamental n'en fut pas moins une foi sans bornes, qui acceptait inconditionnellement le service de Dieu, avec tous les périls et les aléas qu'il pouvait comporter. La croisade fut l'entreprise typique d'une société « sacrale », où le spirituel et le temporel étaient étroitement imbriqués. Au concile de Clermont, en Auvergne, le 27 nov. 1095, Urbain II, pape français et moine clunisien, bouleversait la foule en évoquant les souffrances des pèlerins et des chrétiens d'Orient, en décrivant les atrocités plus ou moins imaginaires commises par les musulmans et en présentant l'expédition projetée en Terre sainte comme un moyen de faire pénitence, par lequel « chevalerie et peuple pourront faire le salut par la rémission de leurs fautes ». Cette déclaration fut accueillie avec enthousiasme : au cri de « Dieu le veut! », la plupart des assistants jurèrent aussitôt de partir et se firent coudre une croix sur leurs vêtements – d'où le nom de *croisés* qui leur fut donné.

Scène biblique figurant
sur le flanc d'une ampoule
rapportée de Terre sainte.
Ph. © Archives Photeb

Histoire des croisades

On compte habituellement huit grandes croisades :

Première croisade (1096/99). A l'appel d'Urbain II, de nombreux prédicateurs, dont le plus fameux fut Pierre l'Ermite (v.), se mirent à parcourir villes et campagnes, en suscitant une immense ferveur, dans le peuple comme chez les barons. Des villages entiers se dépeuplèrent et la croisade prit, en certains endroits, l'allure d'une migration. La croisade populaire, formée d'une masse de pèlerins mal armés, sans discipline, et conduits par des chefs de guerre improvisés, Pierre l'Ermite et le chevalier Gautier Sans Avoir, partit la première et traversa toute l'Europe centrale, en se livrant à toutes sortes de désordres, de pillages, de massacres de Juifs. Après bien des déboires, environ 12 000 d'entre eux réussirent à passer en Asie Mineure pour s'y faire aussitôt anéantir par les Turcs (oct. 1096).

La vraie croisade, celle des barons, se divisa en quatre groupes : les Français du Nord, les Lorrains et les Allemands, prirent la route de Hongrie, sous le commandement de Godefroi de Bouillon et de son frère, Baudouin; les Normands et les Français du Centre se groupèrent derrière Hugues, comte de Vermandois, frère du roi de France Philippe Ier, et Robert Courteheuse, duc de Normandie; les Français du Midi, conduits par Raymond de Saint-Gilles, comte de Toulouse, et par le légat pontifical, Adhémar de Monteil, gagnèrent Constantinople par l'Illyrie; enfin les Normands de Sicile, qui avaient pour chefs Bohémond de Tarente et son neveu Tancrède, voyagèrent par mer et par terre, par Durazzo, l'Épire et la Macédoine. L'ensemble de cette croisade des barons pouvait atteindre environ 30 000 hommes. Après s'être rassemblés à Constantinople (mai 1097), les croisés, entrant en Asie, s'emparèrent de Nicée, capitale des Seldjoukides, écrasèrent une armée musulmane à Dorylée (1er juill. 1097) et, après un long siège, réussirent à s'emparer d'Antioche. Cependant, il y avait des rivalités et des divisions entre les chefs des croisés; en 1097, Baudouin avait quitté le gros de l'armée pour aller conquérir Édesse. Mais la découverte de la relique de la Sainte-Lance raffermit l'ardeur de l'armée, qui, après un mois de siège, entra, le 15 juill. 1099, dans Jérusalem. La ville fut mise à sac et une grande partie de sa population musulmane impitoyablement massacrée. Loin de transférer leurs conquêtes aux Byzantins, les croisés les organisèrent politiquement selon le système féodal de l'Europe occidentale. Un royaume latin de Jérusalem (v.) fut créé, sous l'autorité de Godefroi de Bouillon; par humilité, celui-ci refusa le titre de roi et ne voulut être que l'« avoué du Saint-Sépulcre ». A sa mort (1100), Godefroi fut remplacé par son frère, Baudouin, comte d'Édesse, qui fut le vrai fondateur du royaume de Jérusalem. En même temps, prenaient naissance d'autres États latins : le comté d'Édesse (v.), la

CROISADES

CROISADES

Page ci-contre :
la première croisade.
La difficile traversée
de l'Anatolie.
Alexis Comnène, l'empereur
de Byzance, ne voulant pas
laisser entrer les croisés
dans sa capitale,
tint absolument à ce que,
avant de s'attaquer
à Jérusalem, ils lui fissent
rendre les territoires
d'Anatolie
et de Syrie du Nord,
occupés par les Seldjoukides.
La disette et la chaleur,
plus que les Turcs,
poussèrent les chevaliers
à franchir les trouées du
Taurus pour gagner le sud,
sans ouvrir vraiment
la route terrestre qui
eût maintenu des relations
permanentes avec Byzance.
Le siège d'Antioche dura
du 21 oct. 1097
au 28 juin 1098...
il fallut encore une année
pour atteindre Jérusalem.

Départ de chevaliers
du Temple pour la croisade.
Détail d'une fresque
de la chapelle de Cressac
(Charente). Cette fresque,
réellement contemporaine
de l'événement, célèbre
la victoire de Hugues
de Lusignan en Palestine.
L'ordre religieux
et militaire des Templiers
fut aussi un ordre
de grands bâtisseurs,
multipliant aussi bien
les forteresses,
les commanderies
que les églises ou
les chapelles, en imitant
souvent les grands
architectes de Byzance,
admirés en Palestine.
Ph. © Janet le Caisne
Archives Photeb

principauté d'Antioche (v.), le comté de Tripoli (v.). Des ordres de moines soldats, les hospitaliers (v.) (1113), les templiers (v.) (1118), formèrent l'armée permanente qui défendit les conquêtes des croisés. On construisit de puissantes forteresses, tel le krak des Chevaliers (v.). Des relations commerciales très actives s'établirent entre le Levant et les ports italiens (Gênes, Pise, un peu plus tard Venise). Mais la prospérité des États latins allait être fatale à l'idéal primitif de la croisade. Dès la mort de Baudouin II (1131), d'âpres rivalités d'intérêts particuliers déchiraient les Francs, alors que les atabegs de Mossoul réalisaient l'unification de la Syrie musulmane.

Deuxième croisade (1147/49). A la nouvelle de la reconquête d'Édesse par Zenghi, atabeg de Mossoul (1144), le pape Eugène III chargea st. Bernard de Clairvaux de prêcher une nouvelle croisade (assemblée de Vézelay, Pâques 1146). Cette expédition eut pour chefs l'empereur Conrad III et le roi de France Louis VII. L'échec de la croisade doit être attribué à la mésentente des deux souverains. Dès 1148, Conrad III rentra en Allemagne; Louis VII regagna la France l'année suivante.

Troisième croisade (1189/92). Elle fut entreprise à la suite des conquêtes de Saladin (v.), qui, maître de l'Égypte et de la Syrie, et ayant refait l'unité des musulmans, venait d'écraser les Latins à Hattin et de s'emparer de Jérusalem (2 oct. 1187) – où il montra à l'égard des vaincus une générosité qui contrastait avec le comportement des barons chrétiens en 1099. L'empereur Frédéric Barberousse répondit le premier à l'appel du pape (diète de Mayence, mars 1188) et fut imité, non sans mauvaise grâce, par les deux autres grands souverains d'Occident, Philippe Auguste et Richard Cœur de Lion. Barberousse, parvenu le premier en Asie Mineure, y trouva la mort en se baignant dans le Cydnos (1190). Philippe Auguste et Richard, qui avaient pris la route maritime, ne cessèrent de se quereller. Arrivés en Palestine, ils s'emparèrent de Saint-Jean-d'Acre (1191). Mais le souverain français, qui songeait avant tout à profiter des circonstances pour remporter de nouveaux avantages sur le Plantagenêt, abandonna bientôt la croisade. Resté seul en Orient, Richard Cœur de Lion y accomplit des prodiges de valeur mais il dut renoncer à reprendre Jérusalem (janv. 1192), et il finit par conclure avec Saladin une trêve de trois ans. Le seul résultat positif de la croisade fut l'autorisation accordée aux chrétiens de se rendre en pèlerinage dans la Ville sainte, laquelle demeurait entre les mains des Turcs.

Quatrième croisade (1202/04). Inspirée par l'énergique pape Innocent III et prêchée par Foulques de Neuilly, ce fut, à la différence des expéditions précédentes, une croisade de simples chevaliers. Elle eut pour chefs Boniface de Montferrat, Baudouin de Flandre et Geoffroi de Villehardouin (ce dernier devait se faire plus tard l'historien de la croisade). La 4e croisade avait pour objectif initial l'Égypte, qui, depuis Saladin, était devenue le centre de la puissance musulmane. Mais l'Égypte ne pouvait être atteinte que par la mer. Les croisés durent faire appel aux Vénitiens, qui exigèrent pour le transport – outre la promesse de la moitié du butin – 85 000 marcs d'or; n'ayant pu réunir la somme demandée, les croisés acceptèrent de nouvelles conditions des Vénitiens, qui se servirent d'eux pour régler leur querelle particulière avec la ville chrétienne dalmate de Zara (1202) et avec le souverain de Constantinople. Malgré les protestations d'Innocent III, qui excommunia les Vénitiens, la croisade oublia ainsi complètement son objectif; au lieu de délivrer la Terre sainte, elle ne combattit que des chrétiens et aboutit à la conquête de l'empire d'Orient. Sous prétexte de rétablir sur le trône byzantin Alexis et Isaac Ange (v.), les croisés s'emparèrent une première fois de Constantinople (17 juill. 1203) puis une seconde fois (12 avr. 1204). La grande cité, qui était encore à cette époque la plus riche du monde, fut livrée pendant trois jours à un abominable pillage et devint la capitale d'un Empire latin d'Orient (v. EMPIRE LATIN) (1204/61).

Cinquième croisade (1217/21). Après la « Croisade des enfants » (1212), extraordinaire expédition de jeunes Allemands et de jeunes Français qui rêvaient de reconquérir Jérusalem et disparurent en grand nombre, les uns morts d'épuisement ou de faim sur les routes, les autres noyés dans des naufrages ou vendus comme esclaves en Égypte, la 5e croisade fut encore une initiative d'Innocent III, qui l'annonça en 1215, au 4e concile du Latran (v.). L'idée fut reprise par son successeur, Honorius III. L'expédition fut commandée par un seigneur français, Jean de Brienne, devenu par mariage roi titulaire de Jérusalem, et par Léopold VI, duc d'Autriche. Dirigée contre l'Égypte, elle n'obtint d'autre résultat que la conquête éphémère (1219/21) de Damiette.

Sixième croisade (1228/29). Elle fut conduite par l'empereur Frédéric II de Hohenstaufen, qui était alors excommunié et ne partit pour l'Orient qu'après maintes tergiversations, contraint par le pape. Ce prince humaniste, intéressé par le dialogue des religions, attiré par l'islam, préféra traiter avec les musulmans plutôt que de les combattre. Sa diplomatie aboutit à un traité conclu en 1229 avec Malik el-Kamil, neveu de Saladin : les Turcs restituaient Bethléem, Nazareth, Sidon et même Jérusalem, où Frédéric II se fit couronner roi. Mais la Ville sainte devait retomber, cette fois définitivement, aux mains des musulmans en 1244.

Septième croisade (1248/54). Provoquée par la perte de Jérusalem et la défaite des Latins à Gaza (1245), elle fut dirigée contre l'Égypte. C'est la première des croisades de

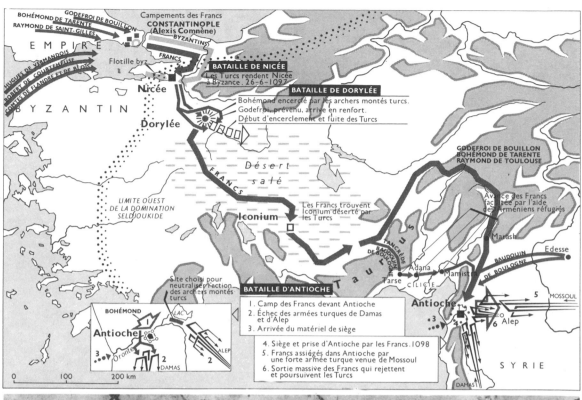

CONSTANTINOPLE
Campements des Francs
(Alexis Comnène)
BYZANTINS
GODEFROI DE BOUILLON
BOHÉMOND DE TARENTE
RAYMOND DE SAINT-GILLES

E M P I R E

HUGUES DE VERMANDOIS
ROBERT DE COURTEHEUSE
COMTES DE FLANDRE ET DE BLOIS

FRANCS

Flotille byz

Nicée

B Y Z A N T I N

Dorylée

BATAILLE DE NICÉE
Les Turcs rendent Nicée
à Byzance. 26-6-1097

BATAILLE DE DORYLÉE
Bohémond encerclé par les archers montés turcs.
Godefroi, prévenu, arrive en renfort.
Début d'encerclement et fuite des Turcs

GODEFROI DE BOUILLON
BOHÉMOND DE TARENTE
RAYMOND DE TOULOUSE

D é s e r t
s a l é

F R A N C S

LIMITE OUEST
DE LA DOMINATION
SELDJOUKIDE

Iconium

Les Francs trouvent
Iconium déserté par
les Turcs

Avance des Francs
facilitée par l'aide
des Arméniens réfugiés

Marash

T a u r u s

TANCRÈDE
DE BOUILLON

Edesse

BAUDOUIN
DE BOULOGNE

Adana

Tarse   CILICIE   Mamistra

Site choisi pour
neutraliser l'action
des archers montés
turcs

BATAILLE D'ANTIOCHE

1. Camp des Francs devant Antioche
2. Échec des armées turques de Damas
   et d'Alep
3. Arrivée du matériel de siège

BOHÉMOND

Antioche
LAC

3   Oronte   ALEP
        2
1   2   DAMAS

4. Siège et prise d'Antioche par les Francs. 1098
5. Francs assiégés dans Antioche par
   une forte armée turque venue de Mossoul
6. Sortie massive des Francs qui rejettent
   et poursuivent les Turcs

Antioche
3   5   MOSSOUL
6   Alep

S Y R I E

DAMAS

0   100   200 km

1263

Saint Louis. Parti d'Aigues-Mortes en 1248, le roi de France s'empara de Damiette (juin 1249), marcha sur Le Caire, écrasa l'armée des mamelouks à Mansourah (8 févr. 1250), mais vit la peste ravager son armée et fut fait prisonnier alors qu'il couvrait la retraite (6 avr. 1250). Il ne put se libérer qu'en restituant Damiette et en payant une énorme rançon. Il resta ensuite jusqu'en 1254 en Palestine, en s'occupant essentiellement à fortifier les villes franques.

Huitième croisade (1270). Seconde croisade de Saint Louis, elle avait pour objectif d'obtenir la conversion de l'émir de Tunis. Elle se termina par un désastre; l'armée, à peine débarquée, fut décimée par une épidémie et le roi lui-même périt (25 août 1270).

Résultats des croisades

Abandonnés désormais à eux-mêmes, les derniers établissements francs de Syrie ne devaient pas survivre longtemps. La prise de Saint-Jean-d'Acre par les mamelouks (1291) marqua la fin de toute domination chrétienne au Levant. Au point de vue militaire, les croisades se soldaient donc par un échec complet. Non seulement elles n'avaient pas réussi à établir en Syrie des États latins durables mais encore elles avaient porté un coup fatal à l'Empire byzantin, qui ne se releva jamais complètement des destructions de 1204. Dans le monde islamique, qui avait montré jusqu'alors une grande tolérance à l'égard des chrétiens, l'agression des Occidentaux réveilla l'idée de guerre sainte, dont les sultans ottomans se firent bientôt les champions. L'Asie prit sa revanche sur l'Europe en s'emparant de Constantinople (1453), en submergeant les Balkans, la Hongrie, et en venant battre, jusqu'à la fin du xviie s., les murs de Vienne. Au point de vue religieux, les croisades — les premières surtout — provoquèrent dans toute l'Europe, chez les grands comme chez les humbles, un magnifique élan de foi qui devait tomber assez vite. La papauté étendit son champ d'action et aussi sa fiscalité, mais la 4e croisade, en mettant directement aux prises chrétiens d'Occident et chrétiens d'Orient, rendit irrémédiable le schisme de 1054. Au point de vue économique, les croisades multiplièrent les relations commerciales avec le Levant et firent la fortune des grands ports italiens tels que Venise et Gênes. La Syrie bénéficia de la puissante expansion économique de l'Occident, la monnaie d'or se répandit de l'Orient latin vers l'Ouest, templiers et marchands italiens commencèrent à mettre au point les techniques bancaires. Des changements politiques importants se produisirent en Occident : toute une noblesse turbulente se déplaça vers l'Asie, se ruina en équipements et, pour trouver de l'argent, commença à vendre des terres ou à négocier avec leurs villes l'octroi de chartes.

Les croisades favorisèrent donc le pouvoir monarchique et contribuèrent à l'émancipation des communes. Au point de vue culturel enfin, elles apportèrent plus à l'Occident qu'à l'Orient (développement de l'architecture par les techniques byzantines, épanouissement de la littérature chevaleresque, apparition de l'histoire contemporaine en langue vulgaire), mais le fanatisme religieux des croisés les empêcha de comprendre la pensée profonde du monde oriental, musulman ou byzantin.

CROISADES
Chevalier croisé. Statuette en bronze, art français du XIVe s. (Musée national de Florence.)
Ph. © Alinari - Giraudon
Archives Photeb

CROISEUR. A l'époque de la marine à voile, le nom de *croiseurs* était donné aux frégates (v.) et aux corvettes (v.). Le croiseur moderne fit son apparition vers 1880 : bâtiment rapide, moins fortement cuirassé que les navires de ligne, destiné essentiellement à la chasse aux bâtiments de commerce ennemis, à la défense des convois, aux engagements avec d'autres croiseurs. Dès les premières années du xxe s., on construisit des *croiseurs de bataille,* comparables à des navires de ligne par leur tonnage et leur artillerie, mais plus rapides parce que pourvus d'une protection cuirassée beaucoup plus faible. Il y eut aussi des *croiseurs légers,* qui déplaçaient au maximum 5 000 t, souvent pas plus de 2 000 t. En 1914, la Grande-Bretagne avait en service 145 croiseurs, la France 25, la Russie 18, l'Allemagne 57. Les croiseurs légers allemands *Emden, Nürnberg, Dresden* causèrent jusqu'à la bataille des Falklands (v.) (8 déc. 1914) quelques dommages à la marine marchande alliée dans le Pacifique et l'Atlantique. Le traité de Washington (v.) (1922) limita à 10 000 t le tonnage des croiseurs, et le calibre de leur artillerie ne devait pas être supérieur à 203. L'Allemagne, astreinte par le traité de Versailles à ne pas construire des navires cuirassés supérieurs à 10 000 t, construisit des «cuirassés de poche», analogues à des croiseurs, mais bien supérieurs par leur armement. Dans les années 30, les Allemands lancèrent deux croiseurs de bataille, le *Scharnhorst* et le *Gneisenau.* Ayant dénoncé le traité de Washington, les Japonais construisirent à partir de 1936 des croiseurs de 15 000 t et furent imités par les Américains et par les Anglais. En 1940, l'Angleterre possédait 15 croiseurs lourds et 63 croiseurs légers, la France 7 croiseurs lourds et 12 croiseurs légers, l'Allemagne 5 croiseurs lourds et 10 croiseurs légers, l'Italie 7 croiseurs lourds et 28 croiseurs légers.

● Le premier croiseur à propulsion nucléaire a été construit aux États-Unis en 1957. On désigne désormais sous le nom de croiseurs des bâtiments de tonnage moyen, de 7 000 à 20 000 t., armés de missiles, d'armes sous-marines, dotés d'ordinateurs et de plates-formes pour hélicoptères.

CROISEURS CONFÉDÉRÉS. Voir ALABAMA (affaire de l').

CROISIÈRE NOIRE. Traversée automobile de l'Afrique, organisée par André Citroën (v.) et réalisée par Georges-Marie Haardt et Louis Audouin-Dubreuil. Elle fut préparée par la traversée nord-sud du Sahara (Touggourt-Tombouctou, 17 déc. 1922/7 janv. 1923). Composée de huit autochenilles, la Croisière noire partit de Colomb-Béchar le 28 oct. 1924, atteignit le Niger à Bourem (18 nov.), puis gagna la région du lac Tchad et Bangui et arriva au Cap le 1ᵉʳ août 1925. Le cinéaste Léon Poirier réalisa sur cette expédition un documentaire resté célèbre.

CROISIÈRE JAUNE. Comme la Croisière noire (v. article précédent), cette expédition Citroën fut dirigée par G.-M. Haardt et L. Audouin-Dubreuil. Elle comprenait deux groupes : le « groupe Pamir », parti de Beyrouth le 4 avr. 1931, traversa la Syrie, l'Irak, l'Iran, l'Afghanistan; parvenu le 24 juin à Srinagar, dans le Cachemire, il démonta ses autochenilles, franchit à 5 000 m d'altitude l'Himalaya occidental et, le 8 oct., fit sa jonction avec le « groupe Chine », venu de Chine à travers le désert de Gobi. Ainsi regroupée, la croisière automobile reprit sa route; en longeant la rive gauche du fleuve Jaune, elle dut subir des attaques de pillards, et, le 12 févr. 1932, elle parvenait à Pékin. G.-M. Haardt mourut peu de temps après ce succès, à Hongkong, d'une grippe infectieuse.

CROISSANT. Ancien emblème de l'Empire ottoman, le croissant eut, dès la plus haute antiquité, une valeur de symbole religieux : représentation de la déesse Lune Sin chez les Sumériens, il avait une place, chez les Grecs, dans le culte d'Astarté. L'iconographie chrétienne associa le croissant aux scènes de la Nativité. Constantinople en fit son symbole, et, selon la tradition, les Ottomans l'adoptèrent après s'être emparés de la ville (1453) — en fait, il semble que le croissant était leur emblème dès le règne du sultan Orkhan (1326/59). Le croissant devint peu à peu le symbole de tout l'islam, et il figure sur les drapeaux de nombreux pays musulmans (Algérie, Arabie du Sud, Mauritanie, Maroc, etc.).

CROISSANT (ordres du). Ordre militaire fondé en 1448 par René d'Anjou, roi de Naples, et qui était composé de cinquante chevaliers.
Ordre créé en 1799 par le sultan ottoman Sélim III, qui le conféra à l'amiral anglais Nelson; il fut remplacé en 1831 par le Nichan Iftikhar.

CROISSANT FERTILE. Nom donné aux plaines alluviales du Tigre, de l'Euphrate et du Nil, qui, de la première cataracte du Nil au golfe Persique, constituent une sorte de croissant où sont apparues les premières grandes civilisations agricoles historiques : Égypte, Sumer, Babylone (v. ces mots et MÉSOPOTAMIE).

CROISSANT-ROUGE. Emblème adopté par la Croix-Rouge (v.) dans les pays musulmans (dans l'Empire ottoman, dès 1876). Le Croissant-Rouge fut reconnu par la conférence de Genève (1949).

CROISSY Charles Colbert, marquis de (* Paris, vers 1625, † Versailles, 28.VII. 1696). Homme politique français. Frère puîné du grand Colbert, il fut nommé conseiller (1656) puis président à mortier (1662) au parlement de Metz, et président du conseil souverain d'Alsace (1657), postes dans lesquels il acquit une grande connaissance des affaires rhénanes et germaniques. Plénipotentiaire à Aix-la-Chapelle (1668) et à Nimègue (1678), il fut aussi ambassadeur à Londres (1670/74) et négocia l'alliance avec Charles II contre les Provinces-Unies. Secrétaire d'État aux Affaires étrangères de 1679 à sa mort, il fut, avec Louvois, l'artisan de la politique des « Réunions » (v.), qui, en suscitant la colère de l'Allemagne, provoqua la guerre de la ligue d'Augsbourg (v.).

CROIX (supplice de la). Déjà utilisé chez les Scythes et les Assyriens, ce supplice fut aussi en usage chez les Perses (Darius Iᵉʳ fit crucifier 3 000 rebelles babyloniens en 519 av. J.-C.), dans l'Empire séleucide, à Carthage. Il ne fit son apparition à Rome qu'après les guerres puniques et resta d'abord réservé aux esclaves et aux non-citoyens; mais, à partir du règne de Galba (68/69 de notre ère), il put être appliqué également à des Romains de rang inférieur. Constantin le Grand le supprima au IVᵉ s. En général, le condamné, avant d'être crucifié, était battu de verges et il devait porter jusqu'au lieu du supplice le *patibulum,* la barre transversale destinée à être placée soit au sommet du pieu (croix en *tau*), soit un peu plus bas (croix latine). La croix s'élevait à 3 ou 4 m au-dessus du sol. Le condamné y était lié ou parfois cloué (avec un clou pour chaque pied); une pancarte *(titulus)* indiquait son nom et son crime. La mort était provoquée généralement par l'épuisement, mais parfois on la précipitait en brisant avec une masse de fer les jambes du patient *(crurifragium).* Ce furent les Romains qui introduisirent chez les Juifs le supplice de la croix, qui devait être infligé à Jésus. Selon certaines traditions, st. Pierre aurait été crucifié la tête en bas ou sur une croix en X.

CROIX (La). Quotidien catholique français fondé par le P. Vincent-de-Paul Bailly, d'abord sous la forme d'une revue (1880), puis, en 1883, comme journal quotidien à un sou. Animée jusqu'à nos jours par les assomptionnistes (v.), *La Croix* introduisit dans la presse catholique du siècle dernier les méthodes du journalisme moderne, et elle supplanta rapidement des organes bien établis tels que *L'Univers* et *Le Monde.* Créé

CROISEUR
Médaille en l'honneur du croiseur « Jean de Vienne » lancé en 1936.
Ph. © Hôtel de la Monnaie, Paris
Photeb

CROIX DE LORRAINE
Insigne d'officier des Forces
françaises libres.
Ph. Jeanbor © SHAT Symbolique
Photeb

CROIX DE FER
L'étoile de la Croix de fer,
attribuée deux fois seulement
sous cette forme, à Blücher
et à Hindenburg.
Ph. © Bildarchiv Preussischer
Kulturbesitz

dans un esprit de défense religieuse, le journal, bien qu'ayant accepté la politique du Ralliement (v.), s'engagea à fond, durant l'affaire Dreyfus (v.), dans le camp des adversaires du régime républicain. Waldeck-Rousseau fit prononcer la dissolution des assomptionnistes, et le P. Bailly, sous la pression de Rome, dut abandonner la direction du journal. Après la condamnation de l'Action française (v.), *La Croix,* dirigée à partir de 1927 par le P. Merklen, renonça à ses premières orientations politiques, suivit très fidèlement la politique de Pie XI et joua un rôle essentiel dans ce qu'on a pu appeler le « second ralliement » des catholiques français au régime républicain. Repliée à Limoges, *La Croix* continua de paraître pendant l'occupation, mais fut cependant autorisée à reprendre sa publication dès févr. 1945. En mars 1968, elle a modernisé et quelque peu laïcisé sa présentation. Elle a pris comme nouveau titre : *La Croix - L'Événement.*
● Elle tirait à 118 000 exemplaires en 1981.

CROIX GAMMÉE. Voir SVASTIKA.

CROIX DE LORRAINE. La croix à double traverse, d'origine orientale, fut introduite en Europe occidentale au XIIIᵉ s. par les émaux byzantins. Rapporté d'Orient en 1241 par un croisé, Jean d'Alluye, un reliquaire de la Vraie Croix, en forme de croix à double traverse, fut conservé à l'abbaye cistercienne de la Boissière, puis, à partir de 1790, à l'hospice de Baugé, en Anjou. Cette relique devint particulièrement chère à la dynastie angevine, et la croix à double traverse devint la « croix d'Anjou ». Sous son invocation, Louis Iᵉʳ d'Anjou († 1384) fonda l'ordre de la Croix d'Anjou. René Iᵉʳ d'Anjou, comte de Provence, roi titulaire de Naples et de Jérusalem, mais également duc de Lorraine (de 1431 à 1453), introduisit en Lorraine la croix d'Anjou, qui devint, à la fin du XVᵉ s., la « croix de Lorraine », lorsqu'elle fut arborée par René II dans ses guerres contre Charles le Téméraire. Durant la Seconde Guerre mondiale, la croix de Lorraine fut l'emblème de la France libre. Elle devint après la guerre le symbole du mouvement gaulliste.

CROIX DE FER (ordre de la), *Eisernes Kreuz.* Principale décoration militaire prussienne, puis allemande. Créée le 10 mars 1813 par Frédéric-Guillaume III elle fut conférée durant les guerres de 1813/15, 1870/71, 1914/18 et 1939/45. À l'origine, la croix de fer ne comprenait que deux classes. Durant la Seconde Guerre mondiale, l'ordre fut organisé en huit classes : 2ᵉ classe; 1ʳᵉ classe; chevalier; chevalier avec feuilles de chêne; chevalier avec feuilles de chêne et glaive; chevalier avec feuilles de chêne, glaive et diamants; chevalier avec feuilles de chêne en or, glaive et diamants (un seul titulaire, l'as aviateur Rudel); enfin grand-croix de la croix de fer (un seul titulaire, Goering).

CROIX-DE-FEU. Organisation d'anciens combattants français, fondée en 1927, et dont le président fut, à partir de 1931, le lieutenant-colonel de La Rocque. Recrutée à l'origine uniquement parmi les titulaires de la croix de guerre et parmi ceux qui pouvaient justifier avoir obtenu leurs galons (leurs « brisques », d'où le nom de *Briscards* portés parfois par les Croix-de-Feu) en première ligne, elle s'augmenta peu à peu de diverses organisations annexes, parmi lesquelles les Volontaires nationaux (1933), qui rassemblaient la jeunesse du mouvement. Sous l'influence de La Rocque, les Croix-de-Feu devinrent une ligue nationaliste et antiparlementaire; ils participèrent à la journée du 6 févr. 1934; cette ligue ayant été dissoute avec les autres ligues d'extrême droite en juin 1936, ses adhérents se regroupèrent autour du colonel de La Rocque dans le parti social français (P.S.F.). Voir SOCIAL FRANÇAIS parti.

CROIX FLÉCHÉES. Organisation politique hongroise, inspirée du national-socialisme, qui commença à se manifester à partir de 1936, sous la direction de Ferenc Szalassy. Celui-ci fut arrêté pour conspiration en mars 1936 et de nouveau en février 1938, mais traité avec mansuétude. Aux élections de mars 1939, les Croix fléchées et leurs alliés d'extrême droite obtinrent 42 des 260 sièges du Parlement : malgré l'alliance de la Hongrie et de l'Allemagne hitlérienne, les Croix fléchées ne parvinrent au pouvoir que le 20 octobre 1944, après que le régent Horthy, qui avait demandé l'armistice à l'U.R.S.S., eut été arrêté par les Allemands. Son ministère s'effondra en avr. suivant, en même temps que la résistance allemande en Hongrie. Szalassy fut pendu, ainsi que plusieurs de ses ministres.

CROIX-ROUGE. Organisation internationale créée en 1863 pour venir en aide aux blessés de guerre et qui a peu à peu étendu ses activités humanitaires à toutes les formes de la souffrance, dans un esprit de solidarité mondiale. Témoin de la bataille de Solferino (24 juin 1859), le Genevois Henri Dunant (v.) fut frappé de l'état d'abandon dans lequel étaient laissés les blessés. Il proposa de créer des sociétés qui, sans distinguer entre les armées en présence, se consacreraient au soin des blessés. Avec plusieurs personnalités suisses (parmi lesquelles le général Dufour), il fonda en 1863 un comité qui fut l'embryon de l'actuel Comité international de la Croix-Rouge (C.I.C.R.). Une conférence internationale, qui réunissait les délégués de quatorze pays, se tint à Genève les 26/29 oct. 1863 et fixa les principes fondamentaux de la Croix-Rouge. L'année suivante, fut signée la première convention de Genève sur la protection des blessés de guerre (24 août 1864), complétée par de nouvelles conventions sur les blessés des armées de mer (1899), sur les autres victimes de la guerre maritime (1907), sur le sort des prisonniers de guerre (1929), sur la protection des populations civiles en temps de guerre (1949). Dès 1864, des sociétés nationales de

CRO-MAGNON (homme de)
Crâne du musée de l'Homme,
Paris.

Ph. © du musée - Photeb

Croix-Rouge furent fondées en France, en Belgique, en Italie et en Espagne; on en compte aujourd'hui plus de cent dans le monde. Leurs efforts sont coordonnés par le C.I.C.R., dont le siège est à Genève, et par la Ligue des sociétés de la Croix-Rouge, fondée en 1919. La Croix-Rouge, qui a déployé une action immense au cours des deux guerres mondiales, n'a cessé, depuis 1918, d'étendre également son action en temps de paix. Apolitique et neutre, ouverte à tous sans distinction de sexe, de race, de religion, elle a pour emblème une croix rouge sur fond blanc, remplacée dans les pays musulmans par un croissant rouge et, en Iran, par un lion et un soleil rouges.

CRO-MAGNON (homme de). Type d'homme préhistorique défini d'après les vestiges de cinq squelettes découverts en 1868, lors de la construction de la ligne de chemin de fer Périgueux-Agen, dans un abri-sous-roche de Cro-Magnon (commune des Eyzies-de-Tayac, Dordogne). Parmi ces cinq squelettes, très fragmentaires, le mieux conservé était celui d'un homme assez âgé, dit « le Vieillard »; les autres étaient ceux de deux hommes adultes, d'une femme et d'un fœtus. Par la suite, de nombreux autres restes d'individus furent découverts en Dordogne, dans les Landes, en Algérie, au pays de Galles, etc., et les archéologues furent en mesure de définir une « race de Cro-Magnon ». De grande taille (de 1,80 m à 1,94 m), doués d'une musculature puissante, les Cro-Magnon étaient séparés par une coupure radicale des Neanderthaliens (v.) qui les avaient précédés; ils apparaissent au contraire très proches de l'homme moderne, avec une capacité crânienne comparable à la nôtre (de 1 550 à 1 750 cm); leur crâne était dolichocéphale, avec une voûte crânienne élevée, des arcades sourcilières peu saillantes, la face assez basse et large, le menton robuste et bien marqué.
Au point de vue culturel, l'homme du site de Cro-Magnon correspond à l'aurignacien (v.), mais il est resté présent dans tout le paléolithique supérieur, après avoir fait son apparition en Europe occidentale vers 40000/35000 av. J.-C. On a découvert des survivances des Cro-Magnon dans le sud-ouest de la France, en Afrique du Nord, en Scandinavie; les Guanches actuels, de l'archipel des Canaries, seraient, selon E. Verneau, les populations les plus proches de l'homme de Cro-Magnon.

CROMER, Evelyn Baring, 1er comte (* Cromer Hall, Norfolk, 26.II.1841, † Londres, 29.I.1917). Diplomate et administrateur anglais. Commissaire britannique à l'Office égyptien de la dette publique (1877/80), il revint en Égypte lors de l'occupation de ce pays par les Anglais après la rébellion d'Arabi pacha et reçut le titre de ministre plénipotentiaire (1883/1907). En raison de l'état désastreux des finances égyptiennes, il conseilla d'abord l'évacuation complète du Soudan (1885), puis entreprit la réorganisa-

CROMWELL
Thomas, comte d'Essex. Homme politique anglais (1485-1540). (National Portrait Gallery, Londres.)

Ph. © du musée - Photeb

tion administrative et économique de l'Égypte; il rendit ainsi possible la reconquête du Soudan par Kitchener (1896/98) et l'établissement d'un condominium anglo-égyptien sur cette région (1899).

CROMLECH. Nom donné à un ensemble de menhirs (v.), disposés en cercle ou en double cercle tangent, ou en demi-cercle, ou en rectangle, etc. Le plus grand cromlech connu est celui d'Avebury, en Grande-Bretagne (Wiltshire), qui comprenait quelque 650 pierres dressées réparties en trois cercles, dont le plus grand avait un diamètre de 365 m. Dans la même région, se trouve le célèbre cromlech de Stonehenge (v.). En France, citons les cromlechs d'Er-Lanic et Crucuno, dans le Morbihan, ceux du puy de Pauliac (Corrèze), celui du pic de Saint-Barthélemy, qui se dresse à 1 900 m d'altitude dans les Pyrénées ariégeoises. Voir MÉGALITHIQUE (civilisation).

CROMPTON Samuel (* Firwood près de Bolton, Lancashire, 3.XII.1753, † Bolton, 26.VI.1827). Tisserand anglais. Il mit au point, entre 1774 et 1779, une des inventions capitales de la première révolution industrielle, la *mule-jenny* (v.), qui, combinant les avantages de la *jenny* (v.) de Hargreaves et de la *water-frame* (v.) d'Arkwright, permettait de produire tous les fils, même les plus fins. La *mule-jenny* de Crompton transforma rapidement l'industrie textile.

CROMWELL Thomas, comte d'Essex (* Putney, vers 1485, † Londres, 28.VII.1540). Homme politique anglais. De naissance obscure, il fut d'abord soldat ou marchand en Italie, puis entra vers 1520 au service de Wolsey, auquel il dut sa fortune. Membre du Parlement dès 1523, il fut chargé en 1525 de s'occuper de la confiscation des monastères, qu'il opéra en partie à son profit personnel. Après la disgrâce de Wolsey, il sut attirer l'attention d'Henri VIII, qui lui confia diverses charges financières et le nomma lord du Sceau privé en 1536. En fait, Cromwell semble avoir été le principal conseiller et instrument du roi dans les affaires ecclésiastiques. Champion de l'absolutisme royal dans l'État comme dans l'Église, il inspira l'Acte de suprématie de 1534 et la suppression complète des monastères (1537/40). En politique étrangère, il travailla à l'alliance de l'Angleterre avec les princes protestants d'Allemagne et c'est dans cette perspective qu'il négocia le mariage d'Henri VIII avec Anne de Clèves. L'échec de cette réunion fut fatal à Cromwell, qui fut accusé de trahison et décapité.

CROMWELL Oliver (* Huntingdon, 25.IV.1599, † Londres, 3.IX.1658). Homme politique anglais. D'une famille de gentilshommes campagnards, il fit ses études au Sidney Sussex College de Cambridge, qui était alors un foyer de puritanisme, et il devint bientôt un ardent puritain. Marié en 1620 à la fille d'un riche marchand, Elizabeth Bourchier, il s'établit en 1636 dans le comté de Cambridge, à Ely, et commença à prendre une part active aux affaires locales. Il avait déjà siégé au Parlement de 1628/29 et représenta Cambridge au Court et au Long Parlement de 1640. Ses préoccupations, essentiellement religieuses, firent de lui un des adversaires les plus radicaux de l'épiscopalisme et du pouvoir royal qui favorisait ce système. A la fois mystique et très pratique, ce puritain voyait dans tous les événements le signe de la Providence et il se considérait lui-même comme un instrument de Dieu. Dès le début de la guerre civile (1642), il vit dans ce conflit avant tout une lutte religieuse. En 1643, il organisa le régiment de cavalerie des Côtes de fer *(Ironsides),* qui devint bientôt célèbre par sa discipline et son fanatisme. Cromwell, qui avait toujours été un sportif, passionné de chasse et d'équitation, allait se révéler un grand chef militaire. Il participa brillamment, avec ses Côtes de fer, aux batailles de Marston Moor (2 juill. 1644) et de Newbury (oct. 1644) et se vit chargé par le Parlement de procéder à une réorganisation complète de l'armée, d'où devait sortir la «nouvelle armée modèle» de 1645, qui écrasa les troupes royalistes à Naseby (14 juin 1645).

Politiquement, Cromwell se situait du côté des «indépendants» contre la rigide intolérance des presbytériens, mais il ne croyait guère à un arrangement durable avec la monarchie. Alors qu'un conflit se développait entre l'armée et le Parlement, qui tentait de rétablir la primauté du pouvoir civil, Cromwell refusa de licencier ses troupes et instaura un conseil de soldats chargé de défendre l'armée sur le plan politique. Il fit enlever Charles Ier de la prison où le Parlement le retenait, l'amena à son quartier général (3 juin 1647) et entama des négociations directes avec lui. Mais Charles Ier s'évada et réussit à gagner l'île de Wight puis l'Écosse (nov. 1647).

Fort désappointé, Cromwell décida alors d'en finir avec les royalistes. Il vainquit les royalistes anglais à Preston (août 1648), obtint la reddition de l'armée écossaise, entra à Édimbourg (oct.) et s'assura de nouveau du roi, qu'il était désormais décidé à faire juger comme un criminel. Rentré triomphalement à Londres, il fit «purger» le Parlement par un de ses subordonnés, le colonel Pride (7 déc. 1648), et obtint du reste de l'assemblée, appelé par dérision le «Parlement croupion» *(Rump Parliament),* la mise en jugement du roi. Cromwell lui-même fit partie de ce tribunal, où il s'efforça d'obtenir la condamnation à mort (27 janv. 1649). Après l'exécution de Charles Ier, Cromwell devint membre du Conseil d'État qui devait exercer le pouvoir exécutif dans la nouvelle République. Le Parlement était complètement débordé par les tâches qui lui incombaient : il fallait lutter à la fois contre la triple opposition des Écossais, des Irlandais et, en Angleterre même, du parti royaliste. L'action de Cromwell et de l'armée allait décider de la suite des événe-

ments. Avec une dureté implacable, Cromwell se tourna d'abord contre l'Irlande, où il voyait un bastion du papisme; il s'empara de Drogheda, près de Dublin, et procéda à un massacre de la garnison qui frappa de terreur l'Irlande (10/11 sept. 1649). Au printemps suivant, l'Irlande était soumise et Cromwell put s'attaquer aux covenantaires écossais (v. COVENANT), qui avaient reconnu le fils de Charles Ier, Charles II. Les Écossais furent battus à Dunbar (3 sept. 1650), puis à Worcester (3 sept. 1651), et cette dernière victoire termina la campagne. Mais Cromwell voulait maintenant en finir avec les parlementaires, qui, dans ses épreuves, avaient largement étalé leur impuissance. Il fit disperser par la troupe le Parlement croupion (20 avr. 1653), créa une nouvelle assemblée de 140 membres désignés par l'armée, et, par la Constitution intitulée *Instrument of Government,* il instaura sa dictature en prenant le titre de «lord-protecteur» du Commonwealth (16 déc. 1653).

Cromwell créa un Parlement unique qui devait légiférer pour les trois pays (Angleterre, Écosse, Irlande), désormais fusionnés en un seul Commonwealth — idée hardie et d'avenir, que les Stuarts restaurés devaient abandonner, mais qui préludait à l'Acte d'union de 1707. Mais Cromwell ne sut pas donner à la Grande-Bretagne des institutions vraiment nouvelles. Dès janv. 1655, il se vit obligé de dissoudre le Parlement qu'il avait lui-même créé; il gouverna pendant deux ans avec l'appui de l'armée (1655/57), puis restaura un Parlement à deux Chambres, qu'il dut renvoyer comme les précédents (févr. 1658). En mai 1657, il avait refusé de prendre le titre de roi mais il accepta l'*Humble Petition and Advice,* qui lui donnait le droit de nommer son successeur. Ce régime était beaucoup plus autoritaire que la monarchie abolie et faisait régner dans la vie quotidienne et dans les arts un moralisme oppressant. Autant que l'ambition personnelle du lord-protecteur, la guerre avec la Hollande avait orienté Cromwell vers la dictature. Cette guerre se termina, à l'avantage de l'Angleterre, par le traité de Westminster (1654). L'Angleterre s'orientait vers l'hégémonie maritime, elle qui avait jadis lutté contre l'Espagne au nom de la liberté des mers, s'était ralliée au protectionnisme le plus rigoureux par l'Acte de navigation (9 oct. 1651). Des traités de commerce avantageux furent signés avec la Suède, le Danemark, le Portugal. Au printemps 1657, Cromwell s'allia avec la France et les Pays-Bas contre l'Espagne, ce qui valut à l'Angleterre, en 1659, la possession de Dunkerque. Mais Cromwell était mort le 3 sept. 1658, jour anniversaire de ses grandes victoires de Dunbar et de Worcester; il avait désigné, pour lui succéder, son fils, Richard. Il fut inhumé à l'abbaye de Westminster, mais, lors de la Restauration, son cadavre fut retiré et pendu au gibet de Tyburn.

Son fils, **Richard Cromwell** (* Huntingdon, 4.X.1626, † Cheshunt, 12.VII.1712), lui suc-

CROMWELL
Oliver. Homme politique anglais
(1599-1658). Peint en 1656.
(National Portrait Gallery,
Londres.)
Ph. © du musée - Photeb

CRONJE
Piet Arnoldus. Général
sud-africain (v. 1840-1911).
Ph. © Coll. R. Dazy

céda comme lord-protecteur en sept. 1658, mais il fut débordé par la rivalité entre l'armée et le Parlement, et il abandonna ses fonctions en mai 1659. A la Restauration, il se réfugia sur le continent; il ne revint en Angleterre que vingt ans plus tard.

CRONJE Piet Arnoldus (* dans la colonie du Cap, vers 1840, † Klerksdorp, Transvaal, 4.II.1911). Général sud-africain. Il s'illustra par son habileté et son héroïsme dans la guerre des Boers, fit prisonnier la bande de Jameson (v.) à Doornkop (2 janv. 1896), résista magnifiquement à Paardeberg, mais dut se rendre à lord Roberts (27 févr. 1900) et fut envoyé par les Anglais à Sainte-Hélène jusqu'à la fin de la guerre (1902).

CRONSTADT. Voir Kronstadt.

CROQUANTS (révoltes des). Révoltes paysannes qui se produisirent en France à la fin du XVIᵉ s. et au début du XVIIᵉ s. : dans le Limousin et le Périgord (1594); à Rouen, à Poitiers et dans le Quercy (1624); à Lyon et à Montpellier (1625); à Amiens et à Laval (1628); dans le Périgord et le Quercy (1637); en Normandie (1640), etc. Ces révoltes n'avaient pas un caractère de lutte de classes; les paysans ne s'attaquaient pas aux seigneurs, mais à l'appareil pesant de l'État centralisateur, à la fiscalité excessive, aux abus des militaires logés chez l'habitant. Le renforcement de l'État durant la seconde moitié du XVIIᵉ s. empêcha le renouvellement de telles révoltes.

CROQUET. Ce jeu de plein air a pour origine le *paillemaille,* auquel on jouait dans le midi de la France dès le XIIIᵉ s. et qui fut très en vogue à la cour de France au XVIIᵉ s.; Louis XIV s'y adonnait avec plaisir, même dans sa vieillesse, et Mᵐᵉ de Sévigné en faisait l'éloge. Adopté par l'aristocratie anglaise, le paillemaille devint le croquet; dès 1850, il était le plus populaire des jeux de plein air britanniques.

CROSSE. La crosse épiscopale ou abbatiale n'est qu'une forme du bâton pastoral. Celui-ci apparaît vers le vᵉ ou le vIᵉ s. Le bâton droit ou *férule,* terminé par une pomme ou par une croix, fut porté par les papes lors de leur intronisation, jusqu'à Sixte Quint, et par certains archevêques du Moyen Age. Très répandus également jusqu'au XIIIᵉ s. furent les bâtons en *tau;* tel était le bâton de st. Loup (conservé à Brienon-l'Archevêque, Aube) qui serait le plus ancien bâton pastoral connu (vᵉ s.). La crosse est un bâton pastoral recourbé; la plus ancienne connue est celle de st. Germain, abbé de Moutier-Grandval (vIIᵉ s.). Au Moyen Age, on fit des crosses de bois, d'ivoire, d'argent, certaines ornées avec beaucoup de fantaisie, représentant des scènes de l'Évangile ou de la vie des saints; on connaît aussi de belles crosses décorées par les émailleurs limousins (XIIIᵉ/XIVᵉ s.).

CROTONE, *Krotôn, Crotona* ou *Cortona.* Ancienne ville d'Italie, dans le Bruttium, sur la côte occidentale du golfe de Tarente. Située sur le promontoire Lacinium, qui s'avance dans la mer Ionienne, elle fut fondée en 710 av. J.-C. par des Achéens et des Spartiates. Elle devint rapidement une ville de commerce florissante, rivale de Sybaris, célèbre par la mollesse de ses mœurs. Vers 530, Pythagore y établit son école de sagesse et donna des lois aristocratiques à la cité; mais le parti démocratique triompha vers 450. Crotone était également célèbre par ses athlètes (Milon).
En 510 av. J.-C., Crotone détruisit Sybaris, mais, par la suite, elle fut elle-même ravagée par Pyrrhus, prise par Hannibal et enfin devint une colonie romaine (194 av. J.-C.).

CROUPION (Parlement). Voir Parlement croupion.

CROŸ. ancienne maison noble qui a pris son nom du village de Crouy (Somme), nommée pour la première fois en 1207, partagée en deux lignes en 1450. La ligne aînée s'éteignit avec **Charles de Croŷ, duc d'Aerschot** († 1612), à qui Henri IV donna le titre de duc de Croÿ en 1598; partisan d'Orange puis de Philippe II, il a laissé des Mémoires (publiés en 1845), d'une grande importance pour l'histoire des Pays-Bas. A sa mort, le titre de duc de Croÿ alla à la maison de Ligne-Arenberg.
A la ligne cadette appartiennent plusieurs branches : *a)* les sires de Croÿ et de Renty, éteints en 1612; *b)* les marquis d'Havré, éteints en 1700; *c)* les comtes de Roeux, éteints en 1585; *d)* les princes de Croÿ et du Saint Empire, éteints en 1702 en la personne de Charles-Eugène, généralissime des armées russes, mort en Livonie, alors qu'il était prisonnier de Charles XII; *e)* les princes de Chimay, éteints en 1521; *f)* les princes de Solre et de Mœrs, devenus branche aînée en 1767 par l'extinction des précédents; *g)* les ducs d'Havré et de Croÿ, qui se sont éteints au XIXᵉ s.

CROYDON. Faubourg du sud de Londres. Ancienne résidence d'été des archevêques de Canterbury. L'aéroport de Croydon, créé à des fins militaires en 1915, fut de 1926 à 1939 le principal aéroport civil du Royaume-Uni. Supplanté par Heathrow après 1945, il devait être supprimé en 1959.

CROZ Michel (* hameau du Tour, vallée de l'Arve, 1830, † le Cervin, 14.VII.1865). Guide français. Il accomplit les premières ascensions du mont Viso (1861), de la barre des Écrins (1864), du mont Dolent (1864) et du Cervin (1865); il trouva la mort dans cette dernière expédition, au cours de la descente.

CROZAT Antoine, marquis du Châtel (* Toulouse, 1655, † Paris, 7.VI.1738). Financier français. Il obtint en 1712 le privilège du commerce de la Louisiane et fut le fondateur de cette colonie. Il fit construire

CROTONE
Statère du Bruttium,
avec trépied et serpent.
(Cabinet des Médailles.)
Ph. © Bibl. Nat., Paris - Photeb

à ses frais (1732/38) le canal Crozat reliant l'Oise à la Somme (canal de Saint-Quentin).

Son frère, **Pierre Crozat** (* Toulouse, 1665, † Paris, 1740), amateur éclairé, réunit une riche collection de tableaux, dessins, camées, etc., dont une partie alla à son neveu **Louis Antoine** (* 1700, † 1770); une autre partie fut acquise par l'impératrice Catherine II de Russie (aujourd'hui à l'Ermitage).

CRYPTIE. A Sparte, corps de police dans lequel devaient servir pendant quelques mois les jeunes citoyens qui venaient d'atteindre leur majorité, à la disposition des éphores, la cryptie était principalement chargée de la surveillance des hilotes (v.) et de la sauvegarde des propriétés rurales dans les environs de Sparte.

CTÉSIPHON. Ancienne ville de Mésopotamie, sur la rive gauche du Tigre, au sud-est de Bagdad. Mentionnée pour la première fois par Polybe au IIIe s. av. J.-C., elle ne prit de l'importance qu'à partir de 129 avant notre ère, lorsqu'elle devint l'une des capitales des Parthes Arsacides. Elle supplanta bientôt sa voisine et rivale Séleucie (v.). Prise par les Romains en 116, en 165, en 197 et en 283 de notre ère, elle connut son apogée sous les Sassanides : du palais de Chosroès Ier (VIe s.) subsiste une imposante voûte de pierre, le Taq-i-Kisra. Conquise par les Arabes en 637, Ctésiphon fut abandonnée après la fondation de Bagdad (763).

CTÉSIPHON (IVe s. av. J.-C.). Homme politique athénien. Un des chefs du parti antimacédonien, il fit donner en 336 une couronne d'or à Démosthène. Jaloux, Eschine lui intenta une accusation pour ce fait et Démosthène se chargea de le défendre, ce qui nous a valu le *Discours sur la couronne* (V. COURONNE, 330 av. J.-C.).

CUBA. Île de l'Atlantique, la plus vaste des Grandes Antilles, au sud de la Floride; capitale *La Havane*. Peuplée avant l'arrivée des Européens par les Indiens Taïnos (v.) du groupe des Arawaks, qui avaient subjugué les Ciboneys, Cuba fut découverte par Christophe Colomb dès son premier voyage, le 27 octobre 1492, mais sa colonisation ne commença qu'à partir de 1511, avec Diego Velazquez. C'est de cette île que Cortez entreprit la conquête du Mexique (1519) et Hernando de Soto l'exploration de la Floride. Rapidement anéantie par le travail forcé, la population taïno fut remplacée à partir de 1526 par une main-d'œuvre noire fournie par la traite. L'économie agricole se développa, d'abord le tabac et les plantes tinctoriales, puis la canne à sucre (dès le milieu du XVIe s.) et, au XIXe s. seulement, le café. Mais le principal rôle de Cuba, dans l'Empire espagnol, était de servir d'étape et de lieu de rassemblement aux navires de commerce qui venaient des divers pays du continent et s'acheminaient en convoi vers l'Espagne.

CUBA
Soldat du régime castriste lors du raid manqué des émigrés (avr. 1961).
Ph. © A.F.P. - Photeb

Cuba obtint la liberté commerciale en 1818 mais resta une colonie espagnole, alors que le reste de l'Amérique latine accédait à l'indépendance. Plusieurs rébellions marquèrent le XIXe s., surtout après que l'île, en 1837, eut été privée de sa représentation aux Cortes. Les impôts excessifs, la dureté du régime militaire, l'exclusion des Cubains des fonctions gouvernementales provoquèrent en 1868 un soulèvement populaire et la proclamation d'une république insurrectionnelle. La guérilla se poursuivit pendant dix ans, mais l'Espagne parvint finalement à rétablir son autorité en accordant à l'île un régime d'autonomie (1897). Cependant, les États-Unis étaient résolus à faire entrer Cuba dans leur zone d'influence : au terme de la guerre hispano-américaine (v.) de 1898, l'Espagne dut abandonner définitivement Cuba, qui devint un État indépendant en 1901.
En fait, les Américains s'assurèrent une sorte de protectorat sur l'île en imposant l'amendement Platt (1901), qui leur conférait un droit d'occupation militaire en cas de troubles — droit dont ils usèrent en 1906/09 et en 1912. L'économie cubaine devint entièrement dépendante des États-Unis. La vie politique, constamment agitée, fut marquée par des dictatures comme celles de Gerardo Machado (1925/33) et de Fulgencio Batista (1933/59). Celui-ci gouverna parfois par personnes interposées, mais, en mars 1952, il s'empara personnellement du pouvoir; cependant que la corruption et l'arbitraire se développaient, Batista était rapidement contraint de recourir à l'état de siège. La rébellion armée contre son régime commença le 26 juill. 1953, lorsque Fidel Castro et ses premiers compagnons tentèrent de s'emparer de la caserne de Moncada, à Santiago. Arrêté, mais amnistié et libéré l'année suivante, Castro se réfugia au Mexique. En déc. 1956, il débarqua clandestinement dans la province de l'Oriente, et organisa des maquis qui s'étendirent peu à peu dans l'île entière.
Le 1er janv. 1959, Batista dut s'enfuir de La Havane, laissant la place à un régime révolutionnaire dont Fidel Castro, bien qu'il n'ait pas pris la présidence de la République, fut, dès le début, l'inspirateur incontesté. Après avoir procédé à une élimination radicale des partisans de Batista et des autres opposants, Castro s'efforça de regrouper les divers mouvements qui avaient participé à la lutte contre Batista dans un parti unique qui porta d'abord le nom de parti uni de la révolution socialiste (P.U.R.S.) puis de parti communiste de Cuba (P.C.C.). A son arrivée au pouvoir, Castro trouvait une situation économique caractérisée par deux traits essentiels : pays essentiellement agricole, Cuba souffrait depuis longtemps des inconvénients de la monoculture (la canne à sucre); d'autre part, près de 55% des plantations appartenaient à des propriétaires ne résidant pas sur leurs terres et 40% environ étaient aux mains des Nord-Américains. Enfin, 90% des exportations cubaines

avaient lieu à destination des États-Unis, qui exerçaient ainsi leur tutelle sur le pays.

Les relations entre La Havane et Washington se détériorèrent rapidement après la réforme agraire de juin 1959, qui interdisait les propriétés de plus de 40,5 ha, après la nationalisation des raffineries de sucre (août 1959) et la nationalisation des raffineries de pétrole (oct. 1959). A la fin de 1960, la valeur des biens nord-américains confisqués par le nouveau régime cubain s'élevait à environ 1 milliard de dollars. Par mesure de rétorsion, les États-Unis rompirent les relations diplomatiques avec Cuba et donnèrent asile et assistance aux réfugiés cubains anticastristes (plus de 200 000 dès 1961). Soumise au blocus économique des États-Unis (1961), menacée par les tentatives des émigrés soutenus par Washington (échec du débarquement dans la baie des Cochons (v.), 16 avril 1961), exclue de l'Organisation des États américains (conférence de Punta del Este, janvier 1962), Cuba chercha appui auprès de l'Union soviétique, qui devint le principal acheteur de sucre cubain. Devant la vive réaction du président Kennedy, les Soviétiques durent renoncer à installer des fusées offensives dans l'île (octobre 1962). Voir CUBA, crise de.

Le régime de Fidel Castro

Sous la direction de Castro, Cuba évolua rapidement vers un régime de dictature socialiste, caractérisé par la toute-puissance d'un chef charismatique, par le règne d'un parti unique et par l'extension de la bureaucratie. Des progrès remarquables furent réalisés dans les domaines de la santé publique, de la sécurité sociale et de l'éducation nationale : le nombre des élèves des écoles primaires passa de 700 000 en 1959 à 1 273 000 en 1967/68, le nombre des élèves des écoles secondaires de 27 000 en 1959 à 177 000 en 1967/68. L'économie cubaine, en revanche, n'allait pas cesser de connaître de graves difficultés, dues au blocus exercé par les États-Unis, à la fuite de nombreux cadres intellectuels et techniques, à la « paresse » engendrée par le système bureaucratique (une loi sévère contre les « paresseux » fut promulguée en 1971), et aussi aux ambitions présomptueuses de Fidel Castro. Celui-ci, au lieu de donner la priorité à la diversification de l'agriculture, crut pouvoir imiter l'exemple de la révolution soviétique en s'engageant dans un plan d'industrialisation que l'île, isolée, n'avait guère les moyens de mener à bien.

Reconnaissant ce premier échec, il proclama la primauté de l'agriculture, en particulier de la canne à sucre, mais assigna l'objectif inaccessible d'une récolte de 10 millions de tonnes de sucre pour 1970; en fait, la production n'atteignit que 4,45 millions de t en 1966; 6,12 millions en 1967; 5,1 millions en 1968; 4,8 millions en 1969; 8,5 millions en 1970, pour retomber à 5,9 millions en 1971. Dans son important discours du 26 juill. 1970, Castro dut constater que les objectifs n'avaient pas été atteints, en dépit d'une aide

soviétique évaluée, en 1971, à un milliard de dollars par an (mais l'U.R.S.S. achetait le sucre cubain à un prix inférieur au cours mondial, qui avait doublé entre 1966 et 1971). Dans sa politique extérieure, Castro rêva longtemps d'être le propagateur de la révolution en Amérique latine, mais, après la mort de Che Guevara (1967), la dépendance économique croissante de Cuba à l'égard de l'U.R.S.S. l'obligea à se conformer à la ligne soviétique, hostile à une révolution violente et déterminée par la volonté de rapprochement avec les États-Unis. En 1968, Castro approuva l'intervention soviétique en Tchécoslovaquie, et, à la conférence des pays non alignés d'Alger, en oct. 1973, il s'opposa aux tendances les plus radicales du socialisme arabe comme aux prochinois. En juill. 1972, Cuba fut admise comme membre à part entière du Comecon (v.).

A partir de 1973, Castro parvint à une nette amélioration de ses rapports avec les États latino-américains et avec les États-Unis, qui commencèrent à relâcher leur blocus. Castro ne faisait cependant aucune concession pour se rapprocher d'eux, et, en 1975, il envoyait un corps expéditionnaire cubain en Angola pour assurer, conjointement avec l'Union soviétique, la victoire du M.P.L.A. procommuniste.

● L'intérêt de Cuba pour l'Afrique n'a fait que se renforcer, et les visites successives de Fidel Castro en Libye, en Éthiopie, en Angola, en Tanzanie et au Mozambique, en 1977, ont mis en évidence la volonté du président cubain d'être présent sur tous les points chauds du continent noir. En dépit de ses dénégations, le corps expéditionnaire cubain sert de relais à l'Union soviétique, notamment en Angola et en Éthiopie. Au sommet des pays non alignés, qui se tint à La Havane en sept. 1979, Fidel Castro, malgré les réticences du maréchal Tito, poussa le mouvement vers le camp soviétique. Grâce à une éclaircie dans les rapports avec Washington, en 1979, des milliers d'exilés cubains purent visiter l'île et, au printemps 1980, près de 100 000 Cubains purent se réfugier en Floride. Le renouveau de la tension en Amérique centrale et l'arrivée au pouvoir de l'administration Reagan en 1981 ont mis fin à cette accalmie.

Aux livraisons d'armes soviétiques à Cuba durant l'été, Washington répliqua en dénonçant l'interventionnisme cubain, mais en nov., l'U.R.S.S. fit savoir qu'elle n'accepterait pas d'atteinte à la souveraineté cubaine. L'entretien de l'importante force militaire cubaine coûtait cher : 227 000 hommes sous les drapeaux en 1981 dont 18 000 en Angola, 13 000 en Éthiopie, 2 000 au Nicaragua, 800 au Yémen du Sud.

L'activité économique de l'île, malgré une gestion financière austère, suit une courbe en dents de scie : crise aiguë en 1979, meilleurs résultats depuis l'avènement du castrisme en 1981, de nouveau crise aiguë depuis 1982. Cuba, qui tire 70 % de ses recettes de l'exportation du sucre (v.), a été durement frappée par la chute de son cours mondial, non seule-

CUIRASSE.

Détail de la cuirasse de la statue d'Auguste. (Musée du Vatican.)
C'est la cuirasse de parade qui resplendit sur la célèbre statue
de l'empereur Auguste, trouvée dans la villa de son épouse,
l'impératrice Livie, à Prima Porta. Elle est remarquablement historiée.
Scène centrale : un Oriental barbu restitue une enseigne
surmontée d'une aigle à un officier romain qu'accompagne un chien.
Elle illustre la victoire de l'an 20 av. J.-C. par laquelle Octave (Auguste)
vengea la défaite que les Parthes avaient fait subir
aux légions à Carrhae (Mésopotamie) en 53 av. J.-C.
En haut : la Paix est venue, et le dieu du Ciel
étend sur le monde son manteau céleste;
en bas : la déesse de la Terre incline sa corne d'abondance,
et nourrit les jumeaux romains. Un nouvel âge s'annonce.
A droite, Vénus, ancêtre de la famille Julienne,
est emportée par une femme ailée, l'Aurore. Les dieux protecteurs veillent :
Apollon, avec une lyre, sur un griffon; Diane sur un cerf.
Ph. © Brogi - Giraudon - Photeb

ment à cause de la crise générale mais — ce qui est plus grave — à cause de la production des concurrents (C.E.E., Australie, Brésil, République sud-africaine) et du nouveau succès de la fructose de maïs. Les réserves de devises ont fléchi gravement. Les banques occidentales ont exigé un plan très précis de remboursement de la dette échelonné sur 3 ans au lieu des 10 années demandées par les Cubains. Les perturbations météorologiques du début de 1983 ont été au surplus catastrophiques. Malgré le rationnement alimentaire, il a fallu réduire encore ou supprimer les prestations sociales et augmenter les prix. L'appartenance au camp socialiste met, en principe, le pays à l'abri des « turbulences » du monde capitaliste. Cependant, l'intervention militaire américaine à la Grenade (v.), en oct. 1983, qui marqua les limites de la puissance cubaine, et l'incapacité du pays à rembourser une dette pourtant relativement faible, révélèrent la fragilité d'une intégration trop stricte au système militaire et économique soviétique. En conséquence, dès 1984, des changements radicaux intervinrent, parmi lesquels : la création d'une milice populaire, le limogeage de chefs militaires, la création d'un « groupe central » d'économistes. Depuis l'arrivée au pouvoir de M. Gorbatchev en U.R.S.S., Cuba tardait à suivre l'évolution des pays communistes. Elle devait cependant, sous la pression soviétique, mettre un terme, en 1989, à son intervention en Angola (v.).
Criblée de dettes, menacée par la pénurie alimentaire, Cuba connaissait une crise économique grave et avait complètement perdu le soutien de sa jeunesse.

CUBA (crise de, octobre 1962). Crise dans les relations américano-soviétiques survenue à la suite de la découverte, par un avion de reconnaissance américain, le 14 oct. 1962, de l'installation dans l'île de Cuba, par l'U.R.S.S., de rampes de lancement de fusées offensives à portée moyenne dirigées contre les États-Unis. Révélant ce fait le 22 oct., le président Kennedy décida la mise en « quarantaine » de Cuba et ordonna des préparatifs pour un débarquement dans l'île. Dès le 25, Khrouchtchev amorça une reculade, et, le 28, il accepta de retirer ses fusées, sous le contrôle de l'O.N.U., contre un engagement américain de ne pas envahir Cuba. Cette crise mit fin aux menaçantes démonstrations de force auxquelles s'était complu Khrouchtchev depuis les premiers succès spatiaux soviétiques, en 1957. Elle porta un grave coup au prestige du dirigeant soviétique, qui, accusé par les Chinois d'avoir cédé successivement à l'« aventurisme » puis au « défaitisme », devait être renversé deux ans plus tard.

CÚCUTA. Ville de Colombie. Le **congrès de Cúcuta** donna une Constitution républicaine à la Grande-Colombie et nomma Bolivar président de la République (30 août 1821).

CUCUTENI. Principale station néolithique de Roumanie, près de Iasi. Ses habitants étaient protégés, à certains endroits, par un rempart de pierre doublé d'un fossé. Des fouilles ont permis d'y retrouver des statuettes féminines en terre cuite et de beaux vases polychromes, ornés de motifs en spirales (IVᵉ/IIIᵉ millénaire).

CUGNOT Nicolas Joseph (* Void, Meuse, 25.IX.1725, † Paris, 2.X.1804). Ingénieur français du génie militaire. Il servit d'abord dans les armées de l'impératrice Marie-Thérèse, vint à Paris en 1763 et construisit en 1770 le premier véhicule automobile à vapeur. En 1771, il en donna un second modèle, plus grand, appelé le «fardier de Cugnot». Louis XV lui fit donner une pension. Voir AUTOMOBILE.

CUIRASSE. Partie de l'armure (v.) qui protège le buste, la cuirasse fut en usage dès les temps les plus anciens. On mentionne souvent des cuirasses dans la Bible; les Perses, les Grecs, les Romains en portaient également. La cuirasse romaine *(thorax* ou *pectorale)* fut d'abord de cuir puis se composa de lames de fer rangées horizontalement; Varron attribuait aux Gaulois l'invention des cuirasses en métal plein. Ignorée des Germains et des Francs, délaissée pour la cotte de mailles dans le haut Moyen Age, la cuirasse prévalut au XIVᵉ s. Abandonnée par l'infanterie à l'époque de Louis XIII, elle resta en usage dans certains corps de cavalerie lourde jusqu'à la Première Guerre mondiale.

CUIRASSÉ. Navire de bataille de fort tonnage, puissamment armé et protégé par un revêtement métallique. C'est la France qui lança, le 24 novembre 1859, le premier cuirassé, la *Gloire.* Ce navire, œuvre de Dupuy de Lôme, déplaçait 5 617 tonnes, mesurait 78 m x 16 m, était armé de trente-six canons et filait 13,5 nœuds; sa protection était assurée par un blindage de 110 mm jusqu'à 5,40 m au-dessus de la ligne de flottaison. A l'imitation des Français les Britanniques commandèrent leur premier cuirassé, le *Warrior,* qui fut lancé en 1861. De 1858 à 1865, la France mit en chantier dix-huit frégates cuirassées, de plus en plus perfectionnées. En 1868, elle possédait vingt-six cuirassés; l'Angleterre, trente-six. Durant la guerre de Sécession (v.), le 9 mars 1862, dans l'estuaire du fleuve Élisabeth, en Virginie, eut lieu le premier combat entre navires cuirassés, le *Monitor* (nordiste) et le *Merrimack* (sudiste); cette rencontre resta indécise, mais marqua une date capitale dans l'histoire de la guerre navale. Jusqu'à la fin du XIXᵉ s., on estima que le cuirassé pouvait combattre non seulement par ses pièces d'artillerie, mais aussi par son éperon : c'est ainsi que l'amiral autrichien Tegetthoff avait remporté, en 1866, sur les Italiens la victoire de Lissa.
En 1906, la Royal Navy mit en service le *Dreadnought,* navire de 21 845 t, filant 21 nœuds avec ses quatre hélices, armé de dix canons de 305 en cinq tourelles doubles et de vingt-quatre petits canons pour la défense contre les torpilleurs. Le *Dreadnought,*

conçu par l'amiral Fisher en tenant compte des enseignements de la guerre russo-japonaise (v.), resta le type du cuirassé moderne. Au début de la Première Guerre mondiale, la France possédait sept «dreadnoughts» de 23 500 t, l'Angleterre trente et un dreadnoughts, l'Allemagne vingt, l'Autriche-Hongrie quatre, l'Italie six. Les dreadnoughts britanniques de la classe *Queen Elisabeth* (1915/16) étaient, avec leurs 33 000 t, les plus gros navires de guerre construits jusqu'alors. Les cuirassés, qui avaient affirmé leur supériorité à la bataille du Jutland (1916), restèrent le noyau de toutes les grandes marines jusqu'au second conflit mondial. Leur blindage, le nombre, le calibre et la portée de leur pièces d'artillerie, leur vitesse relative les rendaient pratiquement invincibles. En 1939, la marine française pouvait s'enorgueillir de ses cuirassés de la classe *Dunkerque* (1936, 26 500 t, 30 nœuds, huit canons de 330 mm) et avait en achèvement le *Richelieu* et le *Jean-Bart,* de 35 000 t, avec huit pièces de 380 mm. Dans la Royal Navy, les cuirassés de la classe *King George V* (1940/42) déplaçaient 44 460 t, à une vitesse de 28 nœuds, et ils étaient armés de dix pièces de 350 mm. La Kriegsmarine possédait deux cuirassés du type *Scharnhorst* (38 000 t) et deux de la classe *Bismarck* (52 600 t). Les plus grands cuirassés jamais construits furent lancés en 1941/42 par les Japonais : le *Yamato* et le *Musashi,* armés de neuf pièces de 450 mm, déplaçaient 72 000 t à une vitesse de 27 nœuds. Mais les batailles de la guerre du Pacifique démontrèrent que le cuirassé était déjà supplanté par le porte-avions (v.). Depuis 1945, aucune nation n'a mis en chantier de nouveau cuirassé, et ce type de navire a peu à peu disparu des grandes marines de guerre.

CUIRASSIERS. La cuirasse (v.), d'abord portée par toutes les unités de grosse cavalerie française, fut peu à peu abandonnée mais subsista dans le régiment de *Royal-Cuirassier,* créé en 1665 et maintenu lors de la réorganisation de 1791. Trois autres régiments de cuirassiers furent créés en 1802, puis neuf en 1804. Deux régiments de cuirassiers firent partie de la garde royale sous la Restauration et de la garde impériale sous le second Empire. Les cuirassiers français, qui s'étaient distingués à Essling (1809), à Waterloo (1815), à Reichshoffen (1870), étaient les derniers en 1914 à porter encore la cuirasse; celle-ci avait été abandonnée au XIXᵉ s. par les corps qui portaient le nom de *cuirassiers* en Allemagne, en Autriche et en Russie.

CUIVRE. Premier métal travaillé par l'homme, le cuivre, d'après les connaissances actuelles, aurait fait son apparition en Iran vers −5000/−4500. On utilisa d'abord, en le martelant, le cuivre à l'état natif; il faut attendre le IVᵉ millénaire pour trouver des objets en métal fondu, c'est-à-dire une véritable métallurgie, laquelle exigeait diverses découvertes : four, soufflet pour atteindre la

CUIRASSIERS
Trompette. Quartier de la Part-Dieu, Lyon.
Ph. © E.C.P. Armées - Photeb

température de 1 200 ° nécessaire à la fusion, creuset, pincettes, tout l'outillage compliqué de la fonderie et de la forge. Dans l'Égypte du IVe millénaire, les objets de cuivre se multiplient au fur et à mesure qu'on avance dans la série des civilisations prédynastiques : perles de cuivre à Badari; pointes, ciseaux, anneaux, pointes de flèches à Nagada; haches, lames de poignard, couteaux à Gerzeh, au début du IIIe millénaire. En Mésopotamie, le cuivre fit son apparition à Tell-Halaf (v.) (vers 3750/3500); de la civilisation d'Ourouk (v.) datent les premiers essais de métallurgie et les premiers alliages du cuivre au plomb. Le cuivre se répandit de l'Orient vers les Cyclades (v.) et la Crète (v.) (début du IIIe millénaire). La diffusion vers l'Europe occidentale se fit par la voie maritime, mais également par la voie terrestre. Vers 2500, la civilisation du Kouban (v.), avec ses haches, ses herminettes, ses poignards de cuivre, joua un rôle important de relais. Le peuple cordé (v.) et le peuple campaniforme (v.) contribuèrent également à initier au métal l'Europe néolithique. A l'extrême fin de ce IIIe millénaire et au début du IIe millénaire, le cuivre apparut en Italie du Sud et en Espagne, dans la région cuprifère d'Almeria, d'où allait se produire un mouvement de retour du cuivre vers l'Italie du Nord et, par le Brenner, vers l'Europe centrale. Au IIe millénaire, le cuivre fut désormais utilisé sous la forme de son alliage avec l'étain : le bronze.

L'époque intermédiaire entre le néolithique (v.) et l'âge du bronze (v.) est souvent appelée «chalcolithique» (v.), c'est-à-dire âge du cuivre, mais cette expression est assez inexacte, car le métal était encore très répandu et les premiers utilisateurs des objets de cuivre continuaient à pratiquer l'industrie de la pierre, laquelle atteignit son apogée dans l'Europe du IIIe millénaire; on voit alors les haches de combat en pierre «imiter jusque dans leur détail les prototypes de cuivre de la première métallurgie caucasienne, balkano-anatolienne, centre-européenne ou méditerranéenne» (Gérard Baillond, dans *La Préhistoire*, par A. Leroi-Gourhan et divers, P.U.F., 1968, p. 334). La Chine a découvert le cuivre vers − 2500, mais c'est seulement aux IIe/IIIe siècles de notre ère que les Indiens d'Amérique du Nord commencèrent à exploiter les vastes gisements de cuivre natif qui s'étendent sur les rives des Grands Lacs.

● Le cuivre a perdu de son importance dans la vie quotidienne au Moyen Âge et à l'époque classique. Encore était-il largement employé pour la production du bronze et pour la fabrication des ustensiles de cuisine ou des instruments de musique. Sa parfaite conductibilité l'a lié ensuite à tous les progrès de l'électricité et de l'électronique (50 % des emplois), de la construction mécanique (20 %), des transports (10 %) et du bâtiment (15 %), sous forme de câbles, de fils, de tubes, etc. Ses sels ont été utilisés en verrerie, en céramique. La bouillie cuprique protège le vignoble. Malgré la concurrence de l'alumi-

nium, des fibres de verre, des matières plastiques, on extrait un peu plus de 8 millions de tonnes de cuivre par an dans le monde, alors que de la Préhistoire au XIXe siècle la consommation est évaluée à moins d'un million de tonnes. Deux groupes de pays se partageaient, en 1987, les 2/3 de cette production : les États-Unis (15,1 %), l'U.R.S.S. (12,2 %), le Canada (8,5 %) pour qui l'extraction reste d'une importance économique secondaire, et les pays du tiers monde pour lesquels il est un atout primordial : la Zambie, où il représente 81 % des exportations, le Chili (premier producteur mondial en 1987, avec près de 17 % de la production), le Zaïre (environ 10 % du PNB).

Il appartient ainsi à l'histoire économique mais aussi politique de ces pays. Les grandes compagnies d'origine américaine, Kennecott, Anaconda, se développèrent au Chili pendant la guerre de 1914-1918 et le gouvernement ne commença à s'en libérer progressivement qu'à partir de 1953. Le démocrate-chrétien E. Frei (v.) activa ce processus, de 1964 à 1970, en rachetant la majorité des actions des compagnies minières. Le 11 juill. 1971, sous l'impulsion du socialiste Salvador Allende (v.), le Congrès approuva à l'unanimité la nationalisation du cuivre. Le gouvernement militaire du général Pinochet en maintint le principe dans la Constitution de 1980. La Zambie (v.) exploite de façon onéreuse les mines les plus mouillées et les plus profondes du monde; elle souffre considérablement de la marche en grandes dents de scie du cours du cuivre, tel que le définit le London Metal Exchange. Nationalisé le 1er janv. 1970, le cuivre a fait les beaux lendemains de l'indépendance avant d'accabler le gouvernement de difficultés.

CUJAVIE. Ancienne région de la Pologne, qui s'étendait de part et d'autre de la Vistule. Après la mort du roi de Pologne Casimir II (1194), elle fit partie de la principauté de Mazovie, érigée en faveur de Conrad, fils de Casimir; en 1526, elle revint avec la Mazovie à la couronne de Pologne.

CUJUS REGIO, EJUS RELIGIO, c'est-à-dire *la religion d'un pays est celle du prince de ce pays*. Formule par laquelle on a résumé les décisions essentielles de la diète d'Augsbourg (1555) établissant la paix religieuse dans l'Empire, et selon lesquelles les princes luthériens auraient la liberté de leur culte, les sujets devant embrasser la religion du prince.

CULLODEN. Village d'Écosse, au N.-E. d'Inverness. Le duc de Cumberland y remporta, le 16 avr. 1746, une victoire décisive sur le prétendant Charles-Édouard Stuart. Voir JACOBITES.

CULTE IMPÉRIAL. Le culte des empereurs romains se répandit d'abord dans les régions orientales de l'Empire. Il a certainement ses origines dans le culte des monarques qui, pratiqué depuis la plus haute antiquité en

CULTE IMPÉRIAL
Détail du « Grand Camée d'Auguste », (v. 20).
Au centre : Tibère.
(Cabinet des Médailles.)
Ph. © Archives Photeb

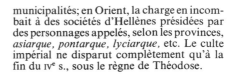

Égypte, se confondit, à l'époque hellénistique, avec le culte également très ancien, d'origine grecque, du « héros », du « fondateur ». Après la mort d'Alexandre, le Conquérant fut considéré comme un dieu et devint l'objet d'un culte, particulièrement à Alexandrie. Les souverains lagides et séleucides furent à leur tour divinisés; un culte royal officiel s'organisa en Égypte comme en Syrie. Dans l'Empire romain, le culte impérial allait être avant tout une manifestation de loyalisme envers Rome et, en même temps, un agent d'unification rassemblant dans une croyance commune, de signification hautement politique, des peuples séparés jusqu'alors par leurs particularités nationales et religieuses. Le culte impérial commença dès le règne d'Auguste. En 27 av. J.-C., Octave adopta le titre d'*augustus*, intermédiaire entre l'humanité et la divinité « et rattaché à l'institution vénérable de l'augurat et des auspices » (v. J. Beaujeu, *La Religion romaine à l'apogée de l'Empire*, I, Belles-Lettres édit.). « A tous ceux qui, en Occident et en Orient, guettaient avec une fiévreuse impatience ou prophétiquement avec confiance, comme Virgile, l'avènement d'un nouvel Age d'or et le retour de la Justice, l'empereur s'imposa hardiment comme le nouveau Romulus, chargé par le Destin de fonder la nouvelle Rome, comme le messie apollinien promis par la Sibylle et venu sur la terre pour ramener la paix et le bonheur, pour régénérer le monde menacé de destruction. » *(Id.)*. Des autels et des temples furent élevés à Éphèse, à Nicée, à Pergame, à Lyon, etc. Si les provinciaux vénéraient la déesse Rome et, de son vivant même, Auguste comme fils de Dieu, à Rome on ne vénérait que l'inspiration divine, le « génie » du prince *(genius principis)*. Après la mort d'Auguste (14 de notre ère), Tibère demanda pour son prédécesseur un culte divin *(honores coelestes)*. Par l'apothéose (v.), le sénat pouvait désormais ranger l'empereur défunt au nombre des dieux. Tibère se montra pour lui-même hostile à toute divinisation, mais Caligula accepta un temple de son vivant, se considéra comme un dieu vivant *(Néos Hélios)* et se fit représenter sur les monnaies d'Égypte avec la couronne radiée; hostile à ces excès, Claude se laissa cependant saluer de son vivant comme *deus noster Caesar*. Le culte impérial fit des progrès sous les Flaviens, sous Hadrien, et surtout, au IIIᵉ s., sous Aurélien, qui prit le titre de *Deus*. Dioclétien imposa le rite de *l'adoratio :* désormais, on s'agenouilla religieusement devant l'empereur; les dignitaires, les ambassadeurs, les membres du Conseil du prince étaient astreints régulièrement à ce rite religieux; tout ce qui touchait à la personne de l'empereur participait à son caractère sacré. A Rome, le culte était rendu aux empereurs par des prêtres d'origine patricienne, les *sodales :* sodales augustales, flaviales, antoniniani, hadriani, etc. Dans les provinces, il y avait des cultes municipaux et un culte provincial, présidé par un grand prêtre que choisissaient chaque année les délégués des municipalités; en Orient, la charge en incombait à des sociétés d'Hellènes présidées par des personnages appelés, selon les provinces, *asiarque, pontarque, lyciarque*, etc. Le culte impérial ne disparut complètement qu'à la fin du IVᵉ s., sous le règne de Théodose.

CULTUELLES (associations). Groupements prévus par l'article 4 de la loi française du 9 déc. 1905 sur la séparation des Églises et de l'État (v. SÉPARATION) pour assurer matériellement l'exercice du culte. Ces associations, qui recevaient l'attribution des édifices du culte et des biens ecclésiastiques, devaient être composées en majorité de laïques « selon l'organisation générale du culte », formule assez vague que Briand réussit à imposer à la majorité anticléricale du Parlement, afin de rendre la loi acceptable par l'autorité ecclésiastique. Protestants et israélites constituèrent des associations cultuelles; cependant les catholiques s'y refusèrent. Pie X craignait que ces organismes ne permettent à des laïcs de substituer leur autorité à celle de la hiérarchie. Sans tenir compte des conseils d'un groupe d'intellectuels catholiques qu'on surnomma les « cardinaux verts » (v.), le pape, qui avait rejeté la loi de séparation par l'encyclique *Vehementer* (11 févr. 1906), interdit la formation d'associations cultuelles par l'encyclique *Gravissimo* (10 août 1906). Le statut des biens ecclésiastiques ne fut fixé qu'en 1924, lorsque Pie XI autorisa l'expérience d'*associations diocésaines* (v.).

CUMAE. Voir CUMES.

CUMANS. Voir COUMANS.

CUMBERLAND William Augustus, duc de (* Londres, 15.IV.1721, † Londres, 31. X.1765). Troisième fils de Georges II d'Angleterre, il fut vaincu à Fontenoy (1745) par les Français mais battit à Culloden (1746) le prétendant Charles-Édouard Stuart. De nouveau vaincu par les Français (Lauffeld, 1747; Hastenbeck, 1757), il dut signer la convention de Klosterzeven (1757) et fut disgracié.

CUMES, *Kymê, Cumae.* Ancienne ville d'Italie, en Campanie, à l'O. de Naples. Fondée peu après 750 av. J.-C. par des Grecs de Chalcis et d'Érétrie, elle était l'une des plus anciennes et devint rapidement une des plus puissantes cités de la Grande-Grèce. Dominant toute la région des champs Phlégréens, elle fut à l'origine de la fondation de Néapolis (Naples) et de Messine. Elle joua un rôle capital dans la transmission de la civilisation grecque aux Étrusques et, par eux, aux Romains.
Cumes était le séjour de la plus connue des sibylles, avec celle de Delphes; selon la légende, cette sibylle aurait conduit Énée aux Enfers et aurait vendu à Tarquin les *Livres sibyllins* (v.). Sur l'acropole de Cumes, on montre encore l'antre de cette prophétesse. Sous le tyran Aristodème,

CUMBERLAND
William Augustus, duc de C.
Chef militaire britannique
(1721-1765). (National Portrait
Gallery, Londres.)
Ph. © du musée - Photeb

CUNÉIFORME
Plaque en or provenant des fondations de l'apadana (grande salle du palais)
de Persépolis. (Musée archéol., Téhéran.) Époque de Darius Iᵉʳ,
fin du VIᵉ s. av. J.-C. Longueur 32,9 cm. Largeur 32,5 cm. Poids : 5 kg.
Ce document de fondation était contenu dans un coffret de pierre;
une plaque d'argent l'accompagnait. Il est écrit en caractères cunéiformes :
vieux perse (10 lignes du haut), babylonien (7 lignes du centre)
et élamite (8 lignes du bas). « Darius, le Grand Roi, le Roi des Rois,
le Roi des Pays, le Fils de Vishtaspe l'Achéménide, le Roi Darius dit :
''Ceci est le royaume que je possède depuis le pays des Sakas,
qui sont de ce côté de la Sogdiane jusqu'à Kush, depuis l'Inde jusqu'à Sardes.
Voici ce que Ahura Mazda m'a accordé, lui qui est le plus grand des Dieux.
Que Ahura Mazda me protège ainsi que ma Maison''. »
Ph. Luc Joubert © Photeb

Cumes atteignit son apogée; en 524, elle repoussa une première attaque des Étrusques, sur lesquels elle remporta encore, avec l'aide de Syracuse, une importante bataille navale, en 474. Submergée cependant par les Samnites à la fin du Vᵉ s., elle passa sous l'influence romaine en 338 av. J.-C. Elle ne cessa plus, dès lors, de décliner, mais ne disparut définitivement qu'au début du XIIIᵉ s.

CUNARD sir Samuel (* Halifax, Nouvelle-Écosse, 21.XI.1787, † Londres, 28.IV. 1865). Armateur anglo-canadien. Il fonda en 1840, grâce à une subvention anglaise, les premiers services à vapeur transatlantiques réguliers entre Boston, New York et Liverpool. La fameuse **Compagnie Cunard** resta jusque dans les années 1880 la première du monde; elle a lancé de célèbres paquebots tels que le *Scotia* (1862), le *Lusitania* (1903), le *Queen Mary* (1935); elle fusionna en 1934 avec sa grande rivale, la White Star Line.

CUNAXA. Voir Counaxa.

CUNÉGONDE sainte (* vers 978, † Kaufungen, près de Kassel, 3.III.1039). Impératrice allemande. Fille de Siegfried de Lützelburg, comte de Luxembourg, elle épousa st. Henri II, vécut avec lui dans une continence absolue et s'adonna avec son mari aux bonnes œuvres tout en participant aux grandes affaires de l'État. Elle fonda le monastère de Bamberg et celui de Kaufungen, où elle se retira après être devenue veuve.

CUNÉIFORME (écriture). Écriture employée dans l'Antiquité en Mésopotamie et par plusieurs peuples voisins de cette région. Elle doit son nom, qui lui fut donné vers 1700 par le voyageur allemand Engelbert Kämpfer, à son apparence de clous (en latin *cuneus*) et de coins due à l'empreinte laissée par le stylet des scribes dans l'argile encore fraîche des tablettes.

Trois mille ans d'évolution

Au moins aussi ancienne que les hiéroglyphes (v.) égyptiens, l'écriture cunéiforme remonte au IVᵉ millénaire et fut inventée ou apportée dans le S. de la Mésopotamie par les Sumériens (v.). Ses plus anciens vestiges ont été découverts à Ourouk (v.). A l'origine, les cunéiformes étaient des pictogrammes, c'est-à-dire des signes reproduisant schématiquement mais concrètement, comme les hiéroglyphes, des objets matériels; par un processus d'abstraction, dériva de ces pictogrammes une écriture idéographique, où les signes représentaient non seulement des objets mais simultanément des idées. Dès le IIIᵉ millénaire commença une nouvelle étape, celle de la phonétisation : à côté des idéogrammes apparurent des signes phonétiques (représentant un son), d'abord peu nombreux; les mêmes signes pouvaient servir comme idéogrammes et comme phonogrammes. Tandis que l'écriture continuait à se styliser, au point de se réduire, dans le ninivite (VIIᵉ s. av. J.-C.), à des « coins » et à des signes angulaires, les idéogrammes devinrent de plus en plus rares. Survivances, ils ne disparurent cependant jamais tout à fait ; l'écriture cunéiforme n'est pas allée jusqu'au terme de la phonétisation.

Les cunéiformes restèrent en usage pendant plus de trois millénaires, jusque vers le début de notre ère. A la différence des écritures égyptiennes, qui ne servirent à transcrire qu'une seule langue, les cunéiformes furent adoptés par les peuples de races diverses qui se succédèrent en Mésopotamie et dans l'ancien Orient, par les Akkadiens (v.) sémites (milieu du IIIᵉ millénaire), par les Élamites (v.), par les Hourrites (v.) et les Hittites (v.) indo-européens, par le peuple de l'Ourartou (v.), par les Iraniens (vieux perse). Cette adoption du système d'écriture sumérien par des peuples qui parlaient des langues très différentes ne se fit pas sans des complications considérables. Dans l'akkadien, par exemple — langue qui devait régner internationalement en Orient pendant plus de deux mille ans —, les signes empruntés au sumérien conservaient, comme idéogrammes, leur valeur objective, mais ils correspondaient désormais à des mots akkadiens, tout différents des mots sumériens ; en revanche, comme signes phonétiques, ils gardaient la valeur (ou les valeurs) sonore qu'ils avaient en sumérien. Alors que l'alphabet phénicien était en usage dès le XIIIᵉ s. av. J.-C., alors que toutes les autres langues sémitiques employaient des systèmes limités à une trentaine de signes au maximum, le répertoire « classique » de l'akkadien comportait quelque 600 caractères correspondant à des mots ou à des syllabes. Mais le système cunéiforme avait pour lui des titres religieux (le sumérien était resté langue liturgique dans la civilisation assyro-babylonienne), des titres littéraires et juridiques (Code d'Hammourabi, bibliothèque d'Assourbanipal), et il était jalousement conservé par une caste de scribes qui trouvait sa raison d'être dans le déchiffrement d'une écriture ésotérique.

Le déchiffrement des cunéiformes

Des spécimens d'écriture cunéiforme furent recopiés et amenés en Europe dès le XVIIᵉ s. : il s'agissait de textes d'inscriptions iraniennes du VIᵉ/Vᵉ s. avant notre ère, rédigées en trois langues qu'on reconnut par la suite être du vieux perse, de l'élamite et du babylonien. Partant de l'hypothèse que ces inscriptions se rapportaient aux rois achéménides (v.) et que le premier texte devait être du vieux perse, reconnaissable par la langue de l'Avesta et par le sanskrit, Georg Friedrich Grotefend (v.), professeur à Göttingen, réussit en 1802 à isoler les noms propres de trois souverains (Darius, Xerxès, Hystaspe) et à découvrir ainsi la valeur phonétique d'une dizaine de signes cunéiformes. En 1846, l'officier anglais Rawlinson publia une nouvelle inscription trilingue, celle de Béhistoun (v.),

et il réussit à déchiffrer le texte en vieux perse. La version en élamite, qui comptait une centaine de signes différents et paraissait écrite selon un système syllabique, fut déchiffrée ensuite, à partir du vieux perse, par l'Anglais E. Norris. La dernière étape, la plus importante, fut l'élucidation de l'écriture babylonienne : ce fut, au début des années 1850, l'œuvre de savants de divers pays, les Anglais Rawlinson et Hincks, le Suédois Loewenstern, les Français Jules Oppert et Félicien de Saulcy. L'originalité du sumérien ne fut établie qu'en 1905, grâce aux travaux de Friedrich Delitzsch et de François Thureau-Dangin.

CUNEO. Voir Coni.

CUNHA Tristão da (* Lisbonne, vers 1460, † en mer, vers 1540). Navigateur portugais. Compagnon d'Albuquerque, il découvrit dans l'Atlantique central l'archipel qui porte son nom (1506), visita Madagascar, le Mozambique, Zanzibar et Socotra. Il se distingua à Ormuz ainsi que dans la conquête des Indes.

CUNNINGHAM Andrew Browne, 1ᵉʳ **vicomte Cunningham of Hyndhope** (* Dublin, 7.I.1883, † Londres, 12.VI.1963). Amiral anglais. Commandant en chef de la flotte de la Méditerranée en 1939, il remporta sur les Italiens la victoire du cap Matapan (28 mars 1941), puis dirigea la difficile évacuation de la Crète. Il assura le commandement des forces navales alliées lors du débarquement en Afrique du Nord (1942). Amiral de la flotte (1943), premier lord de la mer et chef d'état-major naval (1943/46). Haut-commissaire britannique pour la Palestine et la Transjordanie (1945/48), il dirigea l'évacuation des troupes anglaises de cette région (1948). On a pu dire qu'il était le plus grand amiral anglais depuis Nelson.

CUNO Wilhelm (* Suhl, Thuringe, 2.VII. 1876, † Aumühle, près de Hambourg, 3.I. 1933). Homme politique allemand. Président de la Hamburg-Amerika-Linie (1918/ 22, 1926/33), adversaire du traité de Versailles, il succéda en nov. 1922 au chancelier Wirth à la tête d'un gouvernement conservateur et organisa la « résistance passive » contre les Français qui occupèrent la Ruhr en janv. 1923. Il dut démissionner en août 1923, à la suite des difficultés financières dues à l'inflation.

CURAÇAO. Île des Antilles néerlandaises ; capitale *Willemstad*. Découverte en 1499 par l'Espagnol Alonso de Ojeda, elle fut occupée par les Hollandais en 1634 ; les Anglais s'en rendirent maîtres en 1798 et de 1807 à 1814. A partir de 1918, Curaçao a connu un grand essor économique en devenant le principal centre de raffinerie du pétrole vénézuélien.

CURATEURS, *curatores*. Dans la Rome antique, fonctionnaires créés au début du

CUNNINGHAM
Andrew Browne. Amiral anglais (1883-1963).
Ph. © The Mansell Collection

CUNO
Wilhelm. Homme politique allemand (1876-1933).
Ph. © Bildarchiv Preussischer Kulturbesitz

Principat et choisis parmi les sénateurs pour s'occuper soit des travaux publics et de l'entretien des monuments publics *(curatores aedium sacrarum et operum locorumque publicorum)*, soit du ravitaillement de Rome en aliments *(curatores frumenti)* ou en eau *(curatores aquarum)*, soit de la lutte contre les inondations, soit de l'entretien des routes *(curatores viarum)*, soit — à partir d'Hadrien — de l'administration générale de Rome *(curatores regionum)*.

Au IIe s., Domitien créa des *curatores reipublicae* ou *civitatis,* appelés *logistai* dans l'Orient grec; d'abord envoyés extraordinaires chargés de contrôler les dépenses des villes mal gérées, ils devinrent dès le début du IIIe s. des fonctionnaires permanents, tuteurs des municipalités. Sous le Bas-Empire, le *curator civitatis* était le premier magistrat de la ville, non plus nommé par l'empereur mais élu, comme les autres magistrats, par le sénat municipal; chef de l'administration urbaine, il répondait sur ses biens personnels de la gestion municipale et du recouvrement des impôts. Généralement, ce curateur commettait beaucoup d'injustices et d'exactions.

CURIA REGIS. Terme latin désignant la *Cour du roi,* organe unique du gouvernement monarchique jusqu'aux XIIIe/XIVe s. Dès le début de la monarchie capétienne, le roi, qui était encore, en fait, un seigneur féodal, prit l'habitude, dans toutes les affaires importantes, de consulter un conseil composé de ses grands vassaux laïcs et ecclésiastiques. Ce conseil, qui continuait la tradition des plaids (v.) carolingiens, était une véritable cour féodale, analogue à celles que les autres suzerains réunissaient dans leurs seigneuries. Composée sans règle fixe — le roi y convoquait qui il voulait —, elle s'assemblait d'ordinaire aux grandes fêtes religieuses, à Pâques, à la Toussaint, dans la ville où le roi séjournait à ce moment. La *Curia regis* n'avait pas de compétences définies et ses attributions étaient aussi larges qu'imprécises. Dans le haut Moyen Age, le roi ne prenait aucune décision politique importante (déclaration de guerre, conclusion de la paix, départ pour la croisade, expédition contre un vassal rebelle, etc.) sans solliciter le conseil de ses vassaux. Sans doute la *Curia regis* n'était-elle que consultative et la décision appartint toujours au roi seul; mais, jusqu'au XIIIe s., le pouvoir royal n'avait guère le moyen de s'imposer aux plus puissants vassaux et devait user de ménagements à leur endroit. Au temps de Louis IX, la *Curia regis* conservait encore un rôle politique important : le roi convoquait régulièrement seigneurs laïcs et ecclésiastiques, et recherchait leur accord pour gouverner.

La Cour du roi s'occupait aussi d'affaires administratives et financières; les prévôts y rendaient compte de leur gestion, y répondaient des plaintes déposées contre eux. Enfin la Cour était l'organe normal de la justice du roi. A l'intérieur du domaine royal, elle jugeait les différends opposant un baron

au roi, ou deux vassaux entre eux. Beaucoup plus réduite était sa juridiction sur le reste du royaume; les feudataires ecclésiastiques y faisaient volontiers appel, alors que les feudataires laïques préféraient régler leurs conflits eux-mêmes, par les armes. A l'intérieur des grands fiefs, le roi, limité par le principa de l'autonomie féodale, ne pouvait pratiquement pas intervenir.

Cette situation changea rapidement à partir du XIIIe s. du fait de l'extension du domaine royal et de la réapparition des principes du droit romain. Sous le règne de Louis IX, la *Curia regis* vit affluer vers elle des appels de jugements rendus par les seigneurs, lesquels résistaient vainement à cette évolution : le principe s'affirmait peu à peu que, toute justice étant rendue en fief du roi, la Cour du roi pouvait connaître en appel de tout procès jugé par un vassal. La multiplication des affaires techniques devait entraîner des changements dans la composition de la *Curia* : alors que les féodaux n'y paraissaient plus que par intermittence, le travail effectif était assuré de plus en plus par des clercs et des laïcs bourgeois, recrutés d'après leur compétence et leur dévouement au roi, et qui formaient un personnel professionnel d'administrateurs, de financiers et de juges. Cette spécialisation croissante annonçait le prochain démembrement de la Cour du roi : dès l'époque de Louis IX commença à se différencier une section consacrée exclusivement aux affaires judiciaires, le parlement (v.). Au début du XIVe s., la Chambre des comptes (v.) se sépara à son tour. Quant à la partie non spécialisée de la *Curia,* vouée aux problèmes de politique générale et d'administration, elle devint le Conseil du roi (v.).

CURIACES (les). Voir HORACES (les).

CURIALES. Voir DÉCURION.

CURIATES (comices). Voir COMICES.

CURIE, *curia.* L'une des divisions du peuple romain. Il y avait trente curies, dix par tribu. Chaque curie avait à sa tête un prêtre, qui présidait aux sacrifices sous le nom de *curion;* tous les chefs des curies particulières étaient subordonnés au *grand curion,* qui était élu par toutes les curies réunies. On ne convoquait guère les curies que pour l'élection du grand curion, pour les adoptions, les ratifications de certains testaments, etc. On y votait à la majorité des voix individuelles, tandis que, dans les assemblées par centuries, on comptait par centuries (v.), mode qui offrait plus d'avantages aux patriciens. Sous la République, toute l'autorité passa aux comices centuriates et tributes (v. COMICES). Dans toutes les cités de l'Empire romain, la curie ou sénat était l'un des trois organismes du gouvernement municipal (avec les magistrats et l'assemblée du peuple). Elle comprenait généralement une centaine de membres, appelés *décurions* ou *curiales,* choisis tous les cinq ans par des magistrats spéciaux parmi l'aristocratie

CURIE ROMAINE
Partie du palais du Vatican (en haut) où se trouvent les bureaux de la Secrétairerie d'État.
Ph. © C.R.I.C.

urbaine, en fonction de la fortune (v. DÉCU-RION). On nommait également *curies* les édifices où se tenaient les assemblées civiles ou religieuses, en particulier le lieu des réunions du sénat. Il y avait trois curies sénatoriales : l'*Hostilia* (dite ensuite *Julia*), la *Pompeia* et l'*Octavia*.

CURIE ROMAINE. Ensemble des organismes administratifs et judiciaires établis à Rome par l'intermédiaire desquels le pape exerce habituellement le gouvernement de l'Église catholique. La curie est la plus ancienne institution qui ait été conservée, car ses origines remontent au IVe s. A la fin du Moyen Age, elle ne comprenait encore que quatre organismes : la Chambre apostolique (finances), la Chancellerie (lettres pontificales), l'administration judiciaire et la Pénitencerie. Elle ne prit, dans ses grands traits, sa physionomie actuelle qu'après le concile de Trente, alors que le principe centralisateur s'affirmait avec force dans l'Église, comme dans les grands États européens. Désormais, le pape fut assisté par des commissions cardinalices permanentes, chargées de traiter les questions particulières. Par la Constitution *Immensa Aeterni Dei* du 22 janv. 1588, Sixte Quint organisa quinze congrégations de la curie; d'autres congrégations — notamment celle de la Propagande (1622), chargée de l'activité missionnaire — furent encore créées par la suite. Après la Révolution française, la disparition de certaines tendances centrifuges encouragées par les anciennes monarchies chrétiennes (gallicanisme, joséphisme) renforça l'emprise de la curie sur l'Église; ainsi la nomination des évêques (v.), où les souverains avaient autrefois une grande part, dépendit de plus en plus directement de Rome. En outre, jusqu'à l'occupation de Rome par les troupes italiennes (1870), la curie assuma à la fois le gouvernement de l'Église et le gouvernement des États pontificaux (v.).
La curie romaine fut profondément réorganisée par la Constitution *Sapienti consilio* du 29 juin 1908; ce fut l'œuvre capitale de Pie X, de qui l'on a pu dire qu'il a été « le second fondateur de la curie romaine ». Pie X réduisit de vingt à onze le nombre des congrégations de la curie. Mais celle-ci ne fut pas changée dans son esprit; les mesures prises par Pie X renforcèrent plutôt les tendances centralisatrices. Toute l'activité visible de l'Église semblait rayonner de la curie et converger vers elle. Pas une initiative, une réforme, une nomination importante qui ne passât par la curie, et l'on pouvait dire couramment à Rome : « Le pape règne, la curie gouverne. » Au cours du concile Vatican II, cette autorité omniprésente fut attaquée par de nombreux Pères conciliaires. En 1968, Paul VI procéda donc à une nouvelle réorganisation de la curie, en s'inspirant des principes suivants : internationalisation de la curie et collaboration plus étroite avec l'épiscopat résidentiel; suppression de l'inamovibilité des charges; entrée d'évêques diocésains dans chaque congrégation.

La curie comprenait désormais : la Secrétairerie d'État et le Conseil pour les affaires publiques de l'Église, chargés du gouvernement de l'Église; — neuf congrégations : pour la Doctrine de la foi (ex-Saint-Office), pour les Églises orientales, des Évêques (ex-Consistoriale), de la Discipline des sacrements, des Rites, pour le Clergé (ex-congrégation du Concile), des Religieux et des Instituts séculiers (ex-congrégation des Religieux), de l'Enseignement catholique (ex-congrégation des Séminaires et Universités) et pour l'Évangélisation des peuples (ex-congrégation de la Propagande de la foi, v.); — trois secrétariats : pour les non-chrétiens, pour les non-croyants, pour l'union des chrétiens; — trois tribunaux pontificaux : la Sacrée Pénitencerie (v.), la Signature apostolique et la Rote romaine (v.); — six offices : Chancellerie apostolique, Préfecture des questions économiques du Saint-Siège, Chambre apostolique, Administration du patrimoine, Préfecture du Palais apostolique, Office général de la statistique dans l'Église; — enfin le Conseil des laïcs et la Commission pontificale « Justice et Paix ».

CURIO Caius Scribonius († 53 av. J.-C.). Homme politique et général romain. Consul en 76, puis gouverneur de Macédoine (75/73), ami de Cicéron, il s'opposa cependant à celui-ci en 61 en soutenant Clodius. Grand pontife en 57.

Son fils, **Caius Scribonius Curio** († en Afrique, août ou sept. 49 av. J.-C.). Homme politique et général romain. Tribun du peuple (50), d'abord fidèle de Pompée, il fut acheté par César, qui lui donna des troupes avec lesquelles il chassa Caton de Sicile. Mais il fut vaincu en Afrique, sur les bords du Bagradas, par un lieutenant de Juba, et périt au cours de cette bataille.

CURION. Voir CURIE.

CURIOSOLITES. Ancien peuple de la Gaule, dans l'Armorique (Lyonnaise IIIe), dont le pays correspondait au département des Côtes-du-Nord. Voisins des Vénètes, ils furent soumis par les Romains en 57 av. J.-C. On dit aussi *Coriosolites*.

CURIUS, Manius Curius Dentatus (IIIe s. av. J.-C.). Général romain. Célèbre par son désintéressement, il remporta la victoire finale sur les Samnites (290) et battit le roi Pyrrhus à Bénévent (275).

CURRAGH. Camp militaire du comté de Kildare, en Irlande. Créé en 1646, il fut, le 20 mars 1914, le théâtre d'un incident significatif de l'opposition de l'armée britannique aux projets d'indépendance irlandaise : craignant d'être employés pour briser de force la résistance des protestants irlandais qui voulaient le maintien de l'union avec l'Angleterre, le général Hubert Gough et tous les

CURIOSOLITES
Monnaie de ce peuple gaulois.
(Cabinet des Médailles.)
Ph. © Bibl. Nat., Paris - Photeb

officiers de sa brigade de cavalerie remirent spectaculairement leur démission.

CURSUS HONORUM. Nom donné à Rome à la *carrière des honneurs,* c'est-à-dire à l'ordre suivant lequel on pouvait exercer les magistratures et qui avait été fixé en 180 av. J.-C. par la *lex Villia annalis.* On passait successivement par la questure, l'édilité curule, la préture et le consulat (v. ces mots). Deux ans d'intervalle étaient requis entre deux magistratures consécutives. Jusqu'à la fin du IIe s. av. J.-C., on ne pouvait être élu questeur avant vingt-huit ans, édile avant trente et un ans, préteur avant trente-quatre ans, consul avant trente-sept ans. Personne ne pouvait devenir consul sans avoir occupé les magistratures inférieures. Mais on constate plusieurs dérogations : Scipion l'Africain fut élu consul à moins de trente ans, Scipion Émilien devint consul sans avoir été préteur ni édile; des consuls furent maintenus dans leur charge plusieurs années sans intervalle, comme Marius qui, après avoir été sept fois consul, fut encore réélu pendant son absence. Sylla essaya de restaurer et de rendre encore plus sévère qu'à l'origine le *cursus honorum.* L'âge minimal requis pour la questure fut de trente et un ans; pour l'édilité, de trente-sept ans; pour la préture, de quarante ans; pour le consulat, de quarante-trois ans. Ces prescriptions ne furent pas mieux respectées que les précédentes : Pompée fut élu consul à trente-six ans.

CURTIUS (lac de). Dépression comblée qui se trouvait au forum de Rome. Deux traditions expliquaient son origine : *a)* un gouffre s'était ouvert en ce lieu (en 362 av. J.-C.) et les prêtres, y voyant un présage de la ruine de la cité, déclarèrent qu'il ne se fermerait que si un citoyen s'y précipitait volontairement, ce que fit le brave Marcus Curtius; *b)* en ce lieu, où se trouvait un marécage, le Sabin Metius Curtius, poursuivi par Romulus, se serait noyé.

CURULE. Voir CHAISE CURULE.

CURZOLA, *Korcula.* Île de la Dalmatie. Colonie de Cnide, après avoir peut-être été occupée par les Phéniciens, nommée par les Grecs *Kerkyra,* elle passa vers l'an 1000 aux Vénitiens, qui y vainquirent en 1298 les Génois au cours d'une bataille navale où Marco Polo fut fait prisonnier. En 1571, elle opposa une héroïque résistance aux Turcs. Rattachée à la Yougoslavie après la Première Guerre mondiale.

CURZON OF KEDLESTON, George Nathaniel, 1er **marquis** (* Kedleston, Derbyshire, 11.I.1859, † Londres, 20.III.1925). Homme politique anglais. Député conservateur aux Communes (1886), vice-roi des Indes de 1899 à 1905, il eut à lutter contre la pénétration russe en Asie centrale et étendit l'influence britannique au Tibet (1903/04). Membre des cabinets de guerre d'Asquith et de Lloyd George, ministre des Affaires étrangères (1919/24), il proposa en déc. 1919, comme frontière orientale de la Pologne, la « ligne Curzon » (v.). Il essaya vainement d'empêcher l'invasion de la Turquie par les Grecs et fut le principal artisan du traité de Lausanne (1923). Vivement opposé à Poincaré, il condamna l'occupation de la Ruhr par la France et contribua à l'élaboration du plan Dawes pour le redressement financier et économique de l'Allemagne.

CURZON (ligne). En déc. 1919, à la conférence des ambassadeurs alliés, lord Curzon, secrétaire au Foreign Office (v. article précédent), proposa comme frontière orientale du nouvel État polonais une ligne passant par Suwalki, Grodno, Brest-Litovsk, le cours moyen du Bug et à l'E. de Przemysl. A la suite des succès polonais dans la guerre contre les Soviétiques (août 1920), la frontière fut reportée de 150 à 200 km plus à l'E. Mais la frontière qui a été imposée par l'U.R.S.S. à la Pologne en 1945 suit approximativement la ligne Curzon.

CUSHING Caleb (* Salisbury, Massachusetts, 17.I.1800, † Newbury, Massachusetts, 2.I.1879). Homme politique et diplomate américain. Commissaire en Chine, il signa le traité sino-américain de Wanghia (1844), qui inaugurait le système des concessions en plaçant les citoyens américains établis en Chine sous la juridiction de leurs consuls ou de tribunaux mixtes. Attorney général des États-Unis (1853/57).

CUSTER George Armstrong (* New Rumley, Ohio, 1839, † Little Bighorn, 25. VI.1876). Général américain. Il révéla sa valeur dans le camp nordiste durant la guerre de Sécession; ses opérations contre les Sioux furent beaucoup plus contestées. Il tomba avec 200 hommes au combat de Little Bighorn contre les Indiens.

CUSTINE Adam Philippe, comte de (* Metz, 4.II.1740, † Paris, 27.VIII.1793). Général français. Il se distingua durant la guerre de Sept Ans et la guerre de l'Indépendance américaine (notamment à Yorktown). Député de la noblesse lorraine aux États généraux, il se rallia à la Révolution. Commandant de l'armée du Rhin (1792/93), il s'empara de Spire, Mayence et Francfort; mais battu par les Prussiens près d'Hochheim (1793) et accusé d'avoir mal défendu Mayence, il fut rappelé à Paris, condamné à mort et exécuté.

Sa femme (depuis 1787), née **Éléonore Marie de Sabran** (* Paris, 1770, † Bex, Suisse, 1826), montra un dévouement admirable pendant sa détention et fut, elle aussi, arrêtée. Elle eut de nombreuses passions, notamment pour Chateaubriand.

CUSTOZZA. Hameau d'Italie, dépendant de Sommacampagna (province de Vérone). Durant les guerres du Risorgimento (v.), les

CURZON OF KEDLESTON
George Nathaniel, 1er marquis.
Homme politique anglais
(1859-1925). (National Portrait
Gallery, Londres.)
Ph. © du musée - Photeb

CUSTER
George Armstrong. Général américain (1839-1876).

Autrichiens y battirent à deux reprises les Italiens :

a) La *première bataille de Custozza (24/25 juill. 1848)* vit la défaite du roi de Sardaigne Charles-Albert par l'armée autrichienne, deux fois supérieure en nombre, que commandait Radetzky. Contraint de reculer jusqu'au Tessin, Charles-Albert dut demander l'armistice de Salasco (9 août) et renoncer à la Lombardie;

b) La *seconde bataille de Custozza (24 juin 1866)* se termina par la victoire de l'archiduc Albert sur La Marmora. La défaite italienne n'eut pas de conséquences politiques, car l'Autriche, écrasée par la Prusse à Sadowa, dut céder la Vénétie à Napoléon III, qui remit cette province à l'Italie.

CUTCH ou **KUTCH**. Ancien État indien, aujourd'hui compris dans l'État de Goudjerate. Sous la domination des Radjpoutes à partir de 1320, le Cutch passa sous la suzeraineté britannique en 1815/19.

CUZA Alexandre-Jean Ier (* Husi, Moldavie, 20.III.1820, † Heidelberg, 15.V.1873), premier prince de Roumanie (1859/66). Après avoir fait ses études à Paris et en Italie, ce descendant d'une vieille famille moldave siégea au divan de Bucarest en 1858 et fut élu successivement prince de Moldavie et prince de Valachie en janv./févr. 1859. La Turquie le reconnut comme souverain des Principautés danubiennes en 1861. Il entreprit une audacieuse politique de réformes (expropriation des monastères, partage des terres, abolition du servage), mais une coalition des possédants le força à abdiquer (févr. 1866).

CUZCO. Ville du Pérou méridional. Ancienne capitale des Incas, elle aurait été fondée par le premier empereur, Manco Capac, mais son site fut probablement habité avant l'époque inca. Prise par Pizarre en 1533, elle devint un des plus actifs foyers de la culture hispano-américaine (université fondée en 1692).

CYAXARE, roi des Mèdes (vers 625/585 av. J.-C.). Fils et successeur de Phraorte, il réussit en 625 à secouer la domination des Scythes, qui occupaient son pays depuis vingt-huit ans. Allié au roi babylonien Nabuchodonosor, qui épousa une de ses filles, il prit une part décisive à la destruction de l'Assyrie en s'emparant d'Assour (614) et de Ninive (612). Fondateur d'un véritable empire mède, il annexa l'Assyrie propre et le nord de la Mésopotamie, soumit l'Ourartou et l'actuel Azerbaïdjan iranien; mais sa guerre contre Alyatte, roi de Lydie, resta indécise : les deux adversaires décidèrent de fixer leur frontière à l'Halys.

CYBO Arano (* Rhodes, 1377, † Capoue, 1457). Homme politique génois. D'une famille byzantine établie à Gênes au Xe s., il gouverna la république de Gênes, exerça la charge de vice-roi de Naples pour René

CUSTINE
Adam Philippe, comte de C. Général français (1740-1793). Portrait par J.D. Court. (Musée nat. du château de Versailles.)

d'Anjou, puis pour Alphonse d'Aragon, et devint préfet de Rome sous Calixte III. Il fut le père du pape Innocent VIII.

Son arrière-petit-fils, **Innocenzo Cybo** (* Florence, 1491, † Rome, 1550), petit-fils de Laurent de Médicis par sa mère, avait pour oncles les papes Léon X et Clément VII et fit une brillante carrière ecclésiastique. Cardinal à vingt-deux ans, il reçut quatre archevêchés, huit évêchés, les légations de Romagne et de Bologne et plusieurs abbayes (dont Saint-Victor de Marseille). Après l'assassinat d'Alexandre de Médicis (1537), il refusa le gouvernement de Florence, qui passa à Cosme de Médicis.

CYCLADES. Archipel grec de la mer Égée, qui comprend une vingtaine d'îles formant une sorte de cercle, de collier (d'où le nom de *Cyclades*), autour de l'île de Syros. Les îles les plus intéressantes au point de vue historique sont celles de Délos (v.), de Tinos (v.), de Naxos (v.), de Paros (v.), de Mêlos (v.) et de Théra-Santorin (v.). Vers le milieu du IIIe millénaire, les Cyclades furent un des premiers foyers de la civilisation égéenne grâce à leurs richesses naturelles (obsidienne de Mêlos, marbre et minerai cuprifère de Paros et de Naxos, émeri de Naxos, etc.) et surtout grâce à leur position géographique entre l'Asie Mineure (Troie), la Grèce continentale et la Crète. Comme dans la préhistoire de la Crète (v.) et de la Grèce centrale (v. MYCÉNIENNE, civilisation), on distingue pour les Cyclades trois périodes : cycladique ancien (vers 2600/2000 av. J.-C.), cycladique moyen (vers 2000/1700) et cycladique récent (vers 1700/1000).

C'est au cours de la première période que la civilisation des Cyclades manifesta le plus vivement son originalité. En cette aube de l'âge du métal, le cuivre et le bronze étaient encore très rares; c'est dans l'outillage lithique et surtout dans la céramique que s'affirma, en son état naissant, le génie créateur des populations égéennes : vases en forme de poêle à frire de Syros; idoles féminines, d'une simplicité et d'un dépouillement étrangement «modernes»; petites statuettes de musiciens, de harpistes, de joueurs de lyre et de flûte trouvées à Amorgos, à Théra, à Kéros. A la fin du IIIe millénaire, les marins des Cyclades devaient jouer un rôle capital dans le commerce méditerranéen; des instruments en obsidienne de Mélos se répandirent dans tout le monde égéen; des statuettes de type cycladique parvinrent jusqu'en Égypte et en Adriatique. Le grand rôle historique de la civilisation cycladique fut de répandre l'usage du métal et ses premières techniques en Crète et en Grèce centrale. Au IIe millénaire, les Cyclades subirent à leur tour l'influence des autres civilisations égéennes : celle de la Crète, d'abord, puis celle de Mycènes. A l'époque classique de la Grèce, la plupart des Cyclades firent partie de la Confédération athénienne, mais seules Délos et Naxos conservaient une certaine importance.

CYCLISME

CYCLISME. La première course cycliste fut organisée en France, à Saint-Cloud, le 31 mai 1868, sur les « bicycles » construits par les frères Michaux (v. BICYCLETTE); elle fut gagnée par l'Anglais James Moore, qui, l'année suivante, couvrait en 10 h 34' les 120 km du parcours Paris-Rouen. Jusqu'à la fin du XIXᵉ s., l'Angleterre resta à la pointe du sport cycliste. Dès 1870 avait été fondé à Londres le premier club cycliste, le Bicycle Club, suivi en 1878, par le Cyclists' Touring Club. En Italie, le Veloce Club Milano date de 1870. En France, l'Union vélocipédique de France (qui devait devenir, en 1941, la Fédération française de cyclisme) naquit en 1881, organisa aussitôt un championnat de vitesse et édicta une réglementation des courses. Le cyclisme n'allait prendre tout son essor qu'après la diffusion du pneumatique, dans les années 1890. En 1891, fut organisée à New York la première course des Six-Jours, épreuve sur piste qui devait plus tard être adoptée au Canada et en France. La même année, eut lieu la première course Bordeaux-Paris, gagnée par l'Anglais Mills qui avait parcouru les 580 km en 26 h 34'54". Dès 1896, le cyclisme avait été admis aux jeux Olympiques (v.), où le Français Masson gagnait la course de vitesse individuelle sur 1 000 mètres. Henri Desgrange, qui avait remporté en 1894 le record de l'heure avec 35,325 km, créa le premier Tour de France (v.) en 1903. Le premier Tour d'Italie (Giro d'Italia) fut couru en 1909.

CYCLOPÉEN (appareil). Type de construction gigantesque faite de l'assemblage de gros blocs de pierre irréguliers, qui tenaient ensemble par leur dimension et par leur poids, parfois également grâce à des pierres plus petites glissées dans les interstices. On trouve des murs cyclopéens (ainsi nommés parce que les Grecs classiques en attribuaient la construction aux Cyclopes) dans les sites de la Grèce archaïque – à Mycènes, par exemple, où la célèbre porte des Lionnes (v.) est faite de quatre monolithes dont le plus gros (celui du seuil) mesure 4,65 m de long, 2,31 m de large et 0,88 m d'épaisseur, et doit peser plus de 20 tonnes. L'architecture étrusque, l'architecture précolombienne en ont également édifié.

CYCLOTRON. Voir NUCLÉAIRE (énergie).

CYLINDRE. Sceau de forme cylindrique, en usage en Mésopotamie dès le IVᵉ millénaire. Généralement en pierre, mais parfois aussi en ivoire, en faïence, en métal, ces sceaux portaient, gravés en creux, une image ou un texte, qu'on reproduisait en relief par déroulement du cylindre sur l'argile encore molle. De Mésopotamie, les sceaux en cylindre se répandirent dès le IIIᵉ millénaire en Syrie et en Palestine, puis, au IIᵉ millénaire, à Chypre et en Crète.

CYLON (VIIᵉ s. av. J.-C.). Homme politique athénien. De naissance noble, gendre du tyran Mégaclès de Mégare, il tenta, vers 632,

d'imposer sa tyrannie à Athènes; assiégé dans l'Acropole, il réussit à s'enfuir avec son frère mais ses partisans, qui s'étaient réfugiés dans le sanctuaire d'Athéna Polias, furent massacrés sur l'ordre de l'archonte Mégaclès, de la famille des Alcméonides. La légende assure que ce sacrilège fut puni par une peste.

CYMÊ, ou KYMÊ. Voir CUMES.

CYNÉGIRE (début Vᵉ s. av. J.-C.). Héros athénien, frère du poète tragique Eschyle. Après la bataille de Marathon (490), il poursuivit les galères des Perses et en saisit une de la main droite; cette main ayant été coupée, il saisit le vaisseau de la gauche, qui fut coupée aussi; alors il s'attacha au bâtiment, dit la légende, avec les dents.

CYNIQUES. Secte de philosophes grecs fondée à Athènes par Antisthène, disciple de Socrate, au début du IVᵉ s. av. J.-C. Leur nom, qu'on a fait dériver du mot grec *cynos*, chien, parce qu'ils bravaient toutes les bienséances sociales, vient en fait de leur premier lieu de réunion, le gymnase de Cynosarge. Considérant que la vertu est le seul bien, les cyniques méprisaient tout le reste, richesses, honneurs, arts ou sciences, affectaient habituellement une tenue négligée et des manières bourrues. Les principaux cyniques furent Diogène de Sinope, Cratès et Ménippe. La secte se fondit plus tard aux stoïciens.

CYNOSCÉPHALES, c'est-à-dire *Têtes de chien*. Nom de deux hauteurs de Thessalie, à l'E. de Pharsale, où eurent lieu deux batailles importantes de l'Antiquité grecque :
a) Victoire du général thébain Pélopidas sur Alexandre, tyran de Phères (364 av. J.-C.);
b) Victoire du général romain Flamininus sur Philippe V de Macédoine (juin 197 av. J.-C.). Cette seconde bataille, opposant environ 25 000 hommes de part et d'autre (dont 8 000 Grecs dans l'armée romaine), fut gagnée grâce à l'initiative d'un tribun romain inconnu qui, avec vingt manipules lancés à l'assaut au moment opportun, enfonça la droite macédonienne. La légion romaine, réorganisée par Scipion l'Africain, affirmait ainsi, par sa souplesse, sa supériorité sur la phalange macédonienne longtemps invincible. Philippe V dut prendre la fuite, après avoir perdu la moitié de son armée. L'année suivante, Flamininus proclamait à Corinthe la liberté des Grecs, délivrés de la domination macédonienne.

CYPSÉLOS, tyran de Corinthe (vers 657/627 av. J.-C.). Il était apparenté à la race des Bacchiades, mais ceux-ci, ayant appris par l'oracle qu'il devait les renverser, décidèrent de le tuer. On le cacha dans un coffre (en grec *kupsélis*), d'où lui vint le nom sous lequel il nous est connu. Ayant gagné la faveur populaire, il s'empara du pouvoir et gouverna sagement, sans même avoir besoin de s'entourer d'une garde : il confisqua les biens des Bacchiades et les distribua aux paysans et

1283

CYRÈNE
Tétradrachme grecque
avec représentation du sylphion,
ce végétal précieux, mais mal
identifié. (Cabinet des Médailles.)
Ph. © Bibl. Nat. Paris - Photeb

aux pauvres, mais poursuivit énergiquement la politique d'expansion commerciale menée par ses prédécesseurs et fonda les colonies de Leucade, d'Anactorion et d'Ambracie. Ses descendants, les *Cypsélides,* gouvernèrent Corinthe jusqu'en 582 av. J.-C., avec Périandre (627/585) et Psammétique (585/582); ce dernier fut renversé par une révolution oligarchique.

CYRANKIEWICZ Josef (* Tarnow, 23. IV.1911). Homme politique polonais. Ancien étudiant de l'université de Cracovie, militant socialiste, il participa dès 1940 à la résistance contre les Allemands dans la région de Cracovie et fut déporté de 1941 à 1945 au camp de concentration de Mauthausen. Secrétaire général du parti socialiste polonais de 1945 à 1948, il fut l'artisan de la fusion du parti socialiste avec le parti communiste et devint secrétaire du comité central du parti des travailleurs polonais unifié en 1948. Président du Conseil (1947/52, 1954/70), puis président du Conseil d'État (1970/72).

CYRÉNAÏQUE. Partie orientale de la Libye; principale ville : *Benghazi.* Dans l'Antiquité, elle fut colonisée par les Grecs à partir du VII e av. J.-C.; à ses cinq plus importantes cités, qui formaient la *Pentapole cyrénaïque :* Cyrène (auj. Shahat), Apollonia (Marsa Susa), Barca (El-Marj), Teuchira-Arsinoé (Tukra), Euhespérides-Bérénice (Benghazi), s'ajoutèrent plus tard Ptolémaïs et Darnis-Zarine. La Cyrénaïque passa sous l'autorité des Ptolémées d'Égypte, qui lui laissèrent, à partir de 258, une grande autonomie; devenue romaine (96 av. J.-C.), elle fut réunie à la Crète en une seule province. Au début du II e s. de notre ère, elle fut troublée par la révolte de son importante colonie juive. Conquise en 642 par les Arabes, qui lui donnèrent le nom de la ville de Barca, elle passa dès le XVIe s. sous la suzeraineté turque mais ne fut officiellement annexée à l'Empire ottoman qu'en 1835. Cédée à l'Italie à la suite de la guerre italo-turque (v.) de 1912, elle fut remarquablement mise en valeur à partir de 1925 par 50 000 colons italiens. Dévastée par les batailles du désert entre Britanniques et forces de l'Axe (1940/42) (v. LIBYE, guerre de), la Cyrénaïque fut annexée en 1951 à la Libye indépendante.

CYRÈNE. Ville antique, ancienne capitale de la Cyrénaïque, auj. *Shahat.* Située à 16 km de la côte, elle avait pour port Apollonia et fut, jusqu'à la fondation d'Alexandrie, le principal centre commercial africain après Carthage. Fondée vers 630 av. J.-C. par des Doriens de Théra, elle devait son nom à Cyrène, nymphe aimée d'Apollon, qui, pour fuir les avances du dieu, s'était réfugiée dans cette région d'Afrique. Sous la dynastie des Battiades, elle devint une des plus florissantes colonies grecques de la Méditerranée; comme son port, Apollonia, elle faisait partie de la Pentapole cyrénaïque (v. CYRÉ-

CYRILLE
Grand-duc de Russie
(1876-1938).
Ph. © Collec. R. Dazy

NAÏQUE). Après l'extinction des Battiades (vers 440), elle passa, au IVe s. avant notre ère, dans la mouvance de l'Égypte ptolémaïque. L'un des foyers les plus brillants de la civilisation hellénistique, elle fut la patrie d'Aristippe, de Carnéade, d'Ératosthène, de Callimaque et le siège de l'école philosophique des cyrénaïques (v.). A la suite d'émeutes provoquées par la colonie juive (115 de notre ère), elle fut durement châtiée par Trajan. Désormais déclinante, quoique prospère encore à l'époque byzantine, elle disparut peu après la conquête arabe (642).

CYRILLE (* Thessalonique, vers 827, † Rome, 14.II.869) et **MÉTHODE** (* Thessalonique, vers 825, † Hradisch, 6.IV.885), saints. Apôtres des Slaves. Ils étaient frères, de haute extraction; nés au bord des slavonies vassales de l'empire d'Orient, ils purent s'initier à la langue et aux mœurs des Slaves. Cyrille, d'abord appelé Constantin, fut un disciple de Photius et sa vaste culture lui valut le surnom de « philosophe ». Vers 860, il proposa à l'empereur Michel III d'aller évangéliser les Khazars, qui étaient installés entre les rives de la mer Noire et le cours inférieur de la Volga. Cette mission connut un grand succès. Vers 863, à la demande de Rostislav, duc de Moravie, qui voulait soustraire l'Église de son pays à l'influence de l'Empire franc, les deux frères partirent pour la Bohême et la Moravie. Accueillis avec enthousiasme, ils se servaient de la langue slavonne dans les prédications et les cérémonies; ils préparèrent une traduction en slavon des Écritures et des principaux livres liturgiques, et mirent au point un alphabet qui permit à la langue slave de se fixer (d'où est dérivé l'alphabet *cyrillique,* toujours en usage dans le monde slave). Les intrigues du clergé germanique, qui prétendait leur interdire d'user de la langue slave dans la liturgie, obligèrent Cyrille et Méthode à se rendre à Rome pour y faire authentiquer leur apostolat (868). Ils reçurent l'approbation du pape Adrien II. Cyrille mourut à Rome quelques mois plus tard, Méthode fut créé archevêque de Pannonie et légat du Saint-Siège auprès des nations slaves. A son retour sur son terrain d'apostolat, Méthode trouva la Moravie retombée au pouvoir du clergé germanique. En 870, les évêques de Passau, de Salzbourg et de Freising tinrent un concile bavarois, devant lequel Méthode passa en jugement; il subit alors deux ans de dur emprisonnement. Le pape Jean VIII lui fit rendre la liberté en 872 mais lui interdit de célébrer la liturgie en langue slave; Méthode refusa d'obéir et se rendit de nouveau à Rome (880), où on lui donna gain de cause. Mais l'influence du clergé allemand continua de gêner jusqu'à sa mort son action. Son œuvre ne lui survécut pas et cet échec eut des répercussions considérables sur l'histoire du christianisme, car il amena les Slaves à se rattacher non à l'Église romaine mais à Byzance.

CYRILLE Vladimirovitch Romanov (* Tsarskoïe-Selo, 1876, † Neuilly-sur-

CYRUS
le Jeune. Prince achéménide
(v. 423-401 av. J.-C.).
Ph. © Bibl. Nat., Paris - Photeb

Seine, 1938). Grand-duc de Russie, petit-fils d'Alexandre II et cousin germain de Nicolas II. Après l'assassinat du dernier tsar, il se fit reconnaître comme prétendant au trône de Russie par la majorité des monarchistes russes émigrés.

CYRUS, Kourouch. Nom de trois princes achéménides :

CYRUS Ier, chef des Perses (vers 640/600 av. J.-C.). Fils et successeur de Téispès, il reconnut dès le début de son règne la suzeraineté de l'Assyrie. Grand-père de Cyrus le Grand.

CYRUS II le Grand, chef des Perses (vers 557/530 av. J.-C.), fondateur de l'Empire perse. Petit-fils du précédent, fils de Cambyse Ier, il ne régnait, à son avènement, que sur une petite principauté de l'Iran méridional, vassale du roi des Mèdes, Astyage. Celui-ci était sans doute le grand-père maternel de Cyrus. Avec l'aide de Nabonide, roi de Babylone, il se révolta vers 555 contre Astyage. En 550, il triomphait de lui et s'emparait d'Ecbatane. Après avoir passé encore deux années à faire sous son autorité l'union des Mèdes et des Perses, il commença, en 548, la conquête de l'Orient, qui fut achevée en moins de vingt ans par une série de campagnes foudroyantes. Attaqué par Crésus, roi de Lydie, Cyrus lança ses chameliers contre la cavalerie lydienne, qui fut écrasée dans la plaine de l'Hermos; il entra à Sardes (546), détrôna Crésus et annexa la Lydie. Se retournant ensuite vers l'E., il étendit sa domination jusqu'à l'Indus et l'Iaxarte. Pendant ce temps, ses généraux pacifiaient l'Asie Mineure, où la Cilicie, la Lycie, la Carie, la Phrygie faisaient leur soumission aux Perses, de même que les villes grecques d'Ionie. En 539, les Perses entraient enfin dans Babylone, mettant fin à l'Empire néobabylonien. C'était un bouleversement politique sans précédent dans tout l'Orient, réuni pour la première fois sous un maître unique. Grand conquérant, Cyrus sut se montrer habile et humain : tout en rendant la liberté aux Juifs déportés, qui rentrèrent en Palestine, il montra le plus grand respect pour les traditions religieuses babyloniennes et envoya son propre fils, Cambyse, présider les fêtes du nouvel an de 538. Sous un gouverneur perse, les Babyloniens conservèrent l'administration de leur pays. Cependant, Cyrus devait lutter encore pour préserver ses frontières du Nord-Est contre les peuples nomades de la haute Asie. Il fut tué au cours d'une campagne contre les Massagètes (v. TOMYRIS) et on lui édifia une tombe à Pasargades. Son successeur fut Cambyse II.

CYRUS le Jeune (* vers 423, † Counaxa, Babylonie, 401 av. J.-C.). Fils cadet de Darius II, il fut le préféré de sa mère, la reine Parysatis, qui lui fit attribuer, dès 407, les satrapies de Lydie, de Phrygie et de Cappadoce. En dépit des vœux de sa mère, son frère

aîné monta sur le trône, sous le nom d'Artaxerxès II (404). Cyrus se prépara alors à la révolte et engagea des mercenaires grecs, conduits par Cléarque; mais il fut tué à la bataille de Counaxa. L'aventure de Cyrus le Jeune, restée célèbre par la retraite des Dix Mille (v.), que Xénophon décrivit dans *L'Anabase,* manifestait la décomposition de l'Empire perse.

CYTHÈRE, *Kuthêra.* Île grecque, au sud du Péloponnèse, célèbre dans l'Antiquité par son sanctuaire d'Aphrodite Anadyomède.

CYZIQUE, *Kuzikos.* Ancienne ville d'Asie Mineure, sur la Propontide (mer de Marmara). Colonie fondée par les Grecs de Milet en 756 av. J.-C., elle rivalisa avec Byzance et fit partie de la ligue de Délos. Alcibiade y remporta une victoire sur la flotte spartiate (410).

CZARNIECKI Stefan (* Czarncy, Sandomierz, 1599, † Sokolowka, Volhynie, 12.II. 1665). Homme de guerre polonais. Célèbre pour sa défense de Cracovie contre Charles-Gustave de Suède (1655), il servit ensuite le Danemark, allié de la Pologne, puis s'illustra contre les Russes, à Polonka et sur le Dniepr.

CZARTORYSKI. Famille princière polonaise, originaire de Lituanie, installée à partir de 1490 en Volhynie, où elle prit son nom du domaine de Czartorysk, sur le Styr. Convertie à la religion catholique romaine au début du XVIIe s., elle commença dès lors à avoir une grande influence sur la vie politique polonaise. Au XVIIIe s., avec Michel Fryderik Czartoryski (* 1696, † 1775), les Czartoryski furent à la tête d'un parti réformateur qui demandait la libération des paysans et le renforcement de l'autorité royale. Constance Czartoryski épousa le comte Poniatowski et eut pour fils Stanislas-Auguste, dernier roi de Pologne, de 1764 à 1795.

Adam Kazimierz Czartoryski (* Dantzig, 1.XII.1734, † Sieniawa, Galicie, 19.III. 1823). En 1763, à la mort d'Auguste III, il refusa le trône de Pologne, qui passa à Stanislas-Auguste Poniatowski. Entré au service de l'Autriche, il devint feld-maréchal. De 1788 à 1791, il mena la lutte à la diète polonaise contre le parti russe; plus tard, il fut nommé par Napoléon Ier maréchal de la diète polonaise. Protecteur des écrivains et des artistes, il fut surnommé le Mécène de la Pologne.

Adam Jerzy Czartoryski (* Varsovie, 14.I.1770, † Montfermeil, 16.VII.1861), fils du précédent, fut emmené comme otage en Russie et élevé à Saint-Pétersbourg, devint l'intime d'Alexandre Ier et le servit comme une sorte de ministre occulte des Affaires étrangères; il s'efforça de protéger ses compatriotes et prépara la résurrection de la Pologne. Lors de la révolution de 1830, il accepta la présidence du gouvernement

CZARTORYSKI
Adam Kazimierz. Prince polonais
(1734-1823).
Ph. © Coll. R. Dazy

provisoire, combattit pour l'indépendance, puis se réfugia en France.

CZERNIN Ottokar, comte Czernin von und zu Chudenitz (* Dimokur, Bohême, 26.IX.1872, † Vienne, 4.IV.1932). Homme politique austro-hongrois. D'une vieille famille de Bohême depuis longtemps germanisée, il fut l'ami de l'archiduc François-Ferdinand, auquel il conseilla une politique plus libérale à l'égard de toutes les nationalités de l'Empire. Ambassadeur à Bucarest (1913/16), il fut nommé, aussitôt après l'avènement de l'empereur Charles, ministre des Affaires étrangères (22 déc. 1916). Fidèle à l'alliance avec l'Allemagne, il repoussait, par honneur, l'idée d'une paix séparée, mais incita son souverain à rechercher avec les Alliés une paix générale, sans annexions ni indemnités. Après la révélation des négociations secrètes menées par l'intermédiaire du prince Sixte de Bourbon-Parme, il dut démissionner (avr. 1918).

CZESTOCHOWA. Ville de Pologne méridionale, sur la haute Wartha. Célèbre par son couvent fondé en 1382, sur le Iasna Gora, et qui possède une Vierge noire, but de grands pèlerinages. En 1655, ce monastère, défendu par une poignée de soldats, soutint victorieusement contre les Suédois un siège de quarante jours; cet épisode contribua à faire de Czestochowa un sanctuaire national de la Pologne (environ 3 millions de pèlerins chaque année).